D1252169

# Émile

*ou*

## de l'éducation

*Cl. Roger Viollet*

FRONTISPICE de l'*Émile* par Cochin dans l'édition
in-4° de Genève, 1780-1781

Jean-Jacques Rousseau

# Émile

## ou

# de l'éducation

*Sanabilibus ægrotamus malis; ipsaque nos in rectum
genitos natura, si emendari velimus, juvat* [1].
Sénèque, *La Colère*, 11, 13.

Éditions Garnier Frères
19, Rue des Plantes, Paris

Introduction,
bibliographie, notes,
et index analytique
par
**François et Pierre Richard**
Agrégés de l'Université

**Édition illustrée**

# INTRODUCTION

LA GENÈSE. — *Comment Rousseau a-t-il osé publier un traité d'éducation ? Enfant livré au hasard par la mort de sa mère et l'insouciance de son père ; précepteur médiocre, qui dut, pour incapacité, renoncer à sa tâche ; père dénaturé, qui mit aux Enfants Trouvés ses cinq enfants, de quel droit vient-il enseigner un art dont il n'a été ni le bénéficiaire ni le praticien ?*

*A ces griefs de polémique, Rousseau a par avance répondu. Son livre même — ce monument fervent à la gloire de l'enfance* [a] *— ne lui semble-t-il pas un moyen de racheter en partie l'odieux abandon* [b] *? D'autre part, son passé d'autodidacte l'a préparé à rêver pour son élève, par analogie ou par contraste, une formation efficace. Ainsi veut-il qu'à son propre exemple Emile apprenne seul et à la campagne toute vérité. Mais il attendra le plus possible pour révéler au jeune homme le monde des sentiments qu'il découvrit lui-même trop tôt. Il le fera vigoureux et chaste, riche et heureux, tel qu'il aurait voulu être. Il s'assimilera enfin au gouverneur prévoyant et dévoué, que le jeune Jean-Jacques n'a pas connu* [c]. *Quant à son échec de précepteur, Rousseau le reconnaît spontanément* [d], *mais le caractère des élèves en*

---

*a)* Célébrée ailleurs par lui avec tendresse. Lire les sixième et neuvième promenades des *Rêveries*.

*b)* Sur son repentir, voir la neuvième promenade, les*Confessions*(VIII), la lettre à la maréchale de Luxembourg du 12 juin 1761, les lettres des 10 octobre 1769, 17 janvier et 26 février 1770. Du reste, chez le pédagogue, l'œuvre d'amour a précédé l'œuvre de remords, ainsi que le montre Fontaine *(Les idées pédagogiques de Rousseau avant l'*ÉMILE*)*.

*c)* Lire la subtile justification de Rousseau dans ses *Œuvres choisies* par Flandrin (chez Hatier, p. 456), et par Bazaillas (chez Plon, t. I, p. 208).

*d)* *Confessions* (VI). Sur ce préceptorat, voir aussi la lettre à Mme de Warens du 1er mai 1741.

paraît aussi responsable que l'inexpérience du maître. Les deux
enfants de M. de Mably, grand prévost de Lyon, qu'il dirigea,
en 1740, pendant un an, étaient indociles et paresseux. Cette
tentative consciencieuse prouve du moins, chez le futur auteur
de l'Émile, la force d'une vocation depuis longtemps affirmée [a]
et des dons certains de théoricien.

En effet, à l'intention du père, il écrivit un Projet pour l'Éducation de M. de Sainte-Marie (l'aîné des deux frères), qui,
hormis quelques divergences, renferme déjà plusieurs principes
du grand ouvrage : pas de châtiments corporels, apprendre à
connaître les hommes, former le cœur avant le jugement, et le
jugement avant l'esprit.

Trois ans plus tard, à Paris, secrétaire de Mme Dupin,
dont il instruisit le petit-fils, M. de Chenonceaux, pendant
une dizaine de jours, il reprit et amplifia son précédent traité,
sans en modifier le caractère raisonnable. On trouve encore dans
cette rédaction bien des points que l'Émile reproduira : soumission du père au précepteur, importance de l'éducation des sens
dans la première enfance, appel à la curiosité, utilité de l'histoire
naturelle, connaissance des métiers. En revanche, un long développement sur la pratique de la société montre que Rousseau
veut former un homme du monde et aspire lui aussi à le devenir.
De même, loin de mépriser les sciences et les arts, l'auteur non
encore évolué du premier Discours les juge utiles à former le
goût. Malgré ces dernières différences, la préface de l'Émile [b]
et les Mémoires de Mme d'Épinay [c] nous confirment que ce
modeste « système d'éducation » porte en germe l'ouvrage capital.

Toutefois, de 1743 à 1762, Rousseau nous propose encore
d'autres suggestions pédagogiques. C'est, en 1752, la préface

---

a) Dès 1735, à vingt-trois ans, il écrivait à son père que, de tous
les métiers possibles, le préceptorat était le seul pour lequel il ressen-
tît « quelque prédilection ».

b) L'Émile, écrit l'auteur, eut pour objet premier de mieux satisfaire Mme Dupin que par un simple mémoire.

c) Pour l'année 1757, où est relatée une conversation, dans laquelle
Rousseau pose ce principe fondamental de l'Émile que, pour refaire
l'éducation, « il faudrait d'abord refondre toute la société ».
Mme d'Épinay ajoute que, jusqu'à cette date, il avait conservé, en
matière de pédagogie, des idées réalistes et sensées.

*d'une comédie*, Narcisse, *qui fait le procès de l'éducation contemporaine, toute de surface et de vanité. C'est, en* 1755, *un article
de l'*Encyclopédie, *dans lequel le prochain doctrinaire du* Contrat social *préconise la formation collective et nationale, parce
que, selon lui, le culte de l'égalité et de la patrie est le fondement
de tout gouvernement populaire et de tout état indépendant. C'est,
en* 1755, *une lettre à* M^me *d'Epinay* ^a, *où ce théoricien à outrance
ne craint pas de se contredire en rappelant une mère trop ser-
monneuse au souci de la réalité pratique. C'est, en* 1758, *un mes-
sage à* M^me *de Créqui* ^b. *C'est surtout, en* 1761, *dans la* Nouvelle
Héloïse, *l'admirable lettre de Saint-Preux à Milord Edouard
(*5^e *partie, lettre* III), *où il résume les directions données par*
M^me *de Wolmar à ses enfants, et, dans le même ouvrage (*1^re *partie, lettre* XII), *l'ébauche d'un plan d'instruction naturelle,
textes débordants d'amour, très différents des premiers essais
pédagogiques de l'auteur, et qui, par leur mysticisme masqué,
préparent les lecteurs de l'*Émile *à en mieux accepter la thèse* ^c.

Si *l'*Émile *s'éclaire du passé moral et pédagogique de l'écrivain, il tire sa valeur profonde d'une comparaison avec les idées
contemporaines. La place manque ici pour dégager les courants
que Rousseau a suivis ou combattus* ^d *et pour dresser le bilan d'un
siècle plus riche qu'aucun autre en traités d'enseignement* ^e. *Mais
il faut bien dire quels étaient, vers* 1750, *les lacunes et les besoins
de l'éducation. A une époque où les parents, sacrifiant leurs
devoirs à leurs plaisirs, enfermaient leurs fils dans des collèges,
leurs filles dans des couvents* ^f, *ou chargeaient d'indignes précep-*

---

a) *Correspondance*, t. II, p. 257 (mars 1756).

b) *Ibidem*, t. IV, pp. 159-160. Voir aussi t. IV, p. 115.

c) « Tout ce qu'il y a de hardi dans l'*Émile*, écrit-il lui-même, était auparavant dans la *Julie* ».

d) La bibliographie (p. XLI et suivantes) en donnera l'essentiel.

e) Ce travail a été fait, et bien fait, par Saint-Marc Girardin (*J.-J. Rousseau, sa vie et ses ouvrages*, 1875), Gréard (*L'éducation des femmes par les femmes*, 1889; *Rapport à l'Académie des Sciences morales sur le concours de 1877*) et Compayré (*Histoire critique des doctrines de l'éducation*, 1879 et 1885).

f) « C'est moins barbare, écrit L. Ducros (*J.-J. Rousseau*, 1888, p. 95), mais presque aussi commode que de les mettre aux Enfants Trouvés. »

teurs[a] *et gouvernantes de faire d'eux des petits-maîtres et des
dames en miniature, l'on commence à penser que l'enfant doit
être défendu contre l'indifférence de sa famille, la nullité de ses
gouverneurs, la rudesse de la discipline. L'on aspire à remplacer
le livre par la pratique, les salons par les métiers, l'orthodoxie
intolérante et abstraite par une religion naturelle. L'on veut
former des citoyens autant que des hommes et, rattachant philo-
sophiquement la théorie de l'éducation aux lois de l'esprit humain,
ne pas se contenter de modifier la routine par quelques réformes
de détail, mais établir les principes généraux, condition d'un
idéal prochain. Surtout l'on désire que la critique — ce vice du
siècle — cède la place à l'intelligence et à l'amour. Comprendre
et chérir sont les seuls moyens de construire. Faisons donc ce
qui n'a encore jamais été fait : étudions l'enfant, afin de mieux
nous préparer à le rendre homme, et pas seulement tel enfant,
tel petit Parisien, destiné à telle ou telle profession, mais l'enfant
en général* [b].*

Ces vœux hardis et généreux, recueillis par Rousseau, ne
diminuent en rien son mérite [c]. S'il donne, comme l'abbé de
Saint-Pierre, une grande place à l'éducation morale et profession-
nelle ; s'il prône, ainsi que son compatriote Crousaz, l'enseignement scientifique ; s'il reprend les idées de l'abbé Pluche sur
l'importance de la puériculture et des langues vivantes ; s'il juge,*

---

*a)* « Mon père ne m'aimait pas, écrit le prince de Ligne dans ses
*Mémoires*, et je ne sais pourquoi, car nous ne nous connaissions point. »
Embarrassé pour trouver un bon gouverneur à son fils, le duc de
Biron choisit « un laquais de feu ma mère qui savait lire et passable-
ment écrire, et qu'on décora du titre de valet de chambre pour lui
donner plus de considération... J'étais d'ailleurs comme tous les
enfants de mon âge et de ma sorte : les plus jolis habits pour sortir,
nu et mourant de faim à la maison. »

*b)* « On reconnaît là, écrit L. Ducros *(ouvrage cité)*, cette élévation
de vues et cet esprit cosmopolite de nos grands esprits du XVIIIe s.
qui n'ont joui d'une si grande popularité dans l'Europe entière que
parce qu'ils ont été plus humains encore que français. »

*c)* « Ne serait-il pas possible, écrit Mme de Staël *(Lettres sur les
écrits de J.-J. Rousseau)*, qu'il vînt un temps où l'on se fût tellement
éloigné des sentiments naturels qu'ils parussent une découverte, et
où l'on eût besoin d'un homme de génie pour revenir sur ses pas
et retrouver la route dont les préjugés du monde auraient effacé la
trace ? C'est ce sublime effort dont Rousseau s'est montré capable. »

*avec La Condamine, les fables de La Fontaine inaccessibles aux enfants ; si, après Bonneval, il réprouve le maillot, réclame l'éducation des sens et recule l'éducation religieuse, cela prouve évidemment que ce faux paresseux les a lus de près. Mais sans lui leurs aspirations seraient restées fragmentaires. Aucun d'eux n'a proposé un système cohérent, aucun d'eux surtout n'a mis, dans l'exposé de ses projets, une telle logique unie à une telle foi. C'est qu'aucun n'a su, comme Jean-Jacques, intégrer sa pédagogie dans une philosophie d'ensemble de la vie.*

\* \* \*

LES PRINCIPES. — *Rousseau n'avait pas tort d'attacher à l'*Émile *tant d'importance. Ce livre constitue la clé de voûte de sa doctrine. Après avoir, dans les deux* Discours *et la* Lettre à d'Alembert, *dénoncé les tares du monde moderne, il pose dans ses grandes œuvres constructives les fondements d'une société rêvée. La* Nouvelle Héloïse *y figurera la famille,* Le Contrat Social *la cité. Mais comment asseoir famille et cité, si l'on n'a auparavant développé dans l'enfant les éléments de l'homme naturel ? Cet homme naturel n'est pas l'homme primitif, raillé par Voltaire* [a], *chanté par les romanciers de l'époque* [b], *célébré par les voyageurs* [c], *et reconnu irréalisable par Rousseau lui-même, malgré son désir de sauver ses semblables des contacts corrupteurs du prétendu progrès. C'est un civilisé sans civilisation, un être générique, dépouillé de tout ce que la race, l'époque et le lieu ont pu lui apporter de particulier, bref l'homme universel dans ses traits les plus généraux et les plus durables* [d]. *Pour*

*a)* Dans la lettre à Rousseau du 30 août 1755, où il feint de croire que celui-ci veut « nous faire marcher à quatre pattes ».

*b)* Par Marmontel entre autres, dans *Les Incas.*

*c)* Sur le parti que Rousseau a tiré de leurs témoignages, voir Jean Morel, *Recherches sur les sources du* DISCOURS SUR L'INÉGALITÉ *(Annales de la Société J.-J. Rousseau,* V).

*d)* Ainsi l'ont conçu les classiques du XVIIe siècle, ces vrais inspirateurs de Jean-Jacques, et, par delà eux, les maîtres de la sagesse antique, un Sénèque, un Épictète, un Marc-Aurèle, pour qui l'étude véritable fut celle de la condition humaine.

reprendre une heureuse formule [a], l'homme naturel, c'est la nature de l'homme. Dégageons donc l'essence de cette nature. Tant pis si l'ouvrage en prend un caractère schématique et abstrait. Tant pis si Émile et son précepteur, pures et trop parfaites créations de l'esprit, ne vivent pas d'une vie individuelle [b]. L'auteur n'a pas prétendu, dans cet ouvrage théorique [c], faire autre chose qu'illustrer poétiquement une thèse, préfigurer un idéal [d], et tirer de l'étude du cœur humain les principes d'une pédagogie largement humaine [e]. Relevons donc, d'après Rousseau, ces instincts vitaux, d'où nous dégagerons, à mesure, les règles fondamentales de son système.

Deux tendances contradictoires équilibrent l'âme et assurent sa perfection : l'égoïsme, nécessaire à la conservation de l'espèce, et la pitié, source de toute solidarité bienfaisante. Mais ces instincts humains diffèrent de ceux de l'animal en ce qu'ils ne s'imposent pas. L'homme est libre, c'est-à-dire que, dans les limites imposées par la nature, reconnues et acceptées par lui, il se meut et se développe sans contrainte, réalisant, pour lui-même et pour autrui, le bonheur. Le premier propos de l'éducation sera donc de sauvegarder cette liberté : liberté physique, dans les mouvements, dans les jeux, dans les actes. L'enfant

---

a) De F. Vial dans *La doctrine d'éducation de J.-J. Rousseau* (1920. Delagrave).

b) Du moins dans les deux premiers livres, car, à force de parler d'eux, le poète qu'est Rousseau finit par se représenter concrètement l'élève, sinon le maître.

c) Fort différent, sur ce point, des manuels pratiques de Montaigne ou de Fénelon, écrits presque sur commande et pour l'édification maternelle de Diane de Foix, comtesse de Gurson et de la duchesse de Beauvilliers.

d) « Vous dites très bien, écrit Rousseau à Philibert Cramer (13 octobre 1764), qu'il est impossible de faire un Émile : mais pouvez-vous croire que ç'ait été là mon but et que le livre qui porte ce titre soit un vrai traité d'éducation ? C'est un ouvrage assez philosophique sur ce principe avancé par l'auteur dans d'autres écrits, que l'homme est naturellement bon. » Et, dans le troisième Dialogue : « L'Émile n'est qu'un traité de la bonté originelle de l'homme. »

e) Si bien qu'on a pu dire, non sans paradoxe, que ce qui est primitif selon Rousseau, ce n'est pas le passé antérieur aux sociétés, mais les sociétés elles-mêmes dont il se libère pour tendre vers la perfection de l'avenir (Vial, *ouvrage cité*).

*ne doit sentir que la rigueur des choses, jamais celle des hommes.*
*Donc, pas de collèges. Point de punitions, sauf celles que la*
*nature inflige à ses fautes. Quand le maître intervient — le moins*
*possible — ce n'est que comme un agent de la nature, chargé d'en*
*faciliter l'accès et d'en expliquer les limites à l'enfant* [a]. *Celui-ci,*
*afin d'être mis à même de remplir plus tard sa destinée individuelle,*
*antérieure et supérieure à sa destinée sociale, sera placé en dehors*
*des conditions ordinaires, à l'écart de la famille, dangereuse*
*par sa tendresse même ; de la société, maîtresse d'injustice,*
*car elle est fondée sur l'inégalité ; des livres, d'autant plus nocifs*
*que leur science morte est plus vénérable ; de la religion, dont*
*personne ne saurait se faire une idée personnelle avant seize ans ;*
*enfin de la tyrannie des habitudes, qui empêchent l'enfant d'exercer*
*sa liberté sous sa forme la plus haute, la vertu, c'est-à-dire*
*la volonté résistant aux passions* [b]. *La nature sera son seul*
*guide et le seul théâtre de ses essais, la nature originelle* [c] *source*
*de tout bien, ennemie de la civilisation, source de tout mal. Édu-*
*cation naturelle et négative* [d], *voilà donc, selon Rousseau, le pre-*
*mier principe.*

*Le second principe est de traiter l'enfant en enfant, non en*
*homme. Cette nouveauté, aujourd'hui banale* [e], *qui honore autant*
*l'intelligence que le cœur de Jean-Jacques, découle de la précé-*
*dente : on ne peut libérer l'homme en formation qu'en le respectant*
*dans la progression de ses éveils* [f]. *A mesure que l'enfant change,*

---

*a)* « Il n'y en a plus », voilà une phrase devant laquelle l'enfant le
plus impérieux s'est toujours incliné. Toutefois, comme la nature
ne fournit pas une matière suffisante à la formation de l'enfant en
liberté, le précepteur sera conduit à organiser des expériences, dont
les critiques de l'*Émile* n'ont pas manqué de souligner l'artifice.

*b)* Le plus bel exemple de cette lutte est donné par le voyage que
fait Émile pour fuir Sophie (livre V), alors que rien ne s'opposerait
à leur union.

*c)* Entendez par là le monde antérieur aux sociétés et à la chute
(voir plus loin les idées religieuses de Rousseau), mais aussi le monde
extérieur, la nature physique.

*d)* Dugas (*Le problème de l'éducation*, p. 49) a bien analysé cette
théorie de l'éducation négative.

*e)* Avant Rousseau, elle avait déjà été entrevue par Port-Royal, Fénelon, Locke, Rollin, mais c'est lui qui l'a tirée hors de pair.

*f)* « Laisser mûrir l'enfance dans l'enfant », dit-il lui-même.

*l'éducateur doit changer d'objet : jusqu'à deux ans, il développera
le corps ; de trois à douze, les sens ; de treize à seize, l'esprit ;
de dix-sept à dix-neuf, le raisonnement et la sensibilité ; à vingt
ans, le sens moral. La méthode changera aussi : prenant le contrepied de l'usage, le maître ne fera pas appel à la raison, puisqu'elle n'est pas encore née, ni à la prudence, qui suppose la raison,
ni au devoir, notion encore inaccessible, ni à l'émulation, source
de haine ou de vanité. Il exploitera les mobiles que la nature
éveille successivement : soumission à la force, puis à l'intérêt
immédiat* [a] ; ensuite seulement, prévoyance, ardeur intellectuelle et attrait du bien. Ainsi, sans être jamais condamné à
un effort disproportionné, l'adolescent se développera dans la
joie. C'est ce que Rousseau nomme éducation attrayante et progressive.*

*La troisième règle est de donner le pas à la conscience sur la
science [b]. L'homme naturel est honnête, non savant. Cette honnêteté foncière se réalisera, si on maintient ignorant l'enfant le
plus longtemps possible, et si on l'écarte du mal en lui enseignant
la vertu par l'exemple, puis, plus tard, par l'expérience personnelle. La formation du cœur doit donc primer celle de l'esprit [c].*

*Mais, après avoir donné au cœur la primauté, Jean-Jacques
modère ses élans, compense la sensibilité par la raison et préfère l'exercice du jugement à celui du savoir. Une tête bien faite,
plutôt que bien pleine [d], tel est le quatrième axiome, directement*

*a)* « A quoi cela est-il bon ? », voilà une des questions les plus
ordinaires de l'enfant.

*b)* L'on reprend à dessein la maxime rabelaisienne (« Science
sans conscience n'est que ruine de l'âme »), afin de montrer les sources
lointaines d'une pédagogie qui, par le grand moraliste de la Renaissance, s'inspire en même temps de la foi médiévale et du naturalisme
antique.

*c)* Montaigne et Locke avaient pensé de même, mais pour des
causes théologiques ou mondaines. Les principes pédagogiques de
Rousseau ont la supériorité d'être puisés au cœur même de la nature
humaine. Toutefois Kant, bien qu'admirateur de Rousseau, n'aura
pas de peine *(Critique de la raison pratique)* à restituer à la raison le
rôle important qu'elle mérite.

*d)* L'on reconnaît la phrase célèbre des *Essais*. Mais l'imitateur
reste original. Montaigne estime le jugement nécessaire à « un enfant
de maison ». Rousseau en fait une des conditions de la liberté.

*inspiré, lui aussi, du principe initial : l'homme naturel, tout ignorant qu'il est, a l'esprit juste. Néanmoins, puisqu'il faut, malgré tout, sacrifier aux exigences du siècle, quelque instruction s'imposera, progressive elle aussi : la nature, d'abord, dans ses éléments utiles : cosmographie, physique et météorologie, géographie, botanique, zoologie ; puis les métiers qui utilisent la matière, et les deux formes d'activité qui en découlent : industrie, commerce ; enfin, après les connaissances relatives aux choses, les connaissances relatives aux hommes : histoire, politique, religion. Au reste, s'il n'a pas acquis tout ce qu'il veut ou peut, Émile le complétera aisément, car il a appris à apprendre. Or un apprentissage incessant, c'est là le métier de l'homme.*

*Les grandes lignes de ce système harmonieux et fort ne sauraient être brouillées par les exemples trop complaisants dont Rousseau prétend les illustrer. Si les épreuves et les mises en scène imaginées par le romancier prouvent plus son ingéniosité que son sens pratique, on rencontre, à côté de ces inventions artificielles, mainte remarque de détail où le bon sens et la finesse du psychologue s'affirment utilement. Mais l'ouvrage ne serait-il pas enrichi par ces observations d'expérience, il garderait encore sa valeur théorique. Chaque éducateur n'a qu'à en accommoder les justes directives au tempérament de l'enfant, à son milieu social, au métier pour lequel il le prépare.*

*Il est seulement regrettable que ces directives s'insèrent dans un ensemble mollement composé, où la solidité des raisonnements pâtit de l'abondance des digressions. Aussi indifférent au plan que la plupart des écrivains de son temps, Rousseau se contente de suivre l'ordre chronologique et de diviser en cinq tranches, inégales par l'importance et la durée, les vingt années du préceptorat. La méthode a du moins l'avantage d'être naturelle et concrète, ainsi qu'une brève analyse va permettre d'en juger.*

* *

LE CONTENU. — *Après une préface, volontairement modeste, où s'annonce le caractère théorique de l'ouvrage, le livre débute par la phrase célèbre :* « Tout est bien sortant des mains de l'au-

*teur des choses, tout dégénère entre les mains de l'homme ». Il
faut donc empêcher l'homme naturel de dégénérer. Pour cela,
aidons la nature sans la contraindre, car, des trois sortes d'éducation, celle des hommes, celle des choses et celle de la nature,
celle-ci est la seule qui ne dépende point de nous. Nous y réus-
sirons, non par l'éducation publique, trop formelle et tendancieuse,
mais par l'éducation domestique, seule susceptible de former
un homme libre, dégagé des entraves d'une société tyrannique.
Et d'abord, que sa mère allaite le nouveau-né. C'est un devoir,
que seule une impossibilité absolue la dispenserait de remplir* [a].
Le maillot sera supprimé, afin de laisser au nourrisson la liberté
de mouvements nécessaire à sa croissance. A côté de la mère,
et dès le début, le père devrait être le gouverneur de son fils* [b].
A son défaut, il lui faut un guide. Mais que de difficultés pour
trouver cet oiseau rare, doué de toutes les qualités de l'esprit et
du cœur, entièrement vacant durant des années, et voué corps et
âme à sa mission* [c] ! Émile, lui, est moins exceptionnel. Rousseau
fait de ce petit orphelin un enfant normal, ordinaire comme intelligence et caractère, bien portant, noble, riche* [d]. Le gouverneur*

a) Les idées étaient sur ce point très arriérées et les conseils de Rousseau furent bienfaisants pour resserrer les liens familiaux, surtout
entre la mère et l'enfant. M^me d'Épinay avait prié son mari de la
laisser nourrir elle-même son enfant : c'était un moyen « bizarre »,
elle l'avouait, mais très doux, de se le rendre plus cher. « Que voilà
bien, répondit-il, une de ces folles idées qui passent quelquefois
dans la tête de ma pauvre petite femme ! Vous, nourrir votre enfant ?
J'en ai pensé mourir de rire. Quand même vous seriez assez forte pour
cela, croyez-vous que je consentisse à un semblable ridicule ? Non,
assurément. Ainsi, ma chère amie, quoi que puisse être l'avis de
MM. les médecins, perdez ce projet de vue absolument, il n'a pas
le sens commun. Quelle diable de satisfaction peut-on trouver à
nourrir un enfant ? Quelles sont les caillettes qui vous ont donné
cette idée ? »

b) Mais alors, pourquoi éloigner ensuite l'enfant de ses parents ?
C'est que ceux-ci eussent gêné le pédagogue dans son éducation de
l'homme « abstrait ».

c) Tout en s'en défendant, Rousseau s'assimile peu à peu à ce
précepteur idéal.

d) « Choisissons un riche; nous serons sûrs au moins d'avoir
fait un homme de plus, au lieu qu'un pauvre peut devenir homme
de lui-même. Par la même raison, je ne serai pas fâché qu'Émile ait
de la naissance. Ce sera toujours une victime arrachée aux préjugés. »

*exerce sur lui une autorité absolue, sans réserve et sans contrôle.*
*Il veille sur sa santé, virilement* [a]*, sans avoir recours qu' « à*
*l'extrémité » aux vains offices des médecins. Il lui a choisi une*
*nourrice saine de corps et de cœur, le fait vivre à la campagne*
*plutôt que dans l'atmosphère malsaine de la ville, lui donne,*
*dès sa naissance, l'habitude du bain quotidien, fait l'éducation*
*de ses sens, vue, ouïe, toucher, en l'accoutumant aux objets les*
*plus laids, comme les masques, aux bruits les plus criards,*
*aux contacts les plus pénibles. Il l'amène ainsi à comprendre*
*qu'il ne peut commander aux choses et qu'il doit se soumettre à*
*la nécessité ; vient à son aide sans rien accorder à ses caprices ;*
*lui apprend à se faire entendre par le langage, sans hâter incon-*
*sidérément le moment où il en devra user. L'enfant arrive ainsi*
*à sa cinquième année.*

*Le livre suivant reprend l'idée maîtresse : suivre la nature,*
*aussi importante pour le deuxième âge que pour le premier. Un*
*enfant n'est pas un homme. Traitons-le en songeant moins à son*
*profit futur qu'à son bonheur actuel, c'est-à-dire à la jouissance*
*du présent par l'équilibre entre les désirs et les facultés* [b]*. Main-*
*tenons notre élève dans la seule dépendance des choses, quelles*
*que soient pour lui les conséquences. Point de leçon verbale et*
*pédantesque. Point de raisonnements. Ne recourir qu'à l'expé-*
*rience, même si elle s'exerce lentement : le temps qui peut paraître*
*perdu est du temps gagné. Par l'expérience, surtout si elle est*
*douloureuse, l'enfant apprendra la vie. En voyant son jardin*
*saccagé par un voisin* [c]*, il acquerra la notion de la propriété* [d]*.*
*En ayant froid dans une pièce dont il a, par colère, brisé les*
*vitres, il se guérira de ce défaut. Quant à l'enseignement, ramenons-*
*le au plus difficile de tous, celui de l'ignorance. C'est une erreur*

---

*a)* Mais sans rudesse. Dans les premiers livres, la douceur du maître
envers son élève fait parfois songer aux accents attendris de *L'Art*
*d'être grand-père.*

*b)* On remédiera du même coup au mensonge, qui vient de ce
qu'on exige de lui des choses disproportionnées à ses moyens.

*c)* Le jardinier Robert, à la complaisance duquel le précepteur
a fait appel pour organiser une de ces expériences artificielles, dont il
a été parlé plus haut.

*d)* Étrange souci chez celui qui a écrit le *Discours sur l'origine*
*de l'inégalité !*

d'exercer la mémoire de l'enfant et de lui mettre en mains des livres. Point de fables, surtout celles de La Fontaine, comme Le corbeau et le renard, inaccessibles à son esprit non dégrossi et dangereuses pour sa moralité. Émile apprendra à lire et à écrire le jour où il y trouvera un intérêt personnel, par exemple quand, recevant une invitation à goûter dont personne ne peut ou ne veut lui préciser la teneur, il désire en prendre connaissance et y répondre. Il faut se soucier de le rendre fort, alerte, ingénieux, de lui ménager, par des exercices physiques appropriés à son âge, un bon sommeil [a], de l'entraîner à être aussi tranquille dans l'obscurité qu'en plein jour. Il faut enfin continuer l'éducation de ses sens, tâche délicate qui requiert tous les soins. Émile est maintenant âgé de douze ans. Qu'on le compare alors aux enfants de son âge, élevés suivant les méthodes en cours : on verra combien il l'emporte sur eux. Sur ce portrait s'achève le second livre, le plus classique, le plus fécond, mais dont la pédagogie moderne n'a pu tirer parti qu'en gardant l'éducation progressive et en rejetant l'éducation négative.

Au début du troisième livre, le garçonnet voit ses forces se développer plus que ses besoins : comment les employer ? A des études dont il sentira le profit et vers lesquelles sa curiosité le portera. C'est aux phénomènes de la nature qu'il s'intéressera. Mais on ne devra jamais, sauf impossibilité matérielle, substituer le signe à la chose signifiée. Il apprendra, en regardant le ciel de jour et de nuit, la cosmographie et l'orientation ; dans ses promenades, la géographie ; en assistant à un exercice de bateleur, la physique expérimentale. Et tout cela sans que l'effort exigé par cet enseignement naturel devienne fatigant ou fastidieux. Sinon, envoyons-le jouer. Lui-même fabriquera les instruments nécessaires à son instruction scientifique et déterminera par expérience ce qui lui est utile. Il laissera de côté tous les livres, sauf Robinson Crusoé, roman de l'homme naturel. Ainsi, sans être savant, il saura d'une façon durable ce qu'il aura personnellement appris. En outre il deviendra habile, prévoyant, et déjà solidaire, car il a éprouvé que, dans certains cas, il est plus avantageux de s'associer à d'autres pour atteindre

a) Le régime végétarien y contribuera.

VUE DE L'ERMITAGE DE J.-J. ROUSSEAU A MONTMORENCY
Dessin de Gautier, gravé par Désiré

*un but. Rompu aux travaux manuels, il apprendra un métier, bien qu'il soit riche, parce que rien ne l'assure qu'il le sera toujours et que le temps des révolutions approche. Au reste, « tout citoyen oisif est un fripon ». Après longue réflexion, il choisit l'état de menuisier. Un nouveau portrait clôt le livre.*

*Au début du quatrième livre, Émile a quinze ans. Sentiments et passions naissent dans son cœur. Dirigeons les élans naturels, éliminons les autres. Pitié, philanthropie, gratitude seront développés au détriment de l'amour-propre et de l'ambition. Bien qu'il ne puisse connaître l'amitié que par la présence de son précepteur, Émile sent qu'il n'est plus seul au monde. C'est le moment de lui apprendre l'histoire, morale en action. Plutarque sera préféré aux fables, non aussi sévèrement écartées, toutefois, qu'au deuxième livre. Ouvert de la sorte aux premières notions du bien et du mal, le jeune homme entend la voix de la conscience. L'heure est venue — il a dix-huit ans — de lui révéler Dieu.*

*C'est la* Profession de foi du vicaire savoyard. *Du haut d'une montagne dominant la vallée du Pô et dont le panorama, par son harmonie même, impose la croyance en un Dieu créateur, le prêtre expose à son compagnon ses raisons de croire. Mieux que les arguments dogmatiques et contradictoires des philosophes, il estime le sentiment intérieur propre à susciter la foi : la conscience, voix de l'âme, nous révèle, en même temps que notre existence, celle de l'être suprême, volonté intelligente et bonne. Si le mal existe, la faute en est, non à la Providence, mais à l'homme, ce roi de la création, doué par Dieu d'une âme immortelle, libre de choisir entre le bien et le mal, et qui s'est laissé avilir par la vie sociale. L'au-delà verra la récompense des bons et la punition des méchants. Telle est la religion naturelle ou « théisme », préférable à toutes les religions révélées, contre lesquelles le polémiste s'élève âprement, pour s'adoucir vers la fin en effusions mystiques à la Jocelyn, à propos de la majesté des Écritures, de la sainteté de l'Évangile, de la vie et de la mort de Jésus, préférables à celles de Socrate. Cette religion permettra de dire ce qui est vrai, de faire ce qui est bien.*

*Émile est maintenant un jeune homme accessible à l'amour. Dirigeons sans l'étouffer son besoin d'aimer, parlons-lui de la compagne idéale, garantissons-le des mauvais exemples et, sans le tenir à l'écart de la société mondaine et de ses distractions comme le théâtre, école d'esthétique sinon de morale, montrons-lui qu'il est, hors d'elle, des loisirs agréables et sains, par exemple la lecture judicieuse des auteurs anciens et étrangers, la fréquentation des poètes, des humbles, et la vie dans une petite maison rustique, une maison blanche avec des contrevents verts, que Rousseau se serait payée, « s'il était riche ».*

*Le cinquième livre, où nous allons suivre Émile jusqu'à son mariage, est consacré à la femme, étudiée en elle-même et par rapport à l'homme. Celui-ci est actif et fort, elle est passive et faible. La nature a marqué par là que l'homme devait être le maître de la communauté. Ils n'auront pas, l'un et l'autre, la même éducation. Par exemple, tandis que la franchise est encouragée chez l'un, il faut chez l'autre développer la ruse et la coquetterie* [a]. *Tandis que l'un est élevé dans la nature, l'autre fréquente la société, où elle cultive les arts d'agrément, musique, chant, danse, dentelle, plus favorable que les autres genres de couture aux attitudes gracieuses. Sa culture se limitera au calcul, nécessaire à la tenue des comptes domestiques, et à Télémaque, dont elle sera assez ingénue pour devenir amoureuse. Car, pas plus qu'Émile, Sophie n'est un prodige : intelligence moyenne, beauté moyenne. De la grâce, au demeurant, et de l'obligeance, qu'elle tient, par éducation et atavisme, de ses parents, riches autrefois, maintenant presque ruinés. Cet appauvrissement l'empêchera moins d'épouser un jeune homme riche que le contraire* [b]. *Quant à la religion, si l'on attendait qu'elle pût s'en faire une idée personnelle, on risquerait de ne lui en parler jamais. Elle aura donc la religion de sa mère. L'autorité, le qu'en dira-t-on, si dédaigneusement exclus de l'éducation d'Émile, pèsent sur celle de Sophie. L'antiféministe qu'est Rousseau, très hardi quand il s'agit des garçons, se montre fort arriéré pour la formation des filles. Au demeurant, le portrait un peu mou,*

---

*a)* Au risque de voir la jeune cuisinière abandonner ses fourneaux plutôt que de se salir les manches.

*b)* Le compagnon de Thérèse Levasseur et l'amoureux de Mme d'Houdetot connaît trop bien le danger des mésalliances et les préjugés sociaux, si fréquents au sujet du mariage, pour n'en avoir pas fait état dans son plan.

*un peu flou, qu'il trace de son héroïne, apporte, dans un ensemble lâche et artificiel, quelques jolis détails vrais.*

*Mais, s'il est possible que la réalité ait fourni certains traits au personnage, on aura peine à croire que l'histoire des amours de Sophie et d'Émile ne soit du pur roman. Le précepteur fait quitter Paris à son élève, afin de chercher avec lui l'épouse convenable. Ils arrivent, comme par hasard, dans la famille de Sophie, où les parents, prévenus par le maître, leur font bon accueil. Les deux jeunes gens se plaisent. Pendant cinq ou six mois ils vivent à quelques lieues l'un de l'autre, se voyant deux ou trois fois par semaine. Émile fait sa demande. Il est agréé.*

*Mais le précepteur estime que, si son élève est devenu un homme, il n'est pas encore un citoyen; et il l'oblige à voyager en Europe pendant deux ans, pour visiter les peuples et voir fonctionner les gouvernements. Au retour enfin, le précepteur permet le mariage et continue à prodiguer ses conseils aux époux. Ce n'est que quand Émile est devenu père que, sur ses instances, ce gouverneur acharné consent à se reposer.*

\* \* \*

LA RELIGION [a]. — *Avant de procéder à la critique et à l'histoire de ce vaste ensemble pédagogique, il convient d'en détacher les soixante pages, enclavées dans le livre IV, où Rousseau expose, d'une façon définitive et lourde de répercussions, ses idées philosophiques et religieuses.*

*Ce bref traité a la valeur d'une somme. C'est le fruit de tout un passé de méditations et de tâtonnements [b]. La question religieuse n'a jamais laissé Rousseau indifférent. Ses origines mêmes*

---

*a)* Les éléments de ce paragraphe sont tirés en partie de l'excellente notice de M. Van Tieghem, dans ses *Extraits* de Rousseau (chez Hachette) et des admirables travaux de P.-M. Masson (voir Bibliographie, p. XLV).

*b)* « Pour moi, écrit-il à la fin de la *Profession*, ce n'est qu'après bien des années que j'ai pris mon parti : je m'y tiens, ma conscience est tranquille, mon cœur est content; je resterai comme je suis. » La 3e Promenade confirme cette genèse : « Le résultat de mes pénibles recherches fut tel à peu près que je l'ai consigné depuis dans la *Profession de foi du vicaire savoyard*. » (Enfin, dans la 9e Promenade : « Après les recherches les plus ardentes et les plus sincères qui jamais peut-être aient été faites par aucun mortel, je me décidai pour toute ma

*l'y prédisposaient. Les circonstances firent le reste. « Descendant de réfugiés protestants, puis piétiste romand, puis converti au catholicisme, penchant ensuite vers Port-Royal, partagé entre l'esprit d'examen légué par Genève et l'autorité traditionnelle, entre l'individualisme religieux ennemi des systèmes et un sentiment profond de piété, Jean-Jacques sent sa foi très sincère et naïve*[a] *en un Dieu créateur affermie par la lecture de la* Bible *et l'*Imitation[b]. *» Ajoutons l'influence du milieu et des hôtes*[c] : *atmosphère genevoise chez le pasteur Lambercier ; enseignement des prêtres de l'hospice des catéchumènes de Turin, dont les églises attirent son âme d'artiste par leur spectacle et leur musique ; aimable piété de M*me *de Warens, près de laquelle le néophyte s'éleva souvent vers Dieu en élans mystiques de gratitude ou en appels affolés, quand fléchissait la santé physique ou morale*[d] ; *accueil amical, à Venise, du pieux espagnol d'Altuna. Si ses lectures aux Charmettes et ses fréquentations philosophiques à Paris, sans détourner Rousseau de la religion, l'attirèrent plutôt vers le problème social et moral qui marque ses premiers* Discours, *il n'en reste pas moins vrai qu'entre* 1728 *et* 1761 *une crise intermittente trouble son âme, partagée entre les deux confessions rivales du protestantisme et du catholicisme, entre les deux prin-*

vie sur tous les sentiments qu'il m'importait d'avoir. Depuis lors, resté tranquille dans les principes que j'ai adoptés après une méditation si longue et si réfléchie, j'en ai fait la règle immuable de ma conduite et de ma foi... »

*a)* Dans les *Confessions* (VI) il dit quelle est sa très simple façon d'adorer Dieu. Quatre ans avant l'*Émile* (18 février et 25 mars 1758), il écrit au pasteur Vernes : « J'ai passé ma vie parmi les incrédules sans me laisser ébranler... Je crois en Dieu, et Dieu ne serait pas juste, si mon âme n'était immortelle. Voilà, ce me semble, ce que la religion a d'essentiel et d'utile; laissons le reste aux disputes. »

*b)* P. Trahard (*Les maîtres de la sensibilité française au XVIII*e *siècle* t. III), inspiré par P.-M. Masson *(La formation religieuse de Rousseau)*, E. Ritter (*La famille et la jeunesse de J.-J. Rousseau, Annales J.-J. Rousseau*, t. XVI), H. Delacroix (*La religion et la foi*, 1922, p. 323, Alcan). Pour plus de précision, voir les parties de la Bibliographie relatives à la *Profession de foi* (p. XLV) et aux poursuites parisiennes et genevoises contre l'*Émile* (p. XLIV).

*c)* Étudiée en détail dans les *Extraits* de Rousseau par Bazaillas, chez Plon (I, 279).

*d)* Voir les *Confessions* (VI).

*cipes opposés de la raison et de la sensibilité. Et, si son retour
au protestantisme, lors du voyage à Genève en 1754, est plutôt
un geste civique et politique, les pasteurs libéraux qui lui appor-
tèrent dans cette période des éléments de discussions et de lectures,
l'aidèrent, malgré les obstacles intérieurs et extérieurs, à résoudre
le problème religieux, depuis longtemps posé pour lui, dans ses
rapports avec la morale et le bonheur. La* Profession de foi
*formule la solution de ce problème.*

*La religion de Rousseau, comme sa pédagogie, n'est pas seu-
lement en germe dans le passé de l'auteur. Son déisme s'autorise
de plusieurs livres antérieurs ou contemporains. Des pays protestants et de l'Angleterre un mouvement de philosophie naturelle
pénètre en France* [a]. *Surtout depuis 1750, on veut corriger la
raison par le sentiment et l'on préfère l'apaisement de l'âme par
la morale pratique à la satisfaction de l'esprit par la logique
d'une vérité traditionnelle. De même, « tout ce que dit le Vicaire
des leçons éclatantes qui s'inscrivent pour nous dans l'ordre de
l'univers s'inspire de l'ardeur démonstrative avec laquelle les
naturalistes cherchèrent l'esprit divin dans la sagesse des choses.
On peut dire que les études d'histoire naturelle furent, dès la
première moitié du XVIII*e *siècle, un prétexte à méditations
pieuses tout autant qu'une poursuite du vrai. Rousseau cite
Nieuwentyt* [b]. *Il en faudrait, avec l'abbé Pluche, citer vingt
autres. Il y eut des* Théologie physique, Théologie de l'eau,
Théologie de l'air, Théologie des insectes. *La pensée religieuse et la pensée scientifique restent fraternelles jusqu'à Buffon*[c] ».

*Enfin le procédé fictif, dont, encore trop prudent pour parler
en son nom, Rousseau use afin de transformer sa confession* [d]

---

*a)* Outre l'enseignement très efficace du pasteur genevois Abauzit
(1679-1767), signalons les ouvrages de Pope (*Essai sur l'homme*, 1735),
de Béat de Muralt (*Lettres sur les Anglais et les Français*, 1726), de
Marie Huber (*Lettres sur la religion essentielle à l'homme*, 1738), de
l'abbé de Saint-Pierre (*Agathon, archevêque*).
*b)* Dont il s'est inspiré pour sa Fontaine de Héron (*Confessions*, III).
*c)* Mornet, Notice de *Notre Rousseau* (chez Didier, p. 45).
*d)* C'en est bien une. Jean-Jacques se substitue à l'élève, comme il
s'est d'ailleurs substitué au maître : on le retrouve dans le jeune fugitif,
traître à sa religion, penchant vers l'athéisme, révolté contre les riches,
et qu'un lever de soleil, quelques paroles sincères, purifient.

*en profession, a lui-même des précédents. Il est possible, comme*
*on*[a] *l'a cru, que, dans cet épisode, il se soit souvenu du* Cleveland
*de l'abbé Prévost*[b]*, et de maint autre modèle, livresque ou réel*[c]*.*
*Mais il ne voulut pas, comme la plupart de ses prédécesseurs,*
*insérer sa profession dans un roman, dont elle aurait rompu*
*l'équilibre et le ton. Au reste, la fiction est loin d'être complète.*
*Les* Confessions *(III) nous confirment l'authenticité de la*
*scène*[d] *et des originaux*[e]*.*

    *N'aurait-il eu aucun livre à démarquer, aucun personnage*
*vivant à peindre, Jean-Jacques aurait retrouvé, dans son œuvre*
*même, avant la* Profession de foi*, des professions de foi, orales*
*ou écrites. C'est d'abord, selon le témoignage de* M^me *d'Épinay*[f]*,*
*cette interruption menaçante adressée, au cours d'un débat, à ses*
*interlocuteurs athées :* « Et moi, Messieurs, je crois en Dieu...
*Je sors si vous dites un mot de plus ». — Il ne faut toutefois*
*pas voir dans cette hostilité au scepticisme philosophique une*
*adhésion au parti dévot. Dans ses* Conseils à un curé[g]*, il*
*exalte la mission du prêtre de campagne, fait de la croyance en*
*Dieu la base de la morale, mais se moque du célibat ecclésiastique*
*et des « balivernes du catéchisme ». — A égale distance de l'esprit*

*a)* Joseph Texte, *Jean-Jacques Rousseau et les origines du cosmopolitisme littéraire.*

*b)* Voir Schrœder, *L'abbé Prévost* (Hachette, 1898, II, 3).

*c)* Voir Thomas Morus *(L'Utopie).* Le Mentor de *Télémaque*
enseigne à son élève la doctrine du pur amour. Au XVIII^e siècle,
le baron de la Hontan, Jacques Massé, au cours de leurs voyages,
avaient semblablement répandu la bonne parole. Même tendance
dans les sermons du Fredelingue de Marivaux (1723) et du Sethos
de l'abbé Terrasson (1731). Vingt ans après, mêmes évasions et
prêches par Morelly (1753) et Stanislas Leczinski (1754), avec
qui Rousseau eut d'ailleurs une polémique courtoise.

*d)* Pendant son séjour à l'hospice des catéchumènes, en 1728.
Sur le décor de la *Profession de foi*, lire Émile Montégut, *Mélanges
critiques* (Hachette, 1887, pp. 316-318).

*e)* L'abbé Gaime, précepteur du comte de Mellarède, que Jean-
Jacques connut à Turin. Il a mêlé à sa physionomie morale les traits
de l'abbé Gâtier, prêtre à la destinée romanesque, qu'il avait vu en
1729 au séminaire d'Annecy.

*f)* *Mémoires* (I, 380).

*g)* L'original de cet essai inachevé se trouve à la bibliothèque de
Neuchâtel (nº 7869).

*philosophique et du fanatisme,* son Allégorie sur la Révélation [a]
*(1756-1757) montre le philosophe illuminé par la certitude
intérieure et trace un portrait de Jésus assez semblable à celui
du Vicaire. — La grande lettre à Voltaire du 18 août 1756,
en réponse au* Poème sur le Désastre de Lisbonne, *défend
« la cause de Dieu » et critique vivement la propagande philosophique, dangereuse pour la sérénité du croyant. — Quand
l'hôte de l'Ermitage s'aperçoit que l'amour pour M^me d'Houdetot n'était qu'un rêve, il tente de devenir le directeur de celle
qui ne peut être sa maîtresse et commence pour elle des* Lettres
à Sophie *(31 octobre, 24 novembre 1757, 28 janvier 1758),
où le dogme est sacrifié à la conscience et le sentiment préféré
à tout. —* La Nouvelle Héloïse, *outre plusieurs développements
moraux et religieux, tente une conciliation entre le parti philosophique et l'Église en unissant l'athéisme vertueux de M. de
Wolmar à la piété humaine de Julie. La vertu ne se démontre
pas, elle s'éprouve et elle se pratique. Voilà ce qu'avec le précepteur et le Vicaire a senti et exprimé Julie* [h]. *— Enfin, dans
la* Lettre à D'Alembert, *fragment anticipé de* La Nouvelle
Héloïse, *il avait pris prétexte du christianisme des pasteurs
de Genève pour faire en son nom personnel une déclaration de foi.*

*Ces ébauches successives suffiraient à expliquer avec quel
soin l'auteur soigna la rédaction de l'épreuve définitive et refusa
de l'atténuer, quitte à subir toutes les conséquences de son obstination. En fait, le manuscrit révèle un travail considérable de
pensée et de style. Tandis que la première version (1758) tenait
la balance égale entre les philosophes et les dévots, la seconde,
postérieure à la rupture avec Diderot et à la publication du livre
de l'*Esprit *d'Helvétius, en combat les tendances matérialistes*

*a)* Le manuscrit en figure à la bibliothèque de Genève (n° 228).
L'esprit et les circonstances de cet écrit sont éclairés par la 3ᵉ Promenade (« Je vivais alors avec des philosophes modernes...).

*h)* Ces rapports entre le roman et la *Profession de foi* sont reconnus
par l'auteur lui-même : « On trouve dans l'*Émile*, écrit-il (*Lettres
de la Montagne*, III, 123), la profession de foi d'un prêtre catholique
et dans l'*Héloïse* celle d'une femme dévote. Ces deux pièces s'accordent
assez pour qu'on puisse expliquer l'une par l'autre. » Et encore,
dans les *Confessions* (VIII) : « La profession de foi de cette Héloïse
mourante est exactement la même que celle du Vicaire Savoyard. »

*et fait pencher la religion de Rousseau vers un christianisme
élargi.*

*Telle que l'analyse en a dégagé plus haut les grandes lignes,
la* Profession *apparaît en effet comme une effusion mystique
d'apôtre, un credo sentimental :* « Je pense, donc je suis », *disait
Descartes.* « Je sens, donc je suis [a]», *pourrait dire le Vicaire,
en écoutant la voix impérative de sa conscience, qui lui révèle,
en même temps que sa propre existence, celle de Dieu et de la loi
morale. Si la raison intervient, ce n'est qu'en seconde ligne, pour
démontrer des vérités que le cœur avait instinctivement trouvées.
Au surplus, l'essentiel étant de vivre, et de vivre bien, peu importent les dogmes — sur lesquels d'ailleurs Rousseau se tait res-
pectueusement — et la révélation, qu'il écarte, tout en admirant
la vie de Jésus, l'exemple humain qu'il apporte, et en déclarant
même préférer les excès du fanatisme aux dangers de l'athéisme.
La conclusion pratique de la* Profession *sera celle de Descartes :
suivre de bonne foi la religion de son pays. Mais que vaut une
adhésion formelle, qui suppose une réticence foncière et réclame
l'interprétation personnelle de l'Évangile ? C'est ce qu'ont aussitôt
vu les chefs des deux camps, dont l'historique montrera plus loin
l'acharnement [b]. Toutefois, si les uns et les autres n'ont pas plus
épargné la première partie, constructive, où il élabore la religion
naturelle, que la seconde, destructive, où il émet des doutes sur
le dogme et la révélation, personne n'en a contesté la valeur littéraire [c]. Et même, la portée morale et religieuse en a été admise
par plusieurs contemporains, prêts à comprendre cette phrase de
Rousseau sur son œuvre :* « J'établis plus que je ne détruis [d] .»

*Aussi bien, l'originalité de la* Profession *n'est-elle pas*

---

a) La phrase est de Janet.

b) On comprend la protestation des philosophes, puisqu'il rem-
place leurs « lumières » par les « puissances affectives », et l'excom-
munication des religions orthodoxes, puisqu'il substitue le libre
examen à l'obéissance grégaire.

c) Voltaire aurait donné toute l'œuvre de Rousseau pour ces quelque
cinquante pages, qu'il voulait « faire relier en maroquin ».

d) Lettres à Moultou des 16 février et 25 avril 1762. Voir aussi
la belle lettre au même (14 février 1769) sur l'immortalité de l'âme,
et comment, dans la première des *Lettres de la montagne*, il définit
sa façon d'être chrétien.

*d'attaquer le christianisme traditionnel, déjà malmené par d'autres. C'est de réagir contre le matérialisme envahissant. Certes celui-ci survécut, puisque le* Système de la Nature, *de D'Holbach, ne parut qu'en 1770. Et même il est possible que la* Profession *ait détourné de l'orthodoxie quelques âmes flottantes. Il est probable en revanche qu'elle en a ramené beaucoup d'autres, par la religiosité, à la religion. Rousseau devient le grand directeur de conscience de son temps, le conseiller de ceux qui, détachés du catholicisme, conservent pourtant des besoins religieux. C'est de son livre que date le vaste mouvement spiritualiste qui, de Bernardin de Saint-Pierre [a], s'étend à Chateaubriand, Lamennais, George Sand, Hugo, Renan, Tolstoï, et dont plusieurs critiques ou philosophes ont bien reconnu l'origine : M<sup>me</sup> de Staël [b] approuvait Rousseau d'avoir, seul entre ses contemporains, respecté les pieuses pensées dont les hommes ont tant besoin. Lacordaire estimait que l'éloquence du Vicaire Savoyard « n'eût été désavouée par aucun Père de l'Église ». Victor Cousin [c] y voyait « la production la plus saine et la plus grande du XVIIIᵉ siècle ». Doudan [d] et Nisard [e] le louaient sans réserve [f].*

*Les hommes d'aujourd'hui peuvent souscrire à cet éloge. Loin d'avoir été un brandon de discorde, la* Profession *se révèle à nos yeux comme une œuvre de conciliation et de paix. Tandis que la philosophie avait dressé contre la foi la formule du tout ou rien, Rousseau, en faisant de la religion naturelle, non plus une abstraction raisonneuse, comme chez Voltaire, mais un sentiment d'amour et de présence, pouvait, dans une zone moyenne entre la stricte orthodoxie et la négation philosophique, amener les croyants, les demi-croyants, les incroyants même, à faire*

---

*a)* Dont les *Études de la nature* (1784), par leur succès même, honorent le maître qui les inspira.

*b)* *Lettres sur les écrits et le caractère de J.-J. Rousseau* (1788).

*c)* *Journal des Savants* (novembre 1848).

*d)* Lettre du 19 novembre 1836.

*e)* *Histoire de la littérature française* (IV, 2).

*f)* L'auteur lui-même, dans sa 3ᵉ Promenade, qualifie la *Profession* d'« ouvrage qui peut faire un jour révolution parmi les hommes, si jamais il y renaît du bon sens et de la bonne foi ».

*trêve, peut-être à s'unir. « Œuvre bonne, en somme, car, dans un siècle où la raison réalise grâce aux philosophes un progrès fatal aux religions révélées, Jean-Jacques sauve de la religion ce qui peut en être sauvé, en conciliant la raison avec le besoin de croire. Il serait donc, non le destructeur du christianisme, mais le restaurateur, l'épurateur de la religion* [a]. *Peut-être un jour les Églises, hostiles à l'œuvre du philosophe, regretteront-elles, dans la marche de l'humanité vers l'indifférence, la foi selon Jean-Jacques, selon Renan, comme elles regrettaient au XVIII*e *siècle la foi selon François d'Assise, selon Bossuet. Et peut-être Rousseau, qui fit de la religion, libérée des contraintes, un idéal de conscience morale, leur apparaîtra-t-il comme un bon serviteur et un prophète, sur qui souffla, non pas l'esprit terrible de Jéhovah, mais l'esprit conciliateur de Jésus* [b]. »

---

*a*) P.-M. Masson (*thèse citée*, III, 358) va même jusqu'à prétendre qu'il a été « l'un des mainteneurs du catholicisme dans l'élite intellectuelle française » et que « ce fils de Calvin a travaillé pour le triomphe du papisme ». Il tire ce paradoxe du principe, déjà énoncé par Renan (Préface de ses *Études d'histoire religieuse*), que « toute renaissance religieuse, en France surtout, profite d'abord au catholicisme ». Il paraît difficile de voir un ouvrier du papisme dans l'homme qui a toujours opposé aux « religions d'autorité » cette « religion de l'esprit », indépendante et personnelle, contre laquelle a protesté l'ardent défenseur du catholicisme qu'était Brunetière.

*b*) P. Trahard (*ouvrage cité*, p. 117). — Du point de vue purement philosophique, Bazaillas (*ouvrage cité*, p. 282) dégage ainsi l'influence de Rousseau sur la pensée d'aujourd'hui : « Sa critique de la science et de la civilisation fondée uniquement sur les données de l'intelligence abstraite, sa défiance à l'égard de la « raison perfectionnée », sont autant de défis jetés à l'intellectualisme. Par contre, l'affirmation des droits du sentiment, de l'instinct et de la spontanéité, saisis au principe même de leur indépendance, nous conduit directement au *primat* de l'action et par suite aux thèses les plus hardies du pragmatisme moderne. Le développement religieux de l'homme, envisagé comme la perfection de la vie sentimentale et pratique contre laquelle la théorie ne saurait prévaloir, se trouve ainsi fondé. Rousseau inaugure donc cette apologétique nouvelle, selon laquelle la religion apparaîtrait comme un aspect légitime et un moment nécessaire de la vie universelle. »

* * *

L'historique. — *Cette influence durable de la* Profession
de foi *va en éclairer les répercussions immédiates sur le sort
de l'œuvre entière, dont un bref paragraphe doit à présent retra-
cer l'histoire.*

« *Vingt ans de méditation et trois de travail* », voilà le temps
que l'auteur déclare avoir employé à *l'Émile. En 1759, après
avoir longuement rêvé, non dans les bibliothèques, mais sous les
ombrages de la forêt de Montmorency, il est en pleine fièvre créa-
trice. C'est chez le maréchal de Luxembourg, dans une tour
solitaire du parc, qu'il écrit la dernière partie, la plus nuancée,
celle qui lui « tient au cœur plus que toute autre* [a] ».

*L'impression fut, de sa part, l'objet de soins aussi actifs
que la rédaction. Il avait d'abord donné carte blanche à ses deux
protecteurs les plus dévoués* [b] : *la maréchale de Luxembourg
lui avait trouvé un éditeur* [c], *Malesherbes lui facilitait les démarches
officielles* [d]. *Mais la lenteur de la composition inquiète l'auteur,
qui traversait, en novembre et décembre 1761, une douloureuse
période d'hallucinations. Il craignait que ses ennemis les Jésuites
— pourtant alors sous la menace de l'expulsion qui devait les
frapper bientôt — ne confisquent son œuvre pour la falsifier
après sa mort* [e]. *Malgré les apaisements de ses familiers, il*

---

*a)* Voir dans les *Confessions* (X) la poétique description qu'il
donne du décor et de l'extase inspirée à laquelle l'écrivain s'abandonne.

*b)* Sur leur rôle, voir les *Confessions* (VIII).

*c)* L'ouvrage s'imprime en même temps à Paris, par les soins
de Duchesne, et à Amsterdam, par les soins de Néaulme (au lieu de
Rey, qu'une brouille passagère séparait de l'auteur), sur les feuilles
corrigées que lui envoie Duchesne. Rousseau déplore d'ailleurs
que, contrairement à son désir, l'impression se fasse à Paris, mais
il avait signé volontairement le contrat (29 août 1761), par lequel
il vendait son manuscrit 6000 livres à l'éditeur parisien.

*d)* Son tort fut de ne pas lire, ou de lire trop rapidement, des pages
que Rousseau lui-même avait signalées à son attention et de le rassurer sur la *Profession de foi* (lettre du 8 février 1762), tandis qu'au contraire Duclos et plusieurs autres faisaient des réserves dont un homme
de lettres plus expérimenté aurait tenu compte.

*e)* Il reconnaît d'ailleurs ensuite la folie de ses soupçons.

*refait son brouillon, du moins pour la* Profession de foi, *et l'envoie par la poste à son ami Moultou, afin de parer à toute éventualité. Enfin, après force incidents* [a], *l'impression s'achève au milieu de mai 1762. Le 23, Rousseau fait adresser son service de presse à une centaine d'amis. Le 24, le livre est mis en vente au Palais-Royal, au prix de seize livres, un mois après l'apparition du* Contrat social, *passée presque inaperçue.*

Tout de suite, *le succès et l'émotion furent considérables. Le 26, Bachaumont note* [b] *que l'*Émile « *faisait grand bruit* », *cinq jours plus tard, qu'il* « *occasionnait du scandale de plus en plus... Le glaive et l'encensoir se réunissent contre l'auteur ; et ses amis lui ont témoigné qu'il y avait à craindre pour lui* ». *De fait, le 3 juin, le livre est confisqué. Le 4, l'éditeur Duchesne écrit à Rousseau :* « *Je vous apprends avec peine que nous sommes arrêtés par la police et que je ne puis rien débiter.* » *Les quelques exemplaires qui peuvent se vendre en fraude atteignent jusqu'à 42 livres. L'opinion se montre si pressante que la justice va être obligée de sévir* [c]. *Dans le minimum de temps, la poursuite fut décidée et le jugement rendu. Deux jours après la rentrée de la Pentecôte, le 9 juin au matin, la grand-Chambre décrétait l'auteur de prise de corps et condamnait l'ouvrage au feu* [d]. *La condamnation fut acquise par onze voix, chiffre strictement nécessaire pour la légalité de l'arrêt. Votèrent contre tous les vieux magistrats, attachés à la tradition. S'abstinrent les libéraux, entre autres Hénault et Malesherbes. Le 11, le volume était brûlé par le bourreau sur les marches du grand escalier. On voulut arrêter Rousseau* [e] *et lui-même serait volontiers resté*

*a)* Pour le détail, voir les *Confessions* (XI) et la lettre à Moultou du 25 avril 1762.

*b) Mémoires secrets* (I, 94, 95, 97).

*c)* Une lettre du curé de Deuil, à laquelle font allusion les *Confessions* (XI), rapporte que « tous les avis sont au plus violent... On dit tout haut au Palais qu'il est inutile de brûler les livres et que c'est aux auteurs qu'il faut s'adresser ».

*d)* Le réquisitoire de l'avocat du roi contient cette phrase extraordinaire : « Que seraient des sujets élevés dans de pareilles maximes, sinon des hommes préoccupés du scepticisme et de la *tolérance* ? » Et il ne reconnaît à l'ouvrage aucun mérite littéraire.

*e)* Sans désirer outre mesure le trouver : les huissiers venus en carrosse à Montmorency pour la prise de corps le saluèrent courtoi-

*pour plaider non-coupable* [a] *si on ne lui avait laissé entendre que la fuite était nécessaire à la tranquillité de ses hôtes et à son propre salut* [b]. *Le 9 juin, il quitte donc Montmorency pour Pontarlier ; le 14, il s'installe à Yverdon, sur le territoire de Berne, en attendant que la condamnation du livre à Genève l'oblige à chercher asile dans la bourgade jurassienne de Motiers-Travers. C'est le 18 que le synode de Genève et le 19 que le Petit Conseil prononcent leur arrêt. Le même jour, avec* le Contrat social, *l'Émile est brûlé par le bourreau devant la porte de l'Hôtel de Ville. Semblable mesure en Hollande* [c]. *Plus lente, la Sorbonne remet du 1er juillet au 2 août l'examen de l'ouvrage, finalement censuré en novembre* [d]. *Un bref du pape Clément XIII aux docteurs de Sorbonne (26 octobre 1763) approuve la condamnation. Le livre avait été interdit aux fidèles par un mandement de l'archevêque de Paris Christophe de Beaumont* [e] *(20 août 1762) puis mis à l'Index (9 septembre 1762). L'assemblée générale du Clergé de France, réunie en 1765, se prononça dans le même sens.*

*Les adversaires individuels emboîtèrent le pas aux puissances. Ce fut un déchaînement de pamphlets, comme l'*Anti-Émile *de Formey, les libelles de l'abbé André, de dom Cajot, du P. Grif-*

sement en le croisant sur la route ; il fut reconnu à Paris, mais personne ne l'inquiéta, et le libraire n'eut pas d'ennuis. Quant à l'arrêt du Parlement, qui peut sembler maladroit et brutal, il était conforme, non seulement à la législation, mais aux mœurs du temps et aux idées courantes sur la répression des ouvrages séditieux.

*a)* « Il est homme, écrit dans son *Journal* l'avocat Barbier, à se laisser pendre et à soutenir la vérité de son livre, mais un ami l'a fait fuir. »

*b)* Ce qui le décida à l'exil volontaire, ce fut, en partie, « d'être appelé à l'honneur de souffrir pour la vérité ».

*c)* Où, le 30 juillet, après examen du livre par les pasteurs de l'église wallonne, les États révoquent le privilège de Néaulme, ordonnent la saisie des exemplaires et interdisent l'impression sous peine d'amende et de prise de corps.

*d)* 58 propositions furent frappées d'anathème, entre autres celle-ci : « Émile n'apprendra rien par cœur ».

*e)* Sentant qu'il serait maladroit de contester le talent de Rousseau, cet homme habile regrette seulement l'abus qu'il en fait. Son portrait eut beaucoup de succès. « On vit, dit Grimm (*Correspondance littéraire*, sept. 1762), que ce morceau était l'ouvrage d'un homme du monde et non d'un prêtre ».

*fet. Collé a un accès de rage contre ces paradoxes « qui font grincer des dents ». Les esprits religieux s'irritent : « C'est bien le livre le plus infernal qui ait été fait », écrit le Dauphin, fils de Louis XV, à l'évêque de Verdun. Dans une lettre à Dami-laville (4 juin 1762), Voltaire ricane : « Je n'ai point encore cette Éducation de l'homme le plus mal élevé qui soit au monde ». Quand, le 14, il a reçu ce fatras, tout en reconnaissant, ainsi qu'on l'a vu, la beauté littéraire de la Profession de foi, il déplore « l'inconséquence » d'un auteur qui injurie également les philosophes et Jésus-Christ. Aussi ne s'indigne-t-il pas de le savoir brûlé à Genève « dans la personne de son plat Émile ᵃ ». M<sup>me</sup> du Deffand abonde dans son sens : « Jean-Jacques m'est antipathique, lui écrit-elle le 25 juin 1764 ; il remettrait tout dans le chaos ; je n'ai rien vu de plus contraire au bon sens que son Émile ». Grimm regrette ᵇ que Rousseau ait fait un ouvrage didactique, rempli de règles, de principes, de maximes : il aurait dû, selon lui, nous faire l'histoire ou le roman de son éducation et utiliser son propre projet de Traité d'éducation, où une place était réservée à toutes les professions. L'année suivante ᶜ, il repre-nait, non sans perfidie, ses critiques et faisait prononcer peu généreusement par Diderot un réquisitoire, que celui-ci devait reprendre plus tard en son nom. L'ancien ami de Rousseau le qualifiait d'« homme excessif,... ballotté de l'athéisme au baptême des cloches » et il regrettait que le « galimatias » de la Profession de foi eût tourné tant de têtes. C'est bien, on le sait, ce magnifique hors-d'œuvre qui prétexta les poursuites officielles et fit naître nombre d'inimitiés particulières ; mais un acharnement si unanime doit s'expliquer par des causes plus diverses.*

*D'abord, le livre avait paru au moment où le Parlement se disposait à expulser les Jésuites. Pour apaiser d'avance l'opinion,*

---

*a)* Lettre à Cideville (21 juillet 1762). Voir aussi les lettres à Dami-laville (20 août 1763 et 29 avril 1766), à Helvétius (25 août 1763), à M<sup>me</sup> de Luxembourg (9 janvier 1765), à D'Argental (2 octobre 1765 et 14 juillet 1766) ; le chapitre XLIII de l'*Essai sur les mœurs*, le *Dictionnaire philosophique* (article *Assassinat*).

*b)* *Correspondance littéraire* (juillet 1762).

*c)* *Correspondance littéraire* (15 juin, 1ᵉʳ juillet, 1ᵉʳ août 1763).

*il n'hésita pas à proscrire un auteur dont la condamnation semblait une marque d'impartialité.*

*Ce qui nuisit aussi à Rousseau fut précisément ce qui lui faisait le plus grand honneur : il avait osé signer son livre, alors que la plupart des écrivains — Voltaire tout le premier — publiaient les leurs anonymement ou sous prête-nom. D'où cet étrange grief du réquisitoire : « L'auteur de ce livre, n'ayant point craint de se nommer lui-même, ne saurait être trop promptement poursuivi ».*

*D'autre part, si l'*Émile *fut plus largement attaqué que le* Discours sur l'inégalité, *où Rousseau développait les mêmes idées, c'est que le ton provocant de l'écrivain était de nature à mécontenter beaucoup de monde. Les philosophes, s'il ne les avait spontanément quittés depuis longtemps, l'auraient exclu pour avoir dit : « Le désordre moral, qui dépose contre la Providence aux yeux des philosophes, ne fait que la démontrer aux miens. » Les savants ne lui pardonnaient pas d'avoir déclaré « qu'il y a plus d'erreurs dans l'Académie des Sciences que dans tout un peuple de Hurons » (livre IV). Les Académiciens lui en voulaient d'ajouter cette réflexion à l'inscription des Thermopyles : « On voit bien que ce n'est pas l'Académie des Inscriptions qui a composé celle-là » (livre III). Enfin les privilégiés d'une époque qui comptait encore sur la stabilité de la fortune et des conditions pouvaient-ils accepter un livre où tous les préjugés sociaux étaient heurtés de front ?*

*Ces multiples animosités semblèrent d'abord étonner Rousseau* [a]*, comme s'il ne les avait provoquées et prévues. Bientôt, devant l'inanité de ses plaintes et l'impossibilité légale de se défendre,*

---

*a)* « Quoi, s'écrie-t-il dans les *Confessions*, l'éditeur du *Vicaire savoyard* est un impie ! Eh ! mon Dieu ! Qu'aurais-je donc été si j'avais publié le livre de l'*Esprit* ou quelque autre ouvrage semblable ! » Et, à propos de sa condamnation par le Conseil de Genève, qui le menaçait d'arrestation s'il se présentait sur le territoire de sa patrie, il se plaint ainsi à un ami : « Eh quoi ! Décrété sans être ouï ? Où est le délit ? Où sont les preuves ? Genevois, si telle est votre liberté, je la trouve peu regrettable ». Et il la regrette si peu que, de lui-même, il abandonne ses titres de citoyen. Il souffre cependant, quand il voit se retourner contre lui tel de ses anciens amis, comme Roustan, qu'il croyait favorable à l'*Émile* (lettre du 23 décembre 1761).

*il riposta courageusement.* L'on n'a pas la place de détailler ici les polémiques parisiennes et genevoises [a], qui furent, pendant plusieurs années, la conséquence de l'Émile, et dont les Lettres écrites de la montagne (1764) *marquent le moment le plus intense. Il suffira de rappeler avec quelle dignité véhémente le vaincu répondit au mandement de l'archevêque de Paris dans sa très belle* Lettre à Christophe de Beaumont. *Discutant point par point les accusations du prélat, il justifie, avec logique et passion, sa conduite, sa doctrine et son livre. Ce factum vaut par son indignation, sa sincère éloquence. Il a surtout l'intérêt de montrer la foi de Rousseau dans une œuvre qui lui deviendra de plus en plus chère, à mesure que par elle il connaîtra davantage l'orgueilleuse amertume de la vie errante, de l'abandon, de la folie.*

* * *

L'INFLUENCE. — *Il est vrai qu'il se sentait réconforté par l'admiration croissante des lecteurs connus [b] ou inconnus, et surtout des lectrices. Elles ne virent dans l'ouvrage que ce qui s'adressait à elles, les devoirs à remplir qu'on leur rappelait avec une éloquence entraînante, et sur lesquels on répandait un charme irrésistible [c]. Elles allaitèrent leurs enfants, et Rousseau fut vengé. Le zèle de ses disciples [d] alla même parfois si loin*

a) Un paragraphe spécial de la Bibliographie leur est réservé (p. XLIV).

b) Au premier rang de ses amis fidèles, il faut mettre ses futurs éditeurs Moultou et Du Peyrou.

c) C'est ce que constate le gazetier Bachaumont, pourtant peu porté à la bienveillance : « Son éloquence, rapide et brûlante, porte de l'intérêt dans les plus grandes minuties. D'ailleurs, l'amertume sublime qui découle continuellement de sa plume ne peut que lui concilier le plus grand nombre des lecteurs. Il faut ajouter que l'auteur possède au suprême degré la partie du sentiment. Ah ! que ne pardonne-t-on pas à qui *sait émouvoir !* »

d) Outre Bernardin de Saint-Pierre, dont on a déjà signalé les *Études de la nature,* Sébastien Mercier publie en 1767 à Amsterdam un *Homme sauvage,* directement inspiré de l'*Émile.* Mᵐᵉ d'Épinay, quoique brouillée avec Jean-Jacques, se déclare son élève, ainsi que le jeune Mirabeau, qui l'appelle « le grand Rousseau ». Tout en l'attaquant, Diderot s'inspire du système de Rousseau, dans son *Plan d'une université pour le gouvernement de Russie.*

*qu'il fut obligé de le modérer* [a]. *Au cours de ses années errantes,
il se vit amené à donner oralement ou par lettre des consultations
pédagogiques à des abbés, à des dames du monde, à de grands
seigneurs* [b]. *Et, pendant les vingt-cinq années qui suivirent la
publication de l'*Émile, *il parut en langue française deux fois
plus d'ouvrages sur l'éducation que durant les soixante premières
années du siècle* [c].

*C'est sous la Révolution que l'influence de Rousseau atteindra
son apogée. De même que les Conventionnels exhumeront le*
Contrat social *comme garant de leur constitution, de même
les théoriciens de l'éducation civique iront demander à l'auteur
d'*Émile *des inspirations. Marie-Joseph Chénier, dans la séance
de la Convention du 5 novembre 1793, proclamait Rousseau
« celui des philosophes qui a le mieux connu la véritable théorie
de l'éducation ». Même admiration chez Le Pelletier de Saint-
Fargeau, chez Lakanal, qui, rapporteur en septembre 1794, du
comité de l'instruction, proposa d'organiser en l'honneur de Rousseau une procession d'artisans, de mères vêtues à l'antique, de bota-
nistes, et d'orner la bannière de cette devise : « Il rendit les mères
à leur devoir et les enfants au bonheur ». De fait, l'*Émile *porte
en germe le* Rapport *et le* Projet de décret de Condorcet, *le*
Projet de Daunou, *ainsi que les décrets du 29 frimaire an II,
du 27 brumaire an III, la loi du 3 brumaire an IV, qui ont jeté
les bases de notre système actuel d'instruction publique. Fabre
d'Eglantine fit représenter avec succès, en 1799, une comédie,*
Les Précepteurs, *où il oppose à Timante, le précepteur for-
maliste et livresque, Ariste, le précepteur judicieux et bon,
qui veut enlever son élève aux fâcheuses influences de la famille
et de la ville et finit par y réussir. Cette sympathie pour l'œuvre
de Rousseau est naturelle chez les réformateurs des assemblées*

---

*a)* Un officier, Séguier de Saint-Brisson, quitta le service pour
apprendre le métier de menuisier et « faire le petit Émile » (Voir la
lettre de Rousseau du 22 juillet 1764). De même, dès 1758, il écon-
duisait un jeune homme désireux de s'installer auprès de lui.

*b)* Lettre au prince de Würtemberg sur l'éducation de sa fille
(15 décembre 1763), à Mme Roguin (31 mars 1764), à Mme de Berthier
(17 janvier 1770).

*c)* On en trouvera l'essentiel dans la Bibliographie (p. XLVI).

révolutionnaires. *La pédagogie, auxiliaire de la morale et de la politique, leur semble propre à préparer le règne de la raison. Former l'enfant, c'est, par avance, régénérer le citoyen, corrompu par les vices de l'Ancien Régime, pour l'adapter aux vues d'une société qui tente de s'organiser selon les exigences de la liberté et de l'égalité naturelles* [a].

*Si la Révolution, par ses excès, découvrit à certains esprits, d'abord séduits, les dangers du système politique et pédagogique de Rousseau* [b], *l'admiration subsista dans l'ensemble* [c]. *Mieux encore que son retentissement en France, l'action européenne de l'œuvre est intéressante à étudier, car elle reflua sur l'opinion française. Fait sans précédent, deux traductions parurent simultanément en Angleterre, malgré le mal que l'auteur dit des Anglais, et lady Hildare voulut lui confier l'éducation de ses enfants. En Allemagne, le succès fut encore plus vif, surtout chez les pédagogues. Parmi les philosophes, seul Frédéric II, qui a le sens pratique, proteste. Fichte, Kant* [d], *Gœthe* [e], *Schiller sont imbus de sa pensée* [f].

*a)* Cela montre le rapport entre l'*Émile* et *le Contrat Social*, ainsi que l'article *Économie politique* écrit pour l'*Encyclopédie* et les *Considérations sur le gouvernement de la Pologne*. Sur l'unité de la pensée de Rousseau, voir Lanson, *Annales de la Société Jean-Jacques Rousseau* (1905).

*b)* Chateaubriand, dans son *Essai sur les révolutions*, le traite « d'ouvrage où l'on rencontre quelques passages d'une vraie éloquence, mais ouvrage de pure théorie et de tout point inapplicable ».

*c)* C'est ainsi que Mirabeau, dans ses *Lettres à Sophie* (19 juillet et 18 décembre 1778), appelle *Émile* « magnifique poème », et La Harpe, qui a critiqué tous les autres ouvrages de Rousseau, convient que c'est un chef-d'œuvre (*Lycée*, XVIIIᵉ siècle, 3ᵉ partie, livre II, ch. III). Parlant des enfants de son temps, il avoue : « Si cet âge si intéressant et si aimable jouit aujourd'hui, en tous sens, de cette douce liberté qui lui permet de développer tout ce qu'il a de naïveté, de gaîté et de grâce, s'il n'est plus intimidé et contraint, c'est à l'auteur de l'*Émile* qu'il en a l'obligation. »

*d)* Le jour où il lut l'*Émile*, il en oublia sa promenade habituelle.

*e)* Le jeune Werther a dans sa poche un Homère et dans sa tête les souvenirs de l'*Émile*. Voir aussi dans *Faust* l'amusant dialogue entre Méphistophélès et l'étudiant, qui regrette de ne plus voir rien de vert, pas même un arbre.

*f)* Selon le mot de Jean-Paul, les idées de Rousseau, « pareilles à des semences ailées », ont volé par-dessus les frontières et comme germé dans les livres à l'insu de leur auteur. Höffding (*J.-J. Rousseau*

*C'est aux approches du Romantisme qu'Émile connaît un surcroît de faveur dans tous les milieux* [a]. *M^me de Vigny n'emmaillote pas le futur poète et le trempe dans l'eau froide. Les fils de bourgeois se prénomment Émile et apprennent un métier. Les jeunes lecteurs, bouleversés par le livre, y sentent une esthétique nouvelle. Chênedollé est si ému que sa suffocation frise la syncope. La plupart des admirateurs sont des disciples : ainsi Henry de Virieu, qui voudrait réaliser Émile, Maine de Biran, Sénancour, Michelet, Frœbel, et, plus tard, Dumas fils, Sully-Prudhomme* [b], *sans oublier Napoléon III* [c].

*Mais, sauf George Sand, ceux qui, jeunes, avaient adoré Rousseau, se sont vite détournés de lui. En 1844, Lamartine le traite de cuistre et trouve ridicules les dernières pages de l'Émile* [d]. *Plus indulgent, Lacordaire (1853) le juge seulement inutile* [e].

*Chose curieuse, c'est dans son propre pays que Rousseau a trouvé l'accueil le plus réservé. Si M^me de Staël écrivait en 1788* [f] : « *On serait heureux d'avoir Émile pour fils* », *plus tard, dans son livre* De l'Allemagne, *elle fait des réserves sur l'éducation négative et préfère l'éducation progressive, très en honneur alors grâce à Pestalozzi, disciple de Rousseau, mais plus judicieusement attaché à la pratique qu'à la théorie. M^me Necker de Saussure, parente de la précédente, conteste dans son* Éducation progressive (1828) *la bonté originelle de l'homme, l'ajournement de l'éducation religieuse et morale, l'idée du plaisir*

---

*et sa philosophie*, p. 164) écrit de même : « Il y avait dans ses idées une puissance qui l'a dépassé. Le puits profond qu'il a creusé était plus abondant qu'il n'avait lui-même pensé. »

a) Sous l'impulsion des anciennes élèves de Rousseau, la princesse de Bourbon-Conti, M^me de Genlis.

b) Sur ces disciples et quelques autres, lire J. Lemaitre (*J.-J. Rousseau*, p. 240), E. Seillière (*La morale de Dumas fils*, p. 7) et Serban (*Leopardi et la France*, pp. 394-395).

c) Voir l'article de M^gr Lacroix dans *Le Correspondant* (25 novembre 1921, p. 628).

d) Voir Alexandre, *Souvenirs sur Lamartine*, p. 40.

e) « Son charme, utile quelquefois à des jeunes gens qui ne respectent rien, ne l'est que bien peu à une âme qui possède la connaissance et l'amour de Jésus-Christ. » Voir Perreyve, *Lettre du R. P. Lacordaire à des jeunes gens*, p. 243.

f) Dans ses *Lettres sur les écrits et le caractère de J.-J. Rousseau*.

*substitué à l'effort de l'intelligence et de la volonté. Le Genevois Amiel, bien que déclarant Rousseau « un ancêtre en tout », éprouve, après la lecture du premier livre, « une impression de lourdeur, de dureté, d'emphase martelée et pénible, quelque chose de violent, d'emporté et de tenace, dépourvu de sérénité, de noblesse et de grandeur ». Enfin le Vaudois Vinet condamne « ce roman de l'éducation.., œuvre d'un rationalisme effréné, qui transporte dans la réalité les classifications de la science, scinde l'homme, et l'élève sans la société, quand c'est à la société qu'il le destine ». Ces critiques, et mainte autre, qu'il serait oiseux de reproduire [a], prouvent au moins que, longtemps après la mort de son auteur [b], l'ouvrage, par sa richesse même, n'a pu laisser personne indifférent.*

*Aujourd'hui, le recul du temps favorise un jugement impartial. Il ne paraîtra donc sans doute pas téméraire de rechercher, en terminant, ce que l'œuvre pédagogique de Rousseau renferme de bon et de mauvais, de caduc et de vivace.*

*\* \* \**

LA VALEUR. — *Afin d'éviter les injustices que, dans leur parti pris, ses adversaires n'ont pas épargnées à l'Émile, il faut bien se rappeler le propos de l'auteur et la double inspiration de l'œuvre. Rousseau n'a voulu que poser des principes. Son livre ne doit donc pas être pris comme un manuel, mais comme un traité théorique. Le malheur veut que cette logique de doctrinaire se soit appliquée à l'enfance, matière vivante, mobile, peu complaisante aux simplifications. Il en résulte des incohérences constantes, facilement réductibles d'ailleurs, car, dans l'Émile, doctrine et pratique se dissocient sans peine [c]. La critique du système*

---

a) Voir dans la Bibliographie (p. XLVI), la liste des critiques du XIXᵉ siècle relatives à l'*Émile*.

b) Les fêtes du bicentenaire, en 1912, ont permis à l'opinion contemporaine de manifester la diversité passionnée de ses tendances.

c) C'est ce que, dans une originale monographie (chez Garnier), dont cette introduction a mainte fois tiré parti, E. Seillière exprime nettement : « Posant une contre-vérité en principe (L'homme est naturellement bon) et cherchant à l'accorder avec une vérité d'expé-

*peut donc se ramener à un débat entre l'accusation et la défense, celle-là s'en prenant au théoricien, celle-ci justifiant le praticien. Écoutons ces voix contrastées, pour pouvoir enfin, de ces griefs fragmentaires, dégager une conclusion synthétique* [a].

ACCUSATION. — *Qu'est-ce que cet élève imaginaire, sans famille, sans hérédité, sans tempérament ni caractère ? Qu'est-ce que ce précepteur parfait, entièrement disponible pendant des années ?*

DÉFENSE. — *Émile est l'élève en soi, le précepteur est le maître en soi, seuls possibles pour illustrer le plan de l'éducation en soi. Remettre Émile dans sa famille et dans son temps, c'est en faire un jeune noble de 1762, ce que Rousseau ne voulait pas.*

A. — *Pourtant il l'a fait noble et riche. Et il lui a donné une éducation tellement exceptionnelle qu'elle ne peut être proposée en exemple.*

D. — *Outre qu'il s'est appliqué à faire d'Émile, intellectuellement et moralement, un enfant pareil aux autres, si le but de l'éducation est de préparer un homme moyen, n'y aurait-il pas quelque maladresse à prendre un enfant qui le soit déjà ? Au contraire un noble, un riche, dépravé par le luxe et les préjugés, exposé à sortir de l'humanité, a besoin d'y être ramené par l'éducation.*

A. — *N'eût-il pas mieux valu former l'homme particulier d'abord, en considérant la nature de l'enfant, sa classe sociale, son métier futur ? L'homme général serait venu ensuite.*

D. — *Spécialiser l'enfant trop tôt serait peut-être le spécialiser à faux. Ainsi, pour avoir su perdre un peu de temps au début, « en faisant passer devant les yeux de son élève tous les objets qu'il lui importe de connaître », l'éducateur en gagne beaucoup par la suite. Au reste, vivre, c'est s'adapter, car la*

rience (les hommes sont méchants), il n'a produit et ne pouvait produire qu'une suite d'assertions arbitraires et contradictoires. Utile, frappant même, quand il est d'accord avec les faits, il est tranquillement hors de sens quand il écoute sa psychologie romanesque de rêve. »

*a)* Cette réfutation s'inspire, en partie, de F. Vial, *La doctrine d'éducation de J.-J. Rousseau.*

*nature diversifie. L'objet de l'éducation doit donc être de ramener chacun au type canonique* [a]. *Cette logique et cette universalité font la force du système. En dehors du temps et de l'espace la construction reste valable. D'un art fondé sur l'intuition et l'empirisme, Rousseau a fait une science déductive, analogue aux mathématiques* [b].

A. — *Cette éducation est limitative, puisqu'elle exclut le merveilleux et restreint la connaissance* [c].

D. — *En écartant le mensonge et l'hypocrisie* [d], *elle construit un monument inébranlable.*

A. — *Cette éducation est égoïste, puisqu'elle s'adresse à un enfant isolé des autres, choisi dans la classe aisée.*

D. — *Elle s'applique à tous, parce qu'* « *adaptée au cœur humain* », *où l'altruisme combat naturellement l'égoïsme.*

A. — *Cette éducation est idéale, puisqu'elle néglige certaines contingences et vise trop haut.*

D. — *On ne vise jamais trop haut, surtout en éducation. Rousseau, qui élève toujours la question qu'il traite, ne recherche plus seulement, comme ses prédécesseurs, la meilleure façon d'enseigner ceci ou cela, mais le moyen de rendre l'humanité plus vertueuse, partant plus heureuse. Si cette pédagogie, enrichie de morale et de sociologie, paraît illusoire — car la vie oppose toujours ses limites, surtout quand on s'assigne comme but l'infini — mieux vaut l'utopie qu'un mesquin traditionalisme* [e]. *Au demeu-*

---

*a*) En changeant deux mots, c'est la formule du *Contrat social* (II, 11) : « Parce que la force des choses tend toujours à détruire l'humanité (l'égalité), la force de l'éducation (législation) doit toujours tendre à la maintenir ».

*b*) N'empêche que, partant de concepts et de lois, elle devient une science appliquée, comme la morale selon Renouvier (Préface de *La Science de la morale*). Ce caractère abstrait et général de la pédagogie de Rousseau justifie le titre de « philosophe de l'éducation » dont l'a honoré Compayré.

*c*) C'est le regret de George Sand (*Histoire de ma vie*, t. II, p. 156).

*d*) Dans un entretien privé sur l'éducation sexuelle (Restif de la Bretonne, *Monsieur Nicolas*, I, 376), Jean-Jacques exige qu'on révèle crûment la vérité aux petites filles.

*e*) « J'aime mieux, a écrit Rousseau de lui-même, être un homme à paradoxes qu'un homme à préjugés ».

rant, l'œuvre contient tant de détails pratiques, neufs et charmants, que la postérité n'en a pas encore épuisé le contenu.

Après cette mise au point de détail, il n'y a plus qu'à reprendre, pour les justifier, les principes essentiels énoncés au deuxième chapitre de cette introduction[a].

Sans doute est-il maladroit de séparer l'enfant de sa famille et surtout de sa mère, dont l'influence ne saurait être remplacée, même par celle d'un précepteur remarquable. Sans doute est-il imprudent de l'isoler des autres enfants, dont la fréquentation le prémunirait contre les embûches de la société. Toutefois il est charitable de garder le plus longtemps possible sa candeur des grossiers contacts de la vie.

S'il y a danger à livrer à lui-même le jeune esprit, qui, privé de guide, risque de se croire trop facilement supérieur et, non instruit des vérités, imagine l'erreur[b], on peut estimer juste de respecter la nature de l'enfant, en lui épargnant l'uniformité d'une règle collective et en lui permettant de se développer librement, heureusement.

Morceler l'enseignement en tranches correspondant aux différents âges suppose à tort que les facultés s'éveillent l'une après l'autre, la raison en dernier lieu. Or, s'il est bon de développer les sens et le cœur, il serait possible et souhaitable de raisonner de bonne heure avec les enfants, et il serait dangereux de trop reculer leur formation religieuse et morale : le jeune homme, qui s'est passé de Dieu jusqu'à dix-huit ans[c], ne trouvera-t-il pas naturel de s'en passer encore ? Et alors, ou bien il discutera

a) Voir p. v. — Le développement qui suit doit plusieurs idées importantes à la très pertinente critique de M. Braunschvig (La littérature française par les textes, t. II, p. 128).

b) Ainsi se vérifie une fois de plus l'adage célèbre que l'éducation, « c'est l'homme ajouté à la nature », afin de le compléter et de le redresser. Pas plus pour le corps que pour l'âme, la nature ne peut se suffire. Si, par exemple, il est excellent, physiquement et moralement, d'ordonner l'allaitement maternel, il est ridicule de mettre l'enfant nu, de proscrire l'inoculation du vaccin et la médecine en général.

c) Indifférence peu probable, car sa curiosité le pousse à rechercher la cause de l'univers, et, faute d'être guidé, il se forge un Dieu à sa manière, ainsi que fit un adolescent, dont Villemain relate le cas dans son rapport sur l'ouvrage du Père Girard (1844).

à perte de vue avec le maître, ou bien il acceptera, pour avoir la paix, une foi toute de surface. Quant à la moralité, il sera d'autant plus difficile de l'éveiller qu'on aura plus longtemps fait appel à l'utilité immédiate. Du reste, l'amour peut-il s'enseigner comme la géométrie, et ne conviendrait-il pas de donner aux tendances affectives, mieux que ne le fait Rousseau, le contrepoids de la raison ? Toutefois, c'est la sagesse même — très nouvelle à l'époque — de respecter l'évolution naturelle de l'enfant, sans lui infliger un effort supérieur à ses moyens ni le traiter déjà en homme. Il aura bien le temps d'apprendre, puisque l'éducation doit durer toute la vie.

En évitant toute contrainte, on prépare mal l'enfant aux efforts, souvent pénibles, que la vie exigera de lui et à l'obéissance que, dans toute société policée, la hiérarchie lui imposera. En le soumettant à la pression des choses, on s'expose à ne développer en lui que le culte du fait et de la force. Il est judicieux, en retour, de ne pas rebuter l'élève par la rudesse de la discipline et le formalisme de la méthode.

La pratique des écrivains — surtout des moralistes et des poètes — étant, selon le mot de Descartes, « une conversation où les plus grands esprits des siècles passés ne nous livrent que le meilleur d'eux-mêmes », les interdire à l'enfant revient à le priver d'une somme très assimilable à leur mémoire encore fraîche, et très fortifiante, car, faute de s'être habitué à penser à leur contact, le jeune homme aura bien du mal à aborder les études rapides qui vont lui être imposées pendant la période intellectuelle. Au surplus, est-il sage d'écarter toute étude désintéressée, en sacrifiant sans cesse le beau et le vrai à l'utile ? Néanmoins l'expérience personnelle doit compléter l'expérience livresque, surtout si l'on demande à la nature le décor et les influences qui doivent la faciliter.

On peut seulement regretter que, dans sa prévenance continuelle, le précepteur soit à la fois trop discret et trop ingénieux. Quelques mots timides pour aider l'enfant à interpréter les leçons de la nature, c'est trop peu. Et l'horreur de Rousseau pour « la manie enseignante et pédantesque » l'amène à cette faute de proscrire l'éducation des habitudes. Quant aux expériences qu'on l'a vu organiser pour suppléer aux défaillances de la nature, elles *peuvent paraître, selon les esprits, enfantines ou malhonnêtes* [a].

*Enfin, à propos de Sophie, Rousseau méconnaît la dignité propre de la femme et notre époque exige pour elle une formation plus libérale. L'on a pourtant constaté que son portrait de la jeune fille idéale n'est pas dénué de charme, peut-être pour avoir été tracé « dans une solitude profonde et délicieuse, au milieu des bois et des eaux, au concert des oiseaux de toute espèce, au parfum de la fleur d'orange ». Sophie sera une bonne épouse, agréable et douce. Croyons-en les lectrices de Rousseau, qui ne lui en ont pas voulu d'avoir été sévère à leur sexe ; elles ont vu avec raison, dans sa rudesse, la forme la plus éloquente de l'amour.*

*Mélange d'utopie et de vérité, tel nous apparaît donc l'*Émile. *Tel il est d'ailleurs apparu à maint contemporain* [b] *et à l'auteur lui-même. Deux ans avant de faire paraître son livre, il l'annonçait ainsi dans une lettre au pasteur Vernes* (29 nov. 1760) : « *Il me reste à publier une espèce de traité de l'éducation*, plein de mes rêveries accoutumées *et dernier fruit de mes* promenades champêtres.» *Et dans la préface reparaissent les mêmes réserves :* « *On m'attaquera sans doute et peut-être n'aura-t-on pas tort. On croira moins lire un traité d'éducation que les rêveries d'un visionnaire sur l'éducation* [c]. » *Plusieurs années après la publication, son point de vue n'a pas changé. On connaît sa réplique*

---

*a)* Est-ce respecter la liberté de l'enfant, a-t-on pu dire, que de le mystifier par de continuels « truquages » et lui imposer, sans qu'il s'en doute, l'esprit de système du plus impérieux des maîtres ?

*b)* « J'ai lu, écrivait à Rousseau une de ses amies, Mme de Créqui, votre roman de l'éducation ; je l'appelle ainsi parce qu'il me paraît impossible de réaliser votre méthode ; mais il y a beaucoup à apprendre, à méditer, à profiter. » Mme de Rémusat écrira de même : « *Émile* est un livre dont toute la pratique est insensée, mais dont la théorie est admirable ». Connaît-on, d'ailleurs, beaucoup de traités pédagogiques, même ceux de Rabelais, de Montaigne et de Fénelon, qui soient entièrement réalisables ?

*c)* Ou, comme le dit joliment L. Ducros (*J.-J. Rousseau*, chez Fontemoing), les Rêveries d'un pédagogue solitaire. — Ce caractère chimérique de l'ouvrage n'est, au demeurant, pas entièrement imputable à son auteur. Trente ans plus tard, écrivant pour une démocratie accomplie ou en voie de l'être, il ne se serait plus jeté, en haine du présent, dans les fantaisies d'un monde d'exception.

*à un hôte strasbourgeois, M. Hangardt, qui se flattait d'élever
son fils selon les principes de l'Émile : « Tant pis, monsieur,
pour vous et pour votre fils, tant pis* [a]. »

*Le départ nécessaire entre la technique et la doctrine a été
si bien reconnu par l'auteur qu'il a presque démenti son livre
en lui donnant comme conclusion un épisode romanesque, d'ailleurs inachevé :* Émile et Sophie, ou les Solitaires. *Sophie
trompe son mari qui, de désespoir, erre à travers le monde, et,
après avoir été longtemps esclave à Alger, revient pardonner
à l'infidèle, sans toutefois reprendre la vie commune.*

*Même si, par cette conclusion pessimiste, Rousseau avouait
l'inanité de sa pédagogie, nous ne l'avouerions pas. Non, cette
grande entreprise de l'*Émile *n'aboutit pas à un grand naufrage.
Dussions-nous reconnaître la faiblesse des méthodes et même
des principes, nous proclamerions la force durable des sentiments.
Les plus essentiels de ceux qui ennoblissent l'humanité sont,*

---

*a)* A un abbé lui demandant des conseils sur la conduite à tenir
vis-à-vis de son élève, il répond (De Monquin, 18 février 1770) :
« S'il est vrai que vous ayez adopté le plan que *j'ai tâché de tracer*
dans l'*Émile,* j'admire votre courage; car vous avez trop de lumières
pour ne pas voir que, dans un pareil système, *il faut tout ou rien,* et
qu'il vaudrait cent fois mieux reprendre le train des éducations ordinaires, et faire un petit talon rouge, que de suivre à demi celle-là
pour ne faire qu'un homme manqué. *Ce que j'appelle tout, n'est pas de
suivre servilement mes idées ; au contraire, c'est souvent de les corriger ;*
mais de s'attacher aux principes, et d'en suivre exactement les conséquences, *avec les modifications qu'exige nécessairement toute application
particulière.* » « Je crois, dit-il encore dans l'*Émile* (III), qu'on trouverait aisément une autre méthode; mais si elle était moins appropriée
à l'espèce, je doute qu'elle eût le même succès. » Et, toujours dans le
même ouvrage (III) : « Mes exemples, bons peut-être pour un sujet,
seront mauvais pour mille autres. Si l'on en prend l'esprit, on saura
bien les varier au besoin. » Ses exemples, explique F. Vial *(ouvrage
cité),* sont mauvais, parce que non empruntés à son expérience, mais
inventés par son imagination romanesque. Sa technique est inutili-
sable, parce que non utilisée préalablement. Et L. Ducros *(ouvrage
cité)* précise finement : « Il met sa logique au service de ses rêveries.
D'où un flottement, qui fait perdre de vue, non seulement au lecteur,
mais à lui-même, le dessein précis de l'ouvrage. Et cela provient
de ce que, admirablement doué par la nature, il n'a pas su acquérir
ce que l'éducation par les hommes lui aurait sans doute inculqué :
la discipline de ses facultés. »

*par l'*Émile, *renouvelés, approfondis. On a vu l'auteur de la*
Profession *de foi* restaurer le sentiment religieux. *L'auteur*
*des trois premiers livres a réveillé le sentiment du respect, de la*
*pitié, de la tendresse que l'enfance mérite et dont elle était privée*
*depuis des siècles. Ce sentiment de l'enfance a fortifié, du même*
*coup, le sentiment de la famille, célébré, d'ailleurs, au livre* V,
*en traits délicats et touchants. Après l'*Héloïse *et avant les*
Confessions *ou les* Rêveries, *l'*Émile *inspire le sentiment de*
*la nature, qu'il s'agisse d'opposer aux conventions, aux formules*
*et aux livres les expériences, les objets et la réflexion, ou de*
*remplacer l'échauffement mécanique de l'esprit en vase clos par*
*le libre épanouissement de l'âme au grand air des champs et des*
*bois. Surtout il a donné son expression la plus vigoureuse et la*
*plus pathétique au sentiment du peuple, de ce peuple misérable*
*et méconnu malgré la noblesse et la persévérance de son effort.*
*Voltaire a beau rire de ce gentilhomme devenu garçon menuisier* [a],
*un souffle démocratique anime le livre, aristocratique de conception*
*et de méthode. C'est pourquoi, malgré tant de changements réalisés,*
*la démocratie moderne y a puisé l'essentiel de ses principes péda-*
*gogiques : neutralité, laïcité, respect de la liberté de l'enfant,*
*enseignement progressif, leçon de choses et travaux pratiques,*
*sports, loisirs dirigés, n'est-ce point là le fondement de l' « école*
*unique » ? Et ne peut-on considérer* Émile *comme l'élève moyen*
*de nos classes, chez lequel le professeur néglige l'individuel pour*
*ne retenir que ce qui est commun à tous ?*

   *A supposer que l'on conteste cet apport sentimental, personne*
*ne pourrait demeurer insensible aux qualités purement artistiques*
*de l'ouvrage. Si l'*Émile *n'est peut-être pas le livre le mieux*
*composé* [b] *de Rousseau, il est littérairement le plus original,*

---

*a)* Voir page XXIX, note *a.*
   *b)* Et pourtant la composition dont nous avons relevé plus haut (p. IX)
la mollesse, a désarmé les adversaires de Rousseau : alternance des
préceptes et des exemples ; utilité des digressions, qui varient l'intérêt ;
changement de ton, quand le pédagogue et le philosophe cède la
place au conteur (souvenir de peur nocturne chez le pasteur Lambercier), au prédicateur (joli sermon sur l'aumône), au peintre de
la nature (lever de soleil), qui est en même temps psychologue, car
ce poète a compris que « c'est dans le cœur de l'homme qu'est la vie
du spectacle de la nature ».

*parce que c'est celui dans lequel l'écrivain a mis le plus de soi* [a].
« *Jean-Jacques sait que tout son talent lui vient d'« une certaine*
*chaleur d'âme » et qu'il ne peut bien écrire « que par passion ».*
*Or quel sujet le passionnait plus que celui de l'Émile ? Il y a*
*donc été naturellement éloquent, et, ce qui est rare chez lui,*
*d'une éloquence non monotone, où il y a de la sensibilité et de la*
*vigueur, une poésie pénétrante et une dialectique inexorable* [b]. »
*Nous sommes loin de Voltaire, dont les phrases, nettes et rapides*
*comme des fléchettes, donnent un plaisir purement intellectuel.*
*Notre plébéien ne s'amuse pas et ne veut pas nous amuser. Sa*
*gravité ne condescend que rarement — et sans adresse — à l'ironie.*
*Mais quand un grand élan la porte, elle atteint d'emblée le lyrisme*
*le plus simple, le plus direct* [c] *et le plus contagieux. C'est par*
*là que cette pédagogie poétique agit encore sur le lecteur moderne,*
*plus encore sur l'auditeur, si on le lit à haute voix avec le ton*
*et presque avec le geste qu'il réclame* [d]. *Et, dans une égale admi-*
*ration pour le musicien et l'idéaliste, l'on approuve ce jugement*
*final de l'écrivain* [e] *sur son œuvre : « Quand il n'y aurait pas un*
*mot de vérité dans cet ouvrage, on en devrait honorer et chérir*
*les rêveries, comme les chimères les plus douces qui puissent*
*flatter et nourrir le cœur d'un homme de bien. »*

François et Pierre RICHARD.

---

*a)* C'est le cas de dire, après Pascal, qu'« on est tout étonné et ravi,
car on s'attendait de voir un auteur, et on trouve un homme ».

*b)* Hémon, *Cours de littérature* (Sur l'*Émile*, p. 60).

*c)* Car il a, selon la forte expression de Joubert, « donné des
entrailles » aux mots.

*d)* Ne pas oublier que l'auteur de l'*Émile* a été celui du *Devin du*
*village*, et qu'il a modelé sa phrase écrite sur sa phrase rythmée et
chantée.

*e)* Dans sa *Lettre à Christophe de Beaumont*.

# BIBLIOGRAPHIE

**A. Bibliographie des bibliographies.**

*Annales de la Société Jean-Jacques Rousseau* (depuis 1905).

LANSON, *Manuel bibliographique de littérature moderne* (XVIIIᵉ siècle).

BRUNETIÈRE, *Manuel de l'histoire de la littérature française* (1898).

DE GIRARDIN, *Iconographie de J.-J.-Rousseau* (1908, in-8°); *Iconographie des œuvres de J.-J.-Rousseau* (1910, in-8°).

**B. Ouvrages pédagogiques, antérieurs ou contemporains, dont Rousseau a eu connaissance et s'est plus ou moins directement inspiré.**

[De brefs commentaires soulignent les ressemblances les plus marquantes. — Sur ces prédécesseurs et inspirateurs possibles de Rousseau, voir le grand et clair ouvrage de Compayré, *Histoire critique des doctrines de l'éducation en France* (2 vol., 1879)].

MONTAIGNE, *De l'institution des enfants* (*Essais*, I, 25, 1580). — Points communs : éducation douce et lente d'un isolé privilégié. Pas de pédantisme. Peu de livres : le *Robinson* de Montaigne est Plutarque, auquel d'ailleurs Jean-Jacques rend hommage. Culte du corps. Suivre la nature dans son développement. Culte de l'observation. But de l'éducation : savoir juger, savoir vivre. — Grande différence : chez Montaigne, « enfant de maison » destiné au monde. — Chez l'un, causerie sans déclamation, ni système; chez l'autre, dissertations et rhétorique. Montaigne ne peut parler aux modernes qu'au nom d'un passé qui fut séduisant, Rousseau empiète sur l'avenir. L'un donne les meilleurs conseils de sagesse, à ne considérer que la vie pratique; l'autre, puissant par le sentiment plus encore que par la dialectique, nous entraîne à sa suite vers l'idéal. — Voir Villey, *L'influence de Montaigne sur les idées pédagogiques de Locke et de Rousseau* (1911).

Mˡˡᵉ DE SCUDÉRY, *Clélie* (1654-1661). Plan d'éducation de Brutus (2ᵉ partie, livre I).

Les solitaires de Port-Royal (Arnauld, Lancelot, Nicole) :

ARNAULD, *La logique ou l'art de penser* (1661).

LANCELOT, *Jardin des racines grecques* (1657) et autres manuels, principalement, en collaboration avec Arnauld, *La grammaire de Port-Royal* (1660).

NICOLE, *Essais de morale* (1671).

ABBÉ CLAUDE FLEURY, *Traité du choix et de la méthode des études* (1686). Qualifié de « sage » par Rousseau.

FÉNELON, *Traité de l'éducation des filles* (1687), plus rationnel que les vues ultérieures de l'auteur sur le même sujet après sa prise de contact avec M^me Guyon, de même que le *Projet pour M. de Sainte-Marie* est plus sage et plus pratique que l'*Émile*.

LOCKE, *De l'éducation des enfants*, publié en 1693, traduit par Coste en 1695, 5^e édition en 1737, réédité par Compayré (1889), qui marque les rapports entre le philosophe français et le philosophe anglais. Celui-ci réagit contre l'éducation livresque et invite les maîtres à tourner leurs élèves vers les réalités de la vie. C'est un médecin sensualiste, qui songe à l'éducation morale, mais aussi à l'hygiène et à la vie pratique. Comme Montaigne, il écrit pour les enfants de la bourgeoisie et de la noblesse. Rousseau reconnaît mal sa dette, qui pourtant est certaine, bien que Locke n'ait pas les vues d'ensemble et la chaleur d'âme de son disciple.

M^me DE LAMBERT, *Avis d'une mère à son fils, à sa fille* (1728).

« Le bon » ROLLIN, *Traité des Études* (1726-28).

P. DE CROUSAZ, *De l'éducation des enfants* (1722); *Pensées libres sur les instructions publiques des bas collèges* (1727). Ce Suisse, traité de « pédant » par son compatriote, a les mêmes tendances que Locke.

ABBÉ DE SAINT-PIERRE, *Projets pour perfectionner l'éducation* (1728). Met en garde contre l'abus des études latines, insiste sur l'importance de l'éducation morale et des arts mécaniques.

ABBÉ PLUCHE, *Le Spectacle de la nature* (1732, t. VI), le grand livre du XVIII^e siècle, 20 éditions et contrefaçons, traductions en anglais, allemand, italien. Ces huit volumes de dialogues sur la vie des plantes, des insectes, devancent Rousseau dans le détail : éducation du premier âge, importance des langues vivantes, étude de la physique expérimentale et des sciences naturelles, visites aux artisans.

ABBÉ DE PONS, *Œuvres* (1738, p. 35). Au lieu des rudiments formels appris par cœur, il propose l'enseignement vivant de la météorologie, minéralogie, botanique, zoologie, physiologie, des arts mécaniques.

RÉAUMUR, *Mémoires pour servir à l'histoire des insectes* (1738).

TREMBLEY, naturaliste genevois, *Recherches sur les polypes* (1744).

BAZIN, naturaliste, vulgarisateur de Réaumur, recommande

l'étude de l'histoire naturelle comme « plus propre qu'aucune autre à détruire les préjugés de l'enfance » (*Abrégé de l'histoire des insectes*, t. I, p. XVIII).

Buffon, *Histoire naturelle* (1749-1788).

Mᵐᵉ Leprince de Beaumont, *Lettres diverses et critiques* (1750); *Magasins des enfants* (1757), *des adolescentes* (1760); *Le Mentor moderne* (1772); *Le nouveau magasin français* (1780).

Bermingham, *Manière de bien nourrir et soigner les enfants nouveau-nés* (*Mercure* de janvier 1750, p. 186).

La Condamine, ami de Rousseau, *Lettre critique sur l'éducation* (1751). Mêmes idées que Locke et Crousaz.

Turgot, *Épître à Mᵐᵉ de Graffigny* (1751). Demande qu'on renonce à l'éducation artificielle pour revenir à la nature.

Duclos, *Considérations* (chapitre II, sur l'Éducation et sur les Préjugés, 1751). Former des Français et des hommes, non des savants ou des artistes. Cultiver l'être raisonnable. Car « il y a une certaine fermentation de raison universelle qui tend à se développer ».

Bonneval, *Les éléments et progrès de l'éducation* (1751); *Réflexions sur le premier âge de l'homme* (1753).

Bonnet, *Essai de psychologie* (1754). Entretient l'enfant des objets sensibles avant de révéler Dieu au jeune homme. Il l'intéresse à ses devoirs par le bien qui en résulte naturellement. Pas de contrainte, pas de chagrin. Instruction pratique à table, à la promenade, au jeu.

Picardet, du livre duquel Fréron rend compte dans son *Année littéraire* (t. III, 1756). Cet auteur veut que les enfants soient nourris par leurs mères, dispensés du collège, des contes de nourrice, des fables de La Fontaine, du latin, amusés avec « toutes sortes d'outils et d'instruments », instruits par Buffon et les expériences de physique.

*Lettre à une dame occupée sérieusement de l'éducation de ses enfants* (*Mercure de France*, 1756).

Blondel, *Les loisirs philosophiques ou l'étude de l'homme* (1756). *Lettre de M. G. à M. F. sur l'instruction de la jeunesse* (*Mercure* 1758).

Sainte-Maure, *Délassement du cœur et de l'esprit* (1758).

Mᵐᵉ d'Épinay, *Lettres à mon fils* (1758); *Les Conversations d'Émilie* (1774).

Helvétius, *De l'Esprit* (1758). Préconise les exercices physiques et demande qu'on laisse « l'étude des mots » pour « l'étude des choses ».

Desessarts, *Traité de l'éducation corporelle des enfants en bas-âge* (1760).

BRET, *Poème*, dans *l'Année littéraire* (t. I, 1761).

LA CAZE, *Mélanges de physique et de morale* (1761).

## C. Manuscrits et éditions de l'ÉMILE.

(Pour le détail, voir Théophile Dufour, *Recherches bibliographiques sur les œuvres imprimées de J.-J. Rousseau*, Paris, Giraud-Badin, 1925, 2 vol.)

a) *Manuscrits :*

Appartenant à M. Favre, de Genève.

Bibliothèque de la Chambre des Députés. Copie autographe avec corrections de l'auteur.

Bibliothèque de Genève. Copie corrigée ayant servi pour la première impression, et copie de la *Profession de foi.*

Bibliothèque de Neuchâtel : *Émile et Sophie, ou les Solitaires,* brouillon et copie.

b) *Textes :*

*Émile ou de l'Éducation,* La Haye, Néaulme (imprimé à Paris par Duchesne), 1762, 4 vol. in-12 et in-8°. C'est d'après cette édition originale (dont un exemplaire in-12, avec corrections et additions de l'auteur, figure à la bibliothèque de Genève) qu'a été établi le texte de la présente édition.

Maintes contrefaçons en 1762 et les années suivantes. Voir Th. Dufour, *ouvrage édité.*

1765. Dans l'édition complète de ses œuvres, en 6 volumes in-4°, préparée par l'auteur, la dernière parue de son vivant.

1782-1790, par les soins de Du Peyrou, et dite édition de Genève.

1790. Édition Poinçot.

1796-1801. Édition Bozérian.

1801. Édition Naigeon, Beaucarel et Fayolle.

1819-1820. Édition Petitain.

1823-1826. Édition Musset-Pathay, et bibliographie du même.

## D. Témoignages de l'époque et études d'aujourd'hui sur la Condamnation de l'ÉMILE.

a) *A Paris :*

GRIMM, *Correspondance littéraire* (t. V).

COLLÉ, *Journal.*

BACHAUMONT, *Mémoires secrets.*

BOSSCHA, *Lettres inédites de Rousseau à Rey* (1858).

STRECKEISEN-MOULTOU, *J.-J. Rousseau, ses amis et ses ennemis* (II, 1865).

*Correspondance inédite* de Turgot et de Condorcet (1882, p. 272).

LANSON, *Documents inédits sur la condamnation et la censure de l'Émile* (*Annales J.-J. Rousseau*, I, 95).

Lettres inédites de ou à Rousseau (Bibliothèque de Neuchâtel).

b) *A Genève* :

MARC VIRIDET, *Documents officiels et contemporains sur quelques-unes des condamnations dont* Émile *et le* Contrat social *ont été l'objet en* 1762 (Genève, 1850).

J. GABEREL, *La condamnation de l'*Émile *et du* Contrat social (1878).

EUGÈNE RITTER, *Le Conseil de Genève jugeant les œuvres de J.-J. Rousseau* (Genève, 1883).

Ch. BONNET, *Études genevoises* (1893).

ÉDOUARD ROD, *L'affaire Jean-Jacques Rousseau* (1906).

G. VALLETTE, *Jean-Jacques Rousseau genevois* (1911).

LANSON, *Annales J.-J. Rousseau*, I, 98.

## E. Analyses et critiques de la « Profession de foi du vicaire savoyard ».

ABBÉ ANDRÉ, *Réfutation de l'*Émile (1762).

PÈRE GRIFFET, *Lettre à M. D. sur le livre intitulé* Émile (1762).

JACOB VERNES, *Dialogues sur le christianisme de J.-J. Rousseau* (1763).

DOM DEFORIS, *La divinité de la religion chrétienne vengée des sophismes de J.-J. Rousseau* (1763).

FORMEY, *Anti-Émile* (1763); *Émile chrétien* (1764).

ABBÉ MARCEILLE, *Examen de la* Profession de foi (1828).

MARTIN DU THEIL, *J.-J. Rousseau apologiste de la religion chrétienne* (1841).

SCHINZ, *La* Profession de foi *et le* Livre de l'Esprit (1910).

GASPARD VALLETTE, *J.-J. Rousseau genevois* (Plon, 1911).

DUFFAU, *La Profession de foi du vicaire savoyard.*

WILLIAM CUENDET, *La philosophie religieuse de J.-J. Rousseau* (Genève, 1913).

PIERRE-MAURICE MASSON, *Édition critique de la Profession de foi* (Fribourg et Paris, Hachette, 1914); *La religion de J.-J. Rousseau* (3 volumes, Hachette, 1916).

## F. Ouvrages du XVIIIᵉ siècle relatifs à l'ÉMILE ou inspirés par lui.

GRIMM, *Correspondance littéraire* (édit. Tourneux, Garnier, in-8º), t. IV, p. 374, avril 1761; t. V, p. 91, 1ᵉʳ juin 1762; pp. 99 à 106, 15 juin 1762; pp. 109 à 117, 1ᵉʳ juillet 1762; pp. 121 à 130, 15 juillet; pp. 132 à 139, 1ᵉʳ août; pp. 148 à 154, 1ᵉʳ septembre; p. 187, novembre 1762.

VOLTAIRE, *Œuvres* (édit. Moland, Garnier, in-8º), t. X, p. 160; t. XV, p. 434; t. XVII, p. 444; t. XVIII, p. 31; t. XXV, p. 267; t. XXVI, pp. 39-40; t. XXVII, p. 118; t. XXX, pp. 529, 573; t. XLII, pp. 125, 136, 180, 194, 195, 457, 516, 520, 550, 551, 556; t. XLIII, pp. 1, 161, 268, 276, 432.

PÈRE GERDIL, *Réflexions sur la théorie et la pratique de l'éducation contre les préceptes de M. Rousseau* (1763).

DOM CAJOT, *Les plagiats de M. J.-J. Rousseau, de Genève, sur l'éducation* (1766).

DIDEROT, *Œuvres complètes* (édit. Assezat, Garnier, in-8º), t. III, pp. 95-96; t. XIX, pp. 81-82.

D'ALEMBERT, *Œuvres*, t. IV, p. 463.

ABBÉ GALIANI, *Lettre* du 4 août 1770.

Mᵐᵉ D'ÉPINAY, *Lettre* du 2 septembre 1770.

RESTIF DE LA BRETONNE, *Lettres d'une fille à son père ou Adèle de Comminges* (1777).

Mᵐᵉ PANCKOUCKE, *Sentiments de reconnaissance d'une mère adressés à l'ombre de J.-J. Rousseau* (1779).

Mᵐᵉ DE GENLIS, *Adèle et Théodore ou Lettres sur l'éducation* (1782).

Mᵐᵉ DE STAEL, *Lettres sur les écrits de Rousseau* (III, 1788).

MERCIER, *De J.-J. Rousseau considéré comme l'un des premiers auteurs de la Révolution* (1791).

FÈVRE DE GRAND-VAUX, *L'Émile réalisé ou plan d'éducation générale* (1795).

CHATEAUBRIAND, *Essai sur les Révolutions*, Livre I, 1ʳᵉ partie, ch. XXIV; 2ᵉ partie, ch. XXV et XLIII (1797).

P. CAVAYE, *Nouvel Émile ou Conseils donnés à une mère* (1799).

## G. Ouvrages du XIXᵉ siècle relatifs à l'ÉMILE ou inspirés par lui.

ABBÉ BLANCHARD, *Préceptes pour l'éducation des deux sexes à l'usage des familles chrétiennes* (1803).

DE LA NOUE, *Le Nouvel Émile* (1814-1819).

MODESTE BIRET, *De l'Éducation ou Émile corrigé* (1816).

BERNARDIN DE SAINT-PIERRE, *La vie et les ouvrages de J.-J. Rousseau* (1820).

DE MUSSET-PATHAY, *Histoire de la vie et des ouvrages de J.-J. Rousseau* (1821 et 1827, t. II, pp. 372 à 411).

Mᵐᵉ NECKER DE SAUSSURE, *L'Éducation progressive* (1828).

VILLEMAIN, *Tableau de la littérature française au XVIIIᵉ siècle* (1828-1840-1854. Leçon 24).

GUÉRARD, *La France littéraire* (1836, t. VIII).

LA HARPE, *Lycée* (1837, t. II, livre Iᵉʳ, ch. III).

NISARD, *Histoire de la littérature française* (1844-1861, t. IV).

VINET, *Histoire de la littérature française au XVIIIᵉ siècle* (1853-1881, t. II, pp. 260 à 284).

GEORGE SAND, *Histoire de ma vie* (1854-1855, t. II, et III).

KRAMER, *Francke, Rousseau, Pestalozzi* (Halle, 1854).

BERSOT, *Études sur le XVIIIᵉ siècle* (1855, t. II, pp. 82-90, 127, 136).

VICTOR COUSIN, *Fragments et Souvenirs* (1857, pp. 442, 535).

SAINTE-BEUVE, *Nouveaux Lundis* (1864, t. III).

ABBÉ CARMAGNOLLE, *Nouvelle réfutation de l'*Émile (1860).

SAYOUS, *Le XVIIIᵉ siècle à l'étranger* (1861).

BARNI, *Histoire des idées morales et politiques en France au XVIIIᵉ siècle* (1865-67, t. II).

EDGAR QUINET, *La Révolution* (1865, 1868, t. Iᵉʳ, livre V).

STRECKEISEN-MOULTOU, *J.-J. Rousseau, ses amis et ses ennemis* (1861-1865).

K. SCHNEIDER, *Rousseau und Pestalozzi* (Bromberg, 1866).

MICHELET, *Nos Fils* (1869, III, 5).

DESJARDINS, *Moralistes français du XVIIIᵉ siècle* (1870, pp. 523 à 540).

JOHN MORLEY, *Rousseau* (Londres, 1873 et 1891, II).

A. GROTZ, *J.-J. Rousseau et l'Éducation*, conférence faite à Strasbourg (1874).

SAINT-MARC GIRARDIN, *J.-J. Rousseau, sa vie et ses ouvrages* (1875).

GRÉARD, *Rapport à l'Académie des Sciences morales sur le concours de 1877; L'Éducation des femmes par les femmes* (sur le 5ᵉ livre; 1886, 1899, pp. 217 à 249).

ALBERT, *La littérature française au XVIIIᵉ siècle* (pp. 261 à 267).

COMPAYRÉ, *Histoire critique des doctrines de l'éducation* (1879,

1885, t. II, l. V, ch. i, ii, iii); *J.-J. Rousseau et l'éducation de la nature* (1901).

F. SCHWARZ, *Rousseau's Entwickelung zum paedagogischen Schriftsteller* (Basel, 1879, 43 pages).

A. OLTRAMARE, *J.-J. Rousseau jugé par les Genevois d'aujourd'hui* (Genève, 1879).

VERLUYS, *De Emile van Rousseau* (Groningue, 1881).

BRUNETIÈRE, *Revue des Deux-Mondes* (1er février 1882); *Études critiques* (1889, 2e série, pp. 220 à 226); *Manuel de l'histoire de la littérature française* (pp. 337, 338, 358).

P. SOUQUET, *Revue pédagogique*, t. Ier, p. 348; t. II, pp. 178, 327.

FONTAINE, *Les idées pédagogiques de Rousseau avant l'*Émile (*Annales de la Faculté des Lettres de Lyon*, 1884, II).

L. DUCROS, *J.-J. Rousseau* (1888, pp. 91 à 116).

F. HÉMON, *Cours de littérature*, fascicules III (*Montaigne*), XIII (Mme *de Maintenon*), XIV (*Fénelon*), XVIII (*J.-J. Rousseau*).

FAGUET, *Dix-huitième siècle* (1890, pp. 348 à 363).

H. BEAUDOIN, *La vie et les œuvres de J.-J. Rousseau* (1891, t. I, ch. xvii; t. II, ch. xix à xxii).

ARVÈDE BARINE, *Bernardin de Saint-Pierre* (1891, ch. III).

MAURY, *Étude sur la vie et les œuvres de Bernardin de Saint-Pierre* (1892, ch. V); *Rousseau* (t. VI de l'*Histoire de la littérature française* de Petit de Julleville).

L. BRUNEL, *Extraits en prose de Rousseau* (Notice sur *Émile*, Hachette, 1892).

E. LINTILHAC, *L'Émile et la Pédagogie universitaire* (*Revue pédagogique*, 15 février 1892); *Précis historique et critique de la littérature française* (1894, t. II, ch. x); *Études littéraires sur les classiques* (1894, t. II, pp. 638 à 658).

CHUQUET, *J.-J. Rousseau* (1893, ch. V).

Texte, *J.-J.-Rousseau et les origines du cosmopolitisme littéraire* (1895).

HÖFFDING, *J.-J. Rousseau et sa philosophie* (1896, traduit par De Coussange, Alcan, 1912, p. 107).

## H. Études du XXe siècle, historiques et critiques, consultées pour la présente édition.

G. DUMESNIL, *Rousseau, sa personne, ses doctrines* (*Annales de l'Université de Grenoble*, 1901).

*Annales de la Société J.-J. Rousseau* (11 vol. depuis 1905, Genève et Paris, H. Champion).

J. Lemaitre, *J.-J. Rousseau* (Calmann-Lévy, 1907).

P. Lasserre, *Le romantisme français* (1908).

Lanson, *Histoire de la littérature française* (1909, p. 773).

E. Champion, *J.-J. Rousseau et la Révolution française* (1910).

J. Fabre, *J.-J. Rousseau* (Alcan, 1912).

B. Bouvier, *J.-J. Rousseau* (Genève, 1912, p. 294, sur le 5ᵉ livre).

Ed. Claparède, *J.-J. Rousseau et la conception fonctionnelle de l'enfance* (*Revue de Métaphysique et de Morale*, mai 1912, et dans *L'Éducation fonctionnelle*, Neuchâtel et Paris, 1931; *J.-J. Rousseau et la signification de l'enfance* (*Annales suisses d'hygiène scolaire*, 13ᵉ année, Zurich, 1912).

Faguet, *Rousseau penseur* (Lecène et Oudin, 1912); *Propos littéraires* (2ᵉ série, sur le 5ᵉ livre).

F. Vial, *Rousseau éducateur* (Leçons faites à l'École des Hautes-Études Sociales, Alcan, 1912); *La doctrine d'éducation de J.-J. Rousseau* (Delagrave, 1920).

D. Mornet, *Le romantisme en France au XVIIIᵉ siècle* (Hachette, 1912); *La pensée française au XVIIIᵉ siècle* (A. Colin, 1929).

L. Ducros, *J.-J. Rousseau de Montmorency au Val de Travers* (*Annales de la Faculté des Lettres d'Aix*, t. VII et chez De Boccard, 1917).

E. Seillière, *J.-J. Rousseau* (Garnier, 1921, pp. 112 à 165).

Van Tieghem, *Le préromantisme* (1924).

Maurice Souriau, *Histoire du romantisme en France* (I, p. 9, Spes, 1927).

P. Trahard, *Les maîtres de la sensibilité française au XVIIIᵉ siècle* (t. III, Boivin, 1932).

R. Gaillard, *La pédagogie, de Montaigne à J.-J. Rousseau* (Debresse, 1938).

## I. Principales éditions scolaires et de vulgarisation modernes.

Gidel (Garnier).

Labbé (Belin).

Brunel, puis Van Tieghem (Hachette).

Steeg (livre II, Hachette).

Naves, *Les philosophes du XVIIIᵉ siècle* (Hachette).

Rocheblave (Colin).

Braunschvig, *La littérature française par les textes*, t. II (Colin).

Schroeder (Librairie d'éducation nationale).

Souquet, puis Fallex (Delagrave).

Bazaillas, 2 volumes (Plon).

Mornet (Didier).

Abry et Crouzet, *Les grands écrivains de France illustrés*, xviiie s. (Didier).

Dulong, Cart et Miroglio, *Les philosophes français du XVIIIe siècle* (Delalain).

Flandrin (Hatier).

Duharcourt, 2 volumes (Larousse).

# TABLEAU CHRONOLOGIQUE
## DE LA VIE
## ET DES PRINCIPAUX ÉCRITS
## DE JEAN-JACQUES ROUSSEAU

**1712.** — 28 Juin : *naissance de Jean-Jacques Rousseau, Grand'*
*rue, à Genève.*
7 Juillet : *mort de Suzanne Rousseau, mère de Jean-Jacques.*

**1717.** — *Isaac Rousseau et son fils Jean-Jacques déménagent*
*pour s'installer dans la ville basse, au Faubourg Saint-*
*Gervais, rue de Coutance.*

**1722-1724.** — *Jean-Jacques en pension chez le pasteur Lam-*
*bercier, à Bossey.*

**1725.** — *Jean-Jacques habite chez son oncle Gabriel Bernard,*
*Grand'rue, à Genève, et entre en apprentissage.*

**1728.** — 14 Mars : *Jean-Jacques s'enfuit de Genève.*
21 Mars *(Rameaux)* : *il se présente à M^{me} de Warens à*
*Annecy.*
12 Avril : *entrée à l'Hospice des Catéchumènes à Turin :*
*conversion au catholicisme.*
Juillet-Décembre : *service chez M^{me} de Vercellis.*

**1729.** — Février-Juin (?) : *service chez le comte de Gouvon.*
Septembre-Octobre : *de retour à Annecy, au séminaire*
*pour quelques semaines.*

**1730.** — Fin Juin (?) : « *Journée des cerises* ».
Juillet : *voyage d'Annecy à Fribourg avec M^{lle} Merceret.*
Aout 1730-Avril 1731 : *Rousseau enseigne la musique, à*
*Lausanne puis à Neuchâtel.*

**1731.** — Avril : *Rousseau recueilli par l'ambassade de France à Soleure.*

Juin-Juillet : *premier séjour à Paris, comme précepteur.*

Octobre : *après un séjour à Lyon, Jean-Jacques entre à Chambéry au Cadastre de Savoie.*

**1732.** — Juin : *Rousseau quitte le Cadastre pour donner des leçons de musique en ville.*

**1732 ou 1733.** — *Voyage à Besançon.*

**1735 ou 1736.** — *Premier séjour au vallon des Charmettes.*

**1737.** — 11 Septembre : *départ de Chambéry pour Montpellier.*

**1738.** — Février ( ?) : *retour à Chambéry.*

**1740-1741.** — *Rousseau précepteur à Lyon chez M. de Mably.*

**1741 ou 1742.** — Automne : *arrivée à Paris.*

Hiver 1741-1742 ou 1742-1743 : *rencontre de Diderot.*

**1743.** — Janvier : Dissertation sur la musique moderne.

10 Juillet : *départ de Paris pour Venise.*

**1744.** — 22 Aout : *Rousseau quitte Venise pour Paris.*

**1745.** — *A Paris, fait la connaissance de Thérèse Levasseur.*

**1746-1747.** — Hiver : *naissance du premier enfant de Rousseau.*

**1749.** — Automne : « *Illumination de Vincennes* ». *Amitié avec Grimm.*

**1750.** — 9 Juillet : *le* Discours sur les Sciences et les Arts *est couronné par l'Académie de Dijon.*

Novembre : *publication du* 1er Discours.

**1751.** — *Polémique autour du* 1er Discours.

**1752.** — 18 Octobre : le Devin du village *est représenté à Fontainebleau devant le roi.*

18 Décembre : *représentation de* Narcisse *au Théâtre-Français.*

**1753.** — Novembre : Lettre sur la musique francaise.

**1754.** — Juin-Octobre. : *séjournant à Genève, Rousseau réintègre l'Église calviniste et la citoyenneté genevoise.*

**1755.** — Aout : *publication du* Discours sur les origines de l'inégalité.

**1756.** — 9 Avril : *Installation à l'Ermitage de Montmorency, chez M^{me} d'Épinay.*

**1757.** — Avril-Mai : *querelle et réconciliation avec Diderot.*
Printemps-Été : *amour pour Sophie d'Houdetot.*
Octobre-Novembre : *querelle et rupture avec Grimm. Article « Genève » de* l'Encyclopédie (t. VII).
15 Décembre : *Rousseau quitte l'Ermitage pour le Mont-Louis, dans le village de Montmorency.*

**1758.** — 6 Mai : *lettre de rupture de M^{me} d'Houtetot à Rousseau.*
Septembre-Octobre : *publication de la* Lettre à d'Alembert sur les spectacles.

**1759.** — Mai-Juillet : *Installation provisoire au Petit Château de Montmorency.*

**1760.** — Juin : *affaire de la publication non autorisée de la* Lettre à Voltaire sur la Providence.

**1761.** — Janvier : *mise en vente à Paris de* la Nouvelle Héloïse.

**1762.** — Janvier : *rédaction des quatre* Lettres *autobiographiques* à M. de Malesherbes.
Avril : *publication à Amsterdam du* Contrat social, *dont l'entrée en France est aussitôt interdite.*
Fin mai : *mise en vente à Paris de* l'Émile.
9 Juin : *condamnation de* l'Émile *par le Parlement de Paris. Rousseau, décrété de prise de corps, prévient l'arrestation en quittant Montmorency pour la Suisse.*
14 Juin : *il arrive à Yverdon, en territoire bernois. Vers le même temps* le Contrat Social *et* l'Émile *sont interdits et saisis à Genève.*
Juillet : *expulsé du territoire bernois, Rousseau s'installe à Môtiers-Travers, dans la principauté de Neuchâtel dépendant du roi de Prusse. Mort à Chambéry de M^{me} de Warens. — Condamnation de* l'Émile *par les États de Hollande et par le Conseil scolaire de Berne.*
Aout : *mandement de l'archevêque de Paris contre* l'Émile.

**1763.** — Mars : Lettre à Christophe de Beaumont, archevêque de Paris.

12 Mai : *Rousseau renonce à la bourgeoisie de Genève.*

Septembre-Octobre : *Rousseau attaqué dans les* Lettres écrites de la Campagne.

**1764.** — Octobre : *publication à Amsterdam des* Lettres écrites de la Montagne.

Fin Décembre : *à Genève, Voltaire lance contre Rousseau le pamphlet anonyme* le Sentiment des Citoyens.

**1765.** — Janvier-Mars : *les* Lettres de la Montagne *sont condamnées et brûlées à La Haye, puis à Paris.*

Mars : *Rousseau convoqué devant le Consistoire de Môtiers.*

Juillet : *excursion à l'île de Saint-Pierre, dans le lac de Bienne.*

6 Septembre : « *Lapidation* » *de Môtiers.*

12 Septembre au 25 Octobre : *Rousseau à l'île de Saint-Pierre.*

29 Octobre : *il quitte Bienne pour Strasbourg avec l'intention de gagner Berlin (le récit des* Confessions *s'arrête ici).*

Novembre-Décembre : *longtemps indécis à Strasbourg, il décide finalement de gagner Paris à destination de l'Angleterre.*

Fin Décembre : *Rousseau à Paris, au Temple, sous la protection du prince de Conti.*

**1766.** — 4 Janvier : *départ de Paris pour Calais sous la conduite de Hume.*

Janvier-Mars : *séjour à Londres puis dans la banlieue, à Chiswick.*

Fin Mars : *installation à Wootton, en Staffordshire.*
*Rousseau y travaille à la Première Partie des* Confessions.

Juillet : *début de la querelle (par correspondance) avec Hume.*

**1767.** — Mars : *le roi d'Angleterre George III accorde à Rousseau une pension.*

Mai : *départ précipité de Wootton et retour en France, sous le nom de Renou.*

Juin : *après quelques jours chez Mirabeau à Fleury-sous-Meudon, près de Clamart, Rousseau s'installe chez le* prince de Conti à Trye-le-Château, près de Gisors. Il y achèvera la rédaction de la Première Partie au moins des Confessions.

OCTOBRE-NOVEMBRE : séjour et maladie, à Trye, de Du Peyrou ; une brouille s'ensuit. Interruption de la rédaction des Confessions.

**1768.** — PRINTEMPS : il apparaît par la correspondance que le « complot » commence à prendre forme dans l'imagination de Rousseau.

Il remet à M<sup>me</sup> de Nadaillac, avec divers papiers, un « cahier de confessions ».

JUIN-JUILLET : ayant quitté Trye, il séjourne à Lyon puis Grenoble.

AOUT : installation à Bourgoin, en Dauphiné. « Mariage civil » avec Thérèse.

**1769.** — JANVIER : installation à Monquin, près de Bourgoin.
NOVEMBRE : à Monquin, reprise de la rédaction des Confessions.

**1770.** — 26 FÉVRIER : longue lettre à M. de Saint-Germain sur le « complot ».

10 AVRIL : la rédaction des Confessions est parvenue à la fin du livre XI au moins. Rousseau quitte Monquin pour Lyon.

ÉTÉ : installé à Paris, Rousseau redemande à M<sup>me</sup> de Nadaillac le « cahier de confessions », reprend le métier de copiste, et achève la Deuxième Partie des Confessions.

NOVEMBRE ou DÉCEMBRE : première séance de lecture des Confessions.

**1771.** — MAI : les lectures des Confessions sont interdites par la police.

**1772-1776.** — Rédaction, correction et mise au net de Rousseau juge de Jean-Jacques, Dialogues, puis début de la composition des Rêveries du Promeneur solitaire.

**1776.** — 24 OCTOBRE : accident de Ménilmontant, relaté dans la 2<sup>e</sup> Promenade des Rêveries.

**1777.** — Continuation des Rêveries, menées jusqu'à la 7<sup>e</sup> Promenade.

AOUT : Rousseau renonce au métier de copiste.

**1778.** — Janvier à Avril : *rédaction des 8ᵉ, 9ᵉ et 10ᵉ Promenades des* Rêveries.

  2 Mai : *remise par Rousseau à Paul Moultou d'une copie autographe des* Confessions *(manuscrit dit de Genève).*

  20 Mai : *installation à Ermenonville chez le marquis de Girardin.*

  2 Juillet : *Rousseau meurt à Ermenonville.*

  4 Juillet : *inhumation dans l'île des Peupliers.*

**1779.** — *Publication à la suite du poème* les Mois, *de Roucher, des quatre* Lettres à M. de Malesherbes.

**1780.** — *Publication en Angleterre du premier des trois* Dialogues.

**1782.** — Printemps : *publication à Genève de la* 1ʳᵉ *Partie des* Confessions *suivie des* Rêveries du Promeneur solitaire, *et un peu plus tard des trois* Dialogues.

**1789.** — Automne : *publication à Genève de la Deuxième Partie des* Confessions.

**1794.** — Octobre : *transfert au Panthéon des restes de Rousseau·*

# PRÉFACE

Ce recueil de réflexions et d'observations, sans ordre et presque sans suite, fut commencé pour complaire à une bonne mère qui sait penser[2]. Je n'avais d'abord projeté qu'un mémoire de quelques pages; mon sujet m'entraînant malgré moi, ce mémoire devint insensiblement une espèce d'ouvrage trop gros, sans doute, pour ce qu'il contient, mais trop petit pour la matière qu'il traite. J'ai balancé longtemps à le publier; et souvent il m'a fait sentir, en y travaillant, qu'il ne suffit pas d'avoir écrit quelques brochures pour savoir composer un livre[3]. Après de vains efforts pour mieux faire, je crois devoir le donner tel qu'il est, jugeant qu'il importe de tourner l'attention publique de ce côté-là; et que, quand mes idées seraient mauvaises, si j'en fais naître de bonnes à d'autres, je n'aurai pas tout à fait perdu mon temps. Un homme qui, de sa retraite[4], jette ses feuilles dans le public, sans prôneurs, sans parti qui les défende, sans savoir même ce qu'on en pense ou ce qu'on en dit, ne doit pas craindre que, s'il se trompe, on admette ses erreurs sans examen.

Je parlerai peu de l'importance d'une bonne éducation; je ne m'arrêterai pas non plus à prouver que celle qui est en usage est mauvaise; mille autres l'ont fait avant moi, et je n'aime point à remplir un livre de choses que tout le monde sait. Je remarquerai seulement que, depuis des temps infinis, il n'y a qu'un cri contre la pratique établie, sans que personne s'avise d'en proposer une meilleure. La littérature et le savoir de notre siècle tendent beaucoup plus à détruire qu'à édifier. On censure d'un ton de maître; pour proposer, il en faut prendre un autre, auquel la hauteur philosophique se complaît moins. Malgré tant d'écrits, qui n'ont, dit-on, pour but que l'utilité publique, la première de toutes les utilités, qui est l'art

de former des hommes, est encore oubliée. Mon sujet
était tout neuf après le livre de Locke [5], et je crains fort
qu'il ne le soit encore après le mien.

On ne connaît point l'enfance : sur les fausses idées
qu'on en a, plus on va, plus on s'égare. Les plus sages
s'attachent à ce qu'il importe aux hommes de savoir,
sans considérer ce que les enfants sont en état d'apprendre.
Ils cherchent toujours l'homme dans l'enfant, sans penser
à ce qu'il est avant que d'être homme. Voilà l'étude à
laquelle je me suis le plus appliqué, afin que, quand toute
ma méthode serait chimérique et fausse, on pût toujours
profiter de mes observations. Je puis avoir très mal vu
ce qu'il faut faire; mais je crois avoir bien vu le sujet
sur lequel on doit opérer. Commencez donc par mieux
étudier vos élèves; car très assurément vous ne les connaissez point; or, si vous lisez ce livre dans cette vue, je ne le
crois pas sans utilité pour vous.

A l'égard de ce qu'on appellera la partie systématique,
qui n'est autre chose ici que la marche de la nature, c'est
là ce qui déroutera le plus le lecteur; c'est aussi par là
qu'on m'attaquera sans doute, et peut-être n'aura-t-on
pas tort. On croira moins lire un traité d'éducation que
les rêveries d'un visionnaire sur l'éducation [6]. Qu'y faire ?
Ce n'est pas sur les idées d'autrui que j'écris; c'est sur les
miennes. Je ne vois point comme les autres hommes;
il y a longtemps qu'on me l'a reproché. Mais dépend-il
de moi de me donner d'autres yeux, et de m'affecter
d'autres idées ? non. Il dépend de moi de ne point abonder
dans mon sens, de ne point croire être seul plus sage que
tout le monde; il dépend de moi, non de changer de
sentiment, mais de me défier du mien : voilà tout ce que
je puis faire, et ce que je fais. Que si je prends quelquefois
le ton affirmatif, ce n'est point pour en imposer au lecteur;
c'est pour lui parler comme je pense. Pourquoi propose-
rais-je par forme de doute ce dont, quant à moi, je ne doute
point ? Je dis exactement ce qui se passe dans mon esprit.

En exposant avec liberté mon sentiment, j'entends si
peu qu'il fasse autorité, que j'y joins toujours mes raisons, afin qu'on les pèse et qu'on me juge : mais, quoique
je ne veuille point m'obstiner à défendre mes idées, je ne
me crois pas moins obligé de les proposer; car les maximes
sur lesquelles je suis d'un avis contraire à celui des autres

ne sont point indifférentes. Ce sont de celles dont la vérité ou la fausseté importe à connaître, et qui font le bonheur ou le malheur du genre humain.

Proposez ce qui est faisable, ne cesse-t-on de me répéter. C'est comme si l'on me disait : Proposez de faire ce qu'on fait; ou du moins proposez quelque bien qui s'allie avec le mal existant. Un tel projet, sur certaines matières, est beaucoup plus chimérique que les miens; car, dans cet alliage, le bien se gâte, et le mal ne se guérit pas. J'aimerais mieux suivre en tout la pratique établie, que d'en prendre une bonne à demi; il y aurait moins de contradiction dans l'homme; il ne peut tendre à la fois à deux buts opposés. Pères et mères, ce qui est faisable est ce que vous voulez faire. Dois-je répondre de votre volonté ?

En toute espèce de projet, il y a deux choses à considérer : premièrement, la bonté absolue du projet; en second lieu, la facilité de l'exécution.

Au premier égard, il suffit, pour que le projet soit admissible et praticable en lui-même, que ce qu'il a de bon soit dans la nature de la chose; ici, par exemple, que l'éducation proposée soit convenable à l'homme, et bien adaptée au cœur humain.

La seconde considération dépend de rapports donnés dans certaines situations; rapports accidentels à la chose, lesquels, par conséquent, ne sont point nécessaires, et peuvent varier à l'infini. Ainsi telle éducation peut être praticable en Suisse, et ne l'être pas en France; telle autre peut l'être chez les bourgeois, et telle autre parmi les grands. La facilité plus ou moins grande de l'exécution dépend de mille circonstances qu'il est impossible de déterminer autrement que dans une application particulière de la méthode à tel ou tel pays, à telle ou telle condition. Or, toutes ces applications particulières, n'étant pas essentielles à mon sujet, n'entrent point dans mon plan. D'autres pourront s'en occuper s'ils veulent, chacun pour le pays ou l'État qu'il aura en vue. Il me suffit que, partout où naîtront des hommes, on puisse en faire ce que je propose; et qu'ayant fait d'eux ce que je propose, on ait fait ce qu'il y a de meilleur et pour eux-mêmes et pour autrui. Si je ne remplis pas cet engagement, j'ai tort sans doute; mais si je le remplis, on aurait tort aussi d'exiger de moi davantage; car je ne promets que cela.

# ÉMILE

ou

# DE L'ÉDUCATION

## LIVRE PREMIER *

Tout est bien sortant des mains de l'Auteur des choses, tout dégénère entre les mains de l'homme [7]. Il force une terre à nourrir les productions d'une autre, un arbre à porter les fruits d'un autre; il mêle et confond les climats, les éléments, les saisons; il mutile son chien, son cheval, son esclave; il bouleverse tout, il défigure tout, il aime la difformité, les monstres; il ne veut rien tel que l'a fait la nature, pas même l'homme; il le faut dresser pour lui, comme un cheval de manège; il le faut contourner à sa mode, comme un arbre de son jardin.

Sans cela, tout irait plus mal encore, et notre espèce ne veut pas être façonnée à demi. Dans l'état où sont désormais les choses, un homme abandonné dès sa naissance à lui-même parmi les autres serait le plus défiguré de tous. Les préjugés, l'autorité, la nécessité, l'exemple, toutes les institutions sociales, dans lesquelles nous nous trouvons submergés, étoufferaient en lui la nature, et ne mettraient rien à la place. Elle y serait comme un arbrisseau que le hasard fait naître au milieu d'un chemin, et que les passants font bientôt périr, en le heurtant de toutes parts et le pliant dans tous les sens.

C'est à toi que je m'adresse, tendre et prévoyante mère **,

* Rousseau a lui-même annoté son livre. Ses notes sont, dans le présent ouvrage, marquées d'un astérique et figurent au bas des pages. — Celles des éditeurs sont marquées d'un numéro et renvoyées à la fin du volume.

** La première éducation est celle qui importe le plus, et cette première éducation appartient incontestablement aux femmes : si l'Auteur de la nature eût voulu qu'elle appartînt aux hommes, il leur eût donné du lait pour nourrir les enfants. Parlez donc toujours aux femmes

qui sus t'écarter de la grande route, et garantir l'arbrisseau
naissant du choc des opinions humaines ! Cultive, arrose
la jeune plante avant qu'elle meure : ses fruits feront un
jour tes délices. Forme de bonne heure une enceinte autour
de l'âme de ton enfant; un autre en peut marquer le circuit, mais toi seule y dois poser la barrière *.

On façonne les plantes par la culture, et les hommes
par l'éducation. Si l'homme naissait grand et fort, sa taille
et sa force lui seraient inutiles jusqu'à ce qu'il eût appris
à s'en servir; elles lui seraient préjudiciables, en empêchant
les autres de songer à l'assister **; et, abandonné à lui-
même, il mourrait de misère avant d'avoir connu ses
besoins. On se plaint de l'état de l'enfance; on ne voit

par préférence dans vos traités d'éducation; car, outre qu'elles sont
à portée d'y veiller de plus près que les hommes, et qu'elles y influent
toujours davantage, le succès les intéresse aussi beaucoup plus, puisque
la plupart des veuves se trouvent presque à la merci de leurs enfants,
et qu'alors ils leur font vivement sentir en bien ou en mal l'effet de
la manière dont elles les ont élevés. Les lois, toujours si occupées
des biens et si peu des personnes, parce qu'elles ont pour objet la paix
et non la vertu, ne donnent pas assez d'autorité aux mères. Cependant
leur état est plus sûr que celui des pères, leurs devoirs sont plus
pénibles; leurs soins importent plus au bon ordre de la famille; généralement elles ont plus d'attachement pour les enfants. Il y a des occasions où un fils qui manque de respect à son père peut en quelque
sorte être excusé; mais si, dans quelque occasion que ce fût, un enfant
était assez dénaturé pour en manquer à sa mère, à celle qui l'a porté
dans son sein, qui l'a nourri de son lait, qui, durant des années, s'est
oubliée elle-même pour ne s'occuper que de lui, on devrait se hâter
d'étouffer ce misérable comme un monstre indigne de voir le jour.
Les mères, dit-on, gâtent leurs enfants. En cela sans doute elles ont
tort, mais moins de tort que vous peut-être qui les dépravez. La mère
veut que son enfant soit heureux, qu'il le soit dès à présent. En cela
elle a raison : quand elle se trompe sur les moyens, il faut l'éclairer.
L'ambition, l'avarice, la tyrannie, la fausse prévoyance des pères,
leur négligence, leur dure insensibilité, sont cent fois plus funestes
aux enfants que l'aveugle tendresse des mères. Au reste, il faut expliquer
le sens que je donne à ce nom de mère, et c'est ce qui sera fait ci-après.
    * On m'assure que M. Formey [8] a cru que je voulais ici parler de
ma mère, et qu'il l'a dit dans quelque ouvrage. C'est se moquer cruellement de M. Formey ou de moi.
    ** Semblable à eux à l'extérieur, et privé de la parole ainsi que des
idées qu'elle exprime, il serait hors d'état de leur faire entendre le
besoin qu'il aurait de leurs secours, et rien en lui ne leur manifesterait
ce besoin.

pas que la race humaine eût péri, si l'homme n'eût commencé par être enfant.

Nous naissons faibles, nous avons besoin de force; nous naissons dépourvus de tout, nous avons besoin d'assistance; nous naissons stupides, nous avons besoin de jugement. Tout ce que nous n'avons pas à notre naissance et dont nous avons besoin étant grands, nous est donné par l'éducation.

Cette éducation nous vient de la nature, ou des hommes ou des choses. Le développement interne de nos facultés et de nos organes est l'éducation de la nature; l'usage qu'on nous apprend à faire de ce développement est l'éducation des hommes; et l'acquis de notre propre expérience sur les objets qui nous affectent est l'éducation des choses.

Chacun de nous est donc formé par trois sortes de maîtres. Le disciple dans lequel leurs diverses leçons se contrarient est mal élevé, et ne sera jamais d'accord avec lui-même; celui dans lequel elles tombent toutes sur les mêmes points, et tendent aux mêmes fins, va seul à son but et vit conséquemment. Celui-là seul est bien élevé.

Or, de ces trois éducations différentes, celle de la nature ne dépend point de nous; celle des choses n'en dépend qu'à certains égards. Celle des hommes est la seule dont nous soyons vraiment les maîtres; encore ne le sommes-nous que par supposition; car qui est-ce qui peut espérer de diriger entièrement les discours et les actions de tous ceux qui environnent un enfant?

Sitôt donc que l'éducation est un art, il est presque impossible qu'elle réussisse, puisque le concours nécessaire à son succès ne dépend de personne. Tout ce qu'on peut faire à force de soins est d'approcher plus ou moins du but, mais il faut du bonheur pour l'atteindre.

Quel est ce but? c'est celui même de la nature; cela vient d'être prouvé. Puisque le concours des trois éducations est nécessaire à leur perfection, c'est sur celle à laquelle nous ne pouvons rien qu'il faut diriger les deux autres. Mais peut-être ce mot de nature a-t-il un sens trop vague; il faut tâcher ici de le fixer.

La nature, nous dit-on, n'est que l'habitude *. Que

---

* M. Formey nous assure qu'on ne dit pas précisément cela. Cela

signifie cela ? N'y a-t-il pas des habitudes qu'on ne contracte que par force, et·qui n'étouffent jamais la nature ?
Telle est, par exemple, l'habitude des plantes dont on gêne
la direction verticale. La plante mise en liberté garde l'in-
clinaison qu'on l'a forcée à prendre; mais la sève n'a point
changé pour cela sa direction primitive; et, si la plante
continue à végéter, son prolongement redevient vertical.
Il en est de même des inclinations des hommes. Tant qu'on
reste dans le même état, on peut garder celles qui résultent
de l'habitude, et qui nous sont le moins naturelles; mais,
sitôt que la situation change, l'habitude cesse et le naturel
revient. L'éducation n'est certainement qu'une habitude.
Or, n'y a-t-il pas des gens qui oublient et perdent leur
éducation, d'autres qui la gardent ? D'où vient cette différence ? S'il faut borner le nom de nature aux habitudes
conformes à la nature, on peut s'épargner ce galimatias.

Nous naissons sensibles, et, dès notre naissance, nous
sommes affectés de diverses manières par les objets qui
nous environnent. Sitôt que nous avons pour ainsi dire
la conscience de nos sensations, nous sommes disposés à
rechercher ou à fuir les objets qui les produisent, d'abord,
selon qu'elles nous sont agréables ou déplaisantes, puis,
selon la convenance ou disconvenance que nous trouvons
entre nous et ces objets, et enfin, selon les jugements que
nous en portons sur l'idée de bonheur ou de perfection
que la raison nous donne. Ces dispositions s'étendent et
s'affermissent à mesure que nous devenons plus sensibles
et plus éclairés; mais, contraintes par nos habitudes, elles
s'altèrent plus ou moins par nos opinions. Avant cette
altération, elles sont ce que j'appelle en nous la nature.

C'est donc à ces dispositions primitives qu'il faudrait
tout rapporter; et cela se pourrait, si nos trois éducations
n'étaient que différentes : mais que faire quand elles sont
opposées; quand, au lieu d'élever un homme pour lui-
même, on veut l'élever pour les autres ? Alors le concert

me paraît pourtant très précisément dit dans ce vers auquel je me
proposais de répondre :

> *La nature, crois-moi, n'est rien que l'habitude.*

M. Formey qui ne veut pas enorgueillir ses semblables, nous donne
modestement la mesure de sa cervelle pour celle de l'entendement
humain.

est impossible. Forcé de combattre la nature ou les institutions sociales, il faut opter entre faire un homme
ou un citoyen : car on ne peut faire à la fois l'un et
l'autre.

Toute société partielle, quand elle est étroite et bien
unie, s'aliène de la grande. Tout patriote est dur aux étrangers : ils ne sont qu'hommes, ils ne sont rien à ses yeux *.
Cet inconvénient est inévitable, mais il est faible. L'essentiel est d'être bon aux gens avec qui l'on vit. Au dehors
le Spartiate était ambitieux, avare, inique ; mais le désintéressement, l'équité, la concorde régnaient dans ses
murs. Défiez-vous de ces cosmopolites qui vont chercher loin dans leurs livres des devoirs qu'ils dédaignent
de remplir autour d'eux. Tel philosophe aime les Tar-
tares, pour être dispensé d'aimer ses voisins.

L'homme naturel est tout pour lui ; il est l'unité numérique, l'entier absolu, qui n'a de rapport qu'à lui-même
ou à son semblable. L'homme civil n'est qu'une unité
fractionnaire qui tient au dénominateur, et dont la valeur
est dans son rapport avec l'entier, qui est le corps social.
Les bonnes institutions sociales sont celles qui savent
le mieux dénaturer l'homme, lui ôter son existence absolue
pour lui en donner une relative, et transporter le *moi*
dans l'unité commune ; en sorte que chaque particulier
ne se croie plus un, mais partie de l'unité, et ne soit plus
sensible que dans le tout. Un citoyen de Rome n'était ni
Caïus, ni Lucius ; c'était un Romain ; même il aimait
la patrie exclusivement à lui. Régulus se prétendait Carthaginois, comme étant devenu le bien de ses maîtres.
En sa qualité d'étranger, il refusait de siéger au sénat de
Rome ; il fallut qu'un Carthaginois le lui ordonnât. Il
s'indignait qu'on voulût lui sauver la vie. Il vainquit,
et s'en retourna triomphant mourir dans les supplices.
Cela n'a pas grand rapport, ce me semble, aux hommes
que nous connaissons.

Le Lacédémonien Pédarète se présente pour être admis
au conseil des trois cents ; il est rejeté : il s'en retourne
tout joyeux de ce qu'il s'est trouvé dans Sparte trois cents

---

* Aussi les guerres des républiques sont-elles plus cruelles que celles
des monarchies. Mais, si la guerre des rois est modérée, c'est leur paix
qui est terrible : il vaut mieux être leur ennemi que leur sujet.

hommes valant mieux que lui [9]. Je suppose cette démonstration sincère ; et il y a lieu de croire qu'elle l'était : voilà le citoyen.

Une femme de Sparte avait cinq fils à l'armée, et attendait des nouvelles de la bataille. Un ilote arrive ; elle lui en demande en tremblant : « Vos cinq fils ont été tués. — Vil esclave, t'ai-je demandé cela ? — Nous avons gagné la victoire ! » La mère court au temple, et rend grâces aux dieux [10]. Voilà la citoyenne.

Celui qui, dans l'ordre civil, veut conserver la primauté des sentiments de la nature ne sait ce qu'il veut. Toujours en contradiction avec lui-même, toujours flottant entre ses penchants et ses devoirs, il ne sera jamais ni homme ni citoyen ; il ne sera bon ni pour lui ni pour les autres. Ce sera un de ces hommes de nos jours, un Français, un Anglais, un bourgeois ; ce ne sera rien.

Pour être quelque chose, pour être soi-même et toujours un, il faut agir comme on parle ; il faut être toujours décidé sur le parti que l'on doit prendre, le prendre hautement, et le suivre toujours. J'attends qu'on me montre ce prodige pour savoir s'il est homme ou citoyen, ou comment il s'y prend pour être à la fois l'un et l'autre.

De ces objets nécessairement opposés viennent deux formes d'institutions contraires : l'une publique et commune, l'autre particulière et domestique.

Voulez-vous prendre une idée de l'éducation publique, lisez la *République* de Platon. Ce n'est point un ouvrage de politique, comme le pensent ceux qui ne jugent des livres que par leurs titres : c'est le plus beau traité d'éducation qu'on ait jamais fait.

Quand on veut renvoyer au pays des chimères, on nomme l'institution de Platon : si Lycurgue n'eût mis la sienne que par écrit, je la trouverais bien plus chimérique. Platon n'a fait qu'épurer le cœur de l'homme ; Lycurgue l'a dénaturé.

L'institution publique n'existe plus, et ne peut plus exister, parce qu'où il n'y a plus de patrie, il ne peut plus y avoir de citoyens. Ces deux mots *patrie* et *citoyen* doivent être effacés des langues modernes. J'en sais bien la raison, mais je ne veux pas la dire ; elle ne fait rien à mon sujet.

Je n'envisage pas comme une institution publique ces

risibles établissements qu'on appelle collèges *. Je ne
compte pas non plus l'éducation du monde, parce que
cette éducation tendant à deux fins contraires, les manque
toutes deux : elle n'est propre qu'à faire des hommes doubles
paraissant toujours rapporter tout aux autres, et ne rapportant jamais rien qu'à eux seuls. Or ces démonstrations,
étant communes à tout le monde, n'abusent personne.
Ce sont autant de soins perdus.

De ces contradictions naît celle que nous éprouvons
sans cesse en nous-mêmes. Entraînés par la nature et par
les hommes dans des routes contraires, forcés de nous
partager entre ces diverses impulsions, nous en suivons
une composée qui ne nous mène ni à l'un ni à l'autre but.
Ainsi combattus et flottants durant tout le cours de notre
vie, nous la terminons sans avoir pu nous accorder avec
nous, et sans avoir été bons ni pour nous ni pour les
autres.

Reste enfin l'éducation domestique ou celle de la nature,
mais que deviendra pour les autres un homme uniquement
élevé pour lui ? Si peut-être le double objet qu'on se propose pouvait se réunir en un seul, en ôtant les contradictions de l'homme on ôterait un grand obstacle à son
bonheur. Il faudrait, pour en juger, le voir tout formé ;
il faudrait avoir observé ses penchants, vu ses progrès,
suivi sa marche ; il faudrait, en un mot, connaître l'homme
naturel. Je crois qu'on aura fait quelques pas dans ces
recherches après avoir lu cet écrit.

Pour former cet homme rare, qu'avons-nous à faire ?
beaucoup, sans doute : c'est d'empêcher que rien ne soit
fait. Quand il ne s'agit que d'aller contre le vent, on lou-
voie ; mais si la mer est forte et qu'on veuille rester en
place, il faut jeter l'ancre. Prends garde, jeune pilote,
que ton câble ne file ou que ton ancre ne laboure, et que
le vaisseau ne dérive avant que tu t'en sois aperçu.

Dans l'ordre social, où toutes les places sont marquées,
chacun doit être élevé pour la sienne. Si un particulier

---

* Il y a dans plusieurs écoles, et surtout dans l'Université de Paris,
des professeurs que j'aime, que j'estime beaucoup, et que je crois très
capables de bien instruire la jeunesse, s'ils n'étaient forcés de suivre
l'usage établi. J'exhorte l'un d'entre eux à publier le projet de réforme
qu'il a conçu. L'on sera peut-être enfin tenté de guérir le mal en voyant
qu'il n'est pas sans remède.

formé pour sa place en sort, il n'est plus propre à rien.
L'éducation n'est utile qu'autant que la fortune s'accorde
avec la vocation des parents ; en tout autre cas elle est
nuisible à l'élève, ne fût-ce que par les préjugés qu'elle
lui a donnés. En Égypte, où le fils était obligé d'embrasser l'état de son père, l'éducation du moins avait un but
assuré ; mais, parmi nous, où les rangs seuls demeurent,
et où les hommes en changent sans cesse, nul ne sait si,
en élevant son fils pour le sien, il ne travaille pas contre
lui.

Dans l'ordre naturel, les hommes étant tous égaux,
leur vocation commune est l'état d'homme ; et quiconque
est bien élevé pour celui-là ne peut mal remplir ceux qui
s'y rapportent. Qu'on destine mon élève à l'épée, à l'église,
au barreau, peu m'importe. Avant la vocation des parents,
la nature l'appelle à la vie humaine. Vivre est le métier
que je lui veux apprendre. En sortant de mes mains, il ne sera,
j'en conviens, ni magistrat, ni soldat, ni prêtre ; il sera
premièrement homme : tout ce qu'un homme doit être,
il saura l'être au besoin tout aussi bien que qui que ce
soit ; et la fortune aura beau le faire changer de place,
il sera toujours à la sienne. *Occupavi te, Fortuna, atque cepi ;
omnesque aditus tuos interclusi, ut ad me aspirare non posses* [11].

Notre véritable étude est celle de la condition humaine.
Celui d'entre nous qui sait le mieux supporter les biens
et les maux de cette vie est à mon gré le mieux élevé ;
d'où il suit que la véritable éducation consiste moins en
préceptes qu'en exercices. Nous commençons à nous instruire en commençant à vivre ; notre éducation commence
avec nous ; notre premier précepteur est notre nourrice.
Aussi ce mot *éducation* avait-il chez les anciens un autre
sens que nous ne lui donnons plus : il signifiait nourriture.
*Educit obstetrix*, dit Varron ; *educat nutrix, instituit pæda-
gogus, docet magister* [12]. Ainsi l'éducation, l'institution, l'instruction, sont trois choses aussi différentes dans leur
objet que la gouvernante, le précepteur et le maître.
Mais ces distinctions sont mal entendues ; et, pour être
bien conduit, l'enfant ne doit suivre qu'un seul guide.

Il faut donc généraliser nos vues, et considérer dans
notre élève l'homme abstrait, l'homme exposé à tous les
accidents de la vie humaine. Si les hommes naissaient
attachés au sol d'un pays, si la même saison durait toute

l'année, si chacun tenait à sa fortune de manière à n'en
pouvoir jamais changer, la pratique établie serait bonne
à certains égards ; l'enfant élevé pour son état, n'en sortant jamais, ne pourrait être exposé aux inconvénients
d'un autre. Mais, vu la mobilité des choses humaines,
vu l'esprit inquiet et remuant de ce siècle qui bouleverse
tout à chaque génération, peut-on concevoir une méthode
plus insensée que d'élever un enfant comme n'ayant
jamais à sortir de sa chambre, comme devant être sans
cesse entouré de ses gens ? Si le malheureux fait un seul
pas sur la terre, s'il descend d'un seul degré, il est perdu.
Ce n'est pas lui apprendre à supporter la peine ; c'est
l'exercer à la sentir.

On ne songe qu'à conserver son enfant ; ce n'est pas
assez ; on doit lui apprendre à se conserver étant homme,
à supporter les coups du sort, à braver l'opulence et la
misère, à vivre, s'il le faut, dans les glaces d'Islande ou
sur le brûlant rocher de Malte. Vous avez beau prendre
des précautions pour qu'il ne meure pas, il faudra pourtant
qu'il meure ; et, quand sa mort ne serait pas l'ouvrage
de vos soins, encore seraient-ils mal entendus. Il s'agit
moins de l'empêcher de mourir que de le faire vivre.
Vivre, ce n'est pas respirer, c'est agir ; c'est faire usage
de nos organes, de nos sens, de nos facultés, de toutes
les parties de nous-mêmes, qui nous donnent le sentiment
de notre existence. L'homme qui a le plus vécu n'est pas
celui qui a compté le plus d'années, mais celui qui a le
plus senti la vie. Tel s'est fait enterrer à cent ans, qui
mourut dès sa naissance. Il eût gagné d'aller au tombeau
dans sa jeunesse, s'il eût vécu du moins jusqu'à ce temps-
là [13].

Toute notre sagesse consiste en préjugés serviles ; tous
nos usages ne sont qu'assujettissement, gêne et contrainte.
L'homme civil naît, vit et meurt dans l'esclavage : à sa
naissance on le coud dans un maillot ; à sa mort on le
cloue dans une bière ; tant qu'il garde la figure humaine,
il est enchaîné par nos institutions.

On dit que plusieurs sages-femmes prétendent, en pétris-
sant la tête des enfants nouveau-nés, lui donner une forme
plus convenable, et on le souffre ! Nos têtes seraient mal
de la façon de l'Auteur de notre être : il nous les faut
façonner au dehors par les sages-femmes, et au dedans

par les philosophes. Les Caraïbes sont de la moitié plus
heureux que nous.

« A peine l'enfant est-il sorti du sein de la mère, et à peine
jouit-il de la liberté de mouvoir et d'étendre ses membres,
qu'on lui donne de nouveaux liens. On l'emmaillote, on le
couche la tête fixée et les jambes allongées, les bras pendants
à côté du corps; il est entouré de linges et de bandages de
toute espèce, qui ne lui permettent pas de changer de situation. Heureux si on ne l'a pas serré au point de l'empêcher
de respirer, et si on a eu la précaution de le coucher sur le
côté, afin que les eaux qu'il doit rendre par la bouche puissent
tomber d'elles-mêmes ! car il n'aurait pas la liberté de tourner
la tête sur le côté pour en faciliter l'écoulement [14]. »

L'enfant nouveau-né a besoin d'étendre et de mouvoir
ses membres, pour les tirer de l'engourdissement où, rassemblés en un peloton, ils ont resté si longtemps. On les
étend, il est vrai, mais on les empêche de se mouvoir ;
on assujettit la tête même par des têtières : il semble qu'on
a peur qu'il n'ait l'air d'être en vie.

Ainsi l'impulsion des parties internes d'un corps qui
tend à l'accroissement trouve un obstacle insurmontable aux
mouvements qu'elle lui demande. L'enfant fait continuellement des efforts inutiles qui épuisent ses forces ou retar-
dent leur progrès. Il était moins à l'étroit, moins gêné,
moins comprimé dans l'amnios qu'il n'est dans ses langes ;
je ne vois pas ce qu'il a gagné de naître.

L'inaction, la contrainte où l'on retient les membres
d'un enfant, ne peuvent que gêner la circulation du sang,
des humeurs, empêcher l'enfant de se fortifier, de croître,
et altérer sa constitution. Dans les lieux où l'on n'a point
ces précautions extravagantes, les hommes sont tous
grands, forts, bien proportionnés. Les pays où l'on emmaillote les enfants sont ceux qui fourmillent de bossus,
de boiteux, de cagneux, de noués, de rachitiques, de gens
contrefaits de toute espèce. De peur que les corps ne se
déforment par des mouvements libres, on se hâte de les
déformer en les mettant en presse. On les rendrait volontiers perclus pour les empêcher de s'estropier.

Une contrainte si cruelle pourrait-elle ne pas influer
sur leur humeur ainsi que sur leur tempérament ? Leur
premier sentiment est un sentiment de douleur et de peine :
ils ne trouvent qu'obstacles à tous les mouvements dont

ils ont besoin : plus malheureux qu'un criminel aux fers, ils font de vains efforts, ils s'irritent, ils crient. Leurs premières voix, dites-vous, sont des pleurs ? Je le crois bien : vous les contrariez dès leur naissance ; les premiers dons qu'ils reçoivent de vous sont des chaînes ; les premiers traitements qu'ils éprouvent sont des tourments. N'ayant rien de libre que la voix, comment ne s'en serviraient-ils pas pour se plaindre ? Ils crient du mal que vous leur faites : ainsi garrottés, vous crieriez plus fort qu'eux.

D'où vient cet usage déraisonnable ? d'un usage dénaturé. Depuis que les mères, méprisant leur premier devoir, n'ont plus voulu nourrir leurs enfants, il a fallu les confier à des femmes mercenaires, qui, se trouvant ainsi mères d'enfants étrangers pour qui la nature ne leur disait rien, n'ont cherché qu'à s'épargner de la peine. Il eût fallu veiller sans cesse sur un enfant en liberté ; mais, quand il est bien lié, on le jette dans un coin sans s'embarrasser de ses cris. Pourvu qu'il n'y ait pas de preuves de la négligence de la nourrice, pourvu que le nourrisson ne se casse ni bras ni jambe, qu'importe, au surplus, qu'il périsse ou qu'il demeure infirme le reste de ses jours ? On conserve ses membres aux dépens de son corps, et, quoi qu'il arrive, la nourrice est disculpée.

Ces douces mères qui, débarrassées de leurs enfants, se livrent gaiement aux amusements de la ville, savent-elles cependant quel traitement l'enfant dans son maillot reçoit au village ? Au moindre tracas qui survient, on le suspend à un clou comme un paquet de hardes ; et tandis que, sans se presser, la nourrice vaque à ses affaires, le malheureux reste ainsi crucifié. Tous ceux qu'on a trouvés dans cette situation avaient le visage violet ; la poitrine fortement comprimée ne laissant pas circuler le sang, il remontait à la tête ; et l'on croyait le patient fort tranquille, parce qu'il n'avait pas la force de crier. J'ignore combien d'heures un enfant peut rester en cet état sans perdre la vie, mais je doute que cela puisse aller fort loin. Voilà, je pense, une des plus grandes commodités du maillot.

On prétend que les enfants en liberté pourraient prendre de mauvaises situations, et se donner des mouvements capables de nuire à la bonne conformation de leurs membres. C'est là un de ces vains raisonnements de notre fausse sagesse, et que jamais aucune expérience n'a confirmés. De cette multitude d'enfants qui, chez des peuples plus sensés que nous, sont nourris dans toute la liberté de leurs membres, on n'en voit pas un seul qui se blesse ni s'estropie ; ils ne sauraient donner à leurs mouvements la force qui peut les rendre dangereux ; et quand ils prennent une situation violente, la douleur les avertit bientôt d'en changer.

Nous ne nous sommes pas encore avisés de mettre au maillot les petits des chiens ni des chats; voit-on qu'il résulte pour eux quelque inconvénient de cette négligence ? Les enfants sont plus lourds ; d'accord : mais à proportion ils sont aussi plus faibles. A peine peuvent-ils se mouvoir ; comment s'estropieraient-ils ? Si on les étendait sur le dos, ils mourraient dans cette situation, comme la tortue, sans pouvoir jamais se retourner.

Non contentes d'avoir cessé d'allaiter leurs enfants, les femmes cessent d'en vouloir faire ; la conséquence est naturelle. Dès que l'état de mère est onéreux, on trouve bientôt le moyen de s'en délivrer tout à fait ; on veut faire un ouvrage inutile, afin de le recommencer toujours, et l'on tourne au préjudice de l'espèce l'attrait donné pour la multiplier. Cet usage, ajouté aux autres causes de dépopulation, nous annonce le sort prochain de l'Europe. Les sciences, les arts, la philosophie et les mœurs qu'elle engendre ne tarderont pas d'en faire un désert. Elle sera peuplée de bêtes féroces : elle n'aura pas beaucoup changé d'habitants.

J'ai vu quelquefois le petit manège des jeunes femmes qui feignent de vouloir nourrir leurs enfants. On sait se faire presser de renoncer à cette fantaisie : on fait adroitement intervenir les époux, les médecins *, surtout les mères. Un mari qui oserait consentir que sa femme nourrît son enfant serait un homme perdu ; l'on en ferait un assassin qui veut se défaire d'elle. Maris prudents, il faut immoler à la paix l'amour paternel. Heureux qu'on trouve à la

---

* La ligue des femmes et des médecins m'a toujours paru l'une des plus plaisantes singularités de Paris. C'est par les femmes que les médecins acquièrent leur réputation, et c'est par les médecins que les femmes font leurs volontés. On se doute bien par là quelle est la sorte d'habileté qu'il faut à un médecin de Paris pour devenir célèbre.

B. N. Estampes

L'ALLAITEMENT MATERNEL ENCOURAGÉ

Un Philosophe sensible indique à la bienfaisance les objets sur lesquels elle doit verser ses dons. La Comédie sous la figure de Figaro, tient des gros sacs. Elle en répand un aux pieds de plusieurs mères qui donnent le sein à leurs enfants. Au-dessus du Philosophe est la Statue de l'humanité portant ces mots : Secours pour les Mères nourrices.

Gravure de Voysard, d'après un dessin de Borel inspiré par l'*Émile* (1784)

campagne des femmes plus continentes que les vôtres !
Plus heureux si le temps que celles-ci gagnent n'est pas
destiné pour d'autres que vous.

Le devoir des femmes n'est pas douteux : mais on
dispute si, dans le mépris qu'elles en font, il est égal pour
les enfants d'être nourris de leur lait ou d'un autre. Je tiens
cette question, dont les médecins sont les juges, pour
décidée au souhait des femmes; et pour moi, je penserais
bien aussi qu'il vaut mieux que l'enfant suce le lait
d'une nourrice en santé, que d'une mère gâtée, s'il avait
quelque nouveau mal à craindre du même sang dont il
est formé.

Mais la question doit-elle s'envisager seulement par
le côté physique ? Et l'enfant a-t-il moins besoin des soins
d'une mère que de sa mamelle ? D'autres femmes, des
bêtes même, pourront lui donner le lait qu'elle lui refuse :
la sollicitude maternelle ne se supplée point. Celle qui
nourrit l'enfant d'une autre au lieu du sien est une mauvaise mère : comment sera-t-elle une bonne nourrice ?
Elle pourra le devenir, mais lentement ; il faudra que l'habitude change la nature : et l'enfant mal soigné aura le temps
de périr cent fois avant que sa nourrice ait pris pour lui
une tendresse de mère.

De cet avantage même résulte un inconvénient qui seul
devrait ôter à toute femme sensible le courage de faire
nourrir son enfant par une autre, c'est celui de partager
le droit de mère, ou plutôt de l'aliéner; de voir son enfant
aimer une autre femme autant et plus qu'elle ; de sentir
que la tendresse qu'il conserve pour sa propre mère est
une grâce, et que celle qu'il a pour sa mère adoptive est
un devoir : car, où j'ai trouvé les soins d'une mère, ne dois-
je pas l'attachement d'un fils ?

La manière dont on remédie à cet inconvénient est
d'inspirer aux enfants du mépris pour leurs nourrices
en les traitant en véritables servantes. Quand leur service
est achevé, on retire l'enfant, ou l'on congédie la nourrice ; à force de la mal recevoir, on la rebute de venir
voir son nourrisson. Au bout de quelques années il ne la
voit plus, il ne la connaît plus. La mère, qui croit se substituer à elle et réparer sa négligence par sa cruauté, se trompe.
Au lieu de faire un tendre fils d'un nourrisson dénaturé, elle
l'exerce à l'ingratitude ; elle lui apprend à mépriser un

jour celle qui lui donna la vie, comme celle qui l'a nourri de son lait.

Combien j'insisterais sur ce point, s'il était moins décourageant de rebattre en vain des sujets utiles ! Ceci tient à plus de choses qu'on ne pense. Voulez-vous rendre chacun à ses premiers devoirs ? Commencez par les mères ; vous serez étonné des changements que vous produirez. Tout vient successivement de cette première dépravation : tout l'ordre moral s'altère ; le naturel s'éteint dans tous les cœurs ; l'intérieur des maisons prend un air moins vivant ; le spectacle touchant d'une famille naissante n'attache plus les maris, n'impose plus d'égards aux étrangers ; on respecte moins la mère dont on ne voit pas les enfants ; il n'y a point de résidence dans les familles ; l'habitude ne renforce plus les liens du sang; il n'y a plus ni pères ni mères, ni enfants, ni frères, ni sœurs; tous se connaissent à peine; comment s'aimeraient-ils ? Chacun ne songe plus qu'à soi. Quand la maison n'est qu'une triste solitude, il faut bien aller s'égayer ailleurs.

Mais que les mères daignent nourrir leurs enfants, les mœurs vont se réformer d'elles-mêmes, les sentiments de la nature se réveiller dans tous les cœurs; l'État va se repeupler : ce premier point, ce point seul va tout réunir. L'attrait de la vie domestique est le meilleur contre-poison des mauvaises mœurs. Le tracas des enfants, qu'on croit importun, devient agréable; il rend le père et la mère plus nécessaires, plus chers l'un à l'autre; il resserre entre eux le lien conjugal. Quand la famille est vivante et animée, les soins domestiques font la plus chère occupation de la femme et le plus doux amusement du mari. Ainsi de ce seul abus corrigé résulterait bientôt une réforme générale, bientôt la nature aurait repris tous ses droits. Qu'une fois les femmes redeviennent mères, bientôt les hommes redeviendront pères et maris.

Discours superflus ! l'ennui même des plaisirs du monde ne ramène jamais à ceux-là. Les femmes ont cessé d'être mères; elles ne le seront plus; elles ne veulent plus l'être. Quand elles le voudraient, à peine le pourraient-elles; aujourd'hui que l'usage contraire est établi, chacune aurait à combattre l'opposition de toutes celles qui l'approchent, liguées contre un exemple que les unes n'ont pas donné et que les autres ne veulent pas suivre.

« *Thétis, pour rendre son fils invulnérable, le plongea, dit la fable, dans
l'eau du Styx.* »
Dessin de Eisen gravé par de Longueil dans l'édition
de La Haye, J. Néaulme, 1762

Il se trouve pourtant quelquefois encore de jeunes personnes d'un bon naturel qui, sur ce point osant braver l'empire de la mode et les clameurs de leur sexe, remplissent avec une vertueuse intrépidité ce devoir si doux que la nature leur impose. Puisse leur nombre augmenter par l'attrait des biens destinés à celles qui s'y livrent ! Fondé sur des conséquences que donne le plus simple raisonnement, et sur des observations que je n'ai jamais vues démenties, j'ose promettre à ces dignes mères un attachement solide et constant de la part de leurs maris, une tendresse vraiment filiale de la part de leurs enfants, l'estime et le respect du public, d'heureuses couches sans accident et sans suite, une santé ferme et vigoureuse, enfin le plaisir de se voir un jour imiter par leurs filles, et citer en exemple à celles d'autrui.

Point de mère, point d'enfant. Entre eux les devoirs sont réciproques; et s'ils sont mal remplis d'un côté, ils seront négligés de l'autre. L'enfant doit aimer sa mère avant de savoir qu'il le doit. Si la voix du sang n'est fortifiée par l'habitude et les soins, elle s'éteint dans les premières années, et le cœur meurt pour ainsi dire avant que de naître. Nous voilà dès les premiers pas hors de la nature.

On en sort encore par une route opposée, lorsqu'au lieu de négliger les soins de mère, une femme les porte à l'excès; lorsqu'elle fait de son enfant son idole, qu'elle augmente et nourrit sa faiblesse pour l'empêcher de la sentir, et qu'espérant le soustraire aux lois de la nature, elle écarte de lui des atteintes pénibles, sans songer combien, pour quelques incommodités dont elle le préserve un moment, elle accumule au loin d'accidents et de périls sur sa tête, et combien c'est une précaution barbare de prolonger la faiblesse de l'enfance sous les fatigues des hommes faits. Thétis, pour rendre son fils invulnérable, le plongea, dit la fable, dans l'eau du Styx. Cette allégorie est belle et claire. Les mères cruelles dont je parle font autrement; à force de plonger leurs enfants dans la mollesse, elles les préparent à la souffrance; elles ouvrent leurs pores aux maux de toute espèce, dont ils ne manqueront pas d'être la proie étant grands [15].

Observez la nature, et suivez la route qu'elle vous trace. Elle exerce continuellement les enfants; elle endurcit

leur tempérament par des épreuves de toute espèce;
elle leur apprend de bonne heure ce que c'est que peine
et douleur. Les dents qui percent leur donnent la fièvre;
des coliques aiguës leur donnent des convulsions; de
longues toux les suffoquent; les vers les tourmentent;
la pléthore corrompt leur sang; des levains divers y fer-
mentent, et causent des éruptions périlleuses. Presque
tout le premier âge est maladie et danger : la moitié des
enfants qui naissent périt avant la huitième année. Les
épreuves faites, l'enfant a gagné des forces; et sitôt qu'il
peut user de la vie, le principe en devient plus assuré.

   Voilà la règle de la nature. Pourquoi la contrariez-vous ?
Ne voyez-vous pas qu'en pensant la corriger, vous détrui-
sez son ouvrage, vous empêchez l'effet de ses soins ?
Faire au dehors ce qu'elle fait au dedans, c'est, selon
vous, redoubler le danger; et au contraire c'est y faire
diversion, c'est l'exténuer. L'expérience apprend qu'il
meurt encore plus d'enfants élevés délicatement que
d'autres. Pourvu qu'on ne passe pas la mesure de leurs
forces, on risque moins à les employer qu'à les ménager.
Exercez-les donc aux atteintes qu'ils auront à supporter
un jour. Endurcissez leurs corps aux intempéries des
saisons, des climats, des éléments, à la faim, à la soif, à la
fatigue; trempez-les dans l'eau du Styx. Avant que l'habitude du corps soit acquise, on lui donne celle qu'on
veut, sans danger; mais, quand une fois il est dans sa
consistance, toute altération lui devient périlleuse. Un
enfant supportera des changements que ne supporterait
pas un homme : les fibres du premier, molles et flexibles,
prennent sans effort le pli qu'on leur donne; celles de
l'homme, plus endurcies, ne changent plus qu'avec violence le pli qu'elles ont reçu. On peut donc rendre un
enfant robuste sans exposer sa vie et sa santé; et quand
il y aurait quelque risque, encore ne faudrait-il pas balancer. Puisque ce sont des risques inséparables de la vie
humaine, peut-on mieux faire que de les rejeter sur le
temps de sa durée où ils sont le moins désavantageux ?

   Un enfant devient plus précieux en avançant en âge.
Au prix de sa personne se joint celui des soins qu'il a
coûtés; à la perte de sa vie se joint en lui le sentiment de
la mort. C'est donc surtout à l'avenir qu'il faut songer
en veillant à sa conservation; c'est contre les maux de la

« *Voilà la règle de la nature. Pourquoi la contrariez-vous ?* »
Illustration de Moreau le Jeune gravée par J. B. Simonet
(Londres 1774-1784)

jeunesse qu'il faut l'armer avant qu'il y soit parvenu : car, si le prix de la vie augmente jusqu'à l'âge de la rendre utile, quelle folie n'est-ce point d'épargner quelques maux à l'enfance en les multipliant sur l'âge de raison ! Sont-ce là les leçons du maître ?

Le sort de l'homme est de souffrir dans tous les temps. Le soin même de sa conservation est attaché à la peine. Heureux de ne connaître dans son enfance que les maux physiques, maux bien moins cruels, bien moins douloureux que les autres, et qui bien plus rarement qu'eux nous font renoncer à la vie ! On ne se tue point pour les douleurs de la goutte; il n'y a guère que celles de l'âme qui produisent le désespoir. Nous plaignons le sort de l'enfance, et c'est le nôtre qu'il faudrait plaindre. Nos plus grands maux nous viennent de nous.

En naissant, un enfant crie; sa première enfance se passe à pleurer. Tantôt on l'agite, on le flatte pour l'apaiser; tantôt on le menace, on le bat pour le faire taire. Ou nous faisons ce qu'il lui plaît, ou nous en exigeons ce qu'il nous plaît; ou nous nous soumettons à ses fantaisies, ou nous le soumettons aux nôtres : point de milieu, il faut qu'il donne des ordres ou qu'il en reçoive. Ainsi ses premières idées sont celles d'empire et de servitude. Avant de savoir parler il commande, avant de pouvoir agir il obéit; et quelquefois on le châtie avant qu'il puisse connaître ses fautes, ou plutôt en commettre. C'est ainsi qu'on verse de bonne heure dans son jeune cœur les passions qu'on impute ensuite à la nature, et qu'après avoir pris peine à le rendre méchant, on se plaint de le trouver tel.

Un enfant passe six ou sept ans de cette manière entre les mains des femmes, victimes de leur caprice et du sien; et après lui avoir fait apprendre ceci et cela, c'est-à-dire après avoir chargé sa mémoire ou de mots qu'il ne peut entendre, ou de choses qui ne lui sont bonnes à rien; après avoir étouffé le naturel par les passions qu'on a fait naître, on remet cet être factice entre les mains d'un précepteur, lequel achève de développer les germes artificiels qu'il trouve déjà tout formés, et lui apprend tout, hors à se connaître, hors à tirer parti de lui-même, hors à savoir vivre et se rendre heureux. Enfin, quand cet enfant, esclave et tyran, plein de science et dépourvu de sens, également débile de corps et d'âme, est jeté dans le monde en y montrant son ineptie, son orgueil et tous ses vices, il fait déplorer la misère et la perversité humaines. On se trompe; c'est là l'homme de nos fantaisies : celui de la nature est fait autrement.

Voulez-vous donc qu'il garde sa forme originelle, conservez-la dès l'instant qu'il vient au monde. Sitôt qu'il naît, emparez-vous de lui, et ne le quittez plus qu'il ne soit homme : vous ne réussirez jamais sans cela. Comme la véritable nourrice est la mère, le véritable précepteur est le père. Qu'ils s'accordent dans l'ordre de leurs fonctions ainsi que dans leur système; que des mains de l'une l'enfant passe dans celles de l'autre. Il sera mieux élevé par un père judicieux et borné que par le plus habile maître du monde; car le zèle suppléera mieux au talent que le talent au zèle.

Mais les affaires, les fonctions, les devoirs... Ah ! les devoirs, sans doute le dernier est celui du père * ! Ne nous étonnons pas qu'un homme dont la femme a dédaigné de nourrir le fruit de leur union, dédaigne de l'élever. Il n'y a point de tableau plus charmant que celui de la famille; mais un seul trait manqué défigure tous les autres. Si la mère a trop peu de santé pour être nourrice, le père aura trop d'affaires pour être précepteur. Les enfants, éloignés, dispersés dans des pensions, dans des couvents, dans des collèges, porteront ailleurs l'amour de la maison paternelle, ou, pour mieux dire, ils y rapporteront l'habitude de n'être attachés à rien. Les frères et les sœurs se connaîtront à peine. Quand tous seront rassemblés en cérémonie, ils pourront être fort polis entre eux; ils se traiteront en étrangers. Sitôt qu'il n'y a plus d'intimité entre les parents, sitôt que la société de la famille ne fait

---

* Quand on lit dans Plutarque [16] que Caton le censeur, qui gouverna Rome avec tant de gloire, éleva lui-même son fils dès le berceau, et avec un tel soin, qu'il quittait tout pour être présent quand la nourrice, c'est-à-dire la mère, le remuait et le lavait; quand on lit dans Suétone [17] qu'Auguste, maître du monde, qu'il avait conquis et qu'il régissait lui-même, enseignait lui-même à ses petits-fils à écrire, à nager, les éléments des sciences, et qu'il les avait sans cesse autour de lui, on ne peut s'empêcher de rire des petites bonnes gens de ce temps-là, qui s'amusaient de pareilles niaiseries; trop bornés, sans doute, pour savoir vaquer aux grandes affaires des grands hommes de nos jours.

plus la douceur de la vie, il faut bien recourir aux mauvaises
mœurs pour y suppléer. Où est l'homme assez stupide
pour ne pas voir la chaîne de tout cela ?

Un père, quand il engendre et nourrit des enfants, ne
fait en cela que le tiers de sa tâche. Il doit des hommes
à son espèce, il doit à la société des hommes sociables;
il doit des citoyens à l'État. Tout homme qui peut payer
cette triple dette et ne le fait pas est coupable, et plus
coupable peut-être quand il la paye à demi. Celui qui ne
peut remplir les devoirs de père n'a point le droit de le
devenir. Il n'y a ni pauvreté, ni travaux, ni respect humain,
qui le dispensent de nourrir ses enfants et de les élever
lui-même. Lecteurs, vous pouvez m'en croire. Je prédis
à quiconque a des entrailles et néglige de si saints devoirs,
qu'il versera longtemps sur sa faute des larmes amères,
et n'en sera jamais consolé [18].

Mais que fait cet homme riche, ce père de famille si
affairé, et forcé, selon lui, de laisser ses enfants à l'abandon ?
il paye un autre homme pour remplir ces soins qui lui
sont à charge. Ame vénale ! crois-tu donner à ton fils
un autre père avec de l'argent ? Ne t'y trompe point; ce
n'est pas même un maître que tu lui donnes, c'est un valet.
Il en formera bientôt un second.

On raisonne beaucoup sur les qualités d'un bon gouverneur. La première que j'en exigerais, et celle-là seule en
suppose beaucoup d'autres, c'est de n'être point un homme
à vendre. Il y a des métiers si nobles, qu'on ne peut les
faire pour de l'argent sans se montrer indigne de les faire;
tel est celui de l'homme de guerre; tel est celui de l'instituteur. Qui donc élèvera mon enfant ? Je te l'ai déjà dit,
toi-même. Je ne le peux. Tu ne le peux ?... Fais-toi donc
un ami. Je ne vois pas d'autre ressource.

Un gouverneur ! ô quelle âme sublime !... En vérité,
pour faire un homme, il faut être ou père ou plus qu'homme
soi-même. Voilà la fonction que vous confiez tranquillement à des mercenaires.

Plus on y pense, plus on aperçoit de nouvelles difficultés.
Il faudrait que le gouverneur eût été élevé pour son élève,
que ses domestiques eussent été élevés pour leur maître,
que tous ceux qui l'approchent eussent reçu les impressions qu'ils doivent lui communiquer; il faudrait, d'éducation en éducation, remonter jusqu'on ne sait où. Com-

ment se peut-il qu'un enfant soit bien élevé par qui n'a pas été bien élevé lui-même ?

Ce rare mortel est-il introuvable ? Je l'ignore. En ces temps d'avilissement, qui sait à quel point de vertu peut atteindre encore une âme humaine ? Mais supposons ce prodige trouvé. C'est en considérant ce qu'il doit faire que nous verrons ce qu'il doit être. Ce que je crois voir d'avance est qu'un père qui sentirait tout le prix d'un bon gouverneur prendrait le parti de s'en passer; car il mettrait plus de peine à l'acquérir qu'à le devenir lui-même. Veut-il donc se faire un ami ? qu'il élève son fils pour l'être; le voilà dispensé de le chercher ailleurs, et la nature a déjà fait la moitié de l'ouvrage.

Quelqu'un dont je ne connais que le rang m'a fait proposer d'élever son fils [19]. Il m'a fait beaucoup d'honneur sans doute; mais, loin de se plaindre de mon refus, il doit se louer de ma discrétion. Si j'avais accepté son offre, et que j'eusse erré dans ma méthode, c'était une éducation manquée; si j'avais réussi, c'eût été bien pis, son fils aurait renié son titre, il n'eût plus voulu être prince.

Je suis trop pénétré de la grandeur des devoirs d'un précepteur, et je sens trop mon incapacité, pour accepter jamais un pareil emploi de quelque part qu'il me soit offert; et l'intérêt de l'amitié même ne serait pour moi qu'un nouveau motif de refus. Je crois qu'après avoir lu ce livre, peu de gens seront tentés de me faire cette offre; et je prie ceux qui pourraient l'être, de n'en plus prendre l'inutile peine. J'ai fait autrefois un suffisant essai de ce métier pour être assuré que je n'y suis pas propre, et mon état m'en dispenserait, quand mes talents m'en rendraient capable. J'ai cru devoir cette déclaration publique à ceux qui paraissent ne pas m'accorder assez d'estime pour me croire sincère et fondé dans mes résolutions.

Hors d'état de remplir la tâche la plus utile, j'oserai du moins essayer de la plus aisée : à l'exemple de tant d'autres, je ne mettrai point la main à l'œuvre, mais à la plume; et au lieu de faire ce qu'il faut, je m'efforcerai de le dire.

Je sais que, dans les entreprises pareilles à celle-ci, l'auteur, toujours à son aise dans des systèmes qu'il est dispensé de mettre en pratique, donne sans peine beaucoup de beaux préceptes impossibles à suivre, et que, faute de détails et d'exemples, ce qu'il dit même de praticable reste sans usage quand il n'en a pas montré l'application.

J'ai donc pris le parti de me donner un élève imaginaire, de me supposer l'âge, la santé, les connaissances et tous les talents convenables pour travailler à son éducation, de la conduire depuis le moment de sa naissance jusqu'à celui où, devenu homme fait, il n'aura plus besoin d'autre guide que lui-même. Cette méthode me paraît utile pour empêcher un auteur qui se défie de lui de s'égarer dans des visions; car, dès qu'il s'écarte de la pratique ordinaire, il n'a qu'à faire l'épreuve de la sienne sur son élève, il sentira bientôt, ou le lecteur sentira pour lui, s'il suit le progrès de l'enfance et la marche naturelle au cœur humain.

Voilà ce que j'ai tâché de faire dans toutes les difficultés qui se sont présentées. Pour ne pas grossir inutilement le livre, je me suis contenté de poser les principes dont chacun devait sentir la vérité. Mais quant aux règles qui pouvaient avoir besoin de preuves, je les ai toutes appliquées à mon Émile ou à d'autres exemples, et j'ai fait voir dans des détails très étendus comment ce que j'établissais pouvait être pratiqué; tel est du moins le plan que je me suis proposé de suivre. C'est au lecteur à juger si j'ai réussi.

Il est arrivé de là que j'ai d'abord peu parlé d'Émile, parce que mes premières maximes d'éducation, bien que contraires à celles qui sont établies, sont d'une évidence à laquelle il est difficile à tout homme raisonnable de refuser son consentement. Mais à mesure que j'avance, mon élève, autrement conduit que les vôtres, n'est plus un enfant ordinaire; il lui faut un régime exprès pour lui. Alors il paraît plus fréquemment sur la scène, et vers les derniers temps je ne le perds plus un moment de vue, jusqu'à ce que, quoi qu'il en dise, il n'ait plus le moindre besoin de moi.

Je ne parle point ici des qualités d'un bon gouverneur; je les suppose, et je me suppose moi-même doué de toutes ces qualités. En lisant cet ouvrage, on verra de quelle libéralité j'use envers moi.

Je remarquerai seulement, contre l'opinion commune, que le gouverneur d'un enfant doit être jeune, et même aussi jeune que peut l'être un homme sage. Je voudrais

qu'il fût lui-même enfant, s'il était possible, qu'il pût
devenir le compagnon de son élève, et s'attirer sa confiance en partageant ses amusements. Il n'y a pas assez
de choses communes entre l'enfance et l'âge mûr pour
qu'il se forme jamais un attachement bien solide à cette
distance. Les enfants flattent quelquefois les vieillards,
mais ils ne les aiment jamais.

On voudrait que le gouverneur eût déjà fait une éducation. C'est trop; un même homme n'en peut faire qu'une :
s'il en fallait deux pour réussir, de quel droit entrepren-
drait-on la première ?

Avec plus d'expérience on saurait mieux faire, mais
on ne le pourrait plus. Quiconque a rempli cet état une
fois assez bien pour en sentir toutes les peines, ne tente
point de s'y rengager; et s'il l'a mal rempli la première
fois, c'est un mauvais préjugé pour la seconde.

Il est fort différent, j'en conviens, de suivre un jeune
homme durant quatre ans, ou de le conduire durant
vingt-cinq. Vous donnez un gouverneur à votre fils déjà
tout formé; moi, je veux qu'il en ait un avant que de
naître. Votre homme à chaque lustre peut changer d'élève;
le mien n'en aura jamais qu'un. Vous distinguez le précepteur du gouverneur : autre folie ! Distinguez-vous le
disciple de l'élève ? Il n'y a qu'une science à enseigner
aux enfants : c'est celle des devoirs de l'homme. Cette
science est une; et, quoi qu'ait dit Xénophon de l'éducation des Perses, elle ne se partage pas. Au reste, j'appelle
plutôt gouverneur que précepteur le maître de cette science,
parce qu'il s'agit moins pour lui d'instruire que de conduire. Il ne doit point donner de préceptes, il doit les faire
trouver.

S'il faut choisir avec tant de soin le gouverneur, il lui
est bien permis de choisir aussi son élève, surtout quand
il s'agit d'un modèle à proposer. Ce choix ne peut tomber
ni sur le génie ni sur le caractère de l'enfant, qu'on ne connaît qu'à la fin de l'ouvrage, et que j'adopte avant qu'il
soit né. Quand je pourrais choisir, je ne prendrais qu'un
esprit commun, tel que je suppose mon élève. On n'a
besoin d'élever que les hommes vulgaires; leur éducation doit seule servir d'exemple à celle de leurs semblables.
Les autres s'élèvent malgré qu'on en ait.

Le pays n'est pas indifférent à la culture des hommes;

ils ne sont tout ce qu'ils peuvent être que dans les climats tempérés. Dans les climats extrêmes le désavantage
est visible. Un homme n'est pas planté comme un arbre
dans un pays pour y demeurer toujours; et celui qui part
d'un des extrêmes pour arriver à l'autre, est forcé de faire
le double du chemin que fait pour arriver au même terme
celui qui part du terme moyen.

Que l'habitant d'un pays tempéré parcoure successivement les deux extrêmes, son avantage est encore évident; car, bien qu'il soit autant modifié que celui qui va
d'un extrême à l'autre, il s'éloigne pourtant de la moitié
moins de sa constitution naturelle. Un Français vit en
Guinée et en Laponie; mais un Nègre ne vivra pas de même
à Tornea, ni un Samoïède au Benin [20]. Il paraît encore
que l'organisation du cerveau est moins parfaite aux deux
extrêmes. Les Nègres ni les Lapons n'ont pas le sens des
Européens. Si je veux donc que mon élève puisse être
habitant de la terre, je le prendrai dans une zone tempérée;
en France, par exemple, plutôt qu'ailleurs.

Dans le nord les hommes consomment beaucoup sur
un sol ingrat; dans le midi ils consomment peu sur un
sol fertile : de là naît une nouvelle différence qui rend les
uns laborieux et les autres contemplatifs. La société nous
offre en un même lieu l'image de ces différences entre les
pauvres et les riches : les premiers habitent le sol ingrat,
et les autres le pays fertile.

Le pauvre n'a pas besoin d'éducation; celle de son
état est forcée, il n'en saurait avoir d'autre; au contraire,
l'éducation que le riche reçoit de son état est celle qui lui
convient le moins et pour lui-même et pour la société.
D'ailleurs l'éducation naturelle doit rendre un homme
propre à toutes les conditions humaines : or il est moins
raisonnable d'élever un pauvre pour être riche qu'un riche
pour être pauvre; car à proportion du nombre des deux
états, il y a plus de ruinés que de parvenus. Choisissons
donc un riche; nous serons sûrs au moins d'avoir fait
un homme de plus, au lieu qu'un pauvre peut devenir
homme de lui-même.

Par la même raison, je ne serai pas fâché qu'Émile ait
de la naissance. Ce sera toujours une victime arrachée au
préjugé.

Émile est orphelin. Il n'importe qu'il ait son père et

sa mère. Chargé de leurs devoirs, je succède à tous leurs droits. Il doit honorer ses parents, mais il ne doit obéir qu'à moi. C'est ma première ou plutôt ma seule condition.

J'y dois ajouter celle-ci, qui n'en est qu'une suite, qu'on ne nous ôtera jamais l'un à l'autre que de notre consentement. Cette clause est essentielle, et je voudrais même que l'élève et le gouverneur se regardassent tellement comme inséparables, que le sort de leurs jours fût toujours entre eux un objet commun. Sitôt qu'ils envisagent dans l'éloignement leur séparation, sitôt qu'ils prévoient le moment qui doit les rendre étrangers l'un à l'autre, ils le sont déjà; chacun fait son petit système à part; et tous deux, occupés du temps où ils ne seront plus ensemble, n'y restent qu'à contre-cœur. Le disciple ne regarde le maître que comme l'enseigne et le fléau de l'enfance; le maître ne regarde le disciple que comme un lourd fardeau dont il brûle d'être déchargé; ils aspirent de concert au moment de se voir délivrés l'un de l'autre; et, comme il n'y a jamais entre eux de véritable attachement, l'un doit avoir peu de vigilance, l'autre peu de docilité.

Mais, quand ils se regardent comme devant passer leurs jours ensemble, il leur importe de se faire aimer l'un de l'autre, et par cela même ils se deviennent chers. L'élève ne rougit point de suivre dans son enfance l'ami qu'il doit avoir étant grand; le gouverneur prend intérêt à des soins dont il doit recueillir le fruit, et tout le mérite qu'il donne à son élève est un fonds qu'il place au profit de ses vieux jours.

Ce traité fait d'avance suppose un accouchement heureux, un enfant bien formé, vigoureux et sain. Un père n'a point de choix et ne doit point avoir de préférence dans la famille que Dieu lui donne : tous ses enfants sont également ses enfants; il leur doit à tous les mêmes soins et la même tendresse. Qu'ils soient estropiés ou non, qu'ils soient languissants ou robustes, chacun d'eux est un dépôt dont il doit compte à la main dont il le tient, et le mariage est un contrat fait avec la nature aussi bien qu'entre les conjoints.

Mais quiconque s'impose un devoir que la nature ne lui a point imposé, doit s'assurer auparavant des moyens de le remplir; autrement il se rend comptable même de ce qu'il n'aura pu faire. Celui qui se charge d'un élève infirme et valétudinaire change sa fonction de gouverneur en celle de garde-malade; il perd à soigner une vie inutile le temps qu'il destinait à en augmenter le prix; il s'expose à voir une mère éplorée lui reprocher un jour la mort d'un fils qu'il lui aura longtemps conservé.

Je ne me chargerais pas d'un enfant maladif et cacochyme, dût-il vivre quatre-vingts ans. Je ne veux point d'un élève toujours inutile à lui-même et aux autres, qui s'occupe uniquement à se conserver, et dont le corps nuise à l'éducation de l'âme. Que ferais-je en lui prodiguant vainement mes soins, sinon doubler la perte de la société et lui ôter deux hommes pour un ? Qu'un autre à mon défaut se charge de cet infirme, j'y consens, et j'approuve sa charité; mais mon talent à moi n'est pas celui-là : je ne sais point apprendre à vivre à qui ne songe qu'à s'empêcher de mourir.

Il faut que le corps ait de la vigueur pour obéir à l'âme : un bon serviteur doit être robuste. Je sais que l'intempérance excite les passions; elle exténue aussi le corps à la longue; les macérations, les jeûnes, produisent souvent le même effet par une cause opposée. Plus le corps est faible, plus il commande; plus il est fort, plus il obéit. Toutes les passions sensuelles logent dans des corps efféminés; ils s'en irritent d'autant plus qu'ils peuvent moins les satisfaire.

Un corps débile affaiblit l'âme. De là l'empire de la médecine, art plus pernicieux aux hommes que tous les maux qu'il prétend guérir. Je ne sais, pour moi, de quelle maladie nous guérissent les médecins, mais je sais qu'ils nous en donnent de bien funestes : la lâcheté, la pusillanimité, la crédulité, la terreur de la mort : s'ils guérissent le corps, ils tuent le courage. Que nous importe qu'ils fassent marcher des cadavres ? ce sont des hommes qu'il nous faut, et l'on n'en voit point sortir de leurs mains [21].

La médecine est à la mode parmi nous; elle doit l'être. C'est l'amusement des gens oisifs et désœuvrés, qui, ne sachant que faire de leur temps, le passent à se conserver. S'ils avaient eu le malheur de naître immortels, ils seraient les plus misérables des êtres : une vie qu'ils n'auraient jamais peur de perdre ne serait pour eux d'aucun prix. Il faut à ces gens-là des médecins qui les menacent pour les flatter, et qui leur donnent chaque jour le seul plaisir dont ils soient susceptibles, celui de n'être pas morts.

Je n'ai nul dessein de m'étendre ici sur la vanité de la médecine. Mon objet n'est que de la considérer par le côté moral. Je ne puis pourtant m'empêcher d'observer que les hommes font sur son usage les mêmes sophismes que sur la recherche de la vérité. Ils supposent toujours qu'en traitant un malade on le guérit, et qu'en cherchant une vérité on la trouve. Ils ne voient pas qu'il faut balancer l'avantage d'une guérison que le médecin opère, par la mort de cent malades qu'il a tués, et l'utilité d'une vérité découverte par le tort que font les erreurs qui passent en même temps. La science qui instruit et la médecine qui guérit sont fort bonnes sans doute; mais la science qui trompe et la médecine qui tue sont mauvaises. Apprenez-nous donc à les distinguer. Voilà le nœud de la question. Si nous savions ignorer la vérité, nous ne serions jamais les dupes du mensonge; si nous savions ne vouloir pas guérir malgré la nature, nous ne mourrions jamais par la main du médecin : ces deux abstinences seraient sages; on gagnerait évidemment à s'y soumettre. Je ne dispute donc pas que la médecine ne soit utile à quelques hommes, mais je dis qu'elle est funeste au genre humain.

On me dira, comme on fait sans cesse, que les fautes sont du médecin, mais que la médecine en elle-même est infaillible. A la bonne heure; mais qu'elle vienne donc sans médecin; car, tant qu'ils viendront ensemble, il y aura cent fois plus à craindre des erreurs de l'artiste qu'à espérer du secours de l'art.

Cet art mensonger, plus fait pour les maux de l'esprit que pour ceux du corps, n'est pas plus utile aux uns qu'aux autres : il nous guérit moins de nos maladies qu'il ne nous en imprime l'effroi; il recule moins la mort qu'il ne la fait sentir d'avance; il use la vie au lieu de la prolonger; et, quand il la prolongerait, ce serait encore au préjudice de l'espèce, puisqu'il nous ôte à la société par les soins qu'il nous impose, et à nos devoirs par les frayeurs qu'il nous donne. C'est la connaissance des dangers qui nous les fait craindre : celui qui se croirait invulnérable n'aurait peur de rien. A force d'armer Achille contre le péril, le poète lui ôte le mérite de la valeur; tout autre à sa place eût été un Achille au même prix.

Voulez-vous trouver des hommes d'un vrai courage, cherchez-les dans les lieux où il n'y a point de médecins, où l'on ignore les conséquences des maladies, et où l'on ne songe guère à la mort. Naturellement l'homme sait souffrir constamment et meurt en paix. Ce sont les médecins avec leurs ordonnances, les philosophes avec leurs préceptes, les prêtres avec leurs exhortations, qui l'avilissent de cœur et lui font désapprendre à mourir.

Qu'on me donne un élève qui n'ait pas besoin de tous ces gens-là, ou je le refuse. Je ne veux point que d'autres gâtent mon ouvrage; je veux l'élever seul, ou ne m'en pas mêler. Le sage Locke, qui avait passé une partie de sa vie à l'étude de la médecine, recommande fortement de ne jamais droguer les enfants, ni par précaution ni pour de légères incommodités. J'irai plus loin, et je déclare que, n'appelant jamais de médecins pour moi, je n'en appellerai jamais pour mon Émile, à moins que sa vie ne soit dans un danger évident; car alors il ne peut pas lui faire pis que de le tuer.

Je sais bien que le médecin ne manquera pas de tirer avantage de ce délai. Si l'enfant meurt, on l'aura appelé trop tard; s'il réchappe, ce sera lui qui l'aura sauvé. Soit : que le médecin triomphe; mais surtout qu'il ne soit appelé qu'à l'extrémité.

Faute de savoir se guérir, que l'enfant sache être malade : cet art supplée à l'autre, et souvent réussit beaucoup mieux; c'est l'art de la nature. Quand l'animal est malade, il souffre en silence et se tient coi : or on ne voit pas plus d'animaux languissants que d'hommes. Combien l'impatience, la crainte, l'inquiétude, et surtout les remèdes, ont tué de gens que leur maladie aurait épargnés et que le temps seul aurait guéris ! On me dira que les animaux, vivant d'une manière plus conforme à la nature, doivent être sujets à moins de maux que nous. Eh bien ! cette manière de vivre est précisément celle que je veux donner à mon élève; il en doit donc tirer le même profit.

La seule partie utile de la médecine est l'hygiène; encore l'hygiène est-elle moins une science qu'une vertu. La tempérance et le travail sont les deux vrais médecins de l'homme : le travail aiguise son appétit, et la tempérance l'empêche d'en abuser.

Pour savoir quel régime est le plus utile à la vie et à la santé, il ne faut que savoir quel régime observent les peuples qui se portent le mieux, sont les plus robustes, et vivent le plus longtemps. Si par les observations générales on ne trouve pas que l'usage de la médecine donne aux hommes une santé plus ferme ou une plus longue vie, par cela même que cet art n'est pas utile, il est nuisible, puisqu'il emploie le temps, les hommes et les choses à pure perte. Non seulement le temps qu'on passe à conserver la vie étant perdu pour en user, il l'en faut déduire; mais, quand ce temps est employé à nous tourmenter, il est pis que nul, il est négatif; et, pour calculer équitablement, il en faut ôter autant de celui qui nous reste. Un homme qui vit dix ans sans médecin vit plus pour lui-même et pour autrui que celui qui vit trente ans leur victime. Ayant fait l'une et l'autre épreuve, je me crois plus en droit que personne d'en tirer la conclusion.

Voilà mes raisons pour ne vouloir qu'un élève robuste et sain, et mes principes pour le maintenir tel. Je ne m'arrêterai pas à prouver au long l'utilité des travaux manuels et des exercices du corps pour renforcer le tempérament et la santé; c'est ce que personne ne dispute : les exemples des plus longues vies se tirent presque tous d'hommes qui ont fait le plus d'exercice, qui ont supporté le plus de fatigue et de travail *. Je n'entrerai pas non plus dans de longs détails sur les soins que je prendrai pour ce seul objet; on verra qu'ils entrent si nécessairement dans ma

---

* En voici un exemple tiré des papiers anglais, lequel je ne puis m'empêcher de rapporter, tant il offre de réflexions à faire relatives à mon sujet.

« Un particulier nommé Patrice Oneil, né en 1647, vient de se marier en 1760 pour la septième fois. Il servit dans les dragons la dix-septième année du règne de Charles II, et dans différents corps jusqu'en 1740, qu'il obtint son congé. Il a fait toutes les campagnes du roi Guillaume et du duc de Marlborough. Cet homme n'a jamais bu que de la bière ordinaire; il s'est toujours nourri de végétaux, et n'a mangé de la viande que dans quelques repas qu'il donnait à sa famille. Son usage a toujours été de se lever et de se coucher avec le soleil, à moins que ses devoirs ne l'en aient empêché. Il est à présent dans sa cent treizième année, entendant bien, se portant bien, et marchant sans canne. Malgré son grand âge, il ne reste pas un seul moment oisif; et tous les dimanches il va à sa paroisse, accompagné de ses enfants, petits-enfants et arrière-petits-enfants. »

pratique, qu'il suffit d'en prendre l'esprit pour n'avoir
pas besoin d'autre explication.

Avec la vie commencent les besoins. Au nouveau-né il
faut une nourrice. Si la mère consent à remplir son devoir,
à la bonne heure : on lui donnera ses directions par écrit;
car cet avantage a son contrepoids et tient le gouverneur
un peu éloigné de son élève. Mais il est à croire que l'intérêt de l'enfant et l'estime pour celui à qui elle veut bien
confier un dépôt si cher rendront la mère attentive aux
avis du maître; et tout ce qu'elle voudra faire, on est sûr
qu'elle le fera mieux qu'une autre. S'il nous faut une nourrice étrangère, commençons par la bien choisir.

Une des misères des gens riches est d'être trompés en
tout. S'ils jugent mal des hommes, faut-il s'en étonner ?
Ce sont les richesses qui les corrompent; et, par un juste
retour, ils sentent les premiers le défaut du seul instrument qui leur soit connu. Tout est mal fait chez eux,
excepté ce qu'ils y font eux-mêmes; et ils n'y font presque
jamais rien. S'agit-il de chercher une nourrice, on la fait
choisir par l'accoucheur. Qu'arrive-t-il de là ? Que la
meilleure est toujours celle qui l'a le mieux payé. Je n'irai
donc pas consulter un accoucheur pour celle d'Émile;
j'aurai soin de la choisir moi-même. Je ne raisonnerai
peut-être pas là-dessus si disertement qu'un chirurgien,
mais à coup sûr je serai de meilleure foi, et mon zèle me
trompera moins que son avarice.

Ce choix n'est point un si grand mystère; les règles en
sont connues; mais je ne sais si l'on ne devrait pas faire
un peu plus d'attention à l'âge du lait aussi bien qu'à sa
qualité. Le nouveau lait est tout à fait séreux, il doit presque
être apéritif pour purger le reste du *meconium* épaissi dans
les intestins de l'enfant qui vient de naître. Peu à peu le
lait prend de la consistance et fournit une nourriture plus
solide à l'enfant devenu plus fort pour la digérer. Ce n'est
sûrement pas pour rien que dans les femelles de toute
espèce la nature change la consistance du lait selon l'âge
du nourrisson.

Il faudrait donc une nourrice nouvellement accouchée
à un enfant nouvellement né. Ceci a son embarras, je le
sais; mais sitôt qu'on sort de l'ordre naturel, tout a ses
embarras pour bien faire. Le seul expédient commode
est de faire mal; c'est aussi celui qu'on choisit.

Il faudrait une nourrice aussi saine de cœur que de corps :
l'intempérie des passions peut, comme celle des humeurs,
altérer son lait; de plus, s'en tenir uniquement au physique, c'est ne voir que la moitié de l'objet. Le lait peut
être bon et la nourrice mauvaise; un bon caractère est
aussi essentiel qu'un bon tempérament. Si l'on prend une
femme vicieuse, je ne dis pas que son nourrisson contractera ses vices, mais je dis qu'il en pâtira. Ne lui doit-elle
pas, avec son lait, des soins qui demandent du zèle, de
la patience, de la douceur, de la propreté ? Si elle est gourmande, intempérante, elle aura bientôt gâté son lait; si
elle est négligente ou emportée, que va devenir à sa merci
un pauvre malheureux qui ne peut ni se défendre ni se
plaindre ? Jamais en quoi que ce puisse être les méchants
ne sont bons à rien de bon.

Le choix de la nourrice importe d'autant plus que son
nourrisson ne doit point avoir d'autre gouvernante qu'elle,
comme il ne doit point avoir d'autre précepteur que son
gouverneur. Cet usage était celui des anciens, moins raisonneurs et plus sages que nous. Après avoir nourri des
enfants de leur sexe, les nourrices ne les quittaient plus.
Voilà pourquoi, dans leurs pièces de théâtre, la plupart
des confidentes sont des nourrices. Il est impossible qu'un
enfant qui passe successivement par tant de mains différentes soit jamais bien élevé. A chaque changement il
fait de secrètes comparaisons qui tendent toujours à diminuer son estime pour ceux qui le gouvernent, et conséquemment leur autorité sur lui. S'il vient une fois à penser
qu'il y a de grandes personnes qui n'ont pas plus de raison
que des enfants, toute l'autorité de l'âge est perdue et
l'éducation manquée. Un enfant ne doit connaître d'autres
supérieurs que son père et sa mère, ou, à leur défaut, sa
nourrice et son gouverneur; encore est-ce déjà trop d'un
des deux; mais ce partage est inévitable; et tout ce qu'on
peut faire pour y remédier est que les personnes des
deux sexes qui le gouvernent soient si bien d'accord sur
son compte, que les deux ne soient qu'un pour lui.

Il faut que la nourrice vive un peu plus commodément,
qu'elle prenne des aliments un peu plus substantiels, mais
non qu'elle change tout à fait de manière de vivre; car un
changement prompt et total, même de mal en mieux, est
toujours dangereux pour la santé; et puisque son régime

ordinaire l'a laissée ou rendue saine et bien constituée, à
quoi bon lui en faire changer ?

Les paysannes mangent moins de viande et plus de
légumes que les femmes de la ville; et ce régime végétal
paraît plus favorable que contraire à elles et à leurs enfants.
Quand elles ont des nourrissons bourgeois, on leur donne
des pots-au-feu, persuadé que le potage et le bouillon de
viande leur font un meilleur chyle et fournissent plus de
lait. Je ne suis point du tout de ce sentiment; et j'ai pour
moi l'expérience qui nous apprend que les enfants ainsi
nourris sont plus sujets à la colique et aux vers que les
autres.

Cela n'est guère étonnant, puisque la substance ani-
male en putréfaction fourmille de vers; ce qui n'arrive
pas de même à la substance végétale. Le lait, bien qu'éla-
boré dans le corps de l'animal, est une substance végétale *;
son analyse le démontre, il tourne facilement à l'acide; et,
loin de donner aucun vestige d'alcali volatil, comme font
les substances animales, il donne, comme les plantes, un
sel neutre essentiel.

Le lait des femelles herbivores est plus doux et plus
salutaire que celui des carnivores. Formé d'une substance
homogène à la sienne, il en conserve mieux sa nature, et
devient moins sujet à la putréfaction. Si l'on regarde à la
quantité, chacun sait que les farineux font plus de sang
que la viande; ils doivent donc aussi faire plus de lait. Je
ne puis croire qu'un enfant qu'on ne sèvrerait point trop
tôt, ou qu'on ne sèvrerait qu'avec des nourritures végétales, et dont la nourrice ne vivrait aussi que de végétaux, fût jamais sujet aux vers.

Il se peut que les nourritures végétales donnent un lait
plus prompt à s'aigrir; mais je suis fort éloigné de regarder
le lait aigri comme une nourriture malsaine : des peuples
entiers qui n'en ont point d'autre s'en trouvent fort bien,
et tout cet appareil d'absorbants me paraît une pure charlatanerie. Il y a des tempéraments auxquels le lait ne convient point, et alors nul absorbant ne le leur rend suppor-

* Les femmes mangent du pain, des légumes, du laitage : les femelles
des chiens et des chats en mangent aussi; les louves même paissent.
Voilà des sucs végétaux pour leur lait. Reste à examiner celui des espèces
qui ne peuvent absolument se nourrir que de chair, s'il y en a de telles :
de quoi je doute.

table; les autres le supportent sans absorbants. On craint
le lait trié ou caillé : c'est une folie, puisqu'on sait que le
lait se caille toujours dans l'estomac. C'est ainsi qu'il
devient un aliment assez solide pour nourrir les enfants
et les petits des animaux : s'il ne se caillait point, il ne
ferait que passer, il ne les nourrirait pas *. On a beau
couper le lait de mille manières, user de mille absorbants,
quiconque mange du lait digère du fromage; cela est sans
exception. L'estomac est si bien fait pour cailler le lait,
que c'est avec l'estomac de veau que se fait la présure.

Je pense donc qu'au lieu de changer la nourriture ordinaire des nourrices, il suffit de la leur donner plus abondante et mieux choisie dans son espèce. Ce n'est pas par
la nature des aliments que le maigre échauffe, c'est leur
assaisonnement seul qui les rend malsains. Réformez les
règles de votre cuisine, n'ayez ni roux ni friture; que le
beurre, ni le sel, ni le laitage, ne passent point sur le feu;
que vos légumes cuits à l'eau ne soient assaisonnés qu'arrivant tout chauds sur la table : le maigre, loin d'échauffer
la nourrice, lui fournira du lait en abondance et de la
meilleure qualité **. Se pourrait-il que le régime végétal
étant reconnu le meilleur pour l'enfant, le régime animal
fût le meilleur pour la nourrice ? Il y a de la contradiction à cela.

C'est surtout dans les premières années de la vie que
l'air agit sur la constitution des enfants. Dans une peau
délicate et molle il pénètre par tous les pores, il affecte
puissamment ces corps naissants, il leur laisse des impressions qui ne s'effacent point. Je ne serais donc pas d'avis
qu'on tirât une paysanne de son village pour l'enfermer
en ville dans une chambre et faire nourrir l'enfant chez
soi; j'aime mieux qu'il aille respirer le bon air de la campagne, qu'elle le mauvais air de la ville. Il prendra l'état
de sa nouvelle mère, il habitera sa maison rustique, et

---

* Bien que les sucs qui nous nourrissent soient en liqueur, ils
doivent être exprimés d'aliments solides. Un homme au travail qui ne
vivrait que de bouillon dépérirait très promptement. Il se soutiendrait
beaucoup mieux avec du lait, parce qu'il se caille.

** Ceux qui voudront discuter plus au long les avantages et les inconvénients du régime pythagoricien pourront consulter les traités que
les docteurs Cocchi et Bianchi, son adversaire, ont faits sur cet important sujet.

son gouverneur l'y suivra. Le lecteur se souviendra bien que ce gouverneur n'est pas un homme à gages; c'est l'ami du père. Mais quand cet ami ne se trouve pas, quand ce transport n'est pas facile, quand rien de ce que vous conseillez n'est faisable, que faire à la place, me dira-t-on ?... Je vous l'ai déjà dit, ce que vous faites; on n'a pas besoin de conseil pour cela.

Les hommes ne sont point faits pour être entassés en fourmilières, mais épars sur la terre qu'ils doivent cultiver. Plus ils se rassemblent, plus ils se corrompent. Les infirmités du corps, ainsi que les vices de l'âme, sont l'infaillible effet de ce concours trop nombreux. L'homme est de tous les animaux celui qui peut le moins vivre en troupeaux. Des hommes entassés comme des moutons périraient tous en très peu de temps. L'haleine de l'homme est mortelle à ses semblables : cela n'est pas moins vrai au propre qu'au figuré.

Les villes sont le gouffre de l'espèce humaine. Au bout de quelques générations les races périssent ou dégénèrent; il faut les renouveler, et c'est toujours la campagne qui fournit à ce renouvellement. Envoyez donc vos enfants se renouveler, pour ainsi dire, eux-mêmes, et reprendre, au milieu des champs, la vigueur qu'on perd dans l'air malsain des lieux trop peuplés. Les femmes grosses qui sont à la campagne se hâtent de revenir accoucher à la ville : elles devraient faire tout le contraire, celles surtout qui veulent nourrir leurs enfants. Elles auraient moins à regretter qu'elles ne pensent; et, dans un séjour plus naturel à l'espèce, les plaisirs attachés aux devoirs de la nature leur ôteraient bientôt le goût de ceux qui ne s'y rapportent pas.

D'abord, après l'accouchement, on lave l'enfant avec quelque eau tiède où l'on mêle ordinairement du vin. Cette addition du vin me paraît peu nécessaire. Comme la nature ne produit rien de fermenté, il n'est pas à croire que l'usage d'une liqueur artificielle importe à la vie de ses créatures.

Par la même raison, cette précaution de faire tiédir l'eau n'est pas non plus indispensable; et en effet des multitudes de peuples lavent les enfants nouveau-nés dans les rivières ou à la mer sans autre façon. Mais les nôtres, amollis avant que de naître par la mollesse des pères et des mères, apportent en venant au monde un tempérament déjà gâté, qu'il ne faut pas exposer d'abord à toutes les épreuves qui doivent le rétablir. Ce n'est que par degrés qu'on peut les ramener à leur vigueur primitive. Commencez donc d'abord par suivre l'usage, et ne vous en écartez que peu à peu. Lavez souvent les enfants; leur malpropreté en montre le besoin. Quand on ne fait que les essuyer, on les déchire; mais, à mesure qu'ils se renforcent, diminuez par degré la tiédeur de l'eau, jusqu'à ce qu'enfin vous les laviez été et hiver à l'eau froide et même glacée. Comme pour ne pas les exposer, il importe que cette diminution soit lente, successive et insensible, on peut se servir du thermomètre pour la mesurer exactement.

Cet usage du bain une fois établi ne doit plus être interrompu, et il importe de le garder toute sa vie. Je le considère non seulement du côté de la propreté et de la santé actuelle, mais aussi comme une précaution salutaire pour rendre plus flexible la texture des fibres, et les faire céder sans effort et sans risque aux divers degrés de chaleur et de froid. Pour cela je voudrais qu'en grandissant on s'accoutumât peu à peu à se baigner quelquefois dans des eaux chaudes à tous les degrés supportables, et souvent dans des eaux froides à tous les degrés possibles. Ainsi, après s'être habitué à supporter les diverses températures de l'eau, qui, étant un fluide plus dense, nous touche par plus de points et nous affecte davantage, on deviendrait presque insensible à celles de l'air.

Au moment où l'enfant respire en sortant de ses enveloppes, ne souffrez pas qu'on lui en donne d'autres qui le tiennent plus à l'étroit. Point de têtières, point de bandes, point de maillot; des langes flottants et larges, qui laissent tous ses membres en liberté, et ne soient ni assez pesants pour gêner ses mouvements, ni assez chauds pour empêcher qu'il ne sente les impressions de l'air *. Placez-le dans un grand berceau ** bien rembourré, où il puisse

* On étouffe les enfants dans les villes à force de les tenir renfermés et vêtus. Ceux qui les gouvernent en sont encore à savoir que l'air froid, loin de leur faire du mal, les renforce, et que l'air chaud les affaiblit, leur donne la fièvre et les tue.

** Je dis un *berceau*, pour employer un mot usité, faute d'autre; car d'ailleurs je suis persuadé qu'il n'est jamais nécessaire de bercer les enfants, et que cet usage leur est souvent pernicieux.

se mouvoir à l'aise et sans danger. Quand il commence à se fortifier, laissez-le ramper par la chambre; laissez-lui développer, étendre ses petits membres; vous les verrez se renforcer de jour en jour. Comparez-le avec un enfant bien emmailloté du même âge; vous serez étonné de la différence de leurs progrès *.

On doit s'attendre à de grandes oppositions de la part des nourrices, à qui l'enfant bien garrotté donne moins de peine que celui qu'il faut veiller incessamment. D'ailleurs sa malpropreté devient plus sensible dans un habit ouvert; il faut le nettoyer plus souvent. Enfin la coutume est un argument qu'on ne réfutera jamais en certains pays, au gré du peuple de tous les États.

Ne raisonnez point avec les nourrices; ordonnez, voyez faire, et n'épargnez rien pour rendre aisés dans la pratique les soins que vous aurez prescrits. Pourquoi ne les partageriez-vous pas ? Dans les nourritures ordinaires, où l'on ne regarde qu'au physique, pourvu que l'enfant vive et qu'il ne dépérisse point, le reste n'importe guère; mais ici, où l'éducation commence avec la vie, en naissant l'enfant est déjà disciple, non du gouverneur, mais de la

---

* « Les anciens Péruviens laissaient les bras libres aux enfants dans un maillot fort large; lorsqu'ils les en tiraient, ils les mettaient en liberté dans un trou fait en terre et garni de linges, dans lequel ils les descendaient jusqu'à la moitié du corps; de cette façon, ils avaient les bras libres, et ils pouvaient mouvoir leur tête et fléchir leur corps à leur gré, sans tomber et sans se blesser. Dès qu'ils pouvaient faire un pas, on leur présentait la mamelle d'un peu loin, comme un appât pour les obliger à marcher. Les petits nègres sont quelquefois dans une situation bien plus fatigante pour téter : ils embrassent l'une des hanches de la mère avec leurs genoux et leurs pieds, et ils la serrent si bien qu'ils peuvent s'y soutenir sans le secours des bras de la mère. Ils s'attachent à la mamelle avec leurs mains, et ils la sucent constamment sans se déranger et sans tomber, malgré les différents mouvements de la mère, qui, pendant ce temps, travaille à son ordinaire. Ces enfants commencent à marcher dès le second mois, ou plutôt à se traîner sur les genoux et sur les mains. Cet exercice leur donne pour la suite la facilité de courir, dans cette situation, presque aussi vite que s'ils étaient sur leurs pieds. » *(Hist. nat.*, tome IV, in-12, p. 192.)

A ces exemples, M. de Buffon aurait pu ajouter celui de l'Angleterre où l'extravagante et barbare pratique du maillot s'abolit de jour en jour. Voyez aussi La Loubère, *Voyage de Siam ;* le sieur Le Beau, *Voyage du Canada*, etc. Je remplirais vingt pages de citations, si j'avais besoin de confirmer ceci par des faits.

nature. Le gouverneur ne fait qu'étudier sous ce premier maître et empêcher que ses soins ne soient contrariés. Il veille le nourrisson, il l'observe, il le suit, il épie avec vigilance la première lueur de son faible entendement, comme, aux approches du premier quartier, les musulmans épient l'instant du lever de la lune.

Nous naissons capables d'apprendre, mais ne sachant rien, ne connaissant rien. L'âme, enchaînée dans des organes imparfaits et demi-formés, n'a pas même le sentiment de sa propre existence. Les mouvements, les cris de l'enfant qui vient de naître, sont des effets purement mécaniques, dépourvus de connaissance et de volonté.

Supposons qu'un enfant eût à sa naissance la stature et la force d'un homme fait, qu'il sortît, pour ainsi dire, tout armé du sein de sa mère, comme Pallas sortit du cerveau de Jupiter; cet homme-enfant serait un parfait imbécile, un automate, une statue [22] immobile et presque insensible : il ne verrait rien, il n'entendrait rien, il ne connaîtrait personne, il ne saurait pas tourner les yeux vers ce qu'il aurait besoin de voir; non seulement il n'apercevrait aucun objet hors de lui, il n'en rapporterait même aucun dans l'organe du sens qui le lui ferait apercevoir; les couleurs ne seraient point dans ses yeux, les sons ne seraient point dans ses oreilles, les corps qu'il toucherait ne seraient point sur le sien, il ne saurait pas même qu'il en a un; le contact de ses mains serait dans son cerveau; toutes ses sensations se réuniraient dans un seul point; il n'existerait que dans le commun *sensorium ;* il n'aurait qu'une seule idée, savoir celle du *moi*, à laquelle il rapporterait toutes ses sensations; et cette idée ou plutôt ce sentiment, serait la seule chose qu'il aurait de plus qu'un enfant ordinaire.

Cet homme, formé tout à coup, ne saurait pas non plus se redresser sur ses pieds; il lui faudrait beaucoup de temps pour apprendre à s'y soutenir en équilibre; peut-être n'en ferait-il pas même l'essai, et vous verriez ce grand corps, fort et robuste, rester en place comme une pierre, ou ramper et se traîner comme un jeune chien.

Il sentirait le malaise des besoins sans les connaître, et sans imaginer aucun moyen d'y pourvoir. Il n'y a nulle immédiate communication entre les muscles de l'estomac et ceux des bras et des jambes, qui, même entouré d'aliments lui fît faire un pas pour en approcher ou étendre

la main pour les saisir; et, comme son corps aurait pris
son accroissement, que ses membres seraient tout développés, qu'il n'aurait par conséquent ni les inquiétudes
ni les mouvements continuels des enfants, il pourrait
mourir de faim, avant de s'être mû pour chercher sa
subsistance. Pour peu qu'on ait réfléchi sur l'ordre et le
progrès de nos connaissances, on ne peut nier que tel ne
fût à peu près l'état primitif d'ignorance et de stupidité
naturel à l'homme avant qu'il eût rien appris de l'expérience ou de ses semblables.

On connaît donc, ou l'on peut connaître le premier
point d'où part chacun de nous pour arriver au degré
commun de l'entendement; mais qui est-ce qui connaît
l'autre extrémité? Chacun avance plus ou moins selon
son génie, son goût, ses besoins, ses talents, son zèle, et
les occasions qu'il a de s'y livrer. Je ne sache pas qu'aucun
philosophe ait encore été assez hardi pour dire : Voilà
le terme où l'homme peut parvenir et qu'il ne saurait
passer. Nous ignorons ce que notre nature nous permet
d'être; nul de nous n'a mesuré la distance qui peut se
trouver entre un homme et un autre homme. Quelle est
l'âme basse que cette idée n'échauffa jamais, et qui ne se
dit pas quelquefois dans son orgueil : Combien j'en ai
déjà passé ! combien j'en puis encore atteindre ! pourquoi mon égal irait-il plus loin que moi ?

Je le répète, l'éducation de l'homme commence à sa
naissance; avant de parler, avant que d'entendre, il s'instruit déjà. L'expérience prévient les leçons; au moment
qu'il connaît sa nourrice, il a déjà beaucoup acquis. On
serait surpris des connaissances de l'homme le plus grossier, si l'on suivait son progrès depuis le moment où il
est né jusqu'à celui où il est parvenu. Si l'on partageait
toute la science humaine en deux parties, l'une commune
à tous les hommes, l'autre particulière aux savants, celle-ci
serait très petite en comparaison de l'autre. Mais nous ne
songeons guère aux acquisitions générales, parce qu'elles
se font sans qu'on y pense et même avant l'âge de raison;
que d'ailleurs le savoir ne se fait remarquer que par ses
différences, et que, comme dans les équations d'algèbre,
les quantités communes se comptent pour rien.

Les animaux mêmes acquièrent beaucoup. Ils ont des
sens, il faut qu'ils apprennent à en faire usage; ils ont des

besoins, il faut qu'ils apprennent à y pourvoir; il faut qu'ils
apprennent à manger, à marcher, à voler. Les quadrupèdes
qui se tiennent sur leurs pieds dès leur naissance ne savent
pas marcher pour cela; on voit à leurs premiers pas que
ce sont des essais mal assurés. Les serins échappés de leurs
cages ne savent point voler, parce qu'ils n'ont jamais volé.
Tout est instruction pour les êtres animés et sensibles.
Si les plantes avaient un mouvement progressif, il faudrait
qu'elles eussent des sens et qu'elles acquissent des connaissances; autrement les espèces périraient bientôt.

Les premières sensations des enfants sont purement
affectives; ils n'aperçoivent que le plaisir et la douleur.
Ne pouvant ni marcher ni saisir, ils ont besoin de beaucoup de temps pour se former peu à peu les sensations
représentatives qui leur montrent les objets hors d'eux-
mêmes; mais, en attendant que ces objets s'étendent,
s'éloignent pour ainsi dire de leurs yeux, et prennent
pour eux des dimensions et des figures, le retour des sensations affectives commence à les soumettre à l'empire
de l'habitude; on voit leurs yeux se tourner sans cesse
vers la lumière, et, si elle leur vient de côté, prendre insensiblement cette direction; en sorte qu'on doit avoir soin
de leur opposer le visage au jour, de peur qu'ils ne deviennent louches ou ne s'accoutument à regarder de travers.
Il faut aussi qu'ils s'habituent de bonne heure aux ténèbres;
autrement ils pleurent et crient sitôt qu'ils se trouvent à
l'obscurité. La nourriture et le sommeil, trop exactement
mesurés, leur deviennent nécessaires au bout des mêmes
intervalles; et bientôt le désir ne vient plus du besoin,
mais de l'habitude, ou plutôt l'habitude ajoute un nouveau besoin à celui de la nature : voilà ce qu'il faut prévenir.

La seule habitude qu'on doit laisser prendre à l'enfant
est de n'en contracter aucune; qu'on ne le porte pas plus
sur un bras que sur l'autre; qu'on ne l'accoutume pas à
présenter une main plutôt que l'autre, à s'en servir plus
souvent, à vouloir manger [23], dormir, agir aux mêmes
heures, à ne pouvoir rester seul ni nuit ni jour. Préparez
de loin le règne de sa liberté et l'usage de ses forces, en
laissant à son corps l'habitude naturelle, en le mettant en
état d'être toujours maître de lui-même, et de faire en
toute chose sa volonté, sitôt qu'il en aura une.

Dès que l'enfant commence à distinguer les objets, il importe de mettre du choix dans ceux qu'on lui montre. Naturellement tous les nouveaux objets intéressent l'homme. Il se sent si faible qu'il craint tout ce qu'il ne connaît pas : l'habitude de voir des objets nouveaux sans en être affecté détruit cette crainte. Les enfants élevés dans des maisons propres, où l'on ne souffre point d'araignées, ont peur des araignées et cette peur leur demeure souvent étant grands. Je n'ai jamais vu de paysans, ni homme, ni femme, ni enfant, avoir peur des araignées.

Pourquoi donc l'éducation d'un enfant ne commencerait-elle pas avant qu'il parle et qu'il entende. puisque le seul choix des objets qu'on lui présente est propre à le rendre timide ou courageux ? Je veux qu'on l'habitue à voir des objets nouveaux, des animaux laids, dégoûtants, bizarres, mais peu à peu, de loin, jusqu'à ce qu'il y soit accoutumé, et qu'à force de les voir manier à d'autres, il les manie enfin lui-même. Si, durant son enfance, il a vu sans effroi des crapauds, des serpents, des écrevisses, il verra sans horreur, étant grand, quelque animal que ce soit. Il n'y a plus d'objets affreux pour qui en voit tous les jours.

Tous les enfants ont peur des masques. Je commence par montrer à Émile un masque d'une figure agréable; ensuite quelqu'un s'applique devant lui ce masque sur le visage : je me mets à rire, tout le monde rit, et l'enfant rit comme les autres. Peu à peu je l'accoutume à des masques moins agréables, et enfin à des figures hideuses. Si j'ai bien ménagé ma gradation, loin de s'effrayer au dernier masque, il en rira comme du premier. Après cela je ne crains plus qu'on l'effraye avec des masques.

Quand, dans les adieux d'Andromaque et d'Hector, le petit Astyanax, effrayé du panache qui flotte sur le casque de son père, le méconnaît, se jette en criant sur le sein de sa nourrice, et arrache à sa mère un sourire mêlé de larmes, que faut-il faire pour guérir cet effroi ? Précisément ce que fait Hector, poser le casque à terre, et puis caresser l'enfant [24]. Dans un moment plus tranquille on ne s'en tiendrait pas là; on s'approcherait du casque, on jouerait avec les plumes, on les ferait manier à l'enfant; enfin la nourrice prendrait le casque et le poserait en riant sur sa propre tête, si toutefois la main d'une femme osait toucher aux armes d'Hector.

S'agit-il d'exercer Émile au bruit d'une arme à feu, je brûle d'abord une amorce dans un pistolet. Cette flamme brusque et passagère, cette espèce d'éclair le réjouit; je répète la même chose avec plus de poudre; peu à peu j'ajoute au pistolet une petite charge sans bourre, puis une plus grande; enfin je l'accoutume aux coups de fusil, aux boîtes, aux canons, aux détonations les plus terribles.

J'ai remarqué que les enfants ont rarement peur du tonnerre, à moins que les éclats ne soient affreux et ne blessent réellement l'organe de l'ouïe; autrement cette peur ne leur vient que quand ils ont appris que le tonnerre blesse ou tue quelquefois. Quand la raison commence à les effrayer, faites que l'habitude les rassure. Avec une gradation lente et ménagée on rend l'homme et l'enfant intrépides à tout.

Dans le commencement de la vie, où la mémoire et l'imagination sont encore inactives, l'enfant n'est attentif qu'à ce qui affecte actuellement ses sens; ses sensations étant les premiers matériaux de ses connaissances, les lui offrir dans un ordre convenable, c'est préparer sa mémoire à les fournir un jour dans le même ordre à son entendement; mais, comme il n'est attentif qu'à ses sensations, il suffit d'abord de lui montrer bien distinctement la liaison de ces mêmes sensations avec les objets qui les causent. Il veut tout toucher, tout manier : ne vous opposez point à cette inquiétude; elle lui suggère un apprentissage très nécessaire. C'est ainsi qu'il apprend à sentir la chaleur, le froid, la dureté, la mollesse, la pesanteur, la légèreté des corps, à juger de leur grandeur, de leur figure, et de toutes leurs qualités sensibles, en regardant, palpant *, écoutant, surtout en comparant la vue au toucher, en estimant à l'œil la sensation qu'ils feraient sous ses doigts.

Ce n'est que par le mouvement que nous apprenons qu'il y a des choses qui ne sont pas nous; et ce n'est que par notre propre mouvement que nous acquérons l'idée de l'étendue. C'est parce que l'enfant n'a point cette idée,

---

* L'odorat est de tous les sens celui qui se développe le plus tard dans les enfants : jusqu'à l'âge de deux ou trois ans il ne paraît pas qu'ils soient sensibles ni aux bonnes ni aux mauvaises odeurs; ils ont à cet égard l'indifférence ou plutôt l'insensibilité qu'on remarque dans plusieurs animaux.

qu'il tend indifféremment la main pour saisir l'objet qui le touche, ou l'objet qui est à cent pas de lui. Cet effort qu'il fait vous paraît un signe d'empire, un ordre qu'il donne à l'objet de s'approcher, ou à vous de le lui apporter; et point du tout, c'est seulement que les mêmes objets qu'il voyait d'abord dans son cerveau, puis sur ses yeux, il les voit maintenant au bout de ses bras, et n'imagine d'étendue que celle où il peut atteindre. Ayez donc soin de le promener souvent, de le transporter d'une place à l'autre, de lui faire sentir le changement de lieu, afin de lui apprendre à juger des distances. Quand il commencera de les connaître, alors il faut changer de méthode, et ne le porter que comme il vous plaît, et non comme il lui plaît; car sitôt qu'il n'est plus abusé par le sens, son effort change de cause : ce changement est remarquable, et demande explication.

Le malaise des besoins s'exprime par des signes quand le secours d'autrui est nécessaire pour y pourvoir : de là les cris des enfants. Ils pleurent beaucoup; cela doit être. Puisque toutes leurs sensations sont affectives, quand elles sont agréables, ils en jouissent en silence; quand elles sont pénibles, ils le disent dans leur langage, et demandent du soulagement. Or, tant qu'ils sont éveillés, ils ne peuvent presque rester dans un état d'indifférence; ils dorment, ou sont affectés.

Toutes nos langues sont des ouvrages de l'art. On a longtemps cherché s'il y avait une langue naturelle et commune à tous les hommes; sans doute, il y en a une; et c'est celle que les enfants parlent avant de savoir parler. Cette langue n'est pas articulée, mais elle est accentuée, sonore, intelligible. L'usage des nôtres nous l'a fait négliger au point de l'oublier tout à fait. Étudions les enfants, et bientôt nous la rapprendrons auprès d'eux. Les nourrices sont nos maîtres dans cette langue; elles entendent tout ce que disent leurs nourrissons; elles leur répondent, elles ont avec eux des dialogues très bien suivis; et quoiqu'elles prononcent des mots, ces mots sont parfaitement inutiles; ce n'est point le sens du mot qu'ils entendent, mais l'accent dont il est accompagné.

Au langage de la voix se joint celui du geste, non moins énergique. Ce geste n'est pas dans les faibles mains des enfants, il est sur leurs visages. Il est étonnant combien

ces physionomies mal formées ont déjà d'expression ; leurs
traits changent d'un instant à l'autre avec une inconcevable rapidité : vous y voyez le sourire, le désir, l'effroi
naître et passer comme autant d'éclairs : à chaque fois
vous croyez voir un autre visage. Ils ont certainement
les muscles de la face plus mobiles que nous. En revanche,
leurs yeux ternes ne disent presque rien. Tel doit être
le genre de leurs signes dans un âge où l'on n'a que des
besoins corporels ; l'expression des sensations est dans les
grimaces, l'expression des sentiments est dans les regards.

Comme le premier état de l'homme est la misère et la
faiblesse, ses premières voix sont la plainte et les pleurs.
L'enfant sent ses besoins, et ne les peut satisfaire, il implore
le secours d'autrui par des cris : s'il a faim ou soif, il pleure ;
s'il a trop froid ou trop chaud, il pleure ; s'il a besoin de
mouvement et qu'on le tienne en repos, il pleure ; s'il veut
dormir et qu'on l'agite, il pleure. Moins sa manière d'être
est à sa disposition, plus il demande fréquemment qu'on
la change. Il n'a qu'un langage, parce qu'il n'a, pour ainsi
dire, qu'une sorte de mal-être : dans l'imperfection de ses
organes, il ne distingue point leurs impressions diverses ;
tous les maux ne forment pour lui qu'une sensation de
douleur.

De ces pleurs, qu'on croirait si peu dignes d'attention,
naît le premier rapport de l'homme à tout ce qui l'environne : ici se forge le premier anneau de cette longue
chaîne dont l'ordre social est formé.

Quand l'enfant pleure, il est mal à son aise, il a quelque
besoin, qu'il ne saurait satisfaire : on examine, on cherche
ce besoin, on le trouve, on y pourvoit. Quand on ne le
trouve pas ou quand on n'y peut pourvoir, les pleurs
continuent, on en est importuné : on flatte l'enfant pour
le faire taire, on le berce, on lui chante pour l'endormir :
s'il s'opiniâtre, on s'impatiente, on le menace : des nourrices
brutales le frappent quelquefois. Voilà d'étranges leçons
pour son entrée à la vie.

Je n'oublierai jamais d'avoir vu un de ces incommodes
pleureurs ainsi frappé par sa nourrice. Il se tut sur-le-
champ : je le crus intimidé. Je me disais : ce sera une âme
servile dont on n'obtiendra rien que par la rigueur. Je
me trompais : le malheureux suffoquait de colère, il avait
perdu la respiration ; je le vis devenir violet. Un moment

après vinrent les cris aigus; tous les signes du ressenti-
ment, de la fureur, du désespoir de cet âge, étaient dans
ses accents. Je craignis qu'il n'expirât dans cette agitation.
Quand j'aurais douté que le sentiment du juste et de l'injuste
fût inné dans le cœur de l'homme, cet exemple seul m'aurait
convaincu. Je suis sûr qu'un tison ardent tombé par hasard
sur la main de cet enfant lui eût été moins sensible que ce
coup assez léger, mais donné dans l'intention manifeste
de l'offenser.

Cette disposition des enfants à l'emportement, au dépit,
à la colère, demande des ménagements excessifs. Boerhaave[25]
pense que leurs maladies sont pour la plupart de la classe
des convulsives, parce que la tête étant proportionnelle-
ment plus grosse et le système des nerfs plus étendu que
dans les adultes, le genre nerveux est plus susceptible
d'irritation. Éloignez d'eux avec le plus grand soin les
domestiques qui les agacent, les irritent, les impatientent :
ils leur sont cent fois plus dangereux, plus funestes que
les injures de l'air et des saisons. Tant que les enfants
ne trouveront de résistance que dans les choses et jamais
dans les volontés, ils ne deviendront ni mutins ni colères,
et se conserveront mieux en santé. C'est ici une des raisons
pourquoi les enfants du peuple, plus libres, plus indépendants, sont généralement moins infirmes, moins délicats,
plus robustes que ceux qu'on prétend mieux élever en
les contrariant sans cesse; mais il faut songer toujours
qu'il y a bien de la différence entre leur obéir et ne pas
les contrarier.

Les premiers pleurs des enfants sont des prières : si
l'on n'y prend garde, ils deviennent bientôt des ordres;
ils commencent par se faire assister, ils finissent par se
faire servir. Ainsi de leur propre faiblesse, d'où vient
d'abord le sentiment de leur dépendance, naît ensuite
l'idée de l'empire et de la domination; mais cette idée
étant moins excitée par leurs besoins que par nos services,
ici commencent à se faire apercevoir les effets moraux
dont la cause immédiate n'est pas dans la nature; et l'on
voit déjà pourquoi, dès ce premier âge, il importe de
démêler l'intention secrète qui dicte le geste ou le cri.

Quand l'enfant tend la main avec effort sans rien dire,
il croit atteindre à l'objet parce qu'il n'en estime pas la
distance; il est dans l'erreur; mais quand il se plaint et

crie en tendant la main, alors il ne s'abuse plus sur la distance, il commande à l'objet de s'approcher, ou à vous
de le lu apporter. Dans le premier cas, portez-le à l'objet
lentement et à pe its pas; dans le second, ne faites pas
seulement semblant de l'entendre : plus il criera, moins
vous devez l'écouter. Il importe de l'accoutumer de bonne
heure à ne commander ni aux hommes, car il n'est pas
leur maître, ni aux choses, car elles ne l'entendent point.
Ainsi quand un enfant désire quelque chose qu'il voit
et qu'on veut lui donner, il vaut mieux porter l'enfant
à l'objet, que d'apporter l'objet à l'enfant : il tire de cette
pratique une conclusion qui est de son âge, et il n'y a point
d'autre moyen de la lui suggérer.

L'abbé de Saint-Pierre [26] appelait les hommes de grands
enfants; on pourrait appeler réciproquement les enfants
de petits hommes. Ces propositions ont leur vérité comme
sentences; comme principes, elles ont besoin d'éclaircissement. Mais quand Hobbes [27] appelait le méchant un
enfant robuste, il disait une chose absolument contradictoire. Toute méchanceté vient de faiblesse; l'enfant
n'est méchant que parce qu'il est faible; rendez-le fort,
il sera bon : celui qui pourrait tout ne ferait jamais de mal.
De tous les attributs de la Divinité toute-puissante, la bonté
est celui sans lequel on la peut le moins concevoir. Tous
les peuples qui ont reconnu deux principes ont toujours
regardé le mauvais comme inférieur au bon; sans quoi
ils auraient fait une supposition absurde. Voyez ci-après
la Profession de foi du Vicaire savoyard [28].

La raison seule nous apprend à connaître le bien et le
mal. La conscience qui nous fait aimer l'un et haïr l'autre,
quoique indépendante de la raison, ne peut donc se développer sans elle. Avant l'âge de raison, nous faisons le
bien et le mal sans le connaître; et il n'y a point de moralité
dans nos actions, quoiqu'il y en ait quelquefois dans le
sentiment des actions d'autrui qui ont rapport à nous.
Un enfant veut déranger tout ce qu'il voit : il casse, il
brise tout ce qu'il peut atteindre; il empoigne un oiseau
comme il empoignerait une pierre, et l'étouffe sans savoir
ce qu'il fait.

Pourquoi cela ? D'abord la philosophie en va rendre
raison par des vices naturels : l'orgueil, l'esprit de domination, l'amour-propre, la méchanceté de l'homme; le

sentiment de sa faiblesse, pourra-t-elle ajouter, rend l'enfant
avide de faire des actes de force, et de se prouver à lui-
même son propre pouvoir. Mais voyez ce vieillard infirme
et cassé, ramené par le cercle de la vie humaine à la faiblesse de l'enfance : non seulement il reste immobile et
paisible, il veut encore que tout y reste autour de lui;
le moindre changement le trouble et l'inquiète, il voudrait
voir régner un calme universel. Comment la même impuissance jointe aux mêmes passions produirait-elle des effets
si différents dans les deux âges, si la cause primitive n'était
changée ? Et où peut-on chercher cette diversité de causes,
si ce n'est dans l'état physique des deux individus ? Le
principe actif, commun à tous deux, se développe dans
l'un et s'éteint dans l'autre; l'un se forme, et l'autre se
détruit; l'un tend à la vie, et l'autre à la mort. L'activité
défaillante se concentre dans le cœur du vieillard; dans
celui de l'enfant, elle est surabondante et s'étend au dehors;
il se sent, pour ainsi dire, assez de vie pour animer tout ce
qui l'environne. Qu'il fasse ou qu'il défasse, il n'importe;
il suffit qu'il change l'état des choses, et tout changement
est une action. Que s'il semble avoir plus de penchant à
détruire, ce n'est point par méchanceté, c'est que l'action
qui forme est toujours lente, et que celle qui détruit, étant
plus rapide, convient mieux à sa vivacité.

En même temps que l'Auteur de la nature donne aux
enfants ce principe actif, il prend soin qu'il soit peu nuisible, en leur laissant peu de force pour s'y livrer. Mais
sitôt qu'ils peuvent considérer les gens qui les environnent
comme des instruments qu'il dépend d'eux de faire agir,
ils s'en servent pour suivre leur penchant et suppléer à
leur propre faiblesse. Voilà comment ils deviennent incommodes, tyrans, impérieux, méchants, indomptables; progrès qui ne vient pas d'un esprit naturel de domination,
mais qui le leur donne; car il ne faut pas une longue expérience pour sentir combien il est agréable d'agir par les
mains d'autrui, et de n'avoir besoin que de remuer la langue
pour faire mouvoir l'univers.

En grandissant, on acquiert des forces, on devient
moins inquiet, moins remuant, on se renferme davantage
en soi-même. L'âme et le corps se mettent, pour ainsi
dire, en équilibre, et la nature ne nous demande plus que
le mouvement nécessaire à notre conservation. Mais le

désir de commander ne s'éteint pas avec le besoin qui l'a
fait naître; l'empire éveille et flatte l'amour-propre, et
l'habitude le fortifie : ainsi succède la fantaisie au besoin,
ainsi prennent leurs premières racines les préjugés de
l'opinion.

Le principe une fois connu, nous voyons clairement
le point où l'on quitte la route de la nature; voyons ce
qu'il faut faire pour s'y maintenir.

Loin d'avoir des forces superflues, les enfants n'en ont
pas même de suffisantes pour tout ce que leur demande
la nature; il faut donc leur laisser l'usage de toutes celles
qu'elle leur donne et dont ils ne sauraient abuser. Première
maxime.

Il faut les aider et suppléer à ce qui leur manque, soit
en intelligence, soit en force, dans tout ce qui est du besoin
physique. Deuxième maxime.

Il faut, dans le secours qu'on leur donne, se borner
uniquement à l'utile réel, sans rien accorder à la fantaisie
ou au désir sans raison; car la fantaisie ne les tourmentera
point quand on ne l'aura pas fait naître, attendu qu'elle
n'est pas de la nature. Troisième maxime.

Il faut étudier avec soin leur langage et leurs signes,
afin que, dans un âge où ils ne savent point dissimuler,
on distingue dans leurs désirs ce qui vient immédiatement
de la nature et ce qui vient de l'opinion. Quatrième maxime.

L'esprit de ces règles est d'accorder aux enfants plus
de liberté véritable et moins d'empire, de leur laisser
plus faire par eux-mêmes et moins exiger d'autrui.
Ainsi s'accoutumant de bonne heure à borner leurs désirs
à leurs forces, ils sentiront peu la privation de ce qui ne
sera pas en leur pouvoir.

Voilà donc une raison nouvelle et très importante pour
laisser les corps et les membres des enfants absolument libres
avec la seule précaution de les éloigner du danger des chutes,
et d'écarter de leurs mains tout ce qui peut les blesser.

Infailliblement un enfant dont le corps et les bras sont
libres pleurera moins qu'un enfant embandé dans un maillot.
Celui qui ne connaît que les besoins physiques ne pleure
que quand il souffre, et c'est un très grand avantage; car
alors on sait à point nommé quand il a besoin de secours, et
l'on ne doit pas tarder un moment à le lui donner, s'il est
possible. Mais si vous ne pouvez le soulager, restez tran-

quille, sans le flatter pour l'apaiser; vos caresses ne guériront pas sa colique. Cependant il se souviendra de ce qu'il faut faire pour être flatté; et s'il sait une fois vous occuper de lui à sa volonté, le voilà devenu votre maître : tout est perdu.

Moins contrariés dans leurs mouvements, les enfants pleureront moins; moins importuné de leurs pleurs, on se tourmentera moins pour les faire taire; menacés ou flattés moins souvent, ils seront moins craintifs ou moins opiniâtres, et resteront mieux dans leur état naturel. C'est moins en laissant pleurer les enfants qu'en s'empressant pour les apaiser, qu'on leur fait gagner des descentes; et ma preuve est que les enfants les plus négligés y sont bien moins sujets que les autres. Je suis fort éloigné de vouloir pour cela qu'on les néglige; au contraire, il importe qu'on les prévienne, et qu'on ne se laisse pas avertir de leurs besoins par leurs cris. Mais je ne veux pas non plus que les soins qu'on leur rend soient mal entendus. Pourquoi se feraient-ils faute de pleurer dès qu'ils voient que leurs pleurs sont bons à tant de choses ? Instruits du prix qu'on met à leur silence, ils se gardent bien de le prodiguer. Ils le font à la fin tellement valoir qu'on ne peut plus le payer; et c'est alors qu'à force de pleurer sans succès ils s'efforcent, s'épuisent, et se tuent.

Les longs pleurs d'un enfant qui n'est ni lié ni malade, et qu'on ne laisse manquer de rien, ne sont que des pleurs d'habitude et d'obstination. Ils ne sont point l'ouvrage de la nature, mais de la nourrice, qui, pour n'en savoir endurer l'importunité, la multiplie, sans songer qu'en faisant taire l'enfant aujourd'hui on l'excite à pleurer demain davantage.

Le seul moyen de guérir ou de prévenir cette habitude est de n'y faire aucune attention. Personne n'aime à prendre une peine inutile, pas même les enfants. Ils sont obstinés dans leurs tentatives; mais si vous avez plus de constance qu'eux d'opiniâtreté, ils se rebutent et n'y reviennent plus. C'est ainsi qu'on leur épargne des pleurs et qu'on les accoutume à n'en verser que quand la douleur les y force.

Au reste, quand ils pleurent par fantaisie ou par obstination, un moyen sûr pour les empêcher de continuer est de les distraire par quelque objet agréable et frappant qui leur fasse oublier qu'ils voulaient pleurer. La plupart des nourrices excellent dans cet art, et, bien ménagé, il est très utile;

mais il est de la dernière importance que l'enfant n'aperçoive pas l'intention de le distraire, et qu'il s'amuse sans croire qu'on songe à lui : or voilà sur quoi toutes les nourrices sont maladroites.

On sèvre trop tôt tous les enfants. Le temps où l'on doit les sevrer est indiqué par l'éruption des dents, et cette éruption est communément pénible et douloureuse. Par un instinct machinal, l'enfant porte alors fréquemment à sa bouche tout ce qu'il tient, pour le mâcher. On pense faciliter l'opération en lui donnant pour hochet quelque corps dur, comme l'ivoire ou la dent de loup. Je crois qu'on se trompe. Ces corps durs, appliqués sur les gencives, loin de les ramollir, les rendent calleuses, les endurcissent, préparent un déchirement plus pénible et plus douloureux. Prenons toujours l'instinct pour exemple. On ne voit point les jeunes chiens exercer leurs dents naissantes sur des cailloux, sur du fer, sur des os, mais sur du bois, du cuir, des chiffons, des matières molles qui cèdent, et où la dent s'imprime.

On ne sait plus être simple en rien, pas même autour des enfants. Des grelots d'argent, d'or, du corail, des cristaux à facettes, des hochets de tout prix et de toute espèce : que d'apprêts inutiles et pernicieux ! Rien de tout cela. Point de grelots, point de hochets ; de petites branches d'arbre avec leurs fruits et leurs feuilles, une tête de pavot dans laquelle on entend sonner les graines, un bâton de réglisse qu'il peut sucer et mâcher, l'amuseront autant que ces magnifiques colifichets, et n'auront pas l'inconvénient de l'accoutumer au luxe dès sa naissance.

Il a été reconnu que la bouillie n'est pas une nourriture fort saine. Le lait cuit et la farine crue font beaucoup de saburre, et conviennent mal à notre estomac. Dans la bouillie, la farine est moins cuite que dans le pain, et de plus elle n'a pas fermenté ; la panade, la crème de riz me paraissent préférables. Si l'on veut absolument faire de la bouillie, il convient de griller un peu la farine auparavant. On fait dans mon pays, de la farine ainsi torréfiée, une soupe fort agréable et fort saine. Le bouillon de viande et le potage sont encore un médiocre aliment, dont il ne faut user que le moins qu'il est possible. Il importe que les enfants s'accoutument d'abord à mâcher ; c'est le vrai moyen de faciliter l'éruption des dents ; et quand ils commencent d'avaler, les sucs salivaires mêlés avec les aliments en facilitent la digestion.

Je leur ferais donc mâcher des fruits secs, des croûtes. Je
leur donnerais pour jouet de petits bâtons de pain dur ou de
biscuit semblable au pain de Piémont, qu'on appelle dans
le pays des *grisses*. A force de ramollir ce pain, dans leur
bouche, ils en avaleraient enfin quelque peu : leurs dents
se trouveraient sorties, et ils se trouveraient sevrés presque
avant qu'on s'en fût aperçu. Les paysans ont pour l'ordinaire l'estomac fort bon, et on ne les sèvre pas avec plus
de façon que cela.

Les enfants entendent parler dès leur naissance; on leur
parle non seulement avant qu'ils comprennent ce qu'on leur
dit, mais avant qu'ils puissent rendre les voix qu'ils entendent. Leur organe encore engourdi ne se prête que peu à peu
aux imitations des sons qu'on leur dicte, et il n'est pas même
assuré que ces sons se portent d'abord à leur oreille aussi
distinctement qu'à la nôtre. Je ne désapprouve pas que la
nourrice amuse l'enfant par des chants et des accents très
gais et très variés; mais je désapprouve qu'elle l'étourdisse
incessamment d'une multitude de paroles inutiles auxquelles
il ne comprend rien que le ton qu'elle y met. Je voudrais que
les premières articulations qu'on lui fait entendre fussent
rares, faciles, distinctes, souvent répétées et que les mots
qu'elles expriment ne se rapportassent qu'à des objets sensibles qu'on pût d'abord montrer à l'enfant. La malheureuse
facilité que nous avons à nous payer de mots que nous n'en-
tendons point commence plus tôt qu'on ne pense. L'écolier
écoute en classe le verbiage de son régent, comme il écoutait au maillot le babil de sa nourrice. Il me semble que ce
serait l'instruire fort utilement que de l'élever à n'y rien
comprendre.

Les réflexions naissent en foule quand on veut s'occuper
de la formation du langage et des premiers discours des
enfants. Quoi qu'on fasse, ils apprendront toujours à parler
de la même manière, et toutes les spéculations philosophiques
sont ici de la plus grande inutilité.

D'abord ils ont, pour ainsi dire, une grammaire de leur
âge, dont la syntaxe a des règles plus générales que la nôtre;
et si l'on y faisait bien attention, l'on serait étonné de l'exactitude avec laquelle ils suivent certaines analogies, très
vicieuses si l'on veut, mais très régulières, et qui ne sont
choquantes que par leur dureté ou parce que l'usage ne les
admet pas. Je viens d'entendre un pauvre enfant bien grondé

par son père pour lui avoir dit : *Mon père irai-je-t-y ?* Or on voit que cet enfant, suivait mieux l'analogie que nos grammairiens car puisqu'on lui disait *Va-s-y*, pourquoi n'aurait-il pas dit *Irai-je-t-y ?* Remarquez de plus avec quelle adresse il évitait l'hiatus de *irai-je-y* ou *y irai-je ?* Est-ce la faute du pauvre enfant si nous avons mal à propos ôté de la phrase cet adverbe déterminant *y*, parce que nous n'en savions que faire ? C'est une pédanterie insupportable et un soin des plus superflus de s'attacher à corriger dans les enfants toutes ces petites fautes contre l'usage, desquelles ils ne manquent jamais de se corriger d'eux-mêmes avec le temps. Parlez toujours correctement devant eux, faites qu'ils ne se plaisent avec personne autant qu'avec vous, et soyez sûrs qu'insensiblement leur langage s'épurera sur le vôtre sans que vous les ayez jamais repris.

Mais un abus de tout autre importance, et qu'il n'est pas moins aisé de prévenir, est qu'on se presse trop de les faire parler, comme si l'on avait peur qu'ils n'apprissent pas à parler d'eux-mêmes. Cet empressement indiscret produit un effet directement contraire à celui qu'on cherche. Ils en parlent plus tard, plus confusément : l'extrême attention qu'on donne à tout ce qu'ils disent les dispense de bien articuler; et comme ils daignent à peine ouvrir la bouche, plusieurs d'entre eux en conservent toute leur vie un vice de prononciation et un parler confus qui les rend presque inintelligibles.

J'ai beaucoup vécu parmi les paysans, et n'en ai ouï jamais grasseyer aucun, ni homme, ni femme, ni fille, ni garçon. D'où vient cela ? Les organes des paysans sont-ils autrement construits que les nôtres ? Non, mais ils sont autrement exercés. Vis-à-vis de ma fenêtre est un tertre sur lequel se rassemblent, pour jouer, les enfants du lieu. Quoiqu'ils soient assez éloignés de moi, je distingue parfaitement tout ce qu'ils disent, et j'en tire souvent de bons mémoires pour cet écrit. Tous les jours mon oreille me trompe sur leur âge; j'entends des voix d'enfants de dix ans; je regarde, je vois la stature et les traits d'enfants de trois à quatre. Je ne borne pas à moi seul cette expérience; les urbains qui me viennent voir, et que je consulte là-dessus, tombent tous dans la même erreur.

Ce qui la produit est que, jusqu'à cinq ou six ans, les enfants des villes, élevés dans la chambre et sous l'aile d'une gouvernante, n'ont besoin que de marmotter pour se faire entendre : sitôt qu'ils remuent les lèvres on prend peine à les écouter; on leur dicte des mots qu'ils rendent mal, et, à force d'y faire attention, les mêmes gens étant sans cesse autour d'eux devinent ce qu'ils ont voulu dire, plutôt que ce qu'ils ont dit.

À la campagne, c'est tout autre chose. Une paysanne n'est pas sans cesse autour de son enfant; il est forcé d'apprendre à dire très nettement et très haut ce qu'il a besoin de lui faire entendre. Aux champs, les enfants épars, éloignés du père, de la mère et des autres enfants, s'exercent à se faire entendre à distance, et à mesurer la force de la voix sur l'intervalle qui les sépare de ceux dont ils veulent être entendus. Voilà comment on apprend véritablement à prononcer, et non pas en bégayant quelques voyelles à l'oreille d'une gouvernante attentive. Aussi, quand on interroge l'enfant d'un paysan, la honte peut l'empêcher de répondre : mais ce qu'il dit, il le dit nettement; au lieu qu'il faut que la bonne serve d'interprète à l'enfant de la ville; sans quoi l'on n'entend rien à ce qu'il grommelle entre ses dents *.

En grandissant, les garçons devraient se corriger de ce défaut dans les collèges, et les filles dans les couvents; en effet, les uns et les autres parlent en général plus distinctement que ceux qui ont été toujours élevés dans la maison paternelle. Mais ce qui les empêche d'acquérir jamais une prononciation aussi nette que celle des paysans, c'est la nécessité d'apprendre par cœur beaucoup de choses, et de réciter tout haut ce qu'ils ont appris; car, en étudiant, ils s'habituent à barbouiller, à prononcer négligemment et mal; en récitant, c'est pis encore; ils recherchent leurs mots avec effort, ils traînent et allongent leurs syllabes; il n'est pas possible que, quand la mémoire vacille, la langue ne balbutie aussi. Ainsi se contractent ou se conservent les vices de la prononciation. On verra ci-après que mon Émile

---

* Ceci n'est pas sans exception; et souvent les enfants qui se font d'abord le moins entendre deviennent ensuite les plus étourdissants quand ils ont commencé d'élever la voix. Mais s'il fallait entrer dans toutes ces minuties, je ne finirais pas; tout lecteur sensé doit voir que l'excès et le défaut, dérivés du même abus, sont également corrigés par ma méthode. Je regarde ces deux maximes comme inséparables : *Toujours assez*, et *jamais trop*. De la première bien établie l'autre s'ensuit nécessairement.

n'aura pas ceux-là, ou du moins qu'il ne les aura pas contractés par les mêmes causes.

Je conviens que le peuple et les villageois tombent dans
une autre extrémité, qu'ils parlent presque toujours plus
haut qu'il ne faut, qu'en prononçant trop exactement, ils
ont les articulations fortes et rudes, qu'ils ont trop d'accent,
qu'ils choisissent mal leurs termes, etc.

Mais, premièrement, cette extrémité me paraît beaucoup
moins vicieuse que l'autre, attendu que la première loi du
discours étant de se faire entendre, la plus grande faute
qu'on puisse faire est de parler sans être entendu. Se piquer
de n'avoir point d'accent, c'est se piquer d'ôter aux phrases
leur grâce et leur énergie. L'accent est l'âme du discours, il
lui donne le sentiment et la vérité. L'accent ment moins que
la parole; c'est peut-être pour cela que les gens bien élevés le
craignent tant. C'est de l'usage de tout dire sur le même ton
qu'est venu celui de persifler les gens sans qu'ils le sentent.
À l'accent proscrit succèdent des manières de prononcer
ridicules, affectées, et sujettes à la mode, telles qu'on les
remarque surtout dans les jeunes gens de la cour. Cette
affectation de parole et de maintien est ce qui rend généralement l'abord du Français repoussant et désagréable aux
autres nations. Au lieu de mettre de l'accent dans son parler,
il y met de l'air. Ce n'est pas le moyen de prévenir en sa
faveur.

Tous ces petits défauts de langage qu'on craint tant de
laisser contracter aux enfants ne sont rien; on les prévient
ou on les corrige avec la plus grande facilité; mais ceux
qu'on leur fait contracter en rendant leur parler sourd,
confus, timide, en critiquant incessamment leur ton, en éplu-
chant tous leurs mots, ne se corrigent jamais. Un homme qui
n'apprit à parler que dans les ruelles se fera mal entendre à
la tête d'un bataillon, et n'en imposera guère au peuple dans
une émeute. Enseignez premièrement aux enfants à parler
aux hommes, ils sauront bien parler aux femmes quand il
faudra.

Nourris à la campagne dans toute la rusticité champêtre,
vos enfants y prendront une voix plus sonore; ils n'y contracteront point le confus bégayement des enfants de la
ville; ils n'y contracteront pas non plus les expressions ni le
ton du village, ou du moins ils les perdront aisément, lorsque le maître, vivant avec eux dès leur naissance, et y vivant

de jour en jour plus exclusivement, préviendra ou effacera, par la correction de son langage, l'impression du langage des paysans. Émile parlera un français tout aussi pur que je peux le savoir, mais il le parlera plus distinctement, et l'articulera beaucoup mieux que moi.

L'enfant qui veut parler ne doit écouter que les mots qu'il peut entendre, ne dire que ceux qu'il peut articuler. Les efforts qu'il fait pour cela le portent à redoubler la même syllabe, comme pour s'exercer à la prononcer plus distinctement. Quand il commence à balbutier, ne vous tourmentez pas si fort à deviner ce qu'il dit. Prétendre être toujours écouté est encore une sorte d'empire, et l'enfant n'en doit exercer aucun. Qu'il vous suffise de pourvoir très attentivement au nécessaire; c'est à lui de tâcher de vous faire entendre ce qui ne l'est pas. Bien moins encore faut-il se hâter d'exiger qu'il parle; il saura bien parler de lui-même à mesure qu'il en sentira l'utilité.

On remarque, il est vrai, que ceux qui commencent à parler fort tard ne parlent jamais si distinctement que les autres; mais ce n'est pas parce qu'ils ont parlé tard que l'organe reste embarrassé, c'est au contraire parce qu'ils sont nés avec un organe embarrassé qu'ils commencent tard à parler; car, sans cela, pourquoi parleraient-ils plus tard que les autres ? Ont-ils moins l'occasion de parler ? et les y excite-t-on moins ? Au contraire, l'inquiétude que donne ce retard, aussitôt qu'on s'en aperçoit, fait qu'on se tourmente beaucoup plus à les faire balbutier que ceux qui ont articulé de meilleure heure; et cet empressement mal entendu peut contribuer beaucoup à rendre confus leur parler, qu'avec moins de précipitation ils auraient eu le temps de perfectionner davantage.

Les enfants qu'on presse trop de parler n'ont le temps ni d'apprendre à bien prononcer, ni de bien concevoir ce qu'on leur fait dire : au lieu que, quand on les laisse aller d'eux-mêmes, ils s'exercent d'abord aux syllabes les plus faciles à prononcer; et y joignant peu à peu quelque signification qu'on entend par leurs gestes, ils vous donnent leurs mots avant de recevoir les vôtres : cela fait qu'ils ne reçoivent ceux-ci qu'après les avoir entendus. N'étant point pressés de s'en servir, ils commencent par bien observer quel sens vous leur donnez; et quand ils s'en sont assurés, ils les adoptent.

Le plus grand mal de la précipitation avec laquelle on fait parler les enfants avant l'âge, n'est pas que les premiers discours qu'on leur tient et les premiers mots qu'ils disent n'aient aucun sens pour eux, mais qu'ils aient un autre sens que le nôtre, sans que nous sachions nous en apercevoir; en sorte que, paraissant nous répondre fort exactement, ils nous parlent sans nous entendre et sans que nous les entendions. C'est pour l'ordinaire à de pareilles équivoques qu'est due la surprise où nous jettent quelquefois leurs propos, auxquels nous prêtons des idées qu'ils n'y ont point jointes. Cette inattention de notre part au véritable sens que les mots ont pour les enfants, me paraît être la cause de leurs premières erreurs; et ces erreurs, même après qu'ils en sont guéris, influent sur leur tour d'esprit pour le reste de leur vie. J'aurai plus d'une occasion dans la suite d'éclaircir ceci par des exemples.

Resserrez donc le plus qu'il est possible le vocabulaire de l'enfant. C'est un très grand inconvénient qu'il ait plus de mots que d'idées, et qu'il sache dire plus de choses qu'il n'en peut penser. Je crois qu'une des raisons pourquoi les paysans ont généralement l'esprit plus juste que les gens de la ville, est que leur dictionnaire est moins étendu. Ils ont peu d'idées, mais ils les comparent très bien.

Les premiers développements de l'enfance se font presque tous à la fois. L'enfant apprend à parler, à manger, à marcher à peu près dans le même temps. C'est ici proprement la première époque de sa vie. Auparavant il n'est rien de plus que ce qu'il était dans le sein de sa mère; il n'a nul sentiment, nulle idée; à peine a-t-il des sensations; il ne sent pas même sa propre existence :

*Vivit, et est vitæ nescius ipse suæ.*[29]

# LIVRE SECOND

C'est ici le second terme de la vie, et celui auquel proprement finit l'enfance; car les mots *infans* et *puer* ne sont pas synonymes. Le premier est compris dans l'autre, et signifie *qui ne peut parler* : d'où vient que dans Valère Maxime on trouve *puerum infantem* [30]. Mais je continue à me servir de ce mot selon l'usage de notre langue, jusqu'à l'âge pour lequel elle a d'autres noms.

Quand les enfants commencent à parler, ils pleurent moins. Ce progrès est naturel : un langage est substitué à l'autre. Sitôt qu'ils peuvent dire qu'ils souffrent avec des paroles, pourquoi le diraient-ils avec des cris, si ce n'est quand la douleur est trop vive pour que la parole puisse l'exprimer ? S'ils continuent alors à pleurer, c'est la faute des gens qui sont autour d'eux. Dès qu'une fois Émile aura dit : *J'ai mal*, il faudra des douleurs bien vives pour le forcer de pleurer.

Si l'enfant est délicat, sensible, que naturellement il se mette à crier pour rien, en rendant ces cris inutiles et sans effet, j'en taris bientôt la source. Tant qu'il pleure, je ne vais point à lui; j'y cours sitôt qu'il s'est tu. Bientôt sa manière de m'appeler sera de se taire, ou tout au plus de jeter un seul cri. C'est par l'effet sensible des signes que les enfants jugent de leur sens, il n'y a point d'autre convention pour eux : quelque mal qu'un enfant se fasse, il est très rare qu'il pleure quand il est seul, à moins qu'il n'ait l'espoir d'être entendu.

S'il tombe, s'il se fait une bosse à la tête, s'il saigne du nez, s'il se coupe les doigts, au lieu de m'empresser autour de lui d'un air alarmé, je resterai tranquille, au moins pour un peu de temps. Le mal est fait, c'est une nécessité qu'il l'endure; tout mon empressement ne servirait qu'à l'effrayer davantage et augmenter sa sensibilité. Au fond, c'est moins le coup que la crainte qui tourmente, quand on s'est blessé. Je lui épargnerai du moins cette dernière angoisse; car très sûrement il jugera de son mal comme il verra que j'en juge :

s'il me voit accourir avec inquiétude, le consoler, le plaindre, il s'estimera perdu; s'il me voit garder mon sang-froid, il reprendra bientôt le sien, et croira le mal guéri quand il ne le sentira plus. C'est à cet âge qu'on prend les premières leçons de courage, et que, souffrant sans effroi de légères douleurs, on apprend par degrés à supporter les grandes.

Loin d'être attentif à éviter qu'Émile ne se blesse, je serais fort fâché qu'il ne se blessât jamais, et qu'il grandît sans connaître la douleur. Souffrir est la première chose qu'il doit apprendre, et celle qu'il aura le plus grand besoin de savoir. Il semble que les enfants ne soient petits et faibles que pour prendre ces importantes leçons sans danger. Si l'enfant tombe de son haut, il ne se cassera pas la jambe; s'il se frappe avec un bâton, il ne se cassera pas le bras; s'il saisit un fer tranchant, il ne serrera guère, et ne se coupera pas bien avant. Je ne sache pas qu'on ait jamais vu d'enfant en liberté se tuer, s'estropier, ni se faire un mal considérable, à moins qu'on ne l'ait indiscrètement exposé sur des lieux élevés, ou seul autour du feu, ou qu'on n'ait laissé des instruments dangereux à sa portée. Que dire de ces magasins de machines qu'on rassemble autour d'un enfant pour l'armer de toutes pièces contre la douleur, jusqu'à ce que, devenu grand, il reste à sa merci, sans courage et sans expérience, qu'il se croie mort à la première piqûre et s'évanouisse en voyant la première goutte de son sang ?

Notre manie enseignante et pédantesque est toujours d'apprendre aux enfants ce qu'ils apprendraient beaucoup mieux d'eux-mêmes, et d'oublier ce que nous aurions pu seuls leur enseigner. Y a-t-il rien de plus sot que la peine qu'on prend pour leur apprendre à marcher, comme si l'on en avait vu quelqu'un qui, par la négligence de sa nourrice, ne sût pas marcher étant grand ? Combien voit-on de gens au contraire marcher mal toute leur vie, parce qu'on leur a mal appris à marcher !

Émile n'aura ni bourrelets, ni paniers roulants, ni chariots, ni lisières; ou du moins, dès qu'il commencera de savoir mettre un pied devant l'autre, on ne le soutiendra que sur les lieux pavés, et l'on ne fera qu'y passer en hâte *. Au lieu de le

---

* Il n'y a rien de plus ridicule et de plus mal assuré que la démarche des gens qu'on a trop menés par la lisière étant petits : c'est encore une de ces observations triviales à force d'être justes et qui sont justes en plus d'un sens.

laisser croupir dans l'air usé d'une chambre, qu'on le mène journellement au milieu d'un pré. Là, qu'il coure, qu'il s'ébatte, qu'il tombe cent fois le jour, tant mieux : il en apprendra plus tôt à se relever. Le bien-être de la liberté rachète beaucoup de blessures. Mon élève aura souvent des contusions ; en revanche, il sera toujours gai. Si les vôtres en ont moins, ils sont toujours contrariés, toujours enchaînés, toujours tristes. Je doute que le profit soit de leur côté.

Un autre progrès rend aux enfants la plainte moins nécessaire : c'est celui de leurs forces. Pouvant plus par eux-mêmes, ils ont un besoin moins fréquent de recourir à autrui. Avec leur force se développe la connaissance qui les met en état de la diriger. C'est à ce second degré que commence proprement la vie de l'individu ; c'est alors qu'il prend la conscience de lui-même. La mémoire étend le sentiment de l'identité sur tous les moments de son existence ; il devient véritablement un, le même, et par conséquent déjà capable de bonheur ou de misère. Il importe donc de commencer à le considérer ici comme un être moral.

Quoiqu'on assigne à peu près le plus long terme de la vie humaine et les probabilités qu'on a d'approcher de ce terme à chaque âge, rien n'est plus incertain que la durée de la vie de chaque homme en particulier ; très peu parviennent à ce plus long terme. Les plus grands risques de la vie sont dans son commencement ; moins on a vécu, moins on doit espérer de vivre. Des enfants qui naissent, la moitié, tout au plus, parvient à l'adolescence ; et il est probable que votre élève n'atteindra pas l'âge d'homme.

Que faut-il donc penser de cette éducation barbare qui sacrifie le présent à un avenir incertain, qui charge un enfant de chaînes de toute espèce, et commence par le rendre misérable, pour lui préparer au loin je ne sais quel prétendu bonheur dont il est à croire qu'il ne jouira jamais ? Quand je supposerais cette éducation raisonnable dans son objet, comment voir sans indignation de pauvres infortunés soumis à un joug insupportable et condamnés à des travaux continuels comme des galériens, sans être assuré que tant de soins leur seront jamais utiles ! L'âge de la gaieté se passe au milieu des pleurs, des châtiments, des menaces, de l'esclavage. On tourmente le malheureux pour son bien ; et l'on ne voit pas la mort qu'on appelle, et qui va le saisir au milieu de ce triste appareil. Qui sait combien d'enfants périssent

victimes de l'extravagante sagesse d'un père ou d'un maître ?
Heureux d'échapper à sa cruauté, le seul avantage qu'ils
tirent des maux qu'il leur a fait souffrir est de mourir sans
regretter la vie, dont ils n'ont connu que les tourments.

Hommes, soyez humains, c'est votre premier devoir;
soyez-le pour tous les états, pour tous les âges, pour tout ce
qui n'est pas étranger à l'homme. Quelle sagesse y a-t-il
pour vous hors de l'humanité ? Aimez l'enfance; favorisez
ses jeux, ses plaisirs, son aimable instinct. Qui de vous
n'a pas regretté quelquefois cet âge où le rire est toujours
sur les lèvres, et où l'âme est toujours en paix ? Pourquoi
voulez-vous ôter à ces petits innocents la jouissance d'un
temps si court qui leur échappe, et d'un bien si précieux
dont ils ne sauraient abuser ? Pourquoi voulez-vous remplir
d'amertume et de douleurs ces premiers ans si rapides, qui ne
reviendront pas plus pour eux qu'ils ne peuvent revenir
pour vous ? Pères, savez-vous le moment où la mort attend
vos enfants ? Ne vous préparez pas des regrets en leur ôtant
le peu d'instants que la nature leur donne : aussitôt qu'ils
peuvent sentir le plaisir d'être, faites qu'ils en jouissent;
faites qu'à quelque heure que Dieu les appelle, ils ne meurent point sans avoir goûté la vie.

Que de voix vont s'élever contre moi ! J'entends de loin
les clameurs de cette fausse sagesse qui nous jette incessamment hors de nous, qui compte toujours le présent pour rien,
et, poursuivant sans relâche un avenir qui fuit à mesure
qu'on avance, à force de nous transporter où nous ne
sommes pas, nous transporte où nous ne serons jamais.

C'est, me répondez-vous, le temps de corriger les mauvaises inclinations de l'homme; c'est dans l'âge de l'enfance,
où les peines sont le moins sensibles, qu'il faut les multiplier,
pour les épargner dans l'âge de raison. Mais qui vous dit
que tout cet arrangement est à votre disposition, et que
toutes ces belles instructions dont vous accablez le faible
esprit d'un enfant ne lui seront pas un jour plus pernicieuses
qu'utiles ? Qui vous assure que vous épargnez quelque
chose par les chagrins que vous lui prodiguez ? Pourquoi
lui donnez-vous plus de maux que son état n'en comporte,
sans être sûr que ces maux présents sont à la décharge de
l'avenir ? Et comment me prouverez-vous que ces mauvais
penchants dont vous prétendez le guérir ne lui viennent pas
de vos soins mal entendus, bien plus que de la nature ? Mal-

heureuse prévoyance, qui rend un être actuellement misérable, sur l'espoir bien ou mal fondé de le rendre heureux un jour ! Que si ces raisonneurs vulgaires confondent la licence avec la liberté, et l'enfant qu'on rend heureux avec l'enfant qu'on gâte, apprenons-leur à les distinguer.

Pour ne point courir après des chimères, n'oublions pas ce qui convient à notre condition. L'humanité a sa place dans l'ordre des choses ; l'enfance a la sienne dans l'ordre de la vie humaine : il faut considérer l'homme dans l'homme, et l'enfant dans l'enfant. Assigner à chacun sa place et l'y fixer, ordonner les passions humaines selon la constitution de l'homme, est tout ce que nous pouvons faire pour son bien-être. Le reste dépend de causes étrangères qui ne sont point en notre pouvoir.

Nous ne savons ce que c'est que bonheur ou malheur absolu. Tout est mêlé dans cette vie ; on n'y goûte aucun sentiment pur, on n'y reste pas deux moments dans le même état. Les affections de nos âmes, ainsi que les modifications de nos corps, sont dans un flux continuel. Le bien et le mal nous sont communs à tous, mais en différentes mesures. Le plus heureux est celui qui souffre le moins de peines ; le plus misérable est celui qui sent le moins de plaisirs. Toujours plus de souffrances que de jouissances : voilà la différence commune à tous. La félicité de l'homme ici-bas n'est donc qu'un état négatif ; on doit la mesurer par la moindre quantité de maux qu'il souffre.

Tout sentiment de peine est inséparable du désir de s'en délivrer ; toute idée de plaisir est inséparable du désir d'en jouir ; tout désir suppose privation, et toutes les privations qu'on sent sont pénibles ; c'est donc dans la disproportion de nos désirs et de nos facultés que consiste notre misère. Un être sensible dont les facultés égaleraient les désirs serait un être absolument heureux.

En quoi donc consiste la sagesse humaine ou la route du vrai bonheur ? Ce n'est pas précisément à diminuer nos désirs ; car, s'ils étaient au-dessous de notre puissance, une partie de nos facultés resterait oisive, et nous ne jouirions pas de tout notre être. Ce n'est pas non plus à étendre nos facultés, car si nos désirs s'étendaient à la fois en plus grand rapport, nous n'en deviendrions que plus misérables : mais c'est à diminuer l'excès des désirs sur les facultés, et à mettre en égalité parfaite la puissance et la volonté. C'est alors seule-

ment que, toutes les forces étant en action, l'âme cependant
restera paisible, et que l'homme se trouvera bien ordonné.

C'est ainsi que la nature, qui fait tout pour le mieux, l'a
d'abord institué. Elle ne lui donne immédiatement que les
désirs nécessaires à sa conservation et les facultés suffisantes
pour les satisfaire. Elle a mis toutes les autres comme en
réserve au fond de son âme, pour s'y développer au besoin.
Ce n'est que dans cet état primitif que l'équilibre du pouvoir et du désir se rencontre, et que l'homme n'est pas
malheureux. Sitôt que ses facultés virtuelles se mettent
en action, l'imagination, la plus active de toutes, s'éveille
et les devance. C'est l'imagination qui étend pour nous la
mesure des possibles, soit en bien, soit en mal, et qui,
par conséquent, excite et nourrit les désirs par l'espoir de
les satisfaire. Mais l'objet qui paraissait d'abord sous la
main fuit plus vite qu'on ne peut le poursuivre; quand on
croit l'atteindre, il se transforme et se montre au loin devant
nous. Ne voyant plus le pays déjà parcouru, nous le
comptons pour rien; celui qui reste à parcourir s'agrandit,
s'étend sans cesse. Ainsi l'on s'épuise sans arriver au terme;
et plus nous gagnons sur la jouissance, plus le bonheur
s'éloigne de nous.

Au contraire, plus l'homme est resté près de sa condition
naturelle, plus la différence de ses facultés à ses désirs est
petite, et moins par conséquent il est éloigné d'être heureux.
il n'est jamais moins misérable que quand il paraît dépourvu
de tout; car la misère ne consiste pas dans la privation des
choses, mais dans le besoin qui s'en fait sentir.

Le monde réel a ses bornes, le monde imaginaire est
infini; ne pouvant élargir l'un, rétrécissons l'autre; car
c'est de leur seule différence que naissent toutes les peines
qui nous rendent vraiment malheureux. Otez la force, la
santé, le bon témoignage de soi, tous les biens de cette vie
sont dans l'opinion; ôtez les douleurs du corps et les
remords de la conscience, tous nos maux sont imaginaires.
Ce principe est commun, dira-t-on; j'en conviens; mais
l'application pratique n'en est pas commune; et c'est
uniquement de la pratique qu'il s'agit ici.

Quand on dit que l'homme est faible, que veut-on dire?
Ce mot de faiblesse indique un rapport, un rapport de
l'être auquel on l'applique. Celui dont la force passe les
besoins, fût-il un insecte, un ver, est un être fort; celui

dont les besoins passent la force, fût-il un éléphant, un
lion; fût-il un conquérant, un héros; fût-il un dieu; c'est
un être faible. L'ange rebelle qui méconnut sa nature était
plus faible que l'heureux mortel qui vit en paix selon la
sienne. L'homme est très fort quand il se contente d'être
ce qu'il est; il est très faible quand il veut s'élever au-dessus
de l'humanité. N'allez donc pas vous figurer qu'en étendant vos facultés vous étendez vos forces; vous les diminuez, au contraire, si votre orgueil s'étend plus qu'elles.
Mesurons le rayon de notre sphère, et restons au centre
comme l'insecte au milieu de sa toile; nous nous suffirons
toujours à nous-mêmes, et nous n'aurons point à nous
plaindre de notre faiblesse, car nous ne la sentirons jamais.

Tous les animaux ont exactement les facultés nécessaires
pour se conserver. L'homme seul en a de superflues. N'est-
il pas bien étrange que ce superflu soit l'instrument de sa
misère ? Dans tout pays les bras d'un homme valent plus
que sa subsistance. S'il était assez sage pour compter ce
surplus pour rien, il aurait toujours le nécessaire, parce
qu'il n'aurait jamais rien de trop. Les grands besoins,
disait Favorin, naissent des grands biens; et souvent le
meilleur moyen de se donner les choses dont on manque est
de s'ôter celles qu'on a [31]. C'est à force de nous travailler
pour augmenter notre bonheur, que nous le changeons
en misère. Tout homme qui ne voudrait que vivre, vivrait
heureux; par conséquent il vivrait bon; car où serait pour
lui l'avantage d'être méchant ?

Si nous étions immortels, nous serions des êtres très
misérables. Il est dur de mourir, sans doute; mais il est
doux d'espérer qu'on ne vivra pas toujours, et qu'une
meilleure vie finira les peines de celle-ci. Si l'on nous offrait
l'immortalité sur la terre, qui est-ce * qui voudrait accepter
ce triste présent ? Quelle ressource, quel espoir, quelle
consolation nous resterait-il contre les rigueurs du sort
et contre les injustices des hommes ? L'ignorant, qui ne
prévoit rien, sent peu le prix de la vie, et craint peu de la
perdre; l'homme éclairé voit des biens d'un plus grand
prix, qu'il préfère à celui-là. Il n'y a que le demi-savoir et la
fausse sagesse qui, prolongeant nos vues jusqu'à la mort,

---

* On conçoit que je parle ici des hommes qui réfléchissent, et non
pas de tous les hommes.

et pas au delà, en font pour nous le pire des maux. La nécessité de mourir n'est à l'homme sage qu'une raison pour supporter les peines de la vie. Si l'on n'était pas sûr de la perdre une fois, elle coûterait trop à conserver.

Nos maux moraux sont tous dans l'opinion, hors un seul, qui est le crime; et celui-là dépend de nous : nos maux physiques se détruisent ou nous détruisent. Le temps ou la mort sont nos remèdes; mais nous souffrons d'autant plus que nous savons moins souffrir; et nous nous donnons plus de tourment pour guérir nos maladies, que nous n'en aurions à les supporter. Vis selon la nature, sois patient, et chasse les médecins; tu n'éviteras pas la mort, mais tu ne la sentiras qu'une fois, tandis qu'ils la portent chaque jour dans ton imagination troublée, et que leur art mensonger, au lieu de prolonger tes jours, t'en ôte la jouissance. Je demanderai toujours quel vrai bien cet art a fait aux hommes. Quelques-uns de ceux qu'il guérit mourraient, il est vrai; mais des millions qu'il tue resteraient en vie. Homme sensé, ne mets point à cette loterie, où trop de chances sont contre toi. Souffre, meurs ou guéris; mais surtout vis jusqu'à ta dernière heure.

Tout n'est que folie et contradiction dans les institutions humaines. Nous nous inquiétons plus de notre vie à mesure qu'elle perd de son prix. Les vieillards la regrettent plus que les jeunes gens; ils ne veulent pas perdre les apprêts qu'ils ont faits pour en jouir; à soixante ans, il est bien cruel de mourir avant d'avoir commencé de vivre. On croit que l'homme a un vif amour pour sa conservation, et cela est vrai; mais on ne voit pas que cet amour, tel que nous le sentons, est en grande partie l'ouvrage des hommes. Naturellement l'homme ne s'inquiète pour se conserver qu'autant que les moyens en sont en son pouvoir; sitôt que ces moyens lui échappent, il se tranquillise et meurt sans se tourmenter inutilement. La première loi de la résignation nous vient de la nature. Les sauvages, ainsi que les bêtes, se débattent fort peu contre la mort, et l'endurent presque sans se plaindre. Cette loi détruite, il s'en forme une autre qui vient de la raison; mais peu savent l'en tirer, et cette résignation factice n'est jamais aussi pleine et entière que la première.

La prévoyance ! la prévoyance qui nous porte sans cesse au delà de nous, et souvent nous place où nous n'arriverons point, voilà la véritable source de toutes nos misères. Quelle manie a un être aussi passager que l'homme de regarder toujours au loin dans un avenir qui vient si rarement, et de négliger le présent dont il est sûr ! manie d'autant plus funeste qu'elle augmente incessamment avec l'âge, et que les vieillards, toujours défiants, prévoyants, avares, aiment mieux se refuser aujourd'hui le nécessaire que de manquer du superflu dans cent ans. Ainsi nous tenons à tout, nous nous accrochons à tout; les temps, les lieux, les hommes, les choses, tout ce qui est, tout ce qui sera, importe à chacun de nous; notre individu n'est plus que la moindre partie de nous-mêmes. Chacun s'étend, pour ainsi dire, sur la terre entière, et devient sensible sur toute cette grande surface. Est-il étonnant que nos maux se multiplient dans tous les points par où l'on peut nous blesser ? Que de princes se désolent pour la perte d'un pays qu'ils n'ont jamais vu ! Que de marchands il suffit de toucher aux Indes, pour les faire crier à Paris [32] !

Est-ce la nature qui porte ainsi les hommes si loin d'eux-mêmes ? Est-ce elle qui veut que chacun apprenne son destin des autres, et quelquefois l'apprenne le dernier, en sorte que tel est mort heureux ou misérable, sans en avoir jamais rien su ? Je vois un homme frais, gai, vigoureux, bien portant; sa présence inspire la joie; ses yeux annoncent le contentement, le bien-être; il porte avec lui l'image du bonheur. Vient une lettre de la poste; l'homme heureux la regarde, elle est à son adresse, il l'ouvre, il la lit. A l'instant son air change; il pâlit, il tombe en défaillance. Revenu à lui, il pleure, il s'agite, il gémit, il s'arrache les cheveux, il fait retentir l'air de ses cris, il semble attaqué d'affreuses convulsions. Insensé ! quel mal t'a donc fait ce papier ? quel membre t'a-t-il ôté ? quel crime t'a-t-il fait commettre ? enfin qu'a-t-il changé dans toi-même pour te mettre dans l'état où je te vois ?

Que la lettre se fût égarée, qu'une main charitable l'eût jetée au feu, le sort de ce mortel, heureux et malheureux à la fois, eût été, ce me semble, un étrange problème. Son malheur, direz-vous, était réel. Fort bien, mais il ne le sentait pas. Où était-il donc ? Son bonheur était imaginaire. J'entends; la santé, la gaieté, le bien-être, le contentement d'esprit, ne sont plus que des visions. Nous n'existons plus où nous sommes, nous n'existons qu'où nous ne

sommes pas. Est-ce la peine d'avoir une si grande peur de
la mort, pourvu que ce en quoi nous vivons reste [33] ?

O homme ! resserre ton existence au dedans de toi, et
tu ne seras plus misérable. Reste à la place que la nature
t'assigne dans la chaîne des êtres, rien ne t'en pourra faire
sortir; ne regimbe point contre la dure loi de la nécessité,
et n'épuise pas, à vouloir lui résister, des forces que le ciel
ne t'a point données pour étendre ou prolonger ton existence, mais seulement pour la conserver comme il lui plaît
et autant qu'il lui plaît. Ta liberté, ton pouvoir, ne s'étendent
qu'aussi loin que tes forces naturelles, et pas au delà; tout
le reste n'est qu'esclavage, illusion, prestige. La domination même est servile, quand elle tient à l'opinion; car
tu dépends des préjugés de ceux que tu gouvernes par les
préjugés. Pour les conduire comme il te plaît, il faut te
conduire comme il leur plaît. Ils n'ont qu'à changer de
manière de penser, il faudra bien par force que tu changes
de manière d'agir. Ceux qui t'approchent n'ont qu'à savoir
gouverner les opinions du peuple que tu crois gouverner,
ou des favoris qui te gouvernent ou celles de ta famille,
ou les tiennes propres : ces visirs, ces courtisans, ces prêtres,
ces soldats, ces valets, ces caillettes, et jusqu'à des enfants,
quand tu serais un Thémistocle en génie*, vont te mener,
comme un enfant toi-même au milieu de tes légions. Tu
as beau faire, jamais ton autorité réelle n'ira plus loin que
tes facultés réelles. Sitôt qu'il faut voir par les yeux des
autres, il faut vouloir par leurs volontés. Mes peuples sont
mes sujets, dis-tu fièrement. Soit. Mais toi, qu'es-tu ? le
sujet de tes ministres. Et tes ministres à leur tour, que
sont-ils ? les sujets de leurs commis, de leurs maîtresses,
les valets de leurs valets. Prenez tout, usurpez tout, et
puis versez l'argent à pleines mains; dressez des batteries
de canon; élevez des gibets, des roues; donnez des lois, des
édits; multipliez les espions, les soldats, les bourreaux, les
prisons, les chaînes : pauvres petits hommes, de quoi vous
sert tout cela ? vous n'en serez ni mieux servis, ni moins

---

* Ce petit garçon que vous voyez là, disait Thémistocle à ses amis,
est l'arbitre de la Grèce; car il gouverne sa mère, sa mère me gouverne,
je gouverne les Athéniens, et les Athéniens gouvernent les Grecs. Oh !
quels petits conducteurs on trouverait souvent aux plus grand empires,
si du prince on descendait par degrés jusqu'à la première main qui
donne le branle en secret [34].

volés, ni moins trompés, ni plus absolus. Vous direz toujours : nous voulons; et vous ferez toujours ce que voudront les autres.

Le seul qui fait sa volonté est celui qui n'a pas besoin, pour la faire, de mettre les bras d'un autre au bout des siens : d'où il suit que le premier de tous les biens n'est pas l'autorité, mais la liberté. L'homme vraiment libre ne veut que ce qu'il peut, et fait ce qu'il lui plaît. Voilà ma maxime fondamentale. Il ne s'agit que de l'appliquer à l'enfance, et toutes les règles de l'éducation vont en découler.

La société a fait l'homme plus faible, non seulement en lui ôtant le droit qu'il avait sur ses propres forces, mais surtout en les lui rendant insuffisantes. Voilà pourquoi ses désirs se multiplient avec sa faiblesse, et voilà ce qui fait celle de l'enfance, comparée à l'âge d'homme. Si l'homme est un être fort, et si l'enfant est un être faible, ce n'est pas parce que le premier a plus de force absolue que le second, mais c'est parce que le premier peut naturellement se suffire à lui-même et que l'autre ne le peut. L'homme doit donc avoir plus de volontés, et l'enfant plus de fantaisies; mot par lequel j'entends tous les désirs qui ne sont pas de vrais besoins, et qu'on ne peut contenter qu'avec le secours d'autrui.

J'ai dit la raison de cet état de faiblesse. La nature y pourvoit par l'attachement des pères et des mères : mais cet attachement peut avoir son excès, son défaut, ses abus. Des parents qui vivent dans l'état civil y transportent leur enfant avant l'âge. En lui donnant plus de besoins qu'il n'en a, ils ne soulagent pas sa faiblesse, ils l'augmentent. Ils l'augmentent encore en exigeant de lui ce que la nature n'exigeait pas, en soumettant à leurs volontés le peu de forces qu'il a pour servir les siennes, en changeant de part ou d'autre en esclavage la dépendance réciproque où le tient sa faiblesse et où les tient leur attachement.

L'homme sage sait rester à sa place; mais l'enfant, qui ne connaît pas la sienne, ne saurait s'y maintenir. Il a parmi nous mille issues pour en sortir; c'est à ceux qui le gouvernent à l'y retenir, et cette tâche n'est pas facile. Il ne doit être ni bête ni homme, mais enfant; il faut qu'il sente sa faiblesse et non qu'il en souffre; il faut qu'il dépende et non qu'il obéisse; il faut qu'il demande et non qu'il commande. Il n'est soumis aux autres qu'à cause de ses besoins, et parce qu'ils voient mieux que lui ce qui lui est utile, ce qui peut contribuer ou nuire à sa conservation. Nul n'a droit, pas même le père, de commander à l'enfant ce qui ne lui est bon à rien.

Avant que les préjugés et les institutions humaines aient altéré nos penchants naturels, le bonheur des enfants ainsi que des hommes consiste dans l'usage de leur liberté; mais cette liberté dans les premiers est bornée par leur faiblesse. Quiconque fait ce qu'il veut est heureux, s'il se suffit à lui-même; c'est le cas de l'homme vivant dans l'état de nature. Quiconque fait ce qu'il veut n'est pas heureux, si ses besoins passent ses forces : c'est le cas de l'enfant dans le même état. Les enfants ne jouissent même dans l'état de nature que d'une liberté imparfaite, semblable à celle dont jouissent les hommes dans l'état civil. Chacun de nous ne pouvant plus se passer des autres, redevient à cet égard faible et misérable. Nous étions faits pour être hommes; les lois et la société nous ont replongés dans l'enfance. Les riches, les grands, les rois sont tous des enfants qui, voyant qu'on s'empresse à soulager leur misère, tirent de cela même une vanité puérile, et sont tout fiers des soins qu'on ne leur rendrait pas s'ils étaient hommes faits.

Ces considérations sont importantes, et servent à résoudre toutes les contradictions du système social. Il y a deux sortes de dépendances : celle des choses, qui est de la nature; celle des hommes, qui est de la société. La dépendance des choses, n'ayant aucune moralité, ne nuit point à la liberté, et n'engendre point de vices : la dépendance des hommes étant désordonnée * les engendre tous, et c'est par elle que le maître et l'esclave se dépravent mutuellement. S'il y a quelque moyen de remédier à ce mal dans la société, c'est de substituer la loi à l'homme, et d'armer les volontés générales d'une force réelle, supérieure à l'action de toute volonté particulière. Si les lois des nations pouvaient avoir, comme celles de la nature, une inflexibilité que jamais aucune force humaine ne pût vaincre, la dépendance des hommes redeviendrait alors celle des choses; on réunirait dans la république tous les avantages

---

* Dans mes *Principes du Droit politique*, il est démontré que nulle volonté particulière ne peut être ordonnée dans le système social.

de l'état naturel à ceux de l'état civil; on joindrait à la liberté qui maintient l'homme exempt de vices, la moralité qui l'élève à la vertu.

Maintenez l'enfant dans la seule dépendance des choses, vous aurez suivi l'ordre de la nature dans le progrès de son éducation. N'offrez jamais à ses volontés indiscrètes que des obstacles physiques ou des punitions qui naissent des actions mêmes, et qu'il se rappelle dans l'occasion; sans lui défendre de mal faire, il suffit de l'en empêcher. L'expérience ou l'impuissance doivent seules lui tenir lieu de loi. N'accordez rien à ses désirs parce qu'il le demande, mais parce qu'il en a besoin. Qu'il ne sache ce que c'est qu'obéissance quand il agit, ni ce que c'est qu'empire quand on agit pour lui. Qu'il sente également sa liberté dans ses actions et dans les vôtres. Suppléez à la force qui lui manque, autant précisément qu'il en a besoin pour être libre et non pas impérieux; qu'en recevant vos services avec une sorte d'humiliation, il aspire au moment où il pourra s'en passer, et où il aura l'honneur de se servir lui-même.

La nature a, pour fortifier le corps et le faire croître, des moyens qu'on ne doit jamais contrarier. Il ne faut point contraindre un enfant de rester quand il veut aller, ni d'aller quand il veut rester en place. Quand la volonté des enfants n'est point gâtée par notre faute, ils ne veulent rien inutilement. Il faut qu'ils sautent, qu'ils courent, qu'ils crient, quand ils en ont envie. Tous leurs mouvements sont des besoins de leur constitution, qui cherche à se fortifier; mais on doit se défier de ce qu'ils désirent sans le pouvoir faire eux-mêmes, et que d'autres sont obligés de faire pour eux. Alors il faut distinguer avec soin le vrai besoin, le besoin naturel, du besoin de fantaisie qui commence à naître, ou de celui qui ne vient que de la surabondance de vie dont j'ai parlé.

J'ai déjà dit ce qu'il faut faire quand un enfant pleure pour avoir ceci ou cela. J'ajouterai seulement que, dès qu'il peut demander en parlant ce qu'il désire, et que, pour l'obtenir plus vite ou pour vaincre un refus, il appuie de pleurs sa demande, elle lui doit être irrévocablement refusée. Si le besoin l'a fait parler, vous devez le savoir, et faire aussitôt ce qu'il demande; mais céder quelque chose à ses larmes, c'est l'exciter à en verser, c'est lui apprendre à douter de votre bonne volonté, et à croire que l'importunité peut plus sur vous que la bienveillance. S'il ne vous croit pas bon, bientôt il sera méchant; s'il vous croit faible, il sera bientôt opiniâtre; il importe d'accorder toujours au premier signe ce qu'on ne veut pas refuser. Ne soyez point prodigue en refus, mais ne les révoquez jamais.

Gardez-vous surtout de donner à l'enfant de vaines formules de politesse, qui lui servent au besoin de paroles magiques pour soumettre à ses volontés tout ce qui l'entoure, et obtenir à l'instant ce qu'il lui plaît. Dans l'éducation façonnière des riches on ne manque jamais de les rendre poliment impérieux, en leur prescrivant les termes dont ils doivent se servir pour que personne n'ose leur résister; leurs enfants n'ont ni ton ni tours suppliants; ils sont aussi arrogants, même plus, quand ils prient que quand ils commandent, comme étant bien plus sûrs d'être obéis. On voit d'abord que *s'il vous plaît* signifie dans leur bouche *il me plaît*, et que *je vous prie* signifie *je vous ordonne*. Admirable politesse, qui n'aboutit pour eux qu'à changer le sens des mots, et à ne pouvoir jamais parler autrement qu'avec empire! Quant à moi, qui crains moins qu'Émile ne soit grossier qu'arrogant, j'aime beaucoup mieux qu'il dise en priant, *faites cela*, qu'en commandant, *je vous prie*. Ce n'est pas le terme dont il se sert qui m'importe, mais bien l'acception qu'il y joint.

Il y a un excès de rigueur et un excès d'indulgence, tous deux également à éviter. Si vous laissez pâtir les enfants, vous exposez leur santé, leur vie; vous les rendez actuellement misérables; si vous leur épargnez avec trop de soin toute espèce de mal être, vous leur préparez de grandes misères; vous les rendez délicats, sensibles; vous les sortez de leur état d'hommes dans lequel ils rentreront un jour malgré vous. Pour ne les pas exposer à quelques maux de la nature, vous êtes l'artisan de ceux qu'elle ne leur a pas donnés. Vous me direz que je tombe dans le cas de ces mauvais pères auxquels je reprochais de sacrifier le bonheur des enfants à la considération d'un temps éloigné qui peut ne jamais être.

Non pas: car la liberté que je donne à mon élève le dédommage amplement des légères incommodités auxquelles je le laisse exposé. Je vois de petits polissons jouer sur la neige, violets, transis, et pouvant à peine remuer les doigts. Il ne tient qu'à eux de s'aller chauffer, ils n'en font rien; si on les y forçait, ils sentiraient cent fois plus les rigueurs de la contrainte, qu'ils ne sentent celles du froid. De quoi donc vous plaignez-vous ? Rendrai-je votre enfant misérable en ne l'exposant qu'aux incommodités qu'il veut bien souffrir ? Je fais son bien dans le moment présent, en le laissant libre; je fais son bien dans l'avenir, en l'armant contre les maux qu'il doit supporter. S'il avait le choix d'être mon élève ou le vôtre, pensez-vous qu'il balançât un instant ?

Concevez-vous quelque vrai bonheur possible pour aucun être hors de sa constitution ? et n'est-ce pas sortir l'homme de sa constitution, que de vouloir l'exempter également de tous les maux de son espèce ? Oui, je le soutiens : pour sentir les grands biens, il faut qu'il connaisse les petits maux; telle est sa nature. Si le physique va trop bien, le moral se corrompt. L'homme qui ne connaîtrait pas la douleur, ne connaîtrait ni l'attendrissement de l'humanité, ni la douceur de la commisération; son cœur ne serait ému de rien, il ne serait pas sociable, il serait un monstre parmi ses semblables.

Savez-vous quel est le plus sûr moyen de rendre votre enfant misérable ? c'est de l'accoutumer à tout obtenir; car ses désirs croissant incessamment par la facilité de les satisfaire, tôt ou tard l'impuissance vous forcera malgré vous d'en venir au refus; et ce refus inaccoutumé lui donnera plus de tourment que la privation même de ce qu'il désire. D'abord il voudra la canne que vous tenez; bientôt il voudra votre montre; ensuite il voudra l'oiseau qui vole; il voudra l'étoile qu'il voit briller; il voudra tout ce qu'il verra : à moins d'être Dieu, comment le contenterez-vous ?

C'est une disposition naturelle à l'homme de regarder comme sien tout ce qui est en son pouvoir. En ce sens le principe de Hobbes [35] est vrai jusqu'à certain point : multipliez avec nos désirs les moyens de les satisfaire, chacun se fera le maître de tout. L'enfant donc qui n'a qu'à vouloir pour obtenir se croit le propriétaire de l'univers; il regarde tous les hommes comme ses esclaves : et quand enfin l'on est forcé de lui refuser quelque chose, lui, croyant tout possible quand il commande, prend ce refus pour un acte de rébellion; toutes les raisons qu'on lui donne dans

un âge incapable de raisonnement ne sont à son gré que
des prétextes; il voit partout de la mauvaise volonté : le
sentiment d'une injustice prétendue aigrissant son naturel,
il prend tout le monde en haine, et sans jamais savoir gré
de la complaisance, il s'indigne de toute opposition.

Comment concevrais-je qu'un enfant, ainsi dominé par
la colère et dévoré des passions les plus irascibles, puisse
jamais être heureux ? Heureux, lui ! c'est un despote; c'est
à la fois le plus vil des esclaves et la plus misérable des
créatures. J'ai vu des enfants élevés de cette manière, qui
voulaient qu'on renversât la maison d'un coup d'épaule,
qu'on leur donnât le coq qu'ils voyaient sur un clocher,
qu'on arrêtât un régiment en marche pour entendre les
tambours plus longtemps, et qui perçaient l'air de leurs
cris, sans vouloir écouter personne, aussitôt qu'on tardait
à leur obéir. Tout s'empressait vainement à leur complaire;
leurs désirs s'irritant par la facilité d'obtenir, ils s'obsti-
naient aux choses impossibles, et ne trouvaient partout que
contradictions, qu'obstacles, que peines, que douleurs.
Toujours grondants, toujours mutins, toujours furieux,
ils passaient les jours à crier, à se plaindre. Étaient-ce là
des êtres bien fortunés ? La faiblesse et la domination
réunies n'engendrent que folie et misère. De deux enfants
gâtés, l'un bat la table, et l'autre fait fouetter la mer;
ils auront bien à fouetter et à battre avant de vivre
contents.

Si ces idées d'empire et de tyrannie les rendent misérables dès leur enfance, que sera-ce quand ils grandiront,
et que leurs relations avec les autres hommes commenceront à s'étendre et se multiplier ? Accoutumés à voir tout
fléchir devant eux, quelle surprise, en entrant dans le monde,
de sentir que tout leur résiste, et de se trouver écrasés du
poids de cet univers qu'ils pensaient mouvoir à leur gré !

Leurs airs insolents, leur puérile vanité, ne leur attirent
que mortifications, dédains, railleries; ils boivent les
affronts comme l'eau; de cruelles épreuves leur apprennent bientôt qu'ils ne connaissent ni leur état ni leurs
forces; ne pouvant tout, ils croient ne rien pouvoir. Tant
d'obstacles inaccoutumés les rebutent, tant de mépris les
avilissent : ils deviennent lâches, craintifs, rampants, et
retombent autant au-dessous d'eux-mêmes, qu'ils s'étaient
élevés au-dessus.

Revenons à la règle primitive. La nature a fait les enfants pour être aimés et secourus; mais les a-t-elle faits pour être obéis et craints ? Leur a-t-elle donné un air imposant, un œil sévère, une voix rude et menaçante, pour se faire redouter ? Je comprends que le rugissement d'un lion épouvante les animaux, et qu'ils tremblent en voyant sa terrible hure; mais si jamais on vit un spectacle indécent, odieux, risible, c'est un corps de magistrats, le chef à la tête, en habit de cérémonie, prosternés devant un enfant au maillot, qu'ils haranguent en termes pompeux, et qui crie et bave pour toute réponse.

A considérer l'enfance en elle-même, y a-t-il au monde un être plus faible, plus misérable, plus à la merci de tout ce qui l'environne, qui ait si grand besoin de pitié, de soins, de protection, qu'un enfant ? Ne semble-t-il pas qu'il ne montre une figure si douce et un air si touchant qu'afin que tout ce qui l'approche s'intéresse à sa faiblesse et s'empresse à le secourir ? Qu'y a-t-il donc de plus choquant, de plus contraire à l'ordre, que de voir un enfant impérieux et mutin commander à tout ce qui l'entoure et prendre impudemment le ton de maître avec ceux qui n'ont qu'à l'abandonner pour le faire périr ?

D'autre part, qui ne voit que la faiblesse du premier âge enchaîne les enfants de tant de manières, qu'il est barbare d'ajouter à cet assujettissement celui de nos caprices, en leur ôtant une liberté si bornée, de laquelle ils peuvent si peu abuser, et dont il est peu utile à eux et à nous qu'on les prive ? S'il n'y a point d'objet si digne de risée qu'un enfant hautain, il n'y a point d'objet si digne de pitié qu'un enfant craintif. Puisque avec l'âge de raison commence la servitude civile, pourquoi la prévenir par la servitude privée ? Souffrons qu'un moment de la vie soit exempt de ce joug que la nature ne nous a pas imposé, et laissons à l'enfance l'exercice de la liberté naturelle, qui l'éloigne au moins pour un temps des vices que l'on contracte dans l'esclavage. Que ces instituteurs sévères, que ces pères asservis à leurs enfants viennent donc les uns et les autres avec leurs frivoles objections, et qu'avant de vanter leurs méthodes, ils apprennent une fois celle de la nature.

Je reviens à la pratique. J'ai déjà dit que votre enfant ne doit rien obtenir parce qu'il le demande, mais parce qu'il en a besoin *, ni rien faire par obéissance, mais seulement par nécessité. Ainsi les mots d'obéir et de commander seront proscrits de son dictionnaire, encore plus ceux de devoir et d'obligation; mais ceux de force, de nécessité, d'impuissance et de contrainte y doivent tenir une grande place. Avant l'âge de raison, l'on ne saurait avoir aucune idée des êtres moraux ni des relations sociales; il faut donc éviter, autant qu'il se peut, d'employer des mots qui les expriment, de peur que l'enfant n'attache d'abord à ces mots de fausses idées qu'on ne saura point ou qu'on ne pourra plus détruire. La première fausse idée qui entre dans sa tête est en lui le germe de l'erreur et du vice; c'est à ce premier pas qu'il faut surtout faire attention. Faites que tant qu'il n'est frappé que des choses sensibles, toutes ses idées s'arrêtent aux sensations; faites que de toutes parts il n'aperçoive autour de lui que le monde physique : sans quoi soyez sûr qu'il ne vous écoutera point du tout, ou qu'il se fera du monde moral, dont vous lui parlez, des notions fantastiques que vous n'effacerez de la vie.

Raisonner avec les enfants était la grande maxime de Locke [36]; c'est la plus en vogue aujourd'hui; son succès ne me paraît pourtant pas fort propre à la mettre en crédit; et pour moi je ne vois rien de plus sot que ces enfants avec qui l'on a tant raisonné. De toutes les facultés de l'homme, la raison, qui n'est, pour ainsi dire, qu'un composé de toutes les autres, est celle qui se développe le plus difficilement et le plus tard; et c'est de celle-là qu'on veut se servir pour développer les premières ! Le chef-d'œuvre d'une bonne éducation est de faire un homme raisonnable : et l'on prétend élever un enfant par la raison ! C'est commencer par la fin, c'est vouloir faire l'instrument de l'ouvrage. Si les enfants entendaient raison, ils n'auraient pas besoin d'être élevés; mais en leur parlant dès

---

* On doit sentir que, comme la peine est souvent une nécessité, le plaisir est quelquefois un besoin. Il n'y a donc qu'un seul désir des enfants auquel on ne doive jamais complaire : c'est celui de se faire obéir. D'où il suit que, dans tout ce qu'ils demandent, c'est surtout au motif qui les porte à demander qu'il faut faire attention. Accordez-leur, tant qu'il est possible, tout ce qui peut leur faire un plaisir réel; refusez-leur toujours ce qu'ils ne demandent que par fantaisie ou pour faire un acte d'autorité.

leur bas âge une langue qu'ils n'entendent point, on les accoutume à se payer de mots, à contrôler tout ce qu'on leur dit, à se croire aussi sages que leurs maîtres, à devenir disputeurs et mutins; et tout ce qu'on pense obtenir d'eux par des motifs raisonnables, on ne l'obtient jamais que par ceux de convoitise, ou de crainte, ou de vanité, qu'on est toujours forcé d'y joindre.

Voici la formule à laquelle peuvent se réduire à peu près toutes les leçons de morale qu'on fait et qu'on peut faire aux enfants.

LE MAITRE

Il ne faut pas faire cela.

L'ENFANT

Et pourquoi ne faut-il pas faire cela ?

LE MAITRE

Parce que c'est mal fait.

L'ENFANT

Mal fait ! Qu'est-ce qui est mal fait ?

LE MAITRE

Ce qu'on vous défend.

L'ENFANT

Quel mal y a-t-il à faire ce qu'on me défend.

LE MAITRE

On vous punit pour avoir désobéi.

L'ENFANT

Je ferai en sorte qu'on n'en sache rien.

LE MAITRE

On vous épiera.

L'ENFANT

Je me cacherai.

LE MAITRE

On vous questionnera.

L'ENFANT

Je mentirai.

LE MAITRE

Il ne faut pas mentir.

L'ENFANT

Pourquoi ne faut-il pas mentir ?

LE MAITRE

Parce que c'est mal fait, etc.

Voilà le cercle inévitable. Sortez-en, l'enfant ne vous entend plus. Ne sont-ce pas là des instructions fort utiles ? Je serais bien curieux de savoir ce qu'on pourrait mettre à la place de ce dialogue. Locke lui-même y eût à coup sûr été fort embarrassé. Connaître le bien et le mal, sentir la raison des devoirs de l'homme, n'est pas l'affaire d'un enfant.

La nature veut que les enfants soient enfants avant que d'être hommes. Si nous voulons pervertir cet ordre, nous produirons des fruits précoces, qui n'auront ni maturité ni saveur, et ne tarderont pas à se corrompre; nous aurons de jeunes docteurs et de vieux enfants. L'enfance a des manières de voir, de penser, de sentir, qui lui sont propres; rien n'est moins sensé que d'y vouloir substituer les nôtres; et j'aimerais autant exiger qu'un enfant eût cinq pieds de haut, que du jugement à dix ans. En effet, à quoi lui servirait la raison à cet âge ? Elle est le frein de la force, et l'enfant n'a pas besoin de ce frein.

En essayant de persuader à vos élèves le devoir de l'obéissance, vous joignez à cette prétendue persuasion la force et les menaces, ou, qui pis est, la flatterie et les promesses. Ainsi donc, amorcés par l'intérêt ou contraints par la force, ils font semblant d'être convaincus par la raison. Ils voient très bien que l'obéissance leur est avantageuse, et la rébellion nuisible, aussitôt que vous vous apercevez de l'une ou de l'autre. Mais comme vous n'exigez rien d'eux qui ne leur soit désagréable, et qu'il est toujours pénible de faire les volontés d'autrui, ils se cachent pour faire les leurs, persuadés qu'ils font bien si l'on ignore leur désobéissance, mais prêts à convenir qu'ils font mal, s'ils sont découverts, de crainte d'un plus grand

PORTRAIT DE LOCKE PAR KNELLER
Gravé par Geo Vertue

mal. La raison du devoir n'étant pas de leur âge, il n'y a
homme au monde qui vînt à bout de la leur rendre vraiment sensible; mais la crainte du châtiment, l'espoir du
pardon, l'importunité, l'embarras de répondre leur arrachent tous les aveux qu'on exige; et l'on croit les avoir
convaincus, quand on ne les a qu'ennuyés ou intimidés.

Qu'arrive-t-il de là ? Premièrement, qu'en leur imposant un devoir qu'ils ne sentent pas, vous les indisposez
contre votre tyrannie; et les détournez de vous aimer; que
vous leur apprenez à devenir dissimulés, faux, menteurs,
pour extorquer des récompenses ou se dérober aux châtiments; qu'enfin, les accoutumant à couvrir toujours d'un
motif apparent un motif secret, vous leur donnez vous-
même le moyen de vous abuser sans cesse, de vous ôter
la connaissance de leur vrai caractère, et de payer vous
et les autres de vaines paroles dans l'occasion. Les lois,
direz-vous, quoique obligatoires pour la conscience, usent
de même de contrainte avec les hommes faits. J'en conviens. Mais que sont ces hommes, sinon des enfants gâtés
par l'éducation ? Voilà précisément ce qu'il faut prévenir.
Employez la force avec les enfants et la raison avec les
hommes; tel est l'ordre naturel; le sage n'a pas besoin de
lois.

Traitez votre élève selon son âge. Mettez-le d'abord à
sa place, et tenez l'y si bien, qu'il ne tente plus d'en sortir.
Alors, avant de savoir ce que c'est que sagesse, il en pra-
tiquera la plus importante leçon. Ne lui commandez jamais
rien, quoi que ce soit au monde, absolument rien. Ne lui
laissez pas même imaginer que vous prétendiez avoir
aucune autorité sur lui. Qu'il sache seulement qu'il est
faible et que vous êtes fort; que, par son état et le vôtre,
il est nécessairement à votre merci; qu'il le sache, qu'il
l'apprenne, qu'il le sente; qu'il sente de bonne heure sur
sa tête altière le dur joug que la nature impose à l'homme,
le pesant joug de la nécessité, sous lequel il faut que tout
être fini ploie; qu'il voie cette nécessité dans les choses,
jamais dans le caprice * des hommes; que le frein qui le
retient soit la force, et non l'autorité. Ce dont il doit s'abs-

---

* On doit être sûr que l'enfant traitera de caprice toute volonté contraire à la sienne, et dont il ne sentira pas la raison. Or, un enfant ne
sent la raison de rien dans tout ce qui choque ses fantaisies.

tenir, ne le lui défendez pas; empêchez-le de le faire, sans
explications, sans raisonnements; ce que vous lui accordez,
accordez-le à son premier mot, sans sollicitations, sans
prières, surtout sans conditions. Accordez avec plaisir,
ne refusez qu'avec répugnance; mais que tous vos refus
soient irrévocables; qu'aucune importunité ne vous
ébranle; que le *non* prononcé soit un mur d'airain, contre
lequel l'enfant n'aura pas épuisé cinq ou six fois ses forces,
qu'il ne tentera plus de le renverser.

C'est ainsi que vous le rendrez patient, égal, résigné,
paisible, même quand il n'aura pas ce qu'il a voulu; car
il est dans la nature de l'homme d'endurer patiemment la
nécessité des choses, mais non la mauvaise volonté d'autrui. Ce mot : *il n'y en a plus*, est une réponse contre laquelle
jamais enfant ne s'est mutiné, à moins qu'il ne crût que
c'était un mensonge. Au reste, il n'y a point ici de milieu;
il faut n'en rien exiger du tout, ou le plier d'abord à la
plus parfaite obéissance. La pire éducation est de le laisser
flottant entre ses volontés et les vôtres, et de disputer sans
cesse entre vous et lui à qui des deux sera le maître; j'aimerais cent fois mieux qu'il le fût toujours.

Il est bien étrange que, depuis qu'on se mêle d'élever
des enfants, on n'ait imaginé d'autre instrument pour les
conduire que l'émulation, la jalousie, l'envie, la vanité,
l'avidité, la vile crainte, toutes les passions les plus dangereuses, les plus promptes à fermenter, et les plus propres
à corrompre l'âme, même avant que le corps soit formé. A
chaque instruction précoce qu'on veut faire entrer dans
leur tête, on plante un vice au fond de leur cœur; d'insensés
instituteurs pensent faire des merveilles en les rendant
méchants pour leur apprendre ce que c'est que bonté; et
puis ils nous disent gravement : Tel est l'homme, Oui, tel
est l'homme que vous avez fait.

On a essayé tous les instruments, hors un, le seul précisément qui peut réussir : la liberté bien réglée. Il ne faut
point se mêler d'élever un enfant quand on ne sait pas le
conduire où l'on veut par les seules lois du possible et de
l'impossible. La sphère de l'un et de l'autre lui étant également inconnue, on l'étend, on la resserre autour de lui
comme on veut. On l'enchaîne, on le pousse, on le retient,
avec le seul lien de la nécessité, sans qu'il en murmure : on
le rend souple et docile par la seule force des choses, sans

qu'aucun vice ait l'occasion de germer en lui; car jamais les passions ne s'animent, tant qu'elles sont de nul effet.

Ne donnez à votre élève aucune espèce de leçon verbale; il n'en doit recevoir que de l'expérience : ne lui infligez aucune espèce de châtiment, car il ne sait ce que c'est qu'être en faute : ne lui faites jamais demander pardon, car il ne saurait vous offenser. Dépourvu de toute moralité dans ses actions, il ne peut rien faire qui soit moralement mal, et qui mérite ni châtiment ni réprimande.

Je vois déjà le lecteur effrayé juger de cet enfant par les nôtres : il se trompe. La gêne perpétuelle où vous tenez vos élèves irrite leur vivacité; plus ils sont contraints sous vos yeux, plus ils sont turbulents au moment qu'ils s'échappent; il faut bien qu'ils se dédommagent quand ils peuvent de la dure contrainte où vous les tenez. Deux écoliers de la ville feront plus de dégât dans un pays que la jeunesse de tout un village. Enfermez un petit monsieur et un petit paysan dans une chambre; le premier aura tout renversé, tout brisé, avant que le second soit sorti de sa place. Pourquoi cela, si ce n'est que l'un se hâte d'abuser d'un moment de licence, tandis que l'autre, toujours sûr de sa liberté, ne se presse jamais d'en user ? Et cependant les enfants des villageois, souvent flattés ou contrariés, sont encore bien loin de l'état où je veux qu'on les tienne.

Posons pour maxime incontestable que les premiers mouvements de la nature sont toujours droits : il n'y a point de perversité originelle dans le cœur humain; il ne s'y trouve pas un seul vice dont on ne puisse dire comment et par où il y est entré. La seule passion naturelle à l'homme est l'amour de soi-même, ou l'amour-propre pris dans un sens étendu. Cet amour-propre en soi ou relativement à nous est bon et utile; et, comme il n'a point de rapport nécessaire à autrui, il est à cet égard naturellement indifférent; il ne devient bon ou mauvais que par l'application qu'on en fait et les relations qu'on lui donne. Jusqu'à ce que le guide de l'amour-propre, qui est la raison, puisse naître, il importe donc qu'un enfant ne fasse rien parce qu'il est vu ou entendu, rien en un mot par rapport aux autres, mais seulement ce que la nature lui demande; et alors il ne fera rien que de bien.

Je n'entends pas qu'il ne fera jamais de dégât, qu'il ne se blessera point, qu'il ne brisera pas peut-être un meuble

de prix s'il le trouve à sa portée. Il pourrait faire beaucoup
de mal sans mal faire, parce que la mauvaise action dépend
de l'intention de nuire, et qu'il n'aura jamais cette intention.
S'il l'avait une seule fois, tout serait déjà perdu; il serait
méchant presque sans ressource.

Telle chose est mal aux yeux de l'avarice, qui ne l'est
pas aux yeux de la raison. En laissant les enfants en pleine
liberté d'exercer leur étourderie, il convient d'écarter d'eux
tout ce qui pourrait la rendre coûteuse, et de ne laisser à
leur portée rien de fragile et de précieux. Que leur appartement soit garni de meubles grossiers et solides; point de
miroirs, point de porcelaines, points d'objets de luxe.
Quant à mon Émile que j'élève à la campagne, sa chambre
n'aura rien qui la distingue de celle d'un paysan. A quoi
bon la parer avec tant de soin, puisqu'il y doit rester si
peu ? Mais je me trompe; il la parera lui-même, et nous
verrons bientôt de quoi.

Que si, malgré vos précautions, l'enfant vient à faire
quelque désordre, à casser quelque pièce utile, ne le punissez
point de votre négligence, ne le grondez point; qu'il
n'entende pas un seul mot de reproche; ne lui laissez pas
même entrevoir qu'il vous ait donné du chagrin; agissez
exactement comme si le meuble se fût cassé de lui-même;
enfin croyez avoir beaucoup fait si vous pouvez ne rien
dire.

Oserais-je exposer ici la plus grande, la plus importante,
la plus utile règle de toute l'éducation ? ce n'est pas de
gagner du temps, c'est d'en perdre. Lecteurs vulgaires,
pardonnez-moi mes paradoxes : il en faut faire quand on
réfléchit; et, quoi que vous puissiez dire, j'aime mieux
être homme à paradoxes qu'homme à préjugés. Le plus
dangereux intervalle de la vie humaine est celui de la
naissance à l'âge de douze ans. C'est le temps où germent
les erreurs et les vices, sans qu'on ait encore aucun instrument pour les détruire; et quand l'instrument vient, les
racines sont si profondes, qu'il n'est plus temps de les
arracher. Si les enfants sautaient tout d'un coup de la
mamelle à l'âge de raison, l'éducation qu'on leur donne
pourrait leur convenir; mais, selon le progrès naturel, il
leur en faut une toute contraire. Il faudrait qu'ils ne fissent
rien de leur âme jusqu'à ce qu'elle eût toutes ses facultés;
car il est impossible qu'elle aperçoive le flambeau que vous

lui présentez tandis qu'elle est aveugle, et qu'elle suive, dans l'immense plaine des idées, une route que la raison trace encore si légèrement pour les meilleurs yeux.

La première éducation doit donc être purement négative. Elle consiste, non point à enseigner la vertu ni la vérité, mais à garantir le cœur du vice et l'esprit de l'erreur. Si vous pouviez ne rien faire et ne rien laisser faire; si vous pouviez amener votre élève sain et robuste à l'âge de douze ans, sans qu'il sût distinguer sa main droite de sa main gauche, dès vos premières leçons les yeux de son entendement s'ouvriraient à la raison; sans préjugés, sans habitudes, il n'aurait rien en lui qui pût contrarier l'effet de vos soins. Bientôt il deviendrait entre vos mains le plus sage des hommes; et en commençant par ne rien faire, vous auriez fait un prodige d'éducation.

Prenez bien le contre-pied de l'usage, et vous ferez presque toujours bien. Comme on ne veut pas faire d'un enfant un enfant, mais un docteur, les pères et les maîtres n'ont jamais assez tôt tancé, corrigé, réprimandé, flatté, menacé, promis, instruit, parlé raison. Faites mieux : soyez raisonnable, et ne raisonnez point avec votre élève, surtout pour lui faire approuver ce qui lui déplaît; car amener ainsi toujours la raison dans les choses désagréables, ce n'est que la lui rendre ennuyeuse, et la décréditer de bonne heure dans un esprit qui n'est pas encore en état de l'entendre. Exercez son corps, ses organes, ses sens, ses forces, mais tenez son âme oisive aussi longtemps qu'il se pourra. Redoutez tous les sentiments antérieurs au jugement qui les apprécie. Retenez, arrêtez les impressions étrangères : et, pour empêcher le mal de naître, ne vous pressez point de faire le bien; car il n'est jamais tel que quand la raison l'éclaire. Regardez tous les délais comme des avantages : c'est gagner beaucoup que d'avancer vers le terme sans rien perdre; laissez mûrir l'enfance dans les enfants. Enfin, quelque leçon leur devient-elle nécessaire ? gardez-vous de la donner aujourd'hui, si vous pouvez différer jusqu'à demain sans danger.

Une autre considération qui confirme l'utilité de cette méthode, est celle du génie particulier de l'enfant, qu'il faut bien connaître pour savoir quel régime moral lui convient. Chaque esprit a sa forme propre, selon laquelle il a besoin d'être gouverné; et il importe au succès des soins qu'on prend qu'il soit gouverné par cette forme, et non par une autre. Homme prudent, épiez longtemps la nature, observez bien votre élève avant de lui dire le premier mot; laissez d'abord le germe de son caractère en pleine liberté de se montrer, ne le contraignez en quoi que ce puisse être, afin de le mieux voir tout entier. Pensez-vous que ce temps de liberté soit perdu pour lui ? tout au contraire, il sera le mieux employé; car c'est ainsi que vous apprendrez à ne pas perdre un seul moment dans un temps précieux : au lieu que, si vous commencez d'agir avant de savoir ce qu'il faut faire, vous agirez au hasard; sujet à vous tromper, il faudra revenir sur vos pas; vous serez plus éloigné du but que si vous eussiez été moins pressé de l'atteindre. Ne faites donc pas comme l'avare qui perd beaucoup pour ne vouloir rien perdre. Sacrifiez dans le premier âge un temps que vous regagnerez avec usure dans un âge plus avancé. Le sage médecin ne donne pas étourdiment des ordonnances à la première vue, mais il étudie premièrement le tempérament du malade avant de lui rien prescrire; il commence tard à le traiter, mais il le guérit, tandis que le médecin trop pressé le tue.

Mais où placerons-nous cet enfant pour l'élever ainsi comme un être insensible, comme un automate ? Le tiendrons-nous dans le globe de la lune, dans une île déserte ? L'écarterons-nous de tous les humains ? N'aura-t-il pas continuellement dans le monde le spectacle et l'exemple des passions d'autrui ? Ne verra-t-il jamais d'autres enfants de son âge ? Ne verra-t-il pas ses parents, ses voisins, sa nourrice, sa gouvernante, son laquais, son gouverneur même, qui après tout ne sera pas un ange ?

Cette objection est forte et solide. Mais vous ai-je dit que ce fût une entreprise aisée qu'une éducation naturelle ? O hommes ! est-ce ma faute si vous avez rendu difficile tout ce qui est bien ? Je sens ces difficultés, j'en conviens : peut-être sont-elles insurmontables; mais toujours est-il sûr qu'en s'appliquant à les prévenir on les prévient jusqu'à certain point. Je montre le but qu'il faut qu'on se propose : je ne dis pas qu'on y puisse arriver; mais je dis que celui qui en approchera davantage aura le mieux réussi.

Souvenez-vous qu'avant d'oser entreprendre de former un homme, il faut s'être fait homme soi-même; il faut trouver en soi l'exemple qu'il se doit proposer. Tandis que l'enfant est encore sans connaissance, on a le temps de préparer tout ce qui l'approche à ne frapper ses premiers regards que des objets qu'il lui convient de voir. Rendez-vous respectable à tout le monde, commencez par vous faire aimer, afin que chacun cherche à vous complaire. Vous ne serez point maître de l'enfant, si vous ne l'êtes de tout ce qui l'entoure; et cette autorité ne sera jamais suffisante, si elle n'est fondée sur l'estime de la vertu. Il ne s'agit point d'épuiser sa bourse et de verser l'argent à pleines mains; je n'ai jamais vu que l'argent fît aimer personne. Il ne faut point être avare et dur, ni plaindre la misère qu'on peut soulager; mais vous aurez beau ouvrir vos coffres, si vous n'ouvrez aussi votre cœur, celui des autres vous restera toujours fermé. C'est votre temps, ce sont vos soins, vos affections, c'est vous-même qu'il faut donner; car, quoi que vous puissiez faire, on sent toujours que votre argent n'est point vous. Il y a des témoignages d'intérêt et de bienveillance qui font plus d'effet, et sont réellement plus utiles que tous les dons : combien de malheureux, de malades, ont plus besoin de consolations que d'aumônes ! combien d'opprimés à quil la protection sert plus que l'argent ! Raccommodez les gens qui se brouillent, prévenez les procès; portez les enfants au devoir, les pères à l'indulgence; favorisez d'heureux mariages; empêchez les vexations; employez, prodiguez le crédit des parents de votre élève en faveur du faible à qui on refuse justice, et que le puissant accable. Déclarez-vous hautement le protecteur des malheureux. Soyez juste, humain, bienfaisant. Ne faites pas seulement l'aumône, faites la charité; les œuvres de miséricorde soulagent plus de maux que l'argent; aimez les autres, et ils vous aimeront; servez-les et ils vous serviront; soyez leur frère, et ils seront vos enfants.

C'est encore ici une des raisons pourquoi je veux élever Émile à la campagne, loin de la canaille des valets, les derniers des hommes après leurs maîtres; loin des noires mœurs des villes, que le vernis dont on les couvre rend séduisantes et contagieuses pour les enfants; au lieu que les vices des paysans, sans apprêt et dans toute leur grossièreté, sont plus propres à rebuter qu'à séduire, quand on n'a nul intérêt à les imiter.

Au village, un gouverneur sera beaucoup plus maître

des objets qu'il voudra présenter à l'enfant; sa réputation, ses discours, son exemple, auront une autorité qu'ils ne sauraient avoir à la ville; étant utile à tout le monde, chacun s'empressera de l'obliger, d'être estimé de lui, de se montrer au disciple tel que le maître voudrait qu'on fût en effet; et si l'on ne se corrige pas du vice, on s'abstiendra du scandale; c'est tout ce dont nous avons besoin pour notre objet.

Cessez de vous en prendre aux autres de vos propres fautes : le mal que les enfants voient les corrompt moins que celui que vous leur apprenez. Toujours sermonneurs, toujours moralistes, toujours pédants, pour une idée que vous leur donnez la croyant bonne, vous leur en donnez à la fois vingt autres qui ne valent rien : pleins de ce qui se passe dans votre tête, vous ne voyez pas l'effet que vous produisez dans la leur. Parmi ce long flux de paroles dont vous les excédez incessamment, pensez-vous qu'il n'y en ait pas une qu'ils saisissent à faux ? Pensez-vous qu'ils ne commentent pas à leur manière vos explications diffuses, et qu'ils n'y trouvent pas de quoi se faire un système à leur portée, qu'ils sauront vous opposer dans l'occasion ?

Écoutez un petit bonhomme qu'on vient d'endoctriner; laissez-le jaser, questionner, extravaguer à son aise, et vous allez être surpris du tour étrange qu'ont pris vos raisonnements dans son esprit : il confond tout, il renverse tout, il vous impatiente, il vous désole quelquefois par des objections imprévues; il vous réduit à vous taire, ou à le faire taire; et que peut-il penser de ce silence de la part d'un homme qui aime tant à parler ? Si jamais il remporte cet avantage, et qu'il s'en aperçoive, adieu l'éducation; tout est fini dès ce moment, il ne cherche plus à s'instruire, il cherche à vous réfuter.

Maîtres zélés, soyez simples, discrets, retenus : ne vous hâtez jamais d'agir que pour empêcher d'agir les autres; je le répéterai sans cesse, renvoyez, s'il se peut, une bonne instruction, de peur d'en donner une mauvaise. Sur cette terre, dont la nature eût fait le premier paradis de l'homme, craignez d'exercer l'emploi du tentateur en voulant donner à l'innocence la connaissance du bien et du mal; ne pouvant empêcher que l'enfant ne s'instruise au dehors par des exemples, bornez toute votre vigilance à imprimer ces exemples dans son esprit sous l'image qui lui convient.

Les passions impétueuses produisent un grand effet sur l'enfant qui en est témoin, parce qu'elles ont des signes très sensibles qui le frappent et le forcent d'y faire attention. La colère surtout est si bruyante dans ses emportements, qu'il est impossible de ne pas s'en apercevoir étant à portée. Il ne faut pas demander si c'est là pour un pédagogue l'occasion d'entamer un beau discours. Eh ! point de beaux discours, rien du tout, pas un seul mot. Laissez venir l'enfant : étonné du spectacle, il ne manquera pas de vous questionner. La réponse est simple; elle se tire des objets mêmes qui frappent ses sens. Il voit un visage enflammé, des yeux étincelants, un geste menaçant, il entend des cris; tous signes que le corps n'est pas dans son assiette. Dites, lui posément, sans mystère : Ce pauvre homme est malade, il est dans un accès de fièvre. Vous pouvez de là tirer occasion de lui donner, mais en peu de mots, une idée des maladies et de leurs effets; car cela aussi est de la nature, et c'est un des liens de la nécessité auxquels il se doit sentir assujetti.

Se peut-il que sur cette idée, qui n'est pas fausse, il ne contracte pas de bonne heure une certaine répugnance à se livrer aux excès des passions, qu'il regardera comme des maladies ? Et croyez-vous qu'une pareille notion, donnée à propos, ne produira pas un effet aussi salutaire que le plus ennuyeux sermon de morale ? Mais voyez dans l'avenir les conséquences de cette notion : vous voilà autorisé, si jamais vous y êtes contraint, à traiter un enfant mutin comme un enfant malade; à l'enfermer dans sa chambre, dans son lit s'il le faut, à le tenir au régime, à l'effrayer lui-même de ses vices naissants, à les lui rendre odieux et redoutables, sans que jamais il puisse regarder comme un châtiment la sévérité dont vous serez peut-être forcé d'user pour l'en guérir. Que s'il vous arrive à vous-même, dans quelque moment de vivacité, de sortir du sang-froid et de la modération dont vous devez faire votre étude, ne cherchez point à lui déguiser votre faute; mais dites-lui franchement, avec un tendre reproche : Mon ami, vous m'avez fait mal.

Au reste, il importe que toutes les naïvetés que peut produire dans un enfant la simplicité des idées dont il est nourri, ne soient jamais relevées en sa présence, ni citées de manière qu'il puisse l'apprendre. Un éclat de rire indiscret peut gâter le travail de six mois, et faire un tort irréparable pour toute la vie. Je ne puis assez redire que pour être le maître de l'enfant, il faut être son propre maître. Je me représente mon petit Émile, au fort d'une rixe entre deux voisines, s'avançant vers la plus furieuse, et lui disant d'un ton de commisération : *Ma bonne, vous êtes malade, j'en suis bien fâché.* A coup sûr, cette saillie ne restera pas sans effet sur les spectateurs, ni peut-être sur les actrices. Sans rire, sans le gronder, sans le louer, je l'emmène de gré ou de force avant qu'il puisse apercevoir cet effet, ou du moins avant qu'il y pense, et je me hâte de le distraire sur d'autres objets qui le lui fassent bien vite oublier.

Mon dessein n'est point d'entrer dans tous les détails, mais seulement d'exposer les maximes générales, et de donner des exemples dans les occasions difficiles. Je tiens pour impossible qu'au sein de la société l'on puisse amener un enfant à l'âge de douze ans, sans lui donner quelque idée des rapports d'homme à homme, et de la moralité des actions humaines. Il suffit qu'on s'applique à lui rendre ces notions nécessaires le plus tard qu'il se pourra, et que, quand elles deviendront inévitables, on les borne à l'utilité présente, seulement pour qu'il ne se croie pas le maître de tout, et qu'il ne fasse pas du mal à autrui sans scrupule et sans le savoir. Il y a des caractères doux et tranquilles qu'on peut mener loin sans danger dans leur première innocence; mais il y a aussi des naturels violents dont la férocité se développe de bonne heure, et qu'il faut se hâter de faire hommes, pour n'être pas obligé de les enchaîner.

Nos premiers devoirs sont envers nous; nos sentiments primitifs se concentrent en nous-mêmes; tous nos mouvements naturels se rapportent d'abord à notre conservation et à notre bien-être. Ainsi le premier sentiment de la justice ne nous vient pas de celle que nous devons, mais de celle qui nous est due; et c'est encore un des contre-sens des éducations communes, que, parlant d'abord aux enfants de leurs devoirs, jamais de leurs droits, on commence par leur dire le contraire de ce qu'il faut, ce qu'ils ne sauraient entendre, et ce qui ne peut les intéresser.

Si j'avais donc à conduire un de ceux que je viens de supposer, je me dirais : Un enfant ne s'attaque pas aux

personnes*, mais aux choses; et bientôt il apprend par
l'expérience à respecter quiconque le passe en âge et en
force; mais les choses ne se défendent pas elles-mêmes.
La première idée qu'il faut lui donner est donc moins
celle de la liberté que de la propriété; et, pour qu'il puisse
avoir cette idée, il faut qu'il ait quelque chose en propre.
Lui citer ses hardes, ses meubles, ses jouets, c'est ne lui
rien dire; puisque, bien qu'il dispose de ces choses, il ne
sait ni pourquoi ni comment il les a. Lui dire qu'il les a
parce qu'on les lui a données, c'est ne faire guère mieux;
car, pour donner il faut avoir : voilà donc une propriété
antérieure à la sienne; et c'est le principe de la propriété
qu'on lui veut expliquer; sans compter que le don est une
convention, et que l'enfant ne peut savoir encore ce que
c'est que convention**. Lecteurs, remarquez, je vous prie,
dans cet exemple et dans cent mille autres, comment, four-
rant dans la tête des enfants des mots qui n'ont aucun sens
à leur portée, on croit pourtant les avoir fort bien instruits.

Il s'agit donc de remonter à l'origine de la propriété;
car c'est de là que la première idée en doit naître. L'enfant,
vivant à la campagne, aura pris quelque notion des travaux
champêtres; il ne faut pour cela que des yeux, du loisir,
et il aura l'un et l'autre. Il est de tout âge, surtout du sien,
de vouloir créer, imiter, produire, donner des signes de
puissance et d'activité. Il n'aura pas vu deux fois labourer
un jardin, semer, lever, croître des légumes, qu'il voudra
jardiner à son tour.

Par les principes ci-devant établis, je ne m'oppose point
à son envie; au contraire, je la favorise, je partage son goût,
je travaille avec lui, non pour son plaisir, mais pour le

---

* On ne doit jamais souffrir qu'un enfant se joue aux grandes personnes comme avec ses inférieurs, ni même comme avec ses égaux.
S'il osait frapper sérieusement quelqu'un, fût-ce son laquais, fût-ce
le bourreau, faites qu'on lui rende toujours ses coups avec usure, et de
manière à lui ôter l'envie d'y revenir. J'ai vu d'imprudentes gouvernantes animer la mutinerie d'un enfant, l'exciter à battre, s'en laisser
battre elles-mêmes, et rire de ses faibles coups, sans songer qu'ils
étaient autant de meurtres dans l'intention du petit furieux, et que celui
qui veut battre étant jeune, voudra tuer étant grand.

** Voilà pourquoi la plupart des enfants veulent ravoir ce qu'ils ont
donné, et pleurent quand on ne le leur veut pas rendre. Cela ne leur
arrive plus quand ils ont bien conçu ce que c'est que don; seulement
ils sont alors plus circonspects à donner.

mien; du moins il le croit ainsi; je deviens son garçon
jardinier; en attendant qu'il ait des bras, je laboure pour
lui la terre; il en prend possession en y plantant une fève [37];
et sûrement cette possession est plus sacrée et plus respectable que celle que prenait Nuñes Balboa de l'Amérique
méridionale au nom du roi d'Espagne, en plantant son
étendard sur les côtes de la mer du Sud.

On vient tous les jours arroser les fèves, on les voit lever
dans des transports de joie. J'augmente cette joie en lui
disant : Cela vous appartient; et lui expliquant alors ce
terme d'appartenir, je lui fais sentir qu'il a mis là son temps,
son travail, sa peine, sa personne enfin; qu'il y a dans cette
terre quelque chose de lui-même qu'il peut réclamer contre
qui que ce soit, comme il pourrait retirer son bras de la
main d'un autre homme qui voudrait le retenir malgré lui.

Un beau jour il arrive empressé, et l'arrosoir à la main. O
spectacle ! ô douleur ! toutes les fèves sont arrachées, tout
le terrain est bouleversé, la place même ne se reconnaît
plus. Ah ! qu'est devenu mon travail, mon ouvrage, le
doux fruit de mes soins et de mes sueurs ? Qui m'a ravi
mon bien ? qui m'a pris mes fèves ? Ce jeune cœur se
soulève; le premier sentiment de l'injustice y vient verser
sa triste amertume; les larmes coulent en ruisseaux; l'enfant
désolé remplit l'air de gémissements et de cris. On prend
part à sa peine, à son indignation; on cherche, on s'informe,
on fait des perquisitions. Enfin l'on découvre que le jardinier a fait le coup : on le fait venir.

Mais nous voici bien loin de compte. Le jardinier,
apprenant de quoi on se plaint, commence à se plaindre
plus haut que nous. Quoi ! messieurs, c'est vous qui
m'avez ainsi gâté mon ouvrage ! J'avais semé là des melons
de Malte dont la graine m'avait été donnée comme un
trésor, et desquels j'espérais vous régaler quand ils seraient
mûrs; mais voilà que, pour y planter vos misérables fèves,
vous m'avez détruit mes melons déjà tout levés, et que je
ne remplacerai jamais. Vous m'avez fait un tort irréparable, et vous vous êtes privés vous-mêmes du plaisir de
manger des melons exquis.

JEAN-JACQUES

Excusez-nous, mon pauvre Robert. Vous aviez mis là
votre travail, votre peine. Je vois bien que nous avons

eu tort de gâter votre ouvrage ; mais nous vous ferons
venir d'autre graine de Malte, et nous ne travaillerons plus
la terre avant de savoir si quelqu'un n'y a point mis la
main avant nous.

### ROBERT

Oh ! bien messieurs, vous pouvez donc vous reposer,
car il n'y a plus guère de terre en friche. Moi, je travaille
celle que mon père a bonifiée ; chacun en fait autant de
son côté, et toutes les terres que vous voyez sont occupées
depuis longtemps.

### ÉMILE

Monsieur Robert, il y a donc souvent de la graine de
melon perdue ?

### ROBERT

Pardonnez-moi, mon jeune cadet ; car il ne nous vient
pas souvent de petits messieurs aussi étourdis que vous.
Personne ne touche au jardin de son voisin ; chacun respecte le travail des autres, afin que le sien soit en sûreté.

### ÉMILE

Mais moi je n'ai point de jardin.

### ROBERT

Que m'importe ? si vous gâtez le mien, je ne vous y
laisserai plus promener ; car, voyez-vous, je ne veux pas
perdre ma peine.

### JEAN-JACQUES

Ne pourrait-on pas proposer un arrangement au bon
Robert ? Qu'il nous accorde, à mon petit ami et à moi,
un coin de son jardin pour le cultiver, à condition qu'il
aura la moitié du produit.

### ROBERT

Je vous l'accorde sans condition. Mais souvenez-vous
que j'irai labourer vos fèves, si vous touchez à mes melons.

Dans cet essai de la manière d'inculquer aux enfants
les notions primitives, on voit comment l'idée de la propriété remonte naturellement au droit du premier occupant par le travail. Cela est clair, net, simple, et toujours

à la portée de l'enfant. De là jusqu'au droit de propriété et aux échanges, il n'y a plus qu'un pas, après lequel il faut s'arrêter tout court.

On voit encore qu'une explication que je renferme ici dans deux pages d'écriture sera peut-être l'affaire d'un an pour la pratique; car, dans la carrière des idées morales, on ne peut avancer trop lentement, ni trop bien s'affermir à chaque pas. Jeunes maîtres, pensez, je vous prie, à cet exemple, et souvenez-vous qu'en toute chose vos leçons doivent être plus en actions qu'en discours; car les enfants oublient aisément ce qu'ils ont dit et ce qu'on leur a dit, mais non pas ce qu'ils ont fait et ce qu'on leur a fait.

De pareilles instructions se doivent donner, comme je l'ai dit, plus tôt ou plus tard, selon que le naturel paisible ou turbulent de l'élève en accélère ou retarde le besoin; leur usage est d'une évidence qui saute aux yeux; mais, pour ne rien omettre d'important dans les choses difficiles, donnons encore un exemple.

Votre enfant dyscole [38] gâte tout ce qu'il touche : ne vous fâchez point; mettez hors de sa portée ce qu'il peut gâter. Il brise les meubles dont il se sert; ne vous hâtez point de lui en donner d'autres : laissez-lui sentir le préjudice de la privation. Il casse les fenêtres de sa chambre; laissez le vent souffler sur lui nuit et jour sans vous soucier des rhumes; car il vaut mieux qu'il soit enrhumé que fou. Ne vous plaignez jamais des incommodités qu'il vous cause, mais faites qu'il les sente le premier. A la fin vous faites raccommoder les vitres, toujours sans rien dire. Il les casse encore ? changez alors de méthode; dites-lui sèchement, mais sans colère : Les fenêtres sont à moi; elles ont été mises là par mes soins; je veux les garantir. Puis vous l'enfermerez à l'obscurité dans un lieu sans fenêtre. A ce procédé si nouveau il commence par crier, tempêter; personne ne l'écoute. Bientôt il se lasse et change de ton; il se plaint, il gémit : un domestique se présente, le mutin le prie de le délivrer. Sans chercher de prétexte pour n'en rien faire, le domestique répond : *J'ai aussi des vitres à conserver*, et s'en va. Enfin, après que l'enfant aura demeuré là plusieurs heures, assez longtemps pour s'y ennuyer et s'en souvenir, quelqu'un lui suggérera de vous proposer un accord au moyen duquel vous lui rendriez la liberté, et il ne casserait plus de vitres. Il ne demandera pas mieux. Il vous fera prier de le venir voir : vous viendrez; il vous fera sa proposition, et vous l'accepterez à l'instant en lui disant : C'est très bien pensé; nous y gagnerons tous deux : que n'avez-vous eu plus tôt cette bonne idée ! Et puis, sans lui demander ni protestation ni confirmation de sa promesse, vous l'embrasserez avec joie et l'emmènerez sur-le-champ dans sa chambre, regardant cet accord comme sacré et inviolable autant que si le serment y avait passé. Quelle idée pensez-vous qu'il prendra, sur ce procédé, de la foi des engagements et de leur utilité ? Je suis trompé s'il y a sur la terre un seul enfant, non déjà gâté, à l'épreuve de cette conduite, et qui s'avise après cela de casser une fenêtre à dessein. Suivez la chaîne de tout cela. Le petit méchant ne songeait guère, en faisant un trou pour planter sa fève, qu'il se creusait un cachot où sa science ne tarderait pas à le faire enfermer *.

Nous voilà dans le monde moral, voilà la porte ouverte au vice. Avec les conventions et les devoirs naissent la tromperie et le mensonge. Dès qu'on peut faire ce qu'on ne doit pas, on veut cacher ce qu'on n'a pas dû faire. Dès qu'un intérêt fait promettre, un intérêt plus grand peut faire violer la promesse; il ne s'agit plus de la violer impunément : la ressource est naturelle; on se cache et l'on ment. N'ayant pu prévenir le vice, nous voici déjà dans le cas de le punir. Voilà les misères de la vie humaine qui commencent avec ses erreurs.

J'en ai dit assez pour faire entendre qu'il ne faut jamais

---

* Au reste, quand ce devoir de tenir ses engagements ne serait pas affermi dans l'esprit de l'enfant par le poids de son utilité, bientôt le sentiment intérieur, commençant à poindre, le lui imposerait comme une loi de la conscience, comme un principe inné qui n'attend pour se développer que les connaissances auxquelles il s'applique. Ce premier trait n'est point marqué par la main des hommes, mais gravé dans nos cœurs par l'auteur de toute justice. Otez la loi primitive des conventions et l'obligation qu'elle impose, tout est illusoire et vain dans la société humaine. Qui ne tient que par son profit à sa promesse n'est guère plus lié que s'il n'eût rien promis; ou tout au plus il en sera du pouvoir de la violer comme de la bisque des joueurs, qui ne tardent à s'en prévaloir que pour attendre le moment de s'en prévaloir avec plus d'avantage. Ce principe est de la dernière importance, et mérite d'être approfondi; car c'est ici que l'homme commence à se mettre en contradiction avec lui-même.

infliger aux enfants le châtiment comme châtiment, mais qu'il doit toujours leur arriver comme une suite naturelle de leur mauvaise action. Ainsi vous ne déclamerez point contre le mensonge, vous ne les punirez point précisément pour avoir menti; mais vous ferez que tous les mauvais effets du mensonge, comme de n'être point cru quand on dit la vérité, d'être accusé du mal qu'on n'a point fait, quoiqu'on s'en défende, se rassemblent sur leur tête quand ils ont menti. Mais expliquons ce que c'est que mentir pour les enfants.

Il y a deux sortes de mensonges : celui de fait qui regarde le passé, celui de droit qui regarde l'avenir. Le premier a lieu quand on nie d'avoir fait ce qu'on a fait, ou quand on affirme avoir fait ce qu'on n'a pas fait, et en général quand on parle sciemment contre la vérité des choses. L'autre a lieu quand on promet ce qu'on n'a pas dessein de tenir, et en général quand on montre une intention contraire à celle qu'on a. Ces deux mensonges peuvent quelquefois se rassembler dans le même *; mais je les considère ici par ce qu'ils ont de différent.

Celui qui sent le besoin qu'il a du secours des autres, et qui ne cesse d'éprouver leur bienveillance, n'a nul intérêt de les tromper; au contraire, il a un intérêt sensible qu'ils voient les choses comme elles sont, de peur qu'ils ne se trompent à son préjudice. Il est donc clair que le mensonge de fait n'est pas naturel aux enfants; mais c'est la loi de l'obéissance qui produit la nécessité de mentir, parce que l'obéissance étant pénible, on s'en dispense en secret le plus qu'on peut, et que l'intérêt présent d'éviter le châtiment ou le reproche l'emporte sur l'intérêt éloigné d'exposer la vérité. Dans l'éducation naturelle et libre, pourquoi donc votre enfant vous mentirait-il ? Qu'a-t-il à vous cacher ? Vous ne le reprenez point, vous ne le punissez de rien, vous n'exigez rien de lui. Pourquoi ne vous dirait-il pas tout ce qu'il a fait aussi naïvement qu'à son petit camarade ? Il ne peut voir à cet aveu plus de danger d'un côté que de l'autre.

Le mensonge de droit est moins naturel encore, puisque

---

* Comme, lorsque accusé d'une mauvaise action, le coupable s'en défend en se disant honnête homme. Il ment alors dans le fait et dans le droit.

les promesses de faire ou de s'abstenir sont des actes
conventionnels, qui sortent de l'état de nature et dérogent
à la liberté. Il y a plus : tous les engagements des enfants
sont nuls par eux-mêmes, attendu que leur vue bornée
ne pouvant s'étendre au delà du présent, en s'engageant
ils ne savent ce qu'ils font. A peine l'enfant peut-il mentir
quand il s'engage; car, ne songeant qu'à se tirer d'affaire
dans le moment présent, tout moyen qui n'a pas un effet
présent lui devient égal; en promettant pour un temps
futur, il ne promet rien, et son imagination encore endor-
mie ne sait point étendre son être sur deux temps différents. S'il pouvait éviter le fouet ou obtenir un cornet de
dragées en promettant de se jeter demain par la fenêtre,
il le promettrait à l'instant. Voilà pourquoi les lois n'ont
aucun égard aux engagements des enfants; et quand les
pères et les maîtres plus sévères exigent qu'ils les remplissent, c'est seulement dans ce que l'enfant devrait faire,
quand même il ne l'aurait pas promis.

L'enfant, ne sachant ce qu'il fait quand il s'engage, ne
peut donc mentir en s'engageant. Il n'en est pas de même
quand il manque à sa promesse, ce qui est encore une espèce
de mensonge rétroactif : car il se souvient très bien d'avoir
fait cette promesse; mais ce qu'il ne voit pas, c'est l'importance de la tenir. Hors d'état de lire dans l'avenir, il ne
peut prévoir les conséquences des choses; et quand il
viole ses engagements, il ne fait rien contre la raison de
son âge.

Il suit de là que les mensonges des enfants sont tous
l'ouvrage des maîtres, et que vouloir leur apprendre à
dire la vérité n'est autre chose que leur apprendre à mentir.
Dans l'empressement qu'on a de les régler, de les gouverner, de les instruire, on ne se trouve jamais assez d'instruments pour en venir à bout. On veut se donner de
nouvelles prises dans leur esprit par des maximes sans
fondement, par des préceptes sans raison, et l'on aime
mieux qu'ils sachent leurs leçons et qu'ils mentent, que
s'ils demeuraient ignorants et vrais.

Pour nous, qui ne donnons à nos élèves que des leçons
de pratique, et qui aimons mieux qu'ils soient bons que
savants, nous n'exigeons point d'eux la vérité, de peur
qu'ils ne la déguisent, et nous ne leur faisons rien promettre
qu'ils soient tentés de ne pas tenir. S'il s'est fait en mon

absence quelque mal dont j'ignore l'auteur, je me garderai d'en accuser Émile, ou de lui dire : *Est-ce vous* * ? Car
en cela que ferais-je autre chose, sinon lui apprendre à
le nier ? Que si son naturel difficile me force à faire avec
lui quelque convention, je prendrai si bien mes mesures
que la proposition en vienne toujours de lui, jamais de
moi; que, quand il s'est engagé, il ait toujours un intérêt
présent et sensible à remplir son engagement; et que,
si jamais il y manque, ce mensonge attire sur lui des maux
qu'il voie sortir de l'ordre même des choses, et non pas
de la vengeance de son gouverneur. Mais, loin d'avoir
besoin de recourir à de si cruels expédients, je suis presque
sûr qu'Émile apprendra fort tard ce que c'est que mentir,
et qu'en l'apprenant il sera fort étonné, ne pouvant concevoir à quoi peut être bon le mensonge. Il est très clair
que plus je rends son bien-être indépendant, soit des
volontés, soit des jugements des autres, plus je coupe en
lui tout intérêt de mentir.

Quand on n'est point pressé d'instruire, on n'est point
pressé d'exiger, et l'on prend son temps pour ne rien
exiger qu'à propos. Alors l'enfant se forme, en ce qu'il
ne se gâte point. Mais, quand un étourdi de précepteur,
ne sachant comment s'y prendre, lui fait à chaque instant
promettre ceci ou cela, sans distinction, sans choix, sans
mesure, l'enfant, ennuyé, surchargé de toutes ces promesses, les néglige, les oublie, les dédaigne enfin, et, les
regardant comme autant de vaines formules, se fait un
jeu de les faire et de les violer. Voulez-vous donc qu'il
soit fidèle à tenir sa parole, soyez discret à l'exiger.

Le détail dans lequel je viens d'entrer sur le mensonge
peut à bien des égards s'appliquer à tous les autres devoirs,
qu'on ne prescrit aux enfants qu'en les leur rendant non
seulement haïssables, mais impraticables. Pour paraître
leur prêcher la vertu, on leur fait aimer tous les vices :
on les leur donne, en leur défendant de les avoir. Veut-on
les rendre pieux, on les mène s'ennuyer à l'église; en leur

---

* Rien n'est plus indiscret qu'une pareille question, surtout quand
l'enfant est coupable : alors, s'il croit que vous savez ce qu'il a fait, il
verra que vous lui tendez un piège, et cette opinion ne peut manquer
de l'indisposer contre vous. S'il ne le croit pas, il se dira : Pourquoi
découvrirais-je ma faute ? Et voilà la première tentation du mensonge
devenue l'effet de votre imprudente question.

faisant incessamment marmotter des prières, on les force
d'aspirer au bonheur de ne plus prier Dieu. Pour leur
inspirer la charité, on leur fait donner l'aumône, comme
si l'on dédaignait de la donner soi-même. Eh ! ce n'est
pas l'enfant qui doit donner, c'est le maître : quelque attachement qu'il ait pour son élève, il doit lui disputer cet
honneur; il doit lui faire juger qu'à son âge on n'en est
point encore digne. L'aumône est une action d'homme
qui connaît la valeur de ce qu'il donne, et le besoin que son
semblable en a. L'enfant, qui ne connaît rien de cela, ne
peut avoir aucun mérite à donner; il donne sans charité,
sans bienfaisance; il est presque honteux de donner, quand,
fondé sur son exemple et le vôtre, il croit qu'il n'y a que
les enfants qui donnent, et qu'on ne fait plus l'aumône
étant grand.

Remarquez qu'on ne fait jamais donner par l'enfant que
des choses dont il ignore la valeur, des pièces de métal
qu'il a dans sa poche, et qui ne lui servent qu'à cela. Un
enfant donnerait plutôt cent louis qu'un gâteau. Mais
engagez ce prodigue distributeur à donner les choses qui
lui sont chères, des jouets, des bonbons, son goûter, et
nous saurons bientôt si vous l'avez rendu vraiment libéral.

On trouve encore un expédient à cela, c'est de rendre
bien vite à l'enfant ce qu'il a donné, de sorte qu'il s'accoutume à donner tout ce qu'il sait bien qui lui va revenir.
Je n'ai guère vu dans les enfants que ces deux espèces de
générosité : donner ce qui ne leur est bon à rien, ou donner
ce qu'ils sont sûrs qu'on va leur rendre. Faites en sorte,
dit Locke, qu'ils soient convaincus par expérience que le
plus libéral est toujours le mieux partagé. C'est là rendre
un enfant libéral en apparence et avare en effet. Il ajoute
que les enfants contracteront ainsi l'habitude de la libéralité. Oui, d'une libéralité usurière, qui donne un œuf
pour avoir un bœuf. Mais, quand il s'agira de donner tout
de bon, adieu l'habitude; lorsqu'on cessera de leur rendre,
ils cesseront bientôt de donner. Il faut regarder à l'habitude de l'âme plutôt qu'à celle des mains. Toutes les autres
vertus qu'on apprend aux enfants ressemblent à celle-là.
Et c'est à leur prêcher ces solides vertus qu'on use leurs
jeunes ans dans la tristesse ! Ne voilà-t-il pas une savante
éducation !

Maîtres, laissez les simagrées, soyez vertueux et bons,

que vos exemples se gravent dans la mémoire de vos
élèves, en attendant qu'ils puissent entrer dans leurs cœurs,
Au lieu de me hâter d'exiger du mien des actes de charité,
j'aime mieux en faire en sa présence, et lui ôter même le
moyen de m'imiter en cela, comme un honneur qui n'est
pas de son âge; car il importe qu'il ne s'accoutume pas à
regarder les devoirs des hommes seulement comme des
devoirs d'enfants. Que si, me voyant assister les pauvres,
il me questionne là-dessus, et qu'il soit temps de lui
répondre *, je lui dirai : « Mon ami, c'est que, quand les
pauvres ont bien voulu qu'il y eût des riches, les riches
ont promis de nourrir tous ceux qui n'auraient de quoi
vivre ni par leur bien ni par leur travail. » « Vous avez
donc aussi promis cela ? » reprendra-t-il. « Sans doute;
je ne suis maître du bien qui passe par mes mains qu'avec
la condition qui est attachée à sa propriété. »

Après avoir entendu ce discours, et l'on a vu comment
on peut mettre un enfant en état de l'entendre, un autre
qu'Émile serait tenté de m'imiter et de se conduire en
homme riche; en pareil cas, j'empêcherais au moins que
ce ne fût avec ostentation; j'aimerais mieux qu'il me
dérobât mon droit et se cachât pour donner. C'est une
fraude de son âge, et la seule que je lui pardonnerais.

Je sais que toutes ces vertus par imitation sont des
vertus de singe, et que nulle bonne action n'est moralement bonne que quand on la fait comme telle, et non
parce que d'autres la font. Mais, dans un âge où le cœur
ne sent rien encore, il faut bien faire imiter aux enfants
les actes dont on veut leur donner l'habitude, en attendant qu'ils les puissent faire par discernement et par amour
du bien. L'homme est imitateur, l'animal même l'est;
le goût de l'imitation est de la nature bien ordonnée; mais
il dégénère en vice dans la société. Le singe imite l'homme
qu'il craint, et n'imite pas les animaux qu'il méprise; il
juge bon ce que fait un être meilleur que lui. Parmi nous,
au contraire, nos arlequins de toute espèce imitent le beau
pour le dégrader, pour le rendre ridicule; ils cherchent
dans le sentiment de leur bassesse à s'égaler ce qui vaut

---

* On doit concevoir que je ne résous pas ses questions quand il lui
plaît, mais quand il me plaît; autrement ce serait m'asservir à ses volontés, et me mettre dans la plus dangereuse dépendance où un gouverneur puisse être de son élève.

mieux qu'eux; ou, s'ils s'efforcent d'imiter ce qu'ils admirent, on voit dans le choix des objets le faux goût des
imitateurs : ils veulent bien plus en imposer aux autres
ou faire applaudir leur talent, que se rendre meilleurs ou
plus sages. Le fondement de l'imitation parmi nous vient
du désir de se transporter toujours hors de soi. Si je réus-
sis dans mon entreprise, Émile n'aura sûrement pas ce
désir. Il faut donc nous passer du bien apparent qu'il
peut produire.

Approfondissez toutes les règles de votre éducation,
vous les trouverez ainsi toutes à contresens, surtout en
ce qui concerne les vertus et les mœurs. La seule leçon
de morale qui convienne à l'enfance, et la plus importante
à tout âge, est de ne jamais faire de mal à personne. Le précepte même de faire du bien, s'il n'est subordonné à
celui-là, est dangereux, faux, contradictoire. Qui est-ce
qui ne fait pas du bien ? tout le monde en fait, le méchant
comme les autres; il fait un heureux aux dépens de cent
misérables; et de là viennent toutes nos calamités. Les
plus sublimes vertus sont négatives : elles sont aussi les
plus difficiles, parce qu'elles sont sans ostentation, et
au-dessus même de ce plaisir si doux au cœur de l'homme,
d'en renvoyer un autre content de nous. O quel bien fait
nécessairement à ses semblables celui d'entre eux, s'il
en est un, qui ne leur fait jamais de mal ! De quelle intrépidité d'âme, de quelle vigueur de caractère il a besoin
pour cela ! Ce n'est pas en raisonnant sur cette maxime,
c'est en tâchant de la pratiquer, qu'on sent combien il
est grand et pénible d'y réussir *.

Voilà quelques faibles idées des précautions avec les-

---

* Le précepte de ne jamais nuire à autrui emporte celui de tenir à la
société humaine le moins qu'il est possible; car, dans l'état social, le
bien de l'un fait nécessairement le mal de l'autre. Ce rapport est dans
l'essence de la chose, et rien ne saurait le changer. Qu'on cherche sur ce
principe lequel est le meilleur, de l'homme social ou du solitaire. Un
auteur illustre dit qu'il n'y a que le méchant qui soit seul [39]; moi je dis
qu'il n'y a que le bon qui soit seul. Si cette proposition est moins sentencieuse, elle est plus vraie et mieux raisonnée que la précédente. Si le
méchant était seul, quel mal ferait-il ? C'est dans la société qu'il dresse
ses machines pour nuire aux autres. Si l'on veut rétorquer cet argument pour l'homme de bien, je réponds par l'article auquel appartient
cette note.

quelles je voudrais qu'on donnât aux enfants les instructions qu'on ne peut quelquefois leur refuser sans les exposer à nuire à eux-mêmes ou aux autres, et surtout à contracter de mauvaises habitudes dont on aurait peine ensuite à les corriger : mais soyons sûrs que cette nécessité se présentera rarement pour les enfants élevés comme ils doivent l'être, parce qu'il est impossible qu'ils deviennent indociles, méchants, menteurs, avides, quand on n'aura pas semé dans leurs cœurs les vices qui les rendent tels. Ainsi ce que j'ai dit sur ce point sert plus aux exceptions qu'aux règles; mais ces exceptions sont plus fréquentes à mesure que les enfants ont plus d'occasions de sortir de leur état et de contracter les vices des hommes. Il faut nécessairement, à ceux qu'on élève au milieu du monde, des instructions plus précoces qu'à ceux qu'on élève dans la retraite. Cette éducation solitaire serait donc préférable, quand elle ne ferait que donner à l'enfance le temps de mûrir.

Il est un autre genre d'exceptions contraires pour ceux qu'un heureux naturel élève au-dessus de leur âge. Comme il y a des hommes qui ne sortent jamais de l'enfance, il y en a d'autres qui, pour ainsi dire, n'y passent point, et sont hommes presque en naissant. Le mal est que cette dernière exception est très rare, très difficile à connaître, et que chaque mère, imaginant qu'un enfant peut être un prodige, ne doute point que le sien n'en soit un. Elles font plus, elles prennent pour des indices extraordinaires ceux mêmes qui marquent l'ordre accoutumé : la vivacité, les saillies, l'étourderie, la piquante naïveté; tous signes caractéristiques de l'âge, et qui montrent le mieux qu'un enfant n'est qu'un enfant. Est-il étonnant que celui qu'on fait beaucoup parler et à qui l'on permet de tout dire, qui n'est gêné par aucun égard, par aucune bienséance, fasse par hasard quelque heureuse rencontre ? Il le serait bien plus qu'il n'en fît jamais, comme il le serait qu'avec mille mensonges un astrologue ne prédît jamais aucune vérité. Ils mentiront tant, disait Henri IV, qu'à la fin ils diront vrai. Quiconque veut trouver quelques bons mots n'a qu'à dire beaucoup de sottises. Dieu garde de mal les gens à la mode, qui n'ont pas d'autre mérite pour être fêtés !

Les pensées les plus brillantes peuvent tomber dans le cerveau des enfants, ou plutôt les meilleurs mots dans leur bouche, comme les diamants du plus grand prix sous leurs mains, sans que pour cela ni les pensées ni les diamants leur appartiennent; il n'y a point de véritable propriété pour cet âge en aucun genre. Les choses que dit un enfant ne sont pas pour lui ce qu'elles sont pour nous; il n'y joint pas les mêmes idées. Ces idées, si tant est qu'il en ait, n'ont dans sa tête ni suite ni liaison; rien de fixe, rien d'assuré dans tout ce qu'il pense. Examinez votre prétendu prodige. En de certains moments vous lui trouverez un ressort d'une extrême activité, une clarté d'esprit à percer les nues. Le plus souvent ce même esprit vous paraît lâche, moite, et comme environné d'un épais brouillard. Tantôt il vous devance, et tantôt il reste immobile. Un instant vous diriez : c'est un génie, et l'instant d'après : c'est un sot. Vous vous tromperiez toujours; c'est un enfant. C'est un aiglon qui fend l'air un instant, et retombe l'instant d'après dans son aire.

Traitez-le donc selon son âge malgré les apparences, et craignez d'épuiser ses forces pour les avoir voulu trop exercer. Si ce jeune cerveau s'échauffe, si vous voyez qu'il commence à bouillonner, laissez-le d'abord fermenter en liberté, mais ne l'excitez jamais, de peur que tout ne s'exhale; et quand les premiers esprits se seront évaporés, retenez, comprimez les autres, jusqu'à ce qu'avec les années tout se tourne en chaleur vivifiante et en véritable force. Autrement vous perdrez votre temps et vos soins, vous détruirez votre propre ouvrage; et après vous être indiscrètement enivrés de toutes ces vapeurs inflammables, il ne vous restera qu'un marc sans vigueur.

Des enfants étourdis viennent les hommes vulgaires : je ne sache point d'observation plus générale et plus certaine que celle-là. Rien n'est plus difficile que de distinguer dans l'enfance la stupidité réelle, de cette apparente et trompeuse stupidité qui est l'annonce des âmes fortes. Il paraît d'abord étrange que les deux extrêmes aient des signes si semblables : et cela doit pourtant être; car, dans un âge où l'homme n'a encore nulles véritables idées, toute la différence qui se trouve entre celui qui a du génie et celui qui n'en a pas, est que le dernier n'admet que de fausses idées, et que le premier, n'en trouvant que de telles, n'en admet aucune : il ressemble donc au stupide en ce que l'un n'est capable de rien, et que rien ne convient à l'autre. Le seul signe qui

peut les distinguer dépend du hasard, qui peut offrir au
dernier quelque idée à sa portée, au lieu que le premier
est toujours le même partout. Le jeune Caton, durant son
enfance, semblait un imbécile dans la maison [40]. Il était
taciturne et opiniâtre, voilà tout le jugement qu'on portait
de lui. Ce ne fut que dans l'antichambre de Sylla que son
oncle apprit à le connaître. S'il ne fût point entré dans
cette antichambre, peut-être eût-il passé pour une brute
jusqu'à l'âge de raison. Si César n'eût point vécu, peut-être
eût-on toujours traité de visionnaire ce même Caton qui
pénétra son funeste génie, et prévit tous ses projets de si
loin. O que ceux qui jugent si précipitamment les enfants
sont sujets à se tromper ! Ils sont souvent plus enfants
qu'eux. J'ai vu, dans un âge assez avancé, un homme [41]
qui m'honorait de son amitié passer dans sa famille et chez
ses amis pour un esprit borné : cette excellente tête se
mûrissait en silence. Tout à coup il s'est montré philosophe,
et je ne doute pas que la postérité ne lui marque une place
honorable et distinguée parmi les meilleurs raisonneurs
et les plus profonds métaphysiciens de son siècle.

Respectez l'enfance, et ne vous pressez point de la juger,
soit en bien, soit en mal. Laissez les exceptions s'indiquer,
se prouver, se confirmer longtemps avant d'adopter pour
elles des méthodes particulières. Laissez longtemps agir
la nature, avant de vous mêler d'agir à sa place, de peur de
contrarier ses opérations. Vous connaissez, dites-vous, le
prix du temps et n'en voulez point perdre. Vous ne voyez
pas que c'est bien plus le perdre d'en mal user que de n'en
rien faire, et qu'un enfant mal instruit est plus loin de la
sagesse que celui qu'on n'a point instruit du tout. Vous
êtes alarmé de le voir consumer ses premières années à ne
rien faire. Comment ! n'est-ce rien que d'être heureux ?
n'est-ce rien que de sauter, jouer, courir toute la journée ?
De sa vie il ne sera si occupé. Platon, dans sa *République*,
qu'on croit si austère, n'élève les enfants qu'en fêtes, jeux,
chansons, passe-temps; on dirait qu'il a tout fait quand
il leur a bien appris à se réjouir; et Sénèque, parlant de
l'ancienne jeunesse romaine : Elle était, dit-il, toujours
debout, on ne lui enseignait rien qu'elle dût apprendre
assise [42]. En valait-elle moins, parvenue à l'âge viril ?
Effrayez-vous donc peu de cette oisiveté prétendue. Que
diriez-vous d'un homme qui, pour mettre toute la vie à pro-

fit, ne voudrait jamais dormir ? Vous diriez : Cet homme est insensé; il ne jouit pas du temps, il se l'ôte; pour fuir le sommeil, il court à la mort. Songez donc que c'est ici la même chose, et que l'enfance est le sommeil de la raison.

L'apparente facilité d'apprendre est cause de la perte des enfants. On ne voit pas que cette facilité même est la preuve qu'ils n'apprennent rien. Leur cerveau lisse et poli rend comme un miroir les objets qu'on lui présente; mais rien ne reste, rien ne pénètre. L'enfant retient les mots, les idées se réfléchissent; ceux qui l'écoutent les entendent, lui seul ne les entend point.

Quoique la mémoire et le raisonnement soient deux facultés essentiellement différentes, cependant l'une ne se développe véritablement qu'avec l'autre. Avant l'âge de raison l'enfant ne reçoit pas des idées, mais des images; et il y a cette différence entre les unes et les autres, que les images ne sont que des peintures absolues des objets sensibles, et que les idées sont des notions des objets, déterminées par des rapports. Une image peut être seule dans l'esprit qui se la représente; mais toute idée en suppose d'autres. Quand on imagine, on ne fait que voir; quand on conçoit, on compare. Nos sensations sont purement passives, au lieu que toutes nos perceptions ou idées naissent d'un principe actif qui juge. Cela sera démontré ci-après.

Je dis donc que les enfants, n'étant pas capables de jugement, n'ont point de véritable mémoire. Ils retiennent des sons, des figures, des sensations, rarement des idées, plus rarement leurs liaisons. En m'objectant qu'ils apprennent quelques éléments de géométrie, on croit bien prouver contre moi; et tout au contraire, c'est pour moi qu'on prouve : on montre que, loin de savoir raisonner d'eux-mêmes, ils ne savent pas même retenir les raisonnements d'autrui; car suivez ces petits géomètres dans leur méthode, vous voyez aussitôt qu'ils n'ont retenu que l'exacte impression de la figure et les termes de la démonstration. A la moindre objection nouvelle, ils n'y sont plus; renversez la figure, ils n'y sont plus. Tout leur savoir est dans la sensation, rien n'a passé jusqu'à l'entendement. Leur mémoire elle-même n'est guère plus parfaite que leurs autres facultés, puisqu'il faut presque toujours qu'ils rapprennent, étant grands, les choses dont ils ont appris les mots dans l'enfance.

Je suis cependant bien éloigné de penser que les enfants

n'aient aucune espèce de raisonnement*. Au contraire, je vois
qu'ils raisonnent très bien dans tout ce qu'ils connaissent et
qui se rapporte à leur intérêt présent et sensible. Mais c'est
sur leurs connaissances que l'on se trompe en leur prêtant
celles qu'ils n'ont pas, et les faisant raisonner sur ce qu'ils
ne sauraient comprendre. On se trompe encore en voulant
les rendre attentifs à des considérations qui ne les touchent
en aucune manière, comme celle de leur intérêt à venir, de
leur bonheur étant hommes, de l'estime qu'on aura pour
eux quand ils seront grands; discours qui, tenus à des êtres
dépourvus de toute prévoyance, ne signifient absolument
rien pour eux. Or, toutes les études forcées de ces pauvres
infortunés tendent à ces objets entièrement étrangers à leurs
esprits. Qu'on juge de l'attention qu'ils y peuvent donner.

Les pédagogues qui nous étalent en grand appareil les
instructions qu'ils donnent à leurs disciples sont payés pour
tenir un autre langage : cependant on voit, par leur propre
conduite, qu'ils pensent exactement comme moi. Car, que
leur apprennent-ils, enfin ? Des mots, encore des mots, et
toujours des mots. Parmi les diverses sciences qu'ils se
vantent de leur enseigner, ils se gardent bien de choisir celles
qui leur seraient véritablement utiles, parce que ce seraient
des sciences de choses, et qu'ils n'y réussiraient pas; mais
celles qu'on paraît savoir quand on en sait les termes, le
blason, la géographie, la chronologie, les langues, etc.;
toutes études si loin de l'homme, et surtout de l'enfant,

---

* J'ai fait cent fois réflexion, en écrivant, qu'il est impossible, dans
un long ouvrage, de donner toujours les mêmes sens aux mêmes mots.
Il n'y a point de langue assez riche pour fournir autant de termes,
de tours et de phrases que nos idées peuvent avoir de modifications. La
méthode de définir tous les termes, et de substituer sans cesse la définition à la place du défini, est belle, mais impraticable; car comment éviter le cercle ? Les définitions pourraient être bonnes si l'on n'employait
pas des mots pour les faire. Malgré cela, je suis persuadé qu'on peut
être clair, même dans la pauvreté de notre langue, non pas en donnant
toujours les mêmes acceptions aux mêmes mots, mais en faisant
en sorte, autant de fois qu'on emploie chaque mot, que l'acception
qu'on lui donne soit suffisamment déterminée par les idées qui s'y
rapportent, et que chaque période où ce mot se trouve lui serve, pour
ainsi dire, de définition. Tantôt je dis que les enfants sont incapables de
raisonnement, et tantôt je les fais raisonner avec assez de finesse. Je
ne crois pas en cela me contredire dans mes idées, mais je ne puis disconvenir que je ne me contredise souvent dans mes expressions.

que c'est une merveille si rien de tout cela lui peut être utile une seule fois en sa vie.

On sera surpris que je compte l'étude des langues au nombre des inutilités de l'éducation : mais on se souviendra que je ne parle ici que des études du premier âge ; et, quoi qu'on puisse dire, je ne crois pas que, jusqu'à l'âge de douze ou quinze ans, nul enfant, les prodiges à part, ait jamais vraiment appris deux langues.

Je conviens que si l'étude des langues n'était que celle des mots, c'est-à-dire des figures ou des sons qui les expriment, cette étude pourrait convenir aux enfants : mais les langues, en changeant les signes, modifient aussi les idées qu'ils représentent. Les têtes se forment sur les langages, les pensées prennent la teinte des idiomes. La raison seule est commune, l'esprit en chaque langue a sa forme particulière ; différence qui pourrait bien être en partie la cause ou l'effet des caractères nationaux ; et, ce qui paraît confirmer cette conjecture est que, chez toutes les nations du monde, la langue suit les vicissitudes des mœurs, et se conserve ou s'altère comme elles.

De ces formes diverses l'usage en donne une à l'enfant, et c'est la seule qu'il garde jusqu'à l'âge de raison. Pour en avoir deux, il faudrait qu'il sût comparer des idées ; et comment les comparerait-il, quand il est à peine en état de les concevoir ? Chaque chose peut avoir pour lui mille signes différents ; mais chaque idée ne peut avoir qu'une forme : il ne peut donc apprendre à parler qu'une langue. Il en apprend cependant plusieurs, me dit-on : je le nie. J'ai vu de ces petits prodiges qui croyaient parler cinq ou six langues. Je les ai entendus successivement parler allemand, en termes latins, en termes français, en termes italiens ; ils se servaient à la vérité de cinq ou six dictionnaires, mais ils ne parlaient toujours qu'allemand. En un mot, donnez aux enfants tant de synonymes qu'il vous plaira : vous changerez les mots, non la langue ; ils n'en sauront jamais qu'une.

C'est pour cacher en ceci leur inaptitude qu'on les exerce par préférence sur les langues mortes, dont il n'y a plus de juges qu'on ne puisse récuser. L'usage familier de ces langues étant perdu depuis longtemps, on se contente d'imiter ce qu'on en trouve écrit dans les livres ; et l'on appelle cela les parler. Si tel est le grec et le latin des maîtres, qu'on juge de celui des enfants ! A peine ont-ils appris par cœur leur rudiment, auquel ils n'entendent absolument rien, qu'on leur apprend d'abord à rendre un discours français en mots latins; puis, quand ils sont plus avancés, à coudre en prose des phrases de Cicéron, et en vers des centons de Virgile. Alors ils croient parler latin : qui est-ce qui viendra les contredire ?

En quelque étude que ce puisse être, sans l'idée des choses représentées, les signes représentants ne sont rien. On borne pourtant toujours l'enfant à ces signes, sans jamais pouvoir lui faire comprendre aucune des choses qu'ils représentent. En pensant lui apprendre la description de la terre, on ne lui apprend qu'à connaître des cartes; on lui apprend des noms de villes, de pays, de rivières, qu'il ne conçoit pas exister ailleurs que sur le papier où on les lui montre. Je me souviens d'avoir vu quelque part une géographie qui commençait ainsi : *Qu'est-ce que le monde ? C'est un globe de carton.* Telle est précisément la géographie des enfants. Je pose en fait qu'après deux ans de sphère et de cosmographie, il n'y a pas un seul enfant de dix ans qui, sur les règles qu'on lui a données, sût se conduire de Paris à Saint-Denis. Je pose en fait qu'il n'y en a pas un qui, sur un plan du jardin de son père, fût en état d'en suivre les détours sans s'égarer. Voilà ces docteurs qui savent à point nommé où sont Pékin, Ispahan, le Mexique, et tous les pays de la terre.

J'entends dire qu'il convient d'occuper les enfants à des études où il ne faille que des yeux : cela pourrait être s'il y avait quelque étude où il ne fallût que des yeux; mais je n'en connais point de telle.

Par une erreur encore plus ridicule, on leur fait étudier l'histoire : on s'imagine que l'histoire est à leur portée, parce qu'elle n'est qu'un recueil de faits. Mais qu'entend-on par ce mot de faits ? Croit-on que les rapports qui déterminent les faits historiques soient si faciles à saisir, que les idées s'en forment sans peine dans l'esprit des enfants ? Croit-on que la véritable connaissance des événements soit séparable de celle de leurs causes, de celle de leurs effets, et que l'historique tienne si peu au moral qu'on puisse connaître l'un sans l'autre ? Si vous ne voyez dans les actions des hommes que les mouvements extérieurs et purement physiques, qu'apprenez-vous dans l'histoire ? Absolument rien; et cette étude, dénuée de tout intérêt, ne vous donne pas plus de plaisir que d'instruction. Si vous voulez apprécier ces actions par leurs rapports moraux, essayez de faire entendre ces rapports à vos élèves, et vous verrez alors si l'histoire est de leur âge.

Lecteurs, souvenez-vous toujours que celui qui vous parle n'est ni un savant ni un philosophe, mais un homme simple, ami de la vérité, sans parti, sans système ; un solitaire qui, vivant peu avec les hommes, a moins d'occasions de s'imboire de leurs préjugés, et plus de temps pour réfléchir sur ce qui le frappe quand il commerce avec eux. Mes raisonnements sont moins fondés sur des principes que sur des faits ; et je crois ne pouvoir mieux vous mettre à portée d'en juger, que de vous rapporter souvent quelque exemple des observations qui me les suggèrent.

J'étais allé passer quelques jours à la campagne chez une bonne mère de famille qui prenait grand soin de ses enfants et de leur éducation. Un matin que j'étais présent aux leçons de l'aîné, son gouverneur, qui l'avait très bien instruit de l'histoire ancienne, reprenant celle d'Alexandre, tomba sur le trait connu du médecin Philippe, qu'on a mis en tableau, et qui sûrement en valait bien la peine [43]. Le gouverneur, homme de mérite, fit sur l'intrépidité d'Alexandre plusieurs réflexions qui ne me plurent point, mais que j'évitai de combattre, pour ne pas le décréditer dans l'esprit de son élève. A table, on ne manqua pas, selon la méthode française, de faire beaucoup babiller le petit bonhomme. La vivacité naturelle à son âge, et l'attente d'un applaudissement sûr, lui firent débiter mille sottises, tout à travers lesquelles partaient de temps en temps quelques mots heureux qui faisaient oublier le reste. Enfin vint l'histoire du médecin Philippe : il la raconta fort nettement et avec beaucoup de grâce. Après l'ordinaire tribut d'éloges qu'exigeait la mère et qu'attendait le fils, on raisonna sur ce qu'il avait dit. Le plus grand nombre blâma la témérité d'Alexandre ; quelques-uns, à l'exemple du gouverneur, admiraient sa fermeté, son courage : ce qui me fit comprendre qu'aucun de ceux qui étaient présents ne voyait en quoi consistait la véritable beauté de ce trait. Pour moi, leur dis-je, il me paraît que s'il y a le moindre courage, la moindre fermeté dans l'action d'Alexandre, elle n'est qu'une extravagance. Alors tout le monde se réunit, et convint que c'était une extravagance. J'allais répondre et m'échauffer, quand une femme qui était à côté de moi, et qui n'avait pas ouvert la bouche, se pencha vers mon oreille, et me dit tout bas : Tais-toi, Jean-Jacques, ils ne t'entendront pas. Je la regardai, je fus frappé, et je me tus.

Après le dîner, soupçonnant sur plusieurs indices que mon jeune docteur n'avait rien compris du tout à l'histoire qu'il avait si bien racontée, je le pris par la main, je fis avec lui un tour de parc, et l'ayant questionné tout à mon aise, je trouvai qu'il admirait plus que personne le courage si vanté d'Alexandre : mais savez-vous où il voyait ce courage ? uniquement dans celui d'avaler d'un seul trait un breuvage de mauvais goût, sans hésiter, sans marquer la moindre répugnance. Le pauvre enfant, à qui l'on avait fait prendre médecine il n'y avait pas quinze jours, et qui ne l'avait prise qu'avec une peine infinie, en avait encore le déboire à la bouche. La mort, l'empoisonnement, ne passaient dans son esprit que pour des sensations désagréables, et il ne concevait pas, pour lui, d'autre poison que du séné. Cependant il faut avouer que la fermeté du héros avait fait une grande impression sur son jeune cœur, et qu'à la première médecine qu'il faudrait avaler il avait bien résolu d'être un Alexandre. Sans entrer dans des éclaircissements qui passaient évidemment sa portée, je le confirmai dans ces dispositions louables, et je m'en retournai riant en moi-même de la haute sagesse des pères et des maîtres, qui pensent apprendre l'histoire aux enfants.

Il est aisé de mettre dans leurs bouches les mots de rois, d'empires, de guerres, de conquêtes, de révolutions, de lois; mais quand il sera question d'attacher à ces mots des idées nettes, il y aura loin de l'entretien du jardinier Robert à toutes ces explications.

Quelques lecteurs, mécontents du *Tais-toi, Jean-Jacques*, demanderont, je le prévois, ce que je trouve enfin de si beau dans l'action d'Alexandre. Infortunés ! s'il faut vous le dire, comment le comprendrez-vous ? C'est qu'Alexandre croyait à la vertu; c'est qu'il y croyait sur sa tête, sur sa propre vie; c'est que sa grande âme était faite pour y croire. O que cette médecine avalée était une belle profession de foi ! Non, jamais mortel n'en fit une si sublime. S'il est quelque moderne Alexandre, qu'on me le montre à de pareils traits.

S'il n'y a point de science de mots, il n'y a point d'étude propre aux enfants. S'ils n'ont pas de vraies idées, ils n'ont point de véritable mémoire; car je n'appelle pas ainsi celle qui ne retient que des sensations. Que sert d'inscrire dans leur tête un catalogue de signes qui ne représentent rien pour eux ? En apprenant les choses, n'apprendront-ils pas les signes ? Pourquoi leur donner la peine inutile de les apprendre deux fois ? Et cependant quels dangereux préjugés ne commence-t-on pas à leur inspirer, en leur faisant prendre pour de la science des mots qui n'ont aucun sens pour eux ! C'est du premier mot dont l'enfant se paye, c'est de la première chose qu'il apprend sur la parole d'autrui, sans en voir l'utilité lui-même, que son jugement est perdu : il aura longtemps à briller aux yeux des sots avant qu'il répare une telle perte *.

Non, si la nature donne au cerveau d'un enfant cette souplesse qui le rend propre à recevoir toutes sortes d'impressions, ce n'est pas pour qu'on y grave des noms de rois, des dates, des termes de blason, de sphère, de géographie, et tous ces mots sans aucun sens pour son âge et sans aucune utilité pour quelque âge que ce soit; dont on accable sa triste et stérile enfance; mais c'est pour que toutes les idées qu'il peut concevoir et qui lui sont utiles, toutes celles qui se rapportent à son bonheur et doivent l'éclairer un jour sur ses devoirs, s'y tracent de bonne heure en caractères ineffaçables, et lui servent à se conduire pendant sa vie d'une manière convenable à son être et à ses facultés.

Sans étudier dans les livres, l'espèce de mémoire que peut avoir un enfant ne reste pas pour cela oisive; tout ce qu'il voit, tout ce qu'il entend le frappe, et il s'en souvient; il tient registre en lui-même des actions, des discours des hommes; et tout ce qui l'environne est le livre dans lequel, sans y songer, il enrichit continuellement sa mémoire en

---

* La plupart des savants le sont à la manière des enfants. La vaste érudition résulte moins d'une multitude d'idées que d'une multitude d'images. Les dates, les noms propres, les lieux, tous les objets isolés ou dénués d'idées, se retiennent uniquement par la mémoire des signes, et rarement se rappelle-t-on quelqu'une de ces choses sans voir en même temps le *recto* ou le *verso* de la page où on l'a lue, ou la figure sous laquelle on la vit la première fois. Telle était à peu près la science à la mode des siècles derniers. Celle de notre siècle est autre chose : on n'étudie plus, on n'observe plus; on rêve, et l'on nous donne gravement pour de la philosophie les rêves de quelques mauvaises nuits. On me dira que je rêve aussi; j'en conviens : mais ce que les autres n'ont garde de faire, je donne mes rêves pour des rêves, laissant chercher au lecteur s'ils ont quelque chose d'utile aux gens éveillés.

attendant que son jugement puisse en profiter. C'est dans le choix de ces objets, c'est dans le soin de lui présenter sans cesse ceux qu'il peut connaître et de lui cacher ceux qu'il doit ignorer, que consiste le véritable art de cultiver en lui cette première faculté; et c'est par là qu'il faut tâcher de lui former un magasin de connaissances qui servent à son éducation durant sa jeunesse, et à sa conduite dans tous les temps. Cette méthode, il est vrai, ne forme point de petits prodiges et ne fait pas briller les gouvernantes et les précepteurs; mais elle forme des hommes judicieux, robustes, sains de corps et d'entendement, qui, sans s'être fait admirer étant jeunes, se font honorer étant grands.

Émile n'apprendra jamais rien par cœur, pas même des fables, pas même celles de la Fontaine, toutes naïves, toutes charmantes qu'elles sont; car les mots des fables ne sont pas plus les fables que les mots de l'histoire ne sont l'histoire. Comment peut-on s'aveugler assez pour appeler les fables la morale des enfants, sans songer que l'apologue, en les amusant, les abuse; que, séduits par le mensonge, ils laissent échapper la vérité, et que ce qu'on fait pour leur rendre l'instruction agréable les empêche d'en profiter ? Les fables peuvent instruire les hommes; mais il faut dire la vérité nue aux enfants : sitôt qu'on la couvre d'un voile, ils ne se donnent plus la peine de le lever.

On fait apprendre les fables de la Fontaine à tous les enfants, et il n'y en a pas un seul qui les entende. Quand ils les entendraient, ce serait encore pis; car la morale en est tellement mêlée et si disproportionnée à leur âge, qu'elle les porterait plus au vice qu'à la vertu. Ce sont encore là, direz-vous, des paradoxes. Soit; mais voyons si ce sont des vérités.

Je dis qu'un enfant n'entend point les fables qu'on lui fait apprendre, parce que quelque effort qu'on fasse pour les rendre simples, l'instruction qu'on en veut tirer force d'y faire entrer des idées qu'il ne peut saisir, et que le tour même de la poésie, en les lui rendant plus faciles à retenir, les lui rend plus difficiles à concevoir, en sorte qu'on achète l'agrément aux dépens de la clarté. Sans citer cette multitude de fables qui n'ont rien d'intelligible ni d'utile pour les enfants, et qu'on leur fait indiscrètement apprendre avec les autres, parce qu'elles s'y trouvent mêlées, bornons-nous à celles que l'auteur semble avoir faites spécialement pour eux.

Je ne connais dans tout le recueil de la Fontaine que

cinq ou six fables où brille éminemment la naïveté puérile; de ces cinq ou six je prends pour exemple la première
de toutes *, parce que c'est celle dont la morale est le
plus de tout âge, celle que les enfants saisissent le mieux,
celle qu'ils apprennent avec le plus de plaisir, enfin celle
que pour cela même l'auteur a mise par préférence à la
tête de son livre. En lui supposant réellement l'objet
d'être entendue des enfants, de leur plaire et de les instruire,
cette fable est assurément son chef-d'œuvre : qu'on me
permette donc de la suivre et de l'examiner en peu de mots.

## LE CORBEAU ET LE RENARD

### FABLE

*Maître corbeau, sur un arbre perché,*

Maître ! que signifie ce mot en lui-même ? que signifie-
t-il au-devant d'un nom propre ? quel sens a-t-il dans
cette occasion ?

Qu'est-ce qu'un corbeau ?

Qu'est-ce qu'*un arbre perché* ? L'on ne dit pas *sur un
arbre perché*, l'on dit *perché sur un arbre*. Par conséquent,
il faut parler des inversions de la poésie; il faut dire ce
que c'est que prose et que vers.

*Tenait dans son bec un fromage.*

Quel fromage ? était-ce un fromage de Suisse, de Brie,
ou de Hollande ? Si l'enfant n'a point vu de corbeaux,
que gagnez-vous à lui en parler ? s'il en a vu, comment
concevra-t-il qu'ils tiennent un fromage à leur bec ? Faisons toujours des images d'après nature.

*Maître renard, par l'odeur alléché,*

Encore un maître ! mais pour celui-ci c'est à bon titre :
il est maître passé dans les tours de son métier. Il faut
dire ce que c'est qu'un renard, et distinguer son vrai
naturel du caractère de convention qu'il a dans les fables.

*Alléché.* Ce mot n'est pas usité. Il le faut expliquer;
il faut dire qu'on ne s'en sert plus qu'en vers. L'enfant

---

* C'est la seconde, et non la première, comme l'a très bien remarqué
M. Formey.

demandera pourquoi l'on parle autrement en vers qu'en
prose. Que lui répondrez-vous ?

*Alléché par l'odeur d'un fromage !* Ce fromage, tenu par
un corbeau perché sur un arbre, devait avoir beaucoup
d'odeur pour être senti par le renard dans un taillis ou
dans son terrier ! Est-ce ainsi que vous exercez votre
élève à cet esprit de critique judicieuse qui ne s'en laisse
imposer qu'à bonnes enseignes, et sait discerner la vérité
du mensonge dans les narrations d'autrui ?

*Lui tint à peu près ce langage :*

*Ce langage !* Les renards parlent donc ? ils parlent donc
la même langue que les corbeaux ? Sage précepteur, prends
garde à toi; pèse bien ta réponse avant de la faire; elle
importe plus que tu n'as pensé.

*Eh ! bonjour, monsieur le corbeau !*

*Monsieur !* titre que l'enfant voit tourner en dérision,
même avant qu'il sache que c'est un titre d'honneur.
Ceux qui disent *monsieur du Corbeau* auront bien d'autres
affaires avant que d'avoir expliqué ce *du*.

*Que vous êtes joli ! que vous me semblez beau !*

Cheville, redondance inutile. L'enfant, voyant répéter
la même chose en d'autres termes, apprend à parler lâchement. Si vous dites que cette redondance est un art de
l'auteur, qu'elle entre dans le dessein du renard qui veut
paraître multiplier les éloges avec des paroles, cette excuse
sera bonne pour moi, mais non pas pour mon élève.

*Sans mentir, si votre ramage*

*Sans mentir !* on ment donc quelquefois ? Où en sera
l'enfant si vous lui apprenez que le renard ne dit *sans
mentir* que parce qu'il ment ?

*Répondait à votre plumage,*

*Répondait !* que signifie ce mot ? Apprenez à l'enfant
à comparer des qualités aussi différentes que la voix et
le plumage; vous verrez comme il vous entendra.

*Vous seriez le phénix des hôtes de ces bois.*

*Le phénix !* Qu'est-ce qu'un phénix ? Nous voici tout

ILLUSTRATION DE OUDRY pour *le Corbeau et le Renard* de La Fontaine

à coup jetés dans la menteuse antiquité, presque dans la mythologie.

*Les hôtes de ces bois !* Quel discours figuré ! Le flatteur ennoblit son langage et lui donne plus de dignité pour le rendre plus séduisant. Un enfant entendra-t-il cette finesse ? sait-il seulement, peut-il savoir ce que c'est qu'un style noble et un style bas ?

> *A ces mots, le corbeau ne se sent pas de joie,*

Il faut avoir éprouvé déjà des passions bien vives pour sentir cette expression proverbiale.

> *Et, pour montrer sa belle voix,*

N'oubliez pas que, pour entendre ce vers et toute la fable, l'enfant doit savoir ce que c'est que la belle voix du corbeau.

> *Il ouvre un large bec, laisse tomber sa proie.*

Ce vers est admirable, l'harmonie seule en fait image. Je vois un grand vilain bec ouvert; j'entends tomber le fromage à travers les branches : mais ces sortes de beautés sont perdues pour les enfants.

> *Le renard s'en saisit, et dit : Mon bon monsieur,*

Voilà donc la bonté transformée en bêtise. Assurément on ne perd pas de temps pour instruire les enfants.

> *Apprenez que tout flatteur*

Maxime générale; nous n'y sommes plus.

> *Vit aux dépens de celui qui l'écoute.*

Jamais enfant de dix ans n'entendit ce vers-là.

> *Cette leçon vaut bien un fromage, sans doute.*

Ceci s'entend, et la pensée est très bonne. Cependant il y aura encore bien peu d'enfants qui sachent comparer une leçon à un fromage, et qui ne préférassent le fromage à la leçon. Il faut donc leur faire entendre que ce propos n'est qu'une raillerie. Que de finesse pour des enfants !

> *Le corbeau, honteux et confus,*

Autre pléonasme; mais celui-ci est inexcusable.

*Jura, mais un peu tard, qu'on ne l'y prendrait plus.*

*Jura !* Quel est le sot de maître qui ose expliquer à l'enfant ce que c'est qu'un serment ?

Voilà bien des détails, bien moins cependant qu'il n'en faudrait pour analyser toutes les idées de cette fable, et les réduire aux idées simples et élémentaires dont chacune d'elles est composée. Mais qui est-ce qui croit avoir besoin de cette analyse pour se faire entendre à la jeunesse ? Nul de nous n'est assez philosophe pour savoir se mettre à la place d'un enfant. Passons maintenant à la morale.

Je demande si c'est à des enfants de dix ans qu'il faut apprendre qu'il y a des hommes qui flattent et mentent pour leur profit ? On pourrait tout au plus leur apprendre qu'il y a des railleurs qui persiflent les petits garçons, et se moquent en secret de leur sotte vanité; mais le fromage gâte tout; on leur apprend moins à ne pas le laisser tomber de leur bec qu'à le faire tomber du bec d'un autre. C'est ici mon second paradoxe, et ce n'est pas le moins important.

Suivez les enfants apprenant leurs fables, et vous verrez que, quand ils sont en état d'en faire l'application, ils en font presque toujours une contraire à l'intention de l'auteur, et qu'au lieu de s'observer sur le défaut dont on les veut guérir ou préserver, ils penchent à aimer le vice avec lequel on tire parti des défauts des autres. Dans la fable précédente, les enfants se moquent du corbeau, mais ils s'affectionnent tous au renard; dans la fable qui suit, vous croyez leur donner la cigale pour exemple; et point du tout, c'est la fourmi qu'ils choisiront. On n'aime point à s'humilier : ils prendront toujours le beau rôle; c'est le choix de l'amour-propre, c'est un choix très naturel. Or, quelle horrible leçon pour l'enfance ! Le plus odieux de tous les monstres serait un enfant avare et dur, qui saurait ce qu'on lui demande et ce qu'il refuse. La fourmi fait plus encore, elle lui apprend à railler dans ses refus.

Dans toutes les fables où le lion est un des personnages, comme c'est d'ordinaire le plus brillant, l'enfant ne manque point de se faire lion; et quand il préside à quelque partage, bien instruit par son modèle, il a grand soin de s'emparer de tout. Mais, quand le moucheron terrasse le lion, c'est une autre affaire; alors l'enfant n'est plus

lion, il est moucheron. Il apprend à tuer un jour à coups
d'aiguillon ceux qu'il n'oserait attaquer de pied ferme.

Dans la fable du loup maigre et du chien gras, au lieu
d'une leçon de modération qu'on prétend lui donner,
il en prend une de licence. Je n'oublierai jamais d'avoir
vu beaucoup pleurer une petite fille qu'on avait désolée
avec cette fable, tout en lui prêchant toujours la docilité.
On eut peine à savoir la cause de ses pleurs; on la sut
enfin. La pauvre enfant s'ennuyait d'être à la chaîne, elle
se sentait le cou pelé; elle pleurait de n'être pas loup.

Ainsi donc la morale de la première fable citée est pour
l'enfant une leçon de la plus basse flatterie; celle de la
seconde, une leçon d'inhumanité; celle de la troisième,
une leçon d'injustice; celle de la quatrième, une leçon
de satire; celle de la cinquième, une leçon d'indépendance.
Cette dernière leçon, pour être superflue à mon élève,
n'en est pas plus convenable aux vôtres. Quand vous leur
donnez des préceptes qui se contredisent, quel fruit espé-
rez-vous de vos soins ? Mais peut-être, à cela près, toute
cette morale qui me sert d'objection contre les fables
fournit-elle autant de raisons de les conserver. Il faut
une morale en paroles et une en actions dans la société,
et ces deux morales ne se ressemblent point. La première
est dans le catéchisme, où on la laisse; l'autre est dans
les fables de la Fontaine pour les enfants, et dans ses
contes pour les mères. Le même auteur suffit à tout.

Composons, monsieur de la Fontaine. Je promets,
quant à moi, de vous lire avec choix, de vous aimer, de
m'instruire dans vos fables; car j'espère ne pas me tromper
sur leur objet; mais, pour mon élève, permettez que je
ne lui en laisse pas étudier une seule jusqu'à ce que vous
m'ayez prouvé qu'il est bon pour lui d'apprendre des
choses dont il ne comprendra pas le quart; que, dans
celles qu'il pourra comprendre, il ne prendra jamais le
change, et qu'au lieu de se corriger sur la dupe, il ne se
formera pas sur le fripon.

En ôtant ainsi tous les devoirs des enfants, j'ôte les
instruments de leur plus grande misère, savoir les livres.
La lecture est le fléau de l'enfance, et presque la seule
occupation qu'on lui sait donner. A peine à douze ans
Émile saura-t-il ce que c'est qu'un livre. Mais il faut bien
au moins, dira-t-on, qu'il sache lire. J'en conviens : il

faut qu'il sache lire quand la lecture lui est utile; jusqu'alors elle n'est bonne qu'à l'ennuyer.

Si l'on ne doit rien exiger des enfants par obéissance, il s'ensuit qu'ils ne peuvent rien apprendre dont ils ne sentent l'avantage actuel et présent, soit d'agrément, soit d'utilité; autrement quel motif les porterait à l'apprendre ? L'art de parler aux absents et de les entendre, l'art de leur communiquer au loin sans médiateur nos sentiments, nos volontés, nos désirs, est un art dont l'utilité peut être rendue sensible à tous les âges. Par quel prodige cet art si utile et si agréable est-il devenu un tourment pour l'enfance ? Parce qu'on la contraint de s'y appliquer malgré elle, et qu'on le met à des usages auxquels elle ne comprend rien. Un enfant n'est pas fort curieux de perfectionner l'instrument avec lequel on le tourmente; mais faites que cet instrument serve à ses plaisirs, et bientôt il s'y appliquera malgré vous.

On se fait une grande affaire de chercher les meilleures méthodes d'apprendre à lire; on invente des bureaux, des cartes; on fait de la chambre d'un enfant un atelier d'imprimerie. Locke veut qu'il apprenne à lire avec des dés. Ne voilà-t-il pas une invention bien trouvée ? Quelle pitié ! Un moyen plus sûr que tout cela, et celui qu'on oublie toujours, est le désir d'apprendre. Donnez à l'enfant ce désir, puis laissez là vos bureaux et vos dés, toute méthode lui sera bonne.

L'intérêt présent, voilà le grand mobile, le seul qui mène sûrement et loin. Émile reçoit quelquefois de son père, de sa mère, de ses parents, de ses amis, des billets d'invitation pour un dîner, pour une promenade, pour une partie sur l'eau, pour voir quelque fête publique. Ces billets sont courts, clairs, nets, bien écrits. Il faut trouver quelqu'un qui les lui lise; ce quelqu'un ou ne se trouve pas toujours à point nommé, ou rend à l'enfant le peu de complaisance que l'enfant eut pour lui la veille. Ainsi l'occasion, le moment se passe. On lui lit enfin le billet, mais il n'est plus temps. Ah ! si l'on eût su lire soi-même ! On en reçoit d'autres : ils sont si courts ! le sujet en est si intéressant ! on voudrait essayer de les déchiffrer; on trouve tantôt de l'aide et tantôt des refus. On s'évertue, on déchiffre enfin la moitié d'un billet : il s'agit d'aller demain manger de la crème... on ne sait où ni avec qui...

Combien on fait d'efforts pour lire le reste ! Je ne crois pas qu'Émile ait besoin du bureau. Parlerai-je à présent de l'écriture ? Non, j'ai honte de m'amuser à ces niaiseries dans un traité de l'éducation.

J'ajouterai ce seul mot qui fait une importante maxime : c'est que, d'ordinaire, on obtient très sûrement et très vite ce qu'on n'est pas pressé d'obtenir. Je suis presque sûr qu'Émile saura parfaitement lire et écrire avant l'âge de dix ans, précisément parce qu'il m'importe fort peu qu'il le sache avant quinze; mais j'aimerais mieux qu'il ne sût jamais lire que d'acheter cette science au prix de tout ce qui peut la rendre utile : de quoi lui servira la lecture quand on l'en aura rebuté pour jamais ? *Id imprimis cavere oportebit, ne studia, qui amare nondum potest, oderit, et amaritudinem semel perceptam etiam ultra rudes annos reformidet* [44].

Plus j'insiste sur ma méthode inactive, plus je sens les objections se renforcer. Si votre élève n'apprend rien de vous, il apprendra des autres. Si vous ne prévenez l'erreur par la vérité, il apprendra des mensonges; les préjugés que vous craignez de lui donner, il les recevra de tout ce qui l'environne, ils entreront par tous ses sens; ou ils corrompront sa raison, même avant qu'elle soit formée, ou son esprit, engourdi par une longue inaction, s'absorbera dans la matière. L'inhabitude de penser dans l'enfance en ôte la faculté durant le reste de la vie.

Il me semble que je pourrais aisément répondre à cela; mais pourquoi toujours des réponses ? Si ma méthode répond d'elle-même aux objections, elle est bonne; si elle n'y répond pas, elle ne vaut rien. Je poursuis.

Si, sur le plan que j'ai commencé de tracer, vous suivez des règles directement contraires à celles qui sont établies; si, au lieu de porter au loin l'esprit de votre élève; si, au lieu de l'égarer sans cesse en d'autres lieux, en d'autres climats, en d'autres siècles, aux extrémités de la terre, et jusque dans les cieux, vous vous appliquez à le tenir toujours en lui-même et attentif à ce qui le touche immédiatement, alors vous le trouverez capable de perception, de mémoire, et même de raisonnement; c'est l'ordre de la nature. A mesure que l'être sensitif devient actif, il acquiert un discernement proportionnel à ses forces; et ce n'est qu'avec la force surabondante à celle dont il a besoin pour se conserver, que se développe en lui la faculté spéculative propre à employer cet excès de force à d'autres usages. Voulez-vous donc cultiver l'intelligence de votre élève; cultivez les forces qu'elle doit gouverner. Exercez continuellement son corps; rendez-le robuste et sain, pour le rendre sage et raisonnable; qu'il travaille, qu'il agisse, qu'il coure, qu'il crie, qu'il soit toujours en mouvement; qu'il soit homme par la vigueur, et bientôt il le sera par la raison.

Vous l'abrutiriez, il est vrai, par cette méthode, si vous alliez toujours le dirigeant, toujours lui disant : Va, viens, reste, fais ceci, ne fais pas cela. Si votre tête conduit toujours ses bras, la sienne lui devient inutile. Mais souvenez-vous de nos conventions : si vous n'êtes qu'un pédant, ce n'est pas la peine de me lire.

C'est une erreur bien pitoyable d'imaginer que l'exercice du corps nuise aux opérations de l'esprit; comme si ces deux actions ne devaient pas marcher de concert, et que l'une ne dût pas toujours diriger l'autre !

Il y a deux sortes d'hommes dont les corps sont dans un exercice continuel, et qui sûrement songent aussi peu les uns que les autres à cultiver leur âme, savoir, les paysans et les sauvages. Les premiers sont rustres, grossiers, maladroits; les autres, connus par leur grand sens, le sont encore par la subtilité de leur esprit; généralement il n'y a rien de plus lourd qu'un paysan, ni rien de plus fin qu'un sauvage. D'où vient cette différence ? C'est que le premier, faisant toujours ce qu'on lui commande, ou ce qu'il a vu faire à son père, ou ce qu'il a fait lui-même dès sa jeunesse, ne va jamais que par routine; et, dans sa vie presque automate, occupé sans cesse des mêmes travaux, l'habitude et l'obéissance lui tiennent lieu de raison.

Pour le sauvage, c'est autre chose : n'étant attaché à aucun lieu, n'ayant point de tâche prescrite, n'obéissant à personne, sans autre loi que sa volonté, il est forcé de raisonner à chaque action de sa vie; il ne fait pas un mouvement, pas un pas, sans en avoir d'avance envisagé les suites. Ainsi, plus son corps s'exerce, plus son esprit s'éclaire; sa force et sa raison croissent à la fois et s'étendent l'une par l'autre.

Savant précepteur, voyons lequel de nos élèves ressemble au sauvage, et lequel ressemble au paysan. Soumis en tout à une autorité toujours enseignante, le vôtre ne fait rien que sur parole; il n'ose manger quand il a faim, ni rire quand il est gai, ni pleurer quand il est triste, ni présenter une main pour l'autre, ni remuer le pied que comme on le lui prescrit; bientôt il n'osera respirer que sur vos règles. A quoi voulez-vous qu'il pense, quand vous pensez à tout pour lui ? Assuré de votre prévoyance, qu'a-t-il besoin d'en avoir ? Voyant que vous vous chargez de sa conservation, de son bien-être, il se sent délivré de ce soin; son jugement se repose sur le vôtre; tout ce que vous ne lui défendez pas, il le fait sans réflexion, sachant bien qu'il le fait sans risque. Qu'a-t-il besoin d'apprendre à prévoir la pluie ? il sait que vous regardez au ciel pour lui. Qu'a-t-il besoin de régler sa promenade ? il ne craint pas que vous lui laissiez passer l'heure du dîner. Tant que vous ne lui défendez pas de manger, il mange; quand vous le lui défendez, il ne mange plus; il n'écoute plus les avis de son estomac, mais les vôtres. Vous avez beau ramollir son corps dans l'inaction, vous n'en rendez pas son entendement plus flexible. Tout au contraire, vous achevez de décréditer la raison dans son esprit, en lui faisant user le peu qu'il en a sur les choses qui lui paraissent le plus inutiles. Ne voyant jamais à quoi elle est bonne, il juge enfin qu'elle n'est bonne à rien. Le pis qui pourra lui arriver de mal raisonner sera d'être repris, et il l'est si souvent qu'il n'y songe guère; un danger si commun ne l'effraye plus.

Vous lui trouvez pourtant de l'esprit; et il en a pour babiller avec les femmes, sur le ton dont j'ai déjà parlé; mais qu'il soit dans le cas d'avoir à payer de sa personne, à prendre un parti dans quelque occasion difficile, vous le verrez cent fois plus stupide et plus bête que le fils du plus gros manant.

Pour mon élève, ou plutôt celui de la nature, exercé de bonne heure à se suffire à lui-même autant qu'il est possible, il ne s'accoutume point à recourir sans cesse aux autres, encore moins à leur étaler son grand savoir. En revanche, il juge, il prévoit, il raisonne en tout ce qui se rapporte immédiatement à lui. Il ne jase pas, il agit; il ne sait pas un mot de ce qui se fait dans le monde, mais il sait fort bien faire ce qui lui convient. Comme il est sans cesse en mouvement, il est forcé d'observer beau-

coup de choses, de connaître beaucoup d'effets; il acquiert
de bonne heure une grande expérience : il prend ses leçons
de la nature et non pas des hommes; il s'instruit d'autant
mieux qu'il ne voit nulle part l'intention de l'instruire.
Ainsi son corps et son esprit s'exercent à la fois. Agissant
toujours d'après sa pensée, et non d'après celle d'un
autre, il unit continuellement deux opérations; plus il se
rend fort et robuste, plus il devient sensé et judicieux.
C'est le moyen d'avoir un jour ce qu'on croit incompatible, et ce que presque tous les grands hommes ont réuni,
la force du corps et celle de l'âme, la raison d'un sage et
la vigueur d'un athlète.

Jeune instituteur, je vous prêche un art difficile, c'est
de gouverner sans préceptes, et de tout faire en ne faisant
rien. Cet art, j'en conviens, n'est pas de votre âge; il n'est
pas propre à faire briller d'abord vos talents, ni à vous
faire valoir auprès des pères : mais c'est le seul propre à
réussir. Vous ne parviendrez jamais à faire des sages si
vous ne faites d'abord des polissons; c'était l'éducation
des Spartiates : au lieu de les coller sur des livres, on commençait par leur apprendre à voler leur dîner. Les Spartiates étaient-ils pour cela grossiers étant grands ? Qui ne
connaît la force et le sel de leurs reparties ? Toujours faits
pour vaincre, ils écrasaient leurs ennemis en toute espèce
de guerre, et les babillards Athéniens craignaient autant
leurs mots que leurs coups.

Dans les éducations les plus soignées, le maître commande
et croit gouverner : c'est en effet l'enfant qui gouverne.
Il se sert de ce que vous exigez de lui pour obtenir de vous
ce qu'il lui plaît; et il sait toujours vous faire payer une
heure d'assiduité par huit jours de complaisance. A chaque
instant il faut pactiser avec lui. Ces traités, que vous proposez à votre mode, et qu'il exécute à la sienne, tournent
toujours au profit de ses fantaisies, surtout quand on a
la maladresse de mettre en condition pour son profit ce
qu'il est bien sûr d'obtenir, soit qu'il remplisse ou non
la condition qu'on lui impose en échange. L'enfant, pour
l'ordinaire, lit beaucoup mieux dans l'esprit du maître
que le maître dans le cœur de l'enfant. Et cela doit être :
car toute la sagacité qu'eût employée l'enfant livré à lui-
même à pourvoir à la conservation de sa personne, il
l'emploie à sauver sa liberté naturelle des chaînes de son

tyran; au lieu que celui-ci, n'ayant nul intérêt si pressant
à pénétrer l'autre, trouve quelquefois mieux son compte
à lui laisser sa paresse ou sa vanité.

Prenez une route opposée avec votre élève; qu'il croie
toujours être le maître, et que ce soit toujours vous qui
le soyez. Il n'y a point d'assujettissement si parfait que
celui qui garde l'apparence de la liberté; on captive ainsi
la volonté même. Le pauvre enfant qui ne sait rien, qui
ne peut rien, qui ne connaît rien, n'est-il pas à votre merci ?
Ne disposez-vous pas, par rapport à lui, de tout ce qui
l'environne ? N'êtes-vous pas le maître de l'affecter comme
il vous plaît ? Ses travaux, ses jeux, ses plaisirs, ses peines,
tout n'est-il pas dans vos mains sans qu'il le sache ? Sans
doute il ne doit faire que ce qu'il veut; mais il ne doit
vouloir que ce que vous voulez qu'il fasse; il ne doit
pas faire un pas que vous ne l'ayez prévu; il ne doit pas
ouvrir la bouche que vous ne sachiez ce qu'il va dire.

C'est alors qu'il pourra se livrer aux exercices du corps
que lui demande son âge, sans abrutir son esprit; c'est
alors qu'au lieu d'aiguiser sa ruse à éluder un incommode
empire, vous le verrez s'occuper uniquement à tirer de
tout ce qui l'environne le parti le plus avantageux pour
son bien-être actuel; c'est alors que vous serez étonné
de la subtilité de ses inventions pour s'approprier tous
les objets auxquels il peut atteindre, et pour jouir vraiment
des choses sans le secours de l'opinion.

En le laissant ainsi maître de ses volontés, vous ne fomen-
terez point ses caprices. En ne faisant jamais que ce qui lui
convient, il ne fera bientôt que ce qu'il doit faire; et, bien
que son corps soit dans un mouvement continuel, tant qu'il
s'agira de son intérêt présent et sensible, vous verrez toute
la raison dont il est capable se développer beaucoup mieux
et d'une manière beaucoup plus appropriée à lui, que dans
des études de pure spéculation.

Ainsi, ne vous voyant point attentif à le contrarier, ne se
défiant point de vous, n'ayant rien à vous cacher, il ne vous
trompera point, il ne vous mentira point; il se montrera tel
qu'il est sans crainte; vous pourrez l'étudier tout à votre
aise, et disposer tout autour de lui les leçons que vous voulez lui donner, sans qu'il pense jamais en recevoir aucune.

Il n'épiera point non plus vos mœurs avec une curieuse
jalousie, et ne se fera point un plaisir secret de vous prendre

en faute. Cet inconvénient que nous prévenons est très grand. Un des premiers soins des enfants est, comme je l'ai dit, de découvrir le faible de ceux qui les gouvernent. Ce penchant porte à la méchanceté, mais il n'en vient pas : il vient du besoin d'éluder une autorité qui les importune. Surchargés du joug qu'on leur impose, ils cherchent à le secouer; et les défauts qu'ils trouvent dans les maîtres leur fournissent de bons moyens pour cela. Cependant l'habitude se prend d'observer les gens par leurs défauts, et de se plaire à leur en trouver. Il est clair que voilà encore une source de vices bouchée dans le cœur d'Émile; n'ayant nul intérêt à me trouver des défauts, il ne m'en cherchera pas, et sera peu tenté d'en chercher à d'autres.

Toutes ces pratiques semblent difficiles, parce qu'on ne s'en avise pas; mais dans le fond elles ne doivent point l'être. On est en droit de vous supposer les lumières nécessaires pour exercer le métier que vous avez choisi; on doit présumer que vous connaissez la marche naturelle du cœur humain, que vous savez étudier l'homme et l'individu; que vous savez d'avance à quoi se pliera la volonté de votre élève à l'occasion de tous les objets intéressants pour son âge que vous ferez passer sous ses yeux. Or, avoir les instruments, et bien savoir leur usage, n'est-ce pas être maître de l'opération ?

Vous objecterez les caprices de l'enfant; et vous avez tort. Le caprice des enfants n'est jamais l'ouvrage de la nature, mais d'une mauvaise discipline : c'est qu'ils ont obéi ou commandé; et j'ai dit cent fois qu'il ne fallait ni l'un ni l'autre. Votre élève n'aura donc de caprices que ceux que vous lui aurez donnés : il est juste que vous portiez la peine de vos fautes. Mais, direz-vous, comment y remédier ? Cela se peut encore, avec une meilleure conduite et beaucoup de patience.

Je m'étais chargé, durant quelques semaines, d'un enfant accoutumé non seulement à faire ses volontés, mais encore à les faire faire à tout le monde, par conséquent plein de fantaisie [45]. Dès le premier jour, pour mettre à l'essai ma complaisance, il voulut se lever à minuit. Au plus fort de mon sommeil, il saute à bas de son lit, prend sa robe de chambre et m'appelle. Je me lève, j'allume la chandelle; il n'en voulait pas davantage; au bout d'un quart d'heure le sommeil le gagne, et il se recouche, content de son épreuve. Deux jours après, il la réitère avec le même succès, et de ma part sans le moindre signe d'impatience. Comme il m'embrassait en se recouchant, je lui dis très posément : Mon petit ami, cela va fort bien, mais n'y revenez plus. Ce mot excita sa curiosité, et dès le lendemain, voulant voir un peu comment j'oserais lui désobéir, il ne manqua pas de se relever à la même heure, et de m'appeler. Je lui demandai ce qu'il voulait. Il me dit qu'il ne pouvait dormir. *Tant pis*, repris-je, et je me tins coi. Il me pria d'allumer la chandelle. *Pourquoi faire ?* et je me tins coi. Ce ton laconique commençait à l'embarrasser. Il s'en fut à tâtons chercher le fusil qu'il fit semblant de battre, et je ne pouvais m'empêcher de rire en l'entendant se donner des coups sur les doigts. Enfin, bien convaincu qu'il n'en viendrait pas à bout, il m'apporta le briquet à mon lit ; je lui dis que je n'en avais que faire, et me tournai de l'autre côté. Alors il se mit à courir étourdiment par la chambre, criant, chantant, faisant beaucoup de bruit, se donnant, à la table et aux chaises, des coups qu'il avait grand soin de modérer, et dont il ne laissait pas de crier bien fort, espérant me causer de l'inquiétude. Tout cela ne prenait point ; et je vis que, comptant sur de belles exhortations ou sur de la colère, il ne s'était nullement arrangé pour ce sang-froid.

Cependant, résolu de vaincre ma patience à force d'opiniâtreté, il continua son tintamarre avec un tel succès, qu'à la fin je m'échauffai ; et, pressentant que j'allais tout gâter par un emportement hors de propos, je pris mon parti d'une autre manière. Je me levai sans rien dire, j'allai au fusil que je ne trouvai point ; je le lui demande, il me le donne, pétillant de joie d'avoir enfin triomphé de moi. Je bats le fusil, j'allume la chandelle, je prends par la main mon petit bonhomme, je le mène tranquillement dans un cabinet voisin dont les volets étaient bien fermés, et où il n'y avait rien à casser : je l'y laisse sans lumière ; puis, fermant sur lui la porte à la clef, je retourne me coucher sans lui avoir dit un seul mot. Il ne faut pas demander si d'abord il y eut du vacarme, je m'y étais attendu : je ne m'en émus point. Enfin le bruit s'apaise ; j'écoute, je l'entends s'arranger, je me tranquillise. Le lendemain, j'entre au jour dans le cabinet ; je trouve mon petit mutin couché sur un lit de repos, et dormant d'un profond sommeil, dont, après tant de fatigue, il devait avoir grand besoin.

L'affaire ne finit pas là. La mère apprit que l'enfant avait

passé les deux tiers de la nuit hors de son lit. Aussitôt tout
fut perdu, c'était un enfant autant que mort. Voyant l'occasion bonne pour se venger, il fit le malade, sans prévoir qu'il
n'y gagnerait rien. Le médecin fut appelé. Malheureusement
pour la mère, ce médecin était un plaisant, qui, pour s'amuser de ses frayeurs, s'appliquait à les augmenter. Cependant
il me dit à l'oreille : Laissez-moi faire, je vous promets que
l'enfant sera guéri pour quelque temps de la fantaisie d'être
malade. En effet, la diète et la chambre furent prescrites, et il
fut recommandé à l'apothicaire. Je soupirais de voir cette
pauvre mère ainsi la dupe de tout ce qui l'environnait,
excepté moi seul, qu'elle prit en haine, précisément parce
que je ne la trompais pas.

Après des reproches assez durs, elle me dit que son fils
était délicat, qu'il était l'unique héritier de sa famille, qu'il
fallait le conserver à quelque prix que ce fût, et qu'elle ne
voulait pas qu'il fût contrarié. En cela j'étais bien d'accord
avec elle; mais elle entendait par le contrarier ne lui pas
obéir en tout. Je vis qu'il fallait prendre avec la mère le
même ton qu'avec l'enfant. Madame, lui dis-je assez froidement, je ne sais point comment on élève un héritier, et, qui
plus est, je ne veux pas l'apprendre; vous pouvez vous
arranger là-dessus. On avait besoin de moi pour quelque
temps encore : le père apaisa tout; la mère écrivit au précepteur de hâter son retour; et l'enfant, voyant qu'il ne
gagnait rien à troubler mon sommeil ni à être malade, prit
enfin le parti de dormir lui-même et de se bien porter.

On ne saurait imaginer à combien de pareils caprices le
petit tyran avait asservi son malheureux gouverneur; car
l'éducation se faisait sous les yeux de la mère, qui ne souffrait
pas que l'héritier fût désobéi en rien. A quelque heure qu'il
voulût sortir, il fallait être prêt pour le mener, ou plutôt
pour le suivre, et il avait toujours grand soin de choisir le
moment où il voyait son gouverneur le plus occupé. Il voulut user sur moi du même empire, et se venger le jour du
repos qu'il était forcé de me laisser la nuit. Je me prêtai
de bon cœur à tout, et je commençai par bien constater à ses
propres yeux le plaisir que j'avais à lui complaire; après
cela, quand il fut question de le guérir de sa fantaisie, je m'y
pris autrement.

Il fallut d'abord le mettre dans son tort, et cela ne fut pas
difficile. Sachant que les enfants ne songent jamais qu'au

présent, je pris sur lui le facile avantage de la prévoyance ; j'eus soin de lui procurer au logis un amusement que je savais être extrêmement de son goût ; et, dans le moment où je l'en vis le plus engoué, j'allai lui proposer un tour de promenade ; il me renvoya bien loin ; j'insistai, il ne m'écouta pas ; il fallut me rendre, et il nota précieusement en lui-même ce signe d'assujettissement.

Le lendemain ce fut mon tour. Il s'ennuya, j'y avais pourvu ; moi, au contraire, je paraissais profondément occupé. Il n'en fallait pas tant pour le déterminer. Il ne manqua pas de venir m'arracher à mon travail pour le mener promener au plus vite. Je refusai ; il s'obstina. Non, lui dis-je ; en faisant votre volonté vous m'avez appris à faire la mienne : je ne veux pas sortir. Eh bien, reprit-il vivement, je sortirai tout seul. Comme vous voudrez. Et je reprends mon travail.

Il s'habille, un peu inquiet de voir que je le laissais faire et que je ne l'imitais pas. Prêt à sortir, il vient me saluer ; je le salue ; il tâche de m'alarmer par le récit des courses qu'il va faire ; à l'entendre, on eût cru qu'il allait au bout du monde. Sans m'émouvoir, je lui souhaite un bon voyage. Son embarras redouble. Cependant il fait bonne contenance, et, prêt à sortir, il dit à son laquais de le suivre. Le laquais, déjà prévenu, répond qu'il n'a pas le temps, et qu'occupé par mes ordres, il doit m'obéir plutôt qu'à lui. Pour le coup l'enfant n'y est plus. Comment concevoir qu'on le laisse sortir seul, lui qui se croit l'être important à tous les autres, et pense que le ciel et la terre sont intéressés à sa conservation ? Cependant il commence à sentir sa faiblesse ; il comprend qu'il se va trouver seul au milieu de gens qui ne le connaissent pas ; il voit d'avance les risques qu'il va courir ; l'obstination seule le soutient encore ; il descend l'escalier lentement et fort interdit. Il entre enfin dans la rue, se consolant un peu du mal qui lui peut arriver par l'espoir qu'on m'en rendra responsable.

C'était là que je l'attendais. Tout était préparé d'avance ; et comme il s'agissait d'une espèce de scène publique, je m'étais muni du consentement du père. A peine avait-il fait quelques pas, qu'il entend à droite et à gauche différents propos sur son compte. Voisin, le joli monsieur ! où va-t-il ainsi tout seul ? il va se perdre ; je veux le prier d'entrer chez nous. Voisine, gardez-vous-en bien. Ne voyez vous pas que c'est un petit libertin qu'on a chassé de la maison de son père parce qu'il ne voulait rien valoir ? Il ne faut pas retirer les libertins; laissez-le aller où il voudra. Eh bien donc ! que Dieu le conduise ! je serais fâchée qu'il lui arrivât malheur. Un peu plus loin, il recontre des polissons à peu près de son âge, qui l'agacent et se moquent de lui. Plus il avance, plus il trouve d'embarras. Seul et sans protection, il se voit le jouet de tout le monde, et il éprouve avec beaucoup de surprise que son nœud d'épaule et son parement d'or ne le font pas plus respecter.

Cependant un de mes amis, qu'il ne connaissait point, et que j'avais chargé de veiller sur lui, le suivait pas à pas sans qu'il y prît garde, et l'accosta quand il en fut temps. Ce rôle, qui ressemblait à celui de Sbrigani dans *Pourceaugnac* [46], demandait un homme d'esprit, et fut parfaitement rempli. Sans rendre l'enfant timide et craintif en le frappant d'un trop grand effroi, il lui fit si bien sentir l'imprudence de son équipée, qu'au bout d'une demi-heure il me le ramena souple, confus, et n'osant lever les yeux.

Pour achever le désastre de son expédition, précisément au moment qu'il rentrait, son père descendait pour sortir, et le rencontra sur l'escalier. Il fallut dire d'où il venait et pourquoi je n'étais pas avec lui *. Le pauvre enfant eût voulu être cent pieds sous terre. Sans s'amuser à lui faire une longue réprimande, le père lui dit plus sèchement que je ne m'y serais attendu : Quand vous voudrez sortir seul, vous en êtes le maître; mais, comme je ne veux point d'un bandit dans ma maison, quand cela vous arrivera, ayez soin de n'y plus rentrer.

Pour moi, je le reçus sans reproche et sans raillerie, mais avec un peu de gravité; et de peur qu'il ne soupçonnât que tout ce qui s'était passé n'était qu'un jeu, je ne voulus point le mener promener le même jour. Le lendemain je vis avec grand plaisir qu'il passait avec moi d'un air de triomphe devant les mêmes gens qui s'étaient moqués de lui la veille pour l'avoir rencontré tout seul. On conçoit bien qu'il ne me menaça plus de sortir sans moi.

C'est par ces moyens et d'autres semblables que, durant le

---

* En cas pareil, on peut sans risque exiger d'un enfant la vérité, car il sait bien alors qu'il ne saurait la déguiser, et que, s'il osait dire un mensonge, il en serait à l'instant convaincu.

peu de temps que je fus avec lui, je vins à bout de lui faire
faire tout ce que je voulais sans lui rien prescrire, sans lui
rien défendre, sans sermons, sans exhortations, sans l'ennuyer de leçons inutiles. Aussi, tant que je parlais, il était
content; mais mon silence le tenait en crainte; il compre-
nait que quelque chose n'allait pas bien, et toujours la leçon
lui venait de la chose même. Mais revenons.

Non seulement ces exercices continuels, ainsi laissés à la
seule direction de la nature, en fortifiant le corps, n'abrutis-
sent point l'esprit; mais au contraire ils forment en nous la
seule espèce de raison dont le premier âge soit susceptible, et
la plus nécessaire à quelque âge que ce soit. Ils nous apprennent à bien connaître l'usage de nos forces, les rapports de
nos corps aux corps environnants, l'usage des instruments
naturels qui sont à notre portée et qui conviennent à nos
organes. Y a-t-il quelque stupidité pareille à celle d'un enfant
élevé toujours dans la chambre et sous les yeux de sa mère,
lequel, ignorant ce que c'est que poids et que résistance,
veut arracher un grand arbre, ou soulever un rocher ? La
première fois que je sortis de Genève, je voulais suivre un
cheval au galop, je jetais des pierres contre la montagne de
Salève qui était à deux lieues de moi; jouet de tous les
enfants du village, j'étais un véritable idiot pour eux. A dix-
huit ans on apprend en philosophie ce que c'est qu'un levier :
il n'y a point de petit paysan à douze qui ne sache se servir
d'un levier mieux que le premier mécanicien de l'Académie.
Les leçons que les écoliers prennent entre eux dans la cour
du collège leur sont cent fois plus utiles que tout ce qu'on
leur dira jamais dans la classe.

Voyez un chat entrer pour la première fois dans une
chambre; il visite, il regarde, il flaire, il ne reste pas un moment en repos, il ne se fie à rien qu'après avoir tout examiné,
tout connu. Ainsi fait un enfant commençant à marcher, et,
entrant pour ainsi dire dans l'espace du monde. Toute la différence est qu'à la vue, commune à l'enfant et au chat, le premier joint, pour observer, les mains que lui donna la nature,
et l'autre l'odorat subtil dont elle l'a doué. Cette disposition,
bien ou mal cultivée, est ce qui rend les enfants adroits ou
lourds, pesants ou dispos, étourdis ou prudents.

Les premiers mouvements naturels de l'homme étant
donc de se mesurer avec tout ce qui l'environne, et d'éprouver dans chaque objet qu'il aperçoit toutes les qualités sen-

sibles qui peuvent se rapporter à lui, sa première étude est
une sorte de physique expérimentale relative à sa propre
conservation, et dont on le détourne par des études spéculatives avant qu'il ait reconnu sa place ici-bas. Tandis que ses
organes délicats et flexibles peuvent s'ajuster aux corps sur
lesquels ils doivent agir, tandis que ses sens encore purs sont
exempts d'illusion, c'est le temps d'exercer les uns et les
autres aux fonctions qui leur sont propres; c'est le temps
d'apprendre à connaître les rapports sensibles que les choses
ont avec nous. Comme tout ce qui entre dans l'entendement
humain y vient par les sens, la première raison de l'homme
est une raison sensitive; c'est elle qui sert de base à la raison
intellectuelle : nos premiers maîtres de philosophie sont nos
pieds, nos mains, nos yeux. Substituer des livres à tout cela,
ce n'est pas nous apprendre à raisonner, c'est nous apprendre à nous servir de la raison d'autrui; c'est nous apprendre
à beaucoup croire, et à ne jamais rien savoir.

Pour exercer un art, il faut commencer par s'en procurer
les instruments, et, pour pouvoir employer utilement ces
instruments, il faut les faire assez solides pour résister à leur
usage. Pour apprendre à penser, il faut donc exercer nos
membres, nos sens, nos organes, qui sont les instruments de
notre intelligence; et pour tirer tout le parti possible de ces
instruments, il faut que le corps, qui les fournit, soit robuste
et sain. Ainsi, loin que la véritable raison de l'homme se
forme indépendamment du corps, c'est la bonne constitution
du corps qui rend les opérations de l'esprit faciles et sûres.

En montrant à quoi l'on doit employer la longue oisiveté
de l'enfance, j'entre dans un détail qui paraîtra ridicule. Plaisantes leçons, me dira-t-on, qui, retombant sous votre propre critique, se bornent à enseigner ce que nul n'a besoin
d'apprendre ! Pourquoi consumer le temps à des instructions
qui viennent toujours d'elles-mêmes, et ne coûtent ni peines
ni soins ? Quel enfant de douze ans ne sait pas tout ce que
vous voulez apprendre au vôtre, et, de plus, ce que ses
maîtres lui ont appris ?

Messieurs, vous vous trompez : j'enseigne à mon élève
un art très long, très pénible, et que n'ont assurément pas les
vôtres; c'est celui d'être ignorant : car la science de quiconque ne croit savoir que ce qu'il sait se réduit à bien peu
de chose. Vous donnez la science, à la bonne heure; moi je
m'occupe de l'instrument propre à l'acquérir. On dit qu'un

jour, les Vénitiens montrant en grande pompe leur trésor de
Saint-Marc à un ambassadeur d'Espagne, celui-ci, pour tout
compliment, ayant regardé sous les tables, leur dit : *Qui non
c'è la radice* [47]. Je ne vois jamais un précepteur étaler le savoir
de son disciple, sans être tenté de lui en dire autant.

Tous ceux qui ont réfléchi sur la manière de vivre des
anciens attribuent aux exercices de la gymnastique cette
vigueur de corps et d'âme qui les distingue le plus sensiblement des modernes. La manière dont Montaigne appuie ce
sentiment montre qu'il en était fortement pénétré ; il y revient
sans cesse et de mille façons. En parlant de l'éducation d'un
enfant, pour lui raidir l'âme, il faut, dit-il, lui durcir les
muscles ; en l'accoutumant au travail, on l'accoutume à la
douleur ; il le faut rompre à l'âpreté des exercices, pour le
dresser à l'âpreté de la dislocation, de la colique et de tous les
maux. Le sage Locke, le bon Rollin, le savant Fleury, le
pédant de Crouzas [48], si différents entre eux dans tout le reste
s'accordent tous en ce seul point d'exercer beaucoup les
corps des enfants. C'est le plus judicieux de leurs préceptes ;
c'est celui qui est et sera toujours le plus négligé. J'ai déjà
suffisamment parlé de son importance, et comme on ne
peut là-dessus donner de meilleures raisons ni des règles plus
sensées que celles qu'on trouve dans le livre de Locke, je
me contenterai d'y renvoyer, après avoir pris la liberté
d'ajouter quelques observations aux siennes.

Les membres d'un corps qui croît doivent être tous au
large dans leur vêtement ; rien ne doit gêner leur mouvement ni leur accroissement, rien de trop juste, rien qui colle
au corps ; point de ligatures. L'habillement français, gênant
et malsain pour les hommes, est pernicieux surtout aux
enfants. Les humeurs, stagnantes, arrêtées dans leur circulation, croupissent dans un repos qu'augmente la vie inactive
et sédentaire, se corrompent et causent le scorbut, maladie
tous les jours plus commune parmi nous, et presque ignorée
des anciens, que leur manière de se vêtir et de vivre en
préservait. L'habillement de houssard, loin de remédier à
cet inconvénient, l'augmente, et pour sauver aux enfants
quelques ligatures, les presse par tout le corps. Ce qu'il y a
de mieux à faire est de les laisser en jaquette aussi longtemps
qu'il est possible, puis de leur donner un vêtement fort
large, et de ne se point piquer de marquer leur taille, ce qui
ne sert qu'à la déformer. Leurs défauts du corps et de l'esprit

viennent presque tous de la même cause; on les veut faire
hommes avant le temps.

Il y a des couleurs gaies et des couleurs tristes : les premières sont plus du goût des enfants; elles leur siéent mieux
aussi; et je ne vois pas pourquoi l'on ne consulterait pas en
ceci des convenances si naturelles; mais du moment qu'ils
préfèrent une étoffe parce qu'elle est riche, leurs cœurs sont
déjà livrés au luxe, à toutes les fantaisies de l'opinion; et ce
goût ne leur est sûrement pas venu d'eux-mêmes. On ne
saurait dire combien le choix des vêtements et les motifs de
ce choix influent sur l'éducation. Non seulement d'aveugles
mères promettent à leurs enfants des parures pour récompenses, on voit même d'insensés gouverneurs menacer leurs
élèves d'un habit plus grossier et plus simple, comme d'un
châtiment. Si vous n'étudiez mieux, si vous ne conservez
mieux vos hardes, on vous habillera comme ce petit paysan.
C'est comme s'ils leur disaient : Sachez que l'homme n'est
rien que par ses habits, que votre prix est tout dans les vôtres.
Faut-il s'étonner que de si sages leçons profitent à la jeunesse, qu'elle n'estime que la parure, et qu'elle ne juge du
mérite que sur le seul extérieur ?

Si j'avais à remettre la tête d'un enfant ainsi gâté, j'aurais
soin que ses habits les plus riches fussent les plus incommodes, qu'il y fût toujours gêné, toujours contraint, toujours
assujetti de mille manières, je ferais fuir la liberté, la gaieté
devant sa magnificence; s'il voulait se mêler aux jeux d'autres
enfants plus simplement mis, tout cesserait, tout disparaî-
trait à l'instant. Enfin je l'ennuierais, je le rassasierais tellement de son faste, je le rendrais tellement l'esclave de son
habit doré, que j'en ferais le fléau de sa vie, et qu'il verrait
avec moins d'effroi le plus noir cachot que les apprêts de sa
parure. Tant qu'on n'a pas asservi l'enfant à nos préjugés,
être à son aise et libre est toujours son premier désir; le vêtement le plus simple, le plus commode, celui qui l'assujettit
le moins, est toujours le plus précieux pour lui.

Il y a une habitude du corps convenable aux exercices, et
une autre plus convenable à l'inaction. Celle-ci, laissant aux
humeurs un cours égal et uniforme, doit garantir le corps
des altérations de l'air; l'autre le faisant passer sans cesse de
l'agitation au repos et de la chaleur au froid, doit l'accoutumer aux mêmes altérations. Il suit de là que les gens casa-
niers et sédentaires doivent s'habiller chaudement en tout

temps, afin de se conserver le corps dans une température uniforme, la même à peu près dans toutes les saisons et à toutes les heures du jour. Ceux, au contraire, qui vont et viennent, au vent, au soleil, à la pluie, qui agissent beaucoup et passent la plupart de leur temps *sub dio*[49] doivent être toujours vêtus légèrement, afin de s'habituer à toutes les vicissitudes de l'air et à tous les degrés de température, sans en être incommodés. Je conseillerais aux uns et aux autres de ne point changer d'habits selon les saisons, et ce sera la pratique constante de mon Émile; en quoi je n'entends pas qu'il porte l'été ses habits d'hiver, comme les gens sédentaires, mais qu'il porte l'hiver ses habits d'été, comme les gens laborieux. Ce dernier usage a été celui du chevalier Newton[50] pendant toute sa vie, et il a vécu quatre-vingts ans.

Peu ou point de coiffure en toute saison, Les anciens Égyptiens avaient toujours la tête nue; les Perses la couvraient de grosses tiares, et la couvrent encore de gros turbans, dont, selon Chardin[51], l'air du pays leur rend l'usage nécessaire. J'ai remarqué dans un autre endroit[52] la distinction que fit Hérodote sur un champ de bataille entre les crânes des Perses et ceux des Égyptiens. Comme donc il importe que les os de la tête deviennent plus durs, plus compacts, moins fragiles et moins poreux, pour mieux armer le cerveau non seulement contre les blessures, mais contre les rhumes, les fluxions, et toutes les impressions de l'air, accoutumez vos enfants à demeurer été et hiver, jour et nuit toujours tête nue. Que si, pour la propreté et pour tenir leurs cheveux en ordre, vous leur voulez donner une coiffure durant la nuit, que ce soit un bonnet mince à claire-voie, et semblable au réseau dans lequel les Basques enveloppent leurs cheveux. Je sais bien que la plupart des mères, plus frappées de l'observation de Chardin que de mes raisons, croiront trouver partout l'air de Perse; mais moi je n'ai pas choisi mon élève Européen pour en faire un Asiatique.

En général, on habille trop les enfants, et surtout durant le premier âge. Il faudrait plutôt les endurcir au froid qu'au chaud : le grand froid ne les incommode jamais, quand on les y laisse exposés de bonne heure; mais le tissu de leur peau, trop tendre et trop lâche encore, laissant un trop libre passage à la transpiration, les livre par l'extrême chaleur à un épuisement inévitable. Aussi remarque-t-on qu'il en meurt plus dans le mois d'août que dans aucun autre

mois. D'ailleurs il paraît constant, par la comparaison des
peuples du Nord et de ceux du Midi, qu'on se rend plus
robuste en supportant l'excès du froid que l'excès de la chaleur. Mais, à mesure que l'enfant grandit et que ses fibres
se fortifient, accoutumez-le peu à peu à braver les rayons
du soleil; en allant par degrés, vous l'endurcirez sans danger
aux ardeurs de la zone torride.

Locke, au milieu des préceptes mâles et sensés qu'il
nous donne, retombe dans des contradictions qu'on n'atten-
drait pas d'un raisonneur aussi exact. Ce même homme,
qui veut que les enfants se baignent l'été dans l'eau glacée,
ne veut pas, quand ils sont échauffés, qu'ils boivent frais, ni
qu'ils se couchent par terre dans des endroits humides*.
Mais puisqu'il veut que les souliers des enfants prennent
l'eau dans tous les temps, la prendront-ils moins quand
l'enfant aura chaud ? et ne peut-on pas lui faire du corps,
par rapport aux pieds, les mêmes inductions qu'il fait des
pieds par rapport aux mains, et du corps par rapport au
visage ? Si vous voulez, lui dirai-je, que l'homme soit tout
visage, pourquoi me blâmez-vous de vouloir qu'il soit
tout pieds ?

Pour empêcher les enfants de boire quand ils ont chaud,
il prescrit de les accoutumer à manger préalablement un
morceau de pain avant que de boire. Cela est bien étrange
que, quand l'enfant a soif, il faille lui donner à manger;
j'aimerais autant, quand il a faim, lui donner à boire. Jamais
on ne me persuadera que nos premiers appétits soient si
déréglés, qu'on ne puisse les satisfaire sans nous exposer
à périr. Si cela était, le genre humain se fût cent fois détruit
avant qu'on eût appris ce qu'il faut faire pour le conserver.

Toutes les fois qu'Émile aura soif, je veux qu'on lui
donne à boire; je veux qu'on lui donne de l'eau pure et
sans aucune préparation, pas même de la faire dégourdir,
fût-il tout en nage, et fût-on dans le cœur de l'hiver. Le
seul soin que je recommande est de distinguer la qualité
des eaux. Si c'est de l'eau de rivière, donnez-la-lui sur-le-
champ telle qu'elle sort de la rivière; si c'est de l'eau de

---

* Comme si les petits paysans choisissaient la terre bien sèche pour
s'y asseoir ou pour s'y coucher, et qu'on eût jamais ouï dire que l'humidité de la terre eût fait du mal à pas un d'eux. A écouter là-dessus les
médecins, on croirait les sauvages tout perclus de rhumatismes.

source, il la faut laisser quelque temps à l'air avant qu'il
la boive. Dans les saisons chaudes, les rivières sont chaudes;
il n'en est pas de même des sources, qui n'ont pas reçu le
contact de l'air; il faut attendre qu'elles soient à la température de l'atmosphère. L'hiver, au contraire, l'eau de
source est à cet égard moins dangereuse que l'eau de rivière.
Mais il n'est ni naturel ni fréquent qu'on se mette l'hiver en
sueur, surtout en plein air; car l'air froid, frappant incessamment sur la peau, répercute en dedans la sueur et empêche les pores de s'ouvrir assez pour lui donner un passage libre. Or, je ne prétends pas qu'Émile s'exerce l'hiver
au coin d'un bon feu, mais dehors, en pleine campagne,
au milieu des glaces. Tant qu'il ne s'échauffera qu'à faire
et lancer des balles de neige, laissons-le boire quand il
aura soif; qu'il continue de s'exercer après avoir bu, et
n'en craignons aucun accident. Que si par quelque autre
exercice il se met en sueur et qu'il ait soif, qu'il boive froid,
même en ce temps-là. Faites seulement en sorte de le mener
au loin et à petits pas chercher son eau. Par le froid qu'on
suppose, il sera suffisamment rafraîchi en arrivant pour
la boire sans aucun danger. Surtout prenez ces précautions
sans qu'il s'en aperçoive. J'aimerais mieux qu'il fût quelquefois malade que sans cesse attentif à sa santé.

Il faut un long sommeil aux enfants, parce qu'ils font
un extrême exercice. L'un sert de correctif à l'autre; aussi
voit-on qu'ils ont besoin de tous deux. Le temps du repos
est celui de la nuit, il est marqué par la nature. C'est une
observation constante que le sommeil est plus tranquille
et plus doux tandis que le soleil est sous l'horizon, et que
l'air échauffé de ses rayons ne maintient pas nos sens dans
un si grand calme. Ainsi l'habitude la plus salutaire est
certainement de se lever et de se coucher avec le soleil.
D'où il suit que dans nos climats l'homme et **tous** les
animaux ont en général besoin de dormir plus longtemps
l'hiver que l'été. Mais la vie civile n'est pas assez simple,
assez naturelle, assez exempte de révolutions, d'accidents,
pour qu'on doive accoutumer l'homme à cette uniformité,
au point de la lui rendre nécessaire. Sans doute il faut
s'assujettir aux règles; mais la première est de pouvoir les
enfreindre sans risque quand la nécessité le veut. N'allez
donc pas amollir indiscrètement votre élève dans la continuité d'un paisible sommeil, qui ne soit jamais interrompu.

Livrez-le d'abord sans gêne à la loi de la nature; mais n'oubliez pas que parmi nous il doit être au-dessus de cette loi; qu'il doit pouvoir se coucher tard, se lever matin, être éveillé brusquement, passer les nuits debout, sans en être incommodé. En s'y prenant assez tôt, en allant toujours doucement et par degrés, on forme le tempérament aux mêmes choses qui le détruisent quand on l'y soumet déjà tout formé.

Il importe de s'accoutumer d'abord à être mal couché; c'est le moyen de ne plus trouver de mauvais lit. En général, la vie dure, une fois tournée en habitude, multiplie les sensations agréables; la vie molle en prépare une infinité de déplaisantes. Les gens élevés trop délicatement ne trouvent plus le sommeil que sur le duvet; les gens accoutumés à dormir sur des planches le trouvent partout : il n'y a point de lit dur pour qui s'endort en se couchant.

Un lit mollet, où l'on s'ensevelit dans la plume ou dans l'édredon, fond et dissout le corps pour ainsi dire. Les reins enveloppés trop chaudement s'échauffent. De là résultent souvent la pierre ou d'autres incommodités, et infailliblement une complexion délicate qui les nourrit toutes.

Le meilleur lit est celui qui procure un meilleur sommeil. Voilà celui que nous nous préparons Émile et moi pendant la journée. Nous n'avons pas besoin qu'on nous amène des esclaves de Perse pour faire nos lits; en labourant la terre nous remuons nos matelas.

Je sais par expérience que quand un enfant est en santé, l'on est maître de le faire dormir et veiller presque à volonté. Quand l'enfant est couché, et que de son babil il ennuie sa bonne, elle lui dit : *Dormez ;* c'est comme si elle lui disait : *Portez-vous bien !* quand il est malade. Le vrai moyen de le faire dormir est de l'ennuyer lui-même. Parlez tant qu'il soit forcé de se taire, et bientôt il dormira : les sermons sont toujours bons à quelque chose; autant vaut le prêcher que le bercer; mais si vous employez le soir ce narcotique, gardez-vous de l'employer le jour.

J'éveillerai quelquefois Émile, moins de peur qu'il ne prenne l'habitude de dormir trop longtemps que pour l'accoutumer à tout, même à être éveillé brusquement. Au surplus, j'aurais bien peu de talent pour mon emploi, si je ne savais pas le forcer à s'éveiller de lui-même, et à se lever, pour ainsi dire, à ma volonté, sans que je lui dise un seul mot.

S'il ne dort pas assez, je lui laisse entrevoir pour le lendemain une matinée ennuyeuse, et lui-même regardera comme autant de gagné tout ce qu'il en pourra laisser au sommeil; s'il dort trop, je lui montre à son réveil un amusement de son goût. Veux-je qu'il s'éveille à point nommé, je lui dis : Demain à six heures on part pour la pêche, on se va promener à tel endroit; voulez-vous en être ? Il consent, il me prie de l'éveiller : je promets, ou je ne promets point, selon le besoin; s'il s'éveille trop tard, il me trouve parti. Il y aura du malheur si bientôt il n'apprend à s'éveiller de lui-même.

Au reste, s'il arrivait, ce qui est rare, que quelque enfant indolent eût du penchant à croupir dans la paresse, il ne faut point le livrer à ce penchant, dans lequel il s'engourdirait tout à fait, mais lui administrer quelque stimulant qui l'éveille. On conçoit bien qu'il n'est pas question de le faire agir par force, mais de l'émouvoir par quelque appétit qui l'y porte; et cet appétit, pris avec choix dans l'ordre de la nature, nous mène à la fois à deux fins.

Je n'imagine rien dont, avec un peu d'adresse, on ne pût inspirer le goût, même la fureur, aux enfants, sans vanité, sans émulation, sans jalousie. Leur vivacité, leur esprit imitateur, suffisent; surtout leur gaieté naturelle, instrument dont la prise est sûre, et dont jamais précepteur ne sut s'aviser. Dans tous les jeux où ils sont bien persuadés que ce n'est que jeu, ils souffrent sans se plaindre, et même en riant, ce qu'ils ne souffriraient jamais autrement sans verser des torrents de larmes. Les longs jeûnes, les coups, la brûlure, les fatigues de toute espèce, sont les amusements des jeunes sauvages; preuve que la douleur même a son assaisonnement qui peut en ôter l'amertume; mais il n'appartient pas à tous les maîtres de savoir apprêter ce ragoût, ni peut-être à tous les disciples de le savourer sans grimace. Me voilà de nouveau, si je n'y prends garde, égaré dans les exceptions.

Ce qui n'en souffre point est cependant l'assujettissement de l'homme à la douleur, aux maux de son espèce, aux accidents, aux périls de la vie, enfin à la mort; plus on le familiarisera avec toutes ces idées, plus on le guérira de l'importune sensibilité qui ajoute au mal l'impatience de l'endurer; plus on l'apprivoisera avec les souffrances qui peuvent l'atteindre, plus on leur ôtera, comme eût dit Montaigne [53], la pointure de l'étrangeté; et plus aussi l'on rendra son âme invulnérable et dure; son corps sera la cuirasse qui rebouchera tous les traits dont il pourrait être atteint au vif. Les approches mêmes de la mort n'étant point la mort, à peine la sentira-t-il comme telle; il ne mourra pas, pour ainsi dire, il sera vivant ou mort, rien de plus. C'est de lui que le même Montaigne eût pu dire, comme il a dit d'un roi de Maroc [54], que nul homme n'a vécu si avant dans la mort. La constance et la fermeté sont, ainsi que les autres vertus, des apprentissages de l'enfance; mais ce n'est pas en apprenant leurs noms aux enfants qu'on les leur enseigne, c'est en les leur faisant goûter, sans qu'ils sachent ce que c'est.

Mais, à propos de mourir, comment nous conduirons-nous avec notre élève relativement au danger de la petite vérole ? La lui ferons-nous inoculer en bas âge, ou si nous attendrons qu'il la prenne naturellement ? Le premier parti, plus conforme à notre pratique, garantit du péril l'âge où la vie est la plus précieuse, au risque de celui où elle l'est le moins, si toutefois on peut donner le nom de risque à l'inoculation bien administrée.

Mais le second est plus dans nos principes généraux, de laisser faire en tout la nature dans les soins qu'elle aime à prendre seule, et qu'elle abandonne aussitôt que l'homme veut s'en mêler. L'homme de la nature est toujours préparé : laissons-le inoculer par ce maître, il choisira mieux le moment que nous.

N'allez pas de là conclure que je blâme l'inoculation; car le raisonnement sur lequel j'en exempte mon élève irait très mal aux vôtres. Votre éducation les prépare à ne point échapper à la petite vérole au moment qu'ils en seront attaqués; si vous la laissez venir au hasard, il est probable qu'ils en périront. Je vois que dans les différents pays on résiste d'autant plus à l'inoculation qu'elle y devient plus nécessaire; et la raison de cela se sent aisément. A peine aussi daignerai-je traiter cette question pour mon Émile. Il sera inoculé, ou il ne le sera pas, selon les temps, les lieux, les circonstances : cela est presque indifférent pour lui. Si on lui donne la petite vérole, on aura l'avantage de prévoir et connaître son mal d'avance; c'est quelque chose;

mais s'il la prend naturellement, nous l'aurons préservé du médecin, c'est encore plus.

Une éducation exclusive, qui tend seulement à distinguer du peuple ceux qui l'ont reçue, préfère toujours les instructions les plus coûteuses aux plus communes, et par cela même aux plus utiles. Ainsi les jeunes gens élevés avec soin apprennent tous à monter à cheval, parce qu'il en coûte beaucoup pour cela; mais presque aucun d'eux n'apprend à nager, parce qu'il n'en coûte rien, et qu'un artisan peut savoir nager aussi bien que qui que ce soit. Cependant, sans avoir fait son académie, un voyageur monte à cheval, s'y tient, et s'en sert assez pour le besoin; mais, dans l'eau, si l'on ne nage on se noie, et l'on ne nage point sans l'avoir appris. Enfin l'on n'est pas obligé de monter à cheval sous peine de la vie, au lieu que nul n'est sûr d'éviter un danger auquel on est si souvent exposé. Émile sera dans l'eau comme sur la terre. Que ne peut-il vivre dans tous les éléments ! Si l'on pouvait apprendre à voler dans les airs, j'en ferais un aigle; j'en ferais une salamandre, si l'on pouvait s'endurcir au feu.

On craint qu'un enfant ne se noie en apprenant à nager; qu'il se noie en apprenant ou pour n'avoir pas appris, ce sera toujours votre faute. C'est la seule vanité qui nous rend téméraires; on ne l'est point quand on n'est vu de personne : Émile ne le serait pas, quand il serait vu de tout l'univers. Comme l'exercice ne dépend pas du risque, dans un canal du parc de son père il apprendrait à traverser l'Hellespont ; mais il faut s'apprivoiser au risque même, pour apprendre à ne s'en pas troubler; c'est une partie essentielle de l'apprentissage dont je parlais tout à l'heure. Au reste, attentif à mesurer le danger à ses forces et à le partager toujours avec lui, je n'aurai guère d'imprudence à craindre, quand je réglerai le soin de sa conservation sur celui que je dois à la mienne.

Un enfant est moins grand qu'un homme; il n'a ni sa force ni sa raison : mais il voit et entend aussi bien que lui, ou à très peu près; il a le goût aussi sensible, quoiqu'il l'ait moins délicat, et distingue aussi bien les odeurs, quoiqu'il n'y mette pas la même sensualité. Les premières facultés qui se forment et se perfectionnent en nous sont les sens. Ce sont donc les premières qu'il faudrait cultiver; ce sont les seules qu'on oublie, ou celles qu'on néglige le plus.

Exercer les sens n'est pas seulement en faire usage, c'est
apprendre à bien juger par eux, c'est apprendre, pour ainsi
dire, à sentir; car nous ne savons ni toucher, ni voir, ni
entendre, que comme nous avons appris.

Il y a un exercice purement naturel et mécanique, qui
sert à rendre le corps robuste sans donner aucune prise
au jugement : nager, courir, sauter, fouetter un sabot,
lancer des pierres; tout cela est fort bien; mais n'avons-
nous que des bras et des jambes ? n'avons-nous pas aussi
des yeux, des oreilles ? et ces organes sont-ils superflus
à l'usage des premiers ? N'exercez donc pas seulement les
forces, exercez tous les sens qui les dirigent; tirez de chacun
d'eux tout le parti possible, puis vérifiez l'impression de
l'un par l'autre. Mesurez, comptez, pesez, comparez.
N'employez la force qu'après avoir estimé la résistance;
faites toujours en sorte que l'estimation de l'effet précède
l'usage des moyens. Intéressez l'enfant à ne jamais faire
d'efforts insuffisants ou superflus. Si vous l'accoutumez à
prévoir ainsi l'effet de tous ses mouvements, et à redresser
ses erreurs par l'expérience, n'est-il pas clair que plus il
agira, plus il deviendra judicieux ?

S'agit-il d'ébranler une masse; s'il prend un levier trop
long, il dépensera trop de mouvement; s'il le prend trop
court, il n'aura pas assez de force; l'expérience lui peut
apprendre à choisir précisément le bâton qu'il lui faut.
Cette sagesse n'est donc pas au-dessus de son âge. S'agit-il
de porter un fardeau; s'il veut le prendre aussi pesant qu'il
peut le porter et n'en point essayer qu'il ne soulève, ne
sera-t-il pas forcé d'en estimer le poids à la vue ? Sait-il
comparer des masses de même matière et de différentes
grosseurs, qu'il choisisse entre des masses de même gros-
seur et de différentes matières; il faudra bien qu'il s'applique
à comparer leurs poids spécifiques. J'ai vu un jeune homme,
très bien élevé, qui ne voulut croire qu'après l'épreuve
qu'un seau plein de gros copeaux de bois de chêne fût
moins pesant que le même seau rempli d'eau.

Nous ne sommes pas également maîtres de l'usage de
tous nos sens. Il y en a un, savoir, le toucher, dont l'action
n'est jamais suspendue durant la veille; il a été répandu sur
la surface entière de notre corps, comme une garde continuelle pour nous avertir de tout ce qui peut l'offenser.
C'est aussi celui dont, bon gré, mal gré, nous acquérons

le plus tôt l'expérience par cet exercice continuel, et auquel, par conséquent, nous avons moins besoin de donner une culture particulière. Cependant nous observons que les aveugles ont le tact plus sûr et plus fin que nous, parce que, n'étant pas guidés par la vue, ils sont forcés d'apprendre à tirer uniquement du premier sens les jugements que nous fournit l'autre. Pourquoi donc ne nous exerce-t-on pas à marcher comme eux dans l'obscurité, à connaître les corps que nous pouvons atteindre, à juger des objets qui nous environnent, à faire, en un mot, de nuit et sans lumière, tout ce qu'ils font de jour et sans yeux ? Tant que le soleil luit, nous avons sur eux l'avantage ; dans les ténèbres, ils sont nos guides à leur tour. Nous sommes aveugles la moitié de la vie ; avec la différence que les vrais aveugles savent toujours se conduire, et que nous n'osons faire un pas au cœur de la nuit. On a de la lumière, me dira-t-on. Eh quoi ! toujours des machines ! Qui vous répond qu'elles vous suivront partout au besoin ? Pour moi, j'aime mieux qu'Émile ait des yeux au bout de ses doigts que dans la boutique d'un chandelier.

Êtes-vous enfermé dans un édifice au milieu de la nuit, frappez des mains ; vous apercevrez, au résonnement du lieu, si l'espace est grand ou petit, si vous êtes au milieu ou dans un coin. A demi-pied d'un mur, l'air moins ambiant et plus réfléchi vous porte une autre sensation au visage. Restez en place, et tournez-vous successivement de tous les côtés ; s'il y a une porte ouverte, un léger courant d'air vous l'indiquera. Êtes-vous dans un bateau, vous connaîtrez, à la manière dont l'air vous frappera le visage, non seulement en quel sens vous allez, mais si le fil de la rivière vous entraîne lentement ou vite. Ces observations, et mille autres semblables, ne peuvent bien se faire que de nuit ; quelque attention que nous voulions leur donner en plein jour, nous serons aidés ou distraits par la vue, elles nous échapperont. Cependant il n'y a encore ici ni mains ni bâton. Que de connaissances oculaires on peut acquérir par le toucher, même sans rien toucher du tout !

Beaucoup de jeux de nuit. Cet avis est plus important qu'il ne semble. La nuit effraye naturellement les hommes, et quelquefois les animaux*. La raison, les connaissances,

---

* Cet effroi devient très manifeste dans les grandes éclipses de soleil.

l'esprit, le courage, délivrent peu de gens de ce tribut.
J'ai vu des raisonneurs, des esprits forts, des philosophes,
des militaires intrépides en plein jour, trembler la nuit
comme des femmes au bruit d'une feuille d'arbre. On
attribue cet effroi aux contes des nourrices; on se trompe :
il a une cause naturelle. Quelle est cette cause ? la même
qui rend les sourds défiants et le peuple superstitieux,
l'ignorance des choses qui nous environnent et de ce qui
se passe autour de nous*. Accoutumé d'apercevoir de

---

* En voici encore une autre cause bien expliquée par un philosophe
dont je cite souvent le livre, et dont les grandes vues m'instruisent
encore plus souvent.

« Lorsque, par des circonstances particulières, nous ne pouvons avoir
une idée juste de la distance, et que nous ne pouvons juger des objets
que par la grandeur de l'angle ou plutôt de l'image qu'ils forment dans
nos yeux, nous nous trompons alors nécessairement sur la grandeur de
ces objets. Tout le monde a éprouvé qu'en voyageant la nuit on prend
un buisson dont on est près pour un grand arbre dont on est loin, ou
bien on prend un grand arbre éloigné pour un buisson qui est voisin;
de même, si on ne connaît pas les objets par leur forme, et qu'on ne
puisse avoir par ce moyen aucune idée de distance, on se trompera
encore nécessairement. Une mouche qui passera avec rapidité à quelques pouces de distance de nos yeux nous paraîtra dans ce cas être un
oiseau qui en serait à une très grande distance; un cheval qui serait sans
mouvement dans le milieu d'une campagne, et qui serait dans une attitude semblable, par exemple, à celle d'un mouton, ne nous paraîtra
plus qu'un gros mouton, tant que nous ne reconnaîtrons pas que c'est
un cheval; mais, dès que nous l'aurons reconnu, il nous paraîtra dans
l'instant gros comme un cheval, et nous rectifierons sur-le-champ notre
premier jugement.

« Toutes les fois qu'on se trouvera dans la nuit dans des lieux inconnus où l'on ne pourra juger de la distance, et où l'on ne pourra reconnaître la forme des choses à cause de l'obscurité, on sera en danger de
tomber à tout instant dans l'erreur au sujet des jugements que l'on fera
sur les objets qui se présenteront. C'est de là que vient la frayeur et
l'espèce de crainte intérieure que l'obscurité de la nuit fait sentir à presque tous les hommes; c'est sur cela qu'est fondée l'apparence des spectres et des figures gigantesques et épouvantables que tant de gens disent
avoir vus. On leur répond communément que ces figures étaient dans
leur imagination; cependant elles pouvaient être réellement dans leur
yeux, et il est très possible qu'ils aient en effet vu ce qu'ils disent avoir
vu; car il doit arriver nécessairement, toutes les fois qu'on ne pourra
juger d'un objet que par l'angle qu'il forme dans l'œil, que cet objet
inconnu grossira et grandira à mesure qu'on en sera plus voisin; et
que s'il a d'abord paru au spectateur, qui ne peut connaître ce qu'il

loin les objets et de prévoir leurs impressions d'avance,
comment, ne voyant plus rien de ce qui m'entoure, n'y
supposerais-je pas mille êtres, mille mouvements qui
peuvent me nuire, et dont il m'est impossible de me garantir ?
J'ai beau savoir que je suis en sûreté dans le lieu où je me
trouve, je ne le sais jamais aussi bien que si je le voyais
actuellement : j'ai donc toujours un sujet de crainte que je
n'avais pas en plein jour. Je sais, il est vrai, qu'un corps
étranger ne peut guère agir sur le mien sans s'annoncer
par quelque bruit; aussi, combien j'ai sans cesse l'oreille
alerte ! Au moindre bruit dont je ne puis discerner la
cause, l'intérêt de ma conservation me fait d'abord supposer
tout ce qui doit le plus m'engager à me tenir sur mes gardes,
et par conséquent tout ce qui est le plus propre à m'effrayer.

N'entends-je absolument rien, je ne suis pas pour cela
tranquille; car enfin sans bruit on peut encore me surprendre. Il faut que je suppose les choses telles qu'elles
étaient auparavant, telles qu'elles doivent encore être,

voit ni juger à quelle distance il le voit; que s'il a paru, dis-je, d'abord
de la hauteur de quelques pieds lorsqu'il était à la distance de vingt ou
trente pas, il doit paraître haut de plusieurs toises lorsqu'il n'en sera
plus éloigné que de quelques pieds; ce qui doit en effet l'étonner et
l'effrayer jusqu'à ce qu'enfin il vienne à toucher l'objet ou à le reconnaître; car, dans l'instant même qu'il reconnaîtra ce que c'est, cet objet,
qui lui paraissait gigantesque, diminuera tout à coup, et ne lui paraîtra
plus avoir que sa grandeur réelle; mais, si l'on fuit ou qu'on n'ose approcher, il est certain qu'on n'aura d'autre idée de cet objet que celle de
l'image qu'il formait dans l'œil, et qu'on aura réellement vu une figure
gigantesque ou épouvantable par la grandeur et par la forme. Le préjugé des spectres est donc fondé dans la nature, et ces apparences ne
dépendent pas, comme le croient les philosophes, uniquement de
l'imagination. » (*Hist. nat.*, t. VI, p. 22, in-12.)

J'ai tâché de montrer dans le texte comment il en dépend toujours
en partie et, quant à la cause expliquée dans ce passage, on voit que
l'habitude de marcher la nuit doit nous apprendre à distinguer les apparences que la ressemblance des formes et la diversité des distances font
prendre aux objets à nos yeux dans l'obscurité; car, lorsque l'air est
encore assez éclairé pour nous laisser apercevoir les contours des objets,
comme il y a plus d'air interposé dans un plus grand éloignement, nous
devons toujours voir ces contours moins marqués quand l'objet est
plus loin de nous; ce qui suffit à force d'habitude pour nous garantir
de l'erreur qu'explique ici M. de Buffon. Quelque explication qu'on
préfère, ma méthode est donc toujours efficace, et c'est ce que l'expérience confirme parfaitement.

que je voie ce que je ne vois pas. Ainsi, forcé de mettre
en jeu mon imagination, bientôt je n'en suis plus le maître,
et ce que j'ai fait pour me rassurer ne sert qu'à m'alarmer
davantage. Si j'entends du bruit, j'entends des voleurs;
si je n'entends rien, je vois des fantômes; la vigilance
que m'inspire le soin de me conserver ne me donne que
sujets de crainte. Tout ce qui doit me rassurer n'est que
dans ma raison, l'instinct plus fort me parle tout autrement qu'elle. A quoi bon penser qu'on n'a rien à craindre,
puisque alors on n'a rien à faire ?

La cause du mal trouvée indique le remède. En toute
chose l'habitude tue l'imagination; il n'y a que les objets
nouveaux qui la réveillent. Dans ceux que l'on voit tous
les jours, ce n'est plus l'imagination qui agit, c'est la
mémoire; et voilà la raison de l'axiome : *Ab assuetis non
fit passio* [55], car ce n'est qu'au feu de l'imagination que les
passions s'allument. Ne raisonnez donc pas avec celui
que vous voulez guérir de l'horreur des ténèbres; menez-
l'y souvent, et soyez sûr que tous les arguments de la
philosophie ne vaudront pas cet usage. La tête ne tourne
point aux couvreurs sur les toits, et l'on ne voit plus avoir
peur dans l'obscurité quiconque est accoutumé d'y être.

Voilà donc pour nos jeux de nuit un autre avantage
ajouté au premier; mais pour que ces jeux réussissent, je
n'y puis trop recommander la gaieté. Rien n'est si triste
que les ténèbres; n'allez pas enfermer votre enfant dans
un cachot. Qu'il rie en entrant dans l'obscurité; que le
rire le reprenne avant qu'il en sorte; que, tandis qu'il y
est, l'idée des amusements qu'il quitte, et de ceux qu'il
va retrouver, le défende des imaginations fantastiques
qui pourraient l'y venir chercher.

Il est un terme de la vie au delà duquel on rétrograde
en avançant. Je sens que j'ai passé ce terme. Je recommence,
pour ainsi dire, une autre carrière. Le vide de l'âge mûr,
qui s'est fait sentir à moi, me retrace le doux temps du
premier âge. En vieillissant, je redeviens enfant, et je me
rappelle plus volontiers ce que j'ai fait à dix ans qu'à trente.
Lecteurs, pardonnez-moi donc de tirer quelquefois mes
exemples de moi-même; car, pour bien faire ce livre, il
faut que je le fasse avec plaisir.

J'étais à la campagne en pension chez un ministre appelé
M. Lambercier. J'avais pour camarade un cousin plus

riche que moi, et qu'on traitait en héritier, tandis que, éloigné de mon père, je n'étais qu'un pauvre orphelin. Mon grand cousin Bernard était singulièrement poltron, surtout la nuit. Je me moquai tant de sa frayeur, que M. Lambercier, ennuyé de mes vanteries, voulut mettre mon courage à l'épreuve. Un soir d'automne, qu'il faisait très obscur, il me donna la clef du temple, et me dit d'aller chercher dans la chaire la Bible qu'on y avait laissée. Il ajouta, pour me piquer d'honneur, quelques mots qui me mirent dans l'impuissance de reculer.

Je partis sans lumière; si j'en avais eu, ç'aurait peut-être été pis encore. Il fallait passer par le cimetière : je le traversai gaillardement; car, tant que je me sentais en plein air, je n'eus jamais de frayeurs nocturnes.

En ouvrant la porte, j'entendis à la voûte un certain retentissement que je crus ressembler à des voix, et qui commença d'ébranler ma fermeté romaine. La porte ouverte, je voulus entrer; mais à peine eus-je fait quelques pas, que je m'arrêtai. En apercevant l'obscurité profonde qui régnait dans ce vaste lieu, je fus saisi d'une terreur qui me fit dresser les cheveux : je rétrograde, je sors, je me mets à fuir tout tremblant. Je trouvai dans la cour un petit chien nommé *Sultan*, dont les caresses me rassurèrent. Honteux de ma frayeur, je revins sur mes pas, tâchant pourtant d'emmener avec moi *Sultan*, qui ne voulut pas me suivre. Je franchis brusquement la porte, j'entre dans l'église. A peine y fus-je rentré, que la frayeur me reprit, mais si fortement, que je perdis la tête; et, quoique la chaire fût à droite, et que je le susse très bien, ayant tourné sans m'en apercevoir, je la cherchai longtemps à gauche, je m'embarrassai dans les bancs, je ne savais plus où j'étais, et, ne pouvant trouver ni la chaire ni la porte, je tombai dans un bouleversement inexprimable. Enfin, j'aperçois la porte, je viens à bout de sortir du temple, et je m'en éloigne comme la première fois, bien résolu de n'y jamais rentrer seul qu'en plein jour.

Je reviens jusqu'à la maison. Prêt à entrer, je distingue la voix de M. Lambercier à de grands éclats de rire. Je les prends pour moi d'avance, et, confus de m'y voir exposé, j'hésite à ouvrir la porte. Dans cet intervalle, j'entends M^lle Lambercier s'inquiéter de moi, dire à la servante de prendre la lanterne, et M. Lambercier se disposer à me venir chercher, escorté de mon intrépide cousin, auquel ensuite on n'aurait pas manqué de faire tout l'honneur de l'expédition. A l'instant toutes mes frayeurs cessent, et ne me laissent que celle d'être surpris dans ma fuite : je cours, je vole au temple; sans m'égarer, sans tâtonner, j'arrive à la chaire; j'y monte, je prends la Bible, je m'élance en bas; dans trois sauts je suis hors du temple, dont j'oubliai même de fermer la porte; j'entre dans la chambre, hors d'haleine, je jette la Bible sur la table, effaré, mais palpitant d'aise d'avoir prévenu le secours qui m'était destiné.

On me demandera si je donne ce trait pour un modèle à suivre, et pour un exemple de la gaieté que j'exige dans ces sortes d'exercices. Non; mais je le donne pour preuve que rien n'est plus capable de rassurer quiconque est effrayé des ombres de la nuit, que d'entendre dans une chambre voisine une compagnie assemblée rire et causer tranquillement. Je voudrais qu'au lieu de s'amuser ainsi seul avec son élève, on rassemblât les soirs beaucoup d'enfants de bonne humeur; qu'on ne les envoyât pas d'abord séparément, mais plusieurs ensemble, et qu'on n'en hasardât aucun parfaitement seul, qu'on ne se fût bien assuré d'avance qu'il n'en serait pas trop effrayé.

Je n'imagine rien de si plaisant et de si utile que de pareils jeux, pour peu qu'on voulût user d'adresse à les ordonner. Je ferais dans une grande salle une espèce de labyrinthe avec des tables, des fauteuils, des chaises, des paravents. Dans les inextricables tortuosités de ce labyrinthe j'arrangerais, au milieu de huit ou dix boîtes d'attrapes, une autre boîte presque semblable, bien garnie de bonbons; je désignerais en termes clairs, mais succincts, le lieu précis où se trouve la bonne boîte; je donnerais le renseignement suffisant pour la distinguer à des gens plus attentifs et moins étourdis que des enfants *, puis, après avoir fait tirer au sort les petits concurrents, je les enverrais tous l'un après l'autre, jusqu'à ce que la bonne boîte fût trouvée : ce que j'aurais soin de rendre difficile à proportion de leur habileté.

---

* Pour les exercer à l'attention, ne leur dites jamais que des choses qu'ils aient un intérêt sensible et présent à bien entendre; surtout point de longueurs, jamais un mot superflu; mais aussi ne laissez dans vos discours ni obscurité ni équivoque.

Figurez-vous un petit Hercule arrivant une boîte à la main, tout fier de son expédition. La boîte se met sur la table, on l'ouvre en cérémonie. J'entends d'ici les éclats de rire, les huées de la bande joyeuse, quand, au lieu des confitures qu'on attendait, on trouve, bien proprement arrangés sur de la mousse ou sur du coton, un hanneton, un escargot, du charbon, du gland, un navet, ou quelque autre pareille denrée. D'autres fois, dans une pièce nouvellement blanchie, on suspendra près du mur quelque jouet, quelque petit meuble qu'il s'agira d'aller chercher sans toucher au mur. A peine celui qui l'apportera sera-t-il rentré, que, pour peu qu'il ait manqué à la condition, le bout de son chapeau blanchi, le bout de ses souliers, la basque de son habit, sa manche trahiront sa maladresse. En voilà bien assez, trop peut-être, pour faire entendre l'esprit de ces sortes de jeux. S'il faut tout vous dire, ne me lisez point.

Quels avantages un homme ainsi élevé n'aura-t-il pas la nuit sur les autres hommes ? Ses pieds accoutumés à s'affermir dans les ténèbres, ses mains exercées à s'appliquer aisément à tous les corps environnants, le conduiront sans peine dans la plus épaisse obscurité. Son imagination, pleine des jeux nocturnes de sa jeunesse, se tournera difficilement sur des objets effrayants. S'il croit entendre des éclats de rire, au lieu de ceux des esprits follets, ce seront ceux de ses anciens camarades; s'il se peint une assemblée, ce ne sera point pour lui le sabbat, mais la chambre de son gouverneur. La nuit, ne lui rappelant que des idées gaies, ne lui sera jamais affreuse; au lieu de la craindre, il l'aimera. S'agit-il d'une expédition militaire, il sera prêt à toute heure, aussi bien seul qu'avec sa troupe. Il entrera dans le camp de Saül, il le parcourra sans s'égarer, il ira jusqu'à la tente du roi sans éveiller personne, il s'en retournera sans être aperçu [56]. Faut-il enlever les chevaux de Rhésus, adressez-vous à lui sans crainte. Parmi les gens autrement élevés, vous trouverez difficilement un Ulysse [57].

J'ai vu des gens vouloir, par des surprises, accoutumer les enfants à ne s'effrayer de rien la nuit. Cette méthode est très mauvaise; elle produit un effet tout contraire à celui qu'on cherche, et ne sert qu'à les rendre toujours plus craintifs. Ni la raison ni l'habitude ne peuvent rassurer

sur l'idée d'un danger présent dont on ne peut connaître
le degré ni l'espèce, ni sur la crainte des surprises qu'on a
souvent éprouvées. Cependant, comment s'assurer de
tenir toujours votre élève exempt de pareils accidents ?
Voici le meilleur avis, ce me semble, dont on puisse le
prévenir là-dessus. Vous êtes alors, dirais-je à mon Émile,
dans le cas d'une juste défense; car l'agresseur ne vous
laisse pas juger s'il veut vous faire mal ou peur, et, comme
il a pris ses avantages, la fuite même n'est pas un refuge
pour vous. Saisissez donc hardiment celui qui vous surprend de nuit, homme ou bête, il n'importe; serrez-le,
empoignez-le de toute votre force; s'il se débat, frappez,
ne marchandez point les coups; et, quoi qu'il puisse dire
ou faire, ne lâchez jamais prise que vous ne sachiez bien
ce que c'est. L'éclaircissement vous apprendra probablement qu'il n'y avait pas beaucoup à craindre, et cette
manière de traiter les plaisants doit naturellement les
rebuter d'y revenir.

Quoique le toucher soit de tous nos sens celui dont
nous avons le plus continuel exercice, ses jugements
restent pourtant, comme je l'ai dit, imparfaits et grossiers
plus que ceux d'aucun autre, parce que nous mêlons continuellement à son usage celui de la vue, et que, l'œil
atteignant à l'objet plus tôt que la main, l'esprit juge
presque toujours sans elle. En revanche, les jugements du
tact sont les plus sûrs, précisément parce qu'ils sont les
plus bornés; car, ne s'étendant qu'aussi loin que nos
mains peuvent atteindre, ils rectifient l'étourderie des
autres sens, qui s'élancent au loin sur des objets qu'ils
aperçoivent à peine, au lieu que tout ce qu'aperçoit le
toucher, il l'aperçoit bien. Ajoutez que, joignant, quand il
nous plaît, la force des muscles à l'action des nerfs, nous
unissons, par une sensation simultanée, au jugement de
la température, des grandeurs, des figures, le jugement du
poids et de la solidité. Ainsi le toucher, étant de tous les
sens celui qui nous instruit le mieux de l'impression que
les corps étrangers peuvent faire sur le nôtre, est celui
dont l'usage est le plus fréquent, et nous donne le plus
immédiatement la connaissance nécessaire à notre conservation.

Comme le toucher exercé supplée à la vue, pourquoi
ne pourrait-il pas aussi suppléer à l'ouïe jusqu'à certain

point, puisque les sons excitent dans les corps sonores
des ébranlements sensibles au tact ? En posant une main
sur le corps d'un violoncelle, on peut, sans le secours des
yeux ni des oreilles, distinguer, à la seule manière dont le
bois vibre et frémit, si le son qu'il rend est grave ou aigu,
s'il est tiré de la chanterelle ou du bourdon. Qu'on exerce
le sens à ces différences, je ne doute pas qu'avec le temps
on n'y pût devenir sensible au point d'entendre un air
entier par les doigts. Or, ceci supposé, il est clair qu'on
pourrait aisément parler aux sourds en musique; car les
tons et les temps, n'étant pas moins susceptibles de combinaisons régulières que les articulations et les voix, peuvent
être pris de même pour les éléments du discours.

Il y a des exercices qui émoussent le sens du toucher et
le rendent plus obtus; d'autres, au contraire, l'aiguisent
et le rendent plus délicat et plus fin. Les premiers, joignant
beaucoup de mouvement et de force à la continuelle
impression des corps durs, rendent la peau rude, calleuse,
et lui ôtent le sentiment naturel; les seconds sont ceux
qui varient ce même sentiment par un tact léger et fréquent, en sorte que l'esprit, attentif à des impressions
incessamment répétées, acquiert la facilité de juger toutes
leurs modifications. Cette différence est sensible dans
l'usage des instruments de musique : le toucher dur et
meurtrissant du violoncelle, de la contre-basse, du violon
même, en rendant les doigts plus flexibles, racornit leurs
extrémités. Le toucher lisse et poli du clavecin les rend
aussi flexibles et plus sensibles en même temps. En ceci
donc le clavecin est à préférer.

Il importe que la peau s'endurcisse aux impressions de
l'air et puisse braver ses altérations; car c'est elle qui
défend tout le reste. A cela près, je ne voudrais pas que
la main, trop servilement appliquée aux mêmes travaux,
vînt à s'endurcir, ni que sa peau devenue presque osseuse
perdît ce sentiment exquis qui donne à connaître quels
sont les corps sur lesquels on la passe, et, selon l'espèce
de contact, nous fait quelquefois, dans l'obscurité, frissonner en diverses manières.

Pourquoi faut-il que mon élève soit forcé d'avoir toujours sous ses pieds une peau de bœuf ? Quel mal y aurait-
il que la sienne propre pût au besoin lui servir de semelle ?
Il est clair qu'en cette partie la délicatesse de la peau ne

peut jamais être utile à rien, et peut souvent beaucoup
nuire. Éveillés à minuit au cœur de l'hiver par l'ennemi
dans leur ville, les Genevois trouvèrent plus tôt leurs
fusils que leurs souliers. Si nul d'eux n'avait su marcher
nu-pieds, qui sait si Genève n'eût point été prise [58] ?

Armons toujours l'homme contre les accidents imprévus. Qu'Émile coure les matins à pieds nus, en toute saison, par la chambre, par l'escalier, par le jardin; loin de
l'en gronder, je l'imiterai; seulement j'aurai soin d'écarter
le verre. Je parlerai bientôt des travaux et des jeux manuels.
Du reste, qu'il apprenne à faire tous les pas qui favorisent
les évolutions du corps, à prendre dans toutes les attitudes une position aisée et solide; qu'il sache sauter en
éloignement, en hauteur, grimper sur un arbre, franchir
un mur; qu'il trouve toujours son équilibre; que tous ses
mouvements, ses gestes soient ordonnés selon les lois de
la pondération, longtemps avant que la statique se mêle
de les lui expliquer. A la manière dont son pied pose à
terre et son corps porte sur sa jambe, il doit sentir s'il
est bien ou mal. Une assiette assurée a toujours de la grâce,
et les postures les plus fermes sont aussi les plus élégantes.
Si j'étais maître à danser, je ne ferais pas toutes les singeries de Marcel *, bonnes pour le pays où il les fait; mais,
au lieu d'occuper éternellement mon élève à des gambades,
je le mènerais au pied d'un rocher; là, je lui montrerais
quelle attitude il faut prendre, comment il faut porter
le corps et la tête, quel mouvement il faut faire, de quelle
manière il faut poser, tantôt le pied, tantôt la main, pour
suivre légèrement les sentiers escarpés, raboteux et rudes,
et s'élancer de pointe en pointe tant en montant qu'en
descendant. J'en ferais l'émule d'un chevreuil plutôt qu'un
danseur de l'Opéra.

Autant le toucher concentre ses opérations autour de
l'homme, autant la vue étend les siennes au delà de lui;

---

* Célèbre maître à danser de Paris, lequel, connaissant bien son
monde, faisait l'extravagant par ruse, et donnait à son art une
importance qu'on feignait de trouver ridicule, mais pour laquelle on
lui portait au fond le plus grand respect. Dans un autre art non
moins frivole, on voit encore aujourd'hui un artiste comédien faire
ainsi l'important et le fou, et ne réussir pas moins bien. Cette méthode
est toujours sûre en France. Le vrai talent, plus simple et moins charlatan, n'y fait point fortune. La modestie y est la vertu des sots.

c'est là ce qui rend celles-ci trompeuses : d'un coup d'œil
un homme embrasse la moitié de son horizon. Dans cette
multitude de sensations simultanées et de jugements
qu'elles excitent, comment ne se tromper sur aucun ?
Ainsi la vue est de tous nos sens le plus fautif, précisément
parce qu'il est le plus étendu, et que, précédant de bien
loin tous les autres, ses opérations sont trop promptes
et trop vastes pour pouvoir être rectifiées par eux. Il y
a plus, les illusions mêmes de la perspective nous sont
nécessaires pour parvenir à connaître l'étendue et à comparer ses parties. Sans les fausses apparences, nous ne
verrions rien dans l'éloignement; sans les gradations de
grandeur et de lumière, nous ne pourrions estimer aucune
distance, ou plutôt il n'y en aurait point pour nous. Si
de deux arbres égaux celui qui est à cent pas de nous nous
paraissait aussi grand et aussi distinct que celui qui est à
dix, nous les placerions à côté l'un de l'autre. Si nous
apercevions toutes les dimensions des objets sous leur
véritable mesure, nous ne verrions aucun espace, et tout
nous paraîtrait sur notre œil.

Le sens de la vue n'a, pour juger la grandeur des objets
et leur distance, qu'une même mesure, savoir, l'ouverture de l'angle qu'ils font dans notre œil; et comme cette
ouverture est un effet simple d'une cause composée, le
jugement qu'il excite en nous laisse chaque cause particulière indéterminée, ou devient nécessairement fautif. Car,
comment distinguer à la simple vue si l'angle sous lequel
je vois un objet plus petit qu'un autre est tel, parce que ce
premier objet est en effet plus petit, ou parce qu'il est plus
éloigné ?

Il faut donc suivre ici une méthode contraire à la précédente; au lieu de simplifier la sensation, la doubler, la
vérifier toujours par une autre, assujettir l'organe visuel
à l'organe tactile, et réprimer, pour ainsi dire, l'impétuosité
du premier sens par la marche pesante et réglée du second.
Faute de nous asservir à cette pratique, nos mesures par
estimation sont très inexactes. Nous n'avons nulle précision dans le coup d'œil pour juger les hauteurs, les longueurs, les profondeurs, les distances; et la preuve que ce
n'est pas tant la faute du sens que de son usage, c'est que
les ingénieurs, les arpenteurs, les architectes, les maçons,
les peintres ont en général le coup d'œil beaucoup plus

sûr que nous, et apprécient les mesures de l'étendue avec
plus de justesse; parce que leur métier leur donnant en
ceci l'expérience que nous négligeons d'acquérir, ils ôtent
l'équivoque de l'angle par les apparences qui l'accompagnent, et qui déterminent plus exactement à leurs yeux
le rapport des deux causes de cet angle.

Tout ce qui donne du mouvement au corps sans le
contraindre est toujours facile à obtenir des enfants. Il y
a mille moyens de les intéresser à mesurer, à connaître, à
estimer les distances. Voilà un cerisier fort haut, comment
ferons-nous pour cueillir des cerises ? L'échelle de la grange
est-elle bonne pour cela ? Voilà un ruisseau fort large,
comment le traverserons-nous ? une des planches de la
cour posera-t-elle sur les deux bords ? Nous voudrions,
de nos fenêtres, pêcher dans les fossés du château; combien de brasses doit avoir notre ligne ? Je voudrais faire
une balançoire [59] entre ces deux arbres; une corde de deux
toises nous suffira-t-elle ? On me dit que dans l'autre
maison notre chambre aura vingt-cinq pieds carrés;
croyez-vous qu'elle nous convienne ? sera-t-elle plus grande
que celle-ci ? Nous avons grand'faim; voilà deux villages;
auquel des deux serons-nous plus tôt pour dîner ? etc.

Il s'agissait d'exercer à la course un enfant indolent et
paresseux, qui ne se portait pas de lui-même à cet exercice ni à aucun autre, quoiqu'on le destinât à l'état militaire; il s'était persuadé, je ne sais comment, qu'un homme
de son rang ne devait rien faire ni rien savoir, et que sa
noblesse devait lui tenir lieu de bras, de jambes, ainsi que
de toute espèce de mérite. A faire d'un tel gentilhomme un
Achille au pied léger, l'adresse de Chiron même eût eu
peine à suffire. La difficulté était d'autant plus grande que
je ne voulais lui prescrire absolument rien; j'avais banni
de mes droits les exhortations, les promesses, les menaces,
l'émulation, le désir de briller; comment lui donner celui
de courir sans lui rien dire ? Courir moi-même eût été un
moyen peu sûr et sujet à inconvénient. D'ailleurs il s'agissait encore de tirer de cet exercice quelque objet d'instruction pour lui, afin d'accoutumer les opérations de la machine
et celles du jugement à marcher toujours de concert. Voici
comment je m'y pris : moi, c'est-à-dire celui qui parle dans
cet exemple.

En m'allant promener avec lui les après-midi, je mettais

CHIRON
Dessin de Eisen gravé par Louis le Grand dans l'édition
de La Haye, J. Néaulme, 1762

quelquefois dans ma poche deux gâteaux d'une espèce qu'il aimait beaucoup; nous en mangions chacun un à la promenade *, et nous revenions fort contents. Un jour il s'aperçut que j'avais trois gâteaux; il en aurait pu manger six sans s'incommoder; il dépêche promptement le sien pour me demander le troisième. Non, lui dis-je : je le mangerais fort bien moi-même, ou nous le partagerions; mais j'aime mieux le voir disputer à la course par ces deux petits garçons que voilà. Je les appelai, je leur montrai le gâteau et leur proposai la condition. Ils ne demandèrent pas mieux. Le gâteau fut posé sur une grande pierre qui servit de but; la carrière fut marquée : nous allâmes nous asseoir; au signal donné, les petits garçons partirent; le victorieux se saisit du gâteau, et le mangea sans miséricorde aux yeux des spectateurs et du vaincu.

Cet amusement valait mieux que le gâteau; mais il ne prit pas d'abord et ne produisit rien. Je ne me rebutai ni ne me pressai : l'instruction des enfants est un métier où il faut savoir perdre du temps pour en gagner. Nous continuâmes nos promenades; souvent on prenait trois gâteaux, quelquefois quatre, et de temps à autre il y en avait un, même deux pour les coureurs. Si le prix n'était pas grand, ceux qui le disputaient n'étaient pas ambitieux : celui qui le remportait était loué, fêté; tout se faisait avec appareil. Pour donner lieu aux révolutions et augmenter l'intérêt, je marquais la carrière plus longue, j'y souffrais plusieurs concurrents. A peine étaient-ils dans la lice, que tous les passants s'arrêtaient pour les voir; les acclamations, les cris, les battements de mains les animaient; je voyais quelquefois mon petit bonhomme tressaillir, se lever, s'écrier quand l'un était près d'atteindre ou de passer l'autre; c'étaient pour lui les jeux olympiques.

Cependant les concurrents usaient quelquefois de supercherie; ils se retenaient mutuellement, ou se faisaient tomber, ou poussaient des cailloux au passage l'un de l'autre. Cela me fournit un sujet de les séparer, et de les faire

---

* Promenade champêtre, comme on verra dans l'instant. Les promenades publiques des villes sont pernicieuses aux enfants de l'un et de l'autre sexe. C'est là qu'ils commencent à se rendre vains et à vouloir être regardés : c'est au Luxembourg, aux Tuileries, surtout au Palais-Royal, que la belle jeunesse de Paris va prendre cet air impertinent et fat qui la rend si ridicule, et la fait huer et détester dans toute l'Europe.

partir de différents termes, quoique également éloignés du but : on verra bientôt la raison de cette prévoyance; car je dois traiter cette importante affaire dans un grand détail.

Ennuyé de voir toujours manger sous ses yeux des gâteaux qui lui faisaient grande envie, monsieur le chevalier s'avisa de soupçonner enfin que bien courir pouvait être bon à quelque chose et voyant qu'il avait aussi deux jambes, il commença de s'essayer en secret. Je me gardai d'en rien voir; mais je compris que mon stratagème avait réussi. Quand il se crut assez fort, et je lus avant lui dans sa pensée, il affecta de m'importuner pour avoir le gâteau restant. Je le refuse, il s'obstine, et d'un air dépité il me dit à la fin : Eh bien ! mettez-le sur la pierre, marquez le champ, et nous verrons. Bon ! lui dis-je en riant, est-ce qu'un chevalier sait courir ? Vous gagnerez plus d'appétit, et non de quoi le satisfaire. Piqué de ma raillerie, il s'évertue, et remporte le prix d'autant plus aisément, que j'avais fait la lice très courte et pris soin d'écarter le meilleur coureur. On conçoit comment, ce premier pas étant fait, il me fut aisé de le tenir en haleine. Bientôt il prit un tel goût à cet exercice, que, sans faveur, il était presque sûr de vaincre mes polissons à la course, quelque longue que fût la carrière.

Cet avantage obtenu en produisit un autre auquel je n'avais pas songé. Quand il remportait rarement le prix, il le mangeait presque toujours seul, ainsi que faisaient ses concurrents; mais en s'accoutumant à la victoire, il devint généreux et partageait souvent avec les vaincus. Cela me fournit à moi-même une observation morale, et j'appris par là quel était le vrai principe de la générosité.

En continuant avec lui de marquer en différents lieux les termes d'où chacun devait partir à la fois, je fis, sans qu'il s'en aperçût, les distances inégales, de sorte que l'un, ayant à faire plus de chemin que l'autre pour arriver au même but, avait un désavantage visible; mais, quoique je laissasse le choix à mon disciple, il ne savait pas s'en prévaloir. Sans s'embarrasser de la distance, il préférait toujours le plus beau chemin; de sorte que, prévoyant aisément son choix, j'étais à peu près le maître de lui faire perdre ou gagner le gâteau à ma volonté; et cette adresse avait aussi son usage à plus d'une fin. Cependant, comme mon

dessein était qu'il s'aperçût de la différence, je tâchais de
la lui rendre sensible; mais, quoique indolent dans le
calme, il était si vif dans ses jeux, et se défiait si peu de
moi, que j'eus toutes les peines du monde à lui faire apercevoir que je le trichais. Enfin j'en vins à bout malgré son
étourderie; il m'en fit des reproches. Je lui dis : De quoi
vous plaignez-vous ? dans un don que je veux bien faire,
ne suis-je pas maître de mes conditions ? Qui vous force
à courir ? vous ai-je promis de faire les lices égales ? n'avez-
vous pas le choix ? Prenez la plus courte, on ne vous en
empêche point. Comment ne voyez-vous pas que c'est
vous que je favorise, et que l'inégalité dont vous murmurez
est tout à votre avantage si vous savez vous en prévaloir ?
Cela était clair; il le comprit, et, pour choisir, il fallut y
regarder de plus près. D'abord on voulut compter les
pas; mais la mesure des pas d'un enfant est lente et fautive;
de plus, je m'avisai de multiplier les courses dans un même
jour; et alors, l'amusement devenant une espèce de passion,
l'on avait regret de perdre à mesurer les lices le temps
destiné à les parcourir. La vivacité de l'enfance s'accommode mal de ces lenteurs; on s'exerça donc à mieux voir,
à mieux estimer une distance à la vue. Alors j'eus peu de
peine à étendre et nourrir ce goût. Enfin, quelques mois
d'épreuves et d'erreurs corrigées lui formèrent tellement
le compas visuel, que, quand je lui mettais par la pensée un
gâteau sur quelque objet éloigné, il avait le coup d'œil
presque aussi sûr que la chaîne d'un arpenteur.

Comme la vue est de tous les sens celui dont on peut le
moins séparer les jugements de l'esprit, il faut beaucoup
de temps pour apprendre à voir; il faut avoir longtemps
comparé la vue au toucher pour accoutumer le premier
de ces deux sens à nous faire un rapport fidèle des figures
et des distances; sans le toucher, sans le mouvement progressif, les yeux du monde les plus perçants ne sauraient
nous donner aucune idée de l'étendue. L'univers entier
ne doit être qu'un point pour une huître; il ne lui paraîtrait
rien de plus quand même une âme humaine informerait
cette huître. Ce n'est qu'à force de marcher, de palper, de
nombrer, de mesurer les dimensions, qu'on apprend à
les estimer; mais aussi, si l'on mesurait toujours, le sens,
se reposant sur l'instrument, n'acquerrait aucune justesse.
Il ne faut pas non plus que l'enfant passe tout d'un coup

de la mesure à l'estimation; il faut d'abord que, continuant
à comparer par parties ce qu'il ne saurait comparer tout
d'un coup, à des aliquotes précises il substitue des aliquotes
par appréciation, et qu'au lieu d'appliquer toujours avec
la main la mesure, il s'accoutume à l'appliquer seulement
avec les yeux. Je voudrais pourtant qu'on vérifiât ses
premières opérations par des mesures réelles, afin qu'il
corrigeât ses erreurs, et que, s'il reste dans le sens quelque
fausse apparence, il apprît à la rectifier par un meilleur
jugement. On a des mesures naturelles qui sont à peu près
les mêmes en tous lieux : les pas d'un homme, l'étendue de
ses bras, sa stature. Quand l'enfant estime la hauteur d'un
étage, son gouverneur peut lui servir de toise : s'il estime
la hauteur d'un clocher, qu'il le toise avec les maisons;
s'il veut savoir les lieues de chemin, qu'il compte les
heures de marche; et surtout qu'on ne fasse rien de tout
cela pour lui, mais qu'il le fasse lui-même.

On ne saurait apprendre à bien juger de l'étendue et de
la grandeur des corps, qu'on n'apprenne à connaître aussi
leurs figures et même à les imiter; car au fond cette imitation ne tient absolument qu'aux lois de la perspective;
et l'on ne peut estimer l'étendue sur ses apparences, qu'on
n'ait quelque sentiment de ces lois. Les enfants, grands
imitateurs, essayent tous de dessiner : je voudrais que le
mien cultivât cet art, non précisément pour l'art même,
mais pour se rendre l'œil juste et la main flexible; et, en
général, il importe fort peu qu'il sache tel ou tel exercice,
pourvu qu'il acquière la perspicacité du sens et la bonne
habitude du corps qu'on gagne par cet exercice. Je me
garderai donc bien de lui donner un maître à dessiner,
qui ne lui donnerait à imiter que des imitations, et ne le
ferait dessiner que sur des dessins : je veux qu'il n'ait
d'autre maître que la nature, ni d'autre modèle que les
objets. Je veux qu'il ait sous les yeux l'original même et
non pas le papier qui le représente, qu'il crayonne une
maison sur une maison, un arbre sur un arbre, un homme
sur un homme, afin qu'il s'accoutume à bien observer les
corps et leurs apparences, et non pas à prendre des imitations fausses et conventionnelles pour de véritables
imitations. Je le détournerai même de rien tracer de mémoire en l'absence des objets, jusqu'à ce que, par des
observations fréquentes, leurs figures exactes s'impriment

bien dans son imagination; de peur que, substituant à la vérité des choses des figures bizarres et fantastiques, il ne perde la connaissance des proportions et le goût des beautés de la nature.

Je sais bien que de cette manière il barbouillera longtemps sans rien faire de reconnaissable, qu'il prendra tard l'élégance des contours et le trait léger des dessinateurs, peut-être jamais le discernement des effets pittoresques et le bon goût du dessin; en revanche, il contractera certainement un coup d'œil plus juste, une main plus sûre, la connaissance des vrais rapports de grandeur et de figure qui sont entre les animaux, les plantes, les corps naturels, et une plus prompte expérience du jeu de la perspective. Voilà précisément ce que j'ai voulu faire, et mon intention n'est pas tant qu'il sache imiter les objets que les connaître; j'aime mieux qu'il me montre une plante d'acanthe, et qu'il trace moins bien le feuillage d'un chapiteau.

Au reste, dans cet exercice, ainsi que dans tous les autres, je ne prétends pas que mon élève en ait seul l'amusement. Je veux le lui rendre plus agréable encore en le partageant sans cesse avec lui. Je ne veux point qu'il ait d'autre émule que moi, mais je serai son émule sans relâche et sans risque; cela mettra de l'intérêt dans ses occupations, sans causer de jalousie entre nous. Je prendrai le crayon à son exemple; je l'emploierai d'abord aussi maladroitement que lui. Je serais un Apelle, que je ne me trouverai qu'un barbouilleur. Je commencerai par tracer un homme comme les laquais les tracent contre les murs; une barre pour chaque bras, une barre pour chaque jambe, et des doigts plus gros que le bras. Bien longtemps après nous nous apercevrons l'un ou l'autre de cette disproportion; nous remarquerons qu'une jambe a· de l'épaisseur, que cette épaisseur n'est pas partout la même; que le bras a sa longueur déterminée par rapport au corps, etc. Dans ce progrès, je marcherai tout au plus à côté de lui, ou je le devancerai de si peu, qu'il lui sera toujours aisé de m'atteindre, et souvent de me surpasser. Nous aurons des couleurs, des pinceaux; nous tâcherons d'imiter le coloris des objets et toute leur apparence aussi bien que leur figure. Nous enluminerons, nous peindrons, nous barbouillerons; mais, dans tous nos barbouillages, nous ne cesserons d'épier la nature; nous ne ferons jamais rien que sous les yeux du maître.

Nous étions en peine d'ornements pour notre chambre, en voilà de tout trouvés. Je fais encadrer nos dessins; je les fais couvrir de beaux verres, afin qu'on n'y touche plus, et que, les voyant rester dans l'état où nous les avons mis, chacun ait intérêt de ne pas négliger les siens. Je les arrange par ordre autour de la chambre, chaque dessin répété vingt, trente fois, et montrant à chaque exemplaire le progrès de l'auteur, depuis le moment où la maison n'est qu'un carré presque informe, jusqu'à celui où sa façade, son profil, ses proportions, ses ombres, sont dans la plus exacte vérité. Ces gradations ne peuvent manquer de nous offrir sans cesse des tableaux intéressants pour nous, curieux pour d'autres, et d'exciter toujours plus notre émulation. Aux premiers, aux plus grossiers de ces dessins, je mets des cadres bien brillants, bien dorés, qui les rehaussent; mais quand l'imitation devient plus exacte et que le dessin est véritablement bon, alors je ne lui donne plus qu'un cadre noir très simple; il n'a plus besoin d'autre ornement que lui-même, et ce serait dommage que la bordure partageât l'attention que mérite l'objet. Ainsi chacun de nous aspire à l'honneur du cadre uni; et quand l'un veut dédaigner un dessin de l'autre, il le condamne au cadre doré. Quelque jour, peut-être, ces cadres dorés passeront entre nous en proverbe, et nous admirerons combien d'hommes se rendent justice en se faisant encadrer ainsi.

J'ai dit que la géométrie n'était pas à la portée des enfants; mais c'est notre faute. Nous ne sentons pas que leur méthode n'est point la nôtre, et que ce qui devient pour nous l'art de raisonner ne doit être pour eux que l'art de voir. Au lieu de leur donner notre méthode, nous ferions mieux de prendre la leur; car notre manière d'apprendre la géométrie est bien autant une affaire d'imagination que de raisonnement. Quand la proposition est énoncée, il faut en imaginer la démonstration, c'est-à-dire trouver de quelle proposition déjà sue celle-là doit être une conséquence, et, de toutes les conséquences qu'on peut tirer de cette même proposition, choisir précisément celle dont il s'agit.

De cette manière, le raisonneur le plus exact, s'il n'est pas inventif, doit rester court. Aussi qu'arrive-t-il de là? Qu'au lieu de nous faire trouver les démonstrations, on nous les dicte; qu'au lieu de nous apprendre à raisonner, le maître raisonne pour nous et n'exerce que notre mémoire.

Faites des figures exactes, combinez-les, posez-les l'une sur l'autre, examinez leurs rapports ; vous trouverez toute la géométrie élémentaire en marchant d'observation en observation, sans qu'il soit question ni de définitions, ni de problèmes, ni d'aucune autre forme démonstrative que la simple superposition. Pour moi, je ne prétends point apprendre la géométrie à Émile, c'est lui qui me l'apprendra, je chercherai les rapports, et il les trouvera ; car je les chercherai de manière à les lui faire trouver. Par exemple, au lieu de me servir d'un compas pour tracer un cercle, je le tracerai avec une pointe au bout d'un fil tournant sur un pivot. Après cela, quand je voudrai comparer les rayons entre eux, Émile se moquera de moi, et il me fera comprendre que le même fil toujours tendu ne peut avoir tracé des distances inégales.

Si je veux mesurer un angle de soixante degrés, je décris du sommet de cet angle, non pas un arc, mais un cercle entier ; car avec les enfants il ne faut jamais rien sous-entendre. Je trouve que la portion du cercle comprise entre les deux côtés de l'angle est la sixième partie du cercle. Après cela je décris du même sommet un autre plus grand cercle, et je trouve que ce second arc est encore la sixième partie de son cercle. Je décris un troisième cercle concentrique sur lequel je fais la même épreuve ; et je la continue sur de nouveaux cercles, jusqu'à ce qu'Émile, choqué de ma stupidité, m'avertisse que chaque arc, grand ou petit, compris par le même angle, sera toujours la sixième partie de son cercle, etc. Nous voilà tout à l'heure à l'usage du rapporteur.

Pour prouver que les angles de suite sont égaux à deux droits, on décrit un cercle ; moi, tout au contraire, je fais en sorte qu'Émile remarque cela premièrement dans le cercle, et puis je lui dis : Si l'on ôtait le cercle et les lignes droites, les angles auraient-ils changé de grandeur, etc.

On néglige la justesse des figures, on la suppose, et l'on s'attache à la démonstration. Entre nous, au contraire, il ne sera jamais question de démonstration ; notre plus importante affaire sera de tirer des lignes bien droites, bien justes, bien égales ; de faire un carré bien parfait, de tracer un cercle bien rond. Pour vérifier la justesse de la figure, nous l'examinerons par toutes ses propriétés sensibles ;

et cela nous donnera occasion d'en découvrir chaque jour de nouvelles. Nous plierons par le diamètre les deux demi-cercles; par la diagonale, les deux moitiés du carré; nous comparerons nos deux figures pour voir celle dont les bords conviennent le plus exactement, et par conséquent la mieux faite; nous disputerons si cette égalité de partage doit avoir toujours lieu dans les parallélogrammes, dans les trapèzes, etc. On essayera quelquefois de prévoir le succès de l'expérience avant de la faire; on tâchera de trouver des raisons, etc.

La géométrie n'est pour mon élève que l'art de se bien servir de la règle et du compas; il ne doit point la confondre avec le dessin, où il n'emploiera ni l'un ni l'autre de ces instruments. La règle et le compas seront enfermés sous la clef, et l'on ne lui en accordera que rarement l'usage et pour peu de temps, afin qu'il ne s'accoutume pas à bar-bouiller; mais nous pourrons quelquefois porter nos figures à la promenade, et causer de ce que nous aurons fait ou de ce que nous voudrons faire.

Je n'oublierai jamais d'avoir vu à Turin un jeune homme à qui, dans son enfance, on avait appris les rapports des contours et des surfaces en lui donnant chaque jour à choisir dans toutes les figures géométriques des gaufres isopérimètres. Le petit gourmand avait épuisé l'art d'Archi-mède pour trouver dans laquelle il y avait le plus à manger [60].

Quand un enfant joue au volant, il s'exerce l'œil et le bras à la justesse; quand il fouette un sabot, il accroît sa force en s'en servant, mais sans rien apprendre. J'ai demandé quelquefois pourquoi l'on n'offrait pas aux enfants les mêmes jeux d'adresse qu'ont les hommes : la paume, le mail, le billard, l'arc, le ballon, les instruments de musique. On m'a répondu que quelques-uns de ces jeux étaient au-dessus de leurs forces, et que leurs membres et leurs organes n'étaient pas assez formés pour les autres. Je trouve ces raisons mauvaises : un enfant n'a pas la taille d'un homme, et ne laisse pas de porter un habit fait comme le sien. Je n'entends pas qu'il joue avec nos masses sur un billard haut de trois pieds; je n'entends pas qu'il aille peloter dans nos tripots, ni qu'on charge sa petite main d'une raquette de paumier; mais qu'il joue dans une salle dont on aura garanti les fenêtres; qu'il ne se serve d'abord que de balles molles; que ses premières raquettes soient

de bois, puis de parchemin, et enfin de corde à boyau
bandée à proportion de son progrès. Vous préférez le
volant, parce qu'il fatigue moins et qu'il est sans danger.
Vous avez tort par ces deux raisons. Le volant est un jeu
de femmes; mais il n'y en a pas une que ne fît fuir une balle
en mouvement. Leurs blanches peaux ne doivent pas s'endurcir aux meurtrissures, et ce ne sont pas des contusions
qu'attendent leurs visages. Mais nous, faits pour être
vigoureux, croyons-nous le devenir sans peine? et de
quelle défense serons-nous capables, si nous ne sommes
jamais attaqués? On joue toujours lâchement les jeux où
l'on peut être maladroit sans risque : un volant qui tombe
ne fait de mal à personne; mais rien ne dégourdit les bras
comme d'avoir à couvrir la tête, rien ne rend le coup d'œil
si juste que d'avoir à garantir les yeux. S'élancer du bout
d'une salle à l'autre, juger le bond d'une balle encore en
l'air, la renvoyer d'une main forte et sûre; de tels jeux
conviennent moins à l'homme qu'ils ne servent à le former.

Les fibres d'un enfant, dit-on, sont trop molles! Elles
ont moins de ressort, mais elles en sont plus flexibles;
son bras est faible, mais enfin c'est un bras; on en doit
faire, porportion gardée, tout ce qu'on fait d'une autre
machine semblable. Les enfants n'ont dans les mains nulle
adresse; c'est pour cela que je veux qu'on leur en donne :
un homme aussi peu exercé qu'eux n'en aurait pas davantage; nous ne pouvons connaître l'usage de nos organes
qu'après les avoir employés. Il n'y a qu'une longue expérience qui nous apprenne à tirer parti de nous-mêmes, et
cette expérience est la véritable étude à laquelle on ne peut
trop tôt nous appliquer.

Tout ce qui se fait est faisable. Or, rien n'est plus commun que de voir des enfants adroits et découplés avoir
dans les membres la même agilité que peut avoir un homme.
Dans presque toutes les foires on en voit faire des équilibres,
marcher sur les mains, sauter, danser sur la corde. Durant
combien d'années des troupes d'enfants n'ont-elles pas
attiré par leurs ballets des spectateurs à la Comédie italienne! Qui est-ce qui n'a pas ouï parler en Allemagne et
en Italie de la troupe pantomime du célèbre Nicolini?
Quelqu'un a-t-il jamais remarqué dans ces enfants des
mouvements moins développés, des attitudes moins gracieuses, une oreille moins juste, une danse moins légère

que dans les danseurs tout formés ? Qu'on ait d'abord les
doigts épais, courts, peu mobiles, les mains potelées et
peu capables de rien empoigner; cela empêche-t-il que
plusieurs enfants ne sachent écrire ou dessiner à l'âge où
d'autres ne savent pas encore tenir le crayon ni la plume ?
Tout Paris se souvient encore de la petite Anglaise qui
faisait à dix ans des prodiges sur le clavecin*. J'ai vu chez
un magistrat, son fils, petit bonhomme de huit ans, qu'on
mettait sur la table au dessert, comme une statue au milieu
des plateaux, jouer là d'un violon presque aussi grand que
lui, et surprendre par son exécution les artistes mêmes.

Tous ces exemples et cent mille autres prouvent, ce me
semble, que l'inaptitude qu'on suppose aux enfants pour
nos exercices est imaginaire, et que, si on ne les voit point
réussir dans quelques-uns, c'est qu'on ne les y a jamais
exercés.

On me dira que je tombe ici, par rapport au corps, dans
le défaut de la culture prématurée que je blâme dans les
enfants par rapport à l'esprit. La différence est très grande;
car l'un de ces progrès n'est qu'apparent, mais l'autre est
réel. J'ai prouvé que l'esprit qu'ils paraissent avoir, ils ne
l'ont pas, au lieu que tout ce qu'ils paraissent faire ils le
font. D'ailleurs, on doit toujours songer que tout ceci
n'est ou ne doit être que jeu, direction facile et volontaire
des mouvements que la nature leur demande, art de varier
leurs amusements pour les leur rendre plus agréables,
sans que jamais la moindre contrainte les tourne en travail;
car enfin, de quoi s'amuseront-ils dont je ne puisse faire
un objet d'instruction pour eux ? et quand je ne le pourrais
pas, pourvu qu'ils s'amusent sans inconvénient, et que le
temps se passe, leur progrès en toute chose n'importe
pas quant à présent; au lieu que, lorsqu'il faut nécessairement leur apprendre ceci ou cela, comme qu'on s'y
prenne, il est toujours impossible qu'on en vienne à bout
sans contrainte, sans fâcherie, et sans ennui.

Ce que j'ai dit sur les deux sens dont l'usage est le plus
continu et le plus important, peut servir d'exemple de la
manière d'exercer les autres. La vue et le toucher s'appliquent également sur les corps en repos et sur les corps qui

* Un petit garçon de sept ans en a fait depuis ce temps-là de plus
étonnants encore[61].

se meuvent; mais comme il n'y a que l'ébranlement de
l'air qui puisse émouvoir le sens de l'ouïe, il n'y a qu'un
corps en mouvement qui fasse du bruit ou du son; et, si
tout était en repos, nous n'entendrions jamais rien. La
nuit donc, où, ne nous mouvant nous-mêmes qu'autant
qu'il nous plaît, nous n'avons à craindre que les corps qui
se meuvent, il nous importe d'avoir l'oreille alerte, et de
pouvoir juger, par la sensation qui nous frappe, si le corps
qui la cause est grand ou petit, éloigné ou proche; si son
ébranlement est violent ou faible. L'air ébranlé est sujet
à des répercussions qui le réfléchissent, qui, produisant des
échos, répètent la sensation, et font entendre le corps
bruyant ou sonore en un autre lieu que celui où il est. Si
dans une plaine ou dans une vallée on met l'oreille à terre,
on entend la voix des hommes et le pas des chevaux de
beaucoup plus loin qu'en restant debout.

Comme nous avons comparé la vue au toucher, il est
bon de la comparer de même à l'ouïe, et de savoir laquelle
des deux impressions, partant à la fois du même corps,
arrivera le plus tôt à son organe. Quand on voit le feu
d'un canon, l'on peut encore se mettre à l'abri du coup;
mais sitôt qu'on entend le bruit, il n'est plus temps, le
boulet est là. On peut juger de la distance où se fait le
tonnerre par l'intervalle de temps qui se passe de l'éclair
au coup. Faites en sorte que l'enfant connaisse toutes ces
expériences; qu'il fasse celles qui sont à sa portée, et qu'il
trouve les autres par induction, mais j'aime cent fois mieux
qu'il les ignore que s'il faut que vous les lui disiez.

Nous avons un organe qui répond à l'ouïe, savoir,
celui de la voix; nous n'en avons pas de même qui réponde
à la vue, et nous ne rendons pas les couleurs comme les
sons. C'est un moyen de plus pour cultiver le premier
sens, en exerçant l'organe actif et l'organe passif l'un par
l'autre.

L'homme a trois sortes de voix, savoir, la voix parlante
ou articulée, la voix chantante ou mélodieuse, et la voix
pathétique ou accentuée, qui sert de langage aux passions,
et qui anime le chant et la parole. L'enfant a ces trois
sortes de voix ainsi que l'homme, sans les savoir allier
de même; il a comme nous le rire, les cris, les plaintes,
l'exclamation, les gémissements, mais il ne sait pas en
mêler les inflexions aux deux autres voix. Une musique

parfaite est celle qui réunit le mieux ces trois voix. Les enfants sont incapables de cette musique-là, et leur chant n'a jamais d'âme. De même, dans la voix parlante, leur langage n'a point d'accent; ils crient, mais ils n'accentuent pas; et comme dans leur discours il y a peu d'accent, il y a peu d'énergie dans leur voix. Notre élève aura le parler plus uni, plus simple encore, parce que ses passions, n'étant pas éveillées, ne mêleront point leur langage au sien. N'allez donc pas lui donner à réciter des rôles de tragédie et de comédie, ni vouloir lui apprendre, comme on dit, à déclamer. Il aura trop de sens pour savoir donner un ton à des choses qu'il ne peut entendre, et de l'expression à des sentiments qu'il n'éprouvera jamais.

Apprenez-lui à parler uniment, clairement, à bien articuler, à prononcer exactement et sans affectation, à connaître et à suivre l'accent grammatical et la prosodie, à donner toujours assez de voix pour être entendu, mais à n'en donner jamais plus qu'il ne faut; défaut ordinaire aux enfants élevés dans les collèges : en toute chose rien de superflu.

De même, dans le chant, rendez sa voix juste, égale, flexible, sonore; son oreille sensible à la mesure et à l'harmonie, mais rien de plus. La musique imitative et théâtrale n'est pas de son âge; je ne voudrais pas même qu'il chantât des paroles; s'il en voulait chanter, je tâcherais de lui faire des chansons exprès, intéressantes pour son âge, et aussi simples que ses idées.

On pense bien qu'étant si peu pressé de lui apprendre à lire l'écriture, je ne le serai pas non plus de lui apprendre à lire la musique. Écartons de son cerveau toute attention trop pénible, et ne nous hâtons point de fixer son esprit sur des signes de convention. Ceci, je l'avoue, semble avoir sa difficulté; car, si la connaissance des notes ne paraît pas d'abord plus nécessaire pour savoir chanter que celle des lettres pour savoir parler, il y a pourtant cette différence, qu'en parlant nous rendons nos propres idées, et qu'en chantant nous ne rendons guère que celles d'autrui. Or, pour les rendre, il faut les lire.

Mais, premièrement, au lieu de les lire on peut les ouïr, et un chant se rend à l'oreille encore plus fidèlement qu'à l'œil. De plus, pour bien savoir la musique, il ne suffit pas de la rendre, il la faut composer, et l'un doit s'apprendre avec l'autre, sans quoi l'on ne la sait jamais bien. Exercez votre petit musicien d'abord à faire des phrases bien régulières, bien cadencées; ensuite à les lier entre elles par une modulation très simple, enfin à marquer leurs différents rapports par une ponctuation correcte; ce qui se fait par le bon choix des cadences et des repos. Surtout jamais de chant bizarre, jamais de pathétique ni d'expression. Une mélodie toujours chantante et simple, toujours dérivante des cordes essentielles du ton, et toujours indiquant tellement la basse qu'il la sente et l'accompagne sans peine; car, pour se former la voix et l'oreille, il ne doit jamais chanter qu'au clavecin.

Pour mieux marquer les sons, on les articule en les prononçant; de là l'usage de solfier avec certaines syllabes. Pour distinguer les degrés, il faut donner des noms et à ces degrés et à leurs différents termes fixes; de là les noms des intervalles, et aussi des lettres de l'alphabet dont on marque les touches du clavier et les notes de la gamme. C et A désignent des sons fixes invariables, toujours rendus par les mêmes touches. *Ut* et *la* sont autre chose. *Ut* est constamment la tonique d'un mode majeur, ou la médiante d'un mode mineur. *La* est constamment la tonique d'un mode mineur, ou la sixième note d'un mode majeur. Ainsi les lettres marquent les termes immuables des rapports de notre système musical, et les syllabes marquent les termes homologues des rapports semblables en divers tons. Les lettres indiquent les touches du clavier, et les syllabes les degrés du mode. Les musiciens français ont étrangement brouillé ces distinctions; ils ont confondu le sens des syllabes avec le sens des lettres; et, doublant inutilement les signes des touches, ils n'en ont point laissé pour exprimer les cordes des tons; en sorte que pour eux *ut* et C sont toujours la même chose; ce qui n'est pas, et ne doit pas être, car alors de quoi servirait C ? Aussi leur manière de solfier est-elle d'une difficulté excessive sans être d'aucune utilité, sans porter aucune idée nette à l'esprit, puisque, par cette méthode, ces deux syllabes *ut* et *mi*, par exemple, peuvent également signifier une tierce majeure, mineure, superflue, ou diminuée. Par quelle étrange fatalité le pays du monde où l'on écrit les plus beaux livres sur la musique est-il précisément celui où on l'apprend le plus difficilement ?

Suivons avec notre élève une pratique plus simple et plus claire; qu'il n'y ait pour lui que deux modes, dont les rapports soient toujours les mêmes et toujours indiqués par les mêmes syllabes. Soit qu'il chante ou qu'il joue d'un instrument, qu'il sache établir son mode sur chacun des douze tons qui peuvent lui servir de base, et que, soit qu'on module en D, en C, en G, etc., le finale soit toujours *la* ou *ut*, selon le mode. De cette manière, il vous concevra toujours; les rapports essentiels du mode pour chanter et jouer juste seront toujours présents à son esprit, son exécution sera plus nette et son progrès plus rapide. Il n'y a rien de plus bizarre que ce que les Français appellent *solfier au naturel*; c'est éloigner les idées de la chose pour en substituer d'étrangères qui ne font qu'égarer. Rien n'est plus naturel que de solfier par transposition, lorsque le mode est transposé. Mais c'en est trop sur la musique : enseignez-la comme vous voudrez, pourvu qu'elle ne soit jamais qu'un amusement.

Nous voilà bien avertis de l'état des corps étrangers par rapport au nôtre, de leur poids, de leur figure, de leur couleur, de leur solidité, de leur grandeur, de leur distance, de leur température, de leur repos, de leur mouvement. Nous sommes instruits de ceux qu'il nous convient d'approcher ou d'éloigner de nous, de la manière dont il faut nous y prendre pour vaincre leur résistance, ou pour leur en opposer une qui nous préserve d'en être offensés, mais ce n'est pas assez; notre propre corps s'épuise sans cesse, il a besoin d'être sans cesse renouvelé. Quoique nous ayons la faculté d'en changer d'autres en notre propre substance, le choix n'est pas indifférent : tout n'est pas aliment pour l'homme; et des substances qui peuvent l'être, il y en a de plus ou de moins convenables, selon la constitution de son espèce, selon le climat qu'il habite, selon son tempérament particulier, et selon la manière de vivre que lui prescrit son état.

Nous mourrions affamés ou empoisonnés, s'il fallait attendre, pour choisir les nourritures qui nous conviennent, que l'expérience nous eût appris à les connaître et à les choisir; mais la suprême bonté, qui a fait du plaisir des êtres sensibles l'instrument de leur conservation, nous avertit, par ce qui plaît à notre palais, de ce qui convient à notre estomac. Il n'y a point naturellement pour l'homme

de médecin plus sûr que son propre appétit; et, à le prendre
dans son état primitif, je ne doute point qu'alors les aliments qu'il trouvait les plus agréables ne lui fussent aussi
les plus sains.

Il y a plus. L'Auteur des choses ne pourvoit pas seulement aux besoins qu'il nous donne, mais encore à ceux
que nous nous donnons nous-mêmes; et c'est pour nous
mettre toujours le désir à côté du besoin, qu'il fait que
nos goûts changent et s'altèrent avec nos manières de
vivre. Plus nous nous éloignons de l'état de nature, plus
nous perdons de nos goûts naturels; ou plutôt l'habitude
nous fait une seconde nature que nous substituons tellement à la première, que nul d'entre nous ne connaît plus
celle-ci.

Il suit de là que les goûts les plus naturels doivent être
aussi les plus simples; car ce sont ceux qui se transforment
le plus aisément; au lieu qu'en s'aiguisant, en s'irritant par
nos fantaisies, ils prennent une forme qui ne change plus.
L'homme qui n'est encore d'aucun pays se fera sans peine
aux usages de quelque pays que ce soit; mais l'homme d'un
pays ne devient plus celui d'un autre.

Ceci me paraît vrai dans tous les sens, et bien plus encore,
appliqué au goût proprement dit. Notre premier aliment
est le lait; nous ne nous accoutumons que par degrés aux
saveurs fortes; d'abord elles nous répugnent. Des fruits,
des légumes, des herbes, et enfin quelques viandes gril-
lées, sans assaisonnement et sans sel, firent les festins des
premiers hommes *. La première fois qu'un sauvage boit
du vin, il fait la grimace et le rejette; et même parmi nous,
quiconque a vécu jusqu'à vingt ans sans goûter de liqueurs
fermentées ne peut plus s'y accoutumer; nous serions
tous abstèmes si l'on ne nous eût donné du vin dans nos
jeunes ans. Enfin, plus nos goûts sont simples, plus ils
sont universels; les répugnances les plus communes tombent sur des mets composés. Vit-on jamais personne avoir
en dégoût l'eau ni le pain? Voilà la trace de la nature,
voilà donc aussi notre règle. Conservons à l'enfant son
goût primitif le plus qu'il est possible; que sa nourriture
soit commune et simple, que son palais ne se familiarise

---

* Voyez l'*Arcadie* de Pausanias; voyez aussi le morceau de Plutarque,
transcrit ci-après.

qu'à des saveurs peu relevées, et ne se forme point un goût exclusif.

Je n'examine pas ici si cette manière de vivre est plus saine ou non, ce n'est pas ainsi que je l'envisage. Il me suffit de savoir, pour la préférer, que c'est la plus conforme à la nature, et celle qui peut le plus aisément se plier à tout autre. Ceux qui disent qu'il faut accoutumer les enfants aux aliments dont ils useront étant grands, ne raisonnent pas bien, ce me semble. Pourquoi leur nourriture doit-elle être la même, tandis que leur manière de vivre est si différente ? Un homme épuisé de travail, de soucis, de peines, a besoin d'aliments succulents qui lui portent de nouveaux esprits au cerveau; un enfant qui vient de s'ébattre, et dont le corps croît, a besoin d'une nourriture abondante qui lui fasse beaucoup de chyle. D'ailleurs l'homme fait a déjà son état, son emploi, son domicile; mais qui est-ce qui peut être sûr de ce que la fortune réserve à l'enfant ? En toute chose ne lui donnons point une forme si déterminée, qu'il lui en coûte trop d'en changer au besoin. Ne faisons pas qu'il meure de faim dans d'autres pays, s'il ne traîne partout à sa suite un cuisinier français, ni qu'il dise un jour qu'on ne sait manger qu'en France. Voilà, par parenthèse, un plaisant éloge ! Pour moi, je dirais au contraire qu'il n'y a que les Français qui ne savent pas manger, puisqu'il faut un art si particulier pour leur rendre les mets mangeables.

De nos sensations diverses, le goût donne celles qui généralement nous affectent le plus. Aussi sommes-nous plus intéressés à bien juger des substances qui doivent faire partie de la nôtre, que de celles qui ne font que l'environner. Mille choses sont indifférentes au toucher, à l'ouïe, à la vue; mais il n'y a presque rien d'indifférent au goût.

De plus, l'activité de ce sens est toute physique et matérielle; il est le seul qui ne dit rien à l'imagination, du moins celui dans les sensations duquel elle entre le moins; au lieu que l'imitation et l'imagination mêlent souvent du moral à l'impression de tous les autres. Aussi, généralement, les cœurs tendres et voluptueux, les caractères passionnés et vraiment sensibles, faciles à émouvoir par les autres sens, sont-ils assez tièdes sur celui-ci. De cela même qui semble mettre le goût au-dessous d'eux, et rendre plus méprisable le penchant qui nous y livre, je conclurais au contraire que le moyen le plus convenable pour gouverner les enfants est de les mener par leur bouche. Le mobile de la gourmandise est surtout préférable à celui de la vanité, en ce que la première est un appétit de la nature, tenant immédiatement au sens, et que la seconde est un ouvrage de l'opinion, sujet au caprice des hommes et à toutes sortes d'abus. La gourmandise est la passion de l'enfance; cette passion ne tient devant aucune autre; à la moindre concurrence elle disparaît. Eh! croyez-moi, l'enfant ne cessera que trop tôt de songer à ce qu'il mange; et quand son cœur sera trop occupé, son palais ne l'occupera guère. Quand il sera grand, mille sentiments impétueux donneront le change à la gourmandise, et ne feront qu'irriter la vanité; car cette dernière passion seule fait son profit des autres, et à la fin les engloutit toutes. J'ai quelquefois examiné ces gens qui donnaient de l'importance aux bons morceaux, qui songeaient, en s'éveillant, à ce qu'ils mangeraient dans la journée, et décrivaient un repas avec plus d'exactitude que n'en met Polybe [62] à décrire un combat; j'ai trouvé que tous ces prétendus hommes n'étaient que des enfants de quarante ans, sans vigueur et sans consistance, *fruges consumere nati* [63]. La gourmandise est le vice des cœurs qui n'ont point d'étoffe. L'âme d'un gourmand est toute dans son palais; il n'est fait que pour manger; dans sa stupide incapacité, il n'est qu'à table à sa place, il ne sait juger que des plats; laissons-lui sans regret cet emploi; mieux lui vaut celui-là qu'un autre, autant pour nous que pour lui.

Craindre que la gourmandise ne s'enracine dans un enfant capable de quelque chose est une précaution de petit esprit. Dans l'enfance on ne songe qu'à ce qu'on mange; dans l'adolescence on n'y songe plus; tout nous est bon, et l'on a bien d'autres affaires. Je ne voudrais pourtant pas qu'on allât faire un usage indiscret d'un ressort si bas, ni étayer d'un bon morceau l'honneur de faire une belle action. Mais je ne vois pas pourquoi, toute l'enfance n'étant ou ne devant être que jeux et folâtres amusements, des exercices purement corporels n'auraient pas un prix matériel et sensible. Qu'un petit Majorquin, voyant un panier sur le haut d'un arbre, l'abatte à coup de fronde, n'est-il pas bien juste qu'il en profite, et qu'un bon déjeuner répare la force qu'il use à le gagner * ? Qu'un jeune Spartiate, à travers les risques de cent coups de fouet, se glisse habilement dans une cuisine; qu'il y vole un renardeau tout vivant, qu'en l'emportant dans sa robe il en soit égratigné, mordu, mis en sang, et que, pour n'avoir pas la honte d'être surpris, l'enfant se laisse déchirer les entrailles sans sourciller, sans pousser un seul cri, n'est-il pas juste qu'il profite enfin de sa proie, et qu'il la mange après en avoir été mangé ? Jamais un bon repas ne doit être une récompense; mais pourquoi ne serait-il pas quelquefois l'effet des soins qu'on a pris pour se le procurer ? Émile ne regarde point le gâteau que j'ai mis sur la pierre comme le prix d'avoir bien couru; il sait seulement que le seul moyen d'avoir ce gâteau est d'y arriver plus tôt qu'un autre.

Ceci ne contredit point les maximes que j'avançais tout à l'heure sur la simplicité des mets, car, pour flatter l'appétit des enfants, il ne s'agit pas d'exciter leur sensualité, mais seulement de la satisfaire; et cela s'obtiendra par les choses du monde les plus communes, si l'on ne travaille pas à leur raffiner le goût. Leur appétit continuel, qu'excite le besoin de croître, est un assaisonnement sûr qui leur tient lieu de beaucoup d'autres. Des fruits, du laitage, quelque pièce de four un peu plus délicate que le pain ordinaire, surtout l'art de dispenser sobrement tout cela : voilà de quoi mener des armées d'enfants au bout du monde sans leur donner du goût pour les saveurs vives, ni risquer de leur blaser le palais.

Une des preuves que le goût de la viande n'est pas naturel à l'homme, est l'indifférence que les enfants ont pour ce mets-là, et la préférence qu'ils donnent tous à des nourritures végétales, telles que le laitage, a pâtisserie, les fruits, etc. Il importe surtout de ne pas dénaturer ce goût primitif, et de ne point rendre les enfants carnassiers; si ce n'est pour leur santé, c'est pour leur caractère; car, de quelque manière qu'on explique l'expérience, il est certain que les grands mangeurs de viande sont en général cruels et féroces plus que les autres hommes; cette observation est de tous les lieux et de tous les temps. La bar-

---

* Il y a bien des siècles que les Majorquins ont perdu cet usage; il est du temps de la célébrité de leurs frondeurs.

barie anglaise est connue \*; les Gaures [64], au contraire,
sont les plus doux des hommes \*\*. Tous les sauvages
sont cruels; et leurs mœurs ne les portent point à l'être :
cette cruauté vient de leurs aliments. Ils vont à la guerre
comme à la chasse, et traitent les hommes comme des
ours. En Angleterre même les bouchers ne sont pas reçus
en témoignage \*\*\*, non plus que les chirurgiens. Les
grands scélérats s'endurcissent au meurtre en buvant du
sang. Homère fait des Cyclopes, mangeurs de chair, des
hommes affreux, et des Lotophages [66] un peuple si aimable,
qu'aussitôt qu'on avait essayé de leur commerce, on oubliait
jusqu'à son pays pour vivre avec eux.

« Tu me demandes, disait Plutarque, pourquoi Pythagore
s'abstenait de manger de la chair des bêtes ; mais moi je te
demande au contraire quel courage d'homme eut le premier
qui approcha de sa bouche une chair meurtrie, qui brisa de
sa dent les os d'une bête expirante, qui fit servir devant lui
des corps morts, des cadavres et engloutit dans son estomac
des membres qui, le moment d'auparavant, bêlaient, mugis-
saient, marchaient et voyaient. Comment sa main put-elle
enfoncer un fer dans le cœur d'un être sensible ? Comment
ses yeux purent-ils supporter un meurtre ? Comment put-il
voir saigner, écorcher, démembrer un pauvre animal sans
défense ? Comment put-il supporter l'aspect des chairs pan-
telantes ? Comment leur odeur ne lui fit-elle pas soulever le
cœur ? Comment ne fut-il pas dégoûté, repoussé, saisi d'horreur, quand il vint à manier l'ordure de ces blessures, à nettoyer le sang noir et figé qui les couvrait ?

> *Les peaux rampaient sur la terre écorchées,*
> *Les chairs au feu mugissaient embrochées ;*
> *L'homme ne put les manger sans frémir,*
> *Et dans son sein les entendit gémir.*

\* Je sais que les Anglais vantent beaucoup leur humanité et le bon
naturel de leur nation, qu'ils appellent *good natured people* ; mais ils ont
beau crier cela tant qu'ils peuvent, personne ne le repète après eux.

\*\* Les Banians [65] qui s'abstiennent de toute chair plus sévèrement
que les Gaures, sont presque aussi doux qu'eux; mais comme leur
morale est moins pure et leur culte moins raisonnable, ils ne sont pas si
honnêtes gens.

\*\*\* Un des traducteurs anglais de ce livre a relevé ici ma méprise,
et tous deux l'ont corrigée. Les bouchers et les chirurgiens sont reçus
en témoignage; mais les premiers ne sont point admis comme jurés
ou pairs au jugement des crimes, et les chirurgiens le sont.

« Voilà ce qu'il dut imaginer et sentir la première fois qu'il surmonta la nature pour faire cet horrible repas, la première fois qu'il eut faim d'une bête en vie, qu'il voulut se nourrir d'un animal qui paissait encore, et qu'il dit comment il fallait égorger, dépecer, cuire la brebis qui lui léchait les mains. C'est de ceux qui commencèrent ces cruels festins, et non de ceux qui les quittent, qu'on a lieu de s'étonner : encore ces premiers-là pourraient-ils justifier leur barbarie par des excuses qui manquent à la nôtre, et dont le défaut nous rend cent fois plus barbares qu'eux.

« Mortels bien-aimés des dieux, nous diraient ces premiers hommes, comparez les temps, voyez combien vous êtes heureux et combien nous étions misérables ! La terre nouvellement formée et l'air chargé de vapeurs étaient encore indociles à l'ordre des saisons ; le cours incertain des fleuves dégradait leurs rives de toutes parts ; des étangs, des lacs, de profonds marécages inondaient les trois quarts de la surface du monde ; l'autre quart était couvert de bois et de forêts stériles. La terre ne produisait nuls bons fruits ; nous n'avions nuls instruments de labourage ; nous ignorions l'art de nous en servir, et le temps de la moisson ne venait jamais pour qui n'avait rien semé. Ainsi la faim ne nous quittait point. L'hiver, la mousse et l'écorce des arbres étaient nos mets ordinaires. Quelques racines vertes de chiendent et de bruyères étaient pour nous un régal ; et quand les hommes avaient pu trouver des faînes, des noix ou du gland, ils en dansaient de joie autour d'un chêne ou d'un hêtre au son de quelque chanson rustique, appelant la terre leur nourrice et leur mère : c'était là leur seule fête ; c'étaient leurs uniques jeux ; tout le reste de la vie humaine n'était que douleur, peine et misère.

« Enfin, quand la terre dépouillée et nue ne nous offrait plus rien, forcés d'outrager la nature pour nous conserver, nous mangeâmes les compagnons de notre misère plutôt que de périr avec eux. Mais vous, hommes cruels, qui vous force à verser du sang ? Voyez quelle affluence de biens vous environne ! combien de fruits vous produit la terre ! que de richesses vous donnent les champs et les vignes ! que d'animaux vous offrent leur lait pour vous nourrir et leur toison pour vous habiller ! Que leur demandez-vous de plus ? et quelle rage vous porte à commettre tant de meurtres, rassasiés de biens et regorgeant de vivres ? Pourquoi mentez-vous contre votre mère en l'accusant de ne pouvoir vous nourrir ? Pourquoi péchez-vous contre Cérès, inventrice des saintes lois, et contre le gracieux Bacchus, consolateur des hommes ? comme si leurs dons prodigués ne suffisaient pas à la conservation du genre humain ! Comment avez-vous le cœur de mêler avec leurs doux fruits des ossements sur vos tables, et de manger avec le lait le sang des bêtes qui vous le donnent ? Les panthères et les lions, que vous appelez bêtes féroces, suivent leur instinct par force, et tuent les autres animaux pour vivre. Mais vous, cent fois plus féroces qu'elles, vous combattez l'instinct sans nécessité, pour vous livrer à vos cruelles délices. Les animaux que vous mangez ne sont pas ceux qui mangent les autres : vous ne les mangez pas, ces animaux carnassiers, vous les imitez ; vous n'avez faim que des bêtes innocentes et douces qui ne font de mal à personne, qui s'attachent à vous, qui vous servent, et que vous dévorez pour prix de leurs services.

« O meurtrier contre nature ! si tu t'obstines à soutenir qu'elle t'a fait pour dévorer tes semblables, des êtres de chair et d'os, sensibles et vivants comme toi, étouffe donc l'horreur qu'elle t'inspire pour ces affreux repas ; tue les animaux toi-même, je dis de tes propres mains, sans ferrements, sans coutelas ; déchire-les avec tes ongles, comme font les lions et les ours ; mords ce bœuf et le mets en pièces ; enfonce tes griffes dans sa peau ; mange cet agneau tout vif, dévore ses chairs toutes chaudes, bois son âme avec son sang. Tu frémis ! tu n'oses sentir palpiter sous ta dent une chair vivante ! Homme pitoyable ! tu commences par tuer l'animal, et puis tu le manges, comme pour le faire mourir deux fois. Ce n'est pas assez : la chair morte te répugne encore, tes entrailles ne peuvent la supporter ; il la faut transformer par le feu, la bouillir, la rôtir, l'assaisonner de drogues qui la déguisent : il te faut des charcutiers, des cuisiniers, des rôtisseurs, des gens pour t'ôter l'horreur du meurtre et t'habiller des corps morts, afin que le sens du goût, trompé par ces déguisements, ne rejette point ce qui lui est étrange, et savoure avec plaisir des cadavres dont l'œil même eût eu peine à souffrir l'aspect. »

Quoique ce morceau soit étranger à mon sujet, je n'ai pu résister à la tentation de le transcrire, et je crois que peu de lecteurs m'en sauront mauvais gré.

Au reste, quelque sorte de régime que vous donniez aux enfants, pourvu que vous ne les accoutumiez qu'à des mets communs et simples, laissez-les manger, courir et jouer tant qu'il leur plaît ; puis soyez sûrs qu'ils ne mangeront jamais trop et n'auront point d'indigestions ; mais si vous les affamez la moitié du temps, et qu'ils trouvent le moyen d'échapper à votre vigilance, ils se dédommageront de toute leur force, ils mangeront jusqu'à regorger, jusqu'à crever. Notre appétit n'est démesuré que parce que nous voulons lui donner d'autres règles que celles de la nature ; toujours réglant, prescrivant, ajoutant, retran-

chant, nous ne faisons rien que la balance à la main; mais
cette balance est à la mesure de nos fantaisies, et non pas
à celle de notre estomac. J'en reviens toujours à mes
exemples. Chez les paysans, la huche et le fruitier sont
toujours ouverts, et les enfants, non plus que les hommes,
n'y savent ce que c'est qu'indigestions.

S'il arrivait pourtant qu'un enfant mangeât trop, ce que
je ne crois pas possible par ma méthode, avec des amusements de son goût il est si aisé de le distraire, qu'on parviendrait à l'épuiser d'inanition sans qu'il y songeât.
Comment des moyens si sûrs et si faciles échappent-ils
à tous les instituteurs ? Hérodote raconte [67] que les Lydiens,
pressés d'une extrême disette, s'avisèrent d'inventer les
jeux et d'autres divertissements avec lesquels ils donnaient
le change à leur faim, et passaient des jours entiers sans
songer à manger *. Vos savants instituteurs ont peut-
être lu cent fois ce passage, sans voir l'application qu'on
peut en faire aux enfants. Quelqu'un d'eux me dira peut-
être qu'un enfant ne quitte pas volontiers son dîner pour
aller étudier sa leçon. Maître, vous avez raison : je ne pensais pas à cet amusement-là.

Le sens de l'odorat est au goût ce que celui de la
vue est au toucher; il le prévient, il l'avertit de la manière
dont telle ou telle substance doit l'affecter, et dispose à la
rechercher ou à la fuir, selon l'impression qu'on en reçoit
d'avance. J'ai ouï dire que les sauvages avaient l'odorat tout
autrement affecté que le nôtre, et jugeaient tout différemment des bonnes et des mauvaises odeurs. Pour moi, je le
croirais bien. Les odeurs par elles-mêmes sont des sensations faibles; elles ébranlent plus l'imagination que le sens,
et n'affectent pas tant par ce qu'elles donnent que par ce
qu'elles font attendre. Cela supposé, les goûts des uns,
devenus, par leurs manières de vivre, si différents des goûts
des autres, doivent leur faire porter des jugements bien
opposés des saveurs, et par conséquent des odeurs qui les

---

* Les anciens historiens sont remplis de vues dont on pourrait faire
usage, quand même les faits qui les présentent seraient faux. Mais nous
ne savons tirer aucun vrai parti de l'histoire; la critique d'érudition
absorbe tout; comme s'il importait beaucoup qu'un fait fût vrai, pourvu
qu'on en pût tirer une instruction utile. Les hommes sensés doivent
regarder l'histoire comme un tissu de fables, dont la morale est très
appropriée au cœur humain.

annoncent. Un Tartare doit flairer avec autant de plaisir un quartier puant de cheval mort, qu'un de nos chasseurs, une perdrix à moitié pourrie.

Nos sensations oiseuses, comme d'être embaumés des fleurs d'un parterre, doivent être insensibles à des hommes qui marchent trop pour aimer à se promener, et qui ne travaillent pas assez pour se faire une volupté du repos. Des gens toujours affamés ne sauraient prendre un grand plaisir à des parfums qui n'annoncent rien à manger.

L'odorat est le sens de l'imagination; donnant aux nerfs un ton plus fort, il doit beaucoup agiter le cerveau; c'est pour cela qu'il ranime un moment le tempérament, et l'épuise à la longue. Il a dans l'amour des effets assez connus; le doux parfum d'un cabinet de toilette n'est pas un piège aussi faible qu'on pense; et je ne sais s'il faut féliciter ou plaindre l'homme sage et peu sensible que l'odeur des fleurs que sa maîtresse a sur le sein ne fit jamais palpiter.

L'odorat ne doit donc pas être fort actif dans le premier âge, où l'imagination, que peu de passions ont encore animée, n'est guère susceptible d'émotion, et où l'on n'a pas encore assez d'expérience pour prévoir avec un sens ce que nous en promet un autre. Aussi cette conséquence est-elle parfaitement confirmée par l'observation; et il est certain que ce sens est encore obtus et presque hébété chez la plupart des enfants. Non que la sensation ne soit en eux aussi fine et peut-être plus que dans les hommes, mais parce que, n'y joignant aucune autre idée, ils ne s'en affectent pas aisément d'un sentiment de plaisir ou de peine, et qu'ils n'en sont ni flattés ni blessés comme nous. Je crois que, sans sortir du même système, et sans recourir à l'anatomie comparée des deux sexes, on trouverait aisément la raison pourquoi les femmes en général s'affectent plus vivement des odeurs que les hommes.

On dit que les sauvages du Canada se rendent dès leur jeunesse l'odorat si subtil, que, quoiqu'ils aient des chiens, ils ne daignent pas s'en servir à la chasse, et se servent de chiens à eux-mêmes. Je conçois, en effet, que si l'on élevait les enfants à éventer leur dîner, comme le chien évente le gibier, on parviendrait peut-être à leur perfectionner l'odorat au même point; mais je ne vois pas au fond qu'on puisse en eux tirer de ce sens un usage fort utile, si ce n'est pour leur faire connaître ses rapports avec celui du goût. La nature a pris soin de nous forcer à nous mettre au fait de ces rapports. Elle a rendu l'action de ce dernier sens presque inséparable de celle de l'autre, en rendant leurs organes voisins, et plaçant dans la bouche une communication immédiate entre les deux, en sorte que nous ne goûtons rien sans le flairer. Je voudrais seulement qu'on n'altérât pas ces rapports naturels pour tromper un enfant, en couvrant, par exemple, d'un aromate agréable le déboire d'une médecine; car la discorde des deux sens est trop grande alors pour pouvoir l'abuser; le sens le plus actif absorbant l'effet de l'autre, il n'en prend pas la médecine avec moins de dégoût; ce dégoût s'étend à toutes les sensations qui le frappent en même temps; à la présence de la plus faible, son imagination lui rappelle aussi l'autre; un parfum très suave n'est plus pour lui qu'une odeur dégoûtante; et c'est ainsi que nos indiscrètes précautions augmentent la somme des sensations déplaisantes aux dépens des agréables.

Il me reste à parler dans les livres suivants de la culture d'une espèce de sixième sens, appelé sens commun, moins parce qu'il est commun à tous les hommes, que parce qu'il résulte de l'usage bien réglé des autres sens, et qu'il nous instruit de la nature des choses par le concours de toutes leurs apparences. Ce sixième sens n'a point par conséquent d'organe particulier : il ne réside que dans le cerveau, et ses sensations, purement internes, s'appellent perceptions ou idées. C'est par le nombre de ces idées que se mesure l'étendue de nos connaissances : c'est leur netteté, leur clarté, qui fait la justesse de l'esprit; c'est l'art de les comparer entre elles qu'on appelle raison humaine. Ainsi ce que j'appelais raison sensitive ou puérile consiste à former des idées simples par le concours de plusieurs sensations; et ce que j'appelle raison intellectuelle ou humaine consiste à former des idées complexes par le concours de plusieurs idées simples.

Supposant donc que ma méthode soit celle de la nature, et que je ne me sois pas trompé dans l'application, nous avons amené notre élève, à travers les pays des sensations, jusqu'aux confins de la raison puérile : le premier pas que nous allons faire au delà doit être un pas d'homme. Mais, avant d'entrer dans cette nouvelle carrière, jetons un moment les yeux sur celle que nous venons de parcourir. Chaque âge, chaque état de la vie a sa perfection convenable, sa sorte de maturité qui lui est propre. Nous avons souvent ouï parler

d'un homme fait; mais considérons un enfant fait : ce spectacle sera plus nouveau pour nous, et ne sera peut-être pas
moins agréable.

L'existence des êtres finis est si pauvre et si bornée que,
quand nous ne voyons que ce qui est, nous ne sommes
jamais émus. Ce sont les chimères qui ornent les objets réels;
et si l'imagination n'ajoute un charme à ce qui nous frappe,
le stérile plaisir qu'on y prend se borne à l'organe, et laisse
toujours le cœur froid. La terre, parée des trésors de l'automne, étale une richesse que l'œil admire : mais cette admiration n'est point touchante; elle vient plus de la réflexion
que du sentiment. Au printemps, la campagne presque nue
n'est encore couverte de rien, les bois n'offrent point
d'ombre, la verdure ne fait que de poindre, et le cœur est
touché à son aspect. En voyant renaître ainsi la nature, on se
sent ranimer soi-même; l'image du plaisir nous environne;
ces compagnes de la volupté, ces douces larmes, toujours
prêtes à se joindre à tout sentiment délicieux, sont déjà sur
le bord de nos paupières; mais l'aspect des vendanges a
beau être animé, vivant, agréable, on le voit toujours d'un
œil sec.

Pourquoi cette différence ? C'est qu'au spectacle du printemps l'imagination joint celui des saisons qui le doivent
suivre; à ces tendres bourgeons que l'œil aperçoit, elle
ajoute les fleurs, les fruits, les ombrages, quelquefois les
mystères qu'ils peuvent couvrir. Elle réunit en un point des
temps qui doivent se succéder, et voit moins les objets
comme ils seront que comme ils les désire, parce qu'il
dépend d'elle de les choisir. En automne, au contraire, on
n'a plus à voir que ce qui est. Si l'on veut arriver au printemps, l'hiver nous arrête, et l'imagination glacée expire sur
la neige et sur les frimas.

Telle est la source du charme qu'on trouve à contempler
une belle enfance préférablement à la perfection de l'âge
mûr. Quand est-ce que nous goûtons un vrai plaisir à voir un
homme ? c'est quand la mémoire de ses actions nous fait
rétrograder sur sa vie, et le rajeunit, pour ainsi dire, à nos
yeux. Si nous sommes réduits à le considérer tel qu'il est, ou
à le supposer tel qu'il sera dans sa vieillesse, l'idée de la
nature déclinante efface tout notre plaisir. Il n'y en a point à
voir avancer un homme à grands pas vers sa tombe, et
l'image de la mort enlaidit tout.

Mais quand je me figure un enfant de dix à douze ans, sain, vigoureux, bien formé pour son âge, il ne me fait pas naître une idée qui ne soit agréable, soit pour le présent, soit pour l'avenir : je le vois bouillant, vif, animé, sans souci rongeant, sans longue et pénible prévoyance, tout entier à son être actuel, et jouissant d'une plénitude de vie qui semble vouloir s'étendre hors de lui. Je le prévois dans un autre âge, exerçant le sens, l'esprit, les forces, qui se développent en lui de jour en jour, et dont il donne à chaque instant de nouveaux indices; je le contemple enfant, et il me plaît; je l'imagine homme, et il me plaît davantage; son sang ardent semble réchauffer le mien; je crois vivre de sa vie, et sa vivacité me rajeunit.

L'heure sonne, quel changement ! A l'instant son œil se ternit, sa gaieté s'efface; adieu la joie, adieu les folâtres jeux. Un homme sévère et fâché le prend par la main, lui dit gravement : *Allons, monsieur*, et l'emmène. Dans la chambre où ils entrent j'entrevois des livres. Des livres ! quel triste ameublement pour son âge ! Le pauvre enfant se laisse entraîner, tourne un œil de regret sur tout ce qui l'environne, se tait, et part, les yeux gonflés de pleurs qu'il n'ose répandre, et le cœur gros de soupirs qu'il n'ose exhaler.

O toi qui n'as rien de pareil à craindre, toi pour qui nul temps de la vie n'est un temps de gêne et d'ennui, toi qui vois venir le jour sans inquiétude, la nuit sans impatience, et ne comptes les heures que par·tes plaisirs, viens, mon heureux, mon aimable élève, nous consoler par ta présence du départ de cet infortuné; viens... Il arrive, et je sens à son approche un mouvement de joie que je lui vois partager. C'est son ami, son camarade, c'est le compagnon de ses jeux qu'il aborde; il est bien sûr, en me voyant, qu'il ne restera pas longtemps sans amusement; nous ne dépendons jamais l'un de l'autre, mais nous nous accordons toujours, et nous ne sommes avec personne aussi bien qu'ensemble.

Sa figure, son port, sa contenance, annoncent l'assurance et le contentement; la santé brille sur son visage; ses pas affermis lui donnent un air de vigueur; son teint, délicat encore sans être fade, n'a rien d'une mollesse efféminée; l'air et le soleil y ont déjà mis l'empreinte honorable de son sexe; ses muscles, encore arrondis, commencent à marquer quelques traits d'une physionomie naissante; ses yeux, que le feu du sentiment n'anime point encore, ont au moins

toute leur sérénité native *, de longs chagrins ne les ont
point obscurcis, des pleurs sans fin n'ont point sillonné ses
joues. Voyez dans ses mouvements prompts, mais sûrs, la
vivacité de son âge, la fermeté de l'indépendance, l'expérience des exercices multipliés. Il a l'air ouvert et libre, mais
non pas insolent ni vain : son visage, qu'on n'a pas collé
sur des livres, ne tombe point sur son estomac; on n'a pas
besoin de lui dire : *Levez la tête ;* la honte ni la crainte ne la
lui firent jamais baisser.

Faisons-lui place au milieu de l'assemblée : messieurs, exa-
minez-le, interrogez-le en toute confiance; ne craignez ni ses
importunités, ni son babil, ni ses questions indiscrètes.
N'ayez pas peur qu'il s'empare de vous, qu'il prétende vous
occuper de lui seul, et que vous ne puissiez plus vous en
défaire.

N'attendez pas non plus de lui des propos agréables, ni
qu'il vous dise ce que je lui aurai dicté; n'en attendez que la
vérité naïve et simple, sans ornement, sans apprêt, sans
vanité. Il vous dira le mal qu'il a fait ou celui qu'il pense,
tout aussi librement que le bien, sans s'embarrasser en
aucune sorte de l'effet que fera sur vous ce qu'il aura dit : il
usera de la parole dans toute la simplicité de sa première institution.

L'on aime à bien augurer des enfants, et l'on a toujours
regret à ce flux d'inepties qui vient presque toujours renverser les espérances qu'on voudrait tirer de quelque heureuse
rencontre qui par hasard leur tombe sur la langue. Si le mien
donne rarement de telles espérances, il ne donnera jamais ce
regret; car il ne dit jamais un mot inutile, et ne s'épuise pas
sur un babil qu'il sait qu'on n'écoute point. Ses idées sont
bornées, mais nettes; s'il ne sait rien par cœur, il sait beaucoup par expérience; s'il lit moins bien qu'un autre enfant
dans nos livres, il lit mieux dans celui de la nature; son
esprit n'est pas dans sa langue, mais dans sa tête; il a moins
de mémoire que de jugement; il ne sait parler qu'un langage,
mais il entend ce qu'il dit; et s'il ne dit pas si bien que les
autres disent, en revanche, il fait mieux qu'ils ne font.

Il ne sait ce que c'est que routine, usage, habitude; ce

---

* *Natia.* J'emploie ce mot dans une acception italienne, faute de lui
trouver un synonyme en français. Si j'ai tort, peu importe, pourvu
qu'on m'entende.

qu'il fit hier n'influe point sur ce qu'il fait aujourd'hui * : il
ne suit jamais de formule, ne cède point à l'autorité ni à
l'exemple, et n'agit ni ne parle que comme il lui convient.
Ainsi n'attendez pas de lui des discours dictés ni des manières
étudiées, mais toujours l'expression fidèle de ses idées et la
conduite qui naît de ses penchants.

Vous lui trouvez un petit nombre de notions morales qui
se rapportent à son état actuel, aucune sur l'état relatif des
hommes : et de quoi lui serviraient-elles, puisqu'un enfant
n'est pas encore un membre actif de la société ? Parlez-lui de
liberté, de propriété, de convention même; il peut en savoir
jusque-là, il sait pourquoi ce qui est à lui est à lui, et pourquoi ce qui n'est pas à lui n'est pas à lui : passé cela, il ne
sait plus rien. Parlez-lui de devoir, d'obéissance, il ne sait
ce que vous voulez dire; commandez-lui quelque chose, il
ne vous entendra pas; mais dites-lui : Si vous me faisiez tel
plaisir, je vous le rendrais dans l'occasion; à l'instant il
s'empressera de vous complaire, car il ne demande pas mieux
que d'étendre son domaine, et d'acquérir sur vous des droits
qu'il sait être inviolables. Peut-être même n'est-il pas fâché
de tenir une place, de faire nombre, d'être compté pour
quelque chose; mais s'il a ce dernier motif, le voilà déjà
sorti de la nature, et vous n'avez pas bien bouché d'avance
toutes les portes de la vanité.

De son côté, s'il a besoin de quelque assistance, il la demandera indifféremment au premier qu'il rencontre; il la
demanderait au roi comme à son laquais : tous les hommes
sont encore égaux à ses yeux. Vous voyez, à l'air dont il prie,
qu'il sent qu'on ne lui doit rien; il sait que ce qu'il demande
est une grâce. Il sait aussi que l'humanité porte à en accorder. Ses expressions sont simples et laconiques. Sa voix, son
regard, son geste sont d'un être également accoutumé à la

---

* L'attrait de l'habitude vient de la paresse naturelle à l'homme, et
cette paresse augmente en s'y livrant : on fait plus aisément ce qu'on a
déjà fait : la route étant frayée en devient plus facile à suivre. Aussi peut-
on remarquer que l'empire de l'habitude est très grand sur les vieillards
et sur les gens indolents, très petit sur la jeunesse et sur les gens vifs.
Ce régime n'est bon qu'aux âmes faibles, et les affaiblit davantage de
jour en jour. La seule habitude utile aux enfants est de s'asservir sans
peine à la nécessité des choses, et la seule habitude utile aux hommes
est de s'asservir sans peine à la raison. Toute autre habitude est un
vice.

complaisance et au refus. Ce n'est ni la rampante et servile soumission d'un esclave, ni l'impérieux accent d'un maître; c'est une modeste confiance en son semblable, c'est la noble et touchante douceur d'un être libre, mais sensible et faible, qui implore l'assistance d'un être libre, mais fort et bienfaisant. Si vous lui accordez ce qu'il vous demande, il ne vous remerciera pas, mais il sentira qu'il a contracté une dette. Si vous le lui refusez, il ne se plaindra point, il n'insistera point, il sait que cela serait inutile. Il ne se dira point : On m'a refusé; mais il se dira : Cela ne pouvait pas être; et, comme je l'ai déjà dit, on ne se mutine guère contre la nécessité bien reconnue.

Laissez-le seul en liberté, voyez-le agir sans lui rien dire; considérez ce qu'il fera et comment il s'y prendra. N'ayant pas besoin de se prouver qu'il est libre, il ne fait jamais rien par étourderie, et seulement pour faire un acte de pouvoir sur lui-même : ne sait-il pas qu'il est toujours maître de lui ? Il est alerte, léger, dispos; ses mouvements ont toute la vivacité de son âge, mais vous n'en voyez pas un qui n'ait une fin. Quoi qu'il veuille faire, il n'entreprendra jamais rien qui soit au-dessus de ses forces, car il les a bien éprouvées et les connaît; ses moyens seront toujours appropriés à ses desseins, et rarement il agira sans être assuré du succès. Il aura l'œil attentif et judicieux : il n'ira pas niaisement interrogeant les autres sur tout ce qu'il voit; mais il l'examinera lui-même et se fatiguera pour trouver ce qu'il veut apprendre, avant de le demander. S'il tombe dans des embarras imprévus, il se troublera moins qu'un autre; s'il y a du risque, il s'effrayera moins aussi. Comme son imagination reste encore inactive, et qu'on n'a rien fait pour l'animer, il ne voit que ce qui est, n'estime les dangers que ce qu'ils valent, et garde toujours son sang-froid. La nécessité s'appesantit trop souvent sur lui pour qu'il regimbe encore contre elle; il en porte le joug dès sa naissance, l'y voilà bien accoutumé; il est toujours prêt à tout.

Qu'il s'occupe ou qu'il s'amuse, l'un et l'autre est égal pour lui; ses jeux sont ses occupations, il n'y sent point de différence. Il met à tout ce qu'il fait un intérêt qui fait rire et une liberté qui plaît, en montrant à la fois le tour de son esprit et la sphère de ses connaissances. N'est-ce pas le spectacle de cet âge, un spectacle charmant et doux, de voir un joli enfant, l'œil vif et gai, l'air content et serein, la physio-

nomie ouverte et riante, faire, en se jouant, les choses les
plus sérieuses, ou profondément occupé des plus frivoles
amusements ?

Voulez-vous à présent le juger par comparaison ? Mêlez-
le avec d'autres enfants, et laissez-le faire. Vous verrez bientôt lequel est le plus vraiment formé, lequel approche le
mieux de la perfection de leur âge. Parmi les enfants de la
ville, nul n'est plus adroit que lui, mais il est plus fort qu'aucun autre. Parmi de jeunes paysans, il les égale en force et les
passe en adresse. Dans tout ce qui est à portée de l'enfance,
il juge, il raisonne, il prévoit mieux qu'eux tous. Est-il question d'agir, de courir, de sauter, d'ébranler des corps, d'enlever des masses, d'estimer des distances, d'inventer des jeux,
d'emporter des prix ? on dirait que la nature est à ses ordres,
tant il sait aisément plier toute chose à ses volontés. Il est fait
pour guider, pour gouverner ses égaux : le talent, l'expérience, lui tiennent lieu de droit et d'autorité. Donnez-lui
l'habit et le nom qu'il vous plaira, peu importe, il primera
partout, il deviendra partout le chef des autres ; ils sentiront toujours sa supériorité sur eux ; sans vouloir commander, il sera le maître ; sans croire obéir, ils obéiront.

Il est parvenu à la maturité de l'enfance, il a vécu de la vie
d'un enfant, il n'a point acheté sa perfection aux dépens de
son bonheur ; au contraire, ils ont concouru l'un à l'autre.
En acquérant toute la raison de son âge, il a été heureux et
libre autant que sa constitution lui permettait de l'être. Si
la fatale faux vient moissonner en lui la fleur de nos espérances, nous n'aurons point à pleurer à la fois sa vie et sa
mort, nous n'aigrirons point nos douleurs du souvenir de
celles que nous lui aurons causées ; nous nous dirons : Au
moins il a joui de son enfance ; nous ne lui avons rien fait
perdre de ce que la nature lui avait donné.

Le grand inconvénient de cette première éducation est
qu'elle n'est sensible qu'aux hommes clairvoyants, et que,
dans un enfant élevé avec tant de soin, des yeux vulgaires ne
voient qu'un polisson. Un précepteur songe à son intérêt
plus qu'à celui de son disciple ; il s'attache à prouver qu'il ne
perd pas son temps, et qu'il gagne bien l'argent qu'on lui
donne ; il le pourvoit d'un acquis de facile étalage et qu'on
puisse montrer quand on veut ; il n'importe que ce qu'il lui
apprend soit utile, pourvu qu'il se voie aisément. Il accumule, sans choix, sans discernement, cent fatras dans sa

mémoire. Quand il s'agit d'examiner l'enfant, on lui fait déployer sa marchandise; il l'étale, on est content; puis il replie son ballot, et s'en va. Mon élève n'est pas si riche, il n'a point de ballot à déployer, il n'a rien à montrer que lui-même. Or un enfant, non plus qu'un homme, ne se voit pas en un moment. Où sont les observateurs qui sachent saisir au premier coup d'œil les traits qui le caractérisent ? Il en est, mais il en est peu; et sur cent mille pères, il ne s'en trouvera pas un de ce nombre.

Les questions trop multipliées ennuient et rebutent tout le monde, à plus forte raison les enfants. Au bout de quelques minutes leur attention se lasse, ils n'écoutent plus ce qu'un obstiné questionneur leur demande, et ne répondent plus qu'au hasard. Cette manière de les examiner est vaine et pédantesque; souvent un mot pris à la volée peint mieux leur sens et leur esprit que ne feraient de longs discours; mais il faut prendre garde que ce mot ne soit ni dicté ni fortuit. Il faut avoir beaucoup de jugement soi-même pour apprécier celui d'un enfant.

J'ai ouï raconter à feu milord Hyde qu'un de ses amis, revenu d'Italie après trois ans d'absence, voulut examiner les progrès de son fils âgé de neuf à dix ans. Ils vont un soir se promener avec son gouverneur et lui dans une plaine où des écoliers s'amusaient à guider des cerfs-volants. Le père en passant dit à son fils : *Où est le cerf-volant dont voilà l'ombre ?* Sans hésiter, sans lever la tête, l'enfant dit : *Sur le grand chemin*. Et en effet, ajoutait milord Hyde, le grand chemin était entre le soleil et nous. Le père, à ce mot, embrasse son fils, et, finissant là son examen, s'en va sans rien dire. Le lendemain il envoya au gouverneur l'acte d'une pension viagère outre ses appointements.

Quel homme que ce père-là ! et quel fils lui était promis [68] ! La question est précisément de l'âge : la réponse est bien simple; mais voyez quelle netteté de judiciaire enfantine elle suppose ! C'est ainsi que l'élève d'Aristote apprivoisait ce coursier célèbre qu'aucun écuyer n'avait pu dompter.

# LIVRE TROISIÈME

Quoique jusqu'à l'adolescence tout le cours de la vie soit un temps de faiblesse, il est un point, dans la durée de ce premier âge, où, le progrès des forces ayant passé celui des besoins, l'animal croissant, encore absolument faible, devient fort par relation. Ses besoins n'étant pas tous développés, ses forces actuelles sont plus que suffisantes pour pourvoir à ceux qu'il a. Comme homme il serait très faible, comme enfant il est très fort.

D'où vient la faiblesse de l'homme ? De l'inégalité qui se trouve entre sa force et ses désirs. Ce sont nos passions qui nous rendent faibles, parce qu'il faudrait pour les contenter plus de forces que ne nous en donna la nature. Diminuez donc les désirs, c'est comme si vous augmentiez les forces : celui qui peut plus qu'il ne désire en a de reste ; il est certainement un être très fort. Voilà le troisième état de l'enfance, et celui dont j'ai maintenant à parler. Je continue à l'appeler enfance, faute de terme propre à l'exprimer ; car cet âge approche de l'adolescence, sans être encore celui de la puberté.

A douze ou treize ans les forces de l'enfant se développent bien plus rapidement que ses besoins. Le plus violent, le plus terrible, ne s'est pas encore fait sentir à lui ; l'organe même en reste dans l'imperfection, et semble, pour en sortir, attendre que sa volonté l'y force. Peu sensible aux injures de l'air et des saisons, il les brave sans peine, sa chaleur naissante lui tient lieu d'habit ; son appétit lui tient lieu d'assaisonnement ; tout ce qui peut nourrir est bon à son âge ; s'il a sommeil, il s'étend sur la terre et dort : il se voit partout entouré de tout ce qui lui est nécessaire ; aucun besoin imaginaire ne le tourmente ; l'opinion ne peut rien sur lui ; ses désirs ne vont pas plus loin que ses bras : non seulement il peut se suffire à lui-même, il a de la force au delà de ce qu'il lui en faut ; c'est le seul temps de sa vie où il sera dans ce cas.

Je pressens l'objection. L'on ne dira pas que l'enfant a plus de besoins que je ne lui en donne, mais on niera qu'il ait la force que je lui attribue : on ne songera pas que je parle de mon élève, non de ces poupées ambulantes qui voyagent d'une chambre à l'autre, qui labourent dans une caisse et portent des fardeaux de carton. L'on me dira que la force virile ne se manifeste qu'avec la virilité; que les esprits vitaux, élaborés dans les vaisseaux convenables, et répandus dans tout le corps, peuvent seuls donner aux muscles la consistance, l'activité, le ton, le ressort, d'où résulte une véritable force. Voilà la philosophie du cabinet; mais moi j'en appelle à l'expérience. Je vois dans vos campagnes de grands garçons labourer, biner, tenir la charrue, charger un tonneau de vin, mener la voiture tout comme leur père; on les prendrait pour des hommes, si le son de leur voix ne les trahissait pas. Dans nos villes mêmes, de jeunes ouvriers, forgerons, taillandiers, maréchaux, sont presque aussi robustes que les maîtres, et ne seraient guère moins adroits, si on les eût exercés à temps. S'il y a de la différence, et je conviens qu'il y en a, elle y est beaucoup moindre, je le répète, que celle des désirs fougueux d'un homme aux désirs bornés d'un enfant. D'ailleurs il n'est pas ici question seulement de forces physiques, mais surtout de la force et capacité de l'esprit qui les supplée ou qui les dirige.

Cet intervalle où l'individu peut plus qu'il ne désire, bien qu'il ne soit pas le temps de sa plus grande force absolue, est, comme je l'ai dit, celui de sa plus grande force relative. Il est le temps le plus précieux de la vie, temps qui ne vient qu'une seule fois; temps très court, et d'autant plus court, comme on verra dans la suite, qu'il lui importe plus de le bien employer.

Que fera-t-il donc de cet excédent de facultés et de forces qu'il a de trop à présent, et qui lui manquera dans un autre âge ? Il tâchera de l'employer à des soins qui lui puissent profiter au besoin; il jettera, pour ainsi dire, dans l'avenir le superflu de son être actuel; l'enfant robuste fera des provisions pour l'homme faible; mais il n'établira ses magasins ni dans des coffres qu'on peut lui voler, ni dans des granges qui lui sont étrangères; pour s'approprier véritablement son acquis, c'est dans ses bras, dans sa tête, c'est dans lui qu'il le logera. Voici donc le temps

des travaux, des instructions, des études, et remarquez
que ce n'est pas moi qui fais arbitrairement ce choix, c'est
la nature elle-même qui l'indique.

L'intelligence humaine a ses bornes; et non seulement
un homme ne peut pas tout savoir, il ne peut pas même
savoir en entier le peu que savent les autres hommes.
Puisque la contradictoire de chaque position fausse est
une vérité, le nombre des vérités est inépuisable comme
celui des erreurs. Il y a donc un choix dans les choses
qu'on doit enseigner ainsi que dans le temps propre à les
apprendre. Des connaissances qui sont à notre portée,
les unes sont fausses, les autres sont inutiles, les autres
servent à nourrir l'orgueil de celui qui les a. Le petit nombre
de celles qui contribuent réellement à notre bien-être est
seul digne des recherches d'un homme sage, et par conséquent d'un enfant qu'on veut rendre tel. Il ne s'agit point
de savoir ce qui est, mais seulement ce qui est utile.

De ce petit nombre il faut ôter encore ici les vérités
qui demandent, pour être comprises, un entendement
déjà tout formé; celles qui supposent la connaissance des
rapports de l'homme, qu'un enfant ne peut acquérir;
celles qui, bien que vraies en elles-mêmes, disposent une
âme inexpérimentée à penser faux sur d'autres sujets.

Nous voilà réduits à un bien petit cercle relativement
à l'existence des choses; mais que ce cercle forme encore
une sphère immense pour la mesure de l'esprit d'un enfant !
Ténèbres de l'entendement humain, quelle main téméraire osa toucher à votre voile ? Que d'abîmes je vois
creuser par nos vaines sciences autour de ce jeune infortuné ! O toi qui vas le conduire dans ces périlleux sentiers,
et tirer devant ses yeux le rideau sacré de la nature, tremble.
Assure-toi bien premièrement de sa tête et de la tienne,
crains qu'elle ne tourne à l'un ou à l'autre, et peut-être
à tous les deux. Crains l'attrait spécieux du mensonge
et les vapeurs enivrantes de l'orgueil. Souviens-toi, souviens-toi sans cesse que l'ignorance n'a jamais fait de mal,
que l'erreur seule est funeste, et qu'on ne s'égare point
par ce qu'on ne sait pas, mais par ce qu'on croit savoir.

Ses progrès dans la géométrie vous pourraient servir
d'épreuve et de mesure certaine pour le développement
de son intelligence : mais sitôt qu'il peut discerner ce qui
est utile et ce qui ne l'est pas, il importe d'user de beau-

coup de ménagement et d'art pour l'amener aux études spéculatives. Voulez-vous, par exemple, qu'il cherche une moyenne proportionnelle entre deux lignes; commencez par faire en sorte qu'il ait besoin de trouver un carré égal à un rectangle donné : s'il s'agissait de deux moyennes proportionnelles, il faudrait d'abord lui rendre le problème de la duplication du cube intéressant etc. Voyez comment nous approchons par degrés des notions morales qui distinguent le bien et le mal. Jusqu'ici nous n'avons connu de loi que celle de la nécessité : maintenant nous avons égard à ce qui est utile; nous arriverons bientôt à ce qui est convenable et bon.

Le même instinct anime les diverses facultés de l'homme. A l'activité du corps, qui cherche à se développer, succède l'activité de l'esprit qui cherche à s'instruire. D'abord les enfants ne sont que remuants, ensuite ils sont curieux; et cette curiosité bien dirigée est le mobile de l'âge où nous voilà parvenus. Distinguons toujours les penchants qui viennent de la nature de ceux qui viennent de l'opinion. Il est une ardeur de savoir qui n'est fonder que sur le désir d'être estimé savant; il en est une aute qui naît d'une curiosité naturelle à l'homme pour tout ce qui peut l'intéresser de près ou de loin. Le désir inné du bien-être et l'impossibilité de contenter pleinement ce désir lui font rechercher sans cesse de nouveaux moyens d'y contribuer. Tel est le premier principe de la curiosité; principe naturel au cœur humain, éam idont le développement ne se fait qu'en proportion de nos passions et de nos lumières. Supposez un philosophe relégué dans une île déserte avec des instruments et des livres, sûr d'y passer seul le reste de ses jours; il ne s'embarrassera plus guère du système du monde, des lois de l'attraction, du calcul différentiel : il n'ouvrira peut-être de sa vie un seul livre, mais jamais il ne s'abstiendra de visiter son île jusqu'au dernier recoin, quelque grande qu'elle puisse être. Rejetons donc encore de nos premières études les connaissances dont le goût n'est point naturel à l'homme, et bornons-nous à celles que l'instinct nous porte à chercher.

L'île du genre humain, c'est la terre; l'objet le plus frappant pour nos yeux, c'est le soleil. Sitôt que nous commençons à nous éloigner de nous, nos premières observations doivent tomber sur l'une et sur l'autre. Aussi la philosophie de presque tous les peuples sauvages roule-t-elle uniquement sur d'imaginaires divisions de la terre et sur la divinité du soleil.

Quel écart ! dira-t-on peut-être. Tout à l'heure nous n'étions occupés que de ce qui nous touche, de ce qui nous entoure immédiatement; tout à coup nous voilà parcourant le globe et sautant aux extrémités de l'univers ! Cet écart est l'effet du progrès de nos forces et de la pente de notre esprit. Dans l'état de faiblesse et d'insuffisance, le soin de nous conserver nous concentre au dedans de nous; dans l'état de puissance et de force, le désir d'étendre notre être nous porte au delà, et nous fait élancer aussi loin qu'il nous est possible; mais, comme le monde intellectuel nous est encore inconnu, notre pensée ne va pas plus loin que nos yeux, et notre entendement ne s'étend qu'avec l'espace qu'il mesure.

Transformons nos sensations en idées, mais ne sautons pas tout d'un coup des objets sensibles aux objets intellectuels. C'est par les premiers que nous devons arriver aux autres. Dans les premières opérations de l'esprit, que les sens soient toujours ses guides : point d'autre livre que le monde, point d'autre instruction que les faits. L'enfant qui lit ne pense pas, il ne fait que lire; il ne s'instruit pas, il apprend des mots.

Rendez votre élève attentif aux phénomènes de la nature, bientôt vous le rendrez curieux; mais, pour nourrir sa curiosité, ne vous pressez jamais de la satisfaire. Mettez les questions à sa portée, et laissez-les lui résoudre. Qu'il ne sache rien parce que vous le lui avez dit, mais parce qu'il l'a compris lui-même; qu'il n'apprenne pas la science, qu'il l'invente. Si jamais vous substituez dans son esprit l'autorité à la raison, il ne raisonnera plus; il ne sera plus que le jouet de l'opinion des autres.

Vous voulez apprendre la géographie à cet enfant, et vous lui allez chercher des globes, des sphères, des cartes : que de machines ! Pourquoi toutes ces représentations ? que ne commencez-vous par lui montrer l'objet même, afin qu'il sache au moins de quoi vous lui parlez !

Une belle soirée on va se promener dans un lieu favorable, où l'horizon bien découvert laisse voir à plein le soleil couchant, et l'on observe les objets qui rendent

reconnaissable le lieu de son coucher. Le lendemain,
pour respirer le frais, on retourne au même lieu avant
que le soleil se lève. On le voit s'annoncer de loin par les
traits de feu qu'il lance au-devant de lui. L'incendie augmente, l'orient paraît tout en flammes; à leur éclat on
attend l'astre longtemps avant qu'il se montre; à chaque
instant on croit le voir paraître; on le voit enfin. Un point
brillant part comme un éclair et remplit aussitôt tout
l'espace; le voile des ténèbres s'efface et tombe. L'homme
reconnaît son séjour et le trouve embelli. La verdure a
pris durant la nuit une vigueur nouvelle; le jour naissant
qui l'éclaire, les premiers rayons qui la dorent, la montrent
couverte d'un brillant réseau de rosée, qui réfléchit à
l'œil la lumière et les couleurs. Les oiseaux en chœur se
réunissent et saluent de concert le père de la vie; en ce
moment pas un seul ne se tait; leur gazouillement, faible
encore, est plus lent et plus doux que dans le reste de la
journée, il se sent de la langueur d'un paisible réveil.
Le concours de tous ces objets porte aux sens une impression de fraîcheur qui semble pénétrer jusqu'à l'âme. Il
y a là une demi-heure d'enchantement auquel nul homme
ne résiste; un spectacle si grand, si beau, si délicieux,
n'en laisse aucun de sang-froid [69].

Plein de l'enthousiasme qu'il éprouve, le maître veut
le communiquer à l'enfant : il croit l'émouvoir en le rendant attentif aux sensations dont il est ému lui-même.
Pure bêtise ! c'est dans le cœur de l'homme qu'est la vie
du spectacle de la nature; pour le voir, il faut le sentir.
L'enfant aperçoit les objets, mais il ne peut apercevoir
les rapports qui les lient, il ne peut entendre la douce
harmonie de leur concert. Il faut une expérience qu'il
n'a point acquise, il faut des sentiments qu'il n'a point
éprouvés, pour sentir l'impression composée qui résulte
à la fois de toutes ces sensations. S'il n'a longtemps parcouru des plaines arides, si des sables ardents n'ont brûlé
ses pieds, si la réverbération suffocante des rochers frappés
du soleil ne l'oppressa jamais, comment goûtera-t-il l'air
frais d'une belle matinée ? comment le parfum des fleurs,
le charme de la verdure, l'humide vapeur de la rosée, le
marcher mol et doux sur la pelouse, enchanteront-ils ses
sens ? Comment le chant des oiseaux lui causera-t-il une
émotion voluptueuse, si les accents de l'amour et du plai-

sir lui sont encore inconnus ? Avec quels transports verra-
t-il naître une si belle journée, si son imagination ne sait
pas lui peindre ceux dont on peut la remplir ? Enfin comment s'attendrira-t-il sur la beauté du spectacle de la
nature, s'il ignore quelle main prit soin de l'orner ?

Ne tenez point à l'enfant des discours qu'il ne peut
entendre. Point de descriptions, point d'éloquence, point
de figures, point de poésie. Il n'est pas maintenant question de sentiment ni de goût. Continuez d'être clair,
simple et froid; le temps ne viendra que trop tôt de prendre
un autre langage.

Élevé dans l'esprit de nos maximes, accoutumé à tirer
tous ses instruments de lui-même, et à ne recourir jamais
à autrui qu'après avoir reconnu son insuffisance, à chaque
nouvel objet qu'il voit il l'examine longtemps sans rien
dire. Il est pensif et non questionneur. Contentez-vous
de lui présenter à propos les objets; puis, quand vous
verrez sa curiosité suffisamment occupée, faites-lui
quelque question laconique qui le mette sur la voie de
la résoudre.

Dans cette occasion, après avoir bien contemplé avec
lui le soleil levant, après lui avoir fait remarquer du même
côté les montagnes et les autres objets voisins, après l'avoir
laissé causer là-dessus tout à son aise, gardez quelques
moments le silence comme un homme qui rêve, et puis
vous lui direz : Je songe qu'hier au soir le soleil s'est couché
là, et qu'il s'est levé là ce matin. Comment cela peut-il
se faire ? N'ajoutez rien de plus : s'il vous fait des questions, n'y répondez point; parlez d'autre chose. Laissez-
le à lui-même, et soyez sûr qu'il y pensera.

Pour qu'un enfant s'accoutume à être attentif, et qu'il
soit bien frappé de quelque vérité sensible, il faut bien
qu'elle lui donne quelques jours d'inquiétude avant de
la découvrir. S'il ne conçoit pas assez celle-ci de cette
manière, il y a moyen de la lui rendre plus sensible encore,
et ce moyen c'est de retourner la question. S'il ne sait
pas comment le soleil parvient de son coucher à son lever,
il sait au moins comment il parvient de son lever à son
coucher, ses yeux seuls le lui apprennent. Éclaircissez
donc la première question par l'autre : ou votre élève est
absolument stupide, ou l'analogie est trop claire pour lui pouvoir échapper. Voilà sa première leçon de cosmographie.

Comme nous procédons toujours lentement d'idée sensible en idée sensible, que nous nous familiarisons longtemps avec la même avant de passer à une autre, et qu'enfin nous ne forçons jamais notre élève d'être attentif, il y a loin de cette première leçon à la connaissance du cours du soleil et de la figure de la terre : mais comme tous les mouvements apparents des corps célestes tiennent au même principe, et que la première observation mène à toutes les autres, il faut moins d'effort, quoiqu'il faille plus de temps, pour arriver d'une révolution diurne au calcul des éclipses, que pour bien comprendre le jour et la nuit.

Puisque le soleil tourne autour du monde, il décrit un cercle et tout cercle doit avoir un centre; nous savons déjà cela. Ce centre ne saurait se voir, car il est au cœur de la terre, mais on peut sur la surface marquer deux points opposés qui lui correspondent. Une broche passant par les trois points et prolongée jusqu'au ciel de part et d'autre sera l'axe du monde et du mouvement journalier du soleil. Un toton rond tournant sur sa pointe représente le ciel tournant sur son axe; les deux pointes du toton sont les deux pôles : l'enfant sera fort aise d'en connaître un; je le lui montre à la queue de la Petite Ourse. Voilà de l'amusement pour la nuit; peu à peu l'on se familiarise avec les étoiles, et de là naît le premier goût de connaître les planètes et d'observer les constellations.

Nous avons vu lever le soleil à la Saint-Jean; nous l'allons voir aussi lever à Noël ou quelque autre beau jour d'hiver; car on sait que nous ne sommes pas paresseux, et que nous nous faisons un jeu de braver le froid. J'ai soin de faire cette seconde observation dans le même lieu où nous avons fait la première; et moyennant quelque adresse pour préparer la remarque, l'un ou l'autre ne manquera pas de s'écrier : Oh ! oh ! voilà qui est plaisant ! le soleil ne se lève plus à la même place ! ici sont nos anciens renseignements, et à présent il s'est levé là, etc... Il y a donc un orient d'été, et un orient d'hiver, etc... Jeune maître, vous voilà sur la voie. Ces exemples vous doivent suffire pour enseigner très clairement la sphère, en prenant le monde pour le monde, et le soleil pour le soleil.

En général, ne substituez jamais le signe à la chose que quand il vous est impossible de la montrer; car le signe absorbe l'attention de l'enfant et lui fait oublier la chose représentée.

La sphère armillaire [70] me paraît une machine mal composée et exécutée dans de mauvaises proportions. Cette confusion de cercles et les bizarres figures qu'on y marque lui donnent un air de grimoire qui effarouche l'esprit des enfants. La terre est trop petite, les cercles sont trop grands, trop nombreux; quelques-uns, comme les colures [71], sont parfaitement inutiles; chaque cercle est plus large que la terre; l'épaisseur du carton leur donne un air de solidité qui les fait prendre pour des masses circulaires réellement existantes; et quand vous dites à l'enfant que ces cercles sont imaginaires, il ne sait ce qu'il voit, il n'entend plus rien.

Nous ne savons jamais nous mettre à la place des enfants; nous n'entrons pas dans leurs idées, nous leur prêtons les nôtres; et suivant toujours nos propres raisonnements, avec des chaînes de vérités nous n'entassons qu'extravagances et qu'erreurs dans leur tête.

On dispute sur le choix de l'analyse ou de la synthèse pour étudier les sciences; il n'est pas toujours besoin de choisir. Quelquefois on peut résoudre et composer dans les mêmes recherches, et guider l'enfant par la méthode enseignante lorsqu'il croit ne faire qu'analyser. Alors, en employant en même temps l'une et l'autre, elles se serviraient mutuellement de preuves. Partant à la fois des deux points opposés, sans penser faire la même route, il serait tout surpris de se rencontrer, et cette surprise ne pourrait qu'être fort agréable. Je voudrais, par exemple, prendre la géographie par ces deux termes, et joindre à l'étude des révolutions du globe la mesure de ses parties, à commencer du lieu qu'on habite. Tandis que l'enfant étudie la sphère et se transporte ainsi dans les cieux, ramenez-le à la division de la terre, et montrez-lui d'abord son propre séjour.

Ses deux premiers points de géographie seront la ville où il demeure et la maison de campagne de son père, ensuite les lieux intermédiaires, ensuite les rivières du voisinage, enfin l'aspect du soleil et la manière de s'orienter. C'est ici le point de réunion. Qu'il fasse lui-même la carte de tout cela; carte très simple et d'abord formée de deux seuls objets, auxquels il ajoute peu à peu les autres, à mesure qu'il sait ou qu'il estime leur distance et leur position. Vous voyez déjà quel avantage nous lui avons procuré d'avance en lui mettant un compas dans les yeux.

Malgré cela, sans doute, il faudra le guider un peu; mais très peu, sans qu'il y paraisse. S'il se trompe laissez-le faire, ne corrigez point ses erreurs, attendez en silence qu'il soit en état de les voir et de les corriger lui-même; ou tout au plus, dans une occasion favorable, amenez quelque opération qui les lui fasse sentir. S'il ne se trompait jamais, il n'apprendrait pas si bien. Au reste, il ne s'agit pas qu'il sache exactement la topographie du pays, mais le moyen de s'en instruire; peu importe qu'il ait des cartes dans la tête, pourvu qu'il conçoive bien ce qu'elles représentent, et qu'il ait une idée nette de l'art qui sert à les dresser. Voyez déjà la différence qu'il y a du savoir de vos élèves à l'ignorance du mien ! Ils savent les cartes, et lui les fait. Voici de nouveaux ornements pour sa chambre.

Souvenez-vous toujours que l'esprit de mon institution n'est pas d'enseigner à l'enfant beaucoup de choses, mais de ne laisser jamais entrer dans son cerveau que des idées justes et claires. Quand il ne saurait rien, peu m'importe, pourvu qu'il ne se trompe pas, et je ne mets des vérités dans sa tête que pour le garantir des erreurs qu'il apprendrait à leur place. La raison, le jugement, viennent lentement, les préjugés accourent en foule; c'est d'eux qu'il le faut préserver. Mais si vous regardez la science en elle-même, vous entrez dans une mer sans fond, sans rive, toute pleine d'écueils; vous ne vous en tirerez jamais. Quand je vois un homme épris de l'amour des connaissances se laisser séduire à leur charme et courir de l'une à l'autre sans savoir s'arrêter, je crois voir un enfant sur le rivage amassant des coquilles, et commençant par s'en charger, puis, tenté par celles qu'il voit encore, en rejeter, en reprendre, jusqu'à ce qu'accablé de leur multitude et ne sachant plus que choisir, il finisse par tout jeter et retourne à vide.

Durant le premier âge, le temps était long : nous ne cherchions qu'à le perdre, de peur de le mal employer. Ici c'est tout le contraire, et nous n'en avons pas assez pour faire tout ce qui serait utile. Songez que les passions approchent, et que, sitôt qu'elles frapperont à la porte, votre élève n'aura plus d'attention que pour elles. L'âge paisible d'intelligence est si court, il passe si rapidement, il a tant d'autres usages nécessaires, que c'est une folie de vouloir qu'il suffise à rendre un enfant savant. Il ne s'agit point de lui enseigner les sciences, mais de lui donner du goût pour les aimer et des méthodes pour les apprendre, quand ce goût sera mieux développé. C'est là très certainement un principe fondamental de toute bonne éducation.

Voici le temps aussi de l'accoutumer peu à peu à donner une attention suivie au même objet : mais ce n'est jamais la contrainte, c'est toujours le plaisir ou le désir qui doit produire cette attention; il faut avoir grand soin qu'elle ne l'accable point et n'aille pas jusqu'à l'ennui. Tenez donc toujours l'œil au guet; et, quoi qu'il arrive, quittez tout avant qu'il s'ennuie; car il n'importe jamais autant qu'il apprenne, qu'il importe qu'il ne fasse rien malgré lui.

S'il vous questionne lui-même, répondez autant qu'il faut pour nourrir sa curiosité, non pour la rassasier : surtout quand vous voyez qu'au lieu de questionner pour s'instruire, il se met à battre la campagne et à vous accabler de sottes questions, arrêtez-vous à l'instant, sûr qu'alors il ne se soucie plus de la chose, mais seulement de vous asservir à ses interrogations. Il faut avoir moins d'égard aux mots qu'il prononce qu'au motif qui le fait parler. Cet avertissement, jusqu'ici moins nécessaire, devient de la dernière importance aussitôt que l'enfant commence à raisonner.

Il y a une chaîne de vérités générales par laquelle toutes les sciences tiennent à des principes communs et se développent successivement : cette chaîne est la méthode des philosophes. Ce n'est point de celle-là qu'il s'agit ici. Il y en a une toute différente, par laquelle chaque objet particulier en attire un autre et montre toujours celui qui le suit. Cet ordre, qui nourrit, par une curiosité continuelle, l'attention qu'ils exigent tous, est celui que suivent la plupart des hommes, et surtout celui qu'il faut aux enfants. En nous orientant pour lever nos cartes, il a fallu tracer des méridiennes. Deux points d'intersection entre les ombres égales du matin et du soir donnent une méridienne excellente pour un astronome de treize ans. Mais ces méridiennes s'effacent, il faut du temps pour les tracer; elles assujettissent à travailler toujours dans le même lieu : tant de soins, tant de gêne, l'ennuieraient à la fin. Nous l'avons prévu; nous y pourvoyons d'avance.

Me voici de nouveau dans mes longs et minutieux détails. Lecteurs, j'entends vos murmures, et je les brave : je ne veux point sacrifier à votre impatience la partie la plus utile de ce livre. Prenez votre parti sur mes longueurs; car pour moi j'ai pris le mien sur vos plaintes.

Depuis longtemps nous nous étions aperçus, mon élève et moi, que l'ambre, le verre, la cire, divers corps frottés attiraient les pailles, et que d'autres ne les attiraient pas. Par hasard nous en trouvons un qui a une vertu plus singulière encore; c'est d'attirer à quelque distance, et sans être frotté, la limaille et d'autres brins de fer. Combien de temps cette qualité nous amuse, sans que nous puissions y rien voir de plus ! Enfin nous trouvons qu'elle se communique au fer même, aimanté dans un certain sens. Un jour nous allons à la foire \*; un joueur de gobelets attire avec un morceau de pain un canard de cire flottant sur un bassin d'eau. Fort surpris, nous ne disons pourtant pas : c'est un sorcier; car nous ne savons ce que c'est qu'un sorcier. Sans cesse frappés d'effets dont nous ignorons les causes, nous ne nous pressons de juger de rien, et nous restons en repos dans notre ignorance jusqu'à ce que nous trouvions l'occasion d'en sortir.

De retour au logis, à force de parler du canard de la foire, nous allons nous mettre en tête de l'imiter : nous prenons une bonne aiguille bien aimantée, nous l'entourons de cire blanche, que nous façonnons de notre mieux en forme de canard, de sorte que l'aiguille traverse le corps et que la tête fasse le bec. Nous posons sur l'eau le canard, nous approchons du bec un anneau de clef, et nous voyons, avec une joie facile à comprendre, que notre canard suit la clef précisément comme celui de la foire suivait le morceau de pain. Observer dans quelle direction le canard s'arrête sur l'eau quand on l'y laisse en repos, c'est ce que nous pourrons faire

---

\* Je n'ai pu m'empêcher de rire en lisant une fine critique de M. Formey sur ce petit conte : « Ce joueur de gobelets, dit-il, qui se pique d'émulation contre un enfant et sermonne gravement son instituteur est un individu du monde des Émiles. » Le spirituel M. Formey n'a pu supposer que cette petite scène était arrangée, et que le bateleur était instruit du rôle qu'il avait à faire; car c'est en effet ce que je n'ai point dit. Mais combien de fois, en revanche, ai-je déclaré que je n'écrivais point pour les gens à qui il fallait tout dire !

une autre fois. Quant à présent, tout occupés de notre objet, nous n'en voulons pas davantage.

Dès le même soir nous retournons à la foire avec du pain préparé dans nos poches ; et, sitôt que le joueur de gobelets a fait son tour, mon petit docteur, qui se contenait à peine, lui dit que ce tour n'est pas difficile, et que lui-même en fera bien autant. Il est pris au mot : à l'instant, il tire de sa poche le pain où est caché le morceau de fer ; en approchant de la table, le cœur lui bat ; il présente le·pain presque en tremblant ; le canard vient et le suit ; l'enfant s'écrie et tressaillit [72] d'aise. Aux battements de mains, aux acclamations de l'assemblée la tête lui tourne, il est hors de lui. Le bateleur interdit vient pourtant l'embrasser, le féliciter, et le prie de l'honorer encore le lendemain de sa présence, ajoutant qu'il aura soin d'assembler plus de monde encore pour applaudir à son habileté. Mon petit naturaliste enorgueilli veut babiller, mais sur-le-champ je lui ferme la bouche, et l'emmène comblé d'éloges.

L'enfant, jusqu'au lendemain, compte les minutes avec une risible inquiétude. Il invite tout ce qu'il rencontre ; il voudrait que tout le genre humain fût témoin de sa gloire ; il attend l'heure avec peine, il la devance ; on vole au rendez-vous ; la salle est déjà pleine. En entrant, son jeune cœur s'épanouit. D'autres jeux doivent précéder ; le joueur de gobelets se surpasse et fait des choses surprenantes. L'enfant ne voit rien de tout cela ; il s'agite, il sue, il respire à peine ; il passe son temps à manier dans sa poche son morceau de pain d'une main tremblante d'impatience. Enfin son tour vient ; le maître l'annonce au public avec pompe. Il s'approche un peu honteux, il tire son pain... Nouvelle vicissitude des choses humaines ! Le canard, si privé la veille, est devenu sauvage aujourd'hui ; au lieu de présenter le bec, il tourne la queue et s'enfuit ; il évite le pain et la main qui le présente avec autant de soin qu'il les suivait auparavant. Après mille essais inutiles et toujours hués, l'enfant se plaint, dit qu'on le trompe, que c'est un autre canard qu'on a substitué au premier, et défie le joueur de gobelets d'attirer celui-ci.

Le joueur de gobelets, sans répondre, prend un morceau de pain, le présente au canard ; à l'instant le canard suit le pain, et vient à la main qui le retire. L'enfant prend le même morceau de pain ; mais loin de réussir mieux qu'auparavant, il voit le canard se moquer de lui et faire des pirouettes tout autour du bassin : il s'éloigne enfin tout confus, et n'ose plus s'exposer aux huées.

Alors le joueur de gobelets prend le morceau de pain que l'enfant avait apporté, et s'en sert avec autant de succès que du sien : il en tire le fer devant tout le monde, autre risée à nos dépens; puis de ce pain ainsi vidé, il attire le canard comme auparavant. Il fait la même chose avec un autre morceau coupé devant tout le monde par une main tierce, il en fait autant avec son gant, avec le bout de son doigt; enfin il s'éloigne au milieu de la chambre, et, du ton d'emphase propre à ces gens-là, déclarant que son canard n'obéira pas moins à sa voix qu'à son geste, il lui parle et le canard obéit; il lui dit d'aller à droite et il va à droite, de revenir et il revient, de tourner et il tourne : le mouvement est aussi prompt que l'ordre. Les applaudissements redoublés sont autant d'affronts pour nous. Nous nous évadons sans être aperçus, et nous nous renfermons dans notre chambre, sans aller raconter nos succès à tout le monde comme nous l'avions projeté.

Le lendemain matin l'on frappe à notre porte; j'ouvre : c'est l'homme aux gobelets. Il se plaint modestement de notre conduite. Que nous avait-il fait pour nous engager à vouloir décréditer ses jeux et lui ôter son gagne-pain ? Qu'y a-t-il donc de si merveilleux dans l'art d'attirer un canard de cire, pour acheter cet honneur aux dépens de la subsistance d'un honnête homme ? Ma foi, messieurs, si j'avais quelque autre talent pour vivre, je ne me glorifierais guère de celui-ci. Vous deviez croire qu'un homme qui a passé sa vie à s'exercer à cette chétive industrie en sait là-dessus plus que vous, qui ne vous en occupez que quelques moments. Si je ne vous ai pas d'abord montré mes coups de maître, c'est qu'il ne faut pas se presser d'étaler étourdiment ce qu'on sait; j'ai toujours soin de conserver mes meilleurs tours pour l'occasion, et après celui-ci, j'en ai d'autres encore pour arrêter de jeunes indiscrets. Au reste, messieurs, je viens de bon cœur vous apprendre ce secret qui vous a tant embarrassés, vous priant de n'en pas abuser pour me nuire, et d'être plus retenus une autre fois.

Alors il nous montre sa machine, et nous voyons avec la dernière surprise qu'elle ne consiste qu'en un aimant fort et bien armé, qu'un enfant caché sous la table faisait mouvoir sans qu'on s'en aperçût.

L'homme replie sa machine; et, après lui avoir fait nos remerciements et nos excuses, nous voulons lui faire un présent; il le refuse. « Non, messieurs, je n'ai pas assez à me louer de vous pour accepter vos dons; je vous laisse obligés à moi malgré vous; c'est ma seule vengeance. Apprenez qu'il y a de la générosité dans tous les états; je fais payer mes tours et non mes leçons. »

En sortant, il m'adresse à moi nommément et tout haut une réprimande. J'excuse volontiers, me dit-il, cet enfant; il n'a péché que par ignorance. Mais vous, monsieur, qui deviez connaître sa faute, pourquoi la lui avoir laissé faire ? Puisque vous vivez ensemble, comme le plus âgé vous lui devez vos soins, vos conseils; votre expérience est l'autorité qui doit le conduire. En se reprochant, étant grand, les torts de sa jeunesse, il vous reprochera sans doute ceux dont vous ne l'aurez pas averti *.

Il part et nous laisse tous deux très confus. Je me blâme de ma molle facilité; je promets à l'enfant de la sacrifier une autre fois à son intérêt, et de l'avertir de ses fautes avant qu'il en fasse; car le temps approche où nos rapports vont changer, et où la sévérité du maître doit succéder à la complaisance du camarade; ce changement doit s'amener par degrés; il faut tout prévoir, et tout prévoir de fort loin.

Le lendemain nous retournons à la foire pour revoir le tour dont nous avons appris le secret. Nous abordons avec un profond respect notre bateleur Socrate; à peine osons-nous lever les yeux sur lui : il nous comble d'honnêtetés, et nous place avec une distinction qui nous humilie encore. Il fait ses tours comme à l'ordinaire; mais il s'amuse et se complaît longtemps à celui du canard, en nous regardant souvent d'un air assez fier. Nous savons tout, et nous ne soufflons pas. Si mon élève osait seulement ouvrir la bouche, ce serait un enfant à écraser.

Tout le détail de cet exemple importe plus qu'il ne semble. Que de leçons dans une seule ! Que de suites mortifiantes

---

* Ai-je dû supposer quelque lecteur assez stupide pour ne pas sentir dans cette réprimande un discours dicté mot à mot par le gouverneur pour aller à ses vues ? A-t-on dû me supposer assez stupide moi-même pour donner naturellement ce langage à un bateleur ? Je croyais avoir fait preuve au moins du talent assez médiocre de faire parler les gens dans l'esprit de leur état. Voyez encore la fin de l'alinéa suivant. N'était-ce pas tout dire pour tout autre que M. Formey ?

attire le premier mouvement de vanité ! Jeune maître, épiez
ce premier mouvement avec soin. Si vous savez en faire sortir ainsi l'humiliation, les disgrâces *, soyez sûr qu'il n'en
reviendra de longtemps un second. Que d'apprêts ! direz-
vous. J'en conviens, et le tout pour nous faire une boussole qui nous tienne lieu de méridienne.

Ayant appris que l'aimant agit à travers les autres corps,
nous n'avons rien de plus pressé que de faire une machine
semblable à celle que nous avons vue : une table évidée, un
bassin très plat ajusté sur cette table, et rempli de quelques
lignes d'eau, un canard fait avec un peu plus de soin, etc.
Souvent attentifs autour du bassin, nous remarquons enfin
que le canard en repos affecte toujours à peu près la même
direction. Nous suivons cette expérience, nous examinons
cette direction : nous trouvons qu'elle est du midi au nord.
Il n'en faut pas davantage : notre boussole est trouvée, ou
autant vaut; nous voilà dans la physique.

Il y a divers climats sur la terre, et diverses températures à
ces climats. Les saisons varient plus sensiblement à mesure
qu'on approche du pôle; tous les corps se resserrent au froid
et se dilatent à la chaleur; cet effet est plus mesurable dans
les liqueurs, et plus sensible dans les liqueurs spiritueuses; de
là le thermomètre [73]. Le vent frappe le visage; l'air est donc
un corps, un fluide; on le sent, quoiqu'on n'ait aucun moyen
de le voir. Renversez un verre dans l'eau, l'eau ne le remplira
pas à moins que vous ne laissiez à l'air une issue; l'air est
donc capable de résistance. Enfoncez le verre davantage,
l'eau gagnera dans l'espace l'air, sans pouvoir remplir tout à
fait cet espace; l'air est donc capable de compression jusqu'à
certain point. Un ballon rempli d'air comprimé bondit
mieux que rempli de toute autre matière; l'air est donc un
corps élastique. Étant étendu dans le bain, soulevez hori-
zontalement le bras hors de l'eau, vous le sentirez chargé
d'un poids terrible; l'air est donc un corps pesant. En mettant l'air en équilibre avec d'autres fluides, on peut mesurer
son poids : de là le baromètre, le siphon, la canne à vent, la

---

* Cette humiliation, ces disgrâces sont donc de ma façon, et non
pas de celle du bateleur. Puisque M. Formey voulait de mon vivant
s'emparer de mon livre, et le faire imprimer sans autre façon que
d'en ôter mon nom pour y mettre le sien, il devait du moins prendre la
peine, je ne dis pas de le composer, mais de le lire.

machine pneumatique. Toutes les lois de la statique et de l'hydrostatique se trouvent par des expériences tout aussi grossières. Je ne veux pas qu'on entre pour rien de tout cela dans un cabinet de physique expérimentale : tout cet appareil d'instruments et de machines me déplaît. L'air scientifique tue la science. Ou toutes ces machines effrayent un enfant, ou leurs figures partagent et dérobent l'attention qu'il devrait à leurs effets.

Je veux que nous fassions nous-mêmes toutes nos machines; et je ne veux pas commencer par faire l'instrument avant l'expérience; mais je veux qu'après avoir entrevu l'expérience comme par hasard, nous inventions peu à peu l'instrument qui doit la vérifier. J'aime mieux que nos instruments ne soient point si parfaits et si justes, et que nous ayons des idées plus nettes de ce qu'ils doivent être, et des opérations qui doivent en résulter. Pour ma première leçon de statique, au lieu d'aller chercher des balances, je mets un bâton en travers sur le dos d'une chaise, je mesure la longueur des deux parties du bâton en équilibre, j'ajoute de part et d'autre des poids, tantôt égaux, tantôt inégaux; et, le tirant ou le poussant autant qu'il est nécessaire, je trouve enfin que l'équilibre résulte d'une proportion réciproque entre la quantité des poids et la longueur des leviers. Voilà déjà mon petit physicien capable de rectifier des balances avant que d'en avoir vu.

Sans contredit on prend des notions bien plus claires et bien plus sûres des choses qu'on apprend ainsi de soi-même, que de celles qu'on tient des enseignements d'autrui; et, outre qu'on n'accoutume point sa raison à se soumettre servilement à l'autorité, l'on se rend plus ingénieux à trouver des rapports, à lier des idées, à inventer des instruments, que quand, adoptant tout cela tel qu'on nous le donne, nous laissons affaisser notre esprit dans la nonchalance, comme le corps d'un homme qui, toujours habillé, chaussé, servi par ses gens et traîné par ses chevaux, perd à la fin la force et l'usage de ses membres. Boileau se vantait d'avoir appris à Racine à rimer difficilement. Parmi tant d'admirables méthodes pour abréger l'étude des sciences, nous aurions grand besoin que quelqu'un nous en donnât une pour les apprendre avec effort.

L'avantage le plus sensible de ces lentes et laborieuses recherches est de maintenir, au milieu des études spécula-

tives, le corps dans son activité, les membres dans leur souplesse, et de former sans cesse les mains au travail et aux
usages utiles à l'homme. Tant d'instruments inventés pour
nous guider dans nos expériences et suppléer à la justesse des
sens, en font négliger l'exercice. Le graphomètre dispense
d'estimer la grandeur des angles ; l'œil qui mesurait avec précision les distances s'en fie à la chaîne qui les mesure pour
lui ; la romaine m'exempte de juger à la main le poids que je
connais par elle. Plus nos outils sont ingénieux, plus nos
organes deviennent grossiers et maladroits : à force de rassembler des machines autour de nous, nous n'en trouvons
plus en nous-mêmes.

Mais, quand nous mettons à fabriquer ces machines
l'adresse qui nous en tenait lieu, quand nous employons à les
faire la sagacité qu'il fallait pour nous en passer, nous
gagnons sans rien perdre, nous ajoutons l'art à la nature, et
nous devenons plus ingénieux, sans devenir moins adroits.
Au lieu de coller un enfant sur des livres, si je l'occupe dans
un atelier, ses mains travaillent au profit de son esprit : il
devient philosophe et croit n'être qu'un ouvrier. Enfin cet
exercice a d'autres usages dont je parlerai ci-après ; et l'on
verra comment des jeux de la philosophie on peut s'élever
aux véritables fonctions de l'homme.

J'ai déjà dit que les connaissances purement spéculatives
ne convenaient guère aux enfants, même approchant de
l'adolescence ; mais sans les faire entrer bien avant dans la
physique systématique, faites pourtant que toutes leurs
expériences se lient l'une à l'autre par quelque sorte de dé-
duction, afin qu'à l'aide de cette chaîne ils puissent les placer
par ordre dans leur esprit, et se les rappeler au besoin ; car il
est bien difficile que des faits et même des raisonnements
isolés tiennent longtemps dans la mémoire, quand on manque de prise pour les y ramener.

Dans la recherche des lois de la nature, commencez toujours par les phénomènes les plus communs et les plus sensibles, et accoutumez votre élève à ne pas prendre ces phénomènes pour des raisons, mais pour des faits. Je prends une
pierre, je feins de la poser en l'air ; j'ouvre la main, la pierre
tombe. Je regarde Émile attentif à ce que je fais, et je lui dis :
Pourquoi cette pierre est-elle tombée ?

Quel enfant restera court à cette question ? Aucun, pas
même Émile, si je n'ai pris grand soin de le préparer à n'y

savoir pas répondre. Tous diront que la pierre tombe parce
qu'elle est pesante. Et qu'est-ce qui est pesant ? C'est ce qui
tombe. La pierre tombe donc parce qu'elle tombe ? Ici mon
petit philosophe est arrêté tout de bon. Voilà sa première
leçon de physique systématique, et soit qu'elle lui profite
ou non dans ce genre, ce sera toujours une leçon de bon
sens.

A mesure que l'enfant avance en intelligence, d'autres
considérations importantes nous obligent à plus de choix
dans ses occupations. Sitôt qu'il parvient à se connaître
assez lui-même pour concevoir en quoi consiste son bien-
être, sitôt qu'il peut saisir des rapports assez étendus pour
juger de ce qui lui convient et de ce qui ne lui convient pas,
dès lors il est en état de sentir la différence du travail à l'amusement, et de ne regarder celui-ci que comme le délassement
de l'autre. Alors des objets d'utilité réelle peuvent entrer
dans ses études, et l'engager à y donner une application
plus constante qu'il n'en donnait à de simples amusements. La loi de la nécessité, toujours renaissante, apprend
de bonne heure à l'homme à faire ce qui ne lui plaît pas
pour prévenir un mal qui lui déplairait davantage. Tel est
l'usage de la prévoyance; et, de cette prévoyance bien ou
mal réglée, naît toute la sagesse ou toute la misère
humaine.

Tout homme veut être heureux; mais, pour parvenir à
l'être, il faudrait commencer par savoir ce que c'est que le
bonheur. Le bonheur de l'homme naturel est aussi simple
que sa vie; il consiste à ne pas souffrir : la santé, la liberté,
le nécessaire le constituent. Le bonheur de l'homme moral
est autre chose; mais ce n'est pas de celui-là qu'il est ici question. Je ne saurais trop répéter qu'il n'y a que des objets purement physiques qui puissent intéresser les enfants, surtout
ceux dont on n'a pas éveillé la vanité, et qu'on n'a point corrompus d'avance par le poison de l'opinion.

Lorsque avant de sentir leurs besoins ils les prévoient,
leur intelligence est déjà fort avancée, ils commencent à
connaître le prix du temps. Il importe alors de les accoutumer à en diriger l'emploi sur des objets utiles, mais d'une
utilité sensible à leur âge, et à la portée de leurs lumières.
Tout ce qui tient à l'ordre moral et à l'usage de la société ne
doit point sitôt leur être présenté, parce qu'ils ne sont pas en
état de l'entendre. C'est une ineptie d'exiger d'eux qu'ils

s'appliquent à des choses qu'on leur dit vaguement être pour leur bien, sans qu'ils sachent quel est ce bien, et dont on les assure qu'ils tireront du profit étant grands, sans qu'ils prennent maintenant aucun intérêt à ce prétendu profit, qu'ils ne sauraient comprendre.

Que l'enfant ne fasse rien sur parole : rien n'est bien pour lui que ce qu'il sent être tel. En le jetant toujours en avant de ses lumières, vous croyez user de prévoyance, et vous en manquez. Pour l'armer de quelques vains instruments dont il ne fera peut-être jamais d'usage, vous lui ôtez l'instrument le plus universel de l'homme, qui est le bon sens; vous l'accoutumez à se laisser toujours conduire, à n'être jamais qu'une machine entre les mains d'autrui. Vous voulez qu'il soit docile étant petit : c'est vouloir qu'il soit crédule et dupe étant grand. Vous lui dites sans cesse : « Tout ce que je vous demande est pour votre avantage; mais vous n'êtes pas en état de le connaître. Que m'importe à moi que vous fassiez ou non ce que j'exige ? c'est pour vous seul que vous travaillez. » Avec tous ces beaux discours que vous lui tenez maintenant pour le rendre sage, vous préparez le succès de ceux qué lui tiendra quelque jour un visionnaire, un souffleur, un charlatan, un fourbe, ou un fou de toute espèce, pour le prendre à son piège ou pour lui faire adopter sa folie.

Il importe qu'un homme sache bien des choses dont un enfant ne saurait comprendre l'utilité; mais faut-il et se peut-il qu'un enfant apprenne tout ce qu'il importe à un homme de savoir ? Tâchez d'apprendre à l'enfant tout ce qui est utile à son âge, et vous verrez que tout son temps sera plus que rempli. Pourquoi voulez-vous, au préjudice des études qui lui conviennent aujourd'hui, l'appliquer à celles d'un âge auquel il est si peu sûr qu'il parvienne ? Mais, direz-vous, sera-t-il temps d'apprendre ce qu'on doit savoir quand le moment sera venu d'en faire usage ? Je l'ignore : mais ce que je sais, c'est qu'il est impossible de l'apprendre plus tôt; car nos vrais maîtres sont l'expérience et le sentiment, et jamais l'homme ne sent bien ce qui convient à l'homme que dans les rapports où il s'est trouvé. Un enfant sait qu'il est fait pour devenir homme, toutes les idées qu'il peut avoir de l'état d'homme sont des occasions d'instruction pour lui; mais sur les idées de cet état qui ne sont pas à sa portée il doit rester dans une ignorance absolue. Tout mon livre n'est qu'une preuve continuelle de ce principe d'éducation.

Sitôt que nous sommes parvenus à donner à notre élève une idée du mot *utile*, nous avons une grande prise de plus pour le gouverner; car ce mot le frappe beaucoup, attendu qu'il n'a pour lui qu'un sens relatif à son âge, et qu'il en voit clairement le rapport à son bien-être actuel. Vos enfants ne sont point frappés de ce mot parce que vous n'avez pas eu soin de leur en donner une idée qui soit à leur portée, et que d'autres se chargeant toujours de pourvoir à ce qui leur est utile, ils n'ont jamais besoin d'y songer eux-mêmes, et ne savent ce que c'est qu'utilité.

*A quoi cela est-il bon?* Voilà désormais le mot sacré, le mot déterminant entre lui et moi dans toutes les actions de notre vie : voilà la question qui de ma part suit infailliblement toutes ses questions, et qui sert de frein à ces multitudes d'interrogations sottes et fastidieuses dont les enfants fatiguent sans relâche et sans fruit tous ceux qui les environnent, plus pour exercer sur eux quelque espèce d'empire que pour en tirer quelque profit. Celui à qui, pour sa plus importante leçon, l'on apprend à ne vouloir rien savoir que d'utile, interroge comme Socrate; il ne fait pas une question sans s'en rendre à lui-même la raison qu'il sait qu'on lui en va demander avant que de la résoudre.

Voyez quel puissant instrument je vous mets entre les mains pour agir sur votre élève. Ne sachant les raisons de rien, le voilà presque réduit au silence quand il vous plaît; et vous, au contraire, quel avantage vos connaissances et votre expérience ne vous donnent-elles point pour lui montrer l'utilité de tout ce que vous lui proposez ! Car, ne vous y trompez pas, lui faire cette question, c'est lui apprendre à vous la faire à son tour; et vous devez compter, sur tout ce que vous lui proposerez dans la suite, qu'à votre exemple il ne manquera pas de dire : *A quoi cela est-il bon?*

C'est ici peut-être le piège le plus difficile à éviter pour un gouverneur. Si, sur la question de l'enfant, ne cherchant qu'à vous tirer d'affaire, vous lui donnez une seule raison qu'il ne soit pas en état d'entendre, voyant que vous raisonnez sur vos idées et non sur les siennes, il croira ce que vous lui dites bon pour votre âge, et non pour le sien; il ne se fiera plus à vous, et tout est perdu. Mais où est le maître qui veuille bien rester court et convenir de ses torts avec son élève ? tous se font une loi de ne pas convenir même de ceux qu'ils ont; et moi je m'en ferais une de convenir même de ceux que je n'aurais pas, quand je ne pourrais mettre mes raisons à sa portée : ainsi ma conduite, toujours nette dans son esprit, ne lui serait jamais suspecte, et je me conserverais plus de crédit en me supposant des fautes, qu'ils ne font en cachant les leurs.

Premièrement, songez bien que c'est rarement à vous de lui proposer ce qu'il doit apprendre; c'est à lui de le désirer, de le chercher, de le trouver; à vous de le mettre à sa portée, de faire naître adroitement ce désir et de lui fournir les moyens de le satisfaire. Il suit de là que vos questions doivent être peu fréquentes, mais bien choisies; et que, comme il en aura beaucoup plus à vous faire que vous à lui, vous serez toujours moins à découvert, et plus souvent dans le cas de lui dire : *En quoi ce que vous me demandez est-il utile à savoir ?*

De plus, comme il importe peu qu'il apprenne ceci ou cela, pourvu qu'il conçoive bien ce qu'il apprend, et l'usage de ce qu'il apprend, sitôt que vous n'avez pas à lui donner sur ce que vous lui dites un éclaircissement qui soit bon pour lui, ne lui en donnez point du tout. Dites-lui sans scrupule : Je n'ai pas de bonne réponse à vous faire; j'avais tort, laissons cela. Si votre instruction était réellement déplacée, il n'y a pas de mal à l'abandonner tout à fait; si elle ne l'était pas, avec un peu de soin vous trouverez bientôt l'occasion de lui en rendre l'utilité sensible.

Je n'aime point les explications en discours; les jeunes gens y font peu d'attention et ne les retiennent guère. Les choses ! les choses ! Je ne répéterai jamais assez que nous donnons trop de pouvoir aux mots; avec notre éducation babillarde nous ne faisons que des babillards.

Supposons que, tandis que j'étudie avec mon élève le cours du soleil et la manière de s'orienter, tout à coup il m'interrompe pour me demander à quoi sert tout cela. Quel beau discours je vais lui faire ! de combien de choses je saisis l'occasion de l'instruire en répondant à sa question,

surtout si nous avons des témoins de notre entretien *.
Je lui parlerai de l'utilité des voyages, des avantages du
commerce, des productions particulières à chaque climat,
des mœurs des différents peuples, de l'usage du calendrier,
de la supputation du retour des saisons pour l'agriculture,
de l'art de la navigation, de la manière de se conduire sur
mer et de suivre exactement sa route, sans savoir où l'on
est. La politique, l'histoire naturelle, l'astronomie, la morale
même et le droit des gens entreront dans mon explication,
de manière à donner à mon élève une grande idée de
toutes ces sciences et un grand désir de les apprendre.
Quand j'aurai tout dit, j'aurai fait l'étalage d'un vrai
pédant, auquel il n'aura pas compris une seule idée. Il
aurait grande envie de me demander comme auparavant
à quoi sert de s'orienter; mais il n'ose, de peur que je me
fâche. Il trouve mieux son compte à feindre d'entendre
ce qu'on l'a forcé d'écouter. Ainsi se pratiquent les belles
éducations.

Mais notre Émile, plus rustiquement élevé, et à qui
nous donnons avec tant de peine une conception dure,
n'écoutera rien de tout cela. Du premier mot qu'il n'entendra pas, il va s'enfuir, il va folâtrer par la chambre, et me
laisser pérorer tout seul. Cherchons une solution plus
grossière; mon appareil scientifique ne vaut rien pour
lui.

Nous observions la position de la forêt au nord de
Montmorency, quand il m'a interrompu par son importune
question : *À quoi sert cela ?* Vous avez raison, lui dis-je,
il y faut penser à loisir; et si nous trouvons que ce travail
n'est bon à rien, nous ne le reprendrons plus, car nous ne
manquons pas d'amusements utiles. On s'occupe d'autre
chose, et il n'est plus question de géographie du reste de
la journée.

Le lendemain matin, je lui propose un tour de promenade avant le déjeuner; il ne demande pas mieux; pour
courir, les enfants sont toujours prêts, et celui-ci a de
bonnes jambes. Nous montons dans la forêt, nous par-
courons les Champeaux, nous nous égarons, nous ne

---

* J'ai souvent remarqué que, dans les doctes instructions qu'on
donne aux enfants, on songe moins à se faire écouter d'eux que des
grandes personnes qui sont présentes. Je suis très sûr de ce que je dis
là, car j'en ai fait l'observation sur moi-même.

savons plus où nous sommes; et, quand il s'agit de revenir, nous ne pouvons plus retrouver notre chemin. Le temps se passe, la chaleur vient, nous avons faim; nous nous pressons, nous errons vainement de côté et d'autre, nous ne trouvons partout que des bois, des carrières, des plaines, nul renseignement pour nous reconnaître. Bien échauffés, bien recrus, bien affamés, nous ne faisons avec nos courses que nous égarer davantage. Nous nous asseyons enfin pour nous reposer, pour délibérer. Émile que je suppose élevé comme un autre enfant, ne délibère point, il pleure; il ne sait pas que nous sommes à la porte de Montmorency, et qu'un simple taillis nous le cache; mais ce taillis est une forêt pour lui, un homme de sa stature est enterré dans des buissons.

Après quelques moments de silence, je lui dis d'un air inquiet : Mon cher Émile, comment ferons-nous pour sortir d'ici ?

ÉMILE, *en nage, et pleurant à chaudes larmes.*

Je n'en sais rien. Je suis las; j'ai faim; j'ai soif; je n'en puis plus.

JEAN-JACQUES

Me croyez-vous en meilleur état que vous ? et pensez-vous que je me fisse faute de pleurer, si je pouvais déjeuner de mes larmes ? Il ne s'agit pas de pleurer, il s'agit de se reconnaître. Voyons votre montre; quelle heure est-il ?

ÉMILE

Il est midi, et je suis à jeun.

JEAN-JACQUES

Cela est vrai, il est midi, et je suis à jeun.

ÉMILE

Oh ! que vous devez avoir faim !

JEAN-JACQUES

Le malheur est que mon dîner ne viendra pas me chercher ici. Il est midi : c'est justement l'heure où nous observions hier de Montmorency la position de la forêt. Si nous pouvions de même observer de la forêt la position de Montmorency !...

ÉMILE

Oui; mais hier nous voyions la forêt, et d'ici nous ne voyons pas la ville.

JEAN-JACQUES

Voilà le mal... Si nous pouvions nous passer de la voir pour trouver sa position !...

ÉMILE

O mon bon ami !

JEAN-JACQUES

Ne disions-nous pas que la forêt était...

ÉMILE

Au nord de Montmorency.

JEAN-JACQUES

Par conséquent Montmorency doit être...

ÉMILE

Au sud de la forêt.

JEAN-JACQUES

Nous avons un moyen de trouver le bord à midi ?

ÉMILE

Oui, par la direction de l'ombre.

JEAN-JACQUES

Mais le sud ?

ÉMILE

Comment faire ?

JEAN-JACQUES

Le sud est l'opposé du nord.

ÉMILE

Cela est vrai; il n'y a qu'à chercher l'opposé de l'ombre. Oh ! voilà le sud ! voilà le sud ! sûrement Montmorency est de ce côté.

« ... *courons vite : l'astronomie est bonne à quelque chose.* »
Illustration de Moreau le Jeune gravée par N. Le Mire
(Londres 1774-1784)

JEAN-JACQUES

Vous pouvez avoir raison : prenons ce sentier à travers le bois.

ÉMILE, *frappant des mains, et poussant un cri de joie.*

Ah ! je vois Montmorency ! le voilà tout devant nous, tout à découvert. Allons déjeuner, allons dîner, courons vite : l'astronomie est bonne à quelque chose.

Prenez garde que, s'il ne dit pas cette dernière phrase, il la pensera; peu importe, pourvu que ce ne soit pas moi qui la dise. Or soyez sûr qu'il n'oubliera de sa vie la leçon de cette journée; au lieu que, si je n'avais fait que lui supposer tout cela dans sa chambre, mon discours eût été oublié dès le lendemain. Il faut parler tant qu'on peut par les actions, et ne dire que ce qu'on ne saurait faire.

Le lecteur ne s'attend pas que je le méprise assez pour lui donner un exemple sur chaque espèce d'étude : mais, de quoi qu'il soit question, je ne puis trop exhorter le gouverneur à bien mesurer sa preuve sur la capacité de l'élève; car, encore une fois, le mal n'est pas dans ce qu'il n'entend point, mais dans ce qu'il croit entendre.

Je me souviens que, voulant donner à un enfant du goût pour la chimie, après lui avoir montré plusieurs précipitations métalliques, je lui expliquais comment se faisait l'encre. Je lui disais que sa noirceur ne venait que d'un fer très divisé, détaché du vitriol, et précipité par une liqueur alcaline. Au milieu de ma docte explication, le petit traître m'arrêta tout court avec ma question que je lui avais apprise : me voilà fort embarrassé.

Après avoir un peu rêvé, je pris mon parti; j'envoyai chercher du vin dans la cave du maître de la maison, et d'autre vin à huit sous chez un marchand de vin. Je pris dans un petit flacon de la dissolution d'alcali fixe; puis, ayant devant moi, dans deux verres, de ces deux différents vins *, je lui parlai ainsi :

On falsifie plusieurs denrées pour les faire paraître meilleures qu'elles ne sont. Ces falsifications trompent l'œil et le goût; mais elles sont nuisibles, et rendent la chose falsifiée pire, avec sa belle apparence, qu'elle n'était auparavant.

---

* A chaque explication qu'on veut donner à l'enfant, un petit appareil qui la précède sert beaucoup à le rendre attentif.

On falsifie surtout les boissons, et surtout les vins, parce que la tromperie est plus difficile à connaître, et donne plus de profit au trompeur.

La falsification des vins verts ou aigres se fait avec de la litharge, la litharge est une préparation de plomb. Le plomb uni aux acides fait un sel fort doux, qui corrige au goût la verdeur du vin, mais qui est un poison pour ceux qui le boivent. Il importe donc, avant de boire du vin suspect, de savoir s'il est lithargiré ou s'il ne l'est pas. Or voici comment je raisonne pour découvrir cela.

La liqueur du vin ne contient pas seulement de l'esprit inflammable, comme vous l'avez vu par l'eau-de-vie qu'on en tire; elle contient encore de l'acide, comme vous pouvez le connaître par le vinaigre et le tartre qu'on en tire aussi.

L'acide a du rapport aux substances métalliques, et s'unit avec elles par dissolution pour former un sel composé, tel, par exemple, que la rouille, qui n'est qu'un fer dissous par l'acide contenu dans l'air ou dans l'eau, et tel aussi que le vert-de-gris, qui n'est qu'un cuivre dissous par le vinaigre.

Mais ce même acide a plus de rapport encore aux substances alcalines qu'aux substances métalliques, en sorte que, par l'intervention des premières dans les sels composés dont je viens de vous parler, l'acide est forcé de lâcher le métal auquel il est uni, pour s'attacher à l'alcali.

Alors la substance métallique, dégagée de l'acide qui la tenait dissoute, se précipite et rend la liqueur opaque.

Si donc un de ces deux vins est lithargiré, son acide tient la litharge en dissolution. Que j'y verse de la liqueur alcaline, elle forcera l'acide de quitter prise pour s'unir à elle; le plomb, n'étant plus tenu en dissolution, reparaîtra, troublera la liqueur, et se précipitera enfin dans le fond du verre.

S'il n'y a point de plomb * ni d'aucun métal dans le

---

* Les vins qu'on vend en détail chez les marchands de vins de Paris, quoiqu'ils ne soient pas tous lithargirés, sont rarement exempts de plomb, parce que les comptoirs de ces marchands sont garnis de ce métal, et que le vin qui se répand de la mesure, en passant et séjournant sur ce plomb en dissout toujours quelque partie. Il est étrange qu'un abus si manifeste et si dangereux soit souffert par la police. Mais il est vrai que les gens aisés, ne buvant guère de ces vins là, sont peu sujets à en être empoisonnés.

vin, l'alcali s'unira paisiblement * avec l'acide, le tout restera dissous, et il ne se fera aucune précipitation.

Ensuite je versai de ma liqueur alcaline successivement dans les deux verres : celui du vin de la maison resta clair et diaphane; l'autre en un moment fut trouble, et au bout d'une heure on vit clairement le plomb précipité dans le fond du verre.

Voilà, repris-je, le vin naturel et pur dont on peut boire, et voici le vin falsifié qui empoisonne. Cela se découvre par les mêmes connaissances dont vous me demandiez l'utilité : celui qui sait bien comment se fait l'encre sait connaître aussi les vins frelatés.

J'étais fort content de mon exemple, et cependant je m'aperçus que l'enfant n'en était point frappé. J'eus besoin d'un peu de temps pour sentir que je n'avais fait qu'une sottise : car, sans parler de l'impossibilité qu'à douze ans un enfant pût suivre mon explication, l'utilité de cette expérience n'entrait pas dans son esprit, parce qu'ayant goûté des deux vins, et les trouvant bons tous deux, il ne joignait aucune idée à ce mot de falsification que je pensais lui avoir si bien expliqué. Ces autres mots *malsain*, *poison*, n'avaient même aucun sens pour lui; il était là-dessus dans le cas de l'historien du médecin Philippe : c'est le cas de tous les enfants.

Les rapports des effets aux causes dont nous n'apercevons pas la liaison, les biens et les maux dont nous n'avons aucune idée, les besoins que nous n'avons jamais sentis, sont nuls pour nous; il est impossible de nous intéresser par eux à rien faire qui s'y rapporte. On voit à quinze ans le bonheur d'un homme sage, comme à trente la gloire du paradis. Si l'on ne conçoit bien l'un et l'autre, on fera peu de chose pour les acquérir; et quand même on les concevrait, on fera peu de chose encore si on ne les désire, si on ne les sent convenables à soi. Il est aisé de convaincre un enfant que ce qu'on lui veut enseigner est utile : mais ce n'est rien de le convaincre, si l'on ne sait le persuader. En vain la tranquille raison nous fait approuver ou blâmer; il n'y a que la passion qui nous fasse agir; et comment se passionner pour des intérêts qu'on n'a point encore ?

---

* L'acide végétal est fort doux. Si c'était un acide minéral, et qu'il fût moins étendu, l'union ne se ferait pas sans effervescence.

Ne montrez jamais rien à l'enfant qu'il ne puisse voir. Tandis que l'humanité lui est presque étrangère, ne pouvant l'élever à l'état d'homme, rabaissez pour lui l'homme à l'état d'enfant. En songeant à ce qui lui peut être utile dans un autre âge, ne lui parlez que de ce dont il voit dès à présent l'utilité. Du reste, jamais de comparaisons avec d'autres enfants, point de rivaux, point de concurrents, même à la course, aussitôt qu'il commence à raisonner; j'aime cent fois mieux qu'il n'apprenne point ce qu'il n'apprendrait que par jalousie ou par vanité. Seulement je marquerai tous les ans les progrès qu'il aura faits; je les comparerai à ceux qu'il fera l'année suivante; je lui dirai : Vous êtes grandi de tant de lignes; voilà le fossé que vous sautiez, le fardeau que vous portiez; voici la distance où vous lanciez un caillou, la carrière que vous parcouriez d'une haleine, etc.; voyons maintenant ce que vous ferez. Je l'excite ainsi sans le rendre jaloux de personne. Il voudra se surpasser, il le doit; je ne vois nul inconvénient qu'il soit émule de lui-même.

Je hais les livres; ils n'apprennent qu'à parler de ce qu'on ne sait pas. On dit qu'Hermès grava sur des colonnes les éléments des sciences, pour mettre ses découvertes à l'abri d'un déluge. S'il les eût bien imprimées dans la tête des hommes, elles s'y seraient conservées par tradition. Des cerveaux bien préparés sont les monuments où se gravent le plus sûrement les connaissances humaines.

N'y aurait-il point moyen de rapprocher tant de leçons éparses dans tant de livres, de les réunir sous un objet commun qui pût être facile à voir, intéressant à suivre, et qui pût servir de stimulant, même à cet âge ? Si l'on peut inventer une situation où tous les besoins naturels de l'homme se montrent d'une manière sensible à l'esprit d'un enfant, et où les moyens de pourvoir à ces mêmes besoins se développent successivement avec la même facilité, c'est par la peinture vive et naïve de cet état qu'il faut donner le premier exercice à son imagination.

Philosophe ardent, je vois déjà s'allumer la vôtre. Ne vous mettez pas en frais; cette situation est trouvée, elle est décrite, et, sans vous faire tort, beaucoup mieux que vous ne la décririez vous-même, du moins avec plus de vérité et de simplicité. Puisqu'il nous faut absolument des livres, il en existe un qui fournit, à mon gré, le plus

« *Hermès grava sur des colonnes les éléments des sciences, pour mettre ses découvertes à l'abri d'un déluge.* »
Dessin de Eisen gravé par Louis le Grand dans l'édition de La Haye,
J. Néaulme, 1762

heureux traité d'éducation naturelle. Ce livre sera le premier que lira mon Émile; seul il composera durant longtemps toute sa bibliothèque, et il y tiendra toujours une
place distinguée. Il sera le texte auquel tous nos entretiens
sur les sciences naturelles ne serviront que de commen-
taire. Il servira d'épreuve durant nos progrès à l'état de
notre jugement; et, tant que notre goût ne sera pas gâté,
sa lecture nous plaira toujours. Quel est donc ce merveilleux livre ? Est-ce Aristote ? est-ce Pline ? est-ce Buffon ?
Non; c'est Robinson Crusoé[74].

Robinson Crusoé dans son île, seul, dépourvu de l'assistance de ses semblables et des instruments de tous les arts,
pourvoyant cependant à sa subsistance, à sa conservation,
et se procurant même une sorte de bien-être, voilà un
objet intéressant pour tout âge, et qu'on a mille moyens
de rendre agréable aux enfants. Voilà comment nous réa-
lisons l'île déserte qui me servait d'abord de comparaison.
Cet état n'est pas, j'en conviens, celui de l'homme social;
vraisemblablement il ne doit pas être celui d'Émile : mais
c'est sur ce même état qu'il doit apprécier tous les autres.
Le plus sûr moyen de s'élever au-dessus des préjugés et
d'ordonner ses jugements sur les vrais rapports des choses,
est de se mettre à la place d'un homme isolé, et de juger
de tout comme cet homme en doit juger lui-même, eu
égard à sa propre utilité.

Ce roman, débarrassé de tout son fatras, commençant
au naufrage de Robinson près de son île, et finissant à
l'arrivée du vaisseau qui vient l'en tirer, sera tout à la fois
l'amusement et l'instruction d'Émile durant l'époque dont
il est ici question. Je veux que la tête lui en tourne, qu'il
s'occupe sans cesse de son château, de ses chèvres, de ses
plantations; qu'il apprenne en détail, non dans des livres,
mais sur les choses, tout ce qu'il faut savoir en pareil cas;
qu'il pense être Robinson lui-même; qu'il se voie habillé
de peaux, portant un grand bonnet, un grand sabre, tout
le grotesque équipage de la figure, au parasol près, dont
il n'aura pas besoin. Je veux qu'il s'inquiète des mesures
à prendre, si ceci ou cela venait à lui manquer, qu'il examine la conduite de son héros, qu'il cherche s'il n'a rien
omis, s'il n'y avait rien de mieux à faire; qu'il marque
attentivement ses fautes, et qu'il en profite pour n'y pas
tomber lui-même en pareil cas; car ne doutez point qu'il

ne projette d'aller faire un établissement semblable; c'est
le vrai château en Espagne de cet heureux âge, où l'on ne
connaît d'autre bonheur que le nécessaire et la liberté.

Quelle ressource que cette folie pour un homme habile,
qui n'a su la faire naître qu'afin de la mettre à profit !
L'enfant, pressé de se faire un magasin pour son île, sera
plus ardent pour apprendre que le maître pour enseigner.
Il voudra savoir tout ce qui est utile, et ne voudra savoir
que cela; vous n'aurez plus besoin de le guider, vous
n'aurez qu'à le retenir. Au reste, dépêchons-nous de l'établir dans cette île, tandis qu'il y borne sa félicité; car le
jour approche où, s'il y veut vivre encore, il n'y voudra
plus vivre seul, et où *Vendredi*, qui maintenant ne le touche
guère, ne lui suffira pas longtemps.

La pratique des arts naturels, auxquels peut suffire un
seul homme, mène à la recherche des arts d'industrie, et
qui ont besoin du concours de plusieurs mains. Les premiers peuvent s'exercer par des solitaires, par des sauvages;
mais les autres ne peuvent naître que dans la société, et
la rendent nécessaire. Tant qu'on ne connaît que le besoin
physique, chaque homme se suffit à lui-même; l'introduction du superflu rend indispensable le partage et la distribution du travail; car, bien qu'un homme travaillant
seul ne gagne que la subsistance d'un homme, cent hommes,
travaillant de concert, gagneront de quoi en faire subsister
deux cents. Sitôt donc qu'une partie des hommes se repose,
il faut que le concours des bras de ceux qui travaillent
supplée à l'oisiveté de ceux qui ne font rien.

Votre plus grand soin doit être d'écarter de l'esprit de
votre élève toutes les notions des relations sociales qui ne
sont pas à sa portée; mais, quand enchaînement des connaissances vous force à lui montrer la mutuelle dépendance des hommes, au lieu de la lui montrer par le côté
moral, tournez d'abord toute son attention vers l'industrie
et les arts mécaniques, qui les rendent utiles les uns aux
autres. En le promenant d'atelier en atelier, ne souffrez
jamais qu'il voie aucun travail sans mettre lui-même la
main à l'œuvre, ni qu'il en sorte sans savoir parfaitement
la raison de tout ce qui s'y fait, ou du moins de tout ce
qu'il a observé. Pour cela, travaillez vous-même, donnez-
lui partout l'exemple; pour le rendre maître, soyez partout apprenti, et comptez qu'une heure de travail lui

*Robinson allant à la Chasse; voyez la Page 217. 2.ᵉ partie la description de son habillement*

*Tome 1.ᵉʳ* **Frontispice** *1.ᵉ partie*

ROBINSON CRUSOE DANS SON ILE
Frontispice de l'édition Cailleau, Paris, 1761

apprendra plus de choses qu'il n'en retiendrait d'un jour d'explications.

Il y a une estime publique attachée aux différents arts en raison inverse de leur utilité réelle. Cette estime se mesure directement sur leur inutilité même, et cela doit être. Les arts les plus utiles sont ceux qui gagnent le moins, parce que le nombre des ouvriers se proportionne au besoin des hommes, et que le travail nécessaire à tout le monde reste forcément à un prix que le pauvre peut payer. Au contraire, ces importants qu'on n'appelle pas artisans, mais artistes, travaillant uniquement pour les oisifs et les riches, mettent un prix arbitraire à leurs babioles; et, comme le mérite de ces vains travaux n'est que dans l'opinion, leur prix même fait partie de ce mérite, et on les estime à proportion de ce qu'ils coûtent. Le cas qu'en fait le riche ne vient pas de leur usage, mais de ce que le pauvre ne les peut payer. *Nolo habere bona nisi quibus populus inviderit*[75].

Que deviendront vos élèves, si vous leur laissez adopter ce sot préjugé, si vous le favorisez vous-même, s'ils vous voient, par exemple, entrer avec plus d'égards dans la boutique d'un orfèvre que dans celle d'un serrurier? Quel jugement porteront-ils du vrai mérite des arts et de la véritable valeur des choses, quand ils verront partout le prix de fantaisie en contradiction avec le prix tiré de l'utilité réelle, et que plus la chose coûte, moins elle vaut? Au premier moment que vous laisserez entrer ces idées dans leur tête, abandonnez le reste de leur éducation; malgré vous ils seront élevés comme tout le monde; vous avez perdu quatorze ans de soins.

Émile songeant à meubler son île aura d'autres manières de voir. Robinson eût fait beaucoup plus de cas de la boutique d'un taillandier que de tous les colifichets de Saïde. Le premier lui eût paru un homme très respectable, et l'autre un petit charlatan.

« Mon fils est fait pour vivre dans le monde; il ne vivra pas avec des sages, mais avec des fous; il faut donc qu'il connaisse leurs folies, puisque c'est par elles qu'ils veulent être conduits. La connaissance réelle des choses peut être bonne, mais celle des hommes et de leurs jugements vaut encore mieux; car, dans la société humaine, le plus grand instrument de l'homme est l'homme, et le plus sage est celui qui

se sert le mieux de cet instrument. A quoi bon donner aux
enfants l'idée d'un ordre imaginaire tout contraire à celui
qu'ils trouveront établi, et sur lequel il faudra qu'ils se règlent ?
Donnez-leur premièrement des leçons pour être sages, et puis
vous leur en donnerez pour juger en quoi les autres sont
fous. »

Voilà les spécieuses maximes sur lesquelles la fausse
prudence des pères travaille à rendre leurs enfants esclaves
des préjugés dont ils les nourrissent, et jouets eux-mêmes
de la tourbe insensée dont ils pensent faire l'instrument de
leurs passions. Pour parvenir à connaître l'homme, que de
choses il faut connaître avant lui ! L'homme est la dernière
étude du sage, et vous prétendez en faire la première d'un
enfant ! Avant de l'instruire de nos sentiments, commencez
par lui apprendre à les apprécier. Est-ce connaître une folie
que de la prendre pour la raison ? Pour être sage il faut
discerner ce qui ne l'est pas. Comment votre enfant
connaîtra-t-il les hommes, s'il ne sait ni juger leurs jugements ni démêler leurs erreurs ? C'est un mal de savoir ce
qu'ils pensent, quand on ignore si ce qu'ils pensent est
vrai ou faux. Apprenez-lui donc premièrement ce que sont
les choses en elles-mêmes, et vous lui apprendrez après ce
qu'elles sont à nos yeux; c'est ainsi qu'il saura comparer
l'opinion à la vérité, et s'élever au-dessus du vulgaire; car
on ne connaît point les préjugés quand on les adopte, et
l'on ne mène point le peuple quand on lui ressemble.
Mais si vous commencez par l'instruire de l'opinion
publique avant de lui apprendre à l'apprécier, assurez-
vous que, quoi que vous puissiez faire, elle deviendra la
sienne, et que vous ne la détruirez plus. Je conclus que,
pour rendre un jeune homme judicieux, il faut bien former
ses jugements, au lieu de lui dicter les nôtres.

Vous voyez que jusqu'ici je n'ai point parlé des hommes
à mon élève, il aurait eu trop de bon sens pour m'entendre;
ses relations avec son espèce ne lui sont pas encore assez
sensibles pour qu'il puisse juger des autres par lui. Il ne
connaît d'être humain que lui seul, et même il est bien
éloigné de se connaître; mais s'il porte peu de jugements
sur sa personne, au moins il n'en porte que de justes. Il
ignore quelle est la place des autres, mais il sent la sienne
et s'y tient. Au lieu des lois sociales qu'il ne peut connaître,
nous l'avons lié des chaînes de la nécessité. Il n'est presque

encore qu'un être physique, continuons de le traiter comme tel.

C'est par leur rapport sensible avec son utilité, sa sûreté, sa conservation, son bien-être, qu'il doit apprécier tous les corps de la nature et tous les travaux des hommes. Ainsi le fer doit être à ses yeux d'un beaucoup plus grand prix que l'or, et le verre que le diamant; de même, il honore beaucoup plus un cordonnier, un maçon, qu'un Lempereur, un Le Blanc, et tous les joailliers de l'Europe; un pâtissier est surtout à ses yeux un homme très important, et il donnerait toute l'académie des sciences pour le moindre confiseur de la rue des Lombards. Les orfèvres, les graveurs, les doreurs, les brodeurs, ne sont à son avis que des fainéants qui s'amusent à des jeux parfaitement inutiles; il ne fait pas même un grand cas de l'horlogerie. L'heureux enfant jouit du temps sans en être esclave : il en profite et n'en connaît pas le prix. Le calme des passions qui rend pour lui sa succession toujours égale lui tient lieu d'instrument pour le mesurer au besoin*. En lui supposant une montre, aussi bien qu'en le faisant pleurer, je me donnais un Émile vulgaire, pour être utile et me faire entendre; car, quant au véritable, un enfant si différent des autres ne servirait d'exemple à rien.

Il y a un ordre non moins naturel et plus judicieux encore, par lequel on considère les arts selon les rapports de nécessité qui les lient, mettant au premier rang les plus indépendants, et au dernier ceux qui dépendent d'un plus grand nombre d'autres. Cet ordre, qui fournit d'importantes considérations sur celui de la société générale, est semblable au précédent, et soumis au même renversement dans l'estime des hommes; en sorte que l'emploi des matières premières se fait dans des métiers sans honneur, presque sans profit, et que plus elles changent de mains, plus la main-d'œuvre augmente de prix et devient honorable. Je n'examine pas s'il est vrai que l'industrie soit plus grande et mérite plus de récompense dans les arts minutieux qui donnent la dernière forme à ces matières, que dans le premier travail qui les convertit à l'usage des hommes :

---

* Le temps perd pour nous sa mesure, quand nos passions veulent régler son cours à leur gré. La montre du sage est l'égalité d'humeur et la paix de l'âme : il est toujours à son heure, et il la connaît toujours.

mais je dis qu'en chaque chose l'art dont l'usage est le plus
général et le plus indispensable est incontestablement celui
qui mérite le plus d'estime, et que celui à qui moins d'autres
arts sont nécessaires, la mérite encore par-dessus les plus
subordonnés, parce qu'il est plus libre et plus près de l'indépendance. Voilà les véritables règles de l'appréciation des
arts et de l'industrie; tout le reste est arbitraire et dépend
de l'opinion.

Le premier et le plus respectable de tous les arts est
l'agriculture : je mettrais la forge au second rang, la char-
pente au troisième, et ainsi de suite. L'enfant qui n'aura
point été séduit par les préjugés vulgaires en jugera précisément ainsi. Que de réflexions importantes notre Émile
ne tirera-t-il point là-dessus de son Robinson ! Que pensera-
t-il en voyant que les arts ne se perfectionnent qu'en se
subdivisant, en multipliant à l'infini les instruments des
uns et des autres ? Il se dira : Tous ces gens-là sont sottement ingénieux : on croirait qu'ils ont peur que leurs bras
et leurs doigts ne leur servent à quelque chose, tant ils
inventent d'instruments pour s'en passer. Pour exercer
un seul art ils sont asservis à mille autres; il faut une
ville à chaque ouvrier. Pour mon camarade et moi, nous
mettons notre génie dans notre adresse; nous nous faisons
des outils que nous puissions porter partout avec nous.
Tous ces gens si fiers de leurs talents dans Paris ne
sauraient rien dans notre île, et seraient nos apprentis à
leur tour.

Lecteur, ne vous arrêtez pas à voir ici l'exercice du corps
et l'adresse des mains de notre élève; mais considérez
quelle direction nous donnons à ses curiosités enfantines;
considérez le sens, l'esprit inventif, la prévoyance; considérez quelle tête nous allons lui former. Dans tout ce qu'il
verra, dans tout ce qu'il fera, il voudra tout connaître,
il voudra savoir la raison de tout; d'instrument en instrument, il voudra toujours remonter au premier; il n'admettra
rien par supposition; il refuserait d'apprendre ce qui
demanderait une connaissance antérieure qu'il n'aurait
pas : s'il voit faire un ressort, il voudra savoir comment
l'acier a été tiré de la mine; s'il voit assembler les pièces
d'un coffre, il voudra savoir comment l'arbre a été coupé;
s'il travaille lui-même, à chaque outil dont il se sert, il ne
manquera pas de se dire : Si je n'avais pas cet outil, com-

ment m'y prendrais-je pour en faire un semblable ou pour m'en passer ?

Au reste, une erreur difficile à éviter dans les occupations pour lesquelles le maître se passionne est de supposer toujours le même goût à l'enfant : gardez, quand l'amusement du travail vous emporte, que lui cependant ne s'ennuie sans vous l'oser témoigner. L'enfant doit être tout à la chose; mais vous devez être tout à l'enfant, l'observer, l'épier sans relâche et sans qu'il y paraisse, pressentir tous ses sentiments d'avance, et prévenir ceux qu'il ne doit pas avoir, l'occuper enfin de manière que non seulement il se sente utile à la chose, mais qu'il s'y plaise à force de bien comprendre à quoi sert ce qu'il fait.

La société des arts consiste en échanges d'industrie, celle du commerce en échanges de choses, celle des banques en échanges de signes et d'argent : toutes ces idées se tiennent, et les notions élémentaires sont déjà prises; nous avons jeté les fondements de tout cela dès le premier âge, à l'aide du jardinier Robert [76]. Il ne nous reste maintenant qu'à généraliser ces mêmes idées, et les étendre à plus d'exemples, pour lui faire comprendre le jeu du trafic pris en lui-même, et rendu sensible par les détails d'histoire naturelle qui regardent les productions particulières à chaque pays, par les détails d'arts et de sciences qui regardent la navigation, enfin, par le plus grand ou moindre embarras du transport, selon l'éloignement des lieux, selon la situation des terres, des mers, des rivières, etc.

Nulle société ne peut exister sans échange, nul échange sans mesure commune, et nulle mesure commune sans égalité. Ainsi, toute société a pour première loi quelque égalité conventionnelle, soit dans les hommes, soit dans les choses.

L'égalité conventionnelle entre les hommes, bien différente de l'égalité naturelle, rend nécessaire le droit positif, c'est-à-dire le gouvernement et les lois. Les connaissances politiques d'un enfant doivent être nettes et bornées; il ne doit connaître du gouvernement en général que ce qui se rapporte au droit de propriété, dont il a déjà quelque idée.

L'égalité conventionnelle entre les choses a fait inventer la monnaie; car la monnaie n'est qu'un terme de comparaison pour la valeur des choses de différentes espèces; et en ce sens la monnaie est le vrai lien de la société; mais tout peut être monnaie; autrefois le bétail l'était, des coquillages le sont encore chez plusieurs peuples; le fer fut monnaie à Sparte, le cuir l'a été en Suède, l'or et l'argent le sont parmi nous.

Les métaux, comme plus faciles à transporter, ont été généralement choisis pour termes moyens de tous les échanges; et l'on a converti ces métaux en monnaie, pour épargner la mesure ou le poids à chaque échange : car la marque de la monnaie n'est qu'une attestation que la pièce ainsi marquée est d'un tel poids; et le prince seul a droit de battre monnaie attendu que lui seul a droit d'exiger que son témoignage fasse autorité parmi tout un peuple.

L'usage de cette invention ainsi expliqué se fait sentir au plus stupide. Il est difficile de comparer immédiatement des choses de différentes natures, du drap, par exemple, avec du blé; mais, quand on a trouvé une mesure commune, savoir la monnaie, il est aisé au fabricant et au laboureur de rapporter la valeur des choses qu'ils veulent échanger à cette mesure commune. Si telle quantité de drap vaut une telle somme d'argent et que telle quantité de blé vaille aussi la même somme d'argent, il s'ensuit que le marchand, recevant ce blé pour son drap, fait un échange équitable. Ainsi, c'est par la monnaie que les biens d'espèces diverses deviennent commensurables et peuvent se comparer.

N'allez pas plus loin que cela, et n'entrez point dans l'explication des effets moraux de cette institution. En toute chose il importe de bien exposer les usages avant de montrer les abus. Si vous prétendiez expliquer aux enfants comment les signes font négliger les choses, comment de la monnaie sont nées toutes les chimères de l'opinion, comment les pays riches d'argent doivent être pauvres de tout, vous traiteriez ces enfants non seulement en philosophes, mais en hommes sages, et vous prétendriez leur faire entendre ce que peu de philosophes même ont bien conçu.

Sur quelle abondance d'objets intéressants ne peut-on point tourner ainsi la curiosité d'un élève, sans jamais quitter les rapports réels et matériels qui sont à sa portée, ni souffrir qu'il s'élève dans son esprit une seule idée qu'il ne puisse pas concevoir ! L'art du maître est de ne laisser jamais appesantir ses observations sur des minuties qui ne tiennent à rien, mais de le rapprocher sans cesse des grandes relations qu'il doit connaître un jour pour bien juger du bon et du mauvais ordre de la société civile. Il faut savoir assortir les entretiens dont on l'amuse au tour d'esprit qu'on lui a donné. Telle question, qui ne pourrait pas même effleurer l'attention d'un autre, va tourmenter Émile pendant six mois.

Nous allons dîner dans une maison opulente; nous trouvons les apprêts d'un festin, beaucoup de monde, beaucoup de laquais, beaucoup de plats, un service élégant et fin. Tout cet appareil de plaisir et de fête a quelque chose d'enivrant qui porte à la tête quand on n'y est pas accoutumé. Je pressens l'effet de tout cela sur mon jeune élève. Tandis que le repas se prolonge, tandis que les services se succèdent, tandis qu'autour de la table règnent mille propos bruyants, je m'approche de son oreille, et je lui dis : Par combien de mains estimeriez-vous bien qu'ait passé tout ce que vous voyez sur cette table avant que d'y arriver ? Quelle foule d'idées j'éveille dans son cerveau par ce peu de mots ! A l'instant voilà toutes les vapeurs du délire abattues. Il rêve, il réfléchit, il calcule, il s'inquiète. Tandis que les philosophes, égayés par le vin, peut-être par leurs voisines, radotent et font les enfants [77], le voilà, lui, philosophant tout seul dans son coin; il m'interroge; je refuse de répondre, je le renvoie à un autre temps; il s'impatiente, il oublie de manger et de boire, il brûle d'être hors de table pour m'entretenir à son aise. Quel objet pour sa curiosité ! Quel texte pour son instruction ! Avec un jugement sain que rien n'a pu corrompre, que pensera-t-il du luxe, quand il trouvera que toutes les régions du monde ont été mises à contribution, que vingt millions de mains ont peut-être, ont longtemps travaillé, qu'il en a coûté la vie peut-être à des milliers d'hommes, et tout cela pour lui présenter en pompe à midi ce qu'il va déposer le soir dans sa garde-robe ?

Épiez avec soin les conclusions secrètes qu'il tire en son cœur de toutes ces observations. Si vous l'avez moins bien gardé que je ne le suppose, il peut être tenté de tourner ses réflexions dans un autre sens, et de se regarder comme un personnage important au monde, en voyant tant de soins concourir pour apprêter son dîner. Si vous pressentez ce raisonnement, vous pouvez aisément le prévenir avant qu'il le fasse, ou du moins en effacer aussitôt l'impression.

Ne sachant encore s'approprier les choses que par une
jouissance matérielle, il ne peut juger de leur convenance
ou disconvenance avec lui que par des rapports sensibles.
La comparaison d'un dîner simple et rustique, préparé par
l'exercice, assaisonné par la faim, par la liberté, par la joie,
avec son festin si magnifique et si compassé, suffira pour
lui faire sentir que tout l'appareil du festin ne lui ayant
donné aucun profit réel, et son estomac sortant tout aussi
content de la table du paysan que de celle du financier,
il n'y avait rien à l'un de plus qu'à l'autre qu'il pût appeler
véritablement sien.

Imaginons ce qu'en pareil cas un gouverneur pourra lui
dire. Rappelez-vous bien ces deux repas, et décidez en
vous-même lequel vous avez fait avec le plus de plaisir;
auquel avez-vous remarqué le plus de joie ? auquel a-t-on
mangé de plus grand appétit, bu plus gaiement, ri de meilleur cœur ? lequel a duré le plus longtemps sans ennui, et
sans avoir besoin d'être renouvelé par d'autres services ?
Cependant voyez la différence : ce pain bis, que vous
trouvez si bon, vient du blé recueilli par ce paysan; son
vin noir et grossier, mais désaltérant et sain, est du cru de
sa vigne; le linge vient de son chanvre, filé l'hiver par sa
femme, par ses filles, par sa servante; nulles autres mains
que celles de sa famille n'ont fait les apprêts de sa table;
le moulin le plus proche et le marché voisin sont les bornes
de l'univers pour lui. En quoi donc avez-vous réellement
joui de tout ce qu'ont fourni de plus la terre éloignée et
la main des hommes sur l'autre table ? Si tout cela ne vous
a pas fait faire un meilleur repas, qu'avez-vous gagné à cette
abondance ? qu'y avait-il là qui fût fait pour vous ? Si vous
eussiez été le maître de la maison, pourra-t-il ajouter, tout
cela vous fût resté plus étranger encore : car le soin d'étaler
aux yeux des autres votre jouissance eût achevé de vous
l'ôter : vous auriez eu la peine, et eux le plaisir.

Ce discours peut être fort beau; mais il ne vaut rien pour
Émile, dont il passe la portée, et à qui l'on ne dicte point
ses réflexions. Parlez-lui donc plus simplement. Après ces
deux épreuves, dites-lui quelque matin : Où dînerons-nous
aujourd'hui ? autour de cette montagne d'argent qui couvre
les trois quarts de la table, et de ces parterres de fleurs de
papier qu'on sert au dessert sur des miroirs, parmi ces
femmes en grand panier qui vous traitent en marionnette,

et veulent que vous ayez dit ce que vous ne savez pas ;
ou bien dans ce village à deux lieues d'ici, chez ces bonnes
gens qui nous reçoivent si joyeusement et nous donnent
de si bonne crème ? Le choix d'Émile n'est pas douteux ;
car il n'est ni babillard ni vain ; il ne peut souffrir la gêne,
et tous nos ragoûts fins ne lui plaisent point : mais il est
toujours prêt à courir en campagne, et il aime fort les bons
fruits, les bons légumes, la bonne crème, et les bonnes
gens*. Chemin faisant, la réflexion vient d'elle-même. Je
vois que ces foules d'hommes qui travaillent à ces grands
repas perdent bien leurs peines, ou qu'ils ne songent guère
à nos plaisirs.

Mes exemples, bons peut-être pour un sujet, seront
mauvais pour mille autres. Si l'on en prend l'esprit, on
saura bien les varier au besoin ; le choix tient à l'étude du
génie propre à chacun, et cette étude tient aux occasions
qu'on leur offre de se montrer. On n'imaginera pas que, dans
l'espace de trois ou quatre ans que nous avons à remplir
ici, nous puissions donner à l'enfant le plus heureusement
né une idée de tous les arts et de toutes les sciences naturelles, suffisante pour les apprendre un jour de lui-même ;
mais en faisant ainsi passer devant lui tous les objets qu'il
lui importe de connaître, nous le mettons dans le cas de
développer son goût, son talent, de faire les premiers pas
vers l'objet où le porte son génie, et de nous indiquer la
route qu'il lui faut ouvrir pour seconder la nature.

Un autre avantage de cet enchaînement de connaissances
bornées, mais justes, est de les lui montrer par leurs liaisons,
par leurs rapports, de les mettre toutes à leur place dans
son estime, et de prévenir en lui les préjugés qu'ont la
plupart des hommes pour les talents qu'ils cultivent, contre
ceux qu'ils ont négligés. Celui qui voit bien l'ordre du tout

---

\* Le goût que je suppose à mon élève pour la campagne est un fruit
naturel de son éducation. D'ailleurs, n'ayant rien de cet air fat et
requinqué qui plaît tant aux femmes, il en est moins fêté que d'autres
enfants ; par conséquent il se plaît moins avec elles, et se gâte moins
dans leur société dont il n'est pas encore en état de sentir le charme.
Je me suis gardé de lui apprendre à leur baiser la main, à leur dire
des fadeurs, pas même à leur marquer préférablement aux hommes
les égards qui leur sont dus ; je me suis fait une inviolable loi de n'exiger rien de lui dont la raison ne fût à sa portée ; et il n'y a point de
bonne raison pour un enfant de traiter un sexe autrement que l'autre.

voit la place où doit être chaque partie; celui qui voit bien une partie, et qui la connaît à fond, peut être un savant homme : l'autre est un homme judicieux; et vous vous souvenez que ce que nous nous proposons d'acquérir est moins la science que le jugement.

Quoi qu'il en soit, ma méthode est indépendante de mes exemples; elle est fondée sur la mesure des facultés de l'homme à ses différents âges, et sur le choix des occupations qui conviennent à ses facultés. Je crois qu'on trouverait aisément une autre méthode avec laquelle on paraîtrait faire mieux; mais si elle était moins appropriée à l'espèce, à l'âge, au sexe, je doute qu'elle eût le même succès.

En commençant cette seconde période, nous avons profité de la surabondance de nos forces sur nos besoins pour nous porter hors de nous; nous nous sommes élancés dans les cieux; nous avons mesuré la terre; nous avons recueilli les lois de la nature, en un mot nous avons parcouru l'île entière : maintenant nous revenons à nous; nous nous rapprochons insensiblement de notre habitation. Trop heureux, en y rentrant, de n'en pas trouver encore en possession l'ennemi qui nous menace, et qui s'apprête à s'en emparer !

Que nous reste-t-il à faire après avoir observé tout ce qui nous environne ? d'en convertir à notre usage tout ce que nous pouvons nous approprier, et de tirer parti de notre curiosité pour l'avantage de notre bien-être. Jusqu'ici nous avons fait provision d'instruments de toute espèce, sans savoir desquels nous aurions besoin. Peut-être, inutiles à nous-mêmes, les nôtres pourront-ils servir à d'autres; et peut-être, à notre tour, aurons-nous besoin des leurs. Ainsi nous trouverions tous notre compte à ces échanges : mais, pour les faire, il faut connaître nos besoins mutuels, il faut que chacun sache ce que d'autres ont à son usage, et ce qu'il peut leur offrir en retour. Supposons dix hommes, dont chacun a dix sortes de besoins. Il faut que chacun, pour son nécessaire, s'applique à dix sortes de travaux; mais, vu la différence de génie et de talent, l'un réussira moins à quelqu'un de ces travaux, l'autre à un autre. Tous, propres à diverses choses, feront les mêmes, et seront mal servis. Formons une société de ces dix hommes, et que chacun s'applique, pour lui seul et pour les neuf autres, au genre d'occupation qui lui convient le mieux; chacun profitera des talents des autres comme si lui seul les avait tous; chacun perfectionnera le sien par un continuel exer-cice; et il arrivera que tous les dix, parfaitement bien pourvus, auront encore du surabondant pour d'autres. Voilà le principe apparent de toutes nos institutions. Il n'est pas de mon sujet d'en examiner ici les conséquences : c'est ce que j'ai fait dans un autre écrit [78].

Sur ce principe, un homme qui voudrait se regarder comme un être isolé, ne tenant du tout à rien et se suffisant à lui-même, ne pourrait être que misérable. Il lui serait même impossible de subsister; car, trouvant la terre entière couverte du tien et du mien, et n'ayant rien à lui que son corps, d'où tirerait-il son nécessaire? En sortant de l'état de nature, nous forçons nos semblables d'en sortir aussi; nul n'y peut demeurer malgré les autres; et ce serait réelle-ment en sortir, que d'y vouloir rester dans l'impossibilité d'y vivre; car la première loi de la nature est le soin de se conserver.

Ainsi se forment peu à peu dans l'esprit d'un enfant les idées des relations sociales, même avant qu'il puisse être réellement membre actif de la société. Émile voit que, pour avoir des instruments à son usage, il lui en faut encore à l'usage des autres, par lesquels il puisse obtenir en échange les choses qui lui sont nécessaires et qui sont en leur pouvoir. Je l'amène aisément à sentir le besoin de ces échanges, et à se mettre en état d'en profiter.

*Monseigneur, il faut que je vive,* disait un malheureux auteur satirique au ministre qui lui reprochait l'infamie de ce métier. — *Je n'en vois pas la nécessité,* lui repartit froidement l'homme en place. Cette réponse, excellente pour un ministre, eût été barbare et fausse en toute autre bouche. Il faut que tout homme vive. Cet argument, auquel chacun donne plus ou moins de force à proportion qu'il a plus ou moins d'humanité, me paraît sans réplique pour celui qui le fait relativement à lui-même. Puisque, de toutes les aversions que nous donne la nature, la plus forte est celle de mourir, il s'ensuit que tout est permis par elle à quiconque n'a nul autre moyen possible pour vivre. Les principes sur lesquels l'homme vertueux apprend à mépri-ser sa vie et à l'immoler à son devoir sont bien loin de cette simplicité primitive. Heureux les peuples chez les-quels on peut être bon sans effort et juste sans vertu! S'il est quelque misérable état au monde où chacun ne puisse pas vivre sans mal faire et où les citoyens soient fripons par nécessité, ce n'est pas le malfaiteur qu'il faut pendre, c'est celui qui le force à le devenir.

Sitôt qu'Émile saura ce que c'est que la vie, mon premier soin sera de lui apprendre à la conserver. Jusqu'ici je n'ai point distingué les états, les rangs, les fortunes; et je ne les distinguerai guère plus dans la suite, parce que l'homme est le même dans tous les états; que le riche n'a pas l'estomac plus grand que le pauvre et ne digère pas mieux que lui; que le maître n'a pas les bras plus longs ni plus forts que ceux de son esclave; qu'un grand n'est pas plus grand qu'un homme du peuple; et qu'enfin les besoins naturels étant partout les mêmes, les moyens d'y pourvoir doivent être partout égaux. Appropriez l'éducation de l'homme à l'homme, et non pas à ce qui n'est point lui. Ne voyez-vous pas qu'en travaillant à le former exclusivement pour un état, vous le rendez inutile à tout autre, et que, s'il plaît à la fortune, vous n'aurez travaillé qu'à le rendre malheureux? Qu'y a-t-il de plus ridicule qu'un grand seigneur devenu gueux, qui porte dans sa misère les préjugés de sa naissance? Qu'y a-t-il de plus vil qu'un riche appauvri, qui, se souvenant du mépris qu'on doit à la pauvreté, se sent devenu le dernier des hommes? L'un a pour toute ressource le métier de fripon public, l'autre celui de valet rampant avec ce beau mot : *Il faut que je vive*.

Vous vous fiez à l'ordre actuel de la société sans songer que cet ordre est sujet à des révolutions inévitables, et qu'il vous est impossible de prévoir ni de prévenir celle qui peut regarder vos enfants. Le grand devient petit, le riche devient pauvre, le monarque devient sujet : les coups du sort sont-ils si rares que vous puissiez compter d'en être exempt? Nous approchons de l'état de crise et du siècle des révolutions *. Qui peut vous répondre de ce que vous deviendrez alors? Tout ce qu'ont fait les hommes, les hommes peuvent le détruire : il n'y a de

---

* Je tiens pour impossible que les grandes monarchies de l'Europe aient encore longtemps à durer : toutes ont brillé, et tout état qui brille est sur son déclin. J'ai de mon opinion des raisons plus particulières que cette maxime; mais il n'est pas à propos de les dire, et chacun ne les voit que trop [79].

caractères ineffaçables que ceux qu'imprime la nature, et
la nature ne fait ni princes, ni riches, ni grands seigneurs.
Que fera donc dans la bassesse ce satrape que vous n'avez
élevé que pour la grandeur ? Que fera, dans la pauvreté,
ce publicain qui ne sait vivre que d'or ? Que fera, dépourvu
de tout, ce fastueux imbécile qui ne sait point user de lui-
même, et ne met son être que dans ce qui est étranger à
lui ? Heureux celui qui sait quitter alors l'état qui le quitte,
et rester homme en dépit du sort ! Qu'on loue tant qu'on
voudra ce roi vaincu qui veut s'enterrer en furieux sous les
débris de son trône; moi je le méprise; je vois qu'il n'existe
que par sa couronne, et qu'il n'est rien du tout s'il n'est
roi : mais celui qui la perd et s'en passe est alors au-dessus
d'elle. Du rang de roi, qu'un lâche, un méchant, un fou
peut remplir comme un autre, il monte à l'état d'homme,
que si peu d'hommes savent remplir. Alors il triomphe de
la fortune, il la brave; il ne doit rien qu'à lui seul; et,
quand il ne lui reste à montrer que lui, il n'est point nul;
il est quelque chose. Oui, j'aime mieux cent fois le roi de
Syracuse maître d'école à Corinthe, et le roi de Macédoine greffier à Rome, qu'un malheureux Tarquin, ne
sachant que devenir s'il ne règne pas, que l'héritier du possesseur de trois royaumes, jouet de quiconque ose insulter
à sa misère, errant de cour en cour, cherchant partout
des secours, et trouvant partout des affronts, faute de
savoir faire autre chose qu'un métier qui n'est plus en son
pouvoir [80].

L'homme et le citoyen, quel qu'il soit, n'a d'autre bien
à mettre dans la société que lui-même; tous ses autres
biens y sont malgré lui; et quand un homme est riche, ou
il ne jouit pas de sa richesse, ou le public en jouit aussi.
Dans le premier cas il vole aux autres ce dont il se prive;
et dans le second, il ne leur donne rien. Ainsi la dette
sociale lui reste tout entière tant qu'il ne paye que de son
bien. Mais mon père, en le gagnant, a servi la société...
Soit, il a payé sa dette, mais non pas la vôtre. Vous devez
plus aux autres que si vous fussiez né sans bien, puisque
vous êtes né favorisé. Il n'est point juste que ce qu'un
homme a fait pour la société en décharge un autre de ce
qu'il lui doit; car chacun, se devant tout entier, ne peut
payer que pour lui, et nul père ne peut transmettre à son
fils le droit d'être inutile à ses semblables; or, c'est pour-

tant ce qu'il fait, selon vous, en lui transmettant ses richesses, qui sont la preuve et le prix du travail. Celui qui mange dans l'oisiveté ce qu'il n'a pas gagné lui-même le vole; et un rentier que l'État paye pour ne rien faire ne diffère guère, à mes yeux, d'un brigand qui vit aux dépens des passants. Hors de la société, l'homme isolé, ne devant rien à personne, a droit de vivre comme il lui plaît; mais dans la société, où il vit nécessairement aux dépens des autres, il leur doit en travail le prix de son entretien; cela est sans exception. Travailler est donc un devoir indispensable à l'homme social. Riche ou pauvre, puissant ou faible, tout citoyen oisif est un fripon.

Or, de toutes les occupations qui peuvent fournir la subsistance à l'homme, celle qui le rapproche le plus de l'état de nature est le travail des mains : de toutes les conditions, la plus indépendante de la fortune et des hommes est celle de l'artisan. L'artisan ne dépend que de son travail; il est libre, aussi libre que le laboureur est esclave; car celui-ci tient à son champ, dont la récolte est à la discrétion d'autrui. L'ennemi, le prince, un voisin puissant, un procès, lui peut enlever ce champ; par ce champ on peut le vexer en mille manières; mais partout où l'on veut vexer l'artisan, son bagage est bientôt fait; il emporte ses bras et s'en va. Toutefois, l'agriculture est le premier métier de l'homme : c'est le plus honnête, le plus utile, et par conséquent le plus noble qu'il puisse exercer. Je ne dis pas à Émile : Apprends l'agriculture; il la sait. Tous les travaux rustiques lui sont familiers; c'est par eux qu'il a commencé, c'est à eux qu'il revient sans cesse. Je lui dis donc : Cultive l'héritage de tes pères. Mais si tu perds cet héritage, ou si tu n'en as point, que faire ? Apprends un métier.

Un métier à mon fils ! mon fils artisan ! Monsieur, y pensez-vous ? J'y pense mieux que vous, madame, qui voulez le réduire à ne pouvoir jamais être qu'un lord, un marquis, un prince, et peut-être un jour moins que rien : moi, je lui veux donner un rang qu'il ne puisse perdre, un rang qui l'honore dans tous les temps; je veux l'élever à l'état d'homme; et, quoi que vous en puissiez dire, il aura moins d'égaux à ce titre qu'à tous ceux qu'il tiendra de vous.

La lettre tue, et l'esprit vivifie. Il s'agit moins d'apprendre un métier pour savoir un métier, que pour vaincre les préjugés qui le méprisent. Vous ne serez jamais réduit à travailler pour vivre. Eh ! tant pis, tant pis pour vous ! Mais n'importe; ne travaillez point par nécessité, travaillez par gloire. Abaissez-vous à l'état d'artisan, pour être au-dessus du vôtre. Pour vous soumettre la fortune et les choses, commencez par vous en rendre indépendant. Pour régner par l'opinion, commencez par régner sur elle.

Souvenez-vous que ce n'est point un talent que je vous demande : c'est un métier, un vrai métier, un art purement mécanique, où les mains travaillent plus que la tête, et qui ne mène point à la fortune, mais avec lequel on peut s'en passer. Dans des maisons fort au-dessus du danger de manquer de pain, j'ai vu des pères pousser la prévoyance jusqu'à joindre au soin d'instruire leurs enfants celui de les pourvoir de connaissances dont, à tout événement, ils pussent tirer parti pour vivre. Ces pères prévoyants croient beaucoup faire; ils ne font rien, parce que les ressources qu'ils pensent ménager à leurs enfants dépendent de cette même fortune au-dessus de laquelle ils les veulent mettre. En sorte qu'avec tous ces beaux talents, si celui qui les a ne se trouve dans des circonstances favorables pour en faire usage, il périra de misère comme s'il n'en avait aucun.

Dès qu'il est question de manège et d'intrigues, autant vaut les employer à se maintenir dans l'abondance qu'à regagner, du sein de la misère, de quoi remonter à son premier état. Si vous cultivez des arts dont le succès tient à la réputation de l'artiste; si vous vous rendez propre à des emplois qu'on n'obtient que par la faveur, que vous servira tout cela, quand, justement dégoûté du monde, vous dédaignerez les moyens sans lesquels on n'y peut réussir ? Vous avez étudié la politique et les intérêts des princes. Voilà qui va fort bien; mais que ferez-vous de ces connaissances, si vous ne savez parvenir aux ministres, aux femmes de la cour, aux chefs des bureaux; si vous n'avez le secret de leur plaire, si tous ne trouvent en vous le fripon [81] qui leur convient ? Vous êtes architecte ou peintre : soit; mais il faut faire connaître votre talent. Pensez-vous aller de but en blanc exposer un ouvrage au Salon ? Oh ! qu'il n'en va pas ainsi ! Il faut être de l'Académie; il y faut même être protégé pour obtenir au coin d'un mur quelque place obscure. Quittez-moi la règle et

le pinceau ; prenez un fiacre, et courez de porte en porte :
c'est ainsi qu'on acquiert la célébrité. Or vous devez savoir
que toutes ces illustres portes ont des suisses ou des por-
tiers qui n'entendent que par geste, et dont les oreilles
sont dans leurs mains. Voulez-vous enseigner ce que vous
avez appris, et devenir maître de géographie, ou de mathématiques, ou de langues, ou de musique, ou de dessin ?
pour cela même il faut trouver des écoliers, par conséquent des prôneurs. Comptez qu'il importe plus d'être
charlatan qu'habile, et que, si vous ne savez de métier que
le vôtre, jamais vous ne serez qu'un ignorant.

Voyez donc combien toutes ces brillantes ressources
sont peu solides, et combien d'autres ressources vous sont
nécessaires pour tirer parti de celles-là. Et puis, que devien-
drez-vous dans ce lâche abaissement ? Les revers, sans vous
instruire, vous avilissent ; jouet plus que jamais de l'opinion publique, comment vous élèverez-vous au-dessus des
préjugés, arbitres de votre sort ? Comment mépriserez-
vous la bassesse et les vices dont vous avez besoin pour
subsister ? Vous ne dépendiez que des richesses, et maintenant vous dépendez des riches ; vous n'avez fait qu'empirer votre esclavage et le surcharger de votre misère. Vous
voilà pauvre sans être libre ; c'est le pire état où l'homme
puisse tomber.

Mais, au lieu de recourir pour vivre à ces hautes connaissances qui sont faites pour nourrir l'âme et non le
corps, si vous recourez, au besoin, à vos mains et à l'usage
que vous en savez faire, toutes les difficultés disparaissent,
tous les manèges deviennent inutiles ; la ressource est
toujours prête au moment d'en user ; la probité, l'honneur,
ne sont plus un obstacle à la vie ; vous n'avez plus besoin
d'être lâche et menteur devant les grands, souple et rampant devant les fripons, vil complaisant de tout le monde,
emprunteur ou voleur, ce qui est à peu près la même chose
quand on n'a rien ; l'opinion des autres ne vous touche
point ; vous n'avez à faire votre cour à personne, point
de sot à flatter, point de suisse à fléchir, point de courtisane
à payer, et, qui pis est, à encenser. Que des coquins mènent
les grandes affaires, peu vous importe : cela ne vous empêchera pas, vous, dans votre vie obscure, d'être honnête
homme et d'avoir du pain. Vous entrez dans la première
boutique du métier que vous avez appris : Maître, j'ai

besoin d'ouvrage. Compagnon, mettez-vous là, travaillez. Avant que l'heure du dîner soit venue, vous avez gagné votre dîner; si vous êtes diligent et sobre, avant que huit jours se passent, vous aurez de quoi vivre huit autres jours : vous aurez vécu libre, sain, vrai, laborieux, juste. Ce n'est pas perdre son temps que d'en gagner ainsi.

Je veux absolument qu'Émile apprenne un métier. Un métier honnête, au moins, direz-vous ? Que signifie ce mot ? Tout métier utile au public n'est-il pas honnête ? Je ne veux point qu'il soit brodeur, ni doreur, ni vernisseur, comme le gentilhomme de Locke [82]; je ne veux qu'il soit ni musicien, ni comédien, ni faiseur de livres *. A ces professions près et les autres qui leur ressemblent, qu'il prenne celle qu'il voudra; je ne prétends le gêner en rien. J'aime mieux qu'il soit cordonnier que poète; j'aime mieux qu'il pave les grands chemins que de faire des fleurs de porcelaine. Mais, direz-vous, les archers, les espions, les bourreaux sont des gens utiles. Il ne tient qu'au gouvernement qu'ils ne le soient point. Mais passons; j'avais tort : il ne suffit pas de choisir un métier utile, il faut encore qu'il n'exige pas des gens qui l'exercent des qualités d'âme odieuses et incompatibles avec l'humanité. Ainsi, revenant au premier mot, prenons un métier honnête; mais souvenons-nous toujours qu'il n'y a point d'honnêteté sans l'utilité.

Un célèbre auteur de ce siècle **, dont les livres sont pleins de grands projets et de petites vues, avait fait vœu, comme tous les prêtres de sa communion, de n'avoir point de femme en propre; mais, se trouvant plus scrupuleux que les autres sur l'adultère, on dit qu'il prit le parti d'avoir de jolies servantes, avec lesquelles il réparait de son mieux l'outrage qu'il avait fait à son espèce par ce téméraire engagement. Il regardait comme un devoir du citoyen d'en donner d'autres à la patrie, et du tribut qu'il lui payait en ce genre il peuplait la classe des artisans. Sitôt que ces enfants étaient en âge, il leur faisait apprendre à

---

* Vous l'êtes bien, vous, me dira-t-on. Je le suis pour mon malheur, je l'avoue; et mes torts, que je pense avoir assez expiés, ne sont pas pour autrui des raisons d'en avoir de semblables. Je n'écris pas pour excuser mes fautes, mais pour empêcher mes lecteurs de les imiter.

** L'abbé de Saint-Pierre.

tous un métier de leur goût, n'excluant que les professions oiseuses, futiles, ou sujettes à la mode, telles, par exemple, que celle de perruquier, qui n'est jamais nécessaire, et qui peut devenir inutile d'un jour à l'autre, tant que la nature ne se rebutera pas de nous donner des cheveux.

Voilà l'esprit qui doit nous guider dans le choix du métier d'Émile, ou plutôt ce n'est pas à nous de faire ce choix, c'est à lui; car les maximes dont il est imbu conservant en lui le mépris naturel des choses inutiles, jamais il ne voudra consumer son temps en travaux de nulle valeur et il ne connaît de valeur aux choses que celle de leur utilité réelle; il lui faut un métier qui pût servir à Robinson dans son île.

En faisant passer en revue devant un enfant les productions de la nature et de l'art, en irritant sa curiosité, en le suivant où elle le porte, on a l'avantage d'étudier ses goûts, ses inclinations, ses penchants, et de voir brillie la première étincelle de son génie, s'il en a quelqu'un qui soit bien décidé. Mais une erreur commune et dont il faut vous préserver, c'est d'attribuer à l'ardeur du talent l'effet de l'occasion, et de prendre pour une inclination marquée vers tel ou tel art l'esprit imitatif commun à l'homme et au singe, et qui porte machinalement l'un et l'autre à vouloir faire tout ce qu'il voit faire, sans trop savoir à quoi cela est bon. Le monde est plein d'artisans, et surtout d'artistes, qui n'ont point le talent naturel de l'art qu'ils exercent, et dans lequel on les a poussés dès leur bas âge, soit déterminé par d'autres convenances, soit trompé par un zèle apparent qui les eût portés de même vers tout autre art, s'ils l'avaient vu pratiquer aussitôt. Tel entend un tambour et se croit général; tel voit bâtir et veut être architecte. Chacun est tenté du métier qu'il voit faire, quand il le croit estimé.

J'ai connu un laquais qui, voyant peindre et dessiner son maître, se mit dans la tête d'être peintre et dessinateur. Dès l'instant qu'il eut formé cette résolution, il prit le crayon, qu'il n'a plus quitté que pour reprendre le pinceau, qu'il ne quittera de sa vie. Sans leçons et sans règles, il se mit à dessiner tout ce qui lui tombait sous la main. Il passa trois ans entiers collé sur ses barbouillages, sans que jamais rien pût l'en arracher que son service, et sans jamais se rebuter du peu de progrès que de médiocres

dispositions lui laissaient faire. Je l'ai vu durant six mois
d'un été très ardent, dans une petite antichambre au midi,
où l'on suffoquait au passage, assis, ou plutôt cloué tout
le jour sur sa chaise, devant un globe, dessiner ce globe,
le redessiner, commencer et recommencer sans cesse avec
une invincible obstination, jusqu'à ce qu'il eût rendu la
rondebosse assez bien pour être content de son travail.
Enfin, favorisé de son maître et guidé par un artiste, il
est parvenu au point de quitter la livrée et de vivre de son
pinceau. Jusqu'à certain terme la persévérance supplée au
talent : il a atteint ce terme et ne le passera jamais. La
constance et l'émulation de cet honnête garçon sont louables.
Il se fera toujours estimer par son assiduité, par sa fidélité,
par ses mœurs; mais il ne peindra jamais que des dessus
de porte. Qui est-ce qui n'eût pas été trompé par son zèle
et ne l'eût pas pris pour un vrai talent ? Il y a bien de la
différence entre se plaire à un travail et y être propre. Il
faut des observations plus fines qu'on ne pense pour s'assurer du vrai génie et du vrai goût d'un enfant qui montre
bien plus ses désirs que ses dispositions, et qu'on juge
toujours par les premiers, faute de savoir étudier les autres.
Je voudrais qu'un homme judicieux nous donnât un traité
de l'art d'observer les enfants. Cet art serait très important
à connaître : les pères et les maîtres n'en ont pas encore
les éléments.

Mais peut-être donnons-nous ici trop d'importance au
choix d'un métier. Puisqu'il ne s'agit que d'un travail des
mains, ce choix n'est rien pour Émile; et son apprentissage est déjà plus d'à moitié fait, par les exercices dont
nous l'avons occupé jusqu'à présent. Que voulez-vous
qu'il fasse ? Il est prêt à tout : il sait déjà manier la bêche
et la houe; il sait se servir du tour, du marteau, du rabot,
de la lime; les outils de tous les métiers lui sont déjà familiers. Il ne s'agit plus que d'acquérir de quelqu'un de ces
outils un usage assez prompt, assez facile, pour égaler en
diligence les bons ouvriers qui s'en servent; et il a sur ce
point un grand avantage par-dessus tous, c'est d'avoir
le corps agile, les membres flexibles, pour prendre sans
peine toutes sortes d'attitudes et prolonger sans effort
toutes sortes de mouvements. De plus, il a les organes
justes et bien exercés; toute la mécanique des arts lui est
déjà connue. Pour savoir travailler en maître, il ne lui

manque que de l'habitude, et l'habitude ne se gagne qu'avec le temps. Auquel des métiers, dont le choix nous reste à faire, donnera-t-il donc assez de temps pour s'y rendre diligent ? Ce n'est plus que de cela qu'il s'agit.

Donnez à l'homme un métier qui convienne à son sexe, et au jeune homme un métier qui convienne à son âge : toute profession sédentaire et casanière, qui efface et ramollit le corps, ne lui plaît ni ne lui convient. Jamais jeune garçon n'aspira de lui-même à être tailleur; il faut de l'art pour porter à ce métier de femmes le sexe pour lequel il n'est pas fait *. L'aiguille et l'épée ne sauraient être maniées par les mêmes mains. Si j'étais souverain, je ne permettrais la couture et les métiers à l'aiguille qu'aux femmes et aux boiteux réduits à s'occuper comme elles. En supposant les eunuques nécessaires, je trouve les Orientaux bien fous d'en faire exprès. Que ne se contentent-ils de ceux qu'a faits la nature, de ces foules d'hommes lâches dont elle a mutilé le cœur ? ils en auraient de reste pour le besoin. Tout homme faible, délicat, craintif, est condamné par elle à la vie sédentaire; il est fait pour vivre avec les femmes ou à leur manière. Qu'il exerce quelqu'un des métiers qui leur sont propres, à la bonne heure; et, s'il faut absolument de vrais eunuques, qu'on réduise à cet état les hommes qui déshonorent leur sexe en prenant des emplois qui ne lui conviennent pas. Leur choix annonce l'erreur de la nature : corrigez cette erreur de manière ou d'autre, vous n'aurez fait que du bien.

J'interdis à mon élève les métiers malsains, mais non pas les métiers pénibles, ni même les métiers périlleux. Ils exercent à la fois la force et le courage; ils sont propres aux hommes seuls; les femmes n'y prétendent point : comment n'ont-ils pas honte d'empiéter sur ceux qu'elles font ?

> *Luctantur paucae, comedunt coliphia paucae.*
> *Vos lanam trahitis, calathisque peracta refertis*
> *Vellera* [83]...

En Italie on ne voit point de femmes dans les boutiques; et l'on ne peut rien imaginer de plus triste que le coup

---

* Il n'y avait point de tailleurs parmi les anciens : les habits des **hommes** se faisaient dans la maison par les femmes.

d'œil des rues de ce pays-là pour ceux qui sont accoutumés à celles de France et d'Angleterre. En voyant des marchands de modes vendre aux dames des rubans, des pompons, du réseau, de la chenille, je trouvais ces parures délicates bien ridicules dans de grosses mains, faites pour souffler la forge et frapper sur l'enclume. Je me disais : Dans ce pays les femmes devraient, par représailles, lever des boutiques de fourbisseurs et d'armuriers. Eh ! que chacun fasse et vende les armes de son sexe. Pour les connaître, il les faut employer.

Jeune homme, imprime à tes travaux la main de l'homme. Apprends à manier d'un bras vigoureux la hache et la scie, à équarrir une poutre, à monter sur un comble, à poser le faîte, à l'affermir de jambes de force et d'entraits; puis crie à ta sœur de venir t'aider à ton ouvrage, comme elle te disait de travailler à son point croisé.

J'en dis trop pour mes agréables contemporains, je le sens; mais je me laisse quelquefois entraîner à la force des conséquences. Si quelque homme que ce soit a honte de travailler en public armé d'une doloire et ceint d'un tablier de peau, je ne vois plus en lui qu'un esclave de l'opinion, prêt à rougir de bien faire, sitôt qu'on se rira des honnêtes gens. Toutefois cédons au préjugé des pères tout ce qui ne peut nuire au jugement des enfants. Il n'est pas nécessaire d'exercer toutes les professions utiles pour les honorer toutes; il suffit de n'en estimer aucune au-dessous de soi. Quand on a le choix et que rien d'ailleurs ne nous détermine, pourquoi ne consulterait-on pas l'agrément, l'inclination, la convenance entre les professions de même rang ? Les travaux des métaux sont utiles, et même les plus utiles de tous; cependant, à moins qu'une raison particulière ne m'y porte, je ne ferai point de votre fils un maréchal, un serrurier, un forgeron; je n'aimerais pas à lui voir dans sa forge la figure d'un cyclope. De même je n'en ferai pas un maçon, encore moins un cordonnier. Il faut que tous les métiers se fassent; mais qui peut choisir doit avoir égard à la propreté, car il n'y a point là d'opinion; sur ce point les sens nous décident. Enfin je n'aimerais pas ces stupides professions dont les ouvriers, sans industrie et presque automates, n'exercent jamais leurs mains qu'au même travail; les tisserands, les faiseurs de bas, les scieurs de pierres : à quoi sert d'employer à ces métiers des hommes de sens ? c'est une machine qui en mène une autre.

Tout bien considéré, le métier que j'aimerais le mieux qui fût du goût de mon élève est celui de menuisier. Il est propre, il est utile, il peut s'exercer dans la maison; il tient suffisamment le corps en haleine; il exige dans l'ouvrier de l'adresse et l'industrie, et dans la forme des ouvrages que l'utilité détermine, l'élégance et le goût ne sont pas exclus.

Que si par hasard le génie de votre élève était décidément tourné vers les sciences spéculatives, alors je ne blâmerais pas qu'on lui donnât un métier conforme à ses inclinations; qu'il apprît, par exemple, à faire des instruments de mathématiques, des lunettes, des télescopes, etc.

Quand Émile apprendra son métier, je veux l'apprendre avec lui; car je suis convaincu qu'il n'apprendra jamais bien que ce que nous apprendrons ensemble. Nous nous mettrons donc tous deux en apprentissage, et nous ne prétendrons point être traités en messieurs, mais en vrais apprentis qui ne le sont pas pour rire; pourquoi ne le serions-nous pas tout de bon ? Le czar Pierre était charpentier au chantier, et tambour dans ses propres troupes   pensez-vous que ce prince ne vous valût pas par la naissance ou par le mérite ? Vous comprenez que ce n'est point à Émile que je dis cela; c'est à vous, qui que vous puissiez être.

Malheureusement nous ne pouvons passer tout notre temps à l'établi. Nous ne sommes pas apprentis ouvriers, nous sommes apprentis hommes; et l'apprentissage de ce dernier métier est plus pénible et plus long que l'autre. Comment ferons-nous donc ? Prendrons-nous un maître de rabot une heure par jour, comme on prend un maître à danser ? Non. Nous ne serions pas des apprentis, mais des disciples; et notre ambition n'est pas tant d'apprendre la menuiserie que de nous élever à l'état de menuisier. Je suis donc d'avis que nous allions toutes les semaines une ou deux fois au moins passer la journée entière chez le maître, que nous nous levions à son heure, que nous soyons à l'ouvrage avant lui, que nous mangions à sa table, que nous travaillions sous ses ordres, et qu'après avoir eu l'honneur de souper avec sa famille, nous retournions, si nous voulons, coucher dans nos lits durs. Voilà comment on apprend plusieurs métiers à la fois, et comment on s'exerce au travail des mains sans négliger l'autre apprentissage.

Soyons simples en faisant bien. N'allons pas reproduire la vanité par nos soins pour la combattre. S'enorgueillir d'avoir vaincu les préjugés, c'est s'y soumettre. On dit que, par un ancien usage de la maison ottomane, le Grand Seigneur est obligé de travailler de ses mains; et chacun sait que les ouvrages d'une main royale ne peuvent être que des chefs-d'œuvre. Il distribue donc magnifiquement ces chefs-d'œuvre aux grands de la Porte; et l'ouvrage est payé selon la qualité de l'ouvrier. Ce que je vois de mal à cela n'est pas cette prétendue vexation; car, au contraire, elle est un bien. En forçant les grands de partager avec lui les dépouilles du peuple, le prince est d'autant moins obligé de piller le peuple directement. C'est un soulagement nécessaire au despotisme, et sans lequel cet horrible gouvernement ne saurait subsister.

Le vrai mal d'un pareil usage est l'idée qu'il donne à ce pauvre homme de son mérite. Comme le roi Midas, il voit changer en or tout ce qu'il touche, mais il n'aperçoit pas quelles oreilles cela fait pousser. Pour en conserver de courtes à notre Émile, préservons ses mains de ce riche talent; que ce qu'il fait ne tire pas son prix de l'ouvrier, mais de l'ouvrage. Ne souffrons jamais qu'on juge du sien qu'en le comparant à celui des bons maîtres. Que son travail soit prisé par le travail même, et non parce qu'il est de lui. Dites de ce qui est bien fait : *Voilà qui est bien fait ;* mais n'ajoutez point : *Qui est-ce qui a fait cela ?* S'il dit lui-même d'un air fier et content de lui : *C'est moi qui l'ai fait*, ajoutez froidement : *Vous ou un autre, il n'importe ; c'est toujours un travail bien fait.*

Bonne mère, préserve-toi surtout des mensonges qu'on te prépare. Si ton fils sait beaucoup de choses, défie-toi de tout ce qu'il sait; s'il a le malheur d'être élevé dans Paris, et d'être riche, il est perdu. Tant qu'il s'y trouvera d'habiles artistes, il aura tous leurs talents; mais loin d'eux il n'en aura plus. A Paris, le riche sait tout; il n'y a d'ignorant que le pauvre. Cette capitale est pleine d'amateurs, et surtout d'amatrices, qui font leurs ouvrages comme M. Guillaume inventait ses couleurs. Je connais à ceci trois exceptions honorables parmi les hommes, il y en peut avoir davantage; mais je n'en connais aucune parmi les femmes, et je doute qu'il y en ait. En général, on acquiert un nom dans les arts comme dans la robe; on devient artiste et juge des artistes comme on devient docteur en droit et magistrat.

Si donc il était une fois établi qu'il est beau de savoir un métier, vos enfants le sauraient bientôt sans l'apprendre; ils passeraient maîtres comme les conseillers de Zurich. Point de tout ce cérémonial pour Émile; point d'apparence, et toujours de la réalité. Qu'on ne dise pas qu'il sait, mais qu'il apprenne en silence. Qu'il fasse toujours son chef-d'œuvre, et que jamais il ne passe maître; qu'il ne se montre pas ouvrier par son titre, mais par son travail.

Si jusqu'ici je me suis fait entendre, on doit concevoir comment avec l'habitude de l'exercice du corps et du travail des mains, je donne insensiblement à mon élève le goût de la réflexion et de la méditation, pour balancer en lui la paresse qui résulterait de son indifférence pour les jugements des hommes et du calme de ses passions. Il faut qu'il travaille en paysan et qu'il pense en philosophe, pour n'être pas aussi fainéant qu'un sauvage. Le grand secret de l'éducation est de faire que les exercices du corps et ceux de l'esprit servent toujours de délassement les uns aux autres.

Mais gardons-nous d'anticiper sur les instructions qui demandent un esprit plus mûr. Émile ne sera pas longtemps ouvrier, sans ressentir par lui-même l'inégalité des conditions, qu'il n'avait d'abord qu'aperçue. Sur les maximes que je lui donne et qui sont à sa portée, il voudra m'examiner à mon tour. En recevant tout de moi seul, en se voyant si près de l'état des pauvres, il voudra savoir pourquoi j'en suis si loin. Il me fera peut-être, au dépourvu, des questions scabreuses : « Vous êtes riche, vous me l'avez dit, et je le vois. Un riche doit aussi son travail à la société, puisqu'il est homme. Mais vous, que faites-vous donc pour elle ? » Que dirait à cela un beau gouverneur ? Je l'ignore. Il serait peut-être assez sot pour parler à l'enfant des soins qu'il lui rend. Quant à moi, l'atelier me tire d'affaire : « Voilà, cher Émile, une excellente question; je vous promets d'y répondre pour moi, quand vous y ferez pour vous-même une réponse dont vous soyez content. En attendant, j'aurai soin de rendre à vous et aux pauvres ce que j'ai de trop, et de faire une table ou un banc par semaine, afin de n'être pas tout à fait inutile à tout. »

Nous voici revenus à nous-mêmes. Voilà notre enfant prêt à cesser de l'être, rentré dans son individu. Le voilà sentant plus que jamais la nécessité qui l'attache aux choses. Après avoir commencé par exercer son corps et ses sens, nous avons exercé son esprit et son jugement. Enfin nous avons réuni l'usage de ses membres à celui de ses facultés; nous avons fait un être agissant et pensant; il ne nous reste plus, pour achever l'homme, que de faire un être aimant et sensible, c'est-à-dire de perfectionner la raison par le sentiment. Mais avant d'entrer dans ce nouvel ordre de choses, jetons les yeux sur celui d'où nous sortons et voyons, le plus exactement qu'il est possible, jusqu'où nous sommes parvenus.

Notre élève n'avait d'abord que des sensations, maintenant il a des idées: il ne faisait que sentir, maintenant il juge. Car de la comparaison de plusieurs sensations successives ou simultanées, et du jugement qu'on en porte, naît une sorte de sensation mixte ou complexe, que j'appelle idée.

La manière de former les idées est ce qui donne un caractère à l'esprit humain. L'esprit qui ne forme ses idées que sur des rapports réels est un esprit solide; celui qui se contente des rapports apparents est un esprit superficiel; celui qui voit les rapports tels qu'ils sont est un esprit juste; celui qui les apprécie mal est un esprit faux; celui qui controuve des rapports imaginaires qui n'ont ni réalité ni apparence est un fou; celui qui ne compare point est un imbécile. L'aptitude plus ou moins grande à comparer des idées et à trouver des rapports est ce qui fait dans les hommes le plus ou le moins d'esprit, etc.

Les idées simples ne sont que des sensations comparées. Il y a des jugements dans les simples sensations aussi bien que dans les sensations complexes, que j'appelle idées simples. Dans la sensation, le jugement est purement passif, il affirme qu'on sent ce qu'on sent. Dans la perception ou idée, le jugement est actif; il rapproche, il compare, il détermine des rapports que le sens ne détermine pas. Voilà toute la différence; mais elle est grande. Jamais la nature ne nous trompe; c'est toujours nous qui nous trompons [84].

Je vois servir à un enfant de huit ans d'un fromage glacé; il porte la cuiller à sa bouche, sans savoir ce que

c'est, et, saisi de froid, s'écrie : *Ah ! cela me brûle !* Il éprouve
une sensation très vive; il n'en connaît point de plus vive
que la chaleur du feu, et il croit sentir celle-là. Cependant
il s'abuse; le saisissement du froid le blesse, mais il ne le
brûle pas; et ces deux sensations ne sont pas semblables,
puisque ceux qui ont éprouvé l'une et l'autre ne les confondent point. Ce n'est donc pas la sensation qui le trompe,
mais le jugement qu'il en porte.

Il en est de même de celui qui voit pour la première fois
un miroir ou une machine d'optique, ou qui entre dans
une cave profonde au cœur de l'hiver ou de l'été, ou qui
trempe dans l'eau tiède une main très chaude ou très froide,
ou qui fait rouler entre deux doigts croisés une petite
boule, etc. S'il se contente de dire ce qu'il aperçoit, ce qu'il
sent, son jugement étant purement passif, il est impossible
qu'il se trompe; mais quand il juge de la chose par l'apparence, il est actif, il compare, il établit par induction des
rapports qu'il n'aperçoit pas; alors il se trompe ou peut se
tromper. Pour corriger ou prévenir l'erreur, il a besoin de
l'expérience.

Montrez de nuit à votre élève des nuages passant entre
la lune et lui, il croira que c'est la lune qui passe en sens
contraire et que les nuages sont arrêtés. Il le croira par une
induction précipitée, parce qu'il voit ordinairement les
petits objets se mouvoir préférablement aux grands, et
que les nuages lui semblent plus grands que la lune, dont
il ne peut estimer l'éloignement. Lorsque, dans un bateau
qui vogue, il regarde d'un peu loin le rivage, il tombe dans
l'erreur contraire, et croit voir courir la terre, parce que,
ne se sentant point en mouvement, il regarde le bateau,
la mer ou la rivière, et tout son horizon, comme un tout
immobile, dont le rivage qu'il voit courir ne lui semble
qu'une partie.

La première fois qu'un enfant voit un bâton à moitié
plongé dans l'eau, il voit un bâton brisé : la sensation est
vraie; et elle ne laisserait pas de l'être, quand même nous
ne saurions point la raison de cette apparence. Si donc
vous lui demandez ce qu'il voit, il dit : *Un bâton brisé*, et il
dit vrai, car il est très sûr qu'il a la sensation d'un bâton
brisé. Mais quand, trompé par son jugement, il va plus
loin, et qu'après avoir affirmé qu'il voit un bâton brisé,
il affirme encore que ce qu'il voit est en effet un bâton brisé,

alors il dit faux. Pourquoi cela ? parce qu'alors il devient actif, et qu'il ne juge plus par inspection, mais par induction, en affirmant ce qu'il ne sent pas, savoir que le jugement qu'il reçoit par un sens serait confirmé par un autre.

Puisque toutes nos erreurs viennent de nos jugements, il est clair que si nous n'avions jamais besoin de juger, nous n'aurions nul besoin d'apprendre; nous ne serions jamais dans le cas de nous tromper; nous serions plus heureux de notre ignorance que nous ne pouvons l'être de notre savoir. Qui est-ce qui nie que les savants ne sachent mille choses vraies que les ignorants ne sauront jamais ? Les savants sont-ils pour cela plus près de la vérité ? Tout au contraire, ils s'en éloignent en avançant; parce que, la vanité de juger faisant encore plus de progrès que les lumières, chaque vérité qu'ils apprennent ne vient qu'avec cent jugements faux. Il est de la dernière évidence que les compagnies savantes de l'Europe ne sont que des écoles publiques de mensonges; et très sûrement il y a plus d'erreurs dans l'Académie des sciences que dans tout un peuple de Hurons.

Puisque plus les hommes savent, plus ils se trompent, le seul moyen d'éviter l'erreur est l'ignorance. Ne jugez point, vous ne vous abuserez jamais. C'est la leçon de la nature aussi bien que de la raison. Hors les rapports immédiats en très petit nombre et très sensibles que les choses ont avec nous, nous n'avons naturellement qu'une profonde indifférence pour tout le reste. Un sauvage ne tournerait pas le pied pour aller voir le jeu de la plus belle machine et tous les prodiges de l'électricité. *Que m'importe ?* est le mot le plus familier à l'ignorant et le plus convenable au sage.

Mais malheureusement ce mot ne nous va plus. Tout nous importe, depuis que nous sommes dépendants de tout; et notre curiosité s'étend nécessairement avec nos besoins. Voilà pourquoi j'en donne une très grande au philosophe, et n'en donne point au sauvage. Celui-ci n'a besoin de personne; l'autre a besoin de tout le monde, et surtout d'admirateurs.

On me dira que je sors de la nature; je n'en crois rien. Elle choisit ses instruments, et les règle, non sur l'opinion, mais sur le besoin. Or, les besoins changent selon la situation des hommes. Il y a bien de la différence entre l'homme naturel vivant dans l'état de nature, et l'homme naturel vivant dans l'état de société. Émile n'est pas un sauvage à reléguer dans les déserts, c'est un sauvage fait pour habiter les villes. Il faut qu'il sache y trouver son nécessaire, tirer parti de leurs habitants, et vivre, sinon comme eux, du moins avec eux.

Puisque, au milieu de tant de rapports nouveaux dont il va dépendre, il faudra malgré lui qu'il juge, apprenons lui donc à bien juger.

La meilleure manière d'apprendre à bien juger est celle qui tend le plus à simplifier nos expériences, et à pouvoir même nous en passer sans tomber dans l'erreur. D'où il suit qu'après avoir longtemps vérifié les rapports des sens l'un par l'autre, il faut encore apprendre à vérifier les rapports de chaque sens par lui-même, sans avoir besoin de recourir à un autre sens ; alors chaque sensation deviendra pour nous une idée, et cette idée sera toujours conforme à la vérité. Telle est la sorte d'acquis dont j'ai tâché de remplir ce troisième âge de la vie humaine.

Cette manière de procéder exige une patience et une circonspection dont peu de maîtres sont capables, et sans laquelle jamais le disciple n'apprendra à juger. Si, par exemple, lorsque celui-ci s'abuse sur l'apparence du bâton brisé, pour lui montrer son erreur vous vous pressez de tirer le bâton hors de l'eau, vous le détromperez peut-être ; mais que lui apprendrez-vous ? rien que ce qu'il aurait bientôt appris de lui-même. Oh ! que ce n'est pas là ce qu'il faut faire ! Il s'agit moins de lui apprendre une vérité que de lui montrer comment il faut s'y prendre pour découvrir toujours la vérité. Pour mieux l'instruire, il ne faut pas le détromper sitôt. Prenons Émile et moi pour exemple.

Premièrement, à la seconde des deux questions supposées, tout enfant élevé à l'ordinaire ne manquera pas de répondre affirmativement. C'est sûrement, dira-t-il, un bâton brisé. Je doute fort qu'Émile me fasse la même réponse. Ne voyant point la nécessité d'être savant ni de le paraître, il n'est jamais pressé de juger ; il ne juge que sur l'évidence ; et il est bien éloigné de la trouver dans cette occasion, lui qui sait combien nos jugements sur les apparences sont sujets à l'illusion, ne fût-ce que dans la perspective.

D'ailleurs, comme il sait par expérience que mes questions les plus frivoles ont toujours quelque objet qu'il n'aperçoit

pas d'abord, il n'a point pris l'habitude d'y répondre
étourdiment; au contraire, il s'en défie, il s'y rend attentif,
il les examine avec grand soin avant d'y répondre. Jamais
il ne me fait de réponse qu'il n'en soit content lui-même;
et il est difficile à contenter. Enfin nous ne nous piquons
ni lui ni moi de savoir la vérité des choses, mais seulement
de ne pas donner dans l'erreur. Nous serions bien plus
confus de nous payer d'une raison qui n'est pas bonne,
que de n'en point trouver du tout. *Je ne sais* est un mot
qui nous va si bien à tous deux, et que nous répétons si
souvent, qu'il ne coûte plus rien à l'un ni à l'autre. Mais,
soit que cette étourderie lui échappe, ou qu'il l'évite par
notre commode *Je ne sais*, ma réplique est la même : Voyons,
examinons.

Ce bâton qui trempe à moitié dans l'eau est fixé dans une
situation perpendiculaire. Pour savoir s'il est brisé, comme
il le paraît, que de choses n'avons-nous pas à faire avant
de le tirer de l'eau ou avant d'y porter la main !

1º D'abord nous tournons tout autour du bâton et
nous voyons que la brisure tourne comme nous. C'est
donc notre œil seul qui la change, et les regards ne remuent
pas les corps.

2º Nous regardons bien à plomb sur le bout du bâton
qui est hors de l'eau; alors le bâton n'est plus courbe, le
bout voisin de notre œil nous cache exactement l'autre
bout *. Notre œil a-t-il redressé le bâton ?

3º Nous agitons la surface de l'eau; nous voyons le
bâton se plier en plusieurs pièces, se mouvoir en zigzag,
et suivre les ondulations de l'eau. Le mouvement que nous
donnons à cette eau suffit-il pour briser, amollir, et fondre
ainsi le bâton ?

4º Nous faisons écouler l'eau, et nous voyons le bâton
se redresser peu à peu, à mesure que l'eau baisse. N'en
voilà-t-il pas plus qu'il ne faut pour éclaircir le fait et trouver
la réfraction ? Il n'est donc pas vrai que la vue nous trompe,
puisque nous n'avons besoin que d'elle seule pour rectifier
les erreurs que nous lui attribuons.

---

* J'ai depuis trouvé le contraire par une expérience plus exacte. La
réfraction agit circulairement, et le bâton paraît plus gros par le bout
qui est dans l'eau que par l'autre; mais cela ne change rien à la force
du raisonnement, et la conséquence n'en est pas moins juste.

Supposons l'enfant assez stupide pour ne pas sentir le résultat de ces expériences ; c'est alors qu'il faut appeler le toucher au secours de la vue. Au lieu de tirer le bâton hors de l'eau, laissez-le dans sa situation, et que l'enfant y passe la main d'un bout à l'autre, il ne sentira point d'angle ; le bâton n'est donc pas brisé.

Vous me direz qu'il n'y a pas seulement ici des jugements, mais des raisonnements en forme. Il est vrai ; mais ne voyez-vous pas que, sitôt que l'esprit est parvenu jusqu'aux idées, tout jugement est un raisonnement ? La conscience de toute sensation est une proposition, un jugement. Donc, sitôt que l'on compare une sensation à une autre, on raisonne. L'art de juger et l'art de raisonner sont exactement le même.

Émile ne saura jamais la dioptrique, ou je veux qu'il l'apprenne autour de ce bâton. Il n'aura point disséqué d'insectes ; il n'aura point compté les taches du soleil ; il ne saura ce que c'est qu'un microscope et un télescope. Vos doctes élèves se moqueront de son ignorance. Ils n'auront pas tort ; car avant de se servir de ces instruments, j'entends qu'il les invente, et vous vous doutez bien que cela ne viendra pas si tôt.

Voilà l'esprit de toute ma méthode dans cette partie. Si l'enfant fait rouler une petite boule entre deux doigts croisés, et qu'il croie sentir deux boules, je ne lui permettrai point d'y regarder, qu'auparavant il ne soit convaincu qu'il n'y en a qu'une.

Ces éclaircissements suffiront, je pense, pour marquer nettement le progrès qu'a fait jusqu'ici l'esprit de mon élève, et la route par laquelle il a suivi ce progrès. Mais vous êtes effrayés peut-être de la quantité de choses que j'ai fait passer devant lui. Vous craignez que je n'accable son esprit sous ses multitudes de connaissances. C'est tout le contraire ; je lui apprends bien plus à les ignorer qu'à les savoir. Je lui montre la route de la science, aisée à la vérité, mais longue, immense, lente à parcourir. Je lui fais faire les premiers pas pour qu'il reconnaisse l'entrée, mais je ne lui permets jamais d'aller loin.

Forcé d'apprendre de lui-même, il use de sa raison et non de celle d'autrui ; car, pour ne rien donner à l'opinion, il ne faut rien donner à l'autorité ; et la plupart de nos erreurs nous viennent bien moins de nous que des autres. De cet

exercice continuel il doit résulter une vigueur d'esprit
semblable à celle qu'on donne au corps par le travail et
par la fatigue. Un autre avantage est qu'on n'avance qu'à
proportion de ses forces. L'esprit, non plus que le corps,
ne porte que ce qu'il peut porter. Quand l'entendement
s'approprie les choses avant de les déposer dans la mémoire,
ce qu'il en tire ensuite est à lui; au lieu qu'en surchargeant
la mémoire à son insu, on s'expose à n'en jamais rien
tirer qui lui soit propre.

Émile a peu de connaissances, mais celles qu'il a sont
véritablement siennes; il ne sait rien à demi. Dans le petit
nombre des choses qu'il sait et qu'il sait bien, la plus importante est qu'il y en a beaucoup qu'il ignore et qu'il peut
savoir un jour, beaucoup plus que d'autres hommes savent
et qu'il ne saura de sa vie, et une infinité d'autres qu'aucun
homme ne saura jamais. Il a un esprit universel, non par
les lumières, mais par la faculté d'en acquérir; un esprit
ouvert, intelligent, prêt à tout, et, comme dit Montaigne,
sinon instruit, du moins instruisable [85]. Il me suffit qu'il
sache trouver l'*à quoi bon* sur tout ce qu'il fait, et le *pourquoi*
sur tout ce qu'il croit. Car encore une fois, mon objet
n'est point de lui donner la science, mais de lui apprendre
à l'acquérir au besoin, de la lui faire estimer exactement
ce qu'elle vaut, et de lui faire aimer la vérité par-dessus
tout [86]. Avec cette méthode on avance peu, mais on ne
fait jamais un pas inutile, et l'on n'est point forcé de
rétrograder.

Émile n'a que des connaissances naturelles et purement
physiques. Il ne sait pas même le nom de l'histoire, ni ce
que c'est que métaphysique et morale. Il connaît les rapports
essentiels de l'homme aux choses, mais nul des rapports
moraux de l'homme à l'homme. Il sait peu généraliser
d'idées, peu faire d'abstractions. Il voit des qualités communes à certains corps sans raisonner sur ces qualités en
elles-mêmes. Il connaît l'étendue abstraite à l'aide des
figures de la géométrie; il connaît la quantité abstraite à
l'aide des signes de l'algèbre. Ces figures et ces signes sont
les supports de ces abstractions, sur lesquels ses sens se
reposent. Il ne cherche point à connaître les choses par leur
nature, mais seulement par les relations qui l'intéressent.
Il n'estime ce qui lui est étranger que par rapport à lui;
mais cette estimation est exacte et sûre. La fantaisie, la

convention, n'y entrent pour rien. Il fait plus de cas de ce
qui lui est plus utile; et ne se départant jamais de cette
manière d'apprécier, il ne donne rien à l'opinion.

Émile est laborieux, tempérant, patient, ferme, plein de
courage. Son imagination, nullement allumée, ne lui grossit
jamais les dangers; il est sensible à peu de maux, et il sait
souffrir avec constance, parce qu'il n'a point appris à
disputer contre la destinée. A l'égard de la mort, il ne sait
pas encore bien ce que c'est; mais, accoutumé à subir
sans résistance la loi de la nécessité, quand il faudra mourir
il mourra sans gémir et sans se débattre; c'est tout ce que la
nature permet dans ce moment abhorré de tous. Vivre
libre et peu tenir aux choses humaines est le meilleur
moyen d'apprendre à mourir.

En un mot, Émile a de la vertu tout ce qui se rapporte
à lui-même. Pour avoir aussi les vertus sociales, il lui manque uniquement de connaître les relations qui les exigent; il
lui manque uniquement des lumières que son esprit est
tout prêt à recevoir.

Il se considère sans égard aux autres, et trouve bon que
les autres ne pensent point à lui. Il n'exige rien de personne,
et ne croit rien devoir à personne. Il est seul dans la société
humaine, il ne compte que sur lui seul. Il a droit aussi plus
qu'un autre de compter sur lui-même, car il est tout ce
qu'on peut être à son âge. Il n'a point d'erreurs, ou n'a que
celles qui nous sont inévitables; il n'a point de vices, ou
n'a que ceux dont nul homme ne peut se garantir. Il a le
corps sain, les membres agiles, l'esprit juste et sans préjugés,
le cœur libre et sans passions. L'amour-propre, la première
et la plus naturelle de toutes, y est encore à peine exalté.
Sans troubler le repos de personne, il a vécu content,
heureux et libre, autant que la nature l'a permis. Trouvez-
vous qu'un enfant ainsi parvenu à sa quinzième année ait
perdu les précédentes?

# LIVRE QUATRIÈME

Que nous passons rapidement sur cette terre ! le premier quart de la vie est écoulé avant qu'on en connaisse l'usage; le dernier quart s'écoule encore après qu'on a cessé d'en jouir. D'abord nous ne savons point vivre; bientôt nous ne le pouvons plus; et, dans l'intervalle qui sépare ces deux extrémités inutiles, les trois quarts du temps qui nous reste sont consumés par le sommeil, par le travail, par la douleur, par la contrainte, par les peines de toute espèce. La vie est courte, moins par le peu de temps qu'elle dure, que parce que de ce peu de temps, nous n'en avons presque point pour la goûter. L'instant de la mort a beau être éloigné de celui de la naissance, la vie est toujours trop courte quand cet espace est mal rempli [87].

Nous naissons, pour ainsi dire, en deux fois : l'une pour exister, et l'autre pour vivre; l'une pour l'espèce, et l'autre pour le sexe. Ceux qui regardent la femme comme un homme imparfait ont tort sans doute : mais l'analogie extérieure est pour eux. Jusqu'à l'âge nubile, les enfants des deux sexes n'ont rien d'apparent qui les distingue; même visage, même figure, même teint, même voix, tout est égal : les filles sont des enfants, les garçons sont des enfants; le même nom suffit à des êtres si semblables. Les mâles en qui l'on empêche le développement ultérieur du sexe gardent cette conformité toute leur vie; ils sont toujours de grands enfants, et les femmes, ne perdant point cette même conformité, semblent, à bien des égards, ne jamais être autre chose.

Mais l'homme, en général, n'est pas fait pour rester toujours dans l'enfance. Il en sort au temps prescrit par la nature; et ce moment de crise, bien qu'assez court, a de longues influences.

Comme le mugissement de la mer précède de loin la tempête, cette orageuse révolution s'annonce par le mur-

mure des passions naissantes; une fermentation sourde
avertit de l'approche du danger. Un changement dans
l'humeur, des emportements fréquents, une continuelle
agitation d'esprit, rendent l'enfant presque indisciplinable.
Il devient sourd à la voix qui le rendait docile; c'est un
lion dans sa fièvre; il méconnaît son guide, il ne veut plus
être gouverné.

Aux signes moraux d'une humeur qui s'altère se joignent
des changements sensibles dans la figure. Sa physionomie
se développe et s'empreint d'un caractère; le coton rare
et doux qui croît au bas de ses joues brunit et prend de la
consistance. Sa voix mue, ou plutôt il la perd : il n'est ni
enfant ni homme et ne peut prendre le ton d'aucun des
deux. Ses yeux, ces organes de l'âme, qui n'ont rien dit
jusqu'ici, trouvent un langage et de l'expression; un feu
naissant les anime, leurs regards plus vifs ont encore une
sainte innocence, mais ils n'ont plus leur première imbé-
cillité : il sent déjà qu'ils peuvent trop dire; il commence
à savoir les baisser et rougir; il devient sensible avant de
savoir ce qu'il sent; il est inquiet sans raison de l'être. Tout
cela peut venir lentement et vous laisser du temps encore :
mais si sa vivacité se rend trop impatiente, si son emportement se change en fureur, s'il s'irrite et s'attendrit d'un
instant à l'autre, s'il verse des pleurs sans sujet, si, près
des objets qui commencent à devenir dangereux pour
lui, son pouls s'élève et son œil s'enflamme, si la main d'une
femme se posant sur la sienne le fait frissonner, s'il se
trouble ou s'intimide auprès d'elle, Ulysse, ô sage Ulysse,
prends garde à toi; les outres que tu fermais avec tant de
soin sont ouvertes; les vents sont déjà déchaînés; ne
quitte plus un moment le gouvernail, ou tout est perdu.

C'est ici la seconde naissance dont j'ai parlé; c'est ici
que l'homme naît véritablement à la vie, et que rien d'humain n'est étranger à lui. Jusqu'ici nos soins n'ont été que
des jeux d'enfant; ils ne prennent qu'à présent une véritable importance. Cette époque où finissent les éducations
ordinaires est proprement celle où la nôtre doit commencer; mais, pour bien exposer ce nouveau plan, repre-
nons de plus haut l'état des choses qui s'y rapportent.

Nos passions sont les principaux instruments de notre
conservation : c'est donc une entreprise aussi vaine que
ridicule de vouloir les détruire; c'est contrôler la nature,

c'est réformer l'ouvrage de Dieu. Si Dieu disait à l'homme
d'anéantir les passions qu'il lui donne, Dieu voudrait et ne
voudrait pas; il se contredirait lui-même. Jamais il n'a
donné cet ordre insensé, rien de pareil n'est écrit dans le
cœur humain; et ce que Dieu veut qu'un homme fasse, il
ne le lui fait pas dire par un autre homme, il le lui dit lui-
même, il l'écrit au fond de son cœur.

Or je trouverais celui qui voudrait empêcher les passions
de naître presque aussi fou que celui qui voudrait les
anéantir; et ceux qui croiraient que tel a été mon projet
jusqu'ici m'auraient sûrement fort mal entendu.

Mais raisonnerait-on bien, si, de ce qu'il est dans la nature
de l'homme d'avoir des passions, on allait conclure que
toutes les passions que nous sentons en nous et que nous
voyons dans les autres sont naturelles? Leur source est
naturelle, il est vrai; mais mille ruisseaux étrangers l'ont
grossie; c'est un grand fleuve qui s'accroît sans cesse, et
dans lequel on retrouverait à peine quelques gouttes de
ses premières eaux. Nos passions naturelles sont très
bornées; elles sont les instruments de notre liberté, elles
tendent à nous conserver. Toutes celles qui nous subjuguent
et nous détruisent nous viennent d'ailleurs; la nature ne
nous les donne pas, nous nous les approprions à son
préjudice.

La source de nos passions, l'origine et le principe de
toutes les autres, la seule qui naît avec l'homme et ne le
quitte jamais tant qu'il vit, est l'amour de soi : passion
primitive, innée, antérieure à toute autre, et dont toutes
les autres ne sont, en un sens, que des modifications. En
ce sens, toutes, si l'on veut, sont naturelles. Mais la plupart
de ces modifications ont des causes étrangères sans lesquelles elles n'auraient jamais lieu; et ces mêmes modifications, loin de nous être avantageuses, nous sont nuisibles;
elles changent le premier objet et vont contre leur principe :
c'est alors que l'homme se trouve hors de la nature, et se
met en contradiction avec soi.

L'amour de soi-même est toujours bon, et toujours
conforme à l'ordre. Chacun étant chargé spécialement de sa
propre conservation, le premier et le plus important de
ses soins est et doit être d'y veiller sans cesse : et comment
y veillerait-il ainsi, s'il n'y prenait le plus grand intérêt ?

Il faut donc que nous nous aimions pour nous conserver,

il faut que nous nous aimions plus que toute chose; et,
par une suite immédiate du même sentiment, nous aimons
ce qui nous conserve. Tout enfant s'attache à sa nourrice :
Romulus devait s'attacher à la louve qui l'avait allaité.
D'abord cet attachement est purement machinal. Ce qui
favorise le bien-être d'un individu l'attire; ce qui lui nuit
le repousse : ce n'est là qu'un instinct aveugle. Ce qui
transforme cet instinct en sentiment, l'attachement en
amour, l'aversion en haine, c'est l'intention manifestée de
nous nuire ou de nous être utile. On ne se passionne pas
pour les êtres insensibles qui ne suivent que l'impulsion
qu'on leur donne; mais ceux dont on attend du bien ou du
mal par leur disposition intérieure, par leur volonté, ceux
que nous voyons agir librement pour ou contre, nous
inspirent des sentiments semblables à ceux qu'ils nous
montrent. Ce qui nous sert, on le cherche; mais ce qui nous
veut servir, on l'aime. Ce qui nous nuit, on le fuit; mais ce
qui nous veut nuire, on le hait.

Le premier sentiment d'un enfant est de s'aimer lui-
même; et le second, qui dérive du premier, est d'aimer
ceux qui l'approchent; car, dans l'état de faiblesse où il
est, il ne connaît personne que par l'assistance et les soins
qu'il reçoit. D'abord l'attachement qu'il a pour sa nourrice
et sa gouvernante n'est qu'habitude. Il les cherche, parce
qu'il a besoin d'elles et qu'il se trouve bien de les avoir;
c'est plutôt connaissance que bienveillance. Il lui  faut
beaucoup de temps pour comprendre que non seulement
elles lui sont utiles, mais qu'elles veulent l'être; et c'est
alors qu'il commence à les aimer.

Un enfant est donc naturellement enclin à la bienveillance, parce qu'il voit que tout ce qui l'approche est porté
à l'assister, et qu'il prend de cette observation l'habitude
d'un sentiment favorable à son espèce; mais, à mesure qu'il
étend ses relations, ses besoins, ses dépendances actives
ou passives, le sentiment de ses rapports à autrui s'éveille,
et produit celui des devoirs et des préférences. Alors
l'enfant devient impérieux, jaloux, trompeur, vindicatif.
Si on le plie à l'obéissance, ne voyant point l'utilité de ce
qu'on lui commande, il l'attribue au caprice, à l'intention
de le tourmenter, et il se mutine. Si on lui obéit à lui-même,
aussitôt que quelque chose lui résiste, il y voit une rébellion, une intention de lui résister; il bat la chaise ou la

table pour avoir désobéi. L'amour de soi, qui ne regarde qu'à nous, est content quand nos vrais besoins sont satisfaits; mais l'amour-propre, qui se compare, n'est jamais content et ne saurait l'être, parce que ce sentiment, en nous préférant aux autres, exige aussi que les autres nous préfèrent à eux; ce qui est impossible. Voilà comment les passions douces et affectueuses naissent de l'amour de soi, et comment les passions haineuses et irascibles naissent de l'amour-propre [88]. Ainsi, ce qui rend l'homme essentiellement bon est d'avoir peu de besoins, et de peu se comparer aux autres; ce qui le rend essentiellement méchant est d'avoir beaucoup de besoins, et de tenir beaucoup à l'opinion. Sur ce principe il est aisé de voir comment on peut diriger au bien ou au mal toutes les passions des enfants et des hommes. Il est vrai que, ne pouvant vivre tou ours seuls, ils vivront difficilement toujours bons : cette difficulté même augmentera nécessairement avec leurs relations; et c'est en ceci surtout que les dangers de la société nous rendent l'art et les soins plus indispensables pour prévenir dans le cœur humain la dépravation qui naît de ses nouveaux besoins.

L'étude convenable à l'homme est celle de ses rapports. Tant qu'il ne se connaît que par son être physique, il doit s'étudier par ses rapports avec les choses: c'est l'emploi de son enfance; quand il commence à sentir son être moral, il doit s'étudier par ses rapports avec les hommes: c'est l'emploi de sa vie entière, à commencer au point où nous voilà parvenus.

Sitôt que l'homme a besoin d'une compagne, il n'est plus un être isolé, son cœur n'est plus seul. Toutes ses relations avec son espèce, toutes les affections de son âme naissent avec celle-là. Sa première passion fait bientôt fermenter les autres.

Le penchant de l'instinct est indéterminé. Un sexe est attiré vers l'autre : voilà le mouvement de la nature. Le choix, les préférences, l'attachement personnel, sont l'ouvrage des lumières, des préjugés, de l'habitude : il faut du temps et des connaissances pour nous rendre capables d'amour : on n'aime qu'après avoir jugé, on ne préfère qu'après avoir comparé. Ces jugements se font sans qu'on s'en aperçoive, mais ils n'en sont pas moins réels. Le véritable amour, quoi qu'on en dise, sera toujours honoré des hommes : car, bien que ses emportements nous égarent, bien qu'il n'exclue pas du cœur qui le sent des qualités odieuses, et même qu'il en produise, il en suppose pourtant toujours d'estimables, sans lesquelles on serait hors d'état de le sentir. Ce choix qu'on met en opposition avec la raison nous vient d'elle. On a fait l'amour aveugle, parce qu'il a de meilleurs yeux que nous, et qu'il voit des rapports que nous ne pouvons apercevoir. Pour qui n'aurait nulle idée de mérite ni de beauté, toute femme serait également bonne, et la première venue serait toujours la plus aimable. Loin que l'amour vienne de la nature, il est la règle et le frein de ses penchants : c'est par lui qu'excepté l'objet aimé, un sexe n'est plus rien pour l'autre.

La préférence qu'on accorde, on veut l'obtenir; l'amour doit être réciproque. Pour être aimé, il faut se rendre aimable; pour être préféré, il faut se rendre plus aimable qu'un autre, plus aimable que tout autre, au moins aux yeux de l'objet aimé. De là les premiers regards sur ses semblables; de là les premières comparaisons avec eux, de là l'émulation, les rivalités, la jalousie. Un cœur plein d'un sentiment qui déborde aime à s'épancher : du besoin d'une maîtresse naît bientôt celui d'un ami. Celui qui sent combien il est doux d'être aimé voudrait l'être de tout le monde, et tous ne sauraient vouloir des préférences, qu'il n'y ait beaucoup de mécontents. Avec l'amour et l'amitié naissent les dissensions, l'inimitié, la haine. Du sein de tant de passions diverses je vois l'opinion s'élever un trône inébranlable, et les stupides mortels, asservis à son empire, ne fonder leur propre existence que sur les jugements d'autrui.

Étendez ces idées, et vous verrez d'où vient à notre amour-propre la forme que nous lui croyons naturelle; et comment l'amour de soi, cessant d'être un sentiment absolu, devient orgueil dans les grandes âmes, vanité dans les petites, et dans toutes se nourrit sans cesse aux dépens du prochain. L'espèce de ces passions, n'ayant point son germe dans le cœur des enfants, n'y peut naître d'elle-même; c'est nous seuls qui l'y portons, et jamais elles n'y prennent racine que par notre faute; mais il n'en est plus ainsi du cœur du jeune homme : quoi que nous puissions faire, elles y naîtront malgré nous. Il est donc temps de changer de méthode.

Commençons par quelques réflexions importantes sur l'état critique dont il s'agit ici. Le passage de l'enfance à la puberté n'est pas tellement déterminé par la nature qu'il ne varie dans les individus selon les tempéraments, et dans les peuples selon les climats. Tout le monde sait les distinctions observées sur ce point entre les pays chauds et les pays froids, et chacun voit que les tempéraments ardents sont formés plus tôt que les autres : mais on peut se tromper sur les causes, et souvent attribuer au physique ce qu'il faut imputer au moral; c'est un des abus les plus fréquents de la philosophie de notre siècle. Les instructions de la nature sont tardives et lentes; celles des hommes sont presque toujours prématurées. Dans le premier cas, les sens éveillent l'imagination; dans le second, l'imagination éveille les sens; elle leur donne une activité précoce qui ne peut manquer d'énerver, d'affaiblir d'abord les individus, puis l'espèce même à la longue. Une observation plus générale et plus sûre que celle de l'effet des climats est que la puberté et la puissance du sexe est toujours plus hâtive chez les peuples instruits et policés que chez les peuples ignorants et barbares\*. Les enfants ont une sagacité singulière pour démêler à travers toutes les singeries de la décence les mauvaises mœurs qu'elle couvre. Le langage épuré qu'on leur dicte, les leçons d'honnêteté qu'on leur donne, le voile

---

\* « Dans les villes, dit M. de Buffon, et chez les gens aisés, les enfants, accoutumés à des nourritures abondantes et succulentes, arrivent plus tôt à cet état; à la campagne et dans le pauvre peuple, les enfants sont plus tardifs, parce qu'ils sont mal et trop peu nourris; il leur faut deux ou trois années de plus. » (*Hist. nat.*, t. IV, p. 238, in-12.) J'admets l'observation, mais non l'explication, puisque, dans le pays où le villageois se nourrit très bien et mange beaucoup, comme dans le Valais, et même en certains cantons montueux de l'Italie, comme le Frioul, l'âge de puberté dans les deux sexes est également plus tardif qu'au sein des villes, où, pour satisfaire la vanité, l'on met souvent dans le manger une extrême parcimonie, et où la plupart font, comme dit le proverbe, *habits de velours et ventre de son*. On est étonné, dans ces montagnes, de voir de grands garçons forts comme des hommes avoir encore la voix aiguë et le menton sans barbe, et de grandes filles, d'ailleurs très formées, n'avoir aucun signe périodique de leur sexe. Différence qui me paraît venir uniquement de ce que, dans la simplicité de leurs mœurs, leur imagination, plus longtemps paisible et calme, fait plus tard fermenter leur sang, et rend leur tempérament moins précoce.

du mystère qu'on affecte de tendre devant leurs yeux, sont autant d'aiguillons à leur curiosité. A la manière dont on s'y prend, il est clair que ce qu'on feint de leur cacher n'est que pour le leur apprendre; et c'est, de toutes les instructions qu'on leur donne, celle qui leur profite le mieux.

Consultez l'expérience, vous comprendrez à quel point cette méthode insensée accélère l'ouvrage de la nature et ruine le tempérament. C'est ici l'une des principales causes qui font dégénérer les races dans les villes. Les jeunes gens, épuisés de bonne heure, restent petits, faibles, mal faits, vieillissent au lieu de grandir, comme la vigne à qui l'on fait porter du fruit au printemps languit et meurt avant l'automne.

Il faut avoir vécu chez des peuples grossiers et simples pour connaître jusqu'à quel âge une heureuse ignorance y peut prolonger l'innocence des enfants. C'est un spectacle à la fois touchant et risible d'y voir les deux sexes, livrés à la sécurité de leurs cœurs, prolonger dans la fleur de l'âge et de la beauté les jeux naïfs de l'enfance, et montrer par leur familiarité même la pureté de leurs plaisirs. Quand enfin cette aimable jeunesse vient à se marier, les deux époux, se donnant mutuellement les prémices de leur personne, en sont plus chers l'un à l'autre; des multitudes d'enfants, sains et robustes, deviennent le gage d'une union que rien n'altère, et le fruit de la sagesse de leurs premiers ans.

Si l'âge où l'homme acquiert la conscience de son sexe diffère autant par l'effet de l'éducation que par l'action de la nature, il suit de là qu'on peut accélérer et retarder cet âge selon la manière dont on élèvera les enfants; et si le corps gagne ou perd de la consistance à mesure qu'on retarde ou qu'on accélère ce progrès, il suit aussi que, plus on s'applique à le retarder, plus un jeune homme acquiert de vigueur et de force. Je ne parle encore que des effets purement physiques : on verra bientôt qu'ils ne se bornent pas là.

De ces réflexions je tire la solution de cette question si souvent agitée, s'il convient d'éclairer les enfants de bonne heure sur les objets de leur curiosité, ou s'il vaut mieux leur donner le change par de modestes erreurs. Je pense qu'il ne faut faire ni l'un ni l'autre. Premièrement, cette curiosité ne leur vient point sans qu'on y ait donné lieu. Il faut donc faire en sorte qu'ils ne l'aient pas. En second lieu, des questions qu'on n'est pas forcé de résoudre n'exigent point qu'on

trompe celui qui les fait : il vaut mieux lui imposer silence
que de lui répondre en mentant. Il sera peu surpris de cette
loi, si l'on a pris soin de l'y asservir dans les choses indifférentes. Enfin, si l'on prend le parti de répondre, que ce soit
avec la plus grande simplicité, sans mystère, sans embarras,
sans sourire. Il y a beaucoup moins de danger à satisfaire la
curiosité de l'enfant qu'à l'exciter.

Que vos réponses soient toujours graves, courtes, déci-
dées, et sans jamais paraître hésiter. Je n'ai pas besoin
d'ajouter qu'elles doivent être vraies. On ne peut apprendre
aux enfants le danger de mentir aux hommes, sans sentir,
de la part des hommes, le danger plus grand de mentir aux
enfants. Un seul mensonge avéré du maître à l'élève ruine-
rait à jamais tout le fruit de l'éducation.

Une ignorance absolue sur certaines matières est peut-
être ce qui conviendrait le mieux aux enfants : mais qu'ils
apprennent de bonne heure ce qu'il est impossible de leur
cacher toujours. Il faut, ou que leur curiosité ne s'éveille en
aucune manière, ou qu'elle soit satisfaite avant l'âge où elle
n'est plus sans danger. Votre conduite avec votre élève
dépend beaucoup en ceci de sa situation particulière, des
sociétés qui l'environnent, des cironstances où l'on prévoit
qu'il pourra se trouver, etc. Il importe ici de ne rien donner
au hasard ; et si vous n'êtes pas sûr de lui faire ignorer jusqu'à seize ans la différence des sexes, ayez soin qu'il l'apprenne avant dix.

Je n'aime point qu'on affecte avec les enfants un langage
trop épuré, ni qu'on fasse de longs détours, dont ils s'aperçoivent, pour éviter de donner aux choses leur véritable
nom. Les bonnes mœurs, en ces matières, ont toujours beaucoup de simplicité ; mais des imaginations souillées par le
vice rendent l'oreille délicate, et forcent de raffiner sans
cesse sur les expressions. Les termes grossiers sont sans
conséquence ; ce sont les idées lascives qu'il faut écarter.

Quoique la pudeur soit naturelle à l'espèce humaine,
naturellement les enfants n'en ont point. La pudeur ne naît
qu'avec la connaissance du mal : et comment les enfants,
qui n'ont ni ne doivent avoir cette connaissance, auraient-ils
le sentiment qui en est l'effet ? Leur donner des leçons de
pudeur et d'honnêteté, c'est leur apprendre qu'il y a des
choses honteuses et déshonnêtes, c'est leur donner un désir
secret de connaître ces choses-là. Tôt ou tard ils en viennent

à bout, et la première étincelle qui touche à l'imagination accélère à coup sûr l'embrasement des sens. Quiconque rougit est déjà coupable; la vraie innocence n'a honte de rien.

Les enfants n'ont pas les mêmes désirs que les hommes; mais, sujets comme eux à la malpropreté qui blesse les sens, ils peuvent de ce seul assujettissement recevoir les mêmes leçons de bienséance. Suivez l'esprit de la nature, qui, plaçant dans les mêmes lieux les organes des plaisirs secrets et ceux des besoins dégoûtants, nous inspire les mêmes soins à différents âges, tantôt par une idée et tantôt par une autre; à l'homme par la modestie, à l'enfant par la propreté.

Je ne vois qu'un bon moyen de conserver aux enfants leur innocence; c'est que tous ceux qui les entourent la respectent et l'aiment. Sans cela, toute la retenue dont on tâche d'user avec eux se dément tôt ou tard; un sourire, un clin d'œil, un geste échappé, leur disent tout ce qu'on cherche à leur taire; il leur suffit, pour l'apprendre, de voir qu'on le leur a voulu cacher. La délicatesse de tours et d'expressions dont se servent entre eux les gens polis, supposant des lumières que les enfants ne doivent pas avoir, est tout à fait déplacée avec eux; mais quand on honore vraiment leur simplicité, l'on prend aisément, en leur parlant, celle des termes qui leur conviennent. Il y a une certaine naïveté de langage qui sied et qui plaît à l'innocence : voilà le vrai ton qui détourne un enfant d'une dangereuse curiosité. En lui parlant simplement de tout, on ne lui laisse pas soupçonner qu'il reste rien de plus à lui dire. En joignant aux mots grossiers les idées déplaisantes qui leur conviennent, on étouffe le premier feu de l'imagination : on ne lui défend pas de prononcer ces mots et d'avoir ces idées; mais on lui donne, sans qu'il y songe, de la répugnance à les rappeler. Et combien d'embarras cette liberté naïve ne sauve-t-elle point à ceux qui, la tirant de leur propre cœur, disent toujours ce qu'il faut dire, et le disent toujours comme ils l'ont senti !

*Comment se font les enfants ?* Question embarrassante qui vient assez naturellement aux enfants, et dont la réponse indiscrète ou prudente décide quelquefois de leurs mœurs et de leur santé pour toute leur vie. La manière la plus courte qu'une mère imagine pour s'en débarrasser sans tromper son fils, est de lui imposer silence. Cela serait bon, si on l'y eût accoutumé de longue main dans des questions indifférentes, et qu'il ne soupçonnât pas du mystère à ce nouveau ton. Mais rarement elle s'en tient là. *C'est le secret des gens mariés,* lui dira-t-elle; *de petits garçons ne doivent point être si curieux.* Voilà qui est fort bien pour tirer d'embarras la mère : mais qu'elle sache que, piqué de cet air de mépris, le petit garçon n'aura pas un moment de repos qu'il n'ait appris le secret des gens mariés, et qu'il ne tardera pas de l'apprendre.

Qu'on me permette de rapporter une réponse bien différente que j'ai entendu faire à la même question, et qui me frappa d'autant plus, qu'elle partait d'une femme aussi modeste dans ses discours que dans ses manières, mais qui savait au besoin fouler aux pieds, pour le bien de son fils et pour la vertu, la fausse crainte du blâme et les vains propos des plaisants. Il n'y avait pas longtemps que l'enfant avait jeté par les urines une petite pierre qui lui avait déchiré l'urètre; mais le mal passé était oublié. *Maman,* dit le petit étourdi, *comment se font les enfants ? — Mon fils,* répond la mère sans hésiter, *les femmes les pissent avec des douleurs qui leur coûtent quelquefois la vie.* Que les fous rient, et que les sots soient scandalisés : mais que les sages cherchent si jamais ils trouveront une réponse plus judicieuse et qui aille mieux à ses fins.

D'abord l'idée d'un besoin naturel et connu de l'enfant détourne celle d'une opération mystérieuse. Les idées accessoires de la douleur et de la mort couvrent celle-là d'un voile de tristesse qui amortit l'imagination et réprime la curiosité; tout porte l'esprit sur les suites de l'accouchement, et non pas sur ses causes. Les infirmités de la nature humaine, des objets dégoûtants, des images de souffrance, voilà les éclaircissements où mène cette réponse, si la répugnance qu'elle inspire permet à l'enfant de les demander. Par où l'inquiétude des désirs aura-t-elle occasion de naître dans des entretiens ainsi dirigés ? Et cependant vous voyez que la vérité n'a point été altérée, et qu'on n'a point eu besoin d'abuser son élève au lieu de l'instruire.

Vos enfants lisent; ils prennent dans leurs lectures des connaissances qu'ils n'auraient pas s'ils n'avaient point lu. S'ils étudient, l'imagination s'allume et s'aiguise dans le silence du cabinet. S'ils vivent dans le monde, ils entendent un jargon bizarre, ils voient des exemples dont ils sont frappés : on leur a si bien persuadé qu'ils étaient hommes, que, dans tout ce que font les hommes en leur présence, ils cherchent aussitôt comment cela peut leur convenir : il faut bien que les actions d'autrui leur servent de modèle, quand les jugements d'autrui leur servent de loi. Des domestiques qu'on fait dépendre d'eux, par conséquent intéressés à leur plaire, leur font leur cour aux dépens des bonnes mœurs; des gouvernantes rieuses leur tiennent à quatre ans des propos que la plus effrontée n'oserait leur tenir à quinze. Bientôt elles oublient ce qu'elles ont dit; mais ils n'oublient pas ce qu'ils ont entendu. Les entretiens polissons préparent les mœurs libertines : le laquais fripon rend l'enfant débauché; et le secret de l'un sert de garant à celui de l'autre.

L'enfant élevé selon son âge est seul. Il ne connaît d'attachements que ceux de l'habitude; il aime sa sœur comme sa montre, et son ami comme son chien. Il ne se sent d'aucun sexe, d'aucune espèce : l'homme et la femme lui sont également étrangers; il ne rapporte à lui rien de ce qu'ils font ni de ce qu'ils disent : il ne le voit ni ne l'entend, ou n'y fait nulle attention; leurs discours ne l'intéressent pas plus que leurs exemples : tout cela n'est point fait pour lui. Ce n'est pas une erreur artificieuse qu'on lui donne par cette méthode, c'est l'ignorance de la nature. Le temps vient où la même nature prend soin d'éclairer son élève; et c'est alors seulement qu'elle l'a mis en état de profiter sans risque des leçons qu'elle lui donne. Voilà le principe : le détail des règles n'est pas de mon sujet; et les moyens que je propose en vue d'autres objets servent encore d'exemple pour celui-ci.

Voulez-vous mettre l'ordre et la règle dans les passions naissantes, étendez l'espace durant lequel elles se développent, afin qu'elles aient le temps de s'arranger à mesure qu'elles naissent. Alors ce n'est pas l'homme qui les ordonne, c'est la nature elle-même; votre soin n'est que de la laisser arranger son travail. Si votre élève était seul, vous n'auriez rien à faire; mais tout ce qui l'environne enflamme son imagination. Le torrent des préjugés l'entraîne : pour le retenir, il faut le pousser en sens contraire. Il faut que le sentiment enchaîne l'imagination, et que la raison fasse taire l'opinion des hommes. La source de toutes les passions est la sensibilité, l'imagination détermine leur pente. Tout être qui sent ses rapports doit être affecté quand ces rapports s'altèrent et qu'il en imagine ou qu'il en croit imaginer de plus convenables à sa nature. Ce sont les erreurs de l'imagination qui transforment en vices les passions de tous les êtres bornés, même des anges, s'ils en ont [89]; car il faudrait qu'ils connussent la nature de tous les êtres, pour savoir quels rapports conviennent le mieux à la leur.

Voici donc le sommaire de toute la sagesse humaine dans l'usage des passions : 1° sentir les vrais rapports de l'homme tant dans l'espèce que dans l'individu ; 2° ordonner toutes les affections de l'âme selon ces rapports.

Mais l'homme est-il maître d'ordonner ses affections selon tels ou tels rapports ? Sans doute, s'il est maître de diriger son imagination sur tel ou tel objet, ou de lui donner telle ou telle habitude. D'ailleurs, il s'agit moins ici de ce qu'un homme peut faire sur lui-même que de ce que nous pouvons faire sur notre élève par le choix des circonstances où nous le plaçons. Exposer les moyens propres à maintenir dans l'ordre de la nature, c'est dire assez comment il en peut sortir.

Tant que sa sensibilité reste bornée à son individu, il n'y a rien de moral dans ses actions ; ce n'est que quand elle commence à s'étendre hors de lui, qu'il prend d'abord les sentiments, ensuite les notions du bien et du mal, qui le constituent véritablement homme et partie intégrante de son espèce. C'est donc à ce premier point qu'il faut d'abord fixer nos observations.

Elles sont difficiles en ce que, pour les faire, il faut rejeter les exemples qui sont sous nos yeux, et chercher ceux où les développements successifs se font selon l'ordre de la nature.

Un enfant façonné, poli, civilisé, qui n'attend que la puissance de mettre en œuvre les instructions prématurées qu'il a reçues, ne se trompe jamais sur le moment où cette puissance lui survient. Loin de l'attendre, il l'accélère, il donne à son sang une fermentation précoce, il sait quel doit être l'objet de ses désirs, longtemps même avant qu'il les éprouve. Ce n'est pas la nature qui l'excite, c'est lui qui la force : elle n'a plus rien à lui apprendre, en le faisant homme ; il l'était par la pensée longtemps avant de l'être en effet.

La véritable marche de la nature est plus graduelle et

plus lente. Peu à peu le sang s'enflamme, les esprits s'élaborent, le tempérament se forme. Le sage ouvrier qui dirige la fabrique a soin de perfectionner tous ses instruments avant de les mettre en œuvre : une longue inquiétude précède les premiers désirs, une longue ignorance leur donne le change; on désire sans savoir quoi. Le sang fermente et s'agite; une surabondance de vie cherche à s'étendre au dehors. L'œil s'anime et parcourt les autres êtres, on commence à prendre intérêt à ceux qui nous environnent, on commence à sentir qu'on n'est pas fait pour vivre seul : c'est ainsi que le cœur s'ouvre aux affections humaines, et devient capable d'attachement.

Le premier sentiment dont un jeune homme élevé soigneusement est susceptible n'est pas l'amour, c'est l'amitié. Le premier acte de son imagination naissante est de lui apprendre qu'il a des semblables, et l'espèce l'affecte avant le sexe. Voilà donc un autre avantage de l'innocence prolongée : c'est de profiter de la sensibilité naissante pour jeter dans le cœur du jeune adolescent les premières semences de l'humanité : avantage d'autant plus précieux que c'est le seul temps de la vie où les mêmes soins puissent avoir un vrai succès.

J'ai toujours vu que les jeunes gens corrompus de bonne heure, et livrés aux femmes et à la débauche, étaient inhumains et cruels; la fougue du tempérament les rendait impatients, vindicatifs, furieux; leur imagination, pleine d'un seul objet, se refusait à tout le reste; ils ne connaissaient ni pitié ni miséricorde; ils auraient sacrifié père, mère, et l'univers entier au moindre de leurs plaisirs. Au contraire, un jeune homme élevé dans une heureuse simplicité est porté par les premiers mouvements de la nature vers les passions tendres et affectueuses : son cœur compatissant s'émeut sur les peines de ses semblables; il tressaille d'aise quand il revoit son camarade, ses bras savent trouver des étreintes caressantes, ses yeux savent verser des larmes d'attendrissement; il est sensible à la honte de déplaire, au regret d'avoir offensé. Si l'ardeur d'un sang qui s'enflamme le rend vif, emporté, colère, on voit le moment d'après toute la bonté de son cœur dans l'effusion de son repentir; il pleure, il gémit sur la blessure qu'il a faite; il voudrait au prix de son sang racheter celui qu'il a versé; tout son emportement s'éteint, toute sa fierté s'humilie

devant le sentiment de sa faute. Est-il offensé lui-même :
au fort de sa fureur, une excuse, un mot le désarme; il
pardonne les torts d'autrui d'aussi bon cœur qu'il répare
les siens. L'adolescence n'est l'âge ni de la vengeance ni de
la haine; elle est celui de la commisération, de la clémence,
de la générosité. Oui, je le soutiens et je ne crains point
d'être démenti par l'expérience, un enfant qui n'est pas
mal né, et qui a conservé jusqu'à vingt ans son innocence,
est à cet âge le plus généreux, le meilleur, le plus aimant
et le plus aimable des hommes. On ne vous a jamais rien
dit de semblable; je le crois bien; vos philosophes, élevés
dans toute la corruption des collèges, n'ont garde de savoir
cela.

C'est la faiblesse de l'homme qui le rend sociable; ce sont
nos misères communes qui portent nos cœurs à l'humanité :
nous ne lui devrions rien si nous n'étions pas hommes.
Tout attachement est un signe d'insuffisance : si chacun de
nous n'avait nul besoin des autres, il ne songerait guère
à s'unir à eux. Ainsi de notre infirmité même naît notre
frêle bonheur. Un être vraiment heureux est un être solitaire; Dieu seul jouit d'un bonheur absolu; mais qui de
nous en a l'idée ? Si quelque être imparfait pouvait se
suffire à lui-même, de quoi jouirait-il selon nous ? Il serait
seul, il serait misérable. Je ne conçois pas que celui qui
n'a besoin de rien puisse aimer quelque chose : je ne
conçois pas que celui qui n'aime rien puisse être heureux.

Il suit de là que nous nous attachons à nos semblables
moins par le sentiment de leurs plaisirs que par celui de
leurs peines; car nous y voyons bien mieux l'identité de
notre nature et les garants de leur attachement pour nous.
Si nos besoins communs nous unissent par intérêt, nos
misères communes nous unissent par affection. L'aspect
d'un homme heureux inspire aux autres moins d'amour
que d'envie; on l'accuserait volontiers d'usurper un droit
qu'il n'a pas en se faisant un bonheur exclusif; et l'amour-
propre souffre encore en nous faisant sentir que cet homme
n'a nul besoin de nous. Mais qui est-ce qui ne plaint pas le
malheureux qu'il voit souffrir ? Qui est-ce qui ne voudrait
pas le délivrer de ses maux s'il n'en coûtait qu'un souhait
pour cela ? L'imagination nous met à la place du misérable
plutôt qu'à celle de l'homme heureux; on sent que l'un
de ces états nous touche de plus près que l'autre. La pitié

est douce, parce qu'en se mettant à la place de celui qui souffre, on sent pourtant le plaisir de ne pas souffrir comme lui. L'envie est amère, en ce que l'aspect d'un homme heureux, loin de mettre l'envieux à sa place, lui donne le regret de n'y pas être. Il semble que l'un nous exempte des maux qu'il souffre, et que l'autre nous ôte les biens dont il jouit.

Voulez-vous donc exciter et nourrir dans le cœur d'un jeune homme les premiers mouvements de la sensibilité naissante, et tourner son caractère vers la bienfaisance et vers la bonté; n'allez point faire germer en lui l'orgueil, la vanité, l'envie, par la trompeuse image du bonheur des hommes; n'exposez point d'abord à ses yeux la pompe des cours, le faste des palais, l'attrait des spectacles; ne le promenez point dans les cercles, dans les brillantes assemblées, ne lui montrez l'extérieur de la grande société qu'après l'avoir mis en état de l'apprécier en elle-même. Lui montrer le monde avant qu'il connaisse les hommes, ce n'est pas le former, c'est le corrompre; ce n'est pas l'instruire, c'est le tromper.

Les hommes ne sont naturellement ni rois, ni grands, ni courtisans, ni riches; tous sont nés nus et pauvres, tous sujets aux misères de la vie, aux chagrins, aux maux, aux besoins, aux douleurs de toute espèce; enfin, tous sont condamnés à la mort. Voilà ce qui est vraiment de l'homme; voilà de quoi nul mortel n'est exempt. Commencez donc par étudier de la nature humaine ce qui en est le plus inséparable, ce qui constitue le mieux l'humanité.

A seize ans l'adolescent sait ce que c'est que souffrir; car il a souffert lui-même; mais à peine sait-il que d'autres êtres souffrent aussi; le voir sans le sentir n'est pas le savoir, et, comme je l'ai dit cent fois, l'enfant n'imaginant point ce que sentent les autres ne connaît de maux que les siens : mais quand le premier développement des sens allume en lui le feu de l'imagination, il commence à se sentir dans ses semblables, à s'émouvoir de leurs plaintes et à souffrir de leurs douleurs. C'est alors que le triste tableau de l'humanité souffrante doit porter à son cœur le premier attendrissement qu'il ait jamais éprouvé.

Si ce moment n'est pas facile à remarquer dans vos enfants, à qui vous en prenez-vous ? Vous les instruisez de si bonne heure à jouer le sentiment, vous leur en apprenez

sitôt le langage, que parlant toujours sur le même ton, ils
tournent vos leçons contre vous-même, et ne vous laissent
nul moyen de distinguer quand, cessant de mentir, ils
commencent à sentir ce qu'ils disent. Mais voyez mon
Émile; à l'âge où je l'ai conduit il n'a ni senti ni menti. Avant
de savoir ce que c'est qu'aimer, il n'a dit à personne :
*Je vous aime bien ;* on ne lui a point prescrit la contenance
qu'il devait prendre en entrant dans la chambre de son
père, de sa mère, ou de son gouverneur malade; on ne
lui a point montré l'art d'affecter la tristesse qu'il n'avait
pas. Il n'a feint de pleurer sur la mort de personne; car il ne
sait ce que c'est que mourir. La même insensibilité qu'il a
dans le cœur est aussi dans ses manières. Indifférent à tout,
hors à lui-même, comme tous les autres enfants, il ne prend
intérêt à personne; tout ce qui le distingue est qu'il ne
veut point paraître en prendre, et qu'il n'est pas faux
comme eux.

Émile, ayant peu réfléchi sur les êtres sensibles, saura
tard ce que c'est que souffrir et mourir. Les plaintes et les
cris commenceront d'agiter ses entrailles; l'aspect du
sang qui coule lui fera détourner les yeux; les convulsions
d'un animal expirant lui donneront je ne sais quelle angoisse
avant qu'il sache d'où lui viennent ces nouveaux mouvements. S'il était resté stupide et barbare, il ne les aurait
pas; s'il était plus instruit, il en connaîtrait la source : il a
déjà trop comparé d'idées pour ne rien sentir, et pas assez
pour concevoir ce qu'il sent.

Ainsi naît la pitié, premier sentiment relatif qui touche le
cœur humain selon l'ordre de la nature. Pour devenir
sensible et pitoyable, il faut que l'enfant sache qu'il y a
des êtres semblables à lui qui souffrent ce qu'il a souffert,
qui sentent les douleurs qu'il a senties, et d'autres dont
il doit avoir l'idée, comme pouvant les sentir aussi. En
effet, comment nous laissons-nous émouvoir à la pitié, si
ce n'est en nous transportant hors de nous et nous identi-
fiant avec l'animal souffrant, en quittant, pour ainsi dire,
notre être pour prendre le sien ? Nous ne souffrons qu'autant que nous jugeons qu'il souffre; ce n'est pas dans nous,
c'est dans lui que nous souffrons. Ainsi nul ne devient
sensible que quand son imagination s'anime et commence
à le transporter hors de lui.

Pour exciter et nourrir cette sensibilité naissante, pour la guider ou la suivre dans sa pente naturelle, qu'avons-nous donc à faire, si ce n'est d'offrir au jeune homme des objets sur lesquels puisse agir la force expansive de son cœur, qui le dilatent, qui l'étendent sur les autres êtres, qui le fassent partout retrouver hors de lui; d'écarter avec soin ceux qui le resserrent, le concentrent, et tendent le ressort du moi humain; c'est-à-dire, en d'autres termes, d'exciter en lui la bonté, l'humanité, la commisération, la bienfaisance, toutes les passions attirantes et douces qui plaisent naturellement aux hommes, et d'empêcher de naître l'envie, la convoitise, la haine, toutes les passions repoussantes et cruelles, qui rendent, pour ainsi dire, la sensibilité non seulement nulle, mais négative, et font le tourment de celui qui les éprouve ?

Je crois pouvoir résumer toutes les réflexions précédentes en deux ou trois maximes précises, claires et faciles à saisir.

### PREMIÈRE MAXIME

*Il n'est pas dans le cœur humain de se mettre à la place des gens qui sont plus heureux que nous, mais seulement de ceux qui sont plus à plaindre.*

Si l'on trouve des exceptions à cette maxime, elles sont plus apparentes que réelles. Ainsi l'on ne se met pas à la place du riche ou du grand auquel on s'attache; même en s'attachant sincèrement, on ne fait que s'approprier une partie de son bien-être. Quelquefois on l'aime dans ses malheurs; mais, tant qu'il prospère, il n'a de véritable ami que celui qui n'est pas la dupe des apparences, et qui le plaint plus qu'il ne l'envie, malgré sa prospérité.

On est touché du bonheur de certains états, par exemple de la vie champêtre et pastorale. Le charme de voir ces bonnes gens heureux n'est point empoisonné par l'envie; on s'intéresse à eux véritablement. Pourquoi cela ? Parce qu'on se sent maître de descendre à cet état de paix et d'innocence, et de jouir de la même félicité; c'est un pis-aller qui ne donne que des idées agréables, attendu qu'il suffit d'en vouloir jouir pour le pouvoir. Il y a toujours du plaisir à voir ses ressources, à contempler son propre bien, même quand on n'en veut pas user.

Il suit de là que, pour porter un jeune homme à l'humanité, loin de lui faire admirer le sort brillant des autres, il faut le lui montrer par les côtés tristes; il faut le lui faire craindre. Alors, par une conséquence évidente, il doit se frayer une route au bonheur, qui ne soit sur les traces de personne.

### DEUXIÈME MAXIME

*On ne plaint jamais dans autrui que les maux dont on ne se croit pas exempt soi-même.*

« *Non ignara mali, miseris succurrere disco* [90]. »

Je ne connais rien de si beau, de si profond, de si touchant, de si vrai, que ce vers-là.

Pourquoi les rois sont-ils sans pitié pour leurs sujets ? C'est qu'ils comptent de n'être jamais hommes. Pourquoi les riches sont-ils si durs pour les pauvres ? C'est qu'ils n'ont pas peur de le devenir. Pourquoi la noblesse a-t-elle un si grand mépris pour le peuple ? C'est qu'un noble ne sera jamais roturier. Pourquoi les Turcs sont-ils généralement plus humains, plus hospitaliers que nous ? C'est que, dans leur gouvernement tout à fait arbitraire, la grandeur et la fortune des particuliers étant toujours précaires et chancelantes, ils ne regardent point l'abaissement et la misère comme un état étranger à eux*; chacun peut être demain ce qu'est aujourd'hui celui qu'il assiste. Cette réflexion, qui revient sans cesse dans les romans orientaux, donne à leur lecture je ne sais quoi d'attendrissant que n'a point tout l'apprêt de notre sèche morale.

N'accoutumez donc pas votre élève à regarder du haut de sa gloire les peines des infortunés, les travaux des misérables; et n'espérez pas lui apprendre à les plaindre, s'il les considère comme lui étant étrangers. Faites-lui bien comprendre que le sort de ces malheureux peut être le sien, que tous leurs maux sont sous ses pieds, que mille événements imprévus et inévitables peuvent l'y plonger d'un moment à l'autre. Apprenez-lui à ne compter ni sur la naissance, ni sur la santé, ni sur les richesses; montrez-lui toutes les vicissitudes de la fortune; cherchez-lui les exemples toujours trop fréquents de gens qui, d'un état plus

---

* Cela paraît changer un peu maintenant : les états semblent devenir **plus fixes**, et les hommes deviennent aussi plus durs.

élevé que le sien, sont tombés au-dessous de celui de ces malheureux [91]; que ce soit par leur faute ou non, ce n'est pas maintenant de quoi il est question; sait-il seulement ce que c'est que faute ? N'empiétez jamais sur l'ordre de ses connaissances, et ne l'éclairez que par les lumières qui sont à sa portée : il n'a pas besoin d'être fort savant pour sentir que toute la prudence humaine ne peut lui répondre si dans une heure il sera vivant ou mourant; si les douleurs de la néphrétique ne lui feront point grincer les dents avant la nuit; si dans un mois il sera riche ou pauvre, si dans un an peut-être il ne ramera point sous le nerf de bœuf dans les galères d'Alger. Surtout n'allez pas lui dire tout cela froidement comme son catéchisme; qu'il voie, qu'il sente les calamités humaines : ébranlez, effrayez son imagination des périls dont tout homme est sans cesse environné; qu'il voie autour de lui tous ces abîmes, et qu'à vous les entendre décrire, il se presse contre vous de peur d'y tomber. Nous le rendrons timide et poltron, direz-vous. Nous verrons dans la suite; mais quant à présent, commençons par le rendre humain; voilà surtout ce qui nous importe.

## TROISIÈME MAXIME

*La pitié qu'on a du mal d'autrui ne se mesure pas sur la quantité de ce mal, mais sur le sentiment qu'on prête à ceux qui le souffrent.*

On ne plaint un malheureux qu'autant qu'on croit qu'il se trouve à plaindre. Le sentiment physique de nos maux est plus borné qu'il ne semble; mais c'est par la mémoire qui nous en fait sentir la continuité, c'est par l'imagination qui les étend sur l'avenir, qu'ils nous rendent vraiment à plaindre. Voilà, je pense, une des causes qui nous endurcissent plus aux maux des animaux qu'à ceux des hommes, quoique la sensibilité commune dût également nous identifier avec eux. On ne plaint guère un cheval de charretier dans son écurie, parce qu'on ne présume pas qu'en mangeant son foin il songe aux coups qu'il a reçus et aux fatigues qui l'attendent. On ne plaint pas non plus un mouton qu'on voit paître, quoiqu'on sache qu'il sera bientôt égorgé, parce qu'on juge qu'il ne prévoit pas son sort. Par extension l'on s'endurcit ainsi sur le sort des hommes;

et les riches se consolent du mal qu'ils font aux pauvres, en les supposant assez stupides pour n'en rien sentir. En général je juge du prix que chacun met au bonheur de ses semblables par le cas qu'il paraît faire d'eux. Il est naturel qu'on fasse bon marché du bonheur des gens qu'on méprise. Ne vous étonnez donc plus si les politiques parlent du peuple avec tant de dédain, ni si la plupart des philosophes affectent de faire l'homme si méchant.

C'est le peuple qui compose le genre humain; ce qui n'est pas peuple est si peu de chose que ce n'est pas la peine de le compter. L'homme est le même dans tous les états : si cela est, les états les plus nombreux méritent le plus de respect. Devant celui qui pense, toutes les distinctions civiles disparaissent : il voit les mêmes passions, les mêmes sentiments dans le goujat et dans l'homme illustre; il n'y discerne que leur langage, qu'un coloris plus ou moins apprêté; et si quelque différence essentielle les distingue, elle est au préjudice des plus dissimulés. Le peuple se montre tel qu'il est, et n'est pas aimable : mais il faut bien que les gens du monde se déguisent; s'ils se montraient tels qu'ils sont, ils feraient horreur [92].

Il y a, disent encore nos sages, même dose de bonheur et de peine dans tous les états. Maxime aussi funeste qu'insoutenable : car, si tous sont également heureux, qu'ai-je besoin de m'incommoder pour personne ? Que chacun reste comme il est : que l'esclave soit maltraité, que l'infirme souffre, que le gueux périsse; il n'y a rien à gagner pour eux à changer d'état. Ils font l'énumération des peines du riche, et montrent l'inanité de ses vains plaisirs : quel grossier sophisme ! les peines du riche ne lui viennent point de son état, mais de lui seul, qui en abuse. Fût-il plus malheureux que le pauvre même, il n'est point à plaindre, parce que ses maux sont tous son ouvrage, et qu'il ne tient qu'à lui d'être heureux. Mais la peine du misérable lui vient des choses, de la rigueur du sort qui s'appesantit sur lui. Il n'y a point d'habitude qui lui puisse ôter le sentiment physique de la fatigue, de l'épuisement, de la faim : le bon esprit ni la sagesse ne servent de rien pour l'exempter des maux de son état. Que gagne Épictète de prévoir que son maître va lui casser la jambe ? la lui casse-t-il moins pour cela ? il a par-dessus son mal le mal de la prévoyance. Quand le peuple serait aussi sensé que nous le supposons stupide, que pourrait-il être autre que ce qu'il est ? que pourrait-il faire autre que ce qu'il fait ? Étudiez les gens de cet ordre, vous verrez que, sous un autre langage, ils ont autant d'esprit et plus de bon sens que vous. Respectez donc votre espèce; songez qu'elle est composée essentiellement de la collection des peuples; que, quand tous les rois et tous les philosophes en seraient ôtés, il n'y paraîtrait guère, et que les choses n'en iraient pas plus mal. En un mot, apprenez à votre élève à aimer tous les hommes, et même ceux qui les déprisent; faites en sorte qu'il ne se place dans aucune classe, mais qu'il se retrouve dans toutes; parlez devant lui du genre humain avec attendrissement, avec pitié même, mais jamais avec mépris. Homme, ne déshonore point l'homme.

C'est par ces routes et d'autres semblables, bien contraires à celles qui sont frayées, qu'il convient de pénétrer dans le cœur d'un jeune adolescent pour y exciter les premiers mouvements de la nature, le développer et l'étendre sur ses semblables; à quoi j'ajoute qu'il importe de mêler à ces mouvements le moins d'intérêt personnel qu'il est possible; surtout point de vanité, point d'émulation, point de gloire, point de ces sentiments qui nous forcent de nous comparer aux autres; car ces comparaisons ne se font jamais sans quelque impression de haine contre ceux qui nous disputent la préférence, ne fût-ce que dans notre propre estime. Alors il faut s'aveugler ou s'irriter, être un méchant ou un sot : tâchons d'éviter cette alternative. Ces passions si dangereuses naîtront tôt ou tard, me dit-on, malgré nous. Je ne le nie pas : chaque chose a son temps et son lieu; je dis seulement qu'on ne doit pas leur aider à naître.

Voilà l'esprit de la méthode qu'il faut se prescrire. Ici les exemples et les détails sont inutiles, parce qu'ici commence la division presque infinie des caractères, et que chaque exemple que je donnerais ne conviendrait pas peut-être à un sur cent mille. C'est à cet âge aussi que commence, dans l'habile maître, la véritable fonction de l'observateur et du philosophe, qui sait l'art de sonder les cœurs en travaillant à les former. Tandis que le jeune homme ne songe point encore à se contrefaire, et ne l'a point encore appris, à chaque objet qu'on lui présente on voit dans son air, dans ses yeux, dans son geste, l'impression qu'il en reçoit : on lit sur son visage tous les mouvements de son âme; à force de les épier, on parvient à les prévoir, et enfin à les diriger.

On remarque en général que le sang, les blessures, les cris, les gémissements, l'appareil des opérations douloureuses, et tout ce qui porte aux sens des objets de souffrance, saisit plus tôt et plus généralement tous les hommes. L'idée de destruction, étant plus composée, ne frappe pas de même; l'image de la mort touche plus tard et plus faiblement, parce que nul n'a par devers soi l'expérience de mourir : il faut avoir vu des cadavres pour sentir les angoisses des agonisants. Mais quand une fois cette image s'est bien formée dans notre esprit, il n'y a point de spectacle plus horrible à nos yeux, soit à cause de l'idée de destruction totale qu'elle donne alors par les sens, soit parce que, sachant que ce moment est inévitable pour tous les hommes, on se sent plus vivement affecté d'une situation à laquelle on est sûr de ne pouvoir échapper.

Ces impressions diverses ont leurs modifications et leurs degrés, qui dépendent du caractère particulier de chaque individu et de ses habitudes antérieures; mais elles sont universelles, et nul n'en est tout à fait exempt. Il en est de plus tardives et de moins générales, qui sont plus propres aux âmes sensibles; ce sont celles qu'on reçoit des peines morales, des douleurs internes, des afflictions, des langueurs, de la tristesse. Il y a des gens qui ne savent être émus que par des cris et des pleurs; les longs et sourds gémissements d'un cœur serré de détresse ne leur ont jamais arraché des soupirs; jamais l'aspect d'une contenance abattue, d'un visage hâve et plombé, d'un œil éteint et qui ne peut plus pleurer, ne les fit pleurer eux-mêmes, les maux de l'âme ne sont rien pour eux : ils sont jugés, la leur ne sent rien; n'attendez d'eux que rigueur inflexible, endurcissement, cruauté. Ils pourront être intègres et justes, jamais cléments, généreux, pitoyables. Je dis qu'ils pourront être justes, si toutefois un homme peut l'être quand il n'est pas miséricordieux.

Mais ne vous pressez pas de juger les jeunes gens par cette règle, surtout ceux qui, ayant été élevés comme ils doivent l'être, n'ont aucune idée des peines morales qu'on ne leur a jamais fait éprouver, car, encore une fois, ils ne peuvent plaindre que les maux qu'ils connaissent; et

cette apparente insensibilité, qui ne vient que de l'ignorance, se change bientôt en attendrissement, quand ils
commencent à sentir qu'il y a dans la vie humaine mille
douleurs qu'ils ne connaissaient pas. Pour mon Émile,
s'il a eu de la simplicité et du bon sens dans son enfance,
je suis bien sûr qu'il aura de l'âme et de la sensibilité dans
sa jeunesse; car la vérité des sentiments tient beaucoup à
la justesse des idées.

Mais pourquoi le rappeler ici ? Plus d'un lecteur me
reprochera sans doute l'oubli de mes premières résolutions et du bonheur constant que j'avais promis à mon
élève. Des malheureux, des mourants, des spectacles de
douleur et de misère ! quel bonheur, quelle jouissance
pour un jeune cœur qui naît à la vie ! Son triste instituteur,
qui lui destinait une éducation si douce, ne le fait naître
que pour souffrir. Voilà ce qu'on dira : que m'importe ?
j'ai promis de le rendre heureux, non de faire qu'il parût
l'être. Est-ce ma faute si, toujours dupe de l'apparence,
vous la prenez pour la réalité ?

Prenons deux jeunes gens sortant de la première éducation et entrant dans le monde par deux portes directement opposées. L'un monte tout à coup sur l'Olympe et
se répand dans la plus brillante société; on le mène à la
cour, chez les grands, chez les riches, chez les jolies femmes.
Je le suppose fêté partout, et je n'examine pas l'effet de
cet accueil sur sa raison; je suppose qu'elle y résiste. Les
plaisirs volent au-devant de lui, tous les jours de nouveaux objets l'amusent; il se livre à tout avec un intérêt
qui vous séduit. Vous le voyez attentif, empressé, curieux;
sa première admiration vous frappe; vous l'estimez content : mais voyez l'état de son âme; vous croyez qu'il
jouit; moi, je crois qu'il souffre.

Qu'aperçoit-il d'abord en ouvrant les yeux ? des multitudes de prétendus biens qu'il ne connaissait pas, et dont
la plupart, n'étant qu'un moment à sa portée, ne semblent
se montrer à lui que pour lui donner le regret d'en être
privé. Se promène-t-il dans un palais, vous voyez à son
inquiète curiosité qu'il se demande pourquoi sa maison
paternelle n'est pas ainsi. Toutes ses questions vous disent
qu'il se compare sans cesse au maître de cette maison,
et tout ce qu'il trouve de mortifiant pour lui dans ce
parallèle aiguise sa vanité en la révoltant. S'il rencontre

un jeune homme mieux mis que lui, je le vois murmurer
en secret contre l'avarice de ses parents. Est-il plus paré
qu'un autre, il a la douleur de voir cet autre l'effacer ou
par sa naissance ou par son esprit, et toute sa dorure
humiliée devant un simple habit de drap. Brille-t-il seul
dans une assemblée, s'élève-t-il sur la pointe du pied pour
être mieux vu; qui est-ce qui n'a pas une disposition secrète
à rabaisser l'air superbe et vain d'un jeune fat ? Tout
s'unit bientôt comme de concert; les regards inquiétants
d'un homme grave, les mots railleurs d'un caustique ne
tardent pas d'arriver jusqu'à lui; et, ne fût-il dédaigné que
d'un seul homme, le mépris de cet homme empoisonne
à l'instant les applaudissements des autres.

Donnons-lui tout, prodiguons-lui les agréments, le
mérite; qu'il soit bien fait, plein d'esprit, aimable : il sera
recherché des femmes; mais en le recherchant avant qu'il
les aime, elles le rendront plutôt fou qu'amoureux : il
aura de bonnes fortunes; mais il n'aura ni transports ni
passion pour les goûter. Ses désirs toujours prévenus,
n'ayant jamais le temps de naître, au sein des plaisirs il
ne sent que l'ennui de la gêne : le sexe fait pour le bonheur
du sien le dégoûte et le rassasie même avant qu'il le connaisse; s'il continue à le voir, ce n'est plus que par vanité;
et quand il s'y attacherait par un goût véritable, il ne sera
pas seul jeune, seul brillant, seul aimable, et ne trouvera
pas toujours dans ses maîtresses des prodiges de fidélité.

Je ne dis rien des tracasseries, des trahisons, des noir-
ceurs, des repentirs de toute espèce inséparables d'une
pareille vie. L'expérience du monde en dégoûte, on le
sait; je ne parle que des ennuis attachés à la première illusion.

Quel contraste pour celui qui, renfermé jusqu'ici dans
le sein de sa famille et de ses amis, s'est vu l'unique objet de
toutes leurs attentions, d'entrer tout à coup dans un
ordre de choses où il est compté pour si peu; de se trouver
comme noyé dans une sphère étrangère, lui qui fit si
longtemps le centre de la sienne ! Que d'affronts, que
d'humiliations ne faut-il pas qu'il essuie, avant de perdre,
parmi les inconnus, les préjugés de son importance pris
et nourris parmi les siens ! Enfant, tout lui cédait, tout
s'empressait autour de lui : jeune homme, il faut qu'il
cède à tout le monde; ou pour peu qu'il s'oublie et conserve

ses anciens airs, que de dures leçons vont le faire rentrer
en lui-même ! L'habitude d'obtenir aisément les objets
de ses désirs le porte à beaucoup désirer, et lui fait sentir
des privations continuelles. Tout ce qui le flatte le tente ;
tout ce que d'autres ont, il voudrait l'avoir : il convoite
tout, il porte envie à tout le monde, il voudrait dominer
partout ; la vanité le ronge, l'ardeur des désirs effrénés
enflamme son jeune cœur ; la jalousie et la haine y naissent
avec eux ; toutes les passions dévorantes y prennent à
la fois leur essor ; il en porte l'agitation dans le tumulte
du monde ; il la rapporte avec lui tous les soirs ; il rentre
mécontent de lui et des autres ; il s'endort plein de mille
vains projets, troublé de mille fantaisies, et son orgueil
lui peint jusque dans ses songes les chimériques biens
dont le désir le tourmente, et qu'il ne possédera de sa vie.
Voilà votre élève ! voyons le mien.

Si le premier spectacle qui le frappe est un objet de
tristesse, le premier retour sur lui-même est un sentiment
de plaisir. En voyant de combien de maux il est exempt,
il se sent plus heureux qu'il ne pensait l'être. Il partage
les peines de ses semblables ; mais ce partage est volontaire et doux. Il jouit à la fois de la pitié qu'il a pour
leurs maux, et du bonheur qui l'en exempte ; il se sent
dans cet état de force qui nous étend au delà de nous,
et nous fait porter ailleurs l'activité superflue à notre
bien-être. Pour plaindre le mal d'autrui, sans doute il
faut le connaître, mais il ne faut pas le sentir. Quand on
a souffert, ou qu'on craint de souffrir, on plaint ceux qui
souffrent ; mais tandis qu'on souffre, on ne plaint que soi. Or
si, tous étant assujettis aux misères de la vie, nul n'accorde
aux autres que la sensibilité dont il n'a pas actuellement
besoin pour lui-même, il s'ensuit que la commisération
doit être un sentiment très doux, puisqu'elle dépose en
notre faveur, et qu'au contraire un homme dur est toujours
malheureux, puisque l'état de son cœur ne lui laisse aucune
sensibilité surabondante qu'il puisse accorder aux peines
d'autrui.

Nous jugeons trop du bonheur sur les apparences :
nous le supposons où il est le moins ; nous le cherchons
où il ne saurait être : la gaieté n'en est qu'un signe très
équivoque. Un homme gai n'est souvent qu'un infortuné
qui cherche à donner le change aux autres et à s'étourdir

lui-même. Ces gens si riants, si ouverts, si sereins dans
un cercle, sont presque tous tristes et grondeurs chez
eux, et leurs domestiques portent la peine de l'amusement
qu'ils donnent à leurs sociétés. Le vrai contentement n'est
ni gai ni folâtre; jaloux d'un sentiment si doux, en le goû-
tant on y pense, on le savoure, on craint de l'évaporer.
Un homme vraiment heureux ne parle guère et ne rit
guère; il resserre, pour ainsi dire, le bonheur autour de
son cœur. Les jeux bruyants, la turbulente joie, voilent les
dégoûts et l'ennui. Mais la mélancolie est amie de la volupté :
l'attendrissement et les larmes accompagnent les plus douces
jouissances, et l'excessive joie elle-même arrache plutôt
des pleurs que des cris.

Si d'abord la multitude et la variété des amusements
paraissent contribuer au bonheur, si l'uniformité d'une
vie égale paraît d'abord ennuyeuse, en y regardant mieux,
on trouve, au contraire, que la plus douce habitude de
l'âme consiste dans une modération de jouissance qui
laisse peu de prise au désir et au dégoût. L'inquiétude
des désirs produit la curiosité, l'inconstance : le vide des
turbulents plaisirs produit l'ennui. On ne s'ennuie jamais
de son état quand on n'en connaît point de plus agréable.
De tous les hommes du monde, les sauvages sont les moins
curieux et les moins ennuyés; tout leur est indifférent :
ils ne jouissent pas des choses, mais d'eux; ils passent leur
vie à ne rien faire, et ne s'ennuient jamais.

L'homme du monde est tout entier dans son masque.
N'étant presque jamais en lui-même, il y est toujours
étranger, et mal à son aise quand il est forcé d'y rentrer.
Ce qu'il est n'est rien, ce qu'il paraît est tout pour lui.

Je ne puis m'empêcher de me représenter, sur le visage
du jeune homme dont j'ai parlé ci-devant, je ne sais quoi
d'impertinent, de doucereux, d'affecté, qui déplaît, qui
rebute les gens unis, et sur celui-ci du mien, une physionomie intéressante et simple, qui montre le contentement,
la véritable sérénité de l'âme, qui inspire l'estime, la confiance, et qui semble n'attendre que l'épanchement de
l'amitié pour donner la sienne à ceux qui l'approchent.
On croit que la physionomie n'est qu'un simple développement de traits déjà marqués par la nature. Pour moi,
je penserais qu'outre ce développement, les traits du visage
d'un homme viennent insensiblement à se former et

prendre de la physionomie par l'impression fréquente
et habituelle de certaines affections de l'âme. Ces affections
se marquent sur le visage, rien n'est plus certain; et quand
elles tournent en habitude, elles y doivent laisser des impressions durables. Voilà comment je conçois que la physionomie annonce le caractère, et qu'on peut quelquefois
juger de l'un par l'autre, sans aller chercher des explications mystérieuses qui supposent des connaissances que
nous n'avons pas.

Un enfant n'a que deux affections bien marquées, la
joie et la douleur : il rit ou il pleure; les intermédiaires
ne sont rien pour lui; sans cesse il passe de l'un de ces
mouvements à l'autre. Cette alternative continuelle empêche
qu'ils ne fassent sur son visage aucune impression constante, et qu'il ne prenne de la physionomie : mais dans
l'âge où, devenu plus sensible, il est plus vivement, ou
plus constamment affecté, les impressions plus profondes
laissent des traces plus difficiles à détruire; et de l'état
habituel de l'âme résulte un arrangement de traits que le
temps rend ineffaçables. Cependant il n'est pas rare de
voir des hommes changer de physionomie à différents
âges. J'en ai vu plusieurs dans ce cas; et j'ai toujours trouvé
que ceux que j'avais pu bien observer et suivre avaient
aussi changé de passions habituelles. Cette seule observation, bien confirmée, me paraîtrait décisive, et n'est
pas déplacée dans un traité d'éducation, où il importe
d'apprendre à juger des mouvements de l'âme par les
signes extérieurs.

Je ne sais si, pour n'avoir pas appris à imiter des manières
de convention et à feindre des sentiments qu'il n'a pas,
mon jeune homme sera moins aimable, ce n'est pas de
cela qu'il s'agit ici : je sais seulement qu'il sera plus aimant,
et j'ai bien de la peine à croire que celui qui n'aime que lui
puisse assez bien se déguiser pour plaire autant que celui
qui tire de son attachement pour les autres un nouveau
sentiment de bonheur. Mais, quant à ce sentiment même,
je crois en avoir assez dit pour guider sur ce point un
lecteur raisonnable, et montrer que je ne me suis pas contredit.

Je reviens donc à ma méthode, et je dis : Quand l'âge
critique approche, offrez aux jeunes gens des spectacles
qui les retiennent, et non des spectacles qui les excitent;

donnez le change à leur imagination naissante par des
objets qui, loin d'enflammer leurs sens, en répriment
l'activité. Éloignez-les des grandes villes, où la parure
et l'immodestie des femmes hâtent et préviennent les leçons
de la nature, où tout présente à leurs yeux des plaisirs qu'ils
ne doivent connaître que quand ils sauront les choisir.
Ramenez-les dans leurs premières habitations, où la simplicité champêtre laisse les passions de leur âge se développer moins rapidement; ou si leur goût pour les arts
les attache encore à la ville, prévenez en eux, par ce goût
même, une dangereuse oisiveté. Choisissez avec soin leurs
sociétés, leurs occupations, leurs plaisirs : ne leur montrez
que des tableaux touchants, mais modestes, qui les remuent
sans les séduire, et qui nourrissent leur sensibilité sans
émouvoir leurs sens. Songez aussi qu'il y a partout quelques
excès à craindre, et que les passions immodérées font toujours plus de mal qu'on n'en veut éviter. Il ne s'agit pas de
faire de votre élève un garde-malade, un frère de la charité,
d'affliger ses regards par des objets continuels de douleurs
et de souffrances, de le promener d'infirme en infirme,
d'hôpital en hôpital, et de la Grève aux prisons; il faut le
toucher et non l'endurcir à l'aspect des misères humaines.
Longtemps frappé des mêmes spectacles, on n'en sent
plus les impressions; l'habitude accoutume à tout; ce
qu'on voit trop on ne l'imagine plus, et ce n'est que l'imagination qui nous fait sentir les maux d'autrui : c'est ainsi
qu'à force de voir mourir et souffrir, les prêtres et les
médecins deviennent impitoyables. Que votre élève connaisse donc le sort de l'homme et les misères de ses semblables; mais qu'il n'en soit pas trop souvent le témoin.
Un seul objet bien choisi, et montré dans un jour convenable, lui donnera pour un mois d'attendrissement et de
réflexions. Ce n'est pas tant ce qu'il voit, que son retour
sur ce qu'il a vu, qui détermine le jugement qu'il en porte;
et l'impression durable qu'il reçoit d'un objet lui vient
moins de l'objet même que du point de vue sous lequel
on le porte à se le rappeler. C'est ainsi qu'en ménageant
les exemples, les leçons, les images, vous émousserez
longtemps l'aiguillon des sens, et donnerez le change à
la nature en suivant ses propres directions.

A mesure qu'il acquiert des lumières, choisissez des
idées qui s'y rapportent; à mesure que nos désirs s'allu-

ment, choisissez des tableaux propres à les réprimer. Un vieux militaire, qui s'est distingué par ses mœurs autant que par son courage, m'a raconté que, dans sa première jeunesse, son père, homme de sens, mais très dévot, voyant son tempérament naissant le livrer aux femmes, n'épargna rien pour le contenir; mais enfin, malgré tous ses soins, le sentant prêt à lui échapper, il s'avisa de le mener dans un hôpital de vérolés, et, sans le prévenir de rien, le fit entrer dans une salle où une troupe de ces malheureux expiaient, par un traitement effroyable, le désordre qui les y avait exposés. A ce hideux aspect, qui révoltait à la fois tous les sens, le jeune homme faillit se trouver mal. « Va, misérable débauché, lui dit alors le père d'un ton véhément, suis le vil penchant qui t'entraîne; bientôt tu seras trop heureux d'être admis dans cette salle, où, victime des plus infâmes douleurs, tu forceras ton père à remercier Dieu de ta mort. »

Ce peu de mots, joints à l'énergique tableau qui frappait le jeune homme, lui firent une impression qui ne s'effaça jamais. Condamné par son état à passer sa jeunesse dans les garnisons, il aima mieux essuyer toutes les railleries de ses camarades que d'imiter leur libertinage. « J'ai été homme, me dit-il, j'ai eu des faiblesses; mais parvenu jusqu'à mon âge, je n'ai jamais pu voir une fille publique sans horreur. » Maître, peu de discours; mais apprenez à choisir les lieux, les temps, les personnes, puis donnez toutes vos leçons en exemples, et soyez sûr de leur effet.

L'emploi de l'enfance est peu de chose : le mal qui s'y glisse n'est point sans remède; et le bien qui s'y fait peut venir plus tard. Mais il n'en est pas ainsi du premier âge où l'homme commence véritablement à vivre. Cet âge ne dure jamais assez pour l'usage qu'on en doit faire, et son importance exige une attention sans relâche : voilà pourquoi j'insiste sur l'art de le prolonger. Un des meilleurs préceptes de la bonne culture est de tout retarder tant qu'il est possible. Rendez les progrès lents et sûrs; empêchez que l'adolescent ne devienne homme au moment où rien ne lui reste à faire pour le devenir. Tandis que le corps croît, les esprits destinés à donner du baume au sang et de la force aux fibres se forment et s'élaborent. Si vous leur faites prendre un cours différent, et que ce qui est destiné à perfectionner un individu serve à la formation d'un autre, tous deux restent dans un état de faiblesse, et l'ouvrage de la nature demeure imparfait. Les opérations de l'esprit se sentent à leur tour de cette altération; et l'âme, aussi débile que le corps, n'a que des fonctions faibles et languissantes. Des membres gros et robustes ne font ni le courage ni le génie; et je conçois que la force de l'âme n'accompagne pas celle du corps, quand d'ailleurs les organes de la communication des deux substances sont mal disposés. Mais, quelque bien disposés qu'ils puissent être, ils agiront toujours faiblement, s'ils n'ont pour principe qu'un sang épuisé, appauvri, et dépourvu de cette substance qui donne de la force et du jeu à tous les ressorts de la machine. Généralement on aperçoit plus de vigueur d'âme dans les hommes dont les jeunes ans ont été préservés d'une corruption prématurée, que dans ceux dont le désordre a commencé avec le pouvoir de s'y livrer; et c'est sans doute une des raisons pourquoi les peuples qui ont des mœurs surpassent ordinairement en bon sens et en courage les peuples qui n'en ont pas. Ceux-ci brillent uniquement par je ne sais quelles petites qualités déliées, qu'ils appellent esprit, sagacité, finesse; mais ces grandes et nobles fonctions de sagesse et de raison, qui distinguent et honorent l'homme par de belles actions, par des vertus, par des soins véritablement utiles, ne se trouvent guère que dans les premiers.

Les maîtres se plaignent que le feu de cet âge rend la jeunesse indisciplinable, et je le vois : mais n'est-ce pas leur faute ? Sitôt qu'ils ont laissé prendre à ce feu son cours par les sens, ignorent-ils qu'on ne peut plus lui en donner un autre ? Les longs et froids sermons d'un pédant effaceront-ils dans l'esprit de son élève l'image des plaisirs qu'il a conçus ? banniront-ils de son cœur les désirs qui le tourmentent ? amortiront-ils l'ardeur d'un tempérament dont il sait l'usage ? ne s'irritera-t-il pas contre les obstacles qui s'opposent au seul bonheur dont il ait l'idée ? Et, dans la dure loi qu'on lui prescrit sans pouvoir la lui faire entendre, que verra-t-il, sinon le caprice et la haine d'un homme qui cherche à le tourmenter ? Est-il étrange qu'il se mutine et le haïsse à son tour ?

Je conçois bien qu'en se rendant facile on peut se rendre plus supportable, et conserver une apparente autorité. Mais je ne vois pas trop à quoi sert l'autorité qu'on ne garde sur son élève qu'en fomentant les vices qu'elle devrait réprimer; c'est comme si, pour calmer une cheval fougueux, l'écuyer le faisait sauter dans un précipice.

Loin que ce feu de l'adolescent soit un obstacle à l'éducation, c'est par lui qu'elle se consomme et s'achève; c'est lui qui vous donne une prise sur le cœur d'un jeune homme, quand il cesse d'être moins fort que vous. Ses premières affections sont les rênes avec lesquelles vous dirigez tous ses mouvements : il était libre, et je le vois asservi. Tant qu'il n'aimait rien, il ne dépendait que de lui-même et de ses besoins; sitôt qu'il aime, il dépend de ses attachements. Ainsi se forment les premiers liens qui l'unissent à son espèce. En dirigeant sur elle sa sensibilité naissante, ne croyez pas qu'elle embrassera d'abord tous les hommes, et que ce mot de genre humain signifiera pour lui quelque chose. Non, cette sensibilité se bornera premièrement à ses semblables; et ses semblables ne seront point pour lui des inconnus, mais ceux avec lesquels il a des liaisons, ceux que l'habitude lui a rendus chers ou nécessaires, ceux qu'il voit évidemment avoir avec lui des manières de penser et de sentir communes, ceux qu'il voit exposés aux peines qu'il a souffertes et sensibles aux plaisirs qu'il a goûtés, ceux, en un mot, en qui l'identité de nature plus manifestée lui donne une plus grande disposition à s'aimer. Ce ne sera qu'après avoir cultivé son naturel en mille manières, après bien des réflexions sur ses propres sentiments et sur ceux qu'il observera dans les autres, qu'il pourra parvenir à généraliser ses notions individuelles sous l'idée abstraite d'humanité, et joindre à ses affections particulières celles qui peuvent l'identifier avec son espèce.

En devenant capable d'attachement, il devient sensible à celui des autres *, et par là même attentif aux signes de cet attachement. Voyez-vous quel nouvel empire vous allez acquérir sur lui ? Que de chaînes vous avez mises autour de son cœur avant qu'il s'en aperçût ! Que ne sentira-t-il point quand, ouvrant les yeux sur lui-même, il verra ce que vous

---

* L'attachement peut se passer de retour, jamais l'amitié. Elle est un échange, un contrat comme les autres; mais elle est le plus saint de tous. Le mot d'*ami* n'a point d'autre corrélatif que lui-même. Tout homme qui n'est pas l'ami de son ami est très sûrement un fourbe; car ce n'est qu'en rendant ou feignant de rendre l'amitié, qu'on peut l'obtenir.

avez fait pour lui; quand il pourra se comparer aux autres
jeunes gens de son âge, et vous comparer aux autres gouverneurs ! Je dis quand il le verra, mais gardez-vous de le
lui dire; si vous le lui dites, il ne le verra plus. Si vous exigez
de lui de l'obéissance en retour des soins que vous lui avez
rendus, il croira que vous l'avez surpris : il se dira qu'en
feignant de l'obliger gratuitement, vous avez prétendu le
charger d'une dette, et le lier par un contrat auquel il n'a
point consenti. En vain vous ajouterez que ce que vous
exigez de lui n'est que pour lui-même : vous exigez enfin,
et vous exigez en vertu de ce que vous avez fait sans son
aveu. Quand un malheureux prend l'argent qu'on feint de
lui donner, et se trouve enrôlé malgré lui, vous criez à l'injustice : n'êtes-vous pas plus injuste encore de demander à
votre élève le prix des soins qu'il n'a point acceptés ?

L'ingratitude serait plus rare si les bienfaits à usure étaient
moins connus. On aime ce qui nous fait du bien; c'est un
sentiment si naturel ! L'ingratitude n'est pas dans le cœur de
l'homme, mais l'intérêt y est : il y a moins d'obligés ingrats
que de bienfaiteurs intéressés. Si vous me vendez vos dons,
je marchanderai sur le prix; mais si vous feignez de donner
pour vendre ensuite à votre mot, vous usez de fraude : c'est
d'être gratuits qui les rend inestimables. Le cœur ne reçoit
de lois que de lui-même; en voulant l'enchaîner on le dégage;
on l'enchaîne en le laissant libre.

Quand le pêcheur amorce l'eau, le poisson vient, et reste
autour de lui sans défiance; mais quand, pris à l'hameçon
caché sous l'appât, il sent retirer la ligne, il tâche de fuir. Le
pêcheur est-il le bienfaiteur ? le poisson est-il l'ingrat ? Voit-
on jamais qu'un homme oublié par son bienfaiteur l'oublie ?
Au contraire, il en parle toujours avec plaisir, il n'y songe
point sans attendrissement : s'il trouve occasion de lui montrer par quelque service inattendu qu'il se ressouvient des
siens, avec quel contentement intérieur il satisfait alors sa
gratitude ! Avec quelle douce joie il se fait reconnaître !
Avec quel transport il lui dit : Mon tour est venu ! Voilà
vraiment la voix de nature; jamais un vrai bienfait ne fit
d'ingrat.

Si donc la reconnaissance est un sentiment naturel, et que
vous n'en détruisiez pas l'effet par votre faute, assurez-vous
que votre élève, commençant à voir le prix de vos soins, y
sera sensible, pourvu que vous ne les ayez point mis vous-

même à prix, et qu'ils vous donneront dans son cœur une
autorité que rien ne pourra détruire. Mais, avant de vous
être bien assuré de cet avantage, gardez de vous l'ôter en
vous faisant valoir auprès de lui. Lui vanter vos services,
c'est les lui rendre insupportables; les oublier, c'est l'en faire
souvenir. Jusqu'à ce qu'il soit temps de le traiter en homme,
qu'il ne soit jamais question de ce qu'il vous doit, mais de ce
qu'il se doit. Pour le rendre docile, laissez-lui toute sa liberté;
dérobez-vous pour qu'il vous cherche; élevez son âme au
noble sentiment de la reconnaissance, en ne lui parlant
jamais que de son intérêt. Je n'ai point voulu qu'on lui dît
que ce qu'on faisait était pour son bien, avant qu'il fût en
état de l'entendre; dans ce discours il n'eût vu que votre
dépendance, et il ne vous eût pris que pour son valet. Mais
maintenant qu'il commence à sentir ce que c'est qu'aimer, il
sent aussi quel doux lien peut unir un homme à ce qu'il
aime; et, dans le zèle qui vous fait occuper de lui sans cesse,
il ne voit plus l'attachement d'un esclave, mais l'affection
d'un ami. Or rien n'a tant de poids sur le cœur humain que la
voix de l'amitié bien reconnue; car on sait qu'elle ne nous
parle jamais que pour notre intérêt. On peut croire qu'un
ami se trompe, mais non qu'il veuille nous tromper. Quelquefois on résiste à ses conseils, mais jamais on ne les
méprise.

Nous entrons enfin dans l'ordre moral : nous venons de
faire un second pas d'homme. Si c'en était ici le lieu, j'essaye-
rais de montrer comment des premiers mouvements du
cœur s'élèvent les premières voix de la conscience, et comment des sentiments d'amour et de haine naissent les premières notions du bien et du mal : je ferais voir que *justice* et
*bonté* ne sont point seulement des mots abstraits, de purs
êtres moraux formés par l'entendement, mais de véritables
affections de l'âme éclairée par la raison, et qui ne sont qu'un
progrès ordonné de nos affections primitives; que, par la
raison seule, indépendamment de la conscience, on ne peut
établir aucune loi naturelle; et que tout le droit de la nature
n'est qu'une chimère, s'il n'est fondé sur un besoin naturel
au cœur humain \*. Mais je songe que je n'ai point à faire ici

---

\* Le précepte même d'agir avec autrui comme nous voulons qu'on
agisse avec nous n'a de vrai fondement que la conscience et le sentiment; car où est la raison précise d'agir, étant moi, comme si j'étais

des traités de métaphysique et de morale, ni des cours d'étude d'aucune espèce; il me suffit de marquer l'ordre et le progrès de nos sentiments et de nos connaissances relativement à notre constitution. D'autres démontreront peut-être ce que je ne fais qu'indiquer ici.

Mon Émile n'ayant jusqu'à présent regardé que lui-même, le premier regard qu'il jette sur ses semblables le porte à se comparer avec eux; et le premier sentiment qu'excite en lui cette comparaison est de désirer la première place. Voilà le point où l'amour de soi se change en amour-propre, et où commencent à naître toutes les passions qui tiennent à celle-là. Mais pour décider si celles de ces passions qui domineront dans son caractère seront humaines et douces, ou cruelles et malfaisantes, si ce seront des passions de bienveillance et de commisération, ou d'envie et de convoitise, il faut savoir à quelle place il se sentira parmi les hommes, et quels genres d'obstacles il pourra croire avoir à vaincre pour parvenir à celle qu'il veut occuper.

Pour le guider dans cette recherche, après lui avoir montré les hommes par les accidents communs à l'espèce, il faut maintenant les lui montrer par leurs différences. Ici vient la mesure de l'inégalité naturelle et civile, et le tableau de tout l'ordre social.

Il faut étudier la société par les hommes, et les hommes par la société : ceux qui voudront traiter séparément la politique et la morale n'entendront jamais rien à aucune des deux. En s'attachant d'abord aux relations primitives, on

---

un autre, surtout quand je suis moralement sûr de ne jamais me trouver dans le même cas ? et qui me répondra qu'en suivant bien fidèlement cette maxime, j'obtiendrai qu'on la suive de même avec moi ? Le méchant tire avantage de la probité du juste et de sa propre injustice; il est bien aise que tout le monde soit juste, excepté lui. Cet accord-là, quoi qu'on en dise, n'est pas fort avantageux aux gens de bien. Mais quand la force d'une âme expansive m'identifie avec mon semblable, et que je me sens pour ainsi dire en lui, c'est pour ne pas souffrir que je ne veux pas qu'il souffre; je m'intéresse à lui pour l'amour de moi, et la raison du précepte est dans la nature elle-même qui m'inspire le désir de mon bien-être en quelque lieu que je me sente exister. D'où je conclus qu'il n'est pas vrai que les préceptes de la loi naturelle soient fondés sur la raison seule, ils ont une base plus solide et plus sûre. L'amour des hommes dérivé de l'amour de soi est le principe de la justice humaine. Le sommaire de toute la morale est donné dans l'Évangile par celui de la loi.

voit comment les hommes en doivent être affectés, et quelles passions en doivent naître : on voit que c'est réciproquement par le progrès des passions que ces relations se multiplient et se resserrent. C'est moins la force des bras que la modération des cœurs qui rend les hommes indépendants et libres. Quiconque désire peu de chose tient à peu de gens ; mais confondant toujours nos vains désirs avec nos besoins physiques, ceux qui ont fait de ces derniers les fondements de la société humaine ont toujours pris les effets pour les causes, et n'ont fait que s'égarer dans tous leurs raisonnements.

Il y a dans l'état de nature une égalité de fait réelle et indestructible, parce qu'il est impossible dans cet état que la seule différence d'homme à homme soit assez grande pour rendre l'un dépendant de l'autre. Il y a dans l'état civil une égalité de droit chimérique et vaine, parce que les moyens destinés à la maintenir servent eux-mêmes à la détruire, et que la force publique ajoutée au plus fort pour opprimer le faible rompt l'espèce d'équilibre que la nature avait mis entre eux *. De cette première contradiction découlent toutes celles qu'on remarque dans l'ordre civil entre l'apparence et la réalité. Toujours la multitude sera sacrifiée au petit nombre, et l'intérêt public à l'intérêt particulier ; toujours ces noms spécieux de justice et de subordination serviront d'instruments à la violence et d'armes à l'iniquité : d'où il suit que les ordres distingués qui se prétendent utiles aux autres ne sont en effet utiles qu'à eux-mêmes aux dépens des autres ; par où l'on doit juger de la considération qui leur est due selon la justice et la raison. Reste à voir si le rang qu'ils se sont donné est plus favorable au bonheur de ceux qui l'occupent, pour savoir quel jugement chacun de nous doit porter de son propre sort. Voilà maintenant l'étude qui nous importe ; mais pour la bien faire, il faut commencer par connaître le cœur humain.

S'il ne s'agissait que de montrer aux jeunes gens l'homme par son masque, on n'aurait pas besoin de le leur montrer, ils le verraient toujours de reste ; mais, puisque le masque n'est pas l'homme, et qu'il ne faut pas que son vernis le

---

* L'esprit universel des lois de tous les pays est de favoriser toujours le fort contre le faible, et celui qui a contre celui qui n'a rien : cet inconvénient est inévitable et il est sans exception.

séduise, en leur peignant les hommes, peignez-les leur tels qu'ils sont, non pas afin qu'ils les haïssent, mais afin qu'ils les plaignent et ne leur veuillent pas ressembler. C'est, à mon gré, le sentiment le mieux entendu que l'homme puisse avoir sur son espèce.

Dans cette vue, il importe ici de prendre une route opposée à celle que nous avons suivie jusqu'à présent, et d'instruire plutôt le jeune homme par l'expérience d'autrui que par la sienne. Si les hommes le trompent, il les prendra en haine; mais si, respecté d'eux, il les voit se tromper mutuellement, il en aura pitié. Le spectacle du monde, disait Pythagore, ressemble à celui des jeux olympiques : les uns y tiennent boutique et ne songent qu'à leur profit; les autres y payent de leur personne et cherchent la gloire; d'autres se contentent de voir les jeux, et ceux-ci ne sont pas les pires.

Je voudrais qu'on choisît tellement les sociétés d'un jeune homme, qu'il pensât bien de ceux qui vivent avec lui; et qu'on lui apprît à si bien connaître le monde, qu'il pensât mal de tout ce qui s'y fait. Qu'il sache que l'homme est naturellement bon, qu'il le sente, qu'il juge de son prochain par lui-même; mais qu'il voie comment la société déprave et pervertit les hommes; qu'il trouve dans leurs préjugés la source de tous leurs vices; qu'il soit porté à estimer chaque individu, mais qu'il méprise la multitude; qu'il voie que tous les hommes portent à peu près le même masque, mais qu'il sache aussi qu'il y a des visages plus beaux que le masque qui les couvre.

Cette méthode, il faut l'avouer, a ses inconvénients et n'est pas facile dans la pratique; car, s'il devient observateur de trop bonne heure, si vous l'exercez à épier de trop près les actions d'autrui, vous le rendrez médisant et satirique, décisif et prompt à juger; il se fera un odieux plaisir de chercher à tout de sinistres interprétations, et à ne voir en bien rien même de ce qui est bien. Il s'accoutumera du moins au spectacle du vice, et à voir les méchants sans horreur, comme on s'accoutume à voir les malheureux sans pitié. Bientôt la perversité générale lui servira moins de leçon que d'excuse : il se dira que si l'homme est ainsi, il ne doit pas vouloir être autrement.

Que si vous voulez l'instruire par principe et lui faire connaître avec la nature du cœur humain l'application des causes externes qui tournent nos penchants en vices, en le transportant ainsi tout d'un coup des objets sensibles aux objets intellectuels, vous employez une métaphysique qu'il n'est point en état de comprendre; vous retombez dans l'inconvénient, évité si soigneusement jusqu'ici, de lui donner des leçons qui ressemblent à des leçons, de substituer dans son esprit l'expérience et l'autorité du maître à sa propre expérience et au progrès de sa raison.

Pour lever à la fois ces deux obstacles et pour mettre le cœur humain à sa portée sans risquer de gâter le sien, je voudrais lui montrer les hommes au loin, les lui montrer dans d'autres temps ou dans d'autres lieux, et de sorte qu'il pût voir la scène sans jamais y pouvoir agir. Voilà le moment de l'histoire; c'est par elle qu'il lira dans les cœurs sans les leçons de la philosophie; c'est par elle qu'il les verra, simple spectateur, sans intérêt et sans passion, comme leur juge, non comme leur complice ni comme leur accusateur.

Pour connaître les hommes il faut les voir agir. Dans le monde on les entend parler; ils montrent leurs discours et cachent leurs actions : mais dans l'histoire elles sont dévoilées, et on les juge sur les faits. Leurs propos même aident à les apprécier; car, comparant ce qu'ils font à ce qu'ils disent, on voit à la fois ce qu'ils sont et ce qu'ils veulent paraître : plus ils se déguisent, mieux on les connaît.

Malheureusement cette étude a ses dangers, ses inconvénients de plus d'une espèce. Il est difficile de se mettre dans un point de vue d'où l'on puisse juger ses semblables avec équité. Un des grands vices de l'histoire est qu'elle peint beaucoup plus les hommes par leurs mauvais côtés que par les bons; comme elle n'est intéressante que par les révolutions, les catastrophes, tant qu'un peuple croît et prospère dans le calme d'un paisible gouvernement, elle n'en dit rien; elle ne commence à en parler que quand, ne pouvant plus se suffire à lui-même, il prend part aux affaires de ses voisins, ou les laisse prendre part aux siennes; elle ne l'illustre que quand il est déjà sur son déclin : toutes nos histoires commencent où elles devraient finir. Nous avons fort exactement celle des peuples qui se détruisent; ce qui nous manque est celle des peuples qui se multiplient; ils sont assez heureux et assez sages pour qu'elle n'ait rien à dire d'eux : et en effet nous voyons, même de nos jours, que les gouvernements qui se conduisent le mieux sont ceux dont on parle le moins. Nous ne savons donc que le mal; à peine le bien fait-il époque. Il n'y a que les méchants de célèbres, les bons sont oubliés ou tournés en ridicule : et voilà comment l'histoire, ainsi que la philosophie, calomnie sans cesse le genre humain.

De plus, il s'en faut bien que les faits décrits dans l'histoire soient la peinture exacte des mêmes faits tels qu'ils sont arrivés : ils changent de forme dans la tête de l'historien, ils se moulent sur ses intérêts, ils prennent la teinte de ses préjugés. Qui est-ce qui sait mettre exactement le lecteur au lieu de la scène pour voir un événement tel qu'il s'est passé ? L'ignorance ou la partialité déguise tout. Sans altérer même un trait historique, en étendant ou resserrant des circonstances qui s'y rapportent, que de faces différentes on peut lui donner ! Mettez un même objet à divers points de vue, à peine paraîtra-t-il le même, et pourtant rien n'aura changé que l'œil du spectateur. Suffit-il, pour l'honneur de la vérité, de me dire un fait véritable en me le faisant voir tout autrement qu'il n'est arrivé ? Combien de fois un arbre de plus ou de moins, un rocher à droite ou à gauche, un tourbillon de poussière élevé par le vent ont décidé de l'événement d'un combat sans que personne s'en soit aperçu ! Cela empêche-t-il que l'historien ne vous dise la cause de la défaite ou de la victoire avec autant d'assurance que s'il eût été partout ? Or que m'importent les faits en eux-mêmes, quand la raison m'en reste inconnue ? et quelles leçons puis-je tirer d'un événement dont j'ignore la vraie cause ? L'historien m'en donne une, mais il la controuve ; et la critique elle-même, dont on fait tant de bruit, n'est qu'un art de conjecturer, l'art de choisir entre plusieurs mensonges celui qui ressemble le mieux à la vérité.

N'avez-vous jamais lu *Cléopâtre* ou *Cassandre* [93], ou d'autres livres de cette espèce ? L'auteur choisit un événement connu, puis, l'accommodant à ses vues, l'ornant de détails de son invention, de personnages qui n'ont jamais existé, et de portraits imaginaires, entasse fictions sur fictions pour rendre sa lecture agréable. Je vois peu de différence entre ces romans et vos histoires, si ce n'est que le romancier se livre davantage à sa propre imagination, et que l'historien s'asservit plus à celle d'autrui : à quoi j'ajouterai, si l'on veut, que le premier se propose un objet moral, bon ou mauvais, dont l'autre ne se soucie guère.

On me dira que la fidélité de l'histoire intéresse moins que la vérité des mœurs et des caractères; pourvu que le cœur humain soit bien peint, il importe peu que les événements soient fidèlement rapportés : car, après tout, ajoute-t-on, que nous font des faits arrivés il y a deux mille ans ? On a raison si les portraits sont bien rendus d'après nature; mais si la plupart n'ont leur modèle que dans l'imagination de l'historien, n'est-ce pas retomber dans l'inconvénient que l'on voulait fuir, et rendre à l'autorité des écrivains ce qu'on veut ôter à celle du maître ? Si mon élève ne doit voir que des tableaux de fantaisie, j'aime mieux qu'ils soient tracés de ma main que d'une autre; ils lui seront du moins mieux appropriés.

Les pires historiens pour un jeune homme sont ceux qui jugent. Les faits ! les faits ! et qu'il juge lui-même; c'est ainsi qu'il apprend à connaître les hommes. Si le jugement de l'auteur le guide sans cesse, il ne fait que voir par l'œil d'un autre; et quand cet œil lui manque, il ne voit plus rien.

Je laisse à part l'histoire moderne, non seulement parce qu'elle n'a plus de physionomie et que nos hommes se ressemblent tous, mais parce que nos historiens, uniquement attentifs à briller, ne songent qu'à faire des portraits fortement coloriés, et qui souvent ne représentent rien *. Généralement les anciens font moins de portraits, mettent moins d'esprit et plus de sens dans leurs jugements; encore y a-t-il entre eux un grand choix à faire, et il ne faut pas d'abord prendre les plus judicieux, mais les plus simples. Je ne voudrais mettre dans la main d'un jeune homme ni Polybe ni Salluste; Tacite est le livre des vieillards; les jeunes gens ne sont pas faits pour l'entendre : il faut apprendre à voir dans les actions humaines les premiers traits du cœur de l'homme, avant d'en vouloir sonder les profondeurs; il faut savoir bien lire dans les faits avant de lire dans les maximes. La philosophie en maximes ne convient qu'à l'expérience. La jeunesse ne doit rien généraliser : toute son instruction doit être en règles particulières.

Thucydide est, à mon gré, le vrai modèle des historiens. Il rapporte les faits sans les juger; mais il n'omet aucune des circonstances propres à nous en faire juger nous-mêmes. Il

---

* Voyez Davila, Guicciardini, **Strada**, Solis, Machiavel, et quelquefois de Thou lui-même. **Vertot** est presque le seul qui savait peindre sans faire de portraits [94].

met tout ce qu'il raconte sous les yeux du lecteur; loin de s'interposer entre les événements et les lecteurs, il se dérobe; on ne croit plus lire, on croit voir. Malheureusement il parle toujours de guerre, et l'on ne voit presque dans ses récits que la chose du monde la moins instructive, savoir les combats. La *Retraite des Dix mille* et les *Commentaires de César* ont à peu près la même sagesse et le même défaut. Le bon Hérodote, sans portraits, sans maximes, mais coulant, naïf, plein de détails les plus capables d'intéresser et de plaire, serait peut-être le meilleur des historiens, si ces mêmes détails ne dégénéraient souvent en simplicités puériles, plus propres à gâter le goût de la jeunesse qu'à le former : il faut déjà du discernement pour le lire. Je ne dis rien de Tite-Live, son tour viendra; mais il est politique, il est rhéteur, il est tout ce qui ne convient pas à cet âge.

L'histoire en général est défectueuse, en ce qu'elle ne tient registre que de faits sensibles et marqués, qu'on peut fixer par des noms, des lieux, des dates; mais les causes lentes et progressives de ces faits, lesquelles ne peuvent s'assigner de même, restent toujours inconnues. On trouve souvent dans une bataille gagnée ou perdue la raison d'une révolution qui, même avant cette bataille, était déjà devenue inévitable. La guerre ne fait guère que manifester des événements déjà déterminés par des causes morales que les historiens savent rarement voir.

L'esprit philosophique a tourné de ce côté les réflexions de plusieurs écrivains de ce siècle; mais je doute que la vérité gagne à leur travail. La fureur des systèmes s'étant emparée d'eux tous, nul ne cherche à voir les choses comme elles sont, mais comme elles s'accordent avec son système.

Ajoutez à toutes ces réflexions que l'histoire montre bien plus les actions que les hommes, parce qu'elle ne saisit ceux-ci que dans certains moments choisis, dans leurs vêtements de parade; elle n'expose que l'homme public qui s'est arrangé pour être vu : elle ne le suit point dans sa maison, dans son cabinet, dans sa famille, au milieu de ses amis; elle ne le peint que quand il représente : c'est bien plus son habit que sa personne qu'elle peint.

J'aimerais mieux la lecture des vies particulières pour commencer l'étude du cœur humain; car alors l'homme a beau se dérober, l'historien le poursuit partout; il ne lui

laisse aucun moment de relâche, aucun recoin pour éviter
l'œil perçant du spectateur; et c'est quand l'un croit mieux
se cacher, que l'autre le fait mieux connaître. « Ceux, dit
Montaigne, qui écrivent les vies, d'autant qu'ils s'amusent
plus aux conseils qu'aux événements, plus à ce qui part
du dedans qu'à ce qui arrive au dehors, ceux-là me sont
plus propres : voilà pourquoi, en toutes sortes, c'est mon
homme que Plutarque [95]. »

Il est vrai que le génie des hommes assemblés ou des
peuples est fort différent du caractère de l'homme en
particulier, et que ce serait connaître très imparfaitement
le cœur humain que de ne pas l'examiner aussi dans la
multitude; mais il n'est pas moins vrai qu'il faut commencer
par étudier l'homme pour juger les hommes, et que qui
connaîtrait parfaitement les penchants de chaque individu
pourrait prévoir tous leurs effets combinés dans le corps
du peuple.

Il faut encore ici recourir aux anciens par les raisons
que j'ai déjà dites, et de plus, parce que tous les détails
familiers et bas, mais vrais et caractéristiques, étant bannis
du style moderne, les hommes sont aussi parés par nos
auteurs dans leurs vies privées que sur la scène du monde.
La décence, non moins sévère dans les écrits que dans
les actions, ne permet plus de dire en public que ce qu'elle
permet d'y faire, et, comme on ne peut montrer les hommes
que représentant toujours, on ne les connaît pas plus
dans nos livres que sur nos théâtres. On aura beau faire
et refaire cent fois la vie des rois, nous n'aurons plus de
Suétones *.

Plutarque excelle par ces mêmes détails dans lesquels
nous n'osons plus entrer. Il a une grâce inimitable à peindre
les grands hommes dans les petites choses; et il est si
heureux dans le choix de ses traits, que souvent un mot,
un sourire, un geste lui suffit pour caractériser son héros.
Avec un mot plaisant Annibal rassure son armée effrayée,
et la fait marcher en riant à la bataille qui lui livra l'Italie;
Agésilas, à cheval sur un bâton, me fait aimer le vainqueur

---

* Un seul de nos historiens (Duclos), qui a imité Tacite dans les
grands traits, a osé imiter Suétone et quelquefois transcrire Comines
dans les petits; et cela même, qui ajoute au prix de son livre, l'a fait
critiquer parmi nous [96].

du grand roi; César, traversant un pauvre village et causant avec ses amis, décèle, sans y penser, le fourbe qui disait ne vouloir qu'être l'égal de Pompée; Alexandre avale une médecine et ne dit pas un seul mot : c'est le plus beau moment de sa vie; Aristide écrit son propre nom sur une coquille, et justifie ainsi son surnom; Philopœmen, le manteau bas, coupe du bois dans la cuisine de son hôte. Voilà le véritable art de peindre [97]. La physionomie ne se montre pas dans les grands traits, ni le caractère dans les grandes actions; c'est dans les bagatelles que le naturel se découvre. Les choses publiques sont ou trop communes ou trop apprêtées, et c'est presque uniquement à celles-ci que la dignité moderne permet à nos auteurs de s'arrêter.

Un des plus grands hommes du siècle dernier fut incontestablement M. de Turenne. On a eu le courage de rendre sa vie intéressante par de petits détails qui le font connaître et aimer; mais combien s'est-on vu forcé d'en supprimer qui l'auraient fait connaître et aimer davantage ! Je n'en citerai qu'un, que je tiens de bon lieu, et que Plutarque n'eût eu garde d'omettre, mais que Ramsai [98] n'eût eu garde d'écrire quand il l'aurait su.

Un jour d'été qu'il faisait fort chaud, le vicomte de Turenne, en petite veste blanche et en bonnet, était à la fenêtre dans son antichambre : un de ses gens survient, et, trompé par l'habillement, le prend pour un aide de cuisine avec lequel ce domestique était familier. Il s'approche doucement par derrière, et d'une main qui n'était pas légère lui applique un grand coup sur les fesses. L'homme frappé se retourne à l'instant. Le valet voit en frémissant le visage de son maître. Il se jette à genoux tout éperdu : *Monseigneur, j'ai cru que c'était George. — Et quand c'eût été George*, s'écrie Turenne en se frottant le derrière, *il ne fallait pas frapper si fort*. Voilà donc ce que vous n'osez dire, misérables ? Soyez donc à jamais sans naturel, sans entrailles; trempez, durcissez vos cœurs de fer dans votre vile décence; rendez-vous méprisables à force de dignité. Mais toi, bon jeune homme qui lis ce trait, et qui sens avec attendrissement toute la douceur d'âme qu'il montre, même dans le premier mouvement, lis aussi les petitesses de ce grand homme, dès qu'il était question de sa naissance et de son nom. Songe que c'est le même Turenne qui affectait de céder partout le pas à son neveu, afin qu'on vît bien que cet enfant était le chef d'une maison souveraine. Rapproche ces contrastes, aime la nature, méprise l'opinion, et connais l'homme.

Il y a bien peu de gens en état de concevoir les effets que des lectures ainsi dirigées peuvent opérer sur l'esprit tout neuf d'un jeune homme. Appesantis sur des livres dès notre enfance, accoutumés à lire sans penser, ce que nous lisons nous frappe d'autant moins que, portant déjà dans nous-mêmes les passions et les préjugés qui remplissent l'histoire et les vies des hommes, tout ce qu'ils font nous paraît naturel, parce que nous sommes hors de la nature, et que nous jugeons des autres par nous. Mais qu'on se représente un jeune homme élevé selon mes maximes, qu'on se figure mon Émile, auquel dix-huit ans de soins assidus n'ont eu pour objet que de conserver un jugement intègre et un cœur sain; qu'on se le figure, au lever de la toile, jetant pour la première fois les yeux sur la scène du monde, ou plutôt, placé derrière le théâtre, voyant les acteurs prendre et poser leurs habits, et comptant les cordes et les poulies dont le grossier prestige abuse les yeux des spectateurs : bientôt à sa première surprise succéderont des mouvements de honte et de dédain pour son espèce; il s'indignera de voir ainsi tout le genre humain, dupe de lui-même, s'avilir à ces jeux d'enfants; il s'affligera de voir ses frères s'entre-déchirer pour des rêves, et se changer en bêtes féroces pour n'avoir pas su se contenter d'être hommes.

Certainement, avec les dispositions naturelles de l'élève, pour peu que le maître apporte de prudence et de choix dans ses lectures, pour peu qu'il le mette sur la voie des réflexions qu'il en doit tirer, cet exercice sera pour lui un cours de philosophie pratique, meilleur sûrement et mieux entendu que toutes les vaines spéculations dont on brouille l'esprit des jeunes gens dans nos écoles. Qu'après avoir suivi les romanesques projets de Pyrrhus, Cynéas lui demande quel bien réel lui procurera la conquête du monde, dont il ne puisse jouir dès à présent sans tant de tourments; nous ne voyons là qu'un bon mot qui passe. Mais Émile y verra une réflexion très sage, qu'il eût faite le premier, et qui ne s'effacera jamais de son esprit, parce qu'elle n'y trouve aucun préjugé contraire qui puisse en

empêcher l'impression. Quand ensuite, en lisant la vie de
cet insensé, il trouvera que tous ses grands desseins ont
abouti à s'aller faire tuer par la main d'une femme, au lieu
d'admirer cet héroïsme prétendu, que verra-t-il dans tous
les exploits d'un si grand capitaine, dans toutes les intrigues
d'un si grand politique, si ce n'est autant de pas pour
aller chercher cette malheureuse tuile qui devait terminer
sa vie et ses projets par une mort déshonorante ?

Tous les conquérants n'ont pas été tués; tous les usurpateurs n'ont pas échoué dans leurs entreprises, plusieurs
paraîtront heureux aux esprits prévenus des opinions vulgaires : mais celui qui, sans s'arrêter aux apparences, ne
juge du bonheur des hommes que par l'état de leurs
cœurs, verra leurs misères dans leurs succès mêmes; il
verra leurs désirs et leurs soucis rongeants s'étendre et
s'accroître avec leur fortune; il les verra perdre haleine
en avançant, sans jamais parvenir à leurs termes, il les
verra semblables à ces voyageurs inexpérimentés qui,
s'engageant pour la première fois dans les Alpes, pensent
les franchir à chaque montagne, et, quand ils sont au
sommet, trouvent avec découragement de plus hautes
montagnes au-devant d'eux.

Auguste, après avoir soumis ses concitoyens et détruit
ses rivaux, régit durant quarante ans le plus grand empire
qui ait existé : mais tout cet immense pouvoir l'empêchait-il
de frapper les murs de sa tête et de remplir son vaste palais
de ses cris, en redemandant à Varus ses légions exterminées ?
Quand il aurait vaincu tous ses ennemis, de quoi lui auraient
servi ses vains triomphes, tandis que les peines de toute
espèce naissaient sans cesse autour de lui, tandis que ses
plus chers amis attentaient à sa vie et qu'il était réduit à
pleurer la honte ou la mort de tous ses proches ? L'infortuné voulut gouverner le monde, et ne sut pas gouverner
sa maison ! Qu'arriva-t-il de cette négligence ? Il vit périr
à la fleur de l'âge son neveu, son fils adoptif, son gendre;
son petit-fils fut réduit à manger la bourre de son lit pour
prolonger de quelques heures sa misérable vie; sa fille
et sa petite-fille, après l'avoir couvert de leur infamie,
moururent l'une de misère et de faim dans une île déserte,
l'autre en prison par la main d'un archer. Lui-même enfin,
dernier reste de sa malheureuse famille, fut réduit par sa
propre femme à ne laisser après lui qu'un monstre pour

lui succéder. Tel fut le sort de ce maître du monde tant
célébré pour sa gloire et son bonheur. Croirai-je qu'un seul
de ceux qui les admirent les voulût acquérir au même prix ?

J'ai pris l'ambition pour exemple; mais le jeu de toutes
les passions humaines offre de semblables leçons à qui veut
étudier l'histoire pour se connaître et se rendre sage aux
dépens des morts. Le temps approche où la vie d'Antoine
aura pour le jeune homme une instruction plus prochaine
que celle d'Auguste. Émile ne se reconnaîtra guère dans
les étranges objets qui frapperont ses regards durant ses
nouvelles études; mais il saura d'avance écarter l'illusion
des passions avant qu'elles naissent; et, voyant que de
tous les temps elles ont aveuglé les hommes, il sera prévenu de la manière dont elles pourront l'aveugler à son
tour, si jamais il s'y livre *. Ces leçons, je le sais, lui sont
mal appropriées; peut-être au besoin seront-elles tardives,
insuffisantes : mais souvenez-vous que ce ne sont point
celles que j'ai voulu tirer de cette étude. En la commençant,
je me proposais un autre objet; et sûrement, si cet objet
est mal rempli, ce sera la faute du maître.

Songez qu'aussitôt que l'amour-propre est développé,
le *moi* relatif se met en jeu sans cesse, et que jamais le jeune
homme n'observe les autres sans revenir sur lui-même et
se comparer avec eux. Il s'agit donc de savoir à quel
rang il se mettra parmi ses semblables après les avoir exa-
minés. Je vois, à la manière dont on fait lire l'histoire
aux jeunes gens, qu'on les transforme, pour ainsi dire,
dans tous les personnages qu'ils voient, qu'on s'efforce
de les faire devenir tantôt Cicéron, tantôt Trajan, tantôt
Alexandre; de les décourager lorsqu'ils rentrent dans eux-
mêmes; de donner à chacun le regret de n'être que soi. Cette
méthode a certains avantages dont je ne disconviens pas;
mais, quant à mon Émile, s'il arrive une seule fois, dans
ces parallèles, qu'il aime mieux être un autre que lui,
cet autre, fût-il Socrate, fût-il Caton, tout est manqué :
celui qui commence à se rendre étranger à lui-même ne
tarde pas à s'oublier tout à fait.

---

* C'est toujours le préjugé qui fomente dans nos cœurs l'impétuosité des passions. Celui qui ne voit que ce qui est, et n'estime que ce
qu'il connaît, ne se passionne guère. Les erreurs de nos jugements
produisent l'ardeur de tous nos désirs. (Note du manuscrit autographe.)

Ce ne sont point les philosophes qui connaissent le mieux les hommes; ils ne les voient qu'à travers les préjugés de la philosophie; et je ne sache aucun état où l'on en ait tant. Un sauvage nous juge plus sainement que ne fait un philosophe. Celui-ci sent ses vices, s'indigne des nôtres, et dit en lui-même : Nous sommes tous méchants; l'autre nous regarde sans s'émouvoir, et dit : Vous êtes des fous. Il a raison, car nul ne fait le mal pour le mal. Mon élève est ce sauvage, avec cette différence qu'Émile, ayant plus réfléchi, plus comparé d'idées, vu nos erreurs de plus près, se tient plus en garde contre lui-même et ne juge que de ce qu'il connaît.

Ce sont nos passions qui nous irritent contre celles des autres; c'est notre intérêt qui nous fait haïr les méchants; s'ils ne nous faisaient aucun mal, nous aurions pour eux plus de pitié que de haine. Le mal que nous font les méchants nous fait oublier celui qu'ils se font à eux-mêmes. Nous leur pardonnerions plus aisément leurs vices, si nous pouvions connaître combien leur propre cœur les en punit. Nous sentons l'offense et nous ne voyons pas le châtiment; les avantages sont apparents, la peine est intérieure. Celui qui croit jouir du fruit de ses vices n'est pas moins tourmenté que s'il n'eût point réussi; l'objet est changé, l'inquiétude est la même; ils ont beau montrer leur fortune et cacher leur cœur, leur conduite le montre en dépit d'eux : mais pour le voir, il n'en faut pas avoir un semblable.

Les passions que nous partageons nous séduisent; celles qui choquent nos intérêts nous révoltent, et, par une inconséquence qui nous vient d'elles, nous blâmons dans les autres ce que nous voudrions imiter. L'aversion et l'illusion sont inévitables, quand on est forcé de souffrir de la part d'autrui le mal qu'on ferait si l'on était à sa place.

Que faudrait-il donc pour bien observer les hommes ? Un grand intérêt à les connaître, une grande impartialité à les juger, un cœur assez sensible pour concevoir toutes les passions humaines, et assez calme pour ne les pas éprouver. S'il est dans la vie un moment favorable à cette étude, c'est celui que j'ai choisi pour Émile : plus tôt ils lui eussent été étrangers, plus tard il leur eût été semblable. L'opinion dont il voit le jeu n'a point encore acquis sur lui d'empire; les passions dont il sent l'effet n'ont point

agité son cœur. Il est homme, il s'intéresse à ses frères;
il est équitable, il juge ses pairs. Or, sûrement, s'il les juge
bien, il ne voudra être à la place d'aucun d'eux; car le but
de tous les tourments qu'ils se donnent, étant fondé sur
des préjugés qu'il n'a pas, lui paraît un but en l'air. Pour
lui, tout ce qu'il désire est à sa portée. De qui dépendrait-il,
se suffisant à lui-même et libre de préjugés ? Il a des bras,
de la santé *, de la modération, peu de besoins et de quoi
les satisfaire. Nourri dans la plus absolue liberté, le plus
grand des maux qu'il conçoit est la servitude. Il plaint
ces misérables rois, esclaves de tout ce qui leur obéit;
il plaint ces faux sages enchaînés à leur vaine réputation;
il plaint ces riches sots, martyrs de leur faste; il plaint
ces voluptueux de parade qui livrent leur vie entière à
l'ennui, pour paraître avoir du plaisir. Il plaindrait l'ennemi
qui lui ferait du mal à lui-même; car, dans ses méchan-
cetés, il verrait sa misère. Il se dirait : En se donnant le
besoin de me nuire, cet homme a fait dépendre son sort
du mien.

Encore un pas et nous touchons au but. L'amour-propre
est un instrument utile, mais dangereux; souvent il blesse
la main qui s'en sert, et fait rarement du bien sans mal.
Émile, en considérant son rang dans l'espèce humaine
et s'y voyant si heureusement placé, sera tenté de faire
honneur à sa raison de l'ouvrage de la vôtre, et d'attribuer
à son mérite l'effet de son bonheur. Il se dira : Je suis sage,
et les hommes sont fous. En les plaignant il les méprisera,
en se félicitant il s'estimera davantage; et, se sentant plus
heureux qu'eux, il se croira plus digne de l'être. Voilà
l'erreur la plus à craindre, parce qu'elle est la plus difficile à détruire. S'il restait dans cet état il aurait peu gagné
à tous nos soins : et s'il fallait opter, je ne sais si je n'aimerais pas mieux encore l'illusion des préjugés que celle de
l'orgueil.

Les grands hommes ne s'abusent point sur leur supériorité; ils la voient, la sentent, et n'en sont pas moins
modestes. Plus ils ont, plus ils connaissent tout ce qui
leur manque. Ils sont moins vains de leur élévation sur

---

* Je crois pouvoir compter hardiment la santé et la bonne constitution au nombre des avantages acquis par son éducation, ou plutôt
au nombre des dons de la nature que son éducation lui a conservés.

nous qu'humiliés du sentiment de leur misère; et, dans les biens exclusifs qu'ils possèdent, ils sont trop sensés pour tirer vanité d'un don qu'ils ne se sont pas fait. L'homme de bien peut être fier de sa vertu, parce qu'elle est à lui; mais de quoi l'homme d'esprit est-il fier ? Qu'a fait Racine pour n'être pas Pradon ? Qu'a fait Boileau pour n'être pas Cotin ?

Ici c'est tout autre chose encore. Restons toujours dans l'ordre commun. Je n'ai supposé dans mon élève ni un génie transcendant, ni un entendement bouché. Je l'ai choisi parmi les esprits vulgaires pour montrer ce que peut l'éducation sur l'homme. Tous les cas rares sont hors des règles. Quand donc, en conséquence de mes soins, Émile préfère sa manière d'être, de voir, de sentir, à celle des autres hommes, Émile a raison; mais quand il se croit pour cela d'une nature plus excellente, et plus heureusement né qu'eux, Émile a tort : il se trompe; il faut le détromper, ou plutôt prévenir l'erreur, de peur qu'il ne soit trop tard ensuite pour la détruire.

Il n'y a point de folie dont on ne puisse guérir un homme qui n'est pas fou, hors la vanité; pour celle-ci, rien n'en corrige que l'expérience, si toutefois quelque chose en peut corriger; à sa naissance, au moins, on peut l'empêcher de croître. N'allez donc pas vous perdre en beaux raisonnements, pour prouver à l'adolescent qu'il est homme comme les autres et sujet aux mêmes faiblesses. Faites-le lui sentir, ou jamais il ne le saura. C'est encore ici un cas d'exception à mes propres règles; c'est le cas d'exposer volontairement mon élève à tous les accidents qui peuvent lui prouver qu'il n'est pas plus sage que nous. L'aventure du bateleur serait répétée en mille manières, je laisserais aux flatteurs prendre tout leur avantage avec lui : si des étourdis l'entraînaient dans quelque extravagance, je lui en laisserais courir le danger : si des filous l'attaquaient au jeu, je le leur livrerais pour en faire leur dupe *; je le lais-

---

* Au reste, notre élève donnera peu dans ce piège, lui que tant d'amusements environnent, lui qui ne s'ennuya de sa vie, et qui sait à peine à quoi sert l'argent. Les deux mobiles avec lesquels on conduit les enfants étant l'intérêt et la vanité, ces deux mêmes mobiles servent aux courtisanes et aux escrocs pour s'emparer d'eux dans la suite. Quand vous voyez exciter leur avidité par des prix, par des récompenses, quand vous les voyez applaudir à dix ans dans un acte public

serais encenser, plumer, dévaliser par eux; et quand, l'ayant
mis à sec, ils finiraient par se moquer de lui, je les remer-
cierais encore en sa présence des leçons qu'ils ont bien
voulu lui donner. Les seuls pièges dont je le garantirais
avec soin seraient ceux des courtisanes. Les seuls ménagements que j'aurais pour lui seraient de partager tous les
dangers que je lui laisserais courir et tous les affronts
que je lui laisserais recevoir. J'endurerais tout en silence,
sans plainte, sans reproche, sans jamais lui en dire un seul
mot, et soyez sûr qu'avec cette discrétion bien soutenue,
tout ce qu'il m'aura vu souffrir pour lui fera plus d'impression sur son cœur que ce qu'il aura souffert lui-même.

Je ne puis m'empêcher de relever ici la fausse dignité
des gouverneurs qui, pour jouer sottement les sages,
rabaissent leurs élèves, affectent de les traiter toujours
en enfants, et de se distinguer toujours d'eux dans tout
ce qu'ils leur font faire. Loin de ravaler ainsi leurs jeunes
courages, n'épargnez rien pour leur élever l'âme; faites-
en vos égaux afin qu'ils le deviennent; et, s'ils ne peuvent
encore s'élever à vous, descendez à eux sans honte, sans
scrupule. Songez que votre honneur n'est plus dans vous,
mais dans votre élève; partagez ses fautes pour l'en corriger; chargez-vous de sa honte pour l'effacer; imitez
ce brave Romain qui, voyant fuir son armée et ne pouvant
la rallier, se mit à fuir à la tête de ses soldats, en criant :
*ils ne fuient pas, ils suivent leur capitaine.* Fut-il déshonoré
pour cela ? Tant s'en faut : en sacrifiant ainsi sa gloire,
il l'augmenta. La force du devoir, la beauté de la vertu
entraînent malgré nous nos suffrages et renversent nos
insensés préjugés. Si je recevais un soufflet en remplissant
mes fonctions auprès d'Émile, loin de me venger de ce
soufflet, j'irais partout m'en vanter; et je doute qu'il y
eût dans le monde un homme assez vil* pour ne pas m'en
respecter davantage.

au collège, vous voyez comment on leur fera laisser à vingt leur bourse
dans un brelan, et leur santé dans un mauvais lieu. Il y a toujours à
parier que le plus savant de sa classe deviendra le plus joueur et le plus
débauché. Or les moyens dont on n'usa point dans l'enfance n'ont
point dans la jeunesse le même abus. Mais on doit se souvenir qu'ici
ma constante maxime est de mettre partout la chose au pis. Je cherche
d'abord à prévenir le vice; et puis je le suppose afin d'y remédier.

* Je me trompais, j'en ai découvert un : c'est M. Formey [99].

Ce n'est pas que l'élève doive supposer dans le maître des lumières aussi bornées que les siennes et la même facilité à se laisser séduire. Cette opinion est bonne pour un enfant, qui, ne sachant rien voir, rien comparer, met tout le monde à sa portée, et ne donne sa confiance qu'à ceux qui savent s'y mettre en effet. Mais un jeune homme de l'âge d'Émile, et aussi sensé que lui, n'est plus assez sot pour prendre ainsi le change, et il ne serait pas bon qu'il le prît. La confiance qu'il doit avoir en son gouverneur est d'une autre espèce : elle doit porter sur l'autorité de la raison, sur la supériorité des lumières, sur les avantages que le jeune homme est en état de connaître, et dont il sent l'utilité pour lui. Une longue expérience l'a convaincu qu'il est aimé de son conducteur; que ce conducteur est un homme sage, éclairé, qui, voulant son bonheur, sait ce qui peut le lui procurer. Il doit savoir que, pour son propre intérêt, il lui convient d'écouter ses avis. Or, si le maître se laissait tromper comme le disciple, il perdrait le droit d'en exiger de la déférence et de lui donner des leçons. Encore moins l'élève doit-il supposer que le maître le laisse à dessein tomber dans des pièges, et tend des embûches à sa simplicité. Que faut-il donc faire pour éviter à la fois ces deux inconvénients ? Ce qu'il y a de meilleur et de plus naturel : être simple et vrai comme lui; l'avertir des périls auxquels il s'expose; les lui montrer clairement, sensiblement, mais sans exagération, sans humeur, sans pédantesque étalage, surtout sans lui donner vos avis pour des ordres, jusqu'à ce qu'ils le soient devenus, et que ce ton impérieux soit absolument nécessaire. S'obstine-t-il après cela, comme il fera très souvent ? alors ne lui dites plus rien; laissez-le en liberté, suivez-le, imitez-le, et cela gaiement, franchement; livrez-vous, amusez-vous autant que lui, s'il est possible. Si les conséquences deviennent trop fortes, vous êtes toujours là pour les arrêter; et cependant combien le jeune homme, témoin de votre prévoyance et de votre complaisance, ne doit-il pas être à la fois frappé de l'une et touché de l'autre ! Toutes ses fautes sont autant de liens, qu'il vous fournit pour le retenir au besoin. Or, ce qui fait ici le plus grand art du maître, c'est d'amener les occasions et de diriger les exhortations de manière qu'il sache d'avance quand le jeune homme cédera, et quand il s'obstinera, afin de l'environner partout des leçons de l'expérience, sans jamais l'exposer à de trop grands dangers.

Avertissez-le de ses fautes avant qu'il y tombe : quand il y est tombé, ne les lui reprochez point; vous ne feriez qu'enflammer et mutiner son amour-propre. Une leçon qui révolte ne profite pas. Je ne connais rien de plus inepte que ce mot : *Je vous l'avais bien dit.* Le meilleur moyen de faire qu'il se souvienne de ce qu'on lui a dit est de paraître l'avoir oublié. Tout au contraire, quand vous le verrez honteux de ne vous avoir pas cru, effacez doucement cette humiliation par de bonnes paroles. Il s'affectionnera sûrement à vous en voyant que vous vous oubliez pour lui, et qu'au lieu d'achever de l'écraser, vous le consolez. Mais si à son chagrin vous ajoutez des reproches, il vous prendra en haine, et se fera une loi de ne vous plus écouter, comme pour vous prouver qu'il ne pense pas comme vous sur l'importance de vos avis.

Le tour de vos consolations peut encore être pour lui une instruction d'autant plus utile qu'il ne s'en défiera pas. En lui disant, je suppose, que mille autres font les mêmes fautes, vous le mettez loin de son compte; vous le corrigez en ne paraissant que le plaindre : car, pour celui qui croit valoir mieux que les autres hommes, c'est une excuse bien mortifiante que de se consoler par leur exemple; c'est concevoir que le plus qu'il peut prétendre est qu'ils ne valent pas mieux que lui.

Le temps des fautes est celui des fables. En censurant le coupable sous un masque étranger, on l'instruit sans l'offenser; et il comprend alors que l'apologue n'est pas un mensonge, par la vérité dont il se fait l'application. L'enfant qu'on n'a jamais trompé par des louanges n'entend rien à la fable que j'ai ci-devant examinée [100], mais l'étourdi qui vient d'être la dupe d'un flatteur conçoit à merveille que le corbeau n'était qu'un sot. Ainsi, d'un fait il tire une maxime; et l'expérience qu'il eût bientôt oubliée se grave, au moyen de la fable, dans son jugement. Il n'y a point de connaissance morale qu'on ne puisse acquérir par l'expérience d'autrui ou par la sienne. Dans les cas où cette expérience est dangereuse, au lieu de la faire soi-même, on tire sa leçon de l'histoire. Quand l'épreuve est sans conséquence, il est bon que le jeune homme y reste exposé; puis, au moyen de l'apologue, on rédige en maximes les cas particuliers qui lui sont connus.

Je n'entends pas pourtant que ces maximes doivent être développées, ni même énoncées. Rien n'est si vain, si mal entendu, que la morale par laquelle on termine la plupart des fables; comme si cette morale n'était pas ou ne devait pas être étendue dans la fable même, de manière à la rendre sensible au lecteur ! Pourquoi donc, en ajoutant cette morale à la fin, lui ôter le plaisir de la trouver de son chef ? Le talent d'instruire est de faire que le disciple se plaise à l'instruction. Or, pour qu'il s'y plaise, il ne faut pas que son esprit reste tellement passif à tout ce que vous lui dites, qu'il n'ait absolument rien à faire pour vous entendre. Il faut que l'amour-propre du maître laisse toujours quelque prise au sien; il faut qu'il se puisse dire : Je conçois, je pénètre, j'agis, je m'instruis. Une des choses qui rendent ennuyeux le Pantalon de la comédie italienne, est le soin qu'il prend d'interpréter au parterre des platises qu'on n'entend déjà que trop. Je ne veux point qu'un gouverneur soit Pantalon, encore moins un auteur. Il faut toujours se faire entendre; mais il ne faut pas toujours tout dire : celui qui dit tout dit peu de choses, car à la fin on ne l'écoute plus. Que signifient ces quatre vers que La Fontaine ajoute à la fable de la grenouille qui s'enfle ? À-t-il peur qu'on ne l'ait pas compris ? A-t-il besoin, ce grand peintre, d'écrire les noms au-dessous des objets qu'il peint ? Loin de généraliser par là sa morale, il la particularise, il la restreint en quelque sorte aux exemples cités, et empêche qu'on ne l'applique à d'autres. Je voudrais qu'avant de mettre les fables de cet auteur inimitable entre les mains d'un jeune homme, on en retranchât toutes ces conclusions par lesquelles il prend la peine d'expliquer ce qu'il vient de dire aussi clairement qu'agréablement. Si votre élève n'entend la fable qu'à l'aide de l'explication, soyez sûr qu'il ne l'entendra pas même ainsi.

Il importerait encore de donner à ces fables un ordre plus didactique et plus conforme aux progrès des sentiments et des lumières du jeune adolescent. Conçoit-on rien de moins raisonnable que d'aller suivre exactement l'ordre numérique du livre, sans égard au besoin ni à l'occasion ? D'abord le corbeau, puis la cigale *, puis la grenouille, puis les deux mulets, etc. J'ai sur le cœur ces deux mulets, parce que je

---

* Il faut encore appliquer ici la correction de M. Formey. C'est la cigale, puis le corbeau, etc.

me souviens d'avoir vu un enfant élevé pour la finance, et
qu'on étourdissait de l'emploi qu'il allait remplir, lire cette
fable, l'apprendre, la dire, la redire cent et cent fois, sans en
tirer jamais la moindre objection contre le métier auquel
il était destiné. Non seulement je n'ai jamais vu d'enfants
faire aucune application solide des fables qu'ils apprenaient,
mais je n'ai jamais vu que personne se souciât de leur faire
faire cette application. Le prétexte de cette étude est l'instruction morale; mais le véritable objet de la mère et de
l'enfant n'est que d'occuper de lui toute une compagnie,
tandis qu'il récite ses fables; aussi les oublie-t-il toutes en
grandissant, lorsqu'il n'est plus question de les réciter, mais
d'en profiter. Encore une fois, il n'appartient qu'aux
hommes de s'instruire dans les fables; et voici pour Émile
le temps de commencer.

   Je montre de loin, car je ne veux pas non plus tout dire,
les routes qui détournent de la bonne, afin qu'on apprenne
à les éviter. Je crois qu'en suivant celle que j'ai marquée,
votre élève achètera la connaissance des hommes et de soi-
même au meilleur marché qu'il est possible; que vous le
mettrez au point de contempler les jeux de la fortune sans
envier le sort de ses favoris, et d'être content de lui sans se
croire plus sage que les autres. Vous avez aussi commencé
à le rendre acteur pour le rendre spectateur : il faut achever;
car du parterre on voit les objets tels qu'ils paraissent, mais
de la scène on les voit tels qu'ils sont. Pour embrasser le tout,
il faut se mettre dans le point de vue; il faut approcher pour
voir les détails. Mais à quel titre un jeune homme entrera-t-il
dans les affaires du monde ? Quel droit a-t-il d'être initié dans
ces mystères ténébreux ? Des intrigues de plaisir bornent les
intérêts de son âge; il ne dispose encore que de lui-même;
c'est comme s'il ne disposait de rien. L'homme est la plus
vile des marchandises, et, parmi nos importants droits de
propriété, celui de la personne est toujours le moindre de
tous.

   Quand je vois que, dans l'âge de la plus grande activité,
l'on borne les jeunes gens à des études purement spéculatives, et qu'après, sans la moindre expérience, ils sont tout
d'un coup jetés dans le monde et dans les affaires, je trouve
qu'on ne choque pas moins la raison que la nature, et je ne
suis plus surpris que si peu de gens sachent se conduire. Par
quel bizarre tour d'esprit nous apprend-on tant de choses

inutiles, tandis que l'art d'agir est compté pour rien ? On prétend nous former pour la société, et l'on nous instruit comme si chacun de nous devait passer sa vie à penser seul dans sa cellule, ou à traiter des sujets en l'air avec des indifférents. Vous croyez apprendre à vivre à vos enfants, en leur enseignant certaines contorsions du corps et certaines formules de paroles qui ne signifient rien. Moi aussi, j'ai appris à vivre à mon Émile ; car je lui ai appris à vivre avec lui-même, et, de plus, à savoir gagner son pain. Mais ce n'est pas assez. Pour vivre dans le monde, il faut savoir traiter avec les hommes, il faut connaître les instruments qui donnent prise sur eux ; il faut calculer l'action et réaction de l'intérêt particulier dans la société civile, et prévoir si juste les événements, qu'on soit rarement trompé dans ses entreprises, ou qu'on ait du moins toujours pris les meilleurs moyens pour réussir. Les lois ne permettent pas aux jeunes gens de faire leurs propres affaires, et de disposer de leur propre bien : mais que leur serviraient ces précautions, si, jusqu'à l'âge prescrit, ils ne pouvaient acquérir aucune expérience ? Ils n'auraient rien gagné d'attendre, et seraient tout aussi neufs à vingt-cinq ans qu'à quinze. Sans doute il faut empêcher qu'un jeune homme, aveuglé par son ignorance, ou trompé pas ses passions, ne se fasse du mal à lui-même ; mais à tout âge il est permis d'être bienfaisant, à tout âge on peut protéger, sous la direction d'un homme sage, les malheureux qui n'ont besoin que d'appui.

Les nourrices, les mères s'attachent aux enfants par les soins qu'elles leur rendent ; l'exercice des vertus sociales porte au fond des cœurs l'amour de l'humanité : c'est en faisant le bien qu'on devient bon ; je ne connais point de pratique plus sûre. Occupez votre élève à toutes les bonnes actions qui sont à sa portée ; que l'intérêt des indigents soit toujours le sien ; qu'il ne les assiste pas seulement de sa bourse, mais de ses soins ; qu'il les serve, qu'il les protège, qu'il leur consacre sa personne et son temps ; qu'il se fasse leur homme d'affaires : il ne remplira de sa vie un si noble emploi. Combien d'opprimés, qu'on n'eût jamais écoutés, obtiendront justice, quand il la demandera pour eux avec cette intrépide fermeté que donne l'exercice de la vertu ; quand il forcera les portes des grands et des riches, quand il ira, s'il le faut, jusqu'au pied du trône faire entendre la voix des infortunés, à qui tous les abords sont fermés par leur misère, et que la crainte d'être punis des maux qu'on leur fait empêche même d'oser s'en plaindre !

Mais ferons-nous d'Émile un chevalier errant, un redresseur de torts, un paladin ? Ira-t-il s'ingérer dans les affaires publiques, faire le sage et le défenseur des lois chez les grands, chez les magistrats, chez le prince, faire le solliciteur chez les juges et l'avocat dans les tribunaux ? Je ne sais rien de tout cela. Les noms badins et ridicules ne changent rien à la nature des choses. Il fera tout ce qu'il sait être utile et bon. Il ne fera rien de plus, et il sait que rien n'est utile et bon pour lui de ce qui ne convient pas à son âge; il sait que son premier devoir est envers lui-même; que les jeunes gens doivent se défier d'eux, être circonspects dans leur conduite, respectueux devant les gens plus âgés, retenus et discrets à parler sans sujet, modestes dans les choses indifférentes, mais hardis à bien faire, et courageux à dire la vérité. Tels étaient ces illustres Romains qui, avant d'être admis dans les charges, passaient leur jeunesse à poursuivre le crime et à défendre l'innocence, sans autre intérêt que celui de s'instruire en servant la justice et protégeant les bonnes mœurs.

Émile n'aime ni le bruit ni les querelles, non seulement entre les hommes *, pas même entre les animaux. Il n'excita

---

* Mais si on lui cherche querelle à lui-même, comment se conduira-t-il ? Je réponds qu'il n'aura jamais de querelle, qu'il ne s'y prêtera jamais assez pour en avoir. Mais enfin, poursuivra-t-on, qui est-ce qui est à l'abri d'un soufflet ou d'un démenti de la part d'un brutal, d'un ivrogne, ou d'un brave coquin, qui, pour avoir le plaisir de tuer son homme, commence par le déshonorer ? C'est autre chose; il ne faut point que l'honneur des citoyens ni leur vie soit à la merci d'un brutal, d'un ivrogne, ou d'un brave coquin; et l'on ne peut pas plus se préserver d'un pareil accident que de la chute d'une tuile. Un soufflet et un démenti reçus et endurés ont des effets civils que nulle sagesse ne peut prévenir, et dont nul tribunal ne peut venger l'offensé. L'insuffisance des lois lui rend donc en cela son indépendance; il est alors seul magistrat, seul juge entre l'offenseur et lui; il est seul interprète et ministre de la loi naturelle; il se doit justice et peut seul se la rendre, et il n'y a sur la terre nul gouvernement assez insensé pour le punir de se l'être faite en pareil cas. Je ne dis pas qu'il doive s'aller battre; c'est une extravagance; je dis qu'il se doit justice, et qu'il en est le seul dispensateur. Sans tant de vains édits contre les duels, si j'étais souverain, je réponds qu'il n'y aurait jamais ni soufflet ni démenti donné dans mes États, et cela par un moyen fort simple dont les tribunaux ne se mêle-

jamais deux chiens à se battre; jamais il ne fit poursuivre un chat par un chien. Cet esprix de paix est un effet de son éducation, qui n'ayant point fomenté l'amour-propre et la haute opinion de lui-même, l'a détourné de chercher ses plaisirs dans la domination et dans le malheur d'autrui. Il souffre quand il voit souffrir; c'est un sentiment naturel. Ce qui fait qu'un jeune homme s'endurcit et se complaît à voir tourmenter un être sensible, c'est quand un retour de vanité le fait se regarder comme exempt des mêmes peines par sa sagesse ou par sa supériorité. Celui qu'on a garanti de ce tour d'esprit ne saurait tomber dans le vice qui en est l'ouvrage. Émile aime donc la paix. L'image du bonheur le flatte, et quand il peut contribuer à le produire, c'est un moyen de plus de le partager. Je n'ai pas supposé qu'en voyant des malheureux il n'aurait pour eux que cette pitié stérile et cruelle qui se contente de plaindre les maux qu'elle peut guérir. Sa bienfaisance active lui donne bientôt des lumières qu'avec un cœur plus dur il n'eût point acquises, ou qu'il eût acquises beaucoup plus tard. S'il voit régner la discorde entre ses camarades, il cherche à les réconcilier; s'il voit des affligés, il s'informe du sujet de leurs peines; s'il voit deux hommes se haïr, il veut connaître la cause de leur inimitié; s'il voit un opprimé gémir des vexations du puissant et du riche, il cherche de quelles manœuvres se couvrent ces vexations; et, dans l'intérêt qu'il prend à tous les misérables, les moyens de finir leurs maux ne sont jamais indifférents pour lui. Qu'avons-nous donc à faire pour tirer parti de ces dispositions d'une manière convenable à son âge ? De régler ses soins et ses connaissances, et d'employer son zèle à les augmenter.

Je ne me lasse point de le redire : mettez toutes les leçons des jeunes gens en actions plutôt qu'en discours; qu'ils n'apprennent rien dans les livres de ce que l'expérience peut leur enseigner. Quel extravagant projet de les exercer à parler, sans sujet de rien dire; de croire leur faire sentir, sur les bancs d'un collège, l'énergie du langage des passions et

raient point. Quoi qu'il en soit, Émile sait en pareil cas la justice qu'il se doit à lui-même, et l'exemple qu'il doit à la sûreté des gens d'honneur. Il ne dépend pas de l'homme le plus ferme d'empêcher qu'on ne l'insulte, mais il dépend de lui d'empêcher qu'on ne se vante longtemps de l'avoir insulté.

toute la force de l'art de persuader, sans intérêt de rien persuader à personne ! Tous les préceptes de la rhétorique ne
semblent qu'un pur verbiage à quiconque n'en sent pas
l'usage pour son profit. Qu'importe à un écolier de savoir
comment s'y prit Annibal pour déterminer ses soldats à passer les Alpes ? Si, au lieu de ces magnifiques harangues,
vous lui disiez comment il doit s'y prendre pour porter son
préfet à lui donner congé, soyez sûr qu'il serait plus attentif
à vos règles.

Si je voulais enseigner la rhétorique à un jeune homme
dont toutes les passions fussent déjà développées, je lui pré-
senterais sans cesse des objets propres à flatter ses passions,
et j'examinerais avec lui quel langage il doit tenir aux autres
hommes pour les engager à favoriser ses désirs. Mais mon
Émile n'est pas dans une situation si avantageuse à l'art oratoire; borné presque au seul nécessaire physique, il a moins
besoin des autres que les autres n'ont besoin de lui; et
n'ayant rien à leur demander pour lui-même, ce qu'il veut
leur persuader ne le touche pas d'assez près pour l'émouvoir
excessivement. Il suit de là qu'en général il doit avoir un
langage simple et peu figuré. Il parle ordinairement au
propre et seulement pour être entendu. Il est peu senten-
cieux, parce qu'il n'a pas appris à généraliser ses idées : il a
peu d'images, parce qu'il est rarement passionné.

Ce n'est pas pourtant qu'il soit tout à fait flegmatique et
froid; ni son âge, ni ses mœurs, ni ses goûts ne le permettent : dans le feu de l'adolescence, les esprits vivifiants,
retenus, et cohobés [101] dans son sang, portent à son jeune
cœur une chaleur qui brille dans ses regards, qu'on sent dans
ses discours, qu'on voit dans ses actions. Son langage a pris
de l'accent, et quelquefois de la véhémence. Le noble sentiment qui l'inspire lui donne de la force et de l'élévation :
pénétré du tendre amour de l'humanité, il transmet en parlant les mouvements de son âme; sa généreuse franchise a
je ne sais quoi de plus enchanteur que l'artificieuse éloquence des autres; ou plutôt lui seul est véritablement éloquent, puisqu'il n'a qu'à montrer ce qu'il sent pour le communiquer à ceux qui l'écoutent.

Plus j'y pense, plus je trouve qu'en mettant ainsi la
bienfaisance en action et tirant de nos bons ou mauvais
succès des réflexions sur leurs causes, il y a peu de connaissances utiles qu'on ne puisse cultiver dans l'esprit d'un

jeune homme, et qu'avec tout le vrai savoir qu'on peut acquérir dans les collèges, il acquerra de plus une science plus importante encore, qui est l'application de cet acquis aux usages de la vie. Il n'est pas possible que, prenant tant d'intérêt à ses semblables, il n'apprenne de bonne heure à peser et apprécier leurs actions, leurs goûts, leurs plaisirs, et à donner en général une plus juste valeur à ce qui peut contribuer ou nuire au bonheur des hommes, que ceux qui, ne s'intéressant à personne, ne font jamais rien pour autrui. Ceux qui ne traitent jamais que leurs propres affaires se passionnent trop pour juger sainement des choses. Rapportant tout à eux seuls, et réglant sur leur seul intérêt les idées du bien et du mal, ils se remplissent l'esprit de mille préjugés ridicules, et dans tout ce qui porte atteinte à leur moindre avantage, ils voient aussitôt le bouleversement de tout l'univers.

Étendons l'amour-propre sur les autres êtres, nous le transformerons en vertu, et il n'y a point de cœur d'homme dans lequel cette vertu n'ait sa racine. Moins l'objet de nos soins tient immédiatement à nous-mêmes, moins l'illusion de l'intérêt particulier est à craindre; plus on généralise cet intérêt, plus il devient équitable; et l'amour du genre humain n'est autre chose en nous que l'amour de la justice. Voulons-nous donc qu'Émile aime la vérité, voulons-nous qu'il la connaisse; dans les affaires tenons-le toujours loin de lui. Plus ses soins seront consacrés au bonheur d'autrui, plus ils seront éclairés et sages, et moins il se trompera sur ce qui est bien ou mal; mais ne souffrons jamais en lui de préférence aveugle, fondée uniquement sur des acceptions de personnes ou sur d'injustes préventions. Et pourquoi nuirait-il à l'un pour servir l'autre? Peu lui importe à qui tombe un plus grand bonheur en partage, pourvu qu'il concoure au plus grand bonheur de tous : c'est là le premier intérêt du sage après l'intérêt privé; car chacun est partie de son espèce et non d'un autre individu.

Pour empêcher la pitié de dégénérer en faiblesse, il faut donc la généraliser et l'étendre sur tout le genre humain. Alors on ne s'y livre qu'autant qu'elle est d'accord avec la justice, parce que, de toutes les vertus, la justice est celle qui concourt le plus au bien commun des hommes. Il faut par raison, par amour pour nous, avoir pitié de notre espèce encore plus que de notre prochain; et c'est une très grande cruauté envers les hommes que la pitié pour les méchants.

Au reste, il faut se souvenir que tous ces moyens, par lesquels je jette ainsi mon élève hors de lui-même, ont cependant toujours un rapport direct à lui, puisque non seulement il en résulte une jouissance intérieure, mais qu'en le rendant bienfaisant au profit des autres, je travaille à sa propre instruction.

J'ai d'abord donné les moyens, et maintenant j'en montre l'effet. Quelles grandes vues je vois s'arranger peu à peu dans sa tête ! Quels sentiments sublimes étouffent dans son cœur le germe des petites passions ! Quelle netteté de judiciaire, quelle justesse de raison je vois se former en lui de ses penchants cultivés, de l'expérience qui concentre les vœux d'une âme grande dans l'étroite borne des possibles, et fait qu'un homme supérieur aux autres, ne pouvant les élever à sa mesure, sait s'abaisser à la leur ! Les vrais principes du juste, les vrais modèles du beau, tous les rapports moraux des êtres, toutes les idées de l'ordre, se gravent dans son entendement; il voit la place de chaque chose et la cause qui l'en écarte : il voit ce qui peut faire le bien et ce qui l'empêche. Sans avoir éprouvé les passions humaines, il connaît leurs illusions et leur jeu.

J'avance, attiré par la force des choses, mais sans m'en imposer sur les jugements des lecteurs. Depuis longtemps ils me voient dans le pays des chimères; moi, je les vois toujours dans le pays des préjugés. En m'écartant si fort des opinions vulgaires, je ne cesse de les avoir présentes à mon esprit : je les examine, je les médite, non pour les suivre ni pour les fuir, mais pour les peser à la balance du raisonnement. Toutes les fois qu'il me force à m'écarter d'elles, instruit par l'expérience, je me tiens déjà pour dit qu'ils ne m'imiteront pas : je sais que, s'obstinant à n'imaginer possible que ce qu'ils voient, ils prendront le jeune homme que je figure pour un être imaginaire et fantastique, parce qu'il diffère de ceux auxquels ils le comparent; sans songer qu'il faut bien qu'il en diffère, puisque, élevé tout différemment, affecté de sentiments tout contraires, instruit tout autrement qu'eux, il serait beaucoup plus surprenant qu'il leur ressemblât que d'être tel que je le suppose. Ce n'est pas l'homme de l'homme, c'est l'homme de la nature. Assurément il doit être fort étranger à leurs yeux.

En commençant cet ouvrage, je ne supposais rien que tout le monde ne pût observer ainsi que moi, parce qu'il est un point, savoir, la naissance de l'homme, duquel nous partons tous également : mais plus nous avançons, moi pour cultiver la nature, et vous pour la dépraver, plus nous nous éloignons les uns des autres. Mon élève, à six ans, différait peu des vôtres, que vous n'aviez pas encore eu le temps de défigurer; maintenant ils n'ont plus rien de semblable; et l'âge de l'homme fait, dont il approche, doit le montrer sous une forme absolument différente, si je n'ai pas perdu tous mes soins. La quantité d'acquis est peut-être assez égale de part et d'autre; mais les choses acquises ne se ressemblent point. Vous êtes étonnés de trouver à l'un des sentiments sublimes dont les autres n'ont pas le moindre germe; mais considérez aussi que ceux-ci sont déjà tous philosophes et théologiens, avant qu'Émile sache seulement ce que c'est que philosophie et qu'il ait même entendu parler de Dieu.

Si donc on venait me dire : Rien de ce que vous supposez n'existe; les jeunes gens ne sont point faits ainsi; ils ont telle ou telle passion; ils font ceci ou cela : c'est comme si l'on niait que jamais poirier fût un grand arbre, parce qu'on n'en voit que de nains dans nos jardins.

Je prie ces juges, si prompts à la censure, de considérer que ce qu'ils disent là, je le sais tout aussi bien qu'eux, que j'y ai probablement réfléchi plus longtemps, et que, n'ayant nul intérêt à leur en imposer, j'ai droit d'exiger qu'ils se donnent au moins le temps de chercher en quoi je me trompe. Qu'ils examinent bien la constitution de l'homme, qu'ils suivent les premiers développements du cœur dans telle ou telle circonstance, afin de voir combien un individu peut différer d'un autre par la force de l'éducation; qu'ensuite ils comparent la mienne aux effets que je lui donne; et qu'ils disent en quoi j'ai mal raisonné : je n'aurai rien à répondre.

Ce qui me rend plus affirmatif, et, je crois, plus excusable de l'être, c'est qu'au lieu de me livrer à l'esprit de système, je donne le moins qu'il est possible au raisonnement et ne me fie qu'à l'observation. Je ne me fonde point sur ce que j'ai imaginé, mais sur ce que j'ai vu. Il est vrai que je n'ai pas renfermé mes expériences dans l'enceinte des murs d'une ville ni dans un seul ordre de gens ; mais, après avoir comparé tout autant de rangs et de peuples que j'en ai pu voir dans une vie passée à les observer, j'ai retranché comme artificiel ce qui était d'un peuple et non pas d'un autre, d'un état et non pas d'un autre, et n'ai regardé comme appartenant incontestablement à l'homme, que ce qui était commun à tous, à quelque âge, dans quelque rang, et dans quelque nation que ce fût.

Or, si, selon cette méthode, vous suivez dès l'enfance un jeune homme qui n'aura point reçu de forme particulière, et qui tiendra le moins qu'il est possible à l'autorité et à l'opinion d'autrui, à qui, de mon élève ou des vôtres, pensez-vous qu'il ressemblera le plus ? Voilà, ce me semble, la question qu'il faut résoudre pour savoir si je me suis égaré.

L'homme ne commence pas aisément à penser, mais sitôt qu'il commence, il ne cesse plus. Quiconque a pensé pensera toujours, et l'entendement une fois exercé à la réflexion ne peut plus rester en repos. On pourrait donc croire que j'en fais trop ou trop peu, que l'esprit humain n'est point naturellement si prompt à s'ouvrir, et qu'après lui avoir donné des facilités qu'il n'a pas, je le tiens trop longtemps inscrit dans un cercle d'idées qu'il doit avoir franchi.

Mais considérez premièrement que, voulant former l'homme de la nature, il ne s'agit pas pour cela d'en faire un sauvage et de le reléguer au fond des bois ; mais qu'enfermé dans le tourbillon social, il suffit qu'il ne s'y laisse entraîner ni par les passions ni par les opinions des hommes ; qu'il voie par ses yeux, qu'il sente par son cœur ; qu'aucune autorité ne le gouverne, hors celle de sa propre raison. Dans cette position, il est clair que la multitude d'objets qui le frappent, les fréquents sentiments dont il est affecté, les divers moyens de pourvoir à ses besoins réels, doivent lui donner beaucoup d'idées qu'il n'aurait jamais eues, ou qu'il eût acquises plus lentement. Le progrès naturel à l'esprit est accéléré, mais non renversé. Le même homme qui doit rester stupide dans les forêts doit devenir raisonnable et sensé dans les villes, quand il y sera simple spectateur. Rien n'est plus propre à rendre sage que les folies qu'on voit sans les partager ; et celui même qui les par-

tage s'instruit encore, pourvu qu'il n'en soit pas la dupe
et qu'il n'y porte pas l'erreur de ceux qui les font.

Considérez aussi que, bornés par nos facultés aux choses
sensibles, nous n'offrons presque aucune prise aux notions
abstraites de la philosophie et aux idées purement intellec-
tuelles. Pour y atteindre il faut, ou nous dégager du corps
auquel nous sommes si fortement attachés, ou faire d'objet
en objet un progrès graduel et lent, ou enfin franchir rapidement et presque d'un saut l'intervalle par un pas de géant
dont l'enfance n'est pas capable, et pour lequel il faut même
aux hommes bien des échelons faits exprès pour eux. La
première idée abstraite est le premier de ces échelons;
mais j'ai bien de la peine à voir comment on s'avise de
les construire.

L'Être incompréhensible qui embrasse tout, qui donne
le mouvement au monde et forme tout le système des
êtres, n'est ni visible à nos yeux, ni palpable à nos mains;
il échappe à tous nos sens : l'ouvrage se montre, mais
l'ouvrier se cache. Ce n'est pas une petite affaire de connaître enfin qu'il existe, et quand nous sommes parvenus
là, quand nous nous demandons : quel est-il? où est-il?
notre esprit se confond, s'égare, et nous ne savons plus
que penser.

Locke veut qu'on commence par l'étude des esprits,
et qu'on passe ensuite à celle des corps. Cette méthode
est celle de la superstition, des préjugés, de l'erreur : ce
n'est point celle de la raison, ni même de la nature bien
ordonnée; c'est se boucher les yeux pour apprendre à
voir. Il faut avoir longtemps étudié les corps pour se faire
une véritable notion des esprits, et soupçonner qu'ils
existent. L'ordre contraire ne sert qu'à établir le matérialisme.

Puisque nos sens sont les premiers instruments de nos
connaissances, les êtres corporels et sensibles sont les seuls
dont nous ayons immédiatement l'idée. Ce mot *esprit* n'a
aucun sens pour quiconque n'a pas philosophé. Un esprit
n'est qu'un corps pour le peuple et pour les enfants. N'ima-
ginent-ils pas des esprits qui crient, qui parlent, qui bat-
tent, qui font du bruit? Or on m'avouera que des esprits
qui ont des bras et des langues ressemblent beaucoup à
des corps. Voilà pourquoi tous les peuples du monde,
sans excepter les Juifs, se sont fait des dieux corporels.

Nous-mêmes, avec nos termes d'Esprit, de Trinité, de
Personnes, sommes pour la plupart de vrais anthropomor-
phites. J'avoue qu'on nous apprend à dire que Dieu est
partout : mais nous croyons aussi que l'air est partout,
au moins dans notre atmosphère; et le mot *esprit*, dans
son origine, ne signifie lui-même que *souffle* et *vent*. Sitôt
qu'on accoutume les gens à dire des mots sans les entendre,
il est facile après cela de leur faire dire tout ce qu'on veut.

   Le sentiment de notre action sur les autres corps a dû
d'abord nous faire croire que, quand ils agissaient sur
nous, c'était d'une manière semblable à celle dont nous
agissons sur eux. Ainsi l'homme a commencé par animer
tous les êtres dont il sentait l'action. Se sentant moins fort
que la plupart de ces êtres, faute de connaître les bornes
de leur puissance, il l'a supposée illimitée, et il en fit des
dieux aussitôt qu'il en fit des corps. Durant les premiers
âges, les hommes, effrayés de tout, n'ont rien vu de mort
dans la nature. L'idée de la matière n'a pas été moins lente
à se former en eux que celle de l'esprit, puisque cette première idée est une abstraction elle-même. Ils ont ainsi
rempli l'univers de dieux sensibles. Les astres, les vents,
les montagnes, les fleuves, les arbres, les villes, les maisons
même, tout avait son âme, son dieu, sa vie. Les marmousets [102] de Laban, les manitous des sauvages, les fétiches
des Nègres, tous les ouvrages de la nature et des hommes
ont été les premières divinités des mortels; le polythéisme
a été leur première religion, l'idolâtrie leur premier culte.
Ils n'ont pu reconnaître un seul Dieu que quand, géné-
ralisant de plus en plus leurs idées, ils ont été en état de
remonter à une première cause, de réunir le système total
des êtres sous une seule idée, et de donner un sens au mot
*substance*, lequel est au fond la plus grande des abstractions.
Tout enfant qui croit en Dieu est donc nécessairement
idolâtre, ou du moins anthropomorphite; et quand une
fois l'imagination a vu Dieu, il est bien rare que l'entendement le conçoive. Voilà précisément l'erreur où mène
l'ordre de Locke.

   Parvenu, je ne sais comment, à l'idée abstraite de la
substance, on voit que, pour admettre une substance
unique, il lui faudrait supposer des qualités incompatibles
qui s'excluent mutuellement, telles que la pensée et l'étendue, dont l'une est essentiellement divisible, et dont l'autre

exclut toute divisibilité. On conçoit d'ailleurs que la pensée, ou si l'on veut le sentiment, est une qualité primitive et inséparable de la substance à laquelle elle appartient; qu'il en est de même de l'étendue par rapport à sa substance. D'où l'on conclut que les êtres qui perdent une de ces qualités perdent la substance à laquelle elle appartient, que par conséquent la mort n'est qu'une séparation de substances, et que les êtres où ces deux qualités sont réunies sont composés de deux substances auxquelles ces deux qualités appartiennent.

Or considérez maintenant quelle distance reste encore entre la notion des deux substances et celle de la nature divine; entre l'idée incompréhensible de l'action de notre âme sur notre corps et l'idée de l'action de Dieu sur tous les êtres. Les idées de création, d'annihilation, d'ubiquité, d'éternité, de toute-puissance, celle des attributs divins, toutes ces idées qu'il appartient à si peu d'hommes de voir aussi confuses et aussi obscures qu'elles le sont, et qui n'ont rien d'osbcur pour le peuple, parce qu'il n'y comprend rien du tout, comment se présenteront-elles dans toute leur force, c'est-à-dire dans toute leur obscurité, à de jeunes esprits encore occupés aux premières opérations des sens et qui ne conçoivent que ce qu'ils touchent? C'est en vain que les abîmes de l'infini sont ouverts tout autour de nous; un enfant n'en sait point être épouvanté; ses faibles yeux n'en peuvent sonder la profondeur. Tout est infini pour les enfants; ils ne savent mettre de bornes à rien; non qu'ils fassent la mesure fort longue, mais parce qu'ils ont l'entendement court. J'ai même remarqué qu'ils mettent l'infini moins au delà qu'en deçà des dimensions qui leur sont connues. Ils estimeront un espace immense bien plus par leurs pieds que par leurs yeux; il ne s'étendra pas pour eux plus loin qu'ils ne pourront voir, mais plus loin qu'ils ne pourront aller. Si on leur parle de la puissance de Dieu, ils l'estimeront presque aussi fort que leur père. En toute chose, leur connaissance étant pour eux la mesure des possibles, ils jugent ce qu'on leur dit toujours moindre que ce qu'ils savent. Tels sont les jugements naturels à l'ignorance et à la faiblesse d'esprit. Ajax eût craint de se mesurer avec Achille, et défie Jupiter au combat, parce qu'il connaît Achille et ne connaît pas Jupiter. Un paysan suisse qui se croyait le plus riche des hommes, et à qui l'on tâchait d'expliquer ce que c'était qu'un roi, demandait d'un air fier si le roi pourrait bien avoir cent vaches à la montagne.

Je prévois combien de lecteurs seront surpris de me voir suivre tout le premier âge de mon élève sans lui parler de religion. A quinze ans il ne savait s'il avait une âme, et peut-être à dix-huit n'est-il pas encore temps qu'il l'apprenne; car, s'il l'apprend plus tôt qu'il ne faut, il court risque de ne le savoir jamais.

Si j'avais à peindre la stupidité fâcheuse, je peindrais un pédant enseignant le catéchisme à des enfants; si je voulais rendre un enfant fou, je l'obligerais d'expliquer ce qu'il dit en disant son catéchisme. On m'objectera que, la plupart des dogmes du christianisme étant des mystères, attendre que l'esprit humain soit capable de les concevoir, ce n'est pas attendre que l'enfant soit homme, c'est attendre que l'homme ne soit plus. A cela je réponds premièrement qu'il y a des mystères qu'il est non seulement impossible à l'homme de concevoir, mais de croire, et que je ne vois pas ce qu'on gagne à les enseigner aux enfants, si ce n'est de leur apprendre à mentir de bonne heure. Je dis de plus que, pour admettre les mystères, il faut comprendre au moins qu'ils sont incompréhensibles; et les enfants ne sont pas même capables de cette conception-là. Pour l'âge où tout est mystère, il n'y a pas de mystères proprement dits.

*Il faut croire en Dieu pour être sauvé.* Ce dogme mal entendu est le principe de la sanguinaire intolérance, et la cause de toutes ces vaines instructions qui portent le coup mortel à la raison humaine en l'accoutumant à se payer de mots. Sans doute il n'y a pas un moment à perdre pour mériter le salut éternel : mais si, pour l'obtenir, il suffit de répéter certaines paroles, je ne vois pas ce qui nous empêche de peupler le ciel de sansonnets et de pies, tout aussi bien que d'enfants.

L'obligation de croire en suppose la possibilité. Le philosophe qui ne croit pas a tort, parce qu'il use mal de la raison qu'il a cultivée, et qu'il est en état d'entendre les vérités qu'il rejette. Mais l'enfant qui professe la religion chrétienne, que croit-il ? ce qu'il conçoit; et il conçoit si peu ce qu'on lui fait dire, que si vous lui dites le contraire, il l'adoptera tout aussi volontiers. La foi des enfants et

de beaucoup d'hommes est une affaire de géographie.
Seront-ils récompensés d'être nés à Rome plutôt qu'à la
Mecque ? On dit à l'un que Mahomet est le prophète de
Dieu, et il dit que Mahomet est le prophète de Dieu;
on dit à l'autre que Mahomet est un fourbe, et il dit
que Mahomet est un fourbe [103]. Chacun des deux eût
affirmé ce qu'affirme l'autre, s'ils se fussent trouvés trans-
posés. Peut-on partir de deux dispositions si semblables
pour envoyer l'un en paradis, l'autre en enfer ? Quand
un enfant dit qu'il croit en Dieu, ce n'est pas en Dieu
qu'il croit, c'est à Pierre ou à Jacques qui lui disent qu'il
y a quelque chose qu'on appelle Dieu; et il le croit à la
manière d'Euripide :

> O Jupiter ! car de toi rien sinon
> Je ne connais seulement que le nom*.

Nous tenons que nul enfant mort avant l'âge de raison
ne sera privé du bonheur éternel; les catholiques croient
la même chose de tous les enfants qui ont reçu le baptême,
quoiqu'ils n'aient jamais entendu parler de Dieu. Il y a
donc des cas où l'on peut être sauvé sans croire en Dieu,
et ces cas ont lieu, soit dans l'enfance, soit dans la démence,
quand l'esprit humain est incapable des opérations nécessaires pour reconnaître la Divinité. Toute la différence
que je vois ici entre vous et moi est que vous prétendez
que les enfants ont à sept ans cette capacité, et que je ne
la leur accorde pas même à quinze. Que j'aie tort ou raison,
il ne s'agit pas ici d'un article de foi, mais d'une simple
observation d'histoire naturelle.

Par le même principe, il est clair que tel homme, parvenu jusqu'à la vieillesse sans croire en Dieu, ne sera pas
pour cela privé de sa présence dans l'autre vie si son aveuglement n'a pas été volontaire; et je dis qu'il ne l'est pas
toujours. Vous en convenez pour les insensés qu'une maladie prive de leurs facultés spirituelles, mais non de leur
qualité d'homme, ni par conséquent du droit aux bienfaits
de leur Créateur. Pourquoi donc n'en pas convenir pour

---

\* PLUTARQUE, *Traité de l'Amour*, traduction d'Amyot. C'est ainsi
que commençait d'abord la tragédie de *Ménalippe ;* mais les clameurs
du peuple d'Athènes forcèrent Euripide à changer ce commencement.

ceux qui, séquestrés de toute société dès leur enfance, auraient mené une vie absolument sauvage, privés des lumières qu'on n'acquiert que dans le commerce des hommes * ? Car il est d'une impossibilité démontrée qu'un pareil sauvage pût jamais élever ses réflexions jusqu'à la connaissance du vrai Dieu. La raison nous dit qu'un homme n'est punissable que par les fautes de sa volonté, et qu'une ignorance invincible ne lui saurait être imputée à crime. D'où il suit que, devant la justice éternelle, tout homme qui croirait, s'il avait des lumières nécessaires, est réputé croire, et qu'il n'y aura d'incrédules punis que ceux dont le cœur se ferme à la vérité.

Gardons-nous d'annoncer la vérité à ceux qui ne sont pas en état de l'entendre, car c'est vouloir y substituer l'erreur Il vaudrait mieux n'avoir aucune idée de la Divinité que d'en avoir des idées basses, fantastiques, injurieuses, indignes d'elle; c'est un moindre mal de la méconnaître que de l'outrager. J'aimerais mieux, dit le bon Plutarque [104], qu'on crût qu'il n'y a point de Plutarque au monde, que si l'on disait que Plutarque est injuste, envieux, jaloux, et si tyran, qu'il exige plus qu'il ne laisse le pouvoir de faire.

Le grand mal des images difformes de la divinité qu'on trace dans l'esprit des enfants est qu'elles y restent toute leur vie, et qu'ils ne conçoivent plus, étant hommes, d'autre Dieu que celui des enfants. J'ai vu en Suisse une bonne et pieuse mère de famille tellement convaincue de cette maxime, qu'elle ne voulut point instruire son fils de la religion dans le premier âge, de peur que, content de cette instruction grossière, il n'en négligeât une meilleure à l'âge de raison. Cet enfant n'entendait jamais parler de Dieu qu'avec recueillement et révérence, et, sitôt qu'il en voulait parler lui-même, on lui imposait silence, comme sur un sujet trop sublime et trop grand pour lui. Cette réserve excitait sa curiosité, et son amour-propre aspirait au moment de connaître ce mystère qu'on lui cachait avec tant de soin. Moins on lui parlait de Dieu, moins on souffrait qu'il en parlât lui-même, et plus il s'en occupait : cet enfant voyait Dieu partout. Et ce que je craindrais de

---

* Sur l'état naturel de l'esprit humain et sur la lenteur de ses progrès, voyez la première partie du *Discours sur l'inégalité*.

cet air de mystère indiscrètement affecté, serait qu'en allumant trop l'imagination d'un jeune homme on n'altérât sa tête, et qu'enfin l'on n'en fît un fanatique, au lieu d'en faire un croyant.

Mais ne craignons rien de semblable pour mon Émile, qui, refusant constamment son attention à tout ce qui est au-dessus de sa portée, écoute avec la plus profonde indifférence les choses qu'il n'entend pas. Il y en a tant sur lesquelles il est habitué à dire : Cela n'est pas de mon ressort, qu'une de plus ne l'embarrasse guère; et, quand il commence à s'inquiéter de ces grandes questions, ce n'est pas pour les avoir entendu proposer, mais c'est quand le progrès naturel de ses lumières porte ses recherches de ce côté-là.

Nous avons vu par quel chemin l'esprit humain cultivé s'approche de ces mystères; et je conviendrai volontiers qu'il n'y parvient naturellement, au sein de la société même, que dans un âge plus avancé. Mais comme il y a dans la même société des causes inévitables par lesquelles le progrès des passions est accéléré, si l'on n'accélérait de même le progrès des lumières qui servent à régler ces passions, c'est alors qu'on sortirait véritablement de l'ordre de la nature, et que l'équilibre serait rompu. Quand on n'est pas maître de modérer un développement trop rapide, il faut mener avec la même rapidité ceux qui doivent y correspondre; en sorte que l'ordre ne soit point interverti, que ce qui doit marcher ensemble ne soit point séparé, et que l'homme, tout entier à tous les moments de sa vie, ne soit pas à tel point par une de ses facultés, et à tel autre point par les autres.

Quelle difficulté je vois s'élever ici ! difficulté d'autant plus grande qu'elle est moins dans les choses que dans la pusillanimité de ceux qui n'osent la résoudre. Commençons au moins par oser la proposer. Un enfant doit être élevé dans la religion de son père [105]: on lui prouve toujours très bien [106] que cette religion, quelle qu'elle soit, est la seule véritable : que toutes les autres ne sont qu'extravagance et absurdité. La force des arguments dépend absolument sur ce point du pays où l'on les propose. Qu'un Turc, qui trouve le christianisme si ridicule à Constantinople, aille voir comment on trouve le mahométisme à Paris ! C'est surtout en matière de religion que l'opinion triomphe. Mais nous qui prétendons secouer son joug en toute chose, nous qui ne voulons rien donner à l'autorité, nous qui ne voulons rien enseigner à notre Émile qu'il ne pût apprendre de lui-même par tout pays, dans quelle religion l'élèverons-nous ? à quelle secte agrégerons-nous l'homme de la nature ? La réponse est fort simple, ce me semble; nous ne l'agrégerons ni à celle-ci ni à celle-là, mais nous le mettrons en état de choisir celle où le meilleur usage de sa raison doit le conduire.

*Incedo per ignes*
*Suppositos cineri doloso* [107].

N'importe : le zèle et la bonne foi m'ont jusqu'ici tenu lieu de prudence : j'espère que ces garants ne m'abandonneront point au besoin. Lecteurs, ne craignez pas de moi des précautions indignes d'un ami de la vérité : je n'oublierai jamais ma devise; mais il m'est trop permis de me défier de mes jugements. Au lieu de vous dire ici de mon chef ce que je pense, je vous dirai ce que pensait un homme qui valait mieux que moi. Je garantis la vérité des faits qui vont être rapportés, ils sont réellement arrivés à l'auteur du papier que je vais transcrire : c'est à vous de voir si l'on peut en tirer des réflexions utiles sur le sujet dont il s'agit. Je ne vous propose point le sentiment d'un autre ou le mien pour règle; je vous l'offre à examiner.

« Il y a trente ans que, dans une ville d'Italie, un jeune homme expatrié [108] se voyait réduit à la dernière misère. Il était né calviniste; mais, par les suites d'une étourderie, se trouvant fugitif, en pays étranger, sans ressource, il changea de religion pour avoir du pain. Il y avait dans cette ville un hospice pour les prosélytes : il y fut admis. En l'instruisant sur la controverse, on lui donna des doutes qu'il n'avait pas, et on lui apprit le mal qu'il ignorait : il entendit des dogmes nouveaux, il vit des mœurs encore plus nouvelles ; il les vit, et faillit en être la victime. Il voulut fuir, on l'enferma ; il se plaignit, on le punit de ses plaintes : à la merci de ses tyrans, il se vit traiter en criminel pour n'avoir pas voulu céder au crime. Que ceux qui savent combien la première épreuve de la violence et de l'injustice irrite un jeune cœur sans expérience se figurent l'état du sien. Des larmes de rage coulaient de ses yeux, l'indignation l'étouffait : il implorait le ciel et les hommes, il se confiait à tout le monde, et n'était écouté de personne.

Il ne voyait que de vils domestiques soumis à l'infâme qui l'outrageait, ou des complices du même crime qui se raillaient de sa résistance et l'excitaient à les imiter. Il était perdu sans un honnête ecclésiastique qui vint à l'hospice pour quelque affaire, et qu'il trouva le moyen de consulter en secret. L'ecclésiastique était pauvre et avait besoin de tout le monde : mais l'opprimé avait encore plus besoin de lui ; et il n'hésita pas à favoriser son évasion [109], au risque de se faire un dangereux ennemi.

« Échappé au vice pour rentrer dans l'indigence, le jeune homme luttait sans succès contre sa destinée : un moment il se crut au-dessus d'elle. A la première lueur de fortune ses maux et son protecteur furent oubliés. Il fut bientôt puni de cette ingratitude : toutes ses espérances s'évanouirent ; sa jeunesse avait beau le favoriser, ses idées romanesques gâtaient tout. N'ayant ni assez de talents, ni assez d'adresse pour se faire un chemin facile, ne sachant être ni modéré ni méchant, il prétendit à tant de choses qu'il ne sut parvenir à rien. Retombé dans sa première détresse, sans pain, sans asile, prêt à mourir de faim, il se ressouvint de son bienfaiteur.

« Il y retourne, il le trouve, il en est bien reçu : sa vue rappelle à l'ecclésiastique une bonne action qu'il avait faite ; un tel souvenir réjouit toujours l'âme. Cet homme était naturellement humain, compatissant ; il sentait les peines d'autrui par les siennes, et le bien-être n'avait point endurci son cœur; enfin les leçons de la sagesse et une vertu éclairée avaient affermi son bon naturel. Il accueille le jeune homme, lui cherche un gîte, l'y recommande ; il partage avec lui son nécessaire, à peine suffisant pour deux. Il fait plus, il l'instruit, le console, il lui apprend l'art difficile de supporter patiemment l'adversité. Gens à préjugés, est-ce d'un prêtre, est-ce en Italie que vous eussiez espéré tout cela ?

« Cet honnête ecclésiastique était un pauvre vicaire savoyard [110], qu'une aventure de jeunesse avait mis mal avec son évêque, et qui avait passé les monts pour chercher les ressources qui lui manquaient dans son pays. Il n'était ni sans esprit ni sans lettres ; et avec une figure intéressante il avait trouvé des protecteurs qui le placèrent chez un ministre pour élever son fils. Il préférait la pauvreté à la dépendance, et il ignorait comment il faut se conduire chez les grands. Il ne resta pas longtemps chez celui-ci ; en le quittant, il ne perdit point son estime, et comme il vivait sagement et se faisait aimer de tout le monde, il se flattait de rentrer en grâce auprès de son évêque, et d'en obtenir quelque petite cure dans les montagnes pour y passer le reste de ses jours. Tel était le dernier terme de son ambition.

« Un penchant naturel l'intéressait au jeune fugitif, et le lui

fit examiner avec soin. Il vit que la mauvaise fortune avait
déjà flétri son cœur, que l'opprobre et le mépris avaient abattu
son courage, et que sa fierté, changée en dépit amer, ne lui
montrait dans l'injustice et la dureté des hommes que le vice
de leur nature et la chimère de la vertu. Il avait vu que la religion ne sert que de masque à l'intérêt, et le culte sacré de sauvegarde à l'hypocrisie : il avait vu, dans la subtilité des vaines
disputes, le paradis et l'enfer mis pour prix à des jeux de mots ;
il avait vu la sublime et primitive idée de la Divinité défigurée
par les fantasques imaginations des hommes ; et, trouvant
que pour croire en Dieu il fallait renoncer au jugement qu'on
avait reçu de lui, il prit dans le même dédain nos ridicules
rêveries et l'objet auquel nous les appliquons. Sans rien savoir
de ce qui est, sans rien imaginer sur la génération des choses,
il se plongea dans sa stupide ignorance avec un profond mépris
pour tous ceux qui pensaient en savoir plus que lui.

« L'oubli de toute religion conduit à l'oubli des devoirs de
l'homme. Ce progrès était déjà plus d'à moitié fait dans le
cœur du libertin. Ce n'était pas pourtant un enfant mal né ;
mais l'incrédulité, la misère, étouffant peu à peu le naturel,
l'entraînaient rapidement à sa perte, et ne lui préparaient que
les mœurs d'un gueux et la morale d'un athée.

« Le mal, presque inévitable, n'était pas absolument con-
sommé. Le jeune homme avait des connaissances, et son éducation n'avait pas été négligée. Il était dans cet âge heureux
où le sang en fermentation commence d'échauffer l'âme sans
l'asservir aux fureurs des sens. La sienne avait encore tout
son ressort. Une honte native, un caractère timide suppléaient
à la gêne et prolongeaient pour lui cette époque dans laquelle
vous maintenez votre élève avec tant de soins. L'exemple
odieux d'une dépravation brutale et d'un vice sans charme,
loin d'animer son imagination, l'avait amortie. Longtemps
le dégoût lui tint lieu de vertu pour conserver son innocence ;
elle ne devait succomber qu'à de plus douces séductions.

« L'ecclésiastique vit le danger et les ressources. Les difficultés ne le rebutèrent point : il se complaisait dans son ouvrage ;
il résolut de l'achever, et de rendre à la vertu la victime qu'il
avait arrachée à l'infamie. Il s'y prit de loin pour exécuter son
projet : la beauté du motif animait son courage et lui inspirait des moyens dignes de son zèle. Quel que fût le succès,
il était sûr de n'avoir pas perdu son temps. On réussit toujours
quand on ne veut que bien faire.

« Il commença par gagner la confiance du prosélyte en ne
lui vendant point ses bienfaits, en ne se rendant point importun, en ne lui faisant point de sermons, en se mettant toujours
à sa portée, en se faisant petit pour s'égaler à lui. C'était, ce
me semble, un spectacle assez touchant de voir un homme

grave devenir le camarade d'un polisson, et la vertu se prêter
au ton de la licence pour en triompher plus sûrement. Quand
l'étourdi venait lui faire ses folles confidences, et s'épancher
avec lui, le prêtre l'écoutait, le mettait à son aise; sans approuver le mal il s'intéressait à tout : jamais une indiscrète censure
ne venait arrêter son babil et resserrer son cœur ; le plaisir
avec lequel il se croyait écouté augmentait celui qu'il prenait
à tout dire. Ainsi se fit sa confession générale sans qu'il songeât
à rien confesser.

« Après avoir bien étudié ses sentiments et son caractère,
le prêtre vit clairement que, sans être ignorant pour son âge,
il avait oublié tout ce qu'il lui importait de savoir, et que
l'opprobre où l'avait réduit la fortune étouffait en lui tout
vrai sentiment du bien et du mal. Il est un degré d'abrutissement qui ôte la vie à l'âme ; et la voix intérieure ne sait
point se faire entendre à celui qui ne songe qu'à se nourrir.
Pour garantir le jeune infortuné de cette mort morale dont
il était si près, il commença par réveiller en lui l'amour-propre
et l'estime de soi-même : il lui montrait un avenir plus heureux
dans le bon emploi de ses talents ; il ranimait dans son cœur
une ardeur généreuse par le récit des belles actions d'autrui ;
en lui faisant admirer ceux qui les avaient faites, il lui rendait
le désir d'en faire de semblables. Pour le détacher insensiblement de sa vie oisive et vagabonde, il lui faisait faire des extraits
de livres choisis ; et, feignant d'avoir besoin de ces extraits,
il nourrissait en lui le noble sentiment de la reconnaissance.
Il l'instruisait indirectement par ces livres ; il lui faisait reprendre
assez bonne opinion de lui-même pour ne pas se croire un être
inutile à tout bien, et pour ne vouloir plus se rendre méprisable à ses propres yeux.

« Une bagatelle fera juger de l'art qu'employait cet homme
bienfaisant pour élever insensiblement le cœur de son disciple au-dessus de la bassesse, sans paraître songer à son instruction. L'ecclésiastique avait une probité si bien reconnue
et un discernement si sûr, que plusieurs personnes aimaient
mieux faire passer leurs aumônes par ses mains que par celles
des riches curés des villes. Un jour qu'on lui avait donné quelque
argent à distribuer aux pauvres, le jeune homme eut, à ce titre,
la lâcheté de lui en demander. Non, dit-il, nous sommes frères,
vous m'appartenez, et je ne dois pas toucher à ce dépôt pour
mon usage. Ensuite il lui donna de son propre argent autant
qu'il en avait demandé. Des leçons de cette espèce sont rarement
perdues dans le cœur des jeunes gens qui ne sont pas tout à
fait corrompus.

« Je me lasse de parler en tierce personne ; et c'est un soin
fort superflu ; car vous sentez bien, cher concitoyen, que ce
malheureux fugitif c'est moi-même : je me crois assez loin

des désordres de ma jeunesse pour oser les avouer, et la main qui m'en tira mérite bien qu'aux dépens d'un peu de honte je rende au moins quelque honneur à ses bienfaits.

« Ce qui me frappait le plus était de voir, dans la vie privée de mon digne maître, la vertu sans hypocrisie, l'humanité sans faiblesse, des discours toujours droits et simples, et une conduite toujours conforme à ces discours. Je ne le voyais point s'inquiéter si ceux qu'il aidait allaient à vêpres, s'ils se confessaient souvent, s'ils jeûnaient les jours prescrits, s'ils faisaient maigre, ni leur imposer d'autres conditions semblables, sans lesquelles, dût-on mourir de misère, on n'a nulle assistance à espérer des dévots.

« Encouragé par ses observations, loin d'étaler moi-même à ses yeux le zèle affecté d'un nouveau converti, je ne lui cachais point trop mes manières de penser, et ne l'en voyais pas plus scandalisé. Quelquefois j'aurais pu me dire : il me passe mon indifférence pour le culte que j'ai embrassé en faveur de celle qu'il me voit aussi pour le culte dans lequel je suis né ; il sait que mon dédain n'est plus une affaire de parti. Mais que devais-je penser quand je l'entendais quelquefois approuver des dogmes contraires à ceux de l'Église romaine, et paraître estimer médiocrement toutes ses cérémonies ? Je l'aurais cru protestant déguisé si je l'avais vu moins fidèle à ces mêmes usages dont il semblait faire assez peu de cas ; mais, sachant qu'il s'acquittait sans témoin de ses devoirs de prêtre aussi ponctuellement que sous les yeux du public, je ne savais plus que juger de ces contradictions. Au défaut près qui jadis avait attiré sa disgrâce et dont il n'était pas trop bien corrigé, sa vie était exemplaire, ses mœurs étaient irréprochables, ses discours honnêtes et judicieux. En vivant avec lui dans la plus grande intimité, j'apprenais à le respecter chaque jour davantage ; et tant de bontés m'ayant tout à fait gagné le cœur, j'attendais avec une curieuse inquiétude le moment d'apprendre sur quel principe il fondait l'uniformité d'une vie aussi singulière.

« Ce moment ne vint pas sitôt. Avant de s'ouvrir à son disciple, il s'efforça de faire germer les semences de raison et de bonté qu'il jetait dans son âme. Ce qu'il y avait en moi de plus difficile à détruire était une orgueilleuse misanthropie, une certaine aigreur contre les riches et les heureux du monde, comme s'ils l'eussent été à mes dépens, et que leur prétendu bonheur eût été usurpé sur le mien. La folle vanité de la jeunesse, qui regimbe contre l'humiliation, ne me donnait que trop de penchant à cette humeur colère, et l'amour-propre, que mon mentor tâchait de réveiller en moi, me portant à la fierté, rendait les hommes encore plus vils à mes yeux, et ne faisait qu'ajouter pour eux le mépris à la haine.

« Sans combattre directement cet orgueil, il l'empêcha de se tourner en dureté d'âme ; et sans m'ôter l'estime de moi-même, il la rendit moins dédaigneuse pour mon prochain. En écartant toujours la vaine apparence et me montrant les maux réels qu'elle couvre, il m'apprenait à déplorer les erreurs de mes semblables, à m'attendrir sur leurs misères, et à les plaindre plus qu'à les envier. Ému de compassion sur les faiblesses humaines par le profond sentiment des siennes, il voyait partout les hommes victimes de leurs propres vices et de ceux d'autrui ; il voyait les pauvres gémir sous le joug des riches, et les riches sous le joug des préjugés. Croyez-moi, disait-il, nos illusions, loin de nous cacher nos maux, les augmentent, en donnant un prix à ce qui n'en a point, et nous rendant sensibles à mille fausses privations que nous ne sentirions pas sans elles. La paix de l'âme consiste dans le mépris de tout ce qui peut la troubler : l'homme qui fait le plus cas de la vie est celui qui sait le moins en jouir, et celui qui aspire le plus avidement au bonheur est toujours le plus misérable.

« Ah ! quels tristes tableaux ! m'écriais-je avec amertume : s'il faut se refuser à tout, que nous a donc servi de naître ? et s'il faut mépriser le bonheur même, qui est-ce qui sait être heureux ? C'est moi, répondit un jour le prêtre d'un ton dont je fus frappé. Heureux, vous ! si peu fortuné, si pauvre, exilé, persécuté, vous êtes heureux ! Et qu'avez-vous fait pour l'être ? Mon enfant, reprit-il, je vous le dirai volontiers.

« Là-dessus il me fit entendre qu'après avoir reçu mes confessions il voulait me faire les siennes. J'épancherai dans votre sein, me dit-il en m'embrassant, tous les sentiments de mon cœur. Vous me verrez, sinon tel que je suis, au moins tel que je me vois moi-même. Quand vous aurez reçu mon entière profession de foi, quand vous connaîtrez bien l'état de mon âme, vous saurez pourquoi je m'estime heureux, et, si vous pensez comme moi, ce que vous avez à faire pour l'être. Mais ces aveux ne sont pas l'affaire d'un moment ; il faut du temps pour vous exposer tout ce que je pense sur le sort de l'homme et sur le vrai prix de la vie [111] : prenons une heure, un lieu commode pour nous livrer paisiblement à cet entretien.

« Je marquai de l'empressement à l'entendre. Le rendez-vous ne fut pas renvoyé plus tard qu'au lendemain matin. On était en été, nous nous levâmes à la pointe du jour. Il me mena hors de la ville, sur une haute colline, au-dessous de laquelle passait le Pô, dont on voyait le cours à travers les fertiles rives qu'il baigne ; dans l'éloignement, l'immense chaîne des Alpes couronnait le paysage ; les rayons du soleil levant rasaient déjà les plaines, et projetant sur les champs par longues ombres les arbres, les coteaux, les maisons, enrichissaient de mille accidents de lumière le plus beau tableau

dont l'œil humain puisse être frappé. On eût dit que la nature
étalait à nos yeux toute sa magnificence pour en offrir le texte
à nos entretiens. Ce fut là qu'après avoir quelque temps contemplé ces objets en silence, l'homme de paix me parla ainsi : »

## PROFESSION DE FOI DU VICAIRE SAVOYARD

Mon enfant, n'attendez de moi ni des discours savants
ni de profonds raisonnements. Je ne suis pas un grand
philosophe, et je me soucie peu de l'être. Mais j'ai quelquefois du bon sens, et j'aime toujours la vérité. Je ne
veux pas argumenter avec vous, ni même tenter de vous
convaincre; il me suffit de vous exposer ce que je pense
dans la simplicité de mon cœur. Consultez le vôtre durant
mon discours; c'est tout ce que je vous demande. Si je
me trompe, c'est de bonne foi; cela suffit pour que mon
erreur ne me soit point imputée à crime : quand vous vous
tromperiez de même, il y aurait peu de mal à cela. Si je
pense bien, la raison nous est commune, et nous avons le
même intérêt à l'écouter; pourquoi ne penseriez-vous pas
comme moi ?

Je suis né pauvre et paysan, destiné par mon état à
cultiver la terre; mais on crut plus beau que j'apprisse à
gagner mon pain dans le métier de prêtre, et l'on trouva
le moyen de me faire étudier. Assurément ni mes parents
ni moi ne songions guère à chercher en cela ce qui était
bon, véritable, utile, mais ce qu'il fallait savoir pour être
ordonné. J'appris ce qu'on voulait que j'apprisse, je dis
ce qu'on voulait que je disse, je m'engageai comme on
voulut, et je fus fait prêtre. Mais je ne tardai pas à sentir
qu'en m'obligeant de n'être pas homme j'avais promis
plus que je ne pouvais tenir.

On nous dit que la conscience est l'ouvrage des préjugés; cependant, je sais par mon expérience qu'elle s'obstine
à suivre l'ordre de la nature contre toutes les lois des
hommes. On a beau nous défendre ceci ou cela, le remords
nous reproche toujours faiblement ce que nous permet
la nature bien ordonnée, à plus forte raison ce qu'elle nous
prescrit. O bon jeune homme, elle n'a rien dit encore à
vos sens : vivez longtemps dans l'état heureux où sa voix
est celle de l'innocence. Souvenez-vous qu'on l'offense

« ... *la nature étalait à nos yeux toute sa magnificence* ... »
Illustration de Moreau le Jeune gravée par J. B. Simonet
(Londres, 1774-1784)

encore plus quand on la prévient que quand on la combat;
il faut commencer par apprendre à résister pour savoir
quand on peut céder sans crime.

Dès ma jeunesse j'ai respecté le mariage comme la première et la plus sainte institution de la nature. M'étant ôté
le droit de m'y soumettre, je résolus de ne le point pro-
faner; car, malgré mes classes et mes études, ayant toujours
mené une vie uniforme et simple, j'avais conservé dans
mon esprit toute la clarté des lumières primitives : les
maximes du monde ne les avaient point obscurcies, et
ma pauvreté m'éloignait des tentations qui dictent les
sophismes du vice.

Cette résolution fut précisément ce qui me perdit; mon
respect pour le lit d'autrui laissa mes fautes à découvert [112].
Il fallut expier le scandale : arrêté, interdit, chassé, je fus
bien plus la victime de mes scrupules que de mon incon-
tinence; et j'eus lieu de comprendre, aux reproches dont
ma disgrâce fut accompagnée, qu'il ne faut souvent qu'aggraver la faute pour échapper au châtiment.

Peu d'expériences pareilles mènent loin un esprit qui
réfléchit. Voyant par de tristes observations renverser les
idées que j'avais du juste, de l'honnête, et de tous les
devoirs de l'homme, je perdais chaque jour quelqu'une
des opinions que j'avais reçues; celles qui me restaient ne
suffisant plus pour faire ensemble un corps qui pût se
soutenir par lui-même, je sentis peu à peu s'obscurcir
dans mon esprit l'évidence des principes, et, réduit enfin
à ne savoir plus que penser, je parvins au même point où
vous êtes; avec cette différence, que mon incrédulité, fruit
tardif d'un âge plus mûr, s'était formée avec plus de peine,
et devait être plus difficile à détruire.

J'étais dans ces dispositions d'incertitude et de doute
que Descartes exige pour la recherche de la vérité [113]. Cet
état est peu fait pour durer, il est inquiétant et pénible;
il n'y a que l'intérêt du vice ou la paresse de l'âme qui
nous y laisse. Je n'avais point le cœur assez corrompu
pour m'y plaire; et rien ne conserve mieux l'habitude de
réfléchir que d'être plus content de soi que de sa fortune.

Je méditais donc sur le triste sort des mortels flottant
sur cette mer des opinions humaines, sans gouvernail, sans
boussole, et livrés à leurs passions orageuses, sans autre
guide qu'un pilote inexpérimenté qui méconnaît sa route,

et qui ne sait ni d'où il vient ni où il va. Je me disais :
J'aime la vérité, je la cherche, et ne puis la reconnaître;
qu'on me la montre et j'y demeure attaché : pourquoi
faut-il qu'elle se dérobe à l'empressement d'un cœur fait
pour l'adorer ?

Quoique j'aie souvent éprouvé de plus grands maux, je
n'ai jamais mené une vie aussi constamment désagréable
que dans ces temps de trouble et d'anxiétés, où, sans cesse
errant de doute en doute, je ne rapportais de mes longues
méditations qu'incertitude, obscurité, contradictions sur
la cause de mon être et sur la règle de mes devoirs.

Comment peut-on être sceptique par système et de bonne
foi ? je ne saurais le comprendre. Ces philosophes, ou
n'existent pas, ou sont les plus malheureux des hommes. Le
doute sur les choses qu'il nous importe de connaître est
un état trop violent pour l'esprit humain : il n'y résiste
pas longtemps; il se décide malgré lui de manière ou d'autre,
et il aime mieux se tromper que ne rien croire.

Ce qui redoublait mon embarras, était qu'étant né dans
une Église qui décide tout, qui ne permet aucun doute,
un seul point rejeté me faisait rejeter tout le reste, et que
l'impossibilité d'admettre tant de décisions absurdes me
détachait aussi de celles qui ne l'étaient pas. En me disant :
Croyez tout, on m'empêchait de rien croire, et je ne savais
plus où m'arrêter.

Je consultai les philosophes, je feuilletai leurs livres,
j'examinai leurs diverses opinions; je les trouvai tous fiers,
affirmatifs, dogmatiques, même dans leur scepticisme prétendu, n'ignorant rien, ne prouvant rien, se moquant
les uns des autres; et ce point commun à tous me parut le
seul sur lequel ils ont tous raison. Triomphants quand ils
attaquent, ils sont sans vigueur en se défendant. Si vous
pesez les raisons, ils n'en ont que pour détruire; si vous
comptez les voies, chacun est réduit à la sienne; ils ne
s'accordent que pour disputer; les écouter n'était pas le
moyen de sortir de mon incertitude.

Je conçus que l'insuffisance de l'esprit humain est la
première cause de cette prodigieuse diversité de sentiments, et que l'orgueil est la seconde. Nous n'avons point
la mesure de cette machine immense, nous n'en pouvons
calculer les rapports; nous n'en connaissons ni les premières
lois ni la cause finale; nous nous ignorons nous-mêmes;

nous ne connaissons ni notre nature ni notre principe actif;
à peine savons-nous si l'homme est un être simple ou composé : des mystères impénétrables nous environnent de
toutes parts; ils sont au-dessus de la région sensible; pour
les percer nous croyons avoir de l'intelligence, et nous
n'avons que de l'imagination. Chacun se fraye, à travers ce
monde imaginaire, une route qu'il croit la bonne; nul ne
peut savoir si la sienne mène au but. Cependant nous
voulons tout pénétrer, tout connaître. La seule chose que
nous ne savons point, est d'ignorer ce que nous ne pouvons
savoir. Nous aimons mieux nous déterminer au hasard,
et croire ce qui n'est pas, que d'avouer qu'aucun de nous
ne peut voir ce qui est. Petite partie d'un grand tout dont
les bornes nous échappent, et que son auteur livre à nos
folles disputes, nous sommes assez vains pour vouloir
décider ce qu'est ce tout en lui-même, et ce que nous
sommes par rapport à lui.

Quand les philosophes seraient en état de découvrir la
vérité, qui d'entre eux prendrait intérêt à elle ? Chacun
sait bien que son système n'est pas mieux fondé que les
autres; mais il le soutient parce qu'il est à lui. Il n'y en a
pas un seul qui, venant à connaître le vrai et le faux, ne
préférât le mensonge qu'il a trouvé à la vérité découverte
par un autre. Où est le philosophe qui, pour sa gloire, ne
tromperait pas volontiers le genre humain ? Où est celui
qui, dans le secret de son cœur, se propose un autre objet
que de se distinguer ? Pourvu qu'il s'élève au-dessus du
vulgaire, pourvu qu'il efface l'éclat de ses concurrents,
que demande-t-il de plus ? L'essentiel est de penser autrement que les autres. Chez les croyants il est athée, chez les
athées il serait croyant [114].

Le premier fruit que je tirai de ces réflexions fut d'apprendre à borner mes recherches à ce qui m'intéressait
immédiatement, à me reposer dans une profonde ignorance
sur tout le reste, et à ne m'inquiéter, jusqu'au doute, que
des choses qu'il m'importait de savoir.

Je compris encore que, loin de me délivrer de mes doutes
inutiles, les philosophes ne feraient que multiplier ceux qui
me tourmentaient et n'en résoudraient aucun. Je pris
donc un autre guide et je me dis : Consultons la lumière
intérieure, elle m'égarera moins qu'ils ne m'égarent, ou,
du moins, mon erreur sera la mienne, et je me dépraverai

moins en suivant mes propres illusions qu'en me livrant
à leurs mensonges.

Alors, repassant dans mon esprit les diverses opinions
qui m'avaient tour à tour entraîné depuis ma naissance,
je vis que, bien qu'aucune d'elles ne fût assez évidente
pour produire immédiatement la conviction, elles avaient
divers degrés de vraisemblance, et que l'assentiment
intérieur s'y prêtait ou s'y refusait à différentes mesures.
Sur cette première observation, comparant entre elles
toutes ces différentes idées dans le silence des préjugés, je
trouvai que la première et la plus commune était aussi la
plus simple et la plus raisonnable, et qu'il ne lui manquait,
pour réunir tous les suffrages, que d'avoir été proposée la
dernière. Imaginez tous vos philosophes anciens et modernes
ayant d'abord épuisé leurs bizarres systèmes de force, de
chances, de fatalité, de nécessité, d'atomes, de monde
animé, de matière vivante, de matérialisme de toute espèce,
et après eux tous, l'illustre Clarke [115] éclairant le monde,
annonçant enfin l'Être des êtres et le dispensateur des choses :
avec quelle universelle admiration, avec quel applaudissement unanime n'eût point été reçu ce nouveau système,
si grand, si consolant, si sublime, si propre à élever l'âme,
à donner une base à la vertu, et en même temps si frappant,
si lumineux, si simple, et, ce me semble, offrant moins de
choses incompréhensibles à l'esprit humain qu'il n'en
trouve d'absurdes en tout autre système ! Je me disais :
Les objections insolubles sont communes à tous, parce
que l'esprit de l'homme est trop borné pour les résoudre;
elles ne prouvent donc contre aucun par préférence : mais
quelle différence entre les preuves directes ! celui-là seul
qui explique tout ne doit-il pas être préféré quand il n'a
pas plus de difficulté que les autres ?

Portant donc en moi l'amour de la vérité pour toute
philosophie, et pour toute méthode une règle facile et
simple qui me dispense de la vaine subtilité des arguments,
je reprends sur cette règle l'examen des connaissances
qui m'intéressent, résolu d'admettre pour évidentes toutes
celles auxquelles, dans la sincérité de mon cœur, je ne
pourrai refuser mon consentement, pour vraies toutes
celles qui me paraîtront avoir une liaison nécessaire avec
ces premières, et de laisser toutes les autres dans l'incertitude, sans les rejeter ni les admettre, et sans me tour-

menter à les éclaircir quand elles ne mènent à rien d'utile pour la pratique.

Mais qui suis-je ? quel droit ai-je de juger les choses ? et qu'est-ce qui détermine mes jugements ? S'ils sont entraînés, forcés par les impressions que je reçois, je me fatigue en vain à ces recherches, elles ne se feront point, ou se feront d'elles-mêmes sans que je me mêle de les diriger. Il faut donc tourner d'abord mes regards sur moi pour connaître l'instrument dont je veux me servir, et jusqu'à quel point je puis me fier à son usage.

J'existe, et j'ai des sens par lesquels je suis affecté. Voilà la première vérité qui me frappe et à laquelle je suis forcé d'acquiescer. Ai-je un sentiment propre de mon existence, ou ne la sens-je que par mes sensations ? Voilà mon premier doute, qu'il m'est, quant à présent, impossible de résoudre. Car, étant continuellement affecté de sensations, ou immédiatement, ou par la mémoire, comment puis-je savoir si le sentiment du *moi* est quelque chose hors de ces mêmes sensations, et s'il peut être indépendant d'elles ?

Mes sensations se passent en moi, puisqu'elles me font sentir mon existence; mais leur cause m'est étrangère, puisqu'elles m'affectent malgré que j'en aie, et qu'il ne dépend de moi ni de les produire ni de les anéantir. Je conçois donc clairement que ma sensation qui est en moi, et sa cause ou son objet qui est hors de moi, ne sont pas la même chose.

Ainsi, non seulement j'existe, mais il existe d'autres êtres, savoir, les objets de mes sensations; et quand ces objets ne seraient que des idées, toujours est-il vrai que ces idées ne sont pas moi.

Or, tout ce que je sens hors de moi et qui agit sur mes sens, je l'appelle matière; et toutes les portions de matière que je conçois réunies en êtres individuels, je les appelle des corps. Ainsi toutes les disputes des idéalistes et des matérialistes ne signifient rien pour moi : leurs distinctions sur l'apparence et la réalité des corps sont des chimères.

Me voici déjà tout aussi sûr de l'existence de l'univers que de la mienne. Ensuite je réfléchis sur les objets de mes sensations; et, trouvant en moi la faculté de les comparer, je me sens doué d'une force active que je ne savais pas avoir auparavant.

Apercevoir, c'est sentir; comparer, c'est juger; juger

et sentir ne sont pas la même chose. Par la sensation, les objets s'offrent à moi séparés, isolés, tels qu'ils sont dans la nature; par la comparaison, je les remue, je les transporte pour ainsi dire, je les pose l'un sur l'autre pour prononcer sur leur différence ou sur leur similitude, et généralement sur tous leurs rapports. Selon moi la faculté distinctive de l'être actif ou intelligent est de pouvoir donner un sens à ce mot *est*. Je cherche en vain dans l'être purement sensitif cette force intelligente qui superpose et puis qui prononce; je ne la saurais voir dans sa nature. Cet être passif sentira chaque objet séparément, ou même il sentira l'objet total formé des deux; mais, n'ayant aucune force pour les replier l'un sur l'autre, il ne les comparera jamais, il ne les jugera point.

Voir deux objets à la fois, ce n'est pas voir leurs rapports ni juger de leurs différences; apercevoir plusieurs objets les uns hors des autres n'est pas les nombrer. Je puis avoir au même instant l'idée d'un grand bâton et d'un petit bâton sans les comparer, sans juger que l'un est plus petit que l'autre, comme je puis voir à la fois ma main entière, sans faire le compte de mes doigts*. Ces idées comparatives, *plus grand*, *plus petit*, de même que les idées numériques d'*un*, de *deux*, etc., ne sont certainement pas des sensations, quoique mon esprit ne les produise qu'à l'occasion de mes sensations.

On nous dit que l'être sensitif distingue les sensations les unes des autres par les différences qu'ont entre elles ces mêmes sensations : ceci demande explication. Quand les sensations sont différentes, l'être sensitif les distingue par leurs différences : quand elles sont semblables, il les distingue parce qu'il sent les unes hors des autres. Autrement, comment dans une sensation simultanée distinguerait-il deux objets égaux? il faudrait nécessairement qu'il confondît ces deux objets et les prît pour le même, surtout dans un système où l'on prétend que les sensations représentatives de l'étendue ne sont point étendues.

Quand les deux sensations à comparer sont aperçues,

* Les relations de M. de la Condamine [116] nous parlent d'un peuple qui ne savait compter que jusqu'à trois. Cependant les hommes qui composaient ce peuple, ayant des mains, avaient souvent aperçu leurs doigts sans savoir compter jusqu'à cinq.

leur impression est faite, chaque objet est senti, les deux sont sentis, mais leur rapport n'est pas senti pour cela. Si le jugement de ce rapport n'était qu'une sensation, et me venait uniquement de l'objet, mes jugements ne me tromperaient jamais, puisqu'il n'est jamais faux que je sente ce que je sens.

Pourquoi donc est-ce que je me trompe sur le rapport de ces deux bâtons, surtout s'ils ne sont pas parallèles ? Pourquoi, dis-je, par exemple, que le petit bâton est le tiers du grand, tandis qu'il n'en est que le quart ? Pourquoi l'image, qui est la sensation, n'est-elle pas conforme à son modèle, qui est l'objet ? C'est que je suis actif quand je juge, que l'opération qui compare est fautive, et que mon entendement, qui juge les rapports, mêle ses erreurs à la vérité des sensations qui ne montrent que les objets.

Ajoutez à cela une réflexion qui vous frappera, je m'assure, quand vous y aurez pensé ; c'est que, si nous étions purement passifs dans l'usage de nos sens, il n'y aurait entre eux aucune communication ; il nous serait impossible de connaître que le corps que nous touchons et l'objet que nous voyons sont le même. Ou nous ne sentirions jamais rien hors de nous, ou il y aurait pour nous cinq substances sensibles, dont nous n'aurions nul moyen d'apercevoir l'identité.

Qu'on donne tel ou tel nom à cette force de mon esprit qui rapproche et compare mes sensations ; qu'on l'appelle attention, méditation, réflexion, ou comme on voudra ; toujours est-il vrai qu'elle est en moi et non dans les choses, que c'est moi seul qui la produis, quoique je ne la produise qu'à l'occasion de l'impression que font sur moi les objets. Sans être maître de sentir ou de ne pas sentir, je le suis d'examiner plus ou moins ce que je sens.

Je ne suis donc pas simplement un être sensitif et passif, mais un être actif et intelligent, et, quoi qu'en dise la philosophie [117], j'oserai prétendre à l'honneur de penser. Je sais seulement que la vérité est dans les choses et non pas dans mon esprit qui les juge, et que moins je mets du mien dans les jugements que j'en porte, plus je suis sûr d'approcher de la vérité : ainsi ma règle de me livrer au sentiment plus qu'à la raison est confirmée par la raison même.

M'étant, pour ainsi dire, assuré de moi-même, je commence à regarder hors de moi, et je me considère avec une

sorte de frémissement, jeté, perdu dans ce vaste univers,
et comme noyé dans l'immensité des êtres, sans rien savoir
de ce qu'ils sont [118], ni entre eux, ni par rapport à moi. Je
les étudie, je les observe; et, le premier objet qui se présente
à moi pour les comparer, c'est moi-même.

Tout ce que j'aperçois par les sens est matière, et je
déduis toutes les propriétés essentielles de la matière des
qualités sensibles qui me la font apercevoir, et qui en sont
inséparables. Je la vois tantôt en mouvement et tantôt en
repos *, d'où j'infère que ni le repos ni le mouvement ne lui
sont essentiels; mais le mouvement étant une action, est
l'effet d'une cause dont le repos n'est que l'absence. Quand
donc rien n'agit sur la matière, elle ne se meut point, et,
par cela même qu'elle est indifférente au repos et au mouvement, son état naturel est d'être en repos.

J'aperçois dans les corps deux sortes de mouvements,
savoir, mouvement communiqué, et mouvement spontané
ou volontaire. Dans le premier, la cause motrice est étrangère au corps mû, et dans le second elle est en lui-même.
Je ne conclurai pas de là que le mouvement d'une montre,
par exemple, est spontané; car si rien d'étranger au ressort
n'agissait sur lui, il ne tendrait point à se redresser, et ne
tirerait pas la chaîne. Par la même raison, je n'accorderai
point non plus la spontanéité aux fluides, ni au feu même
qui fait leur fluidité **.

Vous me demanderez si les mouvements des animaux
sont spontanés; je vous dirai que je n'en sais rien, mais que
l'analogie est pour l'affirmative. Vous me demanderez
encore comment je sais donc qu'il y a des mouvements
spontanés; je vous dirai que je le sais parce que je le sens.
Je veux mouvoir mon bras et je le meus, sans que ce mouvement ait d'autre cause immédiate que ma volonté. C'est

---

* Ce repos n'est, si l'on veut, que relatif; mais puisque nous observons du plus ou du moins dans le mouvement, nous concevons très
clairement un des deux termes extrêmes, qui est le repos, et nous le
concevons si bien, que nous sommes enclins même à prendre pour
absolu le repos qui n'est que relatif. Or il n'est pas vrai que le mouvement soit de l'essence de la matière, si elle peut être conçue en repos.

** Les chimistes regardent le phlogistique ou l'élément du feu
comme épars, immobile, et stagnant dans les mixtes dont il fait partie,
jusqu'à ce que des causes étrangères le dégagent, le réunissent, le
mettent en mouvement, et le changent en feu.

en vain qu'on voudrait raisonner pour détruire en moi ce sentiment, il est plus fort que toute évidence; autant vaudrait me prouver que je n'existe pas.

S'il n'y avait aucune spontanéité dans les actions des hommes, ni dans rien de ce qui se fait sur la terre, on n'en serait que plus embarrassé à imaginer la première cause de tout mouvement. Pour moi, je me sens tellement persuadé que l'état naturel de la matière est d'être en repos, et qu'elle n'a par elle-même aucune force pour agir, qu'en voyant un corps en mouvement je juge aussitôt, ou que c'est un corps animé, ou que ce mouvement lui a été communiqué. Mon esprit refuse tout acquiescement à l'idée de la matière non organisée se mouvant d'elle-même, ou produisant quelque action.

Cependant cet univers visible est matière, matière éparse et morte *, qui n'a rien dans son tout de l'union, de l'organisation, du sentiment commun des parties d'un corps animé, puisqu'il est certain que nous qui sommes parties ne nous sentons nullement dans le tout. Ce même univers est en mouvement, et dans ses mouvements réglés, uniformes, assujettis à des lois constantes, il n'a rien de cette liberté qui paraît dans les mouvements spontanés de l'homme et des animaux. Le monde n'est donc pas un grand animal qui se meuve de lui-même; il y a donc de ses mouvements quelque cause étrangère à lui, laquelle je n'aperçois pas; mais la persuasion intérieure me rend cette cause tellement sensible, que je ne puis voir rouler le soleil sans imaginer une force qui le pousse, ou que, si la terre tourne, je crois sentir une main qui la fait tourner.

S'il faut admettre des lois générales dont je n'aperçois point les rapports essentiels avec la matière, de quoi serai-je avancé ? Ces lois, n'étant point des êtres réels, des substances, ont donc quelque autre fondement qui m'est inconnu. L'expérience et l'observation nous ont fait connaître les lois du mouvement; ces lois déterminent les effets sans montrer les causes; elles ne suffisent point pour expliquer le système du monde et la marche de l'univers.

---

* J'ai fait tous mes efforts pour concevoir une molécule vivante, sans pouvoir en venir à bout. L'idée de la matière sentant sans avoir des sens me paraît inintelligible et contradictoire. Pour adopter ou rejeter cette idée, il faudrait commencer par la comprendre, et j'avoue que je n'ai pas ce bonheur-là.

Descartes avec des dés fermait le ciel et la terre; mais il ne put donner le premier branle à ces dés, ni mettre en jeu sa force centrifuge qu'à l'aide d'un mouvement de rotation. Newton a trouvé la loi de l'attraction; mais l'attraction seule réduirait bientôt l'univers en une masse immobile : à cette loi il a fallu joindre une force projective pour faire décrire des courbes aux corps célestes. Que Descartes nous dise quelle loi physique a fait tourner ses tourbillons; que Newton nous montre la main qui lança les planètes sur la tangente de leurs orbites.

Les premières causes du mouvement ne sont point dans la matière; elle reçoit le mouvement et le communique, mais elle ne le produit pas. Plus j'observe l'action et réaction des forces de la nature agissant les unes sur les autres, plus je trouve que, d'effets en effets, il faut toujours remonter à quelque volonté pour première cause; car supposer un progrès de causes à l'infini, c'est n'en point supposer du tout. En un mot, tout mouvement qui n'est pas produit par un autre ne peut venir que d'un acte spontané, volontaire; les corps inanimés n'agissent que par le mouvement, et il n'y a point de véritable action sans volonté. Voilà mon premier principe. Je crois donc qu'une volonté meut l'univers et anime la nature. Voilà mon premier dogme, ou mon premier article de foi [119].

Comment une volonté produit-elle une action physique et corporelle ? je n'en sais rien, mais j'éprouve en moi qu'elle la produit. Je veux agir, et j'agis; je veux mouvoir mon corps, et mon corps se meut; mais qu'un corps inanimé et en repos vienne à se mouvoir de lui-même ou produise le mouvement, cela est incompréhensible et sans exemple. La volonté m'est connue par ses actes, non par sa nature. Je connais cette volonté comme cause motrice; mais concevoir la matière productrice du mouvement, c'est clairement concevoir un effet sans cause, c'est ne concevoir absolument rien.

Il ne m'est pas plus possible de concevoir comment ma volonté meut mon corps, que comment mes sensations affectent mon âme. Je ne sais pas même pourquoi l'un de ces mystères a paru plus explicable que l'autre. Quant à moi, soit quand je suis passif, soit quand je suis actif, le moyen d'union des deux substances me paraît absolument incompréhensible. Il est bien étrange qu'on parte de cette

incompréhensibilité même pour confondre les deux
substances, comme si des opérations de natures si différentes s'expliquaient mieux dans un seul sujet que dans
deux.

Le dogme que je viens d'établir est obscur, il est vrai;
mais enfin il offre un sens, et il n'a rien qui répugne à la
raison ni à l'observation : en peut-on dire autant du matérialisme ? N'est-il pas clair que si le mouvement était essentiel à la matière, il en serait inséparable, il y serait toujours
en même degré, toujours le même dans chaque portion de
matière, il serait incommunicable, il ne pourrait ni augmenter ni diminuer, et l'on ne pourrait pas même concevoir
la matière en repos ? Quand on me dit que le mouvement
ne lui est pas essentiel, mais nécessaire, on veut me donner
le change par des mots qui seraient plus aisés à réfuter s'ils
avaient un peu plus de sens. Car, ou le mouvement de la
matière lui vient d'elle-même, et alors il lui est essentiel, ou,
s'il lui vient d'une cause étrangère, il n'est nécessaire à la
matière qu'autant que la cause motrice agit sur elle : nous
rentrons dans la première difficulté.

Les idées générales et abstraites sont la source des plus
grandes erreurs des hommes; jamais le jargon de la métaphysique n'a fait découvrir une seule vérité, et il a rempli
la philosophie d'absurdités dont on a honte, sitôt qu'on les
dépouille de leurs grands mots. Dites-moi, mon ami, si,
quand on vous parle d'une force aveugle répandue dans
toute la nature, on porte quelque véritable idée à votre
esprit. On croit dire quelque chose par ces mots vagues de
*force universelle*, de *mouvement nécessaire*, et l'on ne dit rien
du tout. L'idée du mouvement n'est autre chose que
l'idée du transport d'un lieu à un autre : il n'y a point de
mouvement sans quelque direction; car un être individuel
ne saurait se mouvoir à la fois dans tous les sens. Dans quel
sens donc la matière se meut-elle nécessairement ? Toute
la matière en corps a-t-elle un mouvement uniforme, ou
chaque atome a-t-il son mouvement propre ? Selon la
première idée, l'univers entier doit former une masse
solide et indivisible; selon la seconde, il ne doit former
qu'un fluide épars et incohérent, sans qu'il soit jamais
possible que deux atomes se réunissent. Sur quelle direction
se fera ce mouvement commun de toute la matière ? Sera-ce
en droite ligne, en haut, en bas, à droite ou à gauche ? Si

chaque molécule de matière a sa direction particulière, quelles seront les causes de toutes ces directions et de toutes ces différences ? Si chaque atome ou molécule de matière ne faisait que tourner sur son propre centre, jamais rien ne sortirait de sa place, et il n'y aurait point de mouvement communiqué; encore même faudrait-il que ce mouvement circulaire fût déterminé dans quelque sens. Donner à la matière le mouvement par abstraction, c'est dire des mots qui ne signifient rien; et lui donner un mouvement déterminé, c'est supposer une cause qui le détermine. Plus je multiplie les forces particulières, plus j'ai de nouvelles causes à expliquer, sans jamais trouver aucun agent commun qui les dirige. Loin de pouvoir imaginer aucun ordre dans le concours fortuit des éléments, je n'en puis pas même imaginer le combat, et le chaos de l'univers m'est plus inconcevable que son harmonie. Je comprends que le mécanisme du monde peut n'être pas intelligible à l'esprit humain; mais sitôt qu'un homme se mêle de l'expliquer, il doit dire des choses que les hommes entendent.

Si la matière mue me montre une volonté, la matière mue selon de certaines lois me montre une intelligence : c'est mon second article de foi [120]. Agir, comparer, choisir, sont les opérations d'un être actif et pensant : donc cet être existe. Où le voyez-vous exister ? m'allez-vous dire. Non seulement dans les cieux qui roulent, dans l'astre qui nous éclaire; non seulement dans moi-même, mais dans la brebis qui paît, dans l'oiseau qui vole, dans la pierre qui tombe, dans la feuille qu'emporte le vent.

Je juge de l'ordre du monde quoique j'en ignore la fin, parce que pour juger de cet ordre il me suffit de comparer les parties entre elles, d'étudier leur concours, leurs rapports, d'en remarquer le concert. J'ignore pourquoi l'univers existe; mais je ne laisse pas de voir comment il est modifié : je ne laisse pas d'apercevoir l'intime correspondance par laquelle les êtres qui le composent se prêtent un secours mutuel. Je suis comme un homme qui verrait pour la première fois une montre ouverte, et qui ne laisserait pas d'en admirer l'ouvrage, quoiqu'il ne connût pas l'usage de la machine et qu'il n'eût point vu le cadran. Je ne sais, dirait-il, à quoi le tout est bon; mais je vois que chaque pièce est faite pour les autres; j'admire l'ouvrier dans le détail de son ouvrage, et je suis bien sûr que tous ces rouages

ne marchent ainsi de concert que pour une fin commune
qu'il m'est impossible d'apercevoir [121].

Comparons les fins particulières, les moyens, les rapports
ordonnés de toute espèce, puis écoutons le sentiment
intérieur; quel esprit sain peut se refuser à son témoignage ?
A quels yeux non prévenus l'ordre sensible de l'univers
n'annonce-t-il pas une suprême intelligence ? Et que de
sophismes ne faut-il point entasser pour méconnaître
l'harmonie des êtres et l'admirable concours de chaque
pièce pour la conservation des autres ? Qu'on me parle
tant qu'on voudra de combinaisons et de chances; que
vous sert de me réduire au silence, si vous ne pouvez
m'amener à la persuasion ? Et comment m'ôterez-vous
le sentiment involontaire qui vous dément toujours malgré
moi ? Si les corps organisés se sont combinés fortuitement
de mille manières avant de prendre des formes constantes,
s'il s'est formé d'abord des estomacs sans bouches, des
pieds sans têtes, des mains sans bras, des organes imparfaits
de toute espèce qui sont péris faute de pouvoir se conserver,
pourquoi nul de ces informes essais ne frappe-t-il plus nos
regards ? Pourquoi la nature s'est-elle enfin prescrit des
lois auxquelles elle n'était pas d'abord assujettie ? Je ne
dois point être surpris qu'une chose arrive lorsqu'elle est
possible, et que la difficulté de l'événement est compensée
par la quantité des jets; j'en conviens. Cependant, si l'on
venait me dire que des caractères d'imprimerie projetés
au hasard ont donné l'*Énéide* tout arrangée, je ne daignerais
pas faire un pas pour aller vérifier le mensonge. Vous
oubliez, me dira-t-on, la quantité des jets. Mais de ces jets-là
combien faut-il que j'en suppose pour rendre la combi-
naison vraisemblable ? Pour moi, qui n'en vois qu'un seul,
j'ai l'infini à parier contre un que son produit n'est point
l'effet du hasard. Ajoutez que des combinaisons et des
chances ne donneront jamais que des produits de même
nature que les éléments combinés, que l'organisation et la
vie ne résulteront point d'un jet d'atomes, et qu'un chimiste
combinant des mixtes ne les fera point sentir et penser
dans son creuset *.

---

\* Croirait-on, si l'on n'en avait la preuve, que l'extravagance
humaine pût être portée à ce point ? Amatus Lusitanus assurait avoir
vu un petit homme long d'un pouce enfermé dans un verre, que Julius

J'ai lu Nieuwentit [122] avec surprise, et presque avec
scandale. Comment cet homme a-t-il pu vouloir faire un
livre des merveilles de la nature, qui montrent la sagesse
de son auteur ? Son livre serait aussi gros que le monde,
qu'il n'aurait pas épuisé son sujet ; et sitôt qu'on veut entrer
dans les détails, la plus grande merveille échappe, qui est
l'harmonie et l'accord du tout. La seule génération des
corps vivants et organisés est l'abîme de l'esprit humain ; la
barrière insurmontable que la nature a mise entre les
diverses espèces, afin qu'elles ne se confondissent pas, montre
ses intentions avec la dernière évidence. Elle ne s'est pas
contentée d'établir l'ordre, elle a pris des mesures certaines
pour que rien ne pût le troubler [123].

Il n'y a pas un être dans l'univers qu'on ne puisse, à
quelque égard, regarder comme le centre commun de tous
les autres, autour duquel ils sont tous ordonnés, en sorte
qu'ils sont tous réciproquement fins et moyens les uns
relativement aux autres. L'esprit se confond et se perd
dans cette infinité de rapports, dont pas un n'est confondu
ni perdu dans la foule. Que d'absurdes suppositions pour
déduire toute cette harmonie de l'aveugle mécanisme de la
matière mue fortuitement ! Ceux qui nient l'unité d'intention qui se manifeste dans les rapports de toutes les parties
de ce grand tout, ont beau couvrir leur galimatias d'abstractions, de coordinations, de principes généraux, de termes
emblématiques ; quoi qu'ils fassent, il m'est impossible
de concevoir un système d'êtres si constamment ordonnés,
que je ne conçoive une intelligence qui l'ordonne. Il ne
dépend pas de moi de croire que la matière passive et
morte a pu produire des êtres vivants et sentants, qu'une
fatalité aveugle a pu produire des êtres intelligents, que ce
qui ne pense point a pu produire des êtres qui pensent.

Je crois donc que le monde est gouverné par une volonté
puissante et sage ; je le vois, ou plutôt je le sens, et cela

---

Camillus, comme un autre Prométhée, avait fait par la science alchi-
mique. Paracelse, *de Natura rerum*, enseigne la façon de produire ces
petits hommes, et soutient que les pygmées, les faunes, les satyres et
les nymphes ont été engendrés par la chimie. En effet, je ne vois pas
trop qu'il reste désormais autre chose à faire, pour établir la possibilité
de ces faits, si ce n'est d'avancer que la matière organique résiste à
l'ardeur du feu, et que ses molécules peuvent se conserver en vie dans
un fourneau de réverbère.

m'importe à savoir. Mais ce même monde est-il éternel ou créé ? Y a-t-il un principe unique des choses ? Y en a-t-il deux ou plusieurs ? Et quelle est leur nature ? Je n'en sais rien, et que m'importe. A mesure que ces connaissances me deviendront intéressantes, je m'efforcerai de les acquérir; jusque-là je renonce à des questions oiseuses qui peuvent inquiéter mon amour-propre, mais qui sont inutiles à ma conduite et supérieures à ma raison.

Souvenez-vous toujours que je n'enseigne point mon sentiment, je l'expose. Que la matière soit éternelle ou créée, qu'il y ait un principe passif ou qu'il n'y en ait point; toujours est-il certain que le tout est un, et annonce une intelligence unique; car je ne vois rien qui ne soit ordonné dans le même système, et qui ne concoure à la même fin, savoir la conservation du tout dans l'ordre établi. Cet être qui veut et qui peut, cet être actif par lui-même, cet être enfin, quel qu'il soit, qui meut l'univers et ordonne toutes choses, je l'appelle Dieu. Je joins à ce nom les idées d'intelligence, de puissance, de volonté, que j'ai rassemblées, et celle de bonté qui en est une suite nécessaire; mais je n'en connais pas mieux l'être auquel je l'ai donné; il se dérobe également à mes sens et à mon entendement; plus j'y pense, plus je me confonds; je sais très certainement qu'il existe, et qu'il existe par lui-même : je sais que mon existence est subordonnée à la sienne, et que toutes les choses qui me sont connues sont absolument dans le même cas. J'aperçois Dieu partout dans ses œuvres; je le sens en moi, je le vois tout autour de moi; mais sitôt que je veux le contempler en lui-même, sitôt que je veux chercher où il est, ce qu'il est, quelle est sa substance, il m'échappe et mon esprit troublé n'aperçoit plus rien.

Pénétré de mon insuffisance, je ne raisonnerai jamais sur la nature de Dieu, que je n'y sois forcé par le sentiment de ses rapports avec moi. Ces raisonnements sont toujours téméraires, un homme sage ne doit s'y livrer qu'en tremblant, et sûr qu'il n'est pas fait pour les approfondir : car ce qu'il y a de plus injurieux à la Divinité n'est pas de n'y point penser, mais d'en mal penser.

Après avoir découvert ceux de ses attributs par lesquels je conçois mon existence, je reviens à moi, et je cherche quel rang j'occupe dans l'ordre des choses qu'elle gouverne, et que je puis examiner. Je me trouve incontestablement au premier par mon espèce; car, par ma volonté et par les instruments qui sont en mon pouvoir pour l'exécuter, j'ai plus de force pour agir sur tous les corps qui m'environnent, ou pour me prêter ou me dérober comme il me plaît à leur action, qu'aucun d'eux n'en a pour agir sur moi malgré moi par la seule impulsion physique; et, par mon intelligence, je suis le seul qui ait inspection sur le tout. Quel être ici-bas, hors l'homme, sait observer tous les autres, mesurer, calculer, prévoir leurs mouvements, leurs effets, et joindre, pour ainsi dire, le sentiment de l'existence commune à celui de son existence individuelle ? Qu'y a-t-il de si ridicule à penser que tout est fait pour moi, si je suis le seul qui sache tout rapporter à lui ?

Il est donc vrai que l'homme est le roi de la terre qu'il habite [124]; car non seulement il dompte tous les animaux, non seulement il dispose des éléments par son industrie, mais lui seul sur la terre en sait disposer, et il s'approprie encore, par la contemplation, les astres mêmes dont il ne peut approcher. Qu'on me montre un autre animal sur la terre qui sache faire usage du feu, et qui sache admirer le soleil. Quoi ! je puis observer, connaître les êtres et leurs rapports ? je puis sentir ce que c'est qu'ordre, beauté, vertu; je puis contempler l'univers, m'élever à la main qui le gouverne; je puis aimer le bien, le faire; et je me comparerais aux bêtes ! Ame abjecte, c'est ta triste philosophie qui te rend semblable à elles : ou plutôt tu veux en vain t'avilir, ton génie dépose contre tes principes, ton cœur bienfaisant dément ta doctrine, et l'abus même de tes facultés prouve leur excellence en dépit de toi [125].

Pour moi qui n'ai point de système à soutenir, moi, homme simple et vrai, que la fureur d'aucun parti n'entraîne et qui n'aspire point à l'honneur d'être chef de secte, content de la place où Dieu m'a mis, je ne vois rien, après lui, de meilleur que mon espèce; et si j'avais à choisir ma place dans l'ordre des êtres, que pourrais-je choisir de plus que d'être homme ?

Cette réflexion m'enorgueillit moins qu'elle ne me touche; car cet état n'est point de mon choix, et il n'était pas dû au mérite d'un être qui n'existait pas encore. Puis-je me voir ainsi distingué sans me féliciter de remplir ce poste honorable, et sans bénir la main qui m'y a placé ? De mon premier retour sur moi naît dans mon cœur un sentiment de reconnaissance et de bénédiction pour l'auteur de mon espèce, et de ce sentiment mon premier hommage à la Divinité bienfaisante. J'adore la puissance suprême et je m'attendris sur ses bienfaits. Je n'ai pas besoin qu'on m'enseigne ce culte, il m'est dicté par la nature elle-même. N'est-ce pas une conséquence naturelle de l'amour de soi, d'honorer ce qui nous protège, et d'aimer ce qui nous veut du bien ?

Mais quand, pour connaître ensuite ma place individuelle dans mon espèce, j'en considère [126] les divers rangs et les hommes qui les remplissent, que deviens-je ? Quel spectacle ! Où est l'ordre que j'avais observé ? Le tableau de la nature ne m'offrait qu'harmonie et proportions, celui du genre humain ne m'offre que confusion, désordre ! Le concert règne entre les éléments, et les hommes sont dans le chaos ! Les animaux sont heureux, leur roi seul est misérable ! O sagesse, où sont tes lois ? O Providence, est-ce ainsi que tu régis le monde ? Être bienfaisant, qu'est devenu ton pouvoir ? Je vois le mal sur la terre.

Croiriez-vous, mon bon ami, que de ces tristes réflexions et de ces contradictions apparentes se formèrent dans mon esprit les sublimes idées de l'âme, qui n'avaient point jusque-là résulté de mes recherches ? En méditant sur la nature de l'homme, j'y crus découvrir deux principes distincts, dont l'un l'élevait à l'étude des vérités éternelles, à l'amour de la justice et du beau moral, aux régions du monde intellectuel dont la contemplation fait les délices du sage, et dont l'autre le ramenait bassement en lui-même, l'asservissait à l'empire des sens, aux passions qui sont leurs ministres, et contrariait par elles tout ce que lui inspirait [127] le sentiment du premier. En me sentant entraîné, combattu par ces deux mouvements contraires je me disais : Non, l'homme n'est point un : je veux et je ne veux pas, je me sens à la fois esclave et libre; je vois le bien, je l'aime, et je fais le mal [128]; je suis actif quand j'écoute la raison, passif quand mes passions m'entraînent; et mon pire tourment quand je succombe est de sentir que j'ai pu résister.

Jeune homme, écoutez avec confiance, je serai toujours de bonne foi. Si la conscience est l'ouvrage des préjugés, j'ai tort, sans doute, et il n'y a point de morale démontrée; mais si se préférer à tout est un penchant naturel à l'homme,

et si pourtant le premier sentiment de la justice est inné dans
le cœur humain, que celui qui fait de l'homme un être
simple lève ces contradictions, et je ne reconnais plus qu'une
substance.

Vous remarquerez que, par ce mot de *substance*, j'entends
en général l'être doué de quelque qualité primitive, et
abstraction faite de toutes modifications particulières ou
secondaires. Si donc toutes les qualités primitives qui nous
sont connues peuvent se réunir dans un même être, on ne
doit admettre qu'une substance; mais s'il y en a qui s'excluent mutuellement, il y a autant de diverses substances
qu'on peut faire de pareilles exclusions. Vous réfléchirez
sur cela; pour moi, je n'ai besoin, quoi qu'en dise Locke,
de connaître la matière que comme étendue et divisible,
pour être assuré qu'elle ne peut penser; et quand un
philosophe viendra me dire que les arbres sentent et que
les roches pensent *, il aura beau m'embarrasser dans ses

---

* Il me semble que, loin de dire que les rochers pensent, la philosophie moderne a découvert au contraire que les hommes ne pensent
point. Elle ne reconnaît plus que des êtres sensitifs dans la nature; et
toute la différence qu'elle trouve entre un homme et une pierre, est
que l'homme est un être sensitif qui a des sensations, et la pierre un
être sensitif qui n'en a pas. Mais s'il est vrai que toute matière sente,
où concevrai-je l'unité sensitive ou le moi individuel ? sera-ce dans
chaque molécule de matière ou dans des corps agrégatifs ? Placerai-je
également cette unité dans les fluides et dans les solides, dans les
mixtes et dans les éléments ? Il n'y a, dit-on, que des individus dans
la nature ! Mais quels sont ces individus ? Cette pierre est-elle un individu ou une agrégation d'individus ? Est-elle un seul être sensitif,
ou en contient-elle autant que de grains de sable ? Si chaque atome
élémentaire est un être sensitif, comment concevrai-je cette intime
communication par laquelle l'un se sent dans l'autre, en sorte que
leurs deux *moi* se confondent en un ? L'attraction peut être une loi de
la nature dont le mystère nous est inconnu; mais nous concevons au
moins que l'attraction, agissant selon les masses, n'a rien d'incompatible avec l'étendue et la divisibilité. Concevez-vous la même chose
du sentiment ? Les parties sensibles sont étendues, mais l'être sensitif
est invisible et un; il ne se partage pas, il est tout entier ou nul; l'être
sensitif n'est donc pas un corps. Je ne sais comment l'entendent nos
matérialistes, mais il me semble que les mêmes difficultés qui leur ont
fait rejeter la pensée leur devraient faire aussi rejeter le sentiment; et je
ne vois pas pourquoi, ayant fait le premier pas, ils ne feraient pas aussi
l'autre; que leur en coûterait-il de plus ? et puisqu'ils sont sûrs qu'ils
ne pensent pas, comment osent-ils affirmer qu'ils sentent ?

arguments subtils, je ne puis voir en lui qu'un sophiste
de mauvaise foi, qui aime mieux donner le sentiment aux
pierres que d'accorder une âme à l'homme.

Supposons un sourd qui nie l'existence des sons, parce
qu'ils n'ont jamais frappé son oreille. Je mets sous ses yeux
un instrument à corde, dont je fais sonner l'unisson par un
autre instrument caché : le sourd voit frémir la corde;
je lui dis : C'est le son qui fait cela. Point du tout, répond-il;
la cause du frémissement de la corde est en elle-même;
c'est une qualité commune à tous les corps de frémir ainsi.
Montrez-moi donc, reprends-je, ce frémissement dans les
autres corps, ou du moins sa cause dans cette corde. Je
ne puis, réplique le sourd; mais, parce que je ne conçois
pas comment frémit cette corde, pourquoi faut-il que j'aille
expliquer cela par vos sons, dont je n'ai pas la moindre
idée ? C'est expliquer un fait obscur par une cause encore
plus obscure. Ou rendez-moi vos sons sensibles, ou je dis
qu'ils n'existent pas.

Plus je réfléchis sur la pensée et sur la nature de l'esprit
humain, plus je trouve que le raisonnement des matérialistes
ressemble à celui de ce sourd. Ils sont sourds, en effet, à la
voix intérieure qui leur crie d'un ton difficile à méconnaître :
Une machine ne pense point, il n'y a ni mouvement ni
figure qui produise la réflexion : quelque chose en toi
cherche à briser les liens qui le compriment; l'espace n'est
pas ta mesure, l'univers entier n'est pas assez grand pour
toi : tes sentiments, tes désirs, ton inquiétude, ton orgueil
même, ont un autre principe que ce corps étroit dans lequel
tu te sens enchaîné.

Nul être matériel n'est actif par lui-même, et moi je le
suis. On a beau me disputer cela, je le sens, et ce sentiment
qui me parle est plus fort que la raison qui le combat. J'ai
un corps sur lequel les autres agissent et qui agit sur eux;
cette action réciproque n'est pas douteuse; mais ma volonté
est indépendante de mes sens; je consens ou je résiste, je
succombe ou je suis vainqueur, et je sens parfaitement en
moi-même quand je fais ce que j'ai voulu faire, ou quand
je ne fais que céder à mes passions. J'ai toujours la puissance
de vouloir, non la force d'exécuter. Quand je me livre
aux tentations, j'agis selon l'impulsion des objets externes.
Quand je me reproche cette faiblesse, je n'écoute que ma
volonté; je suis esclave par mes vices, et libre par mes

remords; le sentiment de ma liberté ne s'efface en moi que quand je me déprave, et que j'empêche enfin la voix de l'âme de s'élever contre la loi du corps.

Je ne connais la volonté que par le sentiment de la mienne, et l'entendement ne m'est pas mieux connu. Quand on me demande quelle est la cause qui détermine ma volonté, je demande à mon tour quelle est la cause qui détermine mon jugement : car il est clair que ces deux causes n'en font qu'une; et si l'on comprend bien que l'homme est actif dans ses jugements, que son entendement n'est que le pouvoir de comparer et de juger, on verra que sa fierté n'est qu'un pouvoir semblable, ou dérivé de celui-là; il choisit le bon comme il a jugé le vrai; s'il juge faux, il choisit mal. Quelle est donc la cause qui détermine sa volonté ? C'est son jugement. Et quelle est la cause qui détermine son jugement ? C'est sa faculté intelligente, c'est sa puissance de juger; la cause déterminante est en lui-même. Passé cela, je n'entends plus rien.

Sans doute je ne suis pas libre de ne pas vouloir mon propre bien, je ne suis pas libre de vouloir mon mal; mais ma liberté consiste en cela même que je ne puis vouloir que ce qui m'est convenable, ou que j'estime tel, sans que rien d'étranger à moi me détermine. S'ensuit-il que je ne sois pas mon maître, parce que je ne suis pas le maître d'être un autre que moi ?

Le principe de toute action est dans la volonté d'un être libre; on ne saurait remonter au delà. Ce n'est pas le mot de liberté qui ne signifie rien, c'est celui de nécessité. Supposer quelque acte, quelque effet qui ne dérive pas d'un principe actif, c'est vraiment supposer des effets sans cause, c'est tomber dans le cercle vicieux. Ou il n'y a point de première impulsion, ou toute première impulsion n'a nulle cause antérieure, et il n'y a point de véritable volonté sans liberté. L'homme est donc libre dans ses actions, et, comme tel, animé d'une substance immatérielle, c'est mon troisième article de foi [129]. De ces trois premiers vous déduirez aisément tous les autres, sans que je continue à les compter.

Si l'homme est actif et libre, il agit de lui-même; tout ce qu'il fait librement n'entre point dans le système ordonné de la Providence, et ne peut lui être imputé. Elle ne veut point le mal que fait l'homme, en abusant de la liberté qu'elle lui donne; mais elle ne l'empêche pas de le faire,

soit que de la part d'un être si faible ce mai soit nul à ses
yeux, soit qu'elle ne pût l'empêcher sans gêner sa liberté
et faire un mal plus grand en dégradant sa nature. Elle l'a
fait libre afin qu'il fît non le mal, mais le bien par choix.
Elle l'a mis en état de faire ce choix en usant bien des
facultés dont elle l'a doué; mais elle a tellement borné ses
forces, que l'abus de la liberté qu'elle lui laisse ne peut
troubler l'ordre général. Le mal que l'homme fait retombe
sur lui sans rien changer au système du monde, sans empêcher
que l'espèce humaine elle-même ne se conserve malgré
qu'elle en ait. Murmurer de ce que Dieu ne l'empêche pas
de faire le mal, c'est murmurer de ce qu'il la fit d'une
nature excellente, de ce qu'il mit à ses actions la moralité
qui les ennoblit, de ce qu'il lui donna droit à la vertu. La
suprême jouissance est dans le contentement de soi-même;
c'est pour mériter ce contentement que nous sommes
placés sur la terre et doués de la liberté, que nous sommes
tentés par les passions et retenus par la conscience. Que
pouvait de plus en notre faveur la puissance divine elle-
même ? Pouvait-elle mettre de la contradiction dans notre
nature et donner le prix d'avoir bien fait à qui n'eut pas le
pouvoir de mal faire ? Quoi ! pour empêcher l'homme
d'être méchant, fallait-il le borner à l'instinct et le faire
bête ? Non, Dieu de mon âme, je ne te reprocherai jamais
de l'avoir faite à ton image, afin que je pusse être libre, bon
et heureux comme toi.

C'est l'abus de nos facultés qui nous rend malheureux et
méchants. Nos chagrins, nos soucis, nos peines, nous
viennent de nous. Le mal moral est incontestablement
notre ouvrage, et le mal physique ne serait rien sans nos
vices, qui nous l'ont rendu sensible. N'est-ce pas pour nous
conserver que la nature nous fait sentir nos besoins ? La
douleur du corps n'est-elle pas un signe que la machine
se dérange, et un avertissement d'y pourvoir ? La mort...
Les méchants n'empoisonnent-ils pas leur vie et la nôtre ?
Qui est-ce qui voudrait toujours vivre ? La mort est le
remède aux maux que vous vous faites; la nature a voulu que
vous ne souffrissiez pas toujours. Combien l'homme vivant
dans la simplicité primitive est sujet à peu de maux !
Il vit presque sans maladies ainsi que sans passions, et ne
prévoit ni ne sent la mort; quand il la sent, ses misères
la lui rendent désirable : dès lors elle n'est plus un mal pour

lui. Si nous nous contentions d'être ce que nous sommes, nous n'aurions point à déplorer notre sort; mais pour chercher un bien-être imaginaire, nous nous donnons mille maux réels. Qui ne sait pas supporter un peu de souffrance doit s'attendre à beaucoup souffrir. Quand on a gâté sa constitution par une vie déréglée, on la veut rétablir par des remèdes; au mal qu'on sent on ajoute celui qu'on craint; la prévoyance de la mort la rend horrible et l'accélère; plus on la veut fuir, plus on la sent; et l'on meurt de frayeur durant toute sa vie, en murmurant contre la nature des maux qu'on s'est faits en l'offensant.

Homme, ne cherche plus l'auteur du mal; cet auteur, c'est toi-même. Il n'existe point d'autre mal que celui que tu fais ou que tu souffres, et l'un et l'autre te vient de toi. Le mal général ne peut être que dans le désordre, et je vois dans le système du monde un ordre qui ne se dément point. Le mal particulier n'est que dans le sentiment de l'être qui souffre; et ce sentiment, l'homme ne l'a pas reçu de la nature, il se l'est donné. La douleur a peu de prise sur quiconque, ayant peu réfléchi, n'a ni souvenir ni prévoyance. Otez nos funestes progrès, ôtez nos erreurs et nos vices, ôtez l'ouvrage de l'homme, et tout est bien.

Où tout est bien, rien n'est injuste. La justice est inséparable de la bonté; or la bonté est l'effet nécessaire d'une puissance sans borne et de l'amour de soi, essentiel à tout être qui se sent. Celui qui peut tout étend, pour ainsi dire, son existence avec celle des êtres. Produire et conserver sont l'acte perpétuel de la puissance; elle n'agit point sur ce qui n'est pas; Dieu n'est pas le Dieu des morts, il ne pourrait être destructeur et méchant sans se nuire. Celui qui peut tout ne peut vouloir que ce qui est bien *. Donc l'Être souverainement bon parce qu'il est souverainement puissant, doit être aussi souverainement juste, autrement il se contredirait lui-même; car l'amour de l'ordre qui le produit s'appelle *bonté*, et l'amour de l'ordre qui le conserve s'appelle *justice*.

Dieu, dit-on, ne doit rien à ses créatures. Je crois qu'il

---

* Quand les anciens appelaient *optimus maximus* le Dieu suprême, ils disaient très vrai; mais en disant *maximus optimus*, ils auraient parlé plus exactement puisque sa bonté vient de sa puissance; il est bon parce qu'il est grand.

leur doit tout ce qu'il leur promit en leur donnant l'être.
Or c'est leur promettre un bien que de leur en donner
l'idée et de leur en faire sentir le besoin. Plus je rentre
en moi, plus je me consulte, et plus je lis ces mots écrits
dans mon âme : *Sois juste, et tu seras heureux*. Il n'en est
rien pourtant, à considérer l'état présent des choses; le
méchant prospère, et le juste reste opprimé. Voyez aussi
quelle indignation s'allume en nous quand cette attente
est frustrée ! La conscience s'élève et murmure contre son
auteur; elle lui crie en gémissant : Tu m'as trompé !

Je t'ai trompé, téméraire ! et qui te l'a dit ? Ton âme
est-elle anéantie ? As-tu cessé d'exister ? O Brutus, ô mon
fils ! ne souille point ta noble vie en la finissant; ne laisse
point ton espoir et ta gloire avec ton corps aux champs de
Philippes. Pourquoi dis-tu : *La vertu n'est rien*, quand tu
vas jouir du prix de la tienne ? Tu vas mourir, penses-tu :
non, tu vas vivre, et c'est alors que je tiendrai tout ce que
je t'ai promis [130].

On dirait, aux murmures des impatients mortels, que
Dieu leur doit la récompense avant le mérite, et qu'il
est obligé de payer leur vertu d'avance. Oh ! soyons bons
premièrement, et puis nous serons heureux. N'exigeons
pas le prix avant la victoire, ni le salaire avant le travail.
Ce n'est point dans la lice, disait Plutarque, que les vain-
queurs de nos jeux sacrés sont couronnés, c'est après qu'ils
l'ont parcourue [131].

Si l'âme est immatérielle, elle peut survivre au corps;
et si elle lui survit, la Providence est justifiée. Quand je
n'aurais d'autre preuve de l'immatérialité de l'âme que le
triomphe du méchant et l'oppression du juste en ce monde,
cela seul m'empêcherait d'en douter. Une si choquante
dissonance dans l'harmonie universelle me ferait chercher à la résoudre. Je me dirais : Tout ne finit pas pour
nous avec la vie, tout rentre dans l'ordre à la mort. J'aurais, à la vérité, l'embarras de me demander où est l'homme,
quand tout ce qu'il avait de sensible est détruit. Cette
question n'est plus une difficulté pour moi, sitôt que j'ai
reconnu deux substances. Il est très simple que, durant
ma vie corporelle, n'apercevant rien que par mes sens, ce
qui ne leur est point soumis m'échappe. Quand l'union
du corps et de l'âme est rompue, je conçois que l'un peut
se dissoudre, et l'autre se conserver. Pourquoi la destruc-

tion de l'un entraînerait-elle la destruction de l'autre ? Au
contraire, étant de natures si différentes, ils étaient, par
leur union, dans un état violent; et quand cette union
cesse, ils rentrent tous deux dans leur état naturel : la
substance active et vivante regagne toute la force qu'elle
employait à mouvoir la substance passive et morte. Hélas !
je le sens trop par mes vices, l'homme ne vit qu'à moitié
durant sa vie, et la vie de l'âme ne commence qu'à la mort
du corps.

Mais quelle est cette vie ? et l'âme est-elle immortelle
par sa nature ? Mon entendement borné ne conçoit rien
sans bornes : tout ce qu'on appelle infini m'échappe. Que
puis-je nier, affirmer ? quels raisonnements puis-je faire
sur ce que je ne puis concevoir ? Je crois que l'âme survit
au corps assez pour le maintien de l'ordre : qui sait si c'est
assez pour durer toujours ? Toutefois je conçois comment
le corps s'use et se détruit par la division des parties :
mais je ne puis concevoir une destruction pareille de l'être
pensant; et n'imaginant point comment il peut mourir,
je présume qu'il ne meurt pas. Puisque cette présomption
me console et n'a rien de déraisonnable, pourquoi crain-
drais-je de m'y livrer ?

Je sens mon âme, je la connais par le sentiment et par
la pensée, je sais qu'elle est, sans savoir quelle est son
essence; je ne puis raisonner sur des idées que je n'ai pas.
Ce que je sais bien, c'est que l'identité du *moi* ne se prolonge que par la mémoire, et que, pour être le même en
effet, il faut que je me souvienne d'avoir été. Or, je ne
saurais me rappeler, après ma mort, ce que j'ai été durant
ma **vie**, que je ne me rappelle aussi ce que j'ai senti, par
conséquent ce que j'ai fait; et je ne doute point que ce
souvenir ne fasse un jour la félicité des bons et le tourment des méchants. Ici-bas, mille passions ardentes absor-
bent le sentiment interne, et donnent le change aux remords.
Les humiliations, les disgrâces qu'attire l'exercice des
vertus, empêchent d'en sentir tous les charmes. Mais
quand, délivrés des illusions que nous font le corps et
les sens, nous jouirons de la contemplation de l'Être
suprême et des vérités éternelles dont il est la source,
quand la beauté de l'ordre frappera toutes les puissances
de notre âme, et que nous serons uniquement occupés à
comparer ce que nous avons fait avec ce que nous avons

dû faire, c'est alors que la voix de la conscience reprendra
sa force et son empire, c'est alors que la volupté pure qui
naît du contentement de soi-même, et le regret amer de
s'être avili, distingueront par des sentiments inépuisables
le sort que chacun se sera préparé. Ne me demandez point,
ô mon bon ami, s'il y aura d'autres sources de bonheur et
de peines; je l'ignore; et c'est assez de celles que j'imagine
pour me consoler de cette vie, et m'en faire espérer une
autre. Je ne dis point que les bons seront récompensés;
car quel autre bien peut attendre un être excellent que
d'exister selon sa nature? Mais je dis qu'ils seront heureux, parce que leur auteur, l'auteur de toute justice, les
ayant faits sensibles, ne les a pas faits pour souffrir; et
que, n'ayant point abusé de leur liberté sur la terre, ils n'ont
pas trompé leur destination par leur faute : ils ont souffert pourtant dans cette vie, ils seront donc dédommagés
dans une autre. Ce sentiment est moins fondé sur le mérite
de l'homme que sur la notion de bonté qui me semble
inséparable de l'essence divine. Je ne fais que supposer
les lois de l'ordre observées, et Dieu constant à lui-même *.

Ne me demandez pas non plus si les tourments des
méchants seront éternels; je l'ignore encore, et n'ai point
la vaine curiosité d'éclaircir des questions inutiles. Que
m'importe ce que deviendront les méchants? Je prends
peu d'intérêt à leur sort. Toutefois j'ai peine à croire qu'ils
soient condamnés à des tourments sans fin. Si la suprême
justice se venge, elle se venge dès cette vie. Vous et vos
erreurs, ô nations! êtes ses ministres. Elle emploie les
maux que vous vous faites à punir les crimes qui les ont
attirés. C'est dans vos cœurs insatiables, rongés d'envie,
d'avarice et d'ambition, qu'au sein de vos fausses pros-
pérités les passions vengeresses punissent vos forfaits.
Qu'est-il besoin d'aller chercher l'enfer dans l'autre vie?
il est dès celle-ci dans le cœur des méchants.

Où finissent nos besoins périssables, où cessent nos
désirs insensés doivent cesser aussi nos passions et nos
crimes. De quelle perversité de purs esprits seraient-ils

* *Non pas pour nous, non pas pour nous, Seigneur,*
*Mais pour ton nom, mais pour ton propre honneur,*
*O Dieu ! fais-nous revivre !*

*(Psaumes,* 115).

susceptibles ? N'ayant besoin de rien, pourquoi seraient-ils méchants ? Si, destitués de nos sens grossiers, tout leur bonheur est dans la contemplation des êtres, ils ne sauraient vouloir que le bien; et quiconque cesse d'être méchant peut-il être à jamais misérable ? Voilà ce que j'ai du penchant à croire, sans prendre peine à me décider là-dessus. O Être clément et bon ! quels que soient tes décrets, je les adore; si tu punis les méchants, j'anéantis ma faible raison devant ta justice. Mais si les remords de ces infortunés doivent s'éteindre avec le temps, si leurs maux doivent finir, et si la même paix nous attend tous également un jour, je t'en loue. Le méchant n'est-il pas mon frère ? Combien de fois j'ai été tenté de lui ressembler ! Que, délivré de sa misère, il perde aussi la malignité qui l'accompagne; qu'il soit heureux ainsi que moi : loin d'exciter ma jalousie, son bonheur ne fera qu'ajouter au mien.

C'est ainsi que, contemplant Dieu dans ses œuvres, et l'étudiant par ceux de ses attributs qu'il m'importait de connaître, je suis parvenu à étendre et augmenter par degrés l'idée, d'abord imparfaite et bornée, que je me faisais de cet être immense. Mais si cette idée est devenue plus noble et plus grande, elle est aussi moins proportionnée à la raison humaine. A mesure que j'approche en esprit de l'éternelle lumière, son éclat m'éblouit, me trouble, et je suis forcé d'abandonner toutes les notions terrestres qui m'aidaient à l'imaginer. Dieu n'est plus corporel et sensible; la suprême Intelligence qui régit le monde n'est plus le monde même : j'élève et fatigue en vain mon esprit à concevoir son essence. Quand je pense que c'est elle qui donne la vie et l'activité à la substance vivante et active qui régit les corps animés; quand j'entends dire que mon âme est spirituelle et que Dieu est un esprit, je m'indigne contre cet avilissement de l'essence divine; comme si Dieu et mon âme étaient de même nature; comme si Dieu n'était pas le seul être absolu, le seul vraiment actif, sentant, pensant, voulant par lui-même, et duquel nous tenons la pensée, le sentiment, l'activité, la volonté, la liberté, l'être ! Nous ne sommes libres que parce qu'il veut que nous le soyons, et sa substance inexplicable est à nos âmes ce que nos âmes sont à nos corps. S'il a créé la matière, les corps, les esprits, le monde, je

n'en sais rien. L'idée de création me confond et passe ma
portée : je la crois autant que je la puis concevoir; mais
je sais qu'il a formé l'univers et tout ce qui existe, qu'il a
tout fait, tout ordonné. Dieu est éternel, sans doute;
mais mon esprit peut-il embrasser l'idée de l'éternité ?
Pourquoi me payer de mots sans idée ? Ce que je conçois,
c'est qu'il est avant les choses, qu'il sera tant qu'elles
subsisteront, et qu'il serait même au delà, si tout devait
finir un jour. Qu'un être que je ne conçois pas donne
l'existence à d'autres êtres, cela n'est qu'obscur et incompréhensible; mais que l'être et le néant se convertissent
d'eux-mêmes l'un dans l'autre, c'est une contradiction
palpable, c'est une claire absurdité.

Dieu est intelligent; mais comment l'est-il ? l'homme
est intelligent quand il raisonne, et la suprême Intelligence n'a pas besoin de raisonner; il n'y a pour elle ni
prémisses ni conséquences, il n'y a pas même de proposition : elle est purement intuitive, elle voit également
tout ce qui est et tout ce qui peut être; toutes les vérités
ne sont pour elle qu'une seule idée, comme tous les lieux
un seul point, et tous les temps un seul moment. La puissance humaine agit par des moyens, la puissance divine
agit par elle-même. Dieu peut parce qu'il veut; sa volonté
fait son pouvoir. Dieu est bon; rien n'est plus manifeste :
mais la bonté dans l'homme est l'amour de ses semblables,
et la bonté de Dieu est l'amour de l'ordre; car c'est par
l'ordre qu'il maintient ce qui existe, et lie chaque partie
avec le tout. Dieu est juste; j'en suis convaincu, c'est une
suite de sa bonté; l'injustice des hommes est leur œuvre
et non pas la sienne; le désordre moral, qui dépose contre
la Providence aux yeux des philosophes, ne fait que la
démontrer aux miens. Mais la justice de l'homme est de
rendre à chacun ce qui lui appartient, et la justice de Dieu,
de demander compte à chacun de ce qu'il lui a donné [132].

Que si je viens à découvrir successivement ces attributs dont je n'ai nulle idée absolue, c'est par des conséquences forcées, c'est par le bon usage de ma raison; mais
je les affirme sans les comprendre, et, dans le fond, c'est
n'affirmer rien. J'ai beau me dire : Dieu est ainsi, je le sens,
je me le prouve; je n'en conçois pas mieux comment Dieu
peut être ainsi.

Enfin, plus je m'efforce de contempler son essence

infinie, moins je la conçois; mais elle est, cela me suffit;
moins je la conçois, plus je l'adore. Je m'humilie, et lui
dis : Être des êtres, je suis parce que tu es; c'est m'élever
à ma source que de te méditer sans cesse. Le plus digne
usage de ma raison est de s'anéantir devant toi : c'est mon
ravissement d'esprit, c'est le charme de ma faiblesse, de
me sentir accablé de ta grandeur.

Après avoir ainsi, de l'impression des objets sensibles
et du sentiment intérieur qui me porte à juger des causes
selon mes lumières naturelles, déduit les principales vérités qu'il m'importait de connaître, il me reste à chercher
quelles maximes j'en dois tirer pour ma conduite, et quelles
règles je dois me prescrire pour remplir ma destination
sur la terre, selon l'intention de celui qui m'y a placé.
En suivant toujours ma méthode, je ne tire point ces règles
des principes d'une haute philosophie, mais je les trouve
au fond de mon cœur écrites par la nature en caractères
ineffaçables. Je n'ai qu'à me consulter sur ce que je veux
faire : tout ce que je sens être bien est bien, tout ce que je
sens être mal est mal : le meilleur de tous les casuistes
est la conscience; et ce n'est que quand on marchande
avec elle qu'on a recours aux subtilités du raisonnement.
Le premier de tous les soins est celui de soi-même : cependant combien de fois la voix intérieure nous dit qu'en
faisant notre bien aux dépens d'autrui nous faisons mal !
Nous croyons suivre l'impulsion de la nature, et nous lui
résistons; en écoutant ce qu'elle dit à nos sens, nous mépri-
sons ce qu'elle dit à nos cœurs; l'être actif obéit, l'être
passif commande. La conscience est la voix de l'âme,
les passions sont la voix du corps. Est-il étonnant que
souvent ces deux langages se contredisent ? et alors lequel
faut-il écouter ? Trop souvent la raison nous trompe,
nous n'avons que trop acquis le droit de la récuser; mais
la conscience ne trompe jamais; elle est le vrai guide de
l'homme : elle est à l'âme ce que l'instinct est au corps *;

---

* La philosophie moderne, qui n'admet que ce qu'elle explique, n'a
garde d'admettre cette obscure faculté appelée *instinct*, qui paraît guider,
sans aucune connaissance acquise, les animaux vers quelque fin. L'instinct, selon l'un de nos plus sages philosophes (Condillac), n'est qu'une
habitude privée de réflexion, mais acquise en réfléchissant; et de la
manière dont il explique ce progrès, on doit conclure que les enfants
réfléchissent plus que les hommes; paradoxe assez étrange pour valoir

qui la suit obéit à la nature, et ne craint point de s'égarer. Ce point est important, poursuivit mon bienfaiteur, voyant que j'allais l'interrompre : souffrez que je m'arrête un peu plus à l'éclaircir.

Toute la moralité de nos actions est dans le jugement que nous en portons nous-mêmes. S'il est vrai que le bien soit bien, il doit l'être au fond de nos cœurs comme dans nos œuvres, et le premier prix de la justice est de sentir qu'on la pratique. Si la bonté morale est conforme à notre nature, l'homme ne saurait être sain d'esprit ni bien constitué qu'autant qu'il est bon. Si elle ne l'est pas, et que l'homme soit méchant naturellement, il ne peut cesser de l'être sans se corrompre, et la bonté n'est en lui qu'un vice contre nature. Fait pour nuire à ses semblables comme le loup pour égorger sa proie, un homme humain serait un animal aussi dépravé qu'un loup pitoyable; et la vertu seule nous laisserait des remords.

Rentrons en nous-mêmes, ô mon jeune ami ! examinons, tout intérêt personnel à part, à quoi nos penchants nous portent. Quel spectacle nous flatte le plus, celui des tourments ou du bonheur d'autrui ? Qu'est-ce qui nous

---

la peine d'être examiné. Sans entrer ici dans cette discussion, je demande quel nom je dois donner à l'ardeur avec laquelle mon chien fait la guerre aux taupes qu'il ne mange point, à la patience avec laquelle il les guette quelquefois des heures entières, et à l'habileté avec laquelle il les saisit, les jette hors terre au moment qu'elles poussent, et les tue ensuite pour les laisser là, sans que jamais personne l'ait dressé à cette chasse, et lui ait appris qu'il y avait là des taupes. Je demande encore, et ceci est plus important, pourquoi, la première fois que j'ai menacé ce même chien, il s'est jeté le dos contre terre, les pattes repliées, dans une attitude suppliante et la plus propre à me toucher; posture dans laquelle il se fût bien gardé de rester, si, sans me laisser fléchir, je l'eusse battu dans cet état. Quoi ! mon chien, tout petit encore, et ne faisant presque que de naître, avait-il acquis déjà des idées morales ? savait-il ce que c'était que clémence et générosité ? sur quelles lumières acquises espérait-il m'apaiser en s'abandonnant ainsi à ma discrétion ? Tous les chiens du monde font à peu près la même chose dans le même cas, et je ne dis rien ici que chacun ne puisse vérifier. Que les philosophes, qui rejettent si dédaigneusement l'instinct, veuillent bien expliquer ce fait par le seul jeu des sensations et des connaissances qu'elles nous font acquérir; qu'ils l'expliquent d'une manière satisfaisante pour tout homme sensé; alors je n'aurai plus rien à dire, et je ne parlerai plus d'instinct.

est le plus doux à faire, et nous laisse une impression plus agréable après l'avoir fait, d'un acte de bienfaisance ou d'un acte de méchanceté ? Pour qui vous intéressez-vous sur vos théâtres ? Est-ce aux forfaits que vous prenez plaisir ? est-ce à leurs auteurs punis que vous donnez des larmes ? Tout nous est indifférent, disent-ils, hors notre intérêt : et, tout au contraire, les douceurs de l'amitié, de l'humanité, nous consolent dans nos peines : et, même dans nos plaisirs, nous serions trop seuls, trop misérables, si nous n'avions avec qui les partager. S'il n'y a rien de moral dans le cœur de l'homme, d'où lui viennent donc ces transports d'admiration pour les actions héroïques, ces ravissements d'amour pour les grandes âmes ? Cet enthousiasme de la vertu, quel rapport a-t-il avec notre intérêt privé ? Pourquoi voudrais-je être Caton qui déchire ses entrailles, plutôt que César triomphant ? Otez de nos cœurs cet amour du beau, vous ôtez tout le charme de la vie. Celui dont les viles passions ont étouffé dans son âme étroite ces sentiments délicieux; celui qui, à force de se concentrer au dedans de lui, vient à bout de n'aimer que lui-même, n'a plus de transports, son cœur glacé ne palpite plus de joie; un doux attendrissement n'humecte jamais ses yeux; il ne jouit plus de rien; le malheureux ne sent plus, ne vit plus; il est déjà mort.

Mais, quel que soit le nombre des méchants sur la terre, il est peu de ces âmes cadavéreuses devenues insensibles, hors leur intérêt, à tout ce qui est juste et bon. L'iniquité ne plaît qu'autant qu'on en profite; dans tout le reste on veut que l'innocent soit protégé. Voit-on dans une rue ou sur un chemin quelque acte de violence et d'injustice; à l'instant un mouvement de colère et d'indignation s'élève au fond du cœur, et nous porte à prendre la défense de l'opprimé : mais un devoir plus puissant nous retient, et les lois nous ôtent le droit de protéger l'innocence. Au contraire, si quelque acte de clémence ou de générosité frappe nos yeux, quelle admiration, quel amour il nous inspire ! Qui est-ce qui ne se dit pas : J'en voudrais avoir fait autant ? Il nous importe sûrement fort peu qu'un homme ait été méchant ou juste il y a deux mille ans; et cependant le même intérêt nous affecte dans l'histoire ancienne, que si tout cela s'était passé de nos jours. Que me font à moi les crimes de Catilina ? ai-je peur d'être sa victime ? Pourquoi donc ai-je de lui la même horreur que s'il était mon contemporain ? Nous ne haïssons pas seulement les méchants parce qu'ils nous nuisent, mais parce qu'ils sont méchants. Non seulement nous voulons être heureux, nous voulons aussi le bonheur d'autrui, et quand ce bonheur ne coûte rien au nôtre, il l'augmente. Enfin l'on a, malgré soi, pitié des infortunés; quand on est témoin de leur mal, on en souffre. Les plus pervers ne sauraient perdre tout à fait ce penchant; souvent il les met en contradiction avec eux-mêmes. Le voleur qui dépouille les passants couvre encore la nudité du pauvre; et le plus féroce assassin soutient un homme tombant en défaillance.

On parle du cri des remords, qui punit en secret les crimes cachés et les met si souvent en évidence. Hélas ! qui de nous n'entendit jamais cette importune voix ? On parle par expérience; et l'on voudrait étouffer ce sentiment tyrannique qui nous donne tant de tourment. Obéissons à la nature, nous connaîtrons avec quelle douceur elle règne, et quel charme on trouve, après l'avoir écoutée, à se rendre un bon témoignage de soi. Le méchant se craint et se fuit; il s'égaye en se jetant hors de lui-même; il tourne autour de lui des yeux inquiets, et cherche un objet qui l'amuse; sans la satire amère, sans la raillerie insultante, il serait toujours triste; le ris moqueur est son seul plaisir. Au contraire, la sérénité du juste est intérieure; son ris n'est point de malignité, mais de joie; il en porte la source en lui-même; il est aussi gai seul qu'au milieu d'un cercle; il ne tire pas son consentement de ceux qui l'approchent, il le leur communique.

Jetez les yeux sur toutes les nations du monde, parcourez toutes les histoires. Parmi tant de cultes inhumains et bizarres, parmi cette prodigieuse diversité de mœurs et de caractères, vous trouverez partout les mêmes idées de justice et d'honnêteté, partout les mêmes notions de bien et de mal. L'ancien paganisme enfanta des dieux abominables, qu'on eût punis ici-bas comme des scélérats, et qui n'offraient pour tableau du bonheur suprême que des forfaits à commettre et des passions à contenter. Mais le vice, armé d'une autorité sacrée, descendait en vain du séjour éternel, l'instinct moral le repoussait du cœur des humains. En célébrant les débauches de Jupiter, on

admirait la continence de Xénocrate; la chaste Lucrèce
adorait l'impudique Vénus; l'intrépide Romain sacrifiait
à la Peur; il invoquait le dieu qui mutila son père et mou-
rait sans murmure de la main du sien. Les plus méprisables divinités furent servies par les plus grands hommes.
La sainte voix de la nature, plus forte que celle des dieux,
se faisait respecter sur la terre, et semblait reléguer dans
le ciel le crime avec les coupables.

Il est donc au fond des âmes un principe inné de justice
et de vertu, sur lequel, malgré nos propres maximes,
nous jugeons nos actions et celles d'autrui comme bonnes
ou mauvaises, et c'est à ce principe que je donne le nom
de conscience.

Mais à ce mot j'entends s'élever de toutes parts la clameur des prétendus sages : Erreurs de l'enfance, préjugés
de l'éducation ! s'écrient-ils tous de concert. Il n'y a rien
dans l'esprit humain que ce qui s'y introduit par l'expérience, et nous ne jugeons d'aucune chose que sur des
idées acquises [133]. Ils font plus : cet accord évident et
universel de toutes les nations, ils l'osent rejeter; et, contre
l'éclatante uniformité du jugement des hommes, ils vont
chercher dans les ténèbres quelque exemple obscur et
connu d'eux seuls; comme si tous les penchants de la
nature étaient anéantis par la dépravation d'un peuple,
et que, sitôt qu'il est des monstres, l'espèce ne fût plus
rien. Mais que servent au sceptique Montaigne les tourments qu'il se donne pour déterrer en un coin du monde
une coutume opposée aux notions de la justice [134] ? Que
lui sert de donner aux plus suspects voyageurs l'autorité
qu'il refuse aux écrivains les plus célèbres ? Quelques
usages incertains et bizarres fondés sur des causes locales
qui nous sont inconnues, détruiront-ils l'induction générale tirée du concours de tous les peuples, opposés en tout
le reste, et d'accord sur ce seul point ? Ô Montaigne !
toi qui te piques de franchise et de vérité, sois sincère et
vrai, si un philosophe peut l'être, et dis-moi s'il est quelque
pays sur la terre où ce soit un crime de garder sa foi,
d'être clément, bienfaisant, généreux; où l'homme de bien
soit méprisable, et le perfide honoré.

Chacun, dit-on, concourt au bien public pour son intérêt. Mais d'où vient donc que le juste y concourt à son
préjudice ? Qu'est-ce qu'aller à la mort pour son intérêt ?

Sans doute nul n'agit que pour son bien; mais s'il est un bien moral dont il faut tenir compte, on n'expliquera jamais par l'intérêt propre que les actions des méchants. Il est même à croire qu'on ne tentera point d'aller plus loin. Ce serait une trop abominable philosophie que celle où l'on serait embarrassé des actions vertueuses; où l'on ne pourrait se tirer d'affaire qu'en leur controuvant des intentions basses et des motifs sans vertu; où l'on serait forcé d'avilir Socrate et de calomnier Régulus. Si jamais de pareilles doctrines pouvaient germer parmi nous, la voix de la nature, ainsi que celle de la raison, s'élèveraient incessamment contre elles, et ne laisseraient jamais à un seul de leurs partisans l'excuse de l'être de bonne foi.

Mon dessein n'est pas d'entrer ici dans des discussions métaphysiques qui passent ma portée et la vôtre, et qui, dans le fond, ne mènent à rien. Je vous ai déjà dit que je ne voulais pas philosopher avec vous, mais vous aider à consulter votre cœur. Quand tous les philosophes prouveraient que j'ai tort, si vous sentez que j'ai raison, je n'en veux pas davantage.

Il ne faut pour cela que vous faire distinguer nos idées acquises de nos sentiments naturels; car nous sentons avant de connaître; et comme nous n'apprenons point à vouloir notre bien et à fuir notre mal, mais que nous tenons cette volonté de la nature, de même l'amour du bon et la haine du mauvais nous sont aussi naturels que l'amour de nous-mêmes. Les actes de la conscience ne sont pas des jugements, mais des sentiments. Quoique toutes nos idées nous viennent du dehors, les sentiments qui les apprécient sont au dedans de nous, et c'est par eux seuls que nous connaissons la convenance ou disconvenance qui existe entre nous et les choses que nous devons respecter ou fuir.

Exister pour nous, c'est sentir; notre sensibilité est incontestablement antérieure à notre intelligence, et nous avons eu des sentiments avant des idées*. Quelle que soit la

---

* A certains égards les idées sont des sentiments et les sentiments sont des idées. Les deux noms conviennent à toute perception qui nous occupe et de son objet, et de nous-mêmes qui en sommes affectés : il n'y a que l'ordre de cette affection qui détermine le nom qui lui convient. Lorsque, premièrement occupé de l'objet, nous ne pensons

cause de notre être, elle a pourvu à notre conservation
en nous donnant des sentiments convenables à notre
nature; et l'on ne saurait nier qu'au moins ceux-là ne soient
innés. Ces sentiments, quant à l'individu, sont l'amour de
soi, la crainte de la douleur, l'horreur de la mort, le désir
du bien-être. Mais si, comme on n'en peut douter, l'homme
est sociable par sa nature, ou du moins fait pour le devenir,
il ne peut l'être que par d'autres sentiments innés, relatifs
à son espèce; car, à ne considérer que le besoin physique,
il doit certainement disperser les hommes au lieu de les
rapprocher. Or c'est du système moral formé par ce double
rapport à soi-même et à ses semblables que naît l'impulsion
de la conscience. Connaître le bien, ce n'est pas l'aimer :
l'homme n'en a pas la connaissance innée, mais sitôt que sa
raison le lui fait connaître, sa conscience le porte à l'aimer :
c'est ce sentiment qui est inné.

Je ne crois donc pas, mon ami, qu'il soit impossible
d'expliquer par des conséquences de notre nature le principe immédiat de la conscience, indépendant de la raison
même. Et quand cela serait impossible, encore ne serait-il
pas nécessaire : car, puisque ceux qui nient ce principe
admis et reconnu par tout le genre humain ne prouvent
point qu'il n'existe pas, mais se contentent de l'affirmer;
quand nous affirmons qu'il existe, nous sommes tout aussi
bien fondés qu'eux, et nous avons de plus le témoignage
intérieur, et la voix de la conscience qui dépose pour elle-
même. Si les premières lueurs du jugement nous éblouissent
et confondent d'abord les objets à nos regards, attendons
que nos faibles yeux se rouvrent, se raffermissent; et
bientôt nous reverrons ces mêmes objets aux lumières de
la raison, tels que nous les montrait d'abord la nature : ou
plutôt soyons plus simples et moins vains; bornons-nous
aux premiers sentiments que nous trouvons en nous-mêmes,
puisque c'est toujours à eux que l'étude nous ramène
quand elle ne nous a point égarés.

Conscience ! conscience ! instinct divin, immortelle et
céleste voix; guide assuré d'un être ignorant et borné, mais
intelligent et libre; juge infaillible du bien et du mal, qui

à nous que par réflexion, c'est une idée; au contraire, quand l'impression reçue excite notre première attention, et que nous ne pensons
que par réflexion à l'objet qui la cause, c'est un sentiment.

rends l'homme semblable à Dieu, c'est toi qui fais l'excellence de sa nature et la moralité de ses actions; sans toi je
ne sens rien en moi qui m'élève au-dessus des bêtes, que le
triste privilège de m'égarer d'erreurs en erreurs à l'aide d'un
entendement sans règle et d'une raison sans principe [135].

Grâce au ciel, nous voilà délivrés de tout cet effrayant
appareil de philosophie : nous pouvons être hommes sans
être savants; dispensés de consumer notre vie à l'étude de
la morale, nous avons à moindres frais un guide plus assuré
dans ce dédale immense des opinions humaines. Mais ce
n'est pas assez que ce guide existe, il faut savoir le reconnaître et le suivre. S'il parle à tous les cœurs, pourquoi
donc y en a-t-il si peu qui l'entendent ? Eh ! c'est qu'il
nous parle la langue de la nature, que tout nous a fait
oublier. La conscience est timide, elle aime la retraite et la
paix; le monde et le bruit l'épouvantent : les préjugés dont
on la fait naître sont ses plus cruels ennemis; elle fuit ou se
tait devant eux : leur voix bruyante étouffe la sienne et
l'empêche de se faire entendre; le fanatisme ose la contrefaire, et dicter le crime en son nom. Elle se rebute enfin
à force d'être éconduite; elle ne nous parle plus, elle ne
nous répond plus, et, après de si longs mépris pour elle,
il en coûte autant de la rappeler qu'il en coûta de la bannir.

Combien de fois je me suis lassé dans mes recherches de
la froideur que je sentais en moi ! Combien de fois la tristesse et l'ennui, versant leur poison sur mes premières
méditations, me les rendirent insupportables ? Mon cœur
aride ne donnait qu'un zèle languissant et tiède à l'amour de
la vérité. Je me disais : Pourquoi me tourmenter à chercher
ce qui n'est pas ? Le bien moral n'est qu'une chimère; il
n'y a rien de bon que les plaisirs des sens. O quand on a
une fois perdu le goût des plaisirs de l'âme, qu'il est difficile
de le reprendre ! Qu'il est plus difficile encore de le prendre
quand on ne l'a jamais eu ! S'il existait un homme assez
misérable pour n'avoir rien fait en toute sa vie dont le
souvenir le rendît content de lui-même et bien aise d'avoir
vécu, cet homme serait incapable de jamais se connaître;
et, faute de sentir quelle bonté convient à sa nature, il
resterait méchant par force et serait éternellement malheureux. Mais croyez-vous qu'il y ait sur la terre entière un
seul homme assez dépravé pour n'avoir jamais livré son
cœur à la tentation de bien faire ? Cette tentation est si

naturelle et si douce, qu'il est impossible de lui résister
toujours; et le souvenir du plaisir qu'elle a produit une
fois suffit pour la rappeler sans cesse. Malheureusement
elle est d'abord pénible à satisfaire; on a mille raisons pour
se refuser au penchant de son cœur; la fausse prudence
le resserre dans les bornes du *moi* humain; il faut mille
efforts de courage pour oser les franchir. Se plaire à bien
faire est le prix d'avoir bien fait, et ce prix ne s'obtient
qu'après l'avoir mérité. Rien n'est plus aimable que la
vertu; mais il en faut jouir pour la trouver telle. Quand on
la veut embrasser, semblable au Protée de la fable, elle
prend d'abord mille formes effrayantes, et ne se montre
enfin sous la sienne qu'à ceux qui n'ont point lâché prise.

Combattu sans cesse par mes sentiments naturels qui parlaient pour l'intérêt commun, et par ma raison qui rapportait
tout à moi, j'aurais flotté toute ma vie dans cette continuelle
alternative, faisant le mal, aimant le bien, et toujours contraire à moi-même, si de nouvelles lumières n'eussent
éclairé mon cœur, si la vérité, qui fixa mes opinions, n'eût
encore assuré ma conduite et ne m'eût mis d'accord avec
moi. On a beau vouloir établir la vertu par la raison seule,
quelle solide base peut-on lui donner ? La vertu, disent-ils,
est l'amour de l'ordre. Mais cet amour peut-il donc et doit-il
l'emporter en moi sur celui de mon bien-être ? Qu'ils me
donnent une raison claire et suffisante pour le préférer.
Dans le fond leur prétendu principe est un pur jeu de mots;
car je dis aussi, moi, que le vice est l'amour de l'ordre, pris
dans un sens différent. Il y a quelque ordre moral partout où
il y a sentiment et intelligence. La différence est que le bon
s'ordonne par rapport au tout, et que le méchant ordonne
le tout par rapport à lui. Celui-ci se fait le centre de toutes
choses; l'autre mesure son rayon et se tient à la circonfé-
rence. Alors il est ordonné par rapport au centre commun,
qui est Dieu, et par rapport à tous les cercles concentriques,
qui sont les créatures. Si la Divinité n'est pas, il n'y a que le
méchant qui raisonne, le bon n'est qu'un insensé.

O mon enfant, puissiez-vous sentir un jour de quel poids
on est soulagé, quand, après avoir épuisé la vanité des opinions humaines et goûté l'amertume des passions, on trouve
enfin si près de soi la route de la sagesse, le prix des travaux
de cette vie, et la source du bonheur dont on a désespéré !
Tous les devoirs de la loi naturelle, presque effacés de mon

cœur par l'injustice des hommes, s'y retracent au nom de l'éternelle justice qui me les impose et qui me les voit remplir. Je ne sens plus en moi que l'ouvrage et l'instrument du grand Être qui veut le bien, qui le fait, qui fera le mien par le concours de mes volontés aux siennes et par le bon usage de ma liberté : j'acquiesce à l'ordre qu'il établit, sûr de jouir moi-même un jour de cet ordre et d'y trouver ma félicité; car quelle félicité plus douce que de se sentir ordonné dans un système où tout est bien ? En proie à la douleur, je la supporte avec patience, en songeant qu'elle est passagère et qu'elle vient d'un corps qui n'est point à moi. Si je fais une bonne action sans témoin, je sais qu'elle est vue, et je prends acte pour l'autre vie de ma conduite en celle-ci. En souffrant une injustice, je me dis : l'Être juste qui régit tout saura bien m'en dédommager, les besoins de mon corps, les misères de ma vie me rendent l'idée de la mort plus supportable. Ce seront autant de liens de moins à rompre quand il faudra tout quitter.

Pourquoi mon âme est-elle soumise à mes sens et enchaînée à ce corps qui l'asservit et la gêne ? Je n'en sais rien : suis-je entré dans les décrets de Dieu ? Mais je puis, sans témérité, former de modestes conjectures. Je me dis : Si l'esprit de l'homme fût resté libre et pur, quel mérite aurait-il d'aimer et suivre l'ordre qu'il verrait établi et qu'il n'aurait nul intérêt à troubler ? Il serait heureux, il est vrai; mais il manquerait à son bonheur le degré le plus sublime, la gloire de la vertu et le bon témoignage de soi; il ne serait que comme les anges; et sans doute l'homme vertueux sera plus qu'eux. Unie à un corps mortel par des liens non moins puissants qu'incompréhensibles, le soin de la conservation de ce corps excite l'âme à rapporter tout à lui, et lui donne un intérêt contraire à l'ordre général, qu'elle est pourtant capable de voir et d'aimer; c'est alors que le bon usage de sa liberté devient à la fois le mérite et la récompense, et qu'elle se prépare un bonheur inaltérable en combattant ses passions terrestres et se maintenant dans sa première volonté.

Que si, même dans l'état d'abaissement où nous sommes durant cette vie, tous nos premiers penchants sont légitimes; si tous nos vices nous viennent de nous, pourquoi nous plaignons-nous d'être subjugués par eux ? pourquoi reprochons-nous à l'auteur des choses les maux que nous nous faisons et les ennemis que nous armons contre nous-mêmes ?

Ah ! ne gâtons point l'homme; il sera toujours bon sans peine, et toujours heureux sans remords. Les coupables qui se disent forcés au crime sont aussi menteurs que méchants : comment ne voient-ils point que la faiblesse dont ils se plaignent est leur propre ouvrage; que leur première dépravation vient de leur volonté; qu'à force de vouloir céder à leurs tentations, ils leur cèdent enfin malgré eux et les rendent irrésistibles ? Sans doute il ne dépend plus d'eux de n'être pas méchants et faibles, mais il dépendit d'eux de ne le pas devenir. O que nous resterions aisément maîtres de nous et de nos passions, même durant cette vie, si, lorsque nos habitudes ne sont point encore acquises, lorsque notre esprit commence à s'ouvrir, nous savions l'occuper des objets qu'il doit connaître pour apprécier ceux qu'il ne connaît pas; si nous voulions sincèrement nous éclairer, non pour briller aux yeux des autres, mais pour être bons et sages selon notre nature, pour nous rendre heureux en pratiquant nos devoirs ! Cette étude nous paraît ennuyeuse et pénible, parce que nous n'y songeons que déjà corrompus par le vice, déjà livrés à nos passions. Nous fixons nos jugements et notre estime avant de connaître le bien et le mal; et puis, rapportant tout à cette fausse mesure, nous ne donnons à rien sa juste valeur.

Il est un âge où le cœur, libre encore, mais ardent, inquiet, avide du bonheur qu'il ne connaît pas, le cherche avec une curieuse incertitude, et, trompé par les sens, se fixe enfin sur sa vaine image, et croit le trouver où il n'est point. Ces illusions ont duré trop longtemps pour moi. Hélas ! je les ai trop tard connues, et n'ai pu tout à fait les détruire : elles dureront autant que ce corps mortel qui les cause. Au moins elles ont beau me séduire, elles ne m'abusent pas; je les connais pour ce qu'elles sont; en les suivant je les méprise; loin d'y voir l'objet de mon bonheur, j'y vois son obstacle. J'aspire au moment où, délivré des entraves du corps, je serai *moi* sans contradiction, sans partage, et n'aurai besoin que de moi pour être heureux; en attendant, je le suis dès cette vie, parce que j'en compte pour peu tous les maux, que je la regarde comme presque étrangère à mon être, et que tout le vrai bien que j'en peux retirer dépend de moi.

Pour m'élever d'avance autant qu'il se peut à cet état de bonheur, de force et de liberté, je m'exerce aux sublimes contemplations. Je médite sur l'ordre de l'univers, non pour l'expliquer par de vains systèmes, mais pour l'admirer sans cesse, pour adorer le sage auteur qui s'y fait sentir. Je converse avec lui, je pénètre toutes mes facultés de sa divine essence; je m'attendris à ses bienfaits, je le bénis de ses dons; mais je ne le prie pas [136]. Que lui demanderais-je ? qu'il changeât pour moi le cours des choses, qu'il fît des miracles en ma faveur ? Moi qui dois aimer par-dessus tout l'ordre établi par sa sagesse et maintenu par sa providence, voudrais-je que cet ordre fût troublé pour moi ? Non, ce vœu téméraire mériterait d'être plutôt puni qu'exaucé. Je ne lui demande pas non plus le pouvoir de bien faire : pourquoi lui demander ce qu'il m'a donné ? Ne m'a-t-il pas donné la conscience pour aimer le bien, la raison pour le connaître, la liberté pour le choisir ? Si je fais le mal, je n'ai point d'excuse; je le fais parce que je le veux : lui demander de changer ma volonté, c'est lui demander ce qu'il me demande; c'est vouloir qu'il fasse mon œuvre et que j'en recueille le salaire; n'être pas content de mon état, c'est ne vouloir plus être homme, c'est vouloir autre chose que ce qui est, c'est vouloir le désordre et le mal. Source de justice et de vérité, Dieu clément et bon ! dans ma confiance en toi, le suprême vœu de mon cœur est que ta volonté soit faite. En y joignant la mienne, je fais ce que tu fais, j'acquiesce à ta bonté; je crois partager d'avance la suprême félicité qui en est le prix.

Dans la juste défiance de moi-même, la seule chose que je lui demande, ou plutôt que j'attends de sa justice, est de redresser mon erreur si je m'égare et si cette erreur m'est dangereuse. Pour être de bonne foi je ne me crois pas infaillible : mes opinions qui me semblent les plus vraies sont peut-être autant de mensonges; car quel homme ne tient pas aux siennes ? et combien d'hommes sont d'accord en tout ? L'illusion qui m'abuse a beau me venir de moi, c'est lui seul qui m'en peut guérir. J'ai fait ce que j'ai pu pour atteindre à la vérité; mais sa source est trop élevée : quand les forces me manquent pour aller plus loin, de quoi puis-je être coupable ? c'est à elle à s'approcher.

LE BON PRÊTRE avait parlé avec véhémence; il était ému, je l'étais aussi. Je croyais entendre le divin Orphée chanter les premiers hymnes, et apprendre aux hommes le culte des dieux. Cependant je voyais des foules d'objections à lui faire : je n'en fis pas une, parce qu'elles étaient moins solides

qu'embarrassantes, et que la persuasion était pour lui. A
mesure qu'il me parlait selon sa conscience, la mienne semblait me confirmer ce qu'il m'avait dit.

Les sentiments que vous venez de m'exposer, lui dis-je,
me paraissent plus nouveaux par ce que vous avouez ignorer
que par ce que vous dites croire. J'y vois, à peu de chose près,
le théisme ou la religion naturelle [137], que les chrétiens
affectent de confondre avec l'athéisme ou l'irréligion, qui est
la doctrine directement opposée. Mais, dans l'état actuel de
ma foi, j'ai plus à remonter qu'à descendre pour adopter
vos opinions, et je trouve difficile de rester précisément au
point où vous êtes, à moins d'être aussi sage que vous. Pour
être au moins aussi sincère, je veux consulter avec moi. C'est
le sentiment intérieur qui doit me conduire à votre exemple;
et vous m'avez appris vous-même qu'après lui avoir longtemps imposé silence, le rappeler n'est pas l'affaire d'un
moment. J'emporte vos discours dans mon cœur, il faut que
je les médite. Si, après m'être bien consulté, j'en demeure
aussi convaincu que vous, vous serez mon dernier apôtre, et
je serai votre prosélyte jusqu'à la mort. Continuez cependant à m'instruire, vous ne m'avez dit que la moitié de ce
que je dois savoir. Parlez-moi de la révélation, des écritures, de ces dogmes obscurs sur lesquels je vais errant dès
mon enfance, sans pouvoir les concevoir ni les croire, et
sans savoir ni les admettre ni les rejeter [138].

Oui, mon enfant, dit-il en m'embrassant, j'achèverai de
vous dire ce que je pense; je ne veux point vous ouvrir mon
cœur à demi : mais le désir que vous me témoignez était
nécessaire pour m'autoriser à n'avoir aucune réserve avec
vous. Je ne vous ai rien dit jusqu'ici que je ne crusse pouvoir vous être utile et dont je ne fusse intimement persuadé.
L'examen qui me reste à faire est bien différent; je n'y vois
qu'embarras, mystère, obscurité; je n'y porte qu'incertitude
et défiance. Je ne me détermine qu'en tremblant et je vous
dis plutôt mes doutes que mon avis. Si vos sentiments étaient
plus stables, j'hésiterais de vous exposer les miens; mais,
dans l'état où vous êtes, vous gagnerez à penser comme
moi *. Au reste, ne donnez à mes discours que l'autorité de
la raison; j'ignore si je suis dans l'erreur. Il est difficile,

---

* Voilà, je crois, ce que le bon vicaire pourrait dire à présent au
public.

quand on discute, de ne pas prendre quelquefois le ton affirmatif; mais souvenez-vous qu'ici toutes mes affirmations ne sont que des raisons de douter. Cherchez la vérité vous-même : pour moi, je ne vous promets que de la bonne foi.

Vous ne voyez dans mon exposé que la religion naturelle : il est bien étrange qu'il en faille une autre. Par où connaîtrai-je cette nécessité ? De quoi puis-je être coupable en servant Dieu selon les lumières qu'il donne à mon esprit et selon les sentiments qu'il inspire à mon cœur ? Quelle pureté de morale, quel dogme utile à l'homme et honorable à son auteur puis-je tirer d'une doctrine positive, que je ne puisse tirer sans elle du bon usage de mes facultés ? Montrez-moi ce qu'on peut ajouter, pour la gloire de Dieu, pour le bien de la société, et pour mon propre avantage, aux devoirs de la loi naturelle, et quelle vertu vous ferez naître d'un nouveau culte, qui ne soit pas une conséquence du mien. Les plus grandes idées de la divinité nous viennent par la raison seule. Voyez le spectacle de la nature, écoutez la voix intérieure. Dieu n'a-t-il pas tout dit à nos yeux, à notre conscience, à notre jugement ? Qu'est-ce que les hommes nous diront de plus ? Leurs révélations ne font que dégrader Dieu, en lui donnant les passions humaines. Loin d'éclaircir les notions du grand Être, je vois que les dogmes particuliers les embrouillent; que loin de les ennoblir, ils les avilissent; qu'aux mystères inconcevables qui l'environnent ils ajoutent des contradictions absurdes; qu'ils rendent l'homme orgueilleux, intolérant, cruel; qu'au lieu d'établir la paix sur la terre, ils y portent le fer et le feu. Je me demande à quoi bon tout cela sans savoir me répondre. Je n'y vois que les crimes des hommes et les misères du genre humain.

On me dit qu'il fallait une révélation pour apprendre aux hommes la manière dont Dieu voulait être servi; on assigne en preuve la diversité des cultes bizarres qu'ils ont institués, et l'on ne voit pas que cette diversité même vient de la fantaisie des révélations. Dès que les peuples se sont avisés de faire parler Dieu, chacun l'a fait parler à sa mode et lui a fait dire ce qu'il a voulu. Si l'on n'eût écouté que ce que Dieu dit au cœur de l'homme, il n'y aurait jamais eu qu'une religion sur la terre.

Il fallait un culte uniforme; je le veux bien : mais ce point était-il donc si important qu'il fallût tout l'appareil de la puissance divine pour l'établir ? Ne confondons point le cérémonial de la religion avec la religion. Le culte que Dieu demande est celui du cœur; et celui-là, quand il est sincère, est toujours uniforme. C'est avoir une vanité bien folle de s'imaginer que Dieu prenne un si grand intérêt à la forme de l'habit du prêtre, à l'ordre des mots qu'il prononce, aux gestes qu'il fait à l'autel, et à toutes ses génuflexions. Eh ! mon ami, reste de toute ta hauteur, tu seras toujours assez près de terre. Dieu veut être adoré en esprit et en vérité : ce devoir est de toutes les religions, de tous les pays, de tous les hommes. Quant au culte extérieur, s'il doit être uniforme pour le bon ordre, c'est purement une affaire de police; il ne faut point de révélation pour cela.

Je ne commençai pas par toutes ces réflexions. Entraîné par les préjugés de l'éducation et par ce dangereux amour-propre qui veut toujours porter l'homme au-dessus de sa sphère, ne pouvant élever mes faibles conceptions jusqu'au grand Être, je m'efforçais de le rabaisser jusqu'à moi. Je rapprochais les rapports infiniment éloignés qu'il a mis entre sa nature et la mienne. Je voulais des communications plus immédiates, des instructions plus particulières; et non content de faire Dieu semblable à l'homme, pour être privilégié moi-même parmi mes semblables, je voulais des lumières surnaturelles; je voulais un culte exclusif; je voulais que Dieu m'eût dit ce qu'il n'avait pas dit à d'autres, ou ce que d'autres n'auraient pas entendu comme moi.

Regardant le point où j'étais parvenu comme le point commun d'où partaient tous les croyants pour arriver à un culte plus éclairé, je ne trouvais dans les dogmes de la religion naturelle que les éléments de toute religion. Je considérais cette diversité de sectes qui règnent sur la terre et qui s'accusent mutuellement de mensonge et d'erreur; je demandais : *Quelle est la bonne ?* Chacun me répondait : C'est la mienne; chacun disait : Moi seul et mes partisans pensons juste; tous les autres sont dans l'erreur. *Et comment savez-vous que votre secte est la bonne ?* Parce que Dieu l'a dit *. Et qui vous dit que Dieu l'a dit ? Mon pasteur, qui le

---

* « Tous, dit un bon et sage prêtre, disent qu'ils la tiennent et la croient (et tous usent de ce jargon), que non des hommes, ne d'aucune créature, mais de Dieu.

« Mais, à dire vrai, sans rien flatter ni déguiser, il n'en est rien; elles

sait bien. Mon pasteur me dit d'ainsi croire, et ainsi je crois :
il m'assure que tous ceux qui disent autrement que lui
mentent, et je ne les écoute pas.

Quoi ! pensais-je, la vérité n'est-elle pas une ? et ce
qui est vrai chez moi peut-il être faux chez vous ? Si la
méthode de celui qui suit la bonne route et celle de celui
qui s'égare est la même, quel mérite ou quel tort a l'un de
plus que l'autre ? Leur choix est l'effet du hasard; le leur
imputer est iniquité, c'est récompenser ou punir pour être
né dans tel ou tel pays. Oser dire que Dieu nous juge ainsi,
c'est outrager sa justice.

Ou toutes les religions sont bonnes et agréables à Dieu,
ou, s'il en est une qu'il prescrive aux hommes, et qu'il les
punisse de méconnaître, il lui a donné des signes certains
et manifestes pour être distinguée et connue pour la seule
véritable. Ces signes sont de tous les temps et de tous les
lieux, également sensibles à tous les hommes, grands et
petits, savants et ignorants, Européens, Indiens, Africains,
Sauvages. S'il était une religion sur la terre hors de laquelle
il n'y eût que peine éternelle, et qu'en quelque lieu du monde
un seul mortel de bonne foi n'eût pas été frappé de son
évidence, le Dieu de cette religion serait le plus inique et le
plus cruel des tyrans.

Cherchons-nous donc sincèrement la vérité ? Ne donnons rien au droit de la naissance et à l'autorité des pères
et des pasteurs, mais rappelons à l'examen de la conscience
et de la raison tout ce qu'ils nous ont appris dès notre
enfance. Ils ont beau me crier : Soumets ta raison; autant

---

sont, quoi qu'on die, tenues par mains et moyens humains; témoin
premièrement la manière que les religions ont été reçues au monde et
sont encore tous les jours par les particuliers : la nation, le pays, le
lieu donne la religion : l'on est de celle que le lieu auquel on est né
et élevé tient : nous sommes circoncis, baptisés, juifs, mahométans,
chrétiens, avant que nous sachions que nous sommes hommes : la
religion n'est pas de notre choix et élection; témoin, après, la vie et les
mœurs si mal accordantes avec la religion; témoin que par occasions
humaines et bien légères, l'on va contre la teneur de sa religion. »
CHARRON, *De la Sagesse*, liv. II, chap. v, p. 257, édit. Bordeaux,
1601.

Il y a grande apparence que la sincère profession de foi du vertueux
théologal de Condom n'eût pas été fort différente de celle du vicaire
savoyard [139].

m'en peut dire celui qui me trompe : il me faut des raisons pour soumettre ma raison.

Toute la théologie que je puis acquérir de moi-même par l'inspection de l'univers, et par le bon usage de mes facultés, se borne à ce que je vous ai ci-devant expliqué. Pour en savoir davantage, il faut recourir à des moyens extraordinaires. Ces moyens ne sauraient être l'autorité des hommes; car, nul homme n'étant d'une autre espèce que moi, tout ce qu'un homme connaît naturellement, je puis aussi le connaître, et un autre homme peut se tromper aussi bien que moi : quand je crois ce qu'il dit, ce n'est pas parce qu'il le dit, mais parce qu'il le prouve. Le témoignage des hommes n'est donc au fond que celui de ma raison même, et n'ajoute rien aux moyens naturels que Dieu m'a donnés de connaître la vérité.

Apôtre de la vérité, qu'avez-vous donc à me dire dont je ne reste pas le juge ? Dieu lui-même a parlé : écoutez sa révélation. C'est autre chose. Dieu a parlé ! voilà certes un grand mot. Et à qui a-t-il parlé ? Il a parlé aux hommes. Pourquoi donc n'en ai-je rien entendu ? Il a chargé d'autres hommes de vous rendre sa parole. J'entends ! ce sont des hommes qui vont me dire ce que Dieu a dit. J'aimerais mieux avoir entendu Dieu lui-même; il ne lui en aurait pas coûté davantage, et j'aurais été à l'abri de la séduction. Il vous en garantit en manifestant la mission de ses envoyés. Comment cela ? Par des prodiges. Et où sont ces prodiges ? Dans les livres. Et qui a fait ces livres ? Des hommes. Et qui a vu ces prodiges ? Des hommes qui les attestent. Quoi ! toujours des témoignages humains ! toujours des hommes qui me rapportent ce que d'autres hommes ont rapporté ! que d'hommes entre Dieu et moi [140] ! Voyons toutefois, examinons, comparons, vérifions. O si Dieu eût daigné me dispenser de tout ce travail, l'en aurais-je servi de moins bon cœur ?

Considérez, mon ami, dans quelle horrible discussion me voilà engagé; de quelle immense érudition j'ai besoin pour remonter dans les plus hautes antiquités, pour examiner, peser, confronter les prophéties, les révélations, les faits, tous les monuments de foi proposés dans tous les pays du monde, pour en assigner les temps, les lieux, les auteurs, les occasions ! Quelle justesse de critique m'est nécessaire pour distinguer les pièces authentiques des pièces supposées;

pour comparer les objections aux réponses, les traductions
aux originaux; pour juger de l'impartialité des témoins,
de leur bon sens, de leurs lumières; pour savoir si l'on n'a
rien supprimé, rien ajouté, rien transposé, changé, falsifié;
pour lever les contradictions qui restent, pour juger quel
poids doit avoir le silence des adversaires dans les faits
allégués contre eux; si ces allégations leur ont été connues;
s'ils en ont fait assez de cas pour daigner y répondre; si les
livres étaient assez communs pour que les nôtres leur par-
vinssent; si nous avons été d'assez bonne foi pour donner
cours aux leurs parmi nous, et pour y laisser leurs plus
fortes objections telles qu'ils les avaient faites.

Tous ces monuments reconnus pour incontestables, il faut
passer ensuite aux preuves de la mission de leurs auteurs; il
faut bien savoir les lois des sorts, les probabilités éventives [141], pour juger quelle prédiction ne peut s'accomplir
sans miracle; le génie des langues originales pour distinguer
ce qui est prédiction dans ces langues, et ce qui n'est que
figure oratoire; quels faits sont dans l'ordre de la nature, et
quels autres faits n'y sont pas; pour dire jusqu'à quel point
un homme adroit peut fasciner les yeux des simples, peut
étonner même les gens éclairés; chercher de quelle espèce
doit être un prodige, et quelle authenticité il doit avoir,
non seulement pour être cru, mais pour qu'on soit punissable d'en douter; comparer les preuves des vrais et des
faux prodiges, et trouver les règles sûres pour les discerner;
dire enfin pourquoi Dieu choisit, pour attester sa parole,
des moyens qui ont eux-mêmes si grand besoin d'attestation, comme s'il se jouait de la crédulité des hommes, et
qu'il évitât à dessein les vrais moyens de les persuader.

Supposons que la majesté divine daigne s'abaisser assez
pour rendre un homme l'organe de ses volontés sacrées;
est-il raisonnable, est-il juste d'exiger que tout le genre
humain obéisse à la voix de ce ministre sans le lui faire
connaître pour tel ? Y a-t-il de l'équité à ne lui donner,
pour toutes lettres de créance, que quelques signes particuliers faits devant peu de gens obscurs, et dont tout le
reste des hommes ne saura jamais rien que par ouï-dire ?
Par tous les pays du monde, si l'on tenait pour vrais tous
les prodiges que le peuple et les simples disent avoir vus,
chaque secte serait la bonne; il y aurait plus de prodiges que
d'événements naturels [142]; et le plus grand de tous les

miracles serait que là où il y a des fanatiques persécutés, il n'y eût point de miracles. C'est l'ordre inaltérable de la nature qui montre le mieux la sage main qui la régit; s'il arrivait beaucoup d'exceptions, je ne saurais plus qu'en penser; et pour moi, je crois trop en Dieu pour croire à tant de miracles si peu dignes de lui.

Qu'un homme vienne nous tenir ce langage : Mortels, je vous annonce la volonté du Très-Haut; reconnaissez à ma voix celui qui m'envoie; j'ordonne au soleil de changer sa course, aux étoiles de former un autre arrangement, aux montagnes de s'aplanir, aux flots de s'élever, à la terre de prendre un autre aspect. A ces merveilles, qui ne reconnaîtra pas à l'instant le maître de la nature ! Elle n'obéit point aux imposteurs; leurs miracles se font dans des carrefours, dans des déserts, dans des chambres; et c'est là qu'ils ont bon marché d'un petit nombre de spectateurs déjà disposés à tout croire. Qui est-ce qui m'osera dire combien il faut de témoins oculaires pour rendre un prodige digne de foi ? Si vos miracles, faits pour prouver votre doctrine, ont eux-mêmes besoin d'être prouvés, de quoi servent-ils ? autant valait n'en point faire.

Reste enfin l'examen le plus important dans la doctrine annoncée; car, puisque ceux qui disent que Dieu fait ici-bas des miracles prétendent que le diable les imite quelque-fois, avec les prodiges les mieux attestés, nous ne sommes pas plus avancés qu'auparavant; et puisque les magiciens de Pharaon osaient, en présence même de Moïse, faire les mêmes signes qu'il faisait par l'ordre exprès de Dieu, pourquoi, dans son absence, n'eussent-ils pas, aux mêmes titres, prétendu la même autorité ? Ainsi donc, après avoir prouvé la doctrine par le miracle, il faut prouver le miracle par la doctrine *, de peur de prendre l'œuvre du démon

---

* Cela est formel en mille endroits de l'Écriture, et entre autres dans le *Deutéronome*, chapitre XIII, où il est dit que, si un prophète annonçant des dieux étrangers confirme ses discours par des prodiges, et que ce qu'il prédit arrive, loin d'y avoir aucun égard, on doit mettre ce prophète à mort. Quand donc les païens mettaient à mort les apôtres leur annonçant un dieu étranger, et prouvant leur mission par des prédictions et des miracles, je ne vois pas ce qu'on avait à leur objecter de solide, qu'ils ne pussent à l'instant rétorquer contre nous. Or, que faire en pareil cas ? une seule chose : revenir au raisonnement, et laisser là les miracles. Mieux eût valu n'y pas recourir. C'est là du bon sens le

pour l'œuvre de Dieu. Que pensez-vous de ce diallèle [143] ?

Cette doctrine, venant de Dieu, doit porter le sacré caractère de la Divinité; non seulement elle doit nous éclaircir les idées confuses que le raisonnement en trace dans notre esprit, mais elle doit aussi nous proposer un culte, une morale et des maximes convenables aux attributs par lesquels seuls nous concevons son essence. Si donc elle ne nous apprenait que des choses absurdes et sans raison, si elle ne nous inspirait que des sentiments d'aversion pour nos semblables et de frayeur pour nous-mêmes, si elle ne nous peignait qu'un Dieu colère, jaloux, vengeur, partial, haïssant les hommes, un Dieu de la guerre et des combats, toujours prêt à détruire et foudroyer, toujours parlant de tourments, de peines, et se vantant de punir même les innocents, mon cœur ne serait point attiré vers ce Dieu terrible, et je me garderais de quitter la religion naturelle pour embrasser celle-là; car vous voyez bien qu'il faudrait nécessairement opter. Votre Dieu n'est pas le nôtre, dirais-je à ses sectateurs. Celui qui commence par se choisir un seul peuple et proscrire le reste du genre humain, n'est pas le père commun des hommes; celui qui destine au supplice éternel le plus grand nombre de ses créatures n'est pas le Dieu clément et bon que ma raison m'a montré [144].

A l'égard des dogmes, elle me dit qu'ils doivent être clairs, lumineux, frappants par leur évidence. Si la religion naturelle est insuffisante, c'est par l'obscurité qu'elle laisse dans les grandes vérités qu'elle nous enseigne : c'est à la révélation de nous enseigner ces vérités d'une manière sensible à l'esprit de l'homme, de les mettre à sa portée, de les lui faire concevoir, afin qu'il les croie. La foi s'assure et s'affermit par l'entendement; la meilleure de toutes les reli-

plus simple, qu'on n'obscurcit qu'à force de distinctions tout au moins très subtiles. Des subtilités dans le christianisme ! Mais Jésus-Christ a donc eu tort de promettre le royaume des cieux aux simples; il a donc eu tort de commencer le plus beau de ses discours par féliciter les pauvres d'esprit, s'il faut tant d'esprit pour entendre sa doctrine et pour apprendre à croire en lui. Quand vous m'aurez prouvé que je dois me soumettre, tout ira fort bien : mais pour me prouver cela, mettez-vous à ma portée; mesurez vos raisonnements à la capacité d'un pauvre d'esprit, ou je ne reconnais plus en vous le vrai disciple de votre maître, et ce n'est pas sa doctrine que vous m'annoncez.

gions est infailliblement la plus claire : celui qui charge
de mystères, de contradictions le culte qu'il me prêche,
m'apprend par cela même à m'en défier [145]. Le Dieu que
j'adore n'est point un Dieu de ténèbres, il ne m'a point
doué d'un entendement pour m'en interdire l'usage : me
dire de soumettre ma raison, c'est outrager son auteur.
Le ministre de la vérité ne tyrannise point ma raison, il
l'éclaire.

Nous avons mis à part toute autorité humaine; et, sans
elle, je ne saurais voir comment un homme en peut convaincre un autre en lui prêchant une doctrine déraisonnable. Mettons un moment ces deux hommes aux prises,
et cherchons ce qu'ils pourront se dire dans cette âpreté
de langage ordinaire aux deux partis.

### L'INSPIRÉ

La raison vous apprend que le tout est plus grand que
sa partie; mais moi je vous apprends, de la part de Dieu,
que c'est la partie qui est plus grande que le tout.

### LE RAISONNEUR

Et qui êtes-vous pour m'oser dire que Dieu se contredit ?
et à qui croirai-je par préférence, de lui qui m'apprend
par la raison les vérités éternelles, ou de vous qui m'annoncez de sa part une absurdité ?

### L'INSPIRÉ

A moi, car mon instruction est plus positive; et je vais
vous prouver invinciblement que c'est lui qui m'envoie.

### LE RAISONNEUR

Comment ? vous me prouverez que c'est Dieu qui vous
envoie déposer contre lui ? Et de quel genre seront vos
preuves pour me convaincre qu'il est plus certain que Dieu
me parle par votre bouche que par l'entendement qu'il m'a
donné ?

### L'INSPIRÉ

L'entendement qu'il vous a donné ! Homme petit et
vain ! comme si vous étiez le premier impie qui s'égare
dans sa raison corrompue par le péché !

LE RAISONNEUR

Homme de Dieu, vous ne seriez pas non plus le premier fourbe qui donne son arrogance pour preuve de sa mission.

L'INSPIRÉ

Quoi ! les philosophes disent aussi des injures !

LE RAISONNEUR

Quelquefois, quand les saints leur en donnent l'exemple.

L'INSPIRÉ

Oh ! moi, j'ai le droit d'en dire, je parle de la part de Dieu.

LE RAISONNEUR

Il serait bon de montrer vos titres avant d'user de vos privilèges.

L'INSPIRÉ

Mes titres sont authentiques, la terre et les cieux déposeront pour moi  Suivez bien mes raisonnements je vous prie.

LE RAISONNEUR

Vos raisonnements ! vous n'y pensez pas. M'apprendre que ma raison me trompe, n'est-ce pas réfuter ce qu'elle m'aura dit pour vous ? Quiconque veut récuser la raison doit convaincre sans se servir d'elle. Car, supposons qu'en raisonnant vous m'ayez convaincu; comment saurai-je si ce n'est point ma raison corrompue par le péché qui me fait acquiescer à ce que vous me dites ? D'ailleurs, quelle preuve, quelle démonstration pourrez-vous jamais employer plus évidente que l'axiome qu'elle doit détruire ? Il est tout aussi croyable qu'un bon syllogisme est un mensonge, qu'il l'est que la partie est plus grande que le tout.

L'INSPIRÉ

Quelle différence ! Mes preuves sont sans réplique; elles sont d'un ordre surnaturel.

LE RAISONNEUR

Surnaturel ! Que signifie ce mot ? Je ne l'entends pas.

### L'INSPIRÉ

Des changements dans l'ordre de la nature, des prophéties, des miracles, des prodiges de toute espèce.

### LE RAISONNEUR

Des prodiges ! des miracles ! Je n'ai jamais rien vu de tout cela.

### L'INSPIRÉ

D'autres l'ont vu pour vous. Des nuées de témoins... le témoignage des peuples...

### LE RAISONNEUR

Le témoignage des peuples est-il d'un ordre surnaturel ?

### L'INSPIRÉ

Non; mais quand il est unanime, il est incontestable.

### LE RAISONNEUR

Il n'y a rien de plus incontestable que les principes de la raison, et l'on ne peut autoriser une absurdité sur le témoignage des hommes. Encore une fois, voyons des preuves surnaturelles, car l'attestation du genre humain n'en est pas une.

### L'INSPIRÉ

O cœur endurci ! la grâce ne vous parle point.

### LE RAISONNEUR

Ce n'est pas ma faute; car, selon vous, il faut avoir déjà reçu la grâce pour savoir la demander. Commencez donc à me parler au lieu d'elle.

### L'INSPIRÉ

Ah ! c'est ce que je fais, et vous ne m'écoutez pas. Mais que dites-vous des prophéties ?

### LE RAISONNEUR

Je dis premièrement que je n'ai pas plus entendu de prophéties que je n'ai vu de miracles. Je dis de plus qu'aucune prophétie ne saurait faire autorité pour moi.

### L'INSPIRÉ

Satellite du démon ! et pourquoi les prophéties ne font-elles pas autorité pour vous ?

### LE RAISONNEUR

Parce que, pour qu'elles la fissent, il faudrait trois choses dont le concours est impossible ; savoir que j'eusse été témoin de la prophétie, que je fusse témoin de l'événement, et qu'il me fût démontré que cet événement n'a pu cadrer fortuitement avec la prophétie ; car, fût-elle plus précise, plus claire, plus lumineuse qu'un axiome de géométrie, puisque la clarté d'une prédiction faite au hasard n'en rend pas l'accomplissement impossible, cet accomplissement, quand il a lieu, ne prouve rien à la rigueur pour celui qui l'a prédit.

Voyez donc à quoi se réduisent vos prétendues preuves surnaturelles, vos miracles, vos prophéties. A croire tout cela sur la foi d'autrui, et à soumettre à l'autorité des hommes l'autorité de Dieu parlant à ma raison. Si les vérités éternelles que mon esprit conçoit pouvaient souffrir quelque atteinte, il n'y aurait plus pour moi nulle espèce de certitude ; et, loin d'être sûr que vous me parlez de la part de Dieu, je ne serais pas même assuré qu'il existe.

Voilà bien des difficultés, mon enfant, et ce n'est pas tout. Parmi tant de religions diverses qui se proscrivent et s'excluent mutuellement, une seule est la bonne, si tant est qu'une le soit. Pour la reconnaître il ne suffit pas d'en examiner une, il faut les examiner toutes ; et, dans quelque matière que ce soit, on ne doit pas condamner sans entendre* ; il faut comparer les objections aux preuves ; il faut savoir ce que chacun oppose aux autres, et ce qu'il leur répond. Plus un sentiment nous paraît démontré, plus nous devons

---

* Plutarque rapporte que les stoïciens, entre autres bizarres paradoxes, soutenaient que, dans un jugement contradictoire, il était inutile d'entendre les deux parties. Car, disaient-ils, ou le premier a prouvé son dire, ou il ne l'a pas prouvé : s'il l'a prouvé, tout est dit, et la partie adverse doit être condamnée ; s'il ne l'a pas prouvé, il a tort, et doit être débouté. Je trouve que la méthode de tous ceux qui admettent une révélation exclusive ressemble beaucoup à celle de ces stoïciens. Sitôt que chacun prétend avoir seul raison, pour choisir entre tant de partis, il les faut tous écouter, ou l'on est injuste.

chercher sur quoi tant d'hommes se fondent pour ne pas
le trouver tel. Il faudrait être bien simple pour croire qu'il
suffit d'entendre les docteurs de son parti pour s'instruire
des raisons du parti contraire. Où sont les théologiens qui
se piquent de bonne foi ? Où sont ceux qui, pour réfuter
les raisons de leurs adversaires, ne commencent pas par les
affaiblir ? Chacun brille dans son parti : mais tel au milieu
des siens est tout fier de ses preuves qui ferait un fort sot
personnage avec ces mêmes preuves parmi des gens d'un
autre parti. Voulez-vous instruire dans les livres; quelle
érudition il faut acquérir ! que de langues il faut apprendre !
que de bibliothèques il faut feuilleter ! quelle immense
lecture il faut faire ! Qui me guidera dans le choix ? Difficilement trouvera-t-on dans un pays les meilleurs livres
du parti contraire, à plus forte raison ceux de tous les partis :
quand on les trouverait, ils seraient bientôt réfutés. L'absent
a toujours tort, et de mauvaises raisons dites avec assurance
effacent aisément les bonnes exposées avec mépris. D'ailleurs souvent rien n'est plus trompeur que les livres et ne
rend moins fidèlement les sentiments de ceux qui les ont
écrits. Quand vous avez voulu juger de la foi catholique
sur le livre de Bossuet, vous vous êtes trouvé loin de
compte après avoir vécu parmi nous. Vous avez vu que
la doctrine avec laquelle on répond aux protestants n'est
point celle qu'on enseigne au peuple, et que le livre de
Bossuet ne ressemble guère aux instructions du prône [146]
Pour bien juger d'une religion, il ne faut pas l'étudier dans
les livres de ses sectateurs, il faut aller l'apprendre chez
eux; cela est fort différent. Chacun a ses traditions, son
sens, ses coutumes, ses préjugés, qui font l'esprit de sa
croyance, et qu'il y faut joindre pour en juger.

Combien de grands peuples n'impriment point de livres
et ne lisent pas les nôtres ! Comment jugeront-ils de nos
opinions ? comment jugerons-nous des leurs ? Nous les
raillons, ils nous méprisent [147], et, si nos voyageurs les
tournent en ridicule, il ne leur manque, pour nous le
rendre, que de voyager parmi nous. Dans quel pays n'y
a-t-il pas des gens sensés, des gens de bonne foi, d'honnêtes
gens amis de la vérité, qui, pour la professer, ne cherchent
qu'à la connaître ? Cependant chacun la voit dans son
culte, et trouve absurdes les cultes des autres nations :
donc ces cultes étrangers ne sont pas si extravagants

qu'ils nous semblent, ou la raison que nous trouvons dans les nôtres ne prouve rien.

Nous avons trois principales religions en Europe. L'une admet une seule révélation, l'autre en admet deux, l'autre en admet trois [148]. Chacune déteste, maudit les autres, les accuse d'aveuglement, d'endurcissement, d'opiniâtreté, de mensonge. Quel homme impartial osera juger entre elles, s'il n'a premièrement bien pesé leurs preuves, bien écouté leurs raisons ? Celle qui n'admet qu'une révélation est la plus ancienne, et paraît la plus sûre; celle qui en admet trois est la plus moderne, et paraît la plus conséquente; celle qui en admet deux, et rejette la troisième, peut bien être la meilleure, mais elle a certainement tous les préjugés contre elle, l'inconséquence saute aux yeux.

Dans les trois révélations, les livres sacrés sont écrits en des langues inconnues aux peuples qui les suivent. Les Juifs n'entendent plus l'hébreu, les Chrétiens n'entendent ni l'hébreu ni le grec; les Turcs ni les Persans n'entendent point l'arabe; et les Arabes modernes eux-mêmes ne parlent plus la langue de Mahomet. Ne voilà-t-il pas une manière bien simple d'instruire les hommes, de leur parler toujours une langue qu'ils n'entendent point ? On traduit ces livres, dira-t-on. Belle réponse ! Qui m'assurera que ces livres sont fidèlement traduits, qu'il est même possible qu'ils le soient ? Et quand Dieu fait tant que de parler aux hommes, pourquoi faut-il qu'il ait besoin d'interprète ?

Je ne concevrai jamais que ce que tout homme est obligé de savoir soit enfermé dans des livres, et que celui qui n'est à portée ni de ces livres, ni des gens qui les entendent soit puni d'une ignorance involontaire. Toujours des livres ! quelle manie ! Parce que l'Europe est pleine de livres, les Européens les regardent comme indispensables, sans songer que, sur les trois quarts de la terre, on n'en a jamais vu. Tous les livres n'ont-ils pas été écrits par des hommes ? Comment donc l'homme en aurait-il besoin pour connaître ses devoirs ? Et quels moyens avait-il de les connaître avant que ces livres fussent faits ? Ou il apprendra ses devoirs de lui-même, ou il est dispensé de les savoir.

Nos catholiques font grand bruit de l'autorité de l'Église; mais que gagnent-ils à cela, s'il leur faut un aussi grand

appareil de preuves pour établir cette autorité, qu'aux
autres sectes pour établir directement leur doctrine ?
L'Église décide que l'Église a droit de décider. Ne voilà-
t-il pas une autorité bien prouvée ? Sortez de là, vous
rentrez dans toutes nos discussions.

Connaissez-vous beaucoup de chrétiens qui aient pris
la peine d'examiner avec soin ce que le judaïsme allègue
contre eux ? Si quelques-uns en ont vu quelque chose,
c'est dans les livres des chrétiens. Bonne manière de
s'instruire des raisons de leurs adversaires ! Mais comment
faire ? Si quelqu'un osait publier parmi nous des livres
où l'on favoriserait ouvertement le judaïsme [149], nous
punirions l'auteur, l'éditeur, le libraire *. Cette police
est commode et sûre, pour avoir toujours raison. Il y
a plaisir à réfuter des gens qui n'osent parler.

Ceux d'entre nous qui sont à portée de converser avec
des Juifs ne sont guère plus avancés. Les malheureux
se sentent à notre discrétion ; la tyrannie qu'on exerce
envers eux les rend craintifs ; ils savent combien peu l'injustice et la cruauté coûtent à la charité chrétienne : qu'ose-
ront-ils dire sans s'exposer à nous faire crier au blasphème ?
L'avidité nous donne du zèle, et ils sont trop riches pour
n'avoir pas tort. Les plus savants, les plus éclairés sont
toujours les plus circonspects. Vous convertirez quelque
misérable, payé pour calomnier sa secte ; vous ferez parler
quelques vils fripiers, qui céderont pour vous flatter ;
vous triompherez de leur ignorance ou de leur lâcheté,
tandis que leurs docteurs souriront en silence de votre
ineptie. Mais croyez-vous que dans des lieux où ils se sentiraient en sûreté l'on eût aussi bon marché d'eux ? En
Sorbonne, il est clair comme le jour que les prédictions
du Messie se rapportent à Jésus-Christ. Chez les rabbins
d'Amsterdam, il est tout aussi clair qu'elles n'y ont pas
le moindre rapport. Je ne croirai jamais avoir bien entendu

---

* Entre mille faits connus, en voici un qui n'a pas besoin de com-
mentaire. Dans le XVIe siècle, les théologiens catholiques ayant condamné
au feu tous les livres des Juifs, sans distinction, l'illustre et savant
Reuchlin, consulté sur cette affaire, s'en attira de terribles qui faillirent
le perdre, pour avoir seulement été d'avis qu'on pouvait conserver
ceux de ces livres qui ne faisaient rien contre le christianisme, et qui
traitaient de matières indifférentes à la religion.

les raisons des Juifs, qu'ils n'aient un État libre, des écoles, des universités, où ils puissent parler et disputer sans risque. Alors seulement nous pourrons savoir ce qu'ils ont à dire.

A Constantinople les Turcs disent leurs raisons, mais nous n'osons dire les nôtres; là c'est notre tour de ramper. Si les Turcs exigent de nous pour Mahomet, auquel nous ne croyons point, le même respect que nous exigeons pour Jésus-Christ des Juifs qui n'y croient pas davantage, les Turcs ont-ils tort ? avons-nous raison ? sur quel principe équitable résoudrons-nous cette question ?

Les deux tiers du genre humain ne sont ni Juifs, ni Mahométans, ni Chrétiens; et combien de millions d'hommes n'ont jamais ouï parler de Moïse, de Jésus-Christ, ni de Mahomet ! On le nie; on soutient que nos missionnaires vont partout. Cela est bientôt dit. Mais vont-ils dans le cœur de l'Afrique encore inconnue, et où jamais Européen n'a pénétré jusqu'à présent ? Vont-ils dans la Tartarie méditerranée suivre à cheval les hordes ambulantes, dont jamais étranger n'approche, et qui, loin d'avoir ouï parler du pape, connaissent à peine le grand lama ? Vont-ils dans les continents immenses de l'Amérique, où des nations entières ne savent pas encore que des peuples d'un autre monde ont mis les pieds dans le leur ? Vont-ils au Japon, dont leurs manœuvres les ont fait chasser pour jamais, et où leurs prédécesseurs ne sont connus des générations qui naissent que comme des intrigants rusés, venus avec un zèle hypocrite pour s'emparer doucement de l'empire ? Vont-ils dans les harems des princes de l'Asie annoncer l'Évangile à des milliers de pauvres esclaves ? Qu'ont fait les femmes de cette partie du monde pour qu'aucun missionnaire ne puisse leur prêcher la foi ? Iront-elles toutes en enfer pour avoir été recluses ?

Quand il serait vrai que l'Évangile est annoncé par toute la terre, qu'y gagnerait-on ? la veille du jour que le premier missionnaire est arrivé dans un pays, il y est sûrement mort quelqu'un qui n'a pu l'entendre. Or, dites-moi ce que nous ferons de ce quelqu'un-là. N'y eût-il dans tout l'univers qu'un seul homme à qui l'on n'aurait jamais prêché Jésus-Christ, l'objection serait aussi forte pour ce seul homme que pour le quart du genre humain.

Quand les ministres de l'Évangile se sont fait entendre aux peuples éloignés, que leur ont-ils dit qu'on pût raison-

nablement admettre sur leur parole, et qui ne demandât
pas la plus exacte vérification ? Vous m'annoncez un Dieu
né et mort il y a deux mille ans, à l'autre extrémité du monde,
dans je ne sais quelle petite ville, et vous me dites que tous
ceux qui n'auront point cru à ce mystère seront damnés.
Voilà des choses bien étranges pour les croire si vite sur
la seule autorité d'un homme que je ne connais point !
Pourquoi votre Dieu a-t-il fait arriver si loin de moi les
événements dont il voulait m'obliger d'être instruit ? Est-
ce un crime d'ignorer ce qui se passe aux antipodes ? Puis-je
deviner qu'il y a eu dans un autre hémisphère un peuple
hébreu et une ville de Jérusalem ? Autant vaudrait m'obliger de savoir ce qui se fait dans la lune. Vous venez,
dites-vous, me l'apprendre; mais pourquoi n'êtes-vous
pas venu l'apprendre à mon père ? ou pourquoi damnez-
vous ce bon vieillard pour n'en avoir jamais rien su ?
Doit-il être éternellement puni de votre paresse, lui qui
était si bon, si bienfaisant, et qui ne cherchait que la vérité ?
Soyez de bonne foi, puis mettez-vous à ma place : voyez
si je dois, sur votre seul témoignage, croire toutes les
choses incroyables que vous me dites, et concilier tant
d'injustices avec le Dieu juste que vous m'annoncez [150].
Laissez-moi, de grâce, aller voir ce pays lointain où s'opé-
rèrent tant de merveilles inouïes dans celui-ci, que j'aille
savoir pourquoi les habitants de cette Jérusalem ont
traité Dieu comme un brigand. Ils ne l'ont pas, dites-vous,
reconnu pour Dieu. Que ferai-je donc, moi qui n'en ai
jamais entendu parler que par vous ? Vous ajoutez qu'ils
ont été punis, dispersés, opprimés, asservis, qu'aucun
d'eux n'approche plus de la même ville. Assurément ils
ont bien mérité tout cela; mais les habitants d'aujourd'hui,
que disent-ils du déicide de leurs prédécesseurs ? Ils le
nient, ils ne reconnaissent pas non plus Dieu pour Dieu.
Autant valait donc laisser les enfants des autres.

Quoi ! dans cette même ville où Dieu est mort, les
anciens ni les nouveaux habitants ne l'ont point reconnu,
et vous voulez que je le reconnaisse, moi qui suis né deux
mille ans après à deux mille lieues de là ! Ne voyez-vous
pas qu'avant que j'ajoute foi à ce livre que vous appelez
sacré, et auquel je ne comprends rien, je dois savoir par
d'autres que vous quand et par qui il a été fait, comment
il s'est conservé, comment il vous est parvenu, ce que disent

dans le pays, pour leurs raisons, ceux qui le rejettent, quoiqu'ils sachent aussi bien que vous tout ce que vous m'apprenez ? Vous sentez bien qu'il faut nécessairement que j'aille en Europe, en Asie, en Palestine, examiner tout par moi-même : il faudrait que je fusse fou pour vous écouter avant ce temps-là [151].

Non seulement ce discours me paraît raisonnable, mais je soutiens que tout homme sensé doit, en pareil cas, parler ainsi et renvoyer bien loin le missionnaire qui, avant la vérification des preuves, veut se dépêcher de l'instruire et de le baptiser. Or, je soutiens qu'il n'y a pas de révélation contre laquelle les mêmes objections n'aient autant et plus de force que contre le christianisme. D'où il suit que s'il n'y a qu'une religion véritable, et que tout homme soit obligé de la suivre sous peine de damnation, il faut passer sa vie à les étudier toutes, à les approfondir, à les comparer, à parcourir les pays où elles sont établies. Nul n'est exempt du premier devoir de l'homme, nul n'a droit de se fier au jugement d'autrui. L'artisan qui ne vit que de son travail, le laboureur qui ne sait pas lire, la jeune fille délicate et timide, l'infirme qui peut à peine sortir de son lit, tous, sans exception, doivent étudier, méditer, disputer, voyager, parcourir le monde : il n'y aura plus de peuple fixe et stable; la terre entière ne sera couverte que de pèlerins allant à grands frais, et avec de longues fatigues, vérifier, comparer, examiner par eux-mêmes les cultes divers qu'on y suit. Alors, adieu les métiers, les arts, les sciences humaines, et toutes les occupations civiles : il ne peut plus y avoir d'autre étude que celle de la religion : à grand'peine celui qui aura joui de la santé la plus robuste, le mieux employé son temps, le mieux usé de sa raison, vécu le plus d'années, saura-t-il dans sa vieillesse à quoi s'en tenir; et ce sera beaucoup s'il apprend avant sa mort dans quel culte il aurait dû vivre.

Voulez-vous mitiger cette méthode, et donner la moindre prise à l'autorité des hommes ? A l'instant vous lui rendez tout; et si le fils d'un Chrétien fait bien de suivre, sans un examen profond et impartial, la religion de son père, pourquoi le fils d'un Turc ferait-il mal de suivre de même la religion du sien [152] ? Je défie tous les intolérants de répondre à cela rien qui contente un homme sensé.

Pressés par ces raisons, les uns aiment mieux faire

Dieu injuste, et punir les innocents du péché de leur père, que de renoncer à leur barbare dogme. Les autres se tirent d'affaire en envoyant obligeamment un ange instruire quiconque, dans une ignorance invincible, aurait vécu moralement bien. La belle invention que cet ange [153] ! Non contents de nous asservir à leurs machines, ils mettent Dieu lui-même dans la nécessité d'en employer.

Voyez, mon fils, à quelle absurdité mènent l'orgueil et l'intolérance, quand chacun veut abonder dans son sens, et croire avoir raison exclusivement au reste du genre humain. Je prends à témoin ce Dieu de paix que j'adore et que je vous annonce, que toutes mes recherches ont été sincères; mais voyant qu'elles étaient, qu'elles seraient toujours sans succès, et que je m'abîmais dans un océan sans rives, je suis revenu sur mes pas, et j'ai resserré ma foi dans mes notions primitives. Je n'ai jamais pu croire que Dieu m'ordonnât, sous peine de l'enfer, d'être savant. J'ai donc refermé tous les livres. Il en est un seul ouvert à tous les yeux, c'est celui de la nature. C'est dans ce grand et sublime livre que j'apprends à servir et adorer son divin auteur. Nul n'est excusable de n'y pas lire, parce qu'il parle à tous les hommes une langue intelligible à tous les esprits. Quand je serais né dans une île déserte, quand je n'aurais point vu d'autre homme que moi, quand je n'aurais jamais appris ce qui s'est fait anciennement dans un coin du monde; si j'exerce ma raison, si je la cultive, si j'use bien des facultés immédiates que Dieu me donne, j'apprendrai de moi-même à le connaître, à l'aimer, à aimer ses œuvres, à vouloir le bien qu'il veut, et à remplir pour lui plaire tous mes devoirs sur la terre. Qu'est-ce que tout le savoir des hommes m'apprendra de plus ?

À l'égard de la révélation, si j'étais meilleur raisonneur ou mieux instruit, peut-être sentirais-je sa vérité, son utilité pour ceux qui ont le bonheur de la reconnaître; mais si je vois en sa faveur des preuves que je ne puis combattre, je vois aussi contre elle des objections que je ne puis résoudre. Il y a tant de raisons solides pour et contre, que, ne sachant à quoi me déterminer, je ne l'admets ni ne la rejette; je rejette seulement l'obligation de la reconnaître, parce que cette obligation prétendue est incompatible avec la justice de Dieu, et que, loin de lever

par là les obstacles au salut, il les eût multipliés, il les
eût rendus insurmontables pour la grande partie du genre
humain. A cela près, je reste sur ce point dans un doute
respectueux. Je n'ai pas la présomption de me croire
infaillible : d'autres hommes ont pu décider ce qui me
semble indécis; je raisonne pour moi et non pas pour
eux; je ne les blâme ni ne les imite : leur jugement peut
être meilleur que le mien; mais il n'y a pas de ma faute
si ce n'est pas le mien [154].

Je vous avoue aussi que la majesté des Écritures m'étonne,
que la sainteté de l'Évangile parle à mon cœur. Voyez
les livres des philosophes avec toute leur pompe : qu'ils
sont petits près de celui-là ! Se peut-il qu'un livre à la
fois si sublime et si simple soit l'ouvrage des hommes ?
Se peut-il que celui dont il fait l'histoire ne soit qu'un
homme lui-même ? Est-ce là le ton d'un enthousiaste ou
d'un ambitieux sectaire ? Quelle douceur, quelle pureté
dans ses mœurs ! quelle grâce touchante dans ses instructions ! quelle élévation dans ses maximes ! quelle profonde
sagesse dans ses discours ! quelle présence d'esprit, quelle
finesse et quelle justesse dans ses réponses ! quel empire
sur ses passions ! Où est l'homme, où est le sage qui sait
agir, souffrir et mourir sans faiblesse et sans ostentation ?
Quand Platon peint son juste imaginaire [155] couvert de
tout l'opprobre du crime, et digne de tous les prix de la
vertu, il peint trait pour trait Jésus-Christ : la ressemblance
est si frappante, que tous les Pères l'ont sentie, et qu'il
n'est pas possible de s'y tromper. Quels préjugés, quel
aveuglement [156] ne faut-il point avoir pour oser comparer
le fils de Sophronisque au fils de Marie ? Quelle distance
de l'un à l'autre ! Socrate, mourant sans douleur, sans
ignominie, soutint aisément jusqu'au bout son personnage;
et si cette facile mort n'eût honoré sa vie, on douterait
si Socrate, avec tout son esprit, fut autre chose qu'un
sophiste. Il inventa, dit-on, la morale; d'autres avant lui
l'avaient mise en pratique; il ne fit que dire ce qu'ils avaient
fait, il ne fit que mettre en leçons leurs exemples. Aristide
avait été juste avant que Socrate eût dit ce que c'était que
justice; Léonidas était mort pour son pays avant que
Socrate eût fait un devoir d'aimer la patrie; Sparte était
sobre avant que Socrate eût loué la sobriété; avant qu'il
eût défini la vertu, la Grèce abondait en hommes vertueux.

Mais où Jésus avait-il pris chez les siens cette morale élevée et pure dont lui seul a donné les leçons et l'exemple * ? Du sein du plus furieux fanatisme la plus haute sagesse se fit entendre; et la simplicité des plus héroïques vertus honora le plus vil de tous les peuples. La mort de Socrate, philosophant tranquillement avec ses amis, est la plus douce qu'on puisse désirer; celle de Jésus expirant dans les tourments, injurié, raillé, maudit de tout un peuple, est la plus horrible qu'on puisse craindre. Socrate prenant la coupe empoisonnée bénit celui qui la lui présente et qui pleure; Jésus, au milieu d'un supplice affreux, prie pour ses bourreaux acharnés. Oui, si la vie et la mort de Socrate sont d'un sage, la vie et la mort de Jésus sont d'un Dieu. Dirons-nous que l'histoire de l'Évangile est inventée à plaisir ? Mon ami, ce n'est pas ainsi qu'on invente; et les faits de Socrate, dont personne ne doute, sont moins attestés que ceux de Jésus-Christ. Au fond c'est reculer la difficulté sans la détruire; il serait plus inconcevable que plusieurs hommes d'accord [157] eussent fabriqué ce livre, qu'il ne l'est qu'un seul en ait fourni le sujet. Jamais les auteurs juifs n'eussent trouvé ni ce ton ni cette morale; et l'Évangile a des caractères de vérité si grands, si frappants, si parfaitement inimitables, que l'inventeur en serait plus étonnant que le héros. Avec tout cela, ce même Évangile est plein de choses incroyables, de choses qui répugnent à la raison, et qu'il est impossible à tout homme sensé de concevoir ni d'admettre. Que faire au milieu de toutes ces contradictions ? Être toujours modeste et circonspect, mon enfant; respecter en silence ce qu'on ne saurait ni rejeter, ni comprendre, et s'humilier devant le grand Être qui seul sait la vérité.

Voilà le scepticisme involontaire où je suis resté; mais ce scepticisme ne m'est nullement pénible, parce qu'il ne s'étend pas aux points essentiels à la pratique, et que je suis bien décidé sur les principes de tous mes devoirs. Je sers Dieu dans la simplicité de mon cœur. Je ne cherche à savoir que ce qui importe à ma conduite. Quant aux dogmes qui n'influent ni sur les actions ni sur la morale,

---

* Voyez, dans le Discours sur la montagne, le parallèle qu'il fait lui-même de la morale de Moïse à la sienne. (Matth., cap. v, vers. 21 et seq.).

et dont tant de gens se tourmentent, je ne m'en mets
nullement en peine. Je regarde toutes les religions particulières comme autant d'institutions salutaires qui prescrivent dans chaque pays une manière uniforme d'honorer
Dieu par un culte public, et qui peuvent toutes avoir leurs
raisons dans le climat, dans le gouvernement, dans le génie
du peuple, ou dans quelque autre cause locale qui rend
l'une préférable à l'autre, selon les temps et les lieux. Je
les crois toutes bonnes quand on y sert Dieu convenable-
ment [158]. Le culte essentiel est celui du cœur. Dieu n'en
rejette point l'hommage, quand il est sincère, sous quelque
forme qu'il lui soit offert. Appelé dans celle que je professe au service de l'Église, j'y remplis avec toute l'exactitude possible les soins qui me sont prescrits, et ma conscience me reprocherait d'y manquer volontairement en
quelque point. Après un long interdit vous savez que
j'obtins, par le crédit de M. de Mellarède, la permission
de reprendre mes fonctions pour m'aider à vivre. Autrefois je disais la messe avec la légèreté qu'on met à la longue
aux choses les plus graves quand on les fait trop souvent;
depuis mes nouveaux principes, je la célèbre avec plus
de vénération : je me pénètre de la majesté de l'Être suprême,
de sa présence, de l'insuffisance de l'esprit humain, qui conçoit si peu ce qui se rapporte à son auteur. En songeant
que je lui porte les vœux du peuple sous une forme prescrite, je suis avec soin tous les rites; je récite attentivement,
je m'applique à n'omettre jamais ni le moindre mot ni
la moindre cérémonie : quand j'approche du moment de
la consécration, je me recueille pour la faire avec toutes
les dispositions qu'exige l'Église et la grandeur du sacre-
ment; je tâche d'anéantir ma raison devant la suprême
intelligence; je me dis : Qui es-tu pour mesurer la puissance infinie ? Je prononce avec respect les mots sacra-
mentaux, et je donne à leur effet toute la foi qui dépend
de moi. Quoi qu'il en soit de ce mystère inconcevable,
je ne crains pas qu'au jour du jugement je sois puni pour
l'avoir jamais profané dans mon cœur.

Honoré du ministère sacré, quoique dans le dernier
rang, je ne ferai ni ne dirai jamais rien qui me rende indigne
d'en remplir les sublimes devoirs. Je prêcherai toujours
la vertu aux hommes, je les exhorterai toujours à bien faire;
et, tant que je pourrai, je leur en donnerai l'exemple. Il

ne tiendra pas à moi de leur rendre la religion aimable;
il ne tiendra pas à moi d'affermir leur foi dans les dogmes
vraiment utiles et que tout homme est obligé de croire :
mais à Dieu ne plaise que jamais je leur prêche le dogme
cruel de l'intolérance; que jamais je les porte à détester
leur prochain, à dire à d'autres hommes : Vous serez
damnés *. Si j'étais dans un rang plus remarquable, cette
réserve pourrait m'attirer des affaires; mais je suis trop
petit pour avoir beaucoup à craindre, et je ne puis guère
tomber plus bas que je ne suis. Quoi qu'il arrive, je ne
blasphémerai point contre la justice divine, et ne mentirai
point contre le Saint-Esprit.

J'ai longtemps ambitionné l'honneur d'être curé; je
l'ambitionne encore, mais je ne l'espère plus. Mon bon
ami, je ne trouve rien de si beau que d'être curé. Un bon
curé est un ministre de bonté, comme un bon magistrat
est un ministre de justice. Un curé n'a jamais de mal à
faire; s'il ne peut pas toujours faire le bien par lui-même,
il est toujours à sa place quand il le sollicite, et souvent
il l'obtient quand il sait se faire respecter. O si jamais
dans nos montagnes j'avais quelque cure de bonnes gens
à desservir ! je serais heureux, car il me semble que je
ferais le bonheur de mes paroissiens. Je ne les rendrais
pas riches, mais je partagerais leur pauvreté; j'en ôterais
la flétrissure et le mépris, plus insupportable que l'indigence.
Je leur ferais aimer la concorde et l'égalité, qui chassent
souvent la misère, et la font toujours supporter. Quand
ils verraient que je ne serais en rien mieux qu'eux, et que
pourtant je vivrais content, ils apprendraient à se consoler
de leur sort et à vivre contents comme moi. Dans mes
instructions je m'attacherais moins à l'esprit de l'Église
qu'à l'esprit de l'Évangile, où le dogme est simple et la
morale sublime, où l'on voit peu de pratiques religieuses
et beaucoup d'œuvres de charité. Avant de leur enseigner

---

* Le devoir de suivre et d'aimer la religion de son pays ne s'étend
pas jusqu'aux dogmes contraires à la bonne morale, tels que celui de
l'intolérance. C'est ce dogme horrible qui arme les hommes les uns
contre les autres, et les rend tous ennemis du genre humain. La distinction entre la tolérance civile et la tolérance théologique est puérile
et vaine. Ces deux tolérances sont inséparables, et l'on ne peut admettre
l'une sans l'autre. Des anges mêmes ne vivraient pas en paix avec des
hommes qu'ils regarderaient comme les ennemis de Dieu.

ce qu'il faut faire, je m'efforcerais toujours de le pratiquer afin qu'ils vissent bien que tout ce que je leur dis, je le pense. Si j'avais des protestants dans mon voisinage ou dans ma paroisse, je ne les distinguerais point de mes vrais paroissiens en tout ce qui tient à la charité chrétienne; je les porterais tous également à s'entr'aimer, à se regarder comme frères, à respecter toutes les religions, et à vivre en paix chacun dans la sienne. Je pense que solliciter quelqu'un de quitter celle où il est né, c'est le solliciter de mal faire, et par conséquent faire mal soi-même. En attendant de plus grandes lumières, gardons l'ordre public; dans tout pays respectons les lois, ne troublons point le culte qu'elles prescrivent; ne portons point les citoyens à la désobéissance; car nous ne savons point certainement si c'est un bien pour eux de quitter leurs opinions pour d'autres, et nous savons très certainement que c'est un mal de désobéir aux lois [159].

Je viens, mon jeune ami, de vous réciter de bouche ma profession de foi telle que Dieu la lit dans mon cœur : vous êtes le premier à qui je l'aie faite; vous êtes le seul peut-être à qui je la ferai jamais. Tant qu'il reste quelque bonne croyance parmi les hommes, il ne faut point troubler les âmes paisibles, ni alarmer la foi des simples par des difficultés qu'ils ne peuvent résoudre et qui les inquiètent sans les éclairer. Mais quand une fois tout est ébranlé, on doit conserver le tronc aux dépens des branches. Les consciences agitées, incertaines, presque éteintes, et dans l'état où j'ai vu la vôtre, ont besoin d'être affermies et réveillées; et, pour les rétablir sur la base des vérités éternelles, il faut achever d'arracher les piliers flottants auxquels elles pensent tenir encore.

Vous êtes dans l'âge critique où l'esprit s'ouvre à la certitude, où le cœur reçoit sa forme et son caractère, et où l'on se détermine pour toute la vie, soit en bien, soit en mal. Plus tard, la substance est durcie, et les nouvelles empreintes ne marquent plus. Jeune homme, recevez dans votre âme, encore flexible, le cachet de la vérité. Si j'étais plus sûr de moi-même, j'aurais pris avec vous un ton dogmatique et décisif : mais je suis homme, ignorant, sujet à l'erreur; que pouvais-je faire ? Je vous ai ouvert mon cœur sans réserve; ce que je tiens pour sûr, je vous l'ai donné pour tel; je vous ai donné mes doutes pour des

doutes, mes opinions pour des opinions; je vous ai dit
mes raisons de douter et de croire. Maintenant, c'est à
vous de juger : vous avez pris du temps; cette précaution est
sage et me fait bien penser de vous. Commencez par mettre
votre conscience en état de vouloir être éclairée. Soyez
sincère avec vous-même. Appropriez-vous de mes sentiments ce qui vous aura persuadé, rejetez le reste. Vous
n'êtes pas encore assez dépravé par le vice pour risquer
de mal choisir. Je vous proposerais d'en conférer entre
nous; mais sitôt qu'on dispute on s'échauffe; la vanité,
l'obstination s'en mêlent, la bonne foi n'y est plus. Mon
ami, ne disputez jamais, car on n'éclaire par la dispute ni
soi ni les autres. Pour moi, ce n'est qu'après bien des
années de méditation que j'ai pris mon parti : je m'y tiens;
ma conscience est tranquille, mon cœur est content. Si
je voulais recommencer un nouvel examen de mes sentiments, je n'y porterais pas un plus pur amour de la vérité;
et mon esprit, déjà moins actif, serait moins en état de la
connaître [160]. Je resterai comme je suis, de peur qu'insensiblement le goût de la contemplation, devenant une passion oiseuse, ne m'attiédît sur l'exercice de mes devoirs,
et de peur de retomber dans mon premier pyrrhonisme,
sans retrouver la force d'en sortir. Plus de la moitié de
ma vie est écoulée; je n'ai plus que le temps qu'il me
faut pour en mettre à profit le reste, et pour effacer mes erreurs
par mes vertus. Si je me trompe, c'est malgré moi. Celui
qui lit au fond de mon cœur sait bien que je n'aime
pas mon aveuglement. Dans l'impuissance de m'en
tirer par mes propres lumières, le seul moyen qui me
reste pour en sortir est une bonne vie; et si des pierres
mêmes Dieu peut susciter des enfants à Abraham, tout
homme a droit d'espérer d'être éclairé lorsqu'il s'en rend
digne.

Si mes réflexions vous amènent à penser comme je pense,
que mes sentiments soient les vôtres, et que nous ayons la
même profession de foi, voici le conseil que je vous donne :
N'exposez plus votre vie aux tentations de la misère et du
désespoir; ne la traînez plus avec ignominie à la merci des
étrangers, et cessez de manger le vil pain de l'aumône.
Retournez dans votre patrie, reprenez la religion de vos
pères, suivez-la dans la sincérité de votre cœur, et ne la quittez plus : elle est très simple et très sainte; je la crois de toutes

les religions qui sont sur la terre celle dont la morale est la plus pure et dont la raison se contente le mieux. Quant aux frais du voyage, n'en soyez point en peine, on y pourvoira. Ne craignez pas non plus la mauvaise honte d'un retour humiliant; il faut rougir de faire une faute, et non de la réparer. Vous êtes encore dans l'âge où tout se pardonne, mais où l'on ne pèche plus impunément. Quand vous voudrez écouter votre conscience, mille vains obstacles disparaîtront à sa voix. Vous sentirez que, dans l'incertitude où nous sommes, c'est une inexcusable présomption de professer une autre religion que celle où l'on est né, et une fausseté de ne pas pratiquer sincèrement celle qu'on professe. Si l'on s'égare, on s'ôte une grande excuse au tribunal du souverain juge. Ne pardonnera-t-il pas plutôt l'erreur où l'on fut nourri, que celle qu'on osa choisir soi-même ?

Mon fils, tenez votre âme en état de désirer toujours qu'il y ait un Dieu, et vous n'en douterez jamais. Au surplus, quelque parti que vous puissiez prendre, songez que les vrais devoirs de la religion sont indépendants des institutions des hommes; qu'un cœur juste est le vrai temple de la Divinité; qu'en tout pays et dans toute secte, aimer Dieu par-dessus tout et son prochain comme soi-même, est le sommaire de la loi; qu'il n'y a point de religion qui dispense des devoirs de la morale; qu'il n'y a de vraiment essentiels que ceux-là; que le culte intérieur est le premier de ces devoirs, et que sans la foi nulle véritable vertu n'existe.

Fuyez ceux qui, sous prétexte d'expliquer la nature, sèment dans les cœurs des hommes de désolantes doctrines, et dont le scepticisme apparent est cent fois plus affirmatif et plus dogmatique que le ton décidé de leurs adversaires. Sous le hautain prétexte qu'eux seuls sont éclairés, vrais, de bonne foi, ils nous soumettent impérieusement à leurs décisions tranchantes, et prétendent nous donner pour les vrais principes des choses les inintelligibles systèmes qu'ils ont bâtis dans leur imagination. Du reste, renversant, détruisant, foulant aux pieds tout ce que les hommes respectent, ils ôtent aux affligés la dernière consolation de leur misère, aux puissants et aux riches le seul frein de leurs passions; ils arrachent du fond des cœurs le remords du crime, l'espoir de la vertu, et se vantent encore d'être les bienfaiteurs du genre humain. Jamais, disent-ils, la vérité n'est nuisible aux hommes. Je le crois comme eux, et, c'est, à mon avis, une grande preuve que ce qu'ils enseignent n'est pas la vérité *.

Bon jeune homme, soyez sincère et vrai sans orgueil; sachez être ignorant : vous ne tromperez ni vous ni les autres. Si jamais vos talents cultivés vous mettent en état de parler aux hommes, ne leur parlez jamais que selon votre conscience, sans vous embarrasser s'ils vous applaudiront. L'abus du savoir produit l'incrédulité. Tout savant dédaigne le sentiment vulgaire; chacun en veut avoir un à soi. L'orgueilleuse philosophie mène au fanatisme. Évitez ces extrémités; restez toujours ferme dans la voie de la vérité, ou de ce qui vous paraîtra l'être dans la simplicité de votre cœur, sans jamais vous en détourner par vanité ni par faiblesse. Osez confesser Dieu chez les philosophes; osez prêcher l'humanité aux intolérants. Vous serez seul de votre parti peut-être; mais vous porterez en vous-même un témoignage qui vous dispensera de ceux des hommes. Qu'ils vous

---

* Les deux partis s'attaquent réciproquement par tant de sophismes, que ce serait une entreprise immense et téméraire de vouloir les relever tous; c'est déjà beaucoup d'en noter quelques-uns à mesure qu'ils se présentent. Un des plus familiers au parti philosophiste est d'opposer un peuple supposé de bons philosophes à un peuple de mauvais chrétiens : comme si un peuple de vrais philosophes était plus facile à faire qu'un peuple de vrais chrétiens ! Je ne sais si, parmi les individus, l'un est plus facile à trouver que l'autre; mais je sais bien que, dès qu'il est question de peuples, il en faut supposer qui abuseront de la philosophie sans religion, comme les nôtres abusent de la religion sans philosophie; et cela me paraît changer beaucoup l'état de la question.

Bayle a très bien prouvé que le fanatisme est plus pernicieux que l'athéisme, et cela est incontestable; mais ce qu'il n'a eu garde de dire, et qui n'est pas moins vrai, c'est que le fanatisme, quoique sanguinaire et cruel, est pourtant une passion grande et forte, qui élève le cœur de l'homme, qui lui fait mépriser la mort, qui lui donne un ressort prodigieux, et qu'il ne faut que mieux diriger pour en tirer les plus sublimes vertus : au lieu que l'irréligion, et en général l'esprit raisonneur et philosophique, attache à la vie, efféminé, avilit les âmes, concentre toutes les passions dans la bassesse de l'intérêt particulier, dans l'abjection du *moi* humain, et sape ainsi à petit bruit les vrais fondements de toute société; car ce que les intérêts particuliers ont de commun est si peu de chose, qu'il ne balancera jamais ce qu'ils ont d'opposé.

Si l'athéisme ne fait pas verser le sang des hommes, c'est moins par amour pour la paix que par indifférence pour le bien : comme que tout aille, peu importe au prétendu sage, pourvu qu'il reste en repos dans son cabinet. Ses principes ne font pas tuer les hommes, mais ils les empêchent de naître, en détruisant les mœurs qui les multiplient,

aiment ou vous haïssent, qu'ils lisent ou méprisent vos écrits, il n'importe. Dites ce qui est vrai, faites ce qui est bien; ce qui importe à l'homme est de remplir ses devoirs sur la terre; et c'est en s'oubliant qu'on travaille pour soi. Mon enfant, l'intérêt particulier nous trompe; il n'y a que l'espoir du juste qui ne trompe point [161].

J'ai transcrit cet écrit, non comme une règle des sentiments qu'on doit suivre en matière de religion, mais comme un exemple de la manière dont on peut raisonner avec son élève, pour ne point s'écarter de la méthode que j'ai tâché d'établir. Tant qu'on ne donne rien à l'autorité des hommes, ni aux préjugés du pays où l'on est né, les seules lumières de la raison ne peuvent, dans l'institution de la nature, nous mener plus loin que la religion naturelle; et c'est à quoi je me borne avec mon Émile. S'il en doit avoir

en les détachant de leur espèce, en réduisant toutes leurs affections à un secret égoïsme, aussi funeste à la population qu'à la vertu. L'indifférence philosophique ressemble à la tranquillité de l'État sous le despotisme; c'est la tranquillité de la mort : elle est plus destructive que la guerre même.

Ainsi le fanatisme, quoique plus funeste dans ses effets immédiats que ce qu'on appelle aujourd'hui l'esprit philosophique, l'est beaucoup moins dans ses conséquences. D'ailleurs il est aisé d'étaler de belles maximes dans des livres; mais la question est de savoir si elles tiennent bien à la doctrine, si elles en découlent nécessairement; et c'est ce qui n'a point paru clair jusqu'ici. Reste à savoir encore si la philosophie, à son aise et sur le trône, commanderait bien à la gloriole, à l'intérêt, à l'ambition, aux petites passions de l'homme, et si elle pratiquerait cette humanité si douce qu'elle nous vante la plume à la main.

Par les principes, la philosophie ne peut faire aucun bien que la religion ne le fasse encore mieux, et la religion en fait beaucoup que la philosophie ne saurait faire.

Par la pratique, c'est autre chose; mais encore faut-il examiner. Nul homme ne suit de tout point sa religion quand il en a une : cela est vrai; la plupart n'en ont guère, et ne suivent point du tout celle qu'ils ont : cela est encore vrai; mais enfin quelques-uns en ont une, la suivent du moins en partie; et il est indubitable que des motifs de religion les empêchent souvent de mal faire, et obtiennent d'eux des vertus, des actions louables, qui n'auraient point eu lieu sans ces motifs.

Qu'un moine nie un dépôt; que s'ensuit-il, sinon qu'un sot le lui avait confié ? Si Pascal en eût nié un, cela prouverait que Pascal était un hypocrite, et rien de plus. Mais un moine !... Les gens qui font trafic de la religion sont-ils donc ceux qui en ont ? Tous les crimes

une autre, je n'ai plus en cela le droit d'être son guide ; c'est
à lui seul de la choisir.

Nous travaillons de concert avec la nature, et tandis
qu'elle forme l'homme physique, nous tâchons de former
l'homme moral ; mais nos progrès ne sont pas les mêmes.
Le corps est déjà robuste et fort, que l'âme est encore lan-
guissante et faible ; et quoi que l'art humain puisse faire, le
tempérament précède toujours la raison. C'est à retenir l'un
et à exciter l'autre que nous avons jusqu'ici donné tous nos
soins, afin que l'homme fût toujours un, le plus qu'il était
possible. En développant le naturel, nous avons donné le
change à sa sensibilité naissante ; nous l'avons réglé en cultivant la raison. Les objets intellectuels modéraient l'impression des objets sensibles. En remontant au principe des
choses, nous l'avons soustrait à l'empire des sens ; il était
simple de s'élever de l'étude de la nature à la recherche de
son auteur.

qui se font dans le clergé, comme ailleurs, ne prouvent point que la
religion soit inutile, mais que très peu de gens ont de la religion.

Nos gouvernements modernes doivent incontestablement au
christianisme leur plus solide autorité et leurs révolutions moins
fréquentes ; il les a rendus eux-mêmes moins sanguinaires : cela se
prouve par le fait en les comparant aux gouvernements anciens. La
religion mieux connue, écartant le fanatisme, a donné plus de douceur
aux mœurs chrétiennes. Ce changement n'est point l'ouvrage des
lettres ; car partout où elles ont brillé, l'humanité n'en a pas été plus
respectée ; les cruautés des Athéniens, des Égyptiens, des empereurs
de Rome, des Chinois, en font foi. Que d'œuvres de miséricorde sont
l'ouvrage de l'Évangile ! Que de restitutions, de réparations, la confession ne fait-elle point faire chez les catholiques ! Chez nous combien
les approches des temps de communion n'opèrent-elles point de récon-
ciliations et d'aumônes ! Combien le jubilé des Hébreux ne rendait-il
pas les usurpateurs moins avides ! Que de misères ne prévenait-il pas !
La fraternité légale unissait toute la nation : on ne voyait pas un men-
diant chez eux. On n'en voit point non plus chez les Turcs, où les
fondations pieuses sont innombrables ; ils sont, par principe de religion, hospitaliers, même envers les ennemis de leur culte.

« Les mahométans disent, selon Chardin, qu'après l'examen qui
suivra la résurrection universelle, tous les corps iront passer un pont
appelé *Poul-Serrho*, qui est jeté sur le feu éternel, pont qu'on peut
appeler, disent-ils, le troisième et dernier examen et le vrai jugement
final, parce que c'est là où se fera la séparation des bons d'avec les
méchants..., etc.

« Les Persans, poursuit Chardin, sont fort infatués de ce pont ; et

Quand nous en sommes venus là, quelles nouvelles prises nous nous sommes données sur notre élève ! que de nouveaux moyens nous avons de parler à son cœur ! C'est alors seulement qu'il trouve son véritable intérêt à être bon, à faire le bien loin des regards des hommes, et sans y être forcé par les lois, à être juste entre Dieu et lui, à remplir son devoir, même aux dépens de sa vie, et à porter dans son cœur la vertu, non seulement pour l'amour de l'ordre, auquel chacun préfère toujours l'amour de soi, mais pour l'amour de l'auteur de son être, amour qui se confond avec ce même amour de soi, pour jouir enfin du bonheur durable que le repos d'une bonne conscience et la contemplation de cet Être suprême lui promettent dans l'autre vie, après avoir bien usé de celle-ci. Sortez de là, je ne vois plus qu'injustice, hypocrisie et mensonge parmi les hommes. L'intérêt particulier, qui, dans la concurrence, l'emporte nécessaire-

lorsque quelqu'un souffre une injure dont, par aucune voie ni dans aucun temps, il ne peut avoir raison, sa dernière consolation est de dire : *Eh bien ! par le Dieu vivant, tu me le payeras au double au dernier jour ; tu ne passeras point le Poul-Serrho que tu ne me satisfasses auparavant ; je m'attacherai au bord de ta veste et me jetterai à tes jambes.* J'ai vu beaucoup de gens éminents, et de toutes sortes de professions, qui, appréhendant qu'on ne criât ainsi *haro* sur eux au passage de ce pont redoutable, sollicitaient ceux qui se plaignaient d'eux de leur pardonner : cela m'est arrivé cent fois à moi-même. Des gens de qualité, qui m'avaient fait faire, par importunité, des démarches autrement que je n'eusse voulu, m'abordaient au bout de quelque temps qu'ils pensaient que le chagrin en était passé, et me disaient : *Je te prie, halal becon antchifra,* c'est-à-dire *rends-moi cette affaire licite ou juste.* Quelques-uns même m'ont fait des présents et rendu des services, afin que je leur pardonnasse en déclarant que je le faisais de bon cœur : de quoi la cause n'est autre que cette créance qu'on ne passera point le pont de l'enfer qu'on n'ait rendu le dernier quatrain à ceux qu'on a oppressés. » (Tome VII, in-12, page 50.)

Croirai-je que l'idée de ce pont qui répare tant d'iniquités n'en prévient jamais ? Que si l'on ôtait aux Persans cette idée, en leur persuadant qu'il n'y a ni *Poul-Serrho*, ni rien de semblable, où les opprimés soient vengés de leurs tyrans après la mort, n'est-il pas clair que cela mettrait ceux-ci fort à leur aise, et les délivrerait du soin d'apaiser ces malheureux ? Il est donc faux que cette doctrine ne fût pas nuisible ; elle ne serait donc pas la vérité.

Philosophe, tes lois morales sont fort belles ; mais montre-m'en, de grâce, la sanction. Cesse un moment de battre la campagne, et dis-moi nettement ce que tu mets à la place du *Poul-Serrho*.

ment sur toutes choses, apprend à chacun d'eux à parer le
vice du masque de la vertu. Que tous les autres hommes
fassent mon bien aux dépens du leur; que tout se rapporte à
moi seul; que tout le genre humain meure, s'il le faut, dans
la peine et dans la misère pour m'épargner un moment de
douleur ou de faim: tel est le langage intérieur de tout incré-
dule qui raisonne. Oui, je le soutiendrai toute ma vie, quiconque a dit dans son cœur : il n'y a point de Dieu, et parle
autrement, n'est qu'un menteur ou un insensé.

Lecteur, j'aurai beau faire, je sens bien que vous et moi ne
verrons jamais mon Émile sous les mêmes traits; vous vous
le figurez toujours semblable à vos jeunes gens, toujours
étourdi, pétulant, volage, errant de fête en fête, d'amusement
en amusement, sans jamais pouvoir se fixer à rien. Vous
rirez de me voir faire un contemplatif, un philosophe, un vrai
théologien, d'un jeune homme ardent, vif, emporté, fougueux, dans l'âge le plus bouillant de la vie. Vous direz : Ce
rêveur poursuit toujours sa chimère; en nous donnant un
élève de sa façon, il ne le forme pas seulement, il le crée, il le
tire de son cerveau; et, croyant toujours suivre la nature, il
s'en écarte à chaque instant. Moi, comparant mon élève aux
vôtres, je trouve à peine ce qu'ils peuvent avoir de commun.
Nourri si différemment, c'est presque un miracle s'il leur
ressemble en quelque chose. Comme il a passé son enfance
dans toute la liberté qu'ils prennent dans leur jeunesse, il
commence à prendre dans sa jeunesse la règle à laquelle on
les a soumis enfants : cette règle devient leur fléau, ils la
prennent en horreur, ils n'y voient que la longue tyrannie
des maîtres, ils croient ne sortir de l'enfance qu'en secouant
toute espèce de joug *, ils se dédommagent alors de la
longue contrainte où on les a tenus, comme un prisonnier,
délivré des fers, étend, agite et fléchit ses membres.

Émile, au contraire, s'honore de se faire homme, et de
s'assujettir au joug de la raison naissante; son corps, déjà
formé, n'a plus besoin des mêmes mouvements, et commence à s'arrêter de lui-même, tandis que son esprit, à
moitié développé, cherche à son tour à prendre l'essor.

---

\* Il n'y a personne qui voie l'enfance avec tant de mépris que ceux
qui en sortent, comme il n'y a pas de pays où les rangs soient gardés
avec plus d'affectation que ceux où l'inégalité n'est pas grande, et où
chacun craint toujours d'être confondu avec son inférieur.

Ainsi l'âge de raison n'est pour les uns que l'âge de la licence; pour l'autre, il devient l'âge du raisonnement.

Voulez-vous savoir lesquels d'eux ou de lui sont mieux en cela dans l'ordre de la nature ? considérez les différences dans ceux qui en sont plus ou moins éloignés : observez les jeunes gens chez les villageois, et voyez s'ils sont aussi pétulants que les vôtres. « Durant l'enfance des sauvages, dit le sieur Le Beau, on les voit toujours actifs, et s'occupant sans cesse à différents jeux qui leur agitent le corps; mais à peine ont-ils atteint l'âge de l'adolescence, qu'ils deviennent tranquilles, rêveurs; ils ne s'appliquent plus guère qu'à des jeux sérieux ou de hasard *. » Émile, ayant été élevé dans toute la liberté des jeunes paysans et des jeunes sauvages, doit changer et s'arrêter comme eux en grandissant. Toute la différence est qu'au lieu d'agir uniquement pour jouer ou pour se nourrir, il a, dans ses travaux et dans ses jeux, appris à penser. Parvenu donc à ce terme par cette route, il se trouve tout disposé pour celle où je l'introduis : les sujets de réflexion que je lui présente irritent sa curiosité, parce qu'ils sont beaux par eux-mêmes, qu'ils sont tout nouveaux pour lui, et qu'il est en état de les comprendre. Au contraire, ennuyés, excédés de vos fades leçons, de vos longues morales, de vos éternels catéchismes, comment vos jeunes gens ne se refuseraient-ils pas à l'application d'esprit qu'on leur a rendue triste, aux lourds préceptes dont on n'a cessé de les accabler, aux méditations sur l'auteur de leur être, dont on a fait l'ennemi de leurs plaisirs ? Ils n'ont conçu pour tout cela qu'aversion, dégoût, ennui; la contrainte les en a rebutés : le moyen désormais qu'ils s'y livrent quand ils commencent à disposer d'eux ? Il leur faut du nouveau pour leur plaire, il ne leur faut plus rien de ce qu'on dit aux enfants. C'est la même chose pour mon élève; quand il devient homme, je lui parle comme à un homme, et ne lui dis que des choses nouvelles; c'est précisément parce qu'elles ennuient les autres qu'il doit les trouver de son goût.

Voilà comment je lui fais doublement gagner du temps, en retardant au profit de la raison le progrès de la nature. Mais ai-je en effet retardé ce progrès ? Non; je n'ai fait qu'empêcher l'imagination de l'accélérer; j'ai balancé par des leçons

---

* Aventures du sieur C. Le Beau, avocat au parlement [161bis], t. II, p. 70.

d'une autre espèce des leçons précoces que le jeune homme
reçoit d'ailleurs. Tandis que le torrent de nos institutions
l'entraîne, l'attirer en sens contraire par d'autres institutions,
ce n'est pas l'ôter de sa place, c'est l'y maintenir.

Le vrai moment de la nature arrive enfin, il faut qu'il
arrive. Puisqu'il faut que l'homme meure, il faut qu'il se
reproduise, afin que l'espèce dure et que l'ordre du monde
soit conservé. Quand, par les signes dont j'ai parlé, vous
pressentirez le moment critique, à l'instant quittez avec lui
pour jamais votre ancien ton. C'est votre disciple encore,
mais ce n'est plus votre élève. C'est votre ami, c'est un
homme, traitez-le désormais comme tel.

Quoi ! faut-il abdiquer mon autorité lorsqu'elle m'est le
plus nécessaire ? Faut-il abandonner l'adulte à lui-même au
moment qu'il sait le moins se conduire, et qu'il fait les plus
grands écarts ? Faut-il renoncer à mes droits quand il lui
importe le plus que j'en use ? Vos droits ! Qui vous dit d'y
renoncer ? ce n'est qu'à présent qu'ils commencent pour lui.
Jusqu'ici vous n'en obteniez rien que par force ou par ruse;
l'autorité, la loi du devoir lui étaient inconnues; il fallait le
contraindre ou le tromper pour vous faire obéir. Mais vous
voyez de combien de nouvelles chaînes vous avez environné
son cœur. La raison, l'amitié, la reconnaissance, mille affections, lui parlent d'un ton qu'il ne peut méconnaître. Le vice
ne l'a point encore rendu sourd à leur voix. Il n'est sensible
encore qu'aux passions de la nature. La première de toutes,
qui est l'amour de soi, le livre à vous; l'habitude vous le
livre encore. Si le transport d'un moment vous l'arrache,
le regret vous le ramène à l'instant; le sentiment qui l'attache
à vous est le seul permanent; tous les autres passent et
s'effacent mutuellement. Ne le laissez point corrompre, il
sera toujours docile, il ne commence d'être rebelle que
quand il est déjà perverti.

J'avoue bien que si, heurtant de front ses désirs naissants,
vous alliez sottement traiter de crimes les nouveaux besoins
qui se font sentir à lui, vous ne seriez pas longtemps écouté;
mais sitôt que vous quitterez ma méthode, je ne vous
réponds plus de rien. Songez toujours que vous êtes le
ministre de la nature; vous n'en serez jamais l'ennemi.

Mais quel parti prendre ? On ne s'attend ici qu'à l'alternative de favoriser ses penchants ou de les combattre, d'être
son tyran ou son complaisant; et tous deux ont de si dange-

reuses conséquences, qu'il n'y a que trop à balancer sur le choix.

Le premier moyen qui s'offre pour résoudre cette difficulté est de le marier bien vite; c'est incontestablement l'expédient le plus sûr et le plus naturel. Je doute pourtant que ce soit le meilleur, ni le plus utile. Je dirai ci-après mes raisons; en attendant, je conviens qu'il faut marier les jeunes gens à l'âge nubile. Mais cet âge vient pour eux avant le temps; c'est nous qui l'avons rendu précoce; on doit le prolonger jusqu'à la maturité.

S'il ne fallait qu'écouter les penchants et suivre les indications, cela serait bientôt fait : mais il y a tant de contradictions entre les droits de la nature et nos lois sociales, que pour les concilier il faut gauchir et tergiverser sans cesse : il faut employer beaucoup d'art pour empêcher l'homme social d'être tout à fait artificiel.

Sur les raisons ci-devant exposées, j'estime que, par les moyens que j'ai donnés, et d'autres semblables, on peut au moins étendre jusqu'à vingt ans l'ignorance des désirs et la pureté des sens : cela est si vrai, que, chez les Germains, un jeune homme qui perdait sa virginité avant cet âge en restait diffamé [162] : et les auteurs attribuent, avec raison, à la continence de ces peuples durant leur jeunesse la vigueur de leur constitution et la multitude de leurs enfants.

On peut même beaucoup prolonger cette époque, et il y a peu de siècles que rien n'était plus commun dans la France même. Entre autres exemples connus, le père de Montaigne, homme non moins scrupuleux et vrai que fort et bien constitué, jurait s'être marié vierge à trente-trois ans, après avoir servi longtemps dans les guerres d'Italie; et l'on peut voir dans les écrits du fils quelle vigueur et quelle gaîté conservait le père à plus de soixante ans. Certainement l'opinion contraire tient plus à nos mœurs et à nos préjugés, qu'à la connaissance de l'espèce en général.

Je puis donc laisser à part l'exemple de notre jeunesse : il ne prouve rien pour qui n'a pas été élevé comme elle. Considérant que la nature n'a point là-dessus de terme fixe qu'on ne puisse avancer ou retarder, je crois pouvoir, sans sortir de sa loi, supposer Émile resté jusque-là par mes soins dans sa primitive innocence, et je vois cette heureuse époque prête à finir. Entouré de périls toujours croissants, il va m'échapper, quoi que je fasse, à la première occasion, et cette occasion ne tardera pas à naître ; il va suivre l'aveugle instinct des sens ; il y a mille à parier contre un qu'il va se perdre. J'ai trop réfléchi sur les mœurs des hommes pour ne pas voir l'influence invincible de ce premier moment sur le reste de sa vie. Si je dissimule et feins de ne rien voir, il se prévaut de ma faiblesse ; croyant me tromper, il me méprise, et je suis le complice de sa perte. Si j'essaye de le ramener, il n'est plus temps, il ne m'écoute plus ; je lui deviens incommode, odieux, insupportable ; il ne tardera guère à se débarrasser de moi. Je n'ai donc plus qu'un parti raisonnable à prendre ; c'est de le rendre comptable de ses actions à lui-même, de le garantir au moins des surprises de l'erreur, et de lui montrer à découvert les périls dont il est environné. Jusqu'ici je l'arrêtais par son ignorance ; c'est maintenant par des lumières qu'il faut l'arrêter.

Ces nouvelles instructions sont importantes, et il convient de reprendre les choses de plus haut. Voici l'instant de lui rendre, pour ainsi dire, mes comptes ; de lui montrer l'emploi de son temps et du mien ; de lui déclarer ce qu'il est et ce que je suis ; ce que j'ai fait, ce qu'il a fait ; ce que nous nous devons l'un à l'autre ; toutes ses relations morales, tous les engagements qu'il a contractés, tous ceux qu'on a contractés avec lui, à quel point il est parvenu dans le progrès de ses facultés, quel chemin lui reste à faire, les difficultés qu'il y trouvera, les moyens de franchir ces difficultés ; en quoi je lui puis aider encore, en quoi lui seul peut désormais s'aider, enfin le point critique où il se trouve, les nouveaux périls qui l'environnent, et toutes les solides raisons qui doivent l'engager à veiller attentivement sur lui-même avant d'écouter ses désirs naissants.

Songez que, pour conduire un adulte, il faut prendre le contrepied de tout ce que vous avez fait pour conduire un enfant. Ne balancez point à l'instruire de ces dangereux mystères que vous lui avez cachés si longtemps avec tant de soin. Puisqu'il faut enfin qu'il les sache, il importe qu'il ne les apprenne ni d'un autre, ni de lui-même, mais de vous seul : puisque le voilà désormais forcé de combattre, il faut, de peur de surprise, qu'il connaisse son ennemi.

Jamais les jeunes gens qu'on trouve savants sur ces matières, sans savoir comment ils le sont devenus, ne le sont devenus impunément. Cette indiscrète instruction, ne pouvant avoir un objet honnête, souille au moins l'imagination de ceux qui la reçoivent, et les dispose aux vices de ceux qui la donnent. Ce n'est pas tout; des domestiques s'insinuent ainsi dans l'esprit d'un enfant, gagnent sa confiance, lui font envisager son gouverneur comme un personnage triste et fâcheux; et l'un des sujets favoris de leurs secrets colloques est de médire de lui. Quand l'élève en est là, le maître peut se retirer, il n'a plus rien de bon à faire.

Mais pourquoi l'enfant se choisit-il des confidents particuliers ? Toujours par la tyrannie de ceux qui le gouvernent. Pourquoi se cacherait-il d'eux, s'il n'était forcé de s'en cacher ? Pourquoi s'en plaindrait-il, s'il n'avait nul sujet de s'en plaindre ? Naturellement ils sont ses premiers confidents; on voit, à l'empressement avec lequel il vient leur dire ce qu'il pense, qu'il croit ne l'avoir pensé qu'à moitié jusqu'à ce qu'il le leur ait dit. Comptez que si l'enfant ne craint de votre part ni sermon ni réprimande, il vous dira toujours tout, et qu'on n'osera lui rien confier qu'il vous doive taire, quand on sera bien sûr qu'il ne vous taira rien.

Ce qui me fait le plus compter sur ma méthode, c'est qu'en suivant ses effets le plus exactement qu'il m'est possible, je ne vois pas une situation dans la vie de mon élève qui ne me laisse de lui quelque image agréable. Au moment même où les fureurs du tempérament l'entraînent, et où, révolté contre la main qui l'arrête, il se débat et commence à m'échapper, dans ses agitations, dans ses emportements, je retrouve encore sa première simplicité; son cœur, aussi pur que son corps, ne connaît pas plus le déguisement que le vice; les reproches ni le mépris ne l'ont point rendu lâche; jamais la vile crainte ne lui apprit à se déguiser. Il a toute l'indiscrétion de l'innocence; il est naïf sans scrupule; il ne sait encore à quoi sert de tromper. Il ne se passe pas un mouvement dans son âme que sa bouche ou ses yeux ne le disent; et souvent les sentiments qu'il éprouve me sont connus plus tôt qu'à lui.

Tant qu'il continue de m'ouvrir ainsi librement son âme, et de me dire avec plaisir ce qu'il sent, je n'ai rien à craindre, le péril n'est pas encore proche; mais s'il devient plus timide, plus réservé, que j'aperçoive dans ses entretiens le premier embarras de la honte, déjà l'instinct se développe, déjà la notion du mal commence à s'y joindre, il n'y a plus un moment à perdre; et, si je ne me hâte de l'instruire, il sera bientôt instruit malgré moi.

Plus d'un lecteur, même en adoptant mes idées, pensera qu'il ne s'agit ici que d'une conversation prise au hasard avec le jeune homme, et que tout est fait. Oh ! que ce n'est pas ainsi que le cœur humain se gouverne ! Ce qu'on dit ne signifie rien si l'on n'a préparé le moment de le dire. Avant de semer, il faut labourer la terre : la semence de la vertu lève difficilement ; il faut de longs apprêts pour lui faire prendre racine. Une des choses qui rendent les prédications le plus inutiles est qu'on les fait indifféremment à tout le monde sans discernement et sans choix. Comment peut-on penser que le même sermon convienne à tant d'auditeurs si diversement disposés, si différents d'esprit, d'humeurs, d'âges, de sexes, d'états et d'opinions ? Il n'y en a peut-être pas deux auxquels ce qu'on dit à tous puisse être convenable ; et toutes nos affections ont si peu de constance, qu'il n'y a peut-être pas deux moments dans la vie de chaque homme où le même discours fît sur lui la même impression. Jugez si, quand les sens enflammés aliènent l'entendement et tyrannisent la volonté, c'est le temps d'écouter les graves leçons de la sagesse. Ne parlez donc jamais raison aux jeunes gens, même en âge de raison, que vous ne les ayez premièrement mis en état de l'entendre. La plupart des discours perdus le sont bien plus par la faute des maîtres que par celle des disciples. Le pédant et l'instituteur disent à peu près les mêmes choses : mais le premier les dit à tout propos ; le second ne les dit que quand il est sûr de leur effet.

Comme un somnambule, errant durant son sommeil, marche en dormant sur les bords d'un précipice, dans lequel il tomberait s'il était éveillé tout à coup ; ainsi mon Émile, dans le sommeil de l'ignorance, échappe à des périls qu'il n'aperçoit point : si je l'éveille en sursaut, il est perdu. Tâchons premièrement de l'éloigner du précipice, et puis nous l'éveillerons pour le lui montrer de plus loin.

La lecture, la solitude, l'oisiveté, la vie molle et sédentaire, le commerce des femmes et des jeunes gens : voilà les sentiers dangereux à frayer à son âge, et qui le tiennent sans cesse à côté du péril. C'est par d'autres objets sensibles que je donne le change à ses sens, c'est en traçant un autre cours aux esprits que je les détourne de celui qu'ils commençaient à prendre ; c'est en exerçant son corps à des travaux pénibles que j'arrête l'activité de l'imagination qui l'entraîne. Quand les bras travaillent beaucoup, l'imagination se repose ; quand le corps est bien las, le cœur ne s'échauffe point. La précaution la plus prompte et la plus facile est de l'arracher au danger local. Je l'emmène d'abord hors des villes, loin des objets capables de le tenter. Mais ce n'est pas assez; dans quel désert, dans quel sauvage asile échappera-t-il aux images qui le poursuivent ? Ce n'est rien d'éloigner les objets dangereux, si je n'en éloigne aussi le souvenir ; si je ne trouve l'art de le détacher de tout, si je ne le distrais de lui-même, autant valait le laisser où il était.

Émile sait un métier, mais ce métier n'est pas ici notre ressource; il aime et entend l'agriculture, mais l'agriculture ne nous suffit pas : les occupations qu'il connaît deviennent une routine; en s'y livrant, il est comme ne faisant rien; il pense à toute autre chose; la tête et les bras agissent séparément. Il lui faut une occupation nouvelle qui l'intéresse par sa nouveauté, qui le tienne en haleine, qui lui plaise, qui l'applique, qui l'exerce, une occupation dont il se passionne, et à laquelle il soit tout entier. Or, la seule qui me paraît réunir toutes ces conditions est la chasse. Si la chasse est jamais un plaisir innocent, si jamais elle est convenable à l'homme, c'est à présent qu'il y faut avoir recours. Émile a tout ce qu'il faut pour y réussir; il est robuste, adroit, patient, infatigable. Infailliblement il prendra du goût pour cet exercice; il y mettra toute l'ardeur de son âge; il y perdra, du moins pour un temps, les dangereux penchants qui naissent de la mollesse. La chasse endurcit le cœur aussi bien que le corps; elle accoutume au sang, à la cruauté. On a fait Diane ennemie de l'amour; et l'allégorie est très juste : les langueurs de l'amour ne naissent que dans un doux repos; un violent exercice étouffe les sentiments tendres. Dans les bois, dans les lieux champêtres, l'amant, le chasseur sont si diversement affectés, que sur les mêmes objets ils portent des images toutes différentes. Les ombrages frais, les bocages, les doux asiles du premier, ne sont pour l'autre que des viandis, des forts, des remises; où l'un n'entend que chalumeaux, que rossignols, que ramages, l'autre se figure les cors et les cris des chiens; l'un n'imagine que dryades et nymphes, l'autre que piqueurs, meutes et chevaux. Promenez-vous en campagne avec ces deux sortes d'hommes; à la différence de leur langage, vous connaîtrez bientôt que la terre n'a pas pour eux un aspect semblable, et que le tour de leurs idées est aussi divers que le choix de leurs plaisirs.

Je comprends comment ces goûts se réunissent et comment on trouve enfin du temps pour tout. Mais les passions de la jeunesse ne se partagent pas ainsi : donnez-lui une seule occupation qu'elle aime, et tout le reste sera bientôt oublié. La variété des désirs vient de celle des connaissances, et les premiers plaisirs qu'on connaît sont longtemps les seuls qu'on recherche. Je ne veux pas que toute la jeunesse d'Émile se passe à tuer des bêtes, et je ne prétends pas même justifier en tout cette féroce passion; il me suffit qu'elle serve assez à suspendre une passion plus dangereuse pour me faire écouter de sang-froid parlant d'elle, et me donner le temps de la peindre sans l'exciter.

Il est des époques dans la vie humaine qui sont faites pour n'être jamais oubliées. Telle est, pour Émile, celle de l'instruction dont je parle; elle doit influer sur le reste de ses jours. Tâchons donc de la graver dans sa mémoire en sorte qu'elle ne s'en efface point. Une des erreurs de notre âge est d'employer la raison trop nue, comme si les hommes n'étaient qu'esprit. En négligeant la langue des signes qui parlent à l'imagination, l'on a perdu le plus énergique des langages. L'impression de la parole est toujours faible, et l'on parle au cœur par les yeux bien mieux que par les oreilles. En voulant tout donner au raisonnement, nous avons réduit en mots nos préceptes; nous n'avons rien mis dans les actions. La seule raison n'est point active; elle retient quelquefois, rarement elle excite, et jamais elle n'a rien fait de grand. Toujours raisonner est la manie des petits esprits. Les âmes fortes ont bien un autre langage; c'est par ce langage qu'on persuade et qu'on fait agir.

J'observe que, dans les siècles modernes, les hommes n'ont plus de prise les uns sur les autres que par la force et par l'intérêt, au lieu que les anciens agissaient beaucoup plus par la persuasion, par les affections de l'âme, parce qu'ils ne négligeaient pas la langue des signes. Toutes les conventions se passaient avec solennité pour les rendre plus inviolables : avant que la force fût établie, les dieux étaient les magistrats du genre humain; c'est par-devant eux que les particuliers faisaient leurs traités, leurs alliances, prononçaient leurs promesses; la face de la terre était le livre où s'en conservaient les archives. Des rochers, des arbres, des monceaux de pierres consacrés par ces actes, et rendus respectables aux hommes barbares étaient les feuillets de ce livre, ouvert sans cesse à tous les yeux. Le puits du serment, le puits du vivant et du voyant, le vieux chêne de Mambré, le monceau du témoin [163]; voilà quels étaient les monuments grossiers, mais augustes, de la sainteté des contrats; nul n'eût osé d'une main sacrilège attenter à ces monuments; et la foi des hommes était plus assurée par la garantie de ces témoins muets, qu'elle ne l'est aujourd'hui par toute la vaine rigueur des lois.

Dans le gouvernement, l'auguste appareil de la puissance royale en imposait aux peuples. Des marques de dignité, un trône, un sceptre, une robe de pourpre, une couronne, un bandeau, étaient pour eux des choses sacrées. Ces signes respectés leur rendaient vénérable l'homme qu'ils en voyaient orné : sans soldats, sans menaces, sitôt qu'il parlait il était obéi. Maintenant qu'on affecte d'abolir ces signes*, qu'arrive-t-il de ce mépris ? Que la majesté royale s'efface de tous les cœurs, que les rois ne se font plus obéir qu'à force de troupes, et que le respect des sujets n'est que dans la crainte du châtiment. Les rois n'ont plus la peine de porter leur diadème, ni les grands les marques de leurs dignités; mais il faut avoir cent mille bras toujours prêts pour faire exécuter leurs ordres. Quoique cela leur semble plus beau peut-être, il est aisé de voir qu'à la longue cet échange ne leur tournera pas à profit.

Ce que les anciens ont fait avec l'éloquence est prodigieux : mais cette éloquence ne consistait pas seulement en beaux discours bien arrangés; et jamais elle n'eut plus d'effet que quand l'orateur parlait le moins. Ce qu'on

---

* Le clergé romain les a très habilement conservés, et, à son exemple, quelques républiques, entre autres celle de Venise. Aussi le gouvernement vénitien, malgré la chute de l'État, jouit-il encore, sous l'appareil de son antique majesté, de toute l'affection, de toute l'adoration du peuple; et, après le pape orné de sa tiare, il n'y a peut-être ni roi, ni potentat, ni homme au monde aussi respecté que le doge de Venise, sans pouvoir, sans autorité, mais rendu sacré par sa pompe, et paré sous sa corne ducale d'une coiffure de femme. Cette cérémonie du Bucentaure, qui fait tant rire les sots, ferait verser à la populace de Venise tout son sang pour le maintien de son tyrannique gouvernement*.

*(Le *Bucentaure* était le nom donné à un gros et magnifique bâtiment sans mâts et sans voiles, assez semblable à un galion, et que montait le doge de Venise, lorsque chaque année, au jour de l'Ascension, il épousait la mer. Cette cérémonie a cessé vers l'époque où Venise passa au pouvoir de l'Autriche, par le traité de Campo-Formio, en 1797.)

disait le plus vivement ne s'exprimait pas par des mots,
mais par des signes; on ne le disait pas, on le montrait.
L'objet qu'on expose aux yeux ébranle l'imagination, excite
la curiosité, tient l'esprit dans l'attente de ce qu'on va
dire : et souvent cet objet seul a tout dit. Thrasybule et
Tarquin coupant des têtes de pavots, Alexandre appliquant
son sceau sur la bouche de son favori, Diogène marchant
devant Zénon, ne parlaient-ils pas mieux que s'ils avaient
fait de longs discours ? Quel circuit de paroles eût aussi
bien rendu les mêmes idées ? Darius, engagé dans la Scythie
avec son armée, reçoit de la part du roi des Scythes un
oiseau, une grenouille, une souris et cinq flèches. L'ambassadeur remet son présent, et s'en retourne sans rien dire.
De nos jours cet homme eût passé pour fou. Cette terrible
harangue fut entendue, et Darius n'eut plus grande hâte
que de regagner son pays comme il put [164]. Substituez une
lettre à ces signes; plus elle sera menaçante, et moins elle
effrayera; ce ne sera qu'une fanfaronnade dont Darius n'eût
fait que rire.

Que d'attention chez les Romains à la langue des signes !
Des vêtements divers selon les âges, selon les conditions;
des toges, des saies, des prétextes, des bulles, des laticlaves,
des chaires, des licteurs, des faisceaux, des haches, des
couronnes d'or, d'herbes, de feuilles, des ovations, des
triomphes : tout chez eux était appareil, représentation,
cérémonie, et tout faisait impression sur les cœurs des
citoyens. Il importait à l'État que le peuple s'assemblât en
tel lieu plutôt qu'en tel autre; qu'il vît ou ne vît pas le
Capitole; qu'il fût ou ne fût pas tourné du côté du sénat;
qu'il délibérât tel ou tel jour par préférence. Les accusés
changeaient d'habit, les candidats en changeaient; les
guerriers ne vantaient pas leurs exploits, ils montraient leurs
blessures. A la mort de César, j'imagine un de nos orateurs,
voulant émouvoir le peuple, épuiser tous les lieux communs de l'art pour faire une pathétique description de ses
plaies, de son sang, de son cadavre : Antoine, quoique
éloquent, ne dit point tout cela; il fait apporter le corps.
Quelle rhétorique !

Mais cette digression m'entraîne insensiblement loin de
mon sujet, ainsi que font beaucoup d'autres, et mes écarts
sont trop fréquents pour pouvoir être longs et tolérables :
je reviens donc.

Ne raisonnez jamais sèchement avec la jeunesse. Revêtez la raison d'un corps si vous voulez la lui rendre sensible. Faites passer par le cœur le langage de l'esprit, afin qu'il se fasse entendre. Je le répète, les arguments froids peuvent déterminer nos opinions, non nos actions; ils nous font croire et non pas agir; on démontre ce qu'il faut penser, et non ce qu'il faut faire. Si cela est vrai pour tous les hommes, à plus forte raison l'est-il pour les jeunes gens encore enveloppés dans leurs sens, et qui ne pensent qu'autant qu'ils imaginent.

Je me garderai donc bien, même après les préparations dont j'ai parlé, d'aller tout d'un coup dans la chambre d'Émile lui faire lourdement un long discours sur le sujet dont je veux l'instruire. Je commencerai par émouvoir son imagination; je choisirai le temps, le lieu, les objets les plus favorables à l'impression que je veux faire; j'appellerai, pour ainsi dire, toute la nature à témoin de nos entretiens; j'attesterai l'Être éternel, dont elle est l'ouvrage, de la vérité de mes discours; je le prendrai pour juge entre Émile et moi; je marquerai la place où nous sommes, les rochers, les bois, les montagnes qui nous entourent pour monuments de ses engagements et des miens; je mettrai dans mes yeux, dans mon accent, dans mon geste, l'enthousiasme et l'ardeur que je lui veux inspirer. Alors je lui parlerai et il m'écoutera, je m'attendrirai et il sera ému. En me pénétrant de la sainteté de mes devoirs je lui rendrai les siens plus respectables; j'animerai la force du raisonnement d'images et de figures; je ne serai point long et diffus en froides maximes, mais abondant en sentiments qui débordent; ma raison sera grave et sentencieuse, mais mon cœur n'aura jamais assez dit. C'est alors qu'en lui montrant tout ce que j'ai fait pour lui, je le lui montrerai comme fait pour moi-même, il verra dans ma tendre affection la raison de tous mes soins. Quelle surprise, quelle agitation je vais lui donner en changeant tout à coup de langage! au lieu de lui rétrécir l'âme en lui parlant toujours de son intérêt, c'est du mien seul que je lui parlerai désormais, et je le toucherai davantage; j'enflammerai son jeune cœur de tous les sentiments d'amitié, de générosité, de reconnaissance, que j'ai fait naître, et qui sont si doux à nourrir. Je le presserai contre mon sein en versant sur lui des larmes d'attendrissement; je lui dirai : Tu es mon bien, mon enfant, mon ouvrage; c'est de ton bonheur que j'attends le mien : si tu frustres mes espérances, tu me voles vingt ans de ma vie, et tu fais le malheur de mes vieux jours. C'est ainsi qu'on se fait écouter d'un jeune homme, et qu'on grave au fond de son cœur le souvenir de ce qu'on lui dit.

Jusqu'ici j'ai tâché de donner des exemples dans la manière dont un gouverneur doit instruire son disciple dans les occasions difficiles. J'ai tenté d'en faire autant dans celle-ci; mais, après bien des essais, j'y renonce, convaincu que la langue française est trop précieuse pour supporter jamais dans un livre la naïveté des premières instructions sur certains sujets.

La langue française est, dit-on, la plus chaste des langues; je la crois, moi, la plus obscène : car il me semble que la chasteté d'une langue ne consiste pas à éviter avec soin les tours déshonnêtes, mais à ne les pas avoir. En effet, pour les éviter, il faut qu'on y pense; et il n'y a point de langue où il soit plus difficile de parler purement en tout sens que la française. Le lecteur, toujours plus habile à trouver des sens obscènes que l'auteur à les écarter, se scandalise et s'effarouche de tout. Comment ce qui passe par des oreilles impures ne contracterait-il pas leur souillure ? Au contraire, un peuple de bonnes mœurs a des termes propres pour toutes choses; et ces termes sont toujours honnêtes, parce qu'ils sont toujours employés honnêtement. Il est impossible d'imaginer un langage plus modeste que celui de la Bible, précisément parce que tout y est dit avec naïveté. Pour rendre immodestes les mêmes choses, il suffit de les traduire en français. Ce que je dois dire à mon Émile n'aura rien que d'honnête et de chaste à son oreille; mais, pour le trouver tel à la lecture, il faudrait avoir un cœur aussi pur que le sien.

Je penserais même que des réflexions sur la véritable pureté du discours et sur la fausse délicatesse du vice pourraient tenir une place utile dans les entretiens de morale où ce sujet nous conduit; car, en apprenant le langage de l'honnêteté, il doit apprendre aussi celui de la décence, et il faut bien qu'il sache pourquoi ces deux langages sont si différents. Quoi qu'il en soit, je soutiens qu'au lieu des vains préceptes, dont on rebat avant le temps les oreilles de la jeunesse, et dont elle se moque à l'âge où ils seraient de saison; si l'on attend, si l'on prépare le moment

de se faire entendre; qu'alors on lui expose les lois de la
nature dans toute leur vérité; qu'on lui montre la sanction
de ces mêmes lois dans les maux physiques et moraux
qu'attire leur infraction sur les coupables; qu'en lui parlant
de cet inconcevable mystère de la génération, l'on joigne
à l'idée de l'attrait que l'auteur de la nature donne à cet
acte celle de l'attachement exclusif qui le rend délicieux,
celle des devoirs de fidélité, de pudeur, qui l'environnent,
et qui redoublent son charme en remplissant son objet;
qu'en lui peignant le mariage, non seulement comme la
plus douce des sociétés, mais comme le plus inviolable et
le plus saint de tous les contrats, on lui dise avec force
toutes les raisons qui rendent un nœud si sacré respectable
à tous les hommes, et qui couvrent de haine et de malédictions quiconque ose en souiller la pureté; qu'on lui
fasse un tableau frappant et vrai des horreurs de la débauche,
de son stupide abrutissement, de la pente insensible par
laquelle un premier désordre conduit à tous, et traîne
enfin celui qui s'y livre à sa perte; si, dis-je, on lui montre
avec évidence comment au goût de la chasteté tiennent la
santé, la force, le courage, les vertus, l'amour même, et
tous les vrais biens de l'homme; je soutiens qu'alors on lui
rendra cette même chasteté désirable et chère, et qu'on
trouvera son esprit docile aux moyens qu'on lui donnera
pour la conserver : car tant qu'on la conserve, on la respecte; on ne la méprise qu'après l'avoir perdue.

Il n'est point vrai que le penchant au mal soit indomp-
table, et qu'on ne soit pas maître de le vaincre avant d'avoir
pris l'habitude d'y succomber. Aurélius Victor dit [165] que
plusieurs hommes transportés d'amour achetèrent volontairement de leur vie une nuit de Cléopâtre, et ce sacrifice
n'est pas impossible à l'ivresse de la passion. Mais supposons que l'homme le plus furieux, et qui commande le
moins à ses sens, vît l'appareil du supplice, sûr d'y périr
dans les tourments un quart d'heure après; non seulement
cet homme, dès cet instant, deviendrait supérieur aux
tentations, il lui en coûterait même peu de leur résister :
bientôt l'image affreuse dont elles seraient accompagnées
le distrairait d'elles; et, toujours rebutées, elles se lasseraient
de revenir. C'est la seule tiédeur de notre volonté qui fait
toute notre faiblesse, et l'on est toujours fort pour faire
ce qu'on veut fortement; *volenti nihil difficile* [166]. Oh ! si

nous détestions le vice autant que nous aimons la vie,
nous nous abstiendrions aussi aisément d'un crime agréable
que d'un poison mortel dans un mets délicieux.

Comment ne voit-on pas que, si toutes les leçons qu'on
donne sur ce point à un jeune homme sont sans succès,
c'est qu'elles sont sans raison pour son âge, et qu'il importe
à tout âge de revêtir la raison des formes qui la fassent
aimer ? Parlez-lui gravement quand il le faut; mais que ce
que vous lui dites ait toujours un attrait qui le force à vous
écouter. Ne combattez pas ses désirs avec sécheresse;
n'étouffez pas son imagination, guidez-la de peur qu'elle
n'engendre des monstres. Parlez-lui de l'amour, des femmes,
des plaisirs; faites qu'il trouve dans vos conversations un
charme qui flatte son jeune cœur; n'épargnez rien pour
devenir son confident : ce n'est qu'à ce titre que vous serez
vraiment son maître. Alors ne craignez plus que vos
entretiens l'ennuient; il vous fera parler plus que vous ne
voudrez.

Je ne doute pas un instant que, si sur ces maximes j'ai
su prendre toutes les précautions nécessaires, et tenir à
mon Émile les discours convenables à la conjoncture où le
progrès des ans l'a fait arriver, il ne vienne de lui-même au
point où je veux le conduire, qu'il ne se mette avec empressement sous ma sauvegarde, et qu'il ne me dise avec toute
la chaleur de son âge, frappé des dangers dont il se voit
environné : O mon ami, mon protecteur, mon maître,
reprenez l'autorité que vous voulez déposer au moment
qu'il m'importe le plus qu'elle vous reste; vous ne l'aviez
jusqu'ici que par ma faiblesse, vous l'aurez maintenant par
ma volonté, et elle m'en sera plus sacrée. Défendez-moi
de tous les ennemis qui m'assiègent, et surtout de ceux que
je porte avec moi, et qui me trahissent; veillez sur votre
ouvrage, afin qu'il demeure digne de vous. Je veux obéir
à vos lois, je le veux toujours, c'est ma volonté constante;
si jamais je vous désobéis, ce sera malgré moi : rendez-moi
libre en me protégeant contre mes passions qui me font
violence; empêchez-moi d'être leur esclave, et forcez-moi
d'être mon propre maître en n'obéissant point à mes sens,
mais à ma raison.

Quand vous aurez amené votre élève à ce point (et s'il
n'y vient pas, ce sera votre faute), gardez-vous de le prendre
trop vite au mot, de peur que, si jamais votre empire lui

paraît trop rude, il ne se croie en droit de s'y soustraire en vous accusant de l'avoir surpris. C'est en ce moment que la réserve et la gravité sont à leur place; et ce ton lui en imposera d'autant plus, que ce sera la première fois qu'il vous l'aura vu prendre.

Vous lui direz donc : « Jeune homme, vous prenez légèrement des engagements pénibles; il faudrait les connaître pour être en droit de les former : vous ne savez pas avec quelle fureur les sens entraînent vos pareils dans le gouffre des vices, sous l'attrait du plaisir. Vous n'avez point une âme abjecte, je le sais bien; vous ne violerez jamais votre foi; mais combien de fois peut-être vous vous repentirez de l'avoir donnée ! combien de fois vous maudirez celui qui vous aime, quand, pour vous dérober aux maux qui vous menacent, il se verra forcé de vous déchirer le cœur ! Tel qu'Ulysse, ému du chant des Sirènes, criait à ses conducteurs de le déchaîner, séduit par l'attrait des plaisirs, vous voudrez briser les liens qui vous gênent; vous m'importunerez de vos plaintes; vous me reprocherez ma tyrannie quand je serai le plus tendrement occupé de vous; en ne songeant qu'à vous rendre heureux, je m'attirerai votre haine. O mon Émile, je ne supporterai jamais la douleur de t'être odieux; ton bonheur même est trop cher à ce prix. Bon jeune homme, ne voyez-vous pas qu'en vous obligeant à m'obéir, vous m'obligez à vous conduire, à m'oublier pour me dévouer à vous, à n'écouter ni vos plaintes, ni vos murmures, à combattre incessamment vos désirs et les miens. Vous m'imposez un joug plus dur que le vôtre. Avant de nous en charger tous deux, consultons nos forces; prenez du temps, donnez-m'en pour y penser, et sachez que le plus lent à promettre est toujours le plus fidèle à tenir. »

Sachez aussi vous-même que plus vous vous rendez difficile sur l'engagement, et plus vous en facilitez l'exécution. Il importe que le jeune homme sente qu'il promet beaucoup, et que vous promettez encore plus. Quand le moment sera venu, et qu'il aura, pour ainsi dire, signé le contrat, changez alors de langage, mettez autant de douceur dans votre empire que vous avez annoncé de sévérité. Vous lui direz : Mon jeune ami, l'expérience vous manque, mais j'ai fait en sorte que la raison ne vous manquât pas. Vous êtes en état de voir partout les motifs de ma conduite;

il ne faut pour cela qu'attendre que vous soyez de sang-froid. Commencez toujours par obéir, et puis demandez-moi compte de mes ordres; je serai prêt, à vous en rendre raison sitôt que vous serez en état de m'entendre, et je ne craindrai jamais de vous prendre pour juge entre vous et moi. Vous promettez d'être docile, et moi je promets de n'user de cette docilité que pour vous rendre le plus heu-reux des hommes. J'ai pour garant de ma promesse le sort dont vous avez joui jusqu'ici. Trouvez quelqu'un de votre âge qui ait passé une vie aussi douce que la vôtre, et je ne vous promets plus rien.

Après l'établissement de mon autorité, mon premier soin sera d'écarter la nécessité d'en faire usage. Je n'épar-gnerai rien pour m'établir de plus en plus dans sa confiance, pour me rendre de plus en plus le confident de son cœur et l'arbitre de ses plaisirs. Loin de combattre les penchants de son âge, je les consulterai pour en être le maître; j'en-trerai dans ses vues pour les diriger, je ne lui chercherai point aux dépens du présent un bonheur éloigné. Je ne veux point qu'il soit heureux une fois, mais toujours, s'il est possible.

Ceux qui veulent conduire sagement la jeunesse pour la garantir des pièges des sens lui font horreur de l'amour, et lui' feraient volontiers un crime d'y songer à son âge, comme si l'amour était fait pour les vieillards. Toutes ces leçons trompeuses que le cœur dément ne persuadent point. Le jeune homme, conduit par un instinct plus sûr, rit en secret des tristes maximes auxquelles il feint d'acquiescer, et n'attend que le moment de les rendre vaines. Tout cela est contre la nature. En suivant une route opposée, j'arri-verai plus sûrement au même but. Je ne craindrai point de flatter en lui le doux sentiment dont il est avide; je le lui peindrai comme le suprême bonheur de la vie, parce qu'il l'est en effet; en le lui peignant, je veux qu'il s'y livre; en lui faisant sentir quel charme ajoute à l'attrait des sens l'union des cœurs, je le dégoûterai du libertinage, et je le rendrai sage en le rendant amoureux.

Qu'il faut être borné pour ne voir dans les désirs naissants d'un jeune homme qu'un obstacle aux leçons de la raison! Moi, j'y vois le vrai moyen de le rendre docile à ces mêmes leçons. On n'a de prise sur les passions que par les passions; c'est par leur empire qu'il faut combattre leur tyrannie, et c'est toujours de la nature elle-même qu'il faut tirer les instruments propres à la régler.

Émile n'est pas fait pour rester toujours solitaire; membre de la société, il en doit remplir les devoirs. Fait pour vivre avec les hommes, il doit les connaître. Il connaît l'homme en général; il lui reste à connaître les individus. Il sait ce qu'on fait dans le monde : il lui reste à voir comment on y vit. Il est temps de lui montrer l'extérieur de cette grande scène dont il connaît déjà tous les jeux cachés. Il n'y portera plus l'admiration stupide d'un jeune étourdi, mais le discernement d'un esprit droit et juste. Ses passions pourront l'abuser, sans doute; quand est-ce qu'elles n'abusent pas ceux qui s'y livrent? mais au moins il ne sera point trompé par celles des autres. S'il les voit, il les verra de l'œil du sage, sans être entraîné par leurs exemples ni séduit par leurs préjugés.

Comme il y a un âge propre à l'étude des sciences, il y en a un pour bien saisir l'usage du monde. Quiconque apprend cet usage trop jeune le suit toute sa vie, sans choix, sans réflexion, et, quoique avec suffisance, sans jamais bien savoir ce qu'il fait. Mais celui qui l'apprend et qui en voit les raisons, le suit avec plus de discernement, et par conséquent avec plus de justesse et de grâce. Donnez-moi un enfant de douze ans qui ne sache rien du tout, à quinze ans je dois vous le rendre aussi savant que celui que vous avez instruit dès le premier âge, avec la différence que le savoir du vôtre ne sera que dans sa mémoire, et que celui du mien sera dans son jugement. De même, introduisez un jeune homme de vingt ans dans le monde; bien conduit, il sera dans un an plus aimable et plus judicieusement poli que celui qu'on y aura nourri dès son enfance : car le premier, étant capable de sentir les raisons de tous les procédés relatifs à l'âge, à l'état, au sexe, qui constituent cet usage, les peut réduire en principes, et les étendre aux cas non prévus; au lieu que l'autre, n'ayant que sa routine pour toute règle, est embarrassé sitôt qu'on l'en sort.

Les jeunes demoiselles françaises sont toutes élevées dans des couvents jusqu'à ce qu'on les marie. S'aperçoit-on qu'elles aient peine alors à prendre ces manières qui leur sont si nouvelles? et accusera-t-on les femmes de Paris d'avoir l'air gauche, embarrassé, et d'ignorer l'usage

du monde pour n'y avoir pas été mises dès leur enfance ?
Ce préjugé vient des gens du monde eux-mêmes, qui, ne
connaissant rien de plus important que cette petite science,
s'imaginent faussement qu'on ne peut s'y prendre de trop
bonne heure pour l'acquérir.

Il est vrai qu'il ne faut pas non plus trop attendre. Quiconque a passé toute sa jeunesse loin du grand monde y
porte le reste de sa vie un air embarrassé, contraint, un
propos toujours hors de propos, des manières lourdes et
maladroites, dont l'habitude d'y vivre ne le défait plus,
et qui n'acquièrent qu'un nouveau ridicule par l'effort
de s'en délivrer. Chaque sorte d'instruction a son temps
propre qu'il faut connaître, et ses dangers qu'il faut éviter.
C'est surtout pour celle-ci qu'ils se réunissent; mais je
n'y expose pas non plus mon élève sans précaution pour
l'en garantir.

Quand ma méthode remplit d'un même objet toutes
les vues, et quand, parant un inconvénient, elle en prévient
un autre, je juge alors qu'elle est bonne, et que je suis dans
le vrai. C'est ce que je crois voir dans l'expédient qu'elle
me suggère ici. Si je veux être austère et sec avec mon
disciple, je perdrai sa confiance, et bientôt il se cachera
de moi. Si je veux être complaisant, facile, ou fermer les
yeux, de quoi lui sert d'être sous ma garde ? Je ne fais
qu'autoriser son désordre, et soulager sa conscience aux
dépens de la mienne. Si je l'introduis dans le monde avec
le seul projet de l'instruire, il s'instruira plus que je ne
veux. Si je l'en tiens éloigné jusqu'à la fin, qu'aura-t-il
appris de moi ? Tout, peut-être, hors l'art le plus nécessaire à l'homme et au citoyen, qui est de savoir vivre
avec ses semblables. Si je donne à ces soins une utilité trop
éloignée, elle sera pour lui comme nulle, il ne fait cas
que du présent. Si je me contente de lui fournir des amusements, quel bien lui fais-je ? il s'amollit et ne s'instruit
point.

Rien de tout cela. Mon expédient seul pourvoit à tout.
Ton cœur, dis-je au jeune homme, a besoin d'une compagne;
allons chercher celle qui te convient : nous ne la trouverons
pas aisément peut-être, le vrai mérite est toujours rare;
mais ne nous pressons ni ne nous rebutons point. Sans
doute il en est une et nous la trouverons à la fin, ou du
moins celle qui en approche le plus. Avec un projet si

flatteur pour lui je l'introduis dans le monde. Qu'ai-je besoin
d'en dire davantage ? Ne voyez-vous pas que j'ai tout fait ?

En lui peignant la maîtresse que je lui destine, imaginez
si je saurai m'en faire écouter, si je saurai lui rendre agréables
et chères les qualités qu'il doit aimer, si je saurai disposer
tous ses sentiments à ce qu'il doit rechercher ou fuir.
Il faut que je sois le plus maladroit des hommes, si je ne
le rends d'avance passionné sans savoir de qui. Il n'importe
que l'objet que je lui peindrai soit imaginaire, il suffit
qu'il le dégoûte de ceux qui pourraient le tenter, il suffit
qu'il trouve partout des comparaisons qui lui fassent préférer sa chimère aux objets réels qui le frapperont : et
qu'est-ce que le véritable amour lui-même, si ce n'est
chimère, mensonge, illusion ? On aime bien plus l'image
qu'on se fait que l'objet auquel on l'applique. Si l'on voyait
ce qu'on aime exactement tel qu'il est, il n'y aurait plus
d'amour sur la terre. Quand on cesse d'aimer, la personne
qu'on aimait reste la même qu'auparavant, mais on ne la
voit plus la même ; le voile du prestige tombe, et l'amour
s'évanouit. Or, en fournissant l'objet imaginaire, je suis
maître des comparaisons, et j'empêche aisément l'illusion
des objets réels.

Je ne veux pas pour cela qu'on trompe un jeune homme
en peignant un modèle de perfection qui ne puisse exister ;
mais je choisirai tellement les défauts de sa maîtresse,
qu'ils lui conviennent, qu'ils lui plaisent, et qu'ils servent
à corriger les siens. Je ne veux pas non plus qu'on lui
mente, en affirmant faussement que l'objet qu'on lui peint
existe ; mais s'il se complaît à l'image, il lui souhaitera
bientôt un original. Du souhait à la supposition, le trajet
est facile ; c'est l'affaire de quelques descriptions adroites
qui, sous des traits plus sensibles, donneront à cet objet
imaginaire un plus grand air de vérité. Je voudrais aller
jusqu'à le nommer ; je dirais en riant : Appelons *Sophie* votre
future maîtresse : *Sophie* est un nom de bon augure : si
celle que vous choisirez ne le porte pas, elle sera digne au
moins de le porter ; nous pouvons lui en faire honneur
d'avance. Après tous ces détails, si, sans affirmer, sans
nier, on s'échappe par des défaites, ses soupçons se chan-
geront en certitude ; il croira qu'on lui fait mystère de
l'épouse qu'on lui destine, et qu'il la verra quand il sera
temps. S'il en est une fois là, et qu'on ait bien choisi les

traits qu'il faut lui montrer, tout le reste est facile; on peut l'exposer dans le monde presque sans risque : défendez-le seulement de ses sens, son cœur est en sûreté.

Mais, soit qu'il personnifie ou non le modèle que j'aurai su lui rendre aimable, ce modèle, s'il est bien fait, ne l'attachera pas moins à tout ce qui lui ressemble, et ne lui donnera pas moins d'éloignement pour tout ce qui ne lui ressemble pas, que s'il avait un objet réel. Quel avantage pour préserver son cœur des dangers auxquels sa personne doit être exposée, pour réprimer ses sens par son imagination, pour l'arracher surtout à ces donneuses d'éducation qui la font payer si cher, et ne forment un jeune homme à la politesse qu'en lui ôtant toute honnêteté ! Sophie est si modeste ! de quel œil verra-t-il leurs avances ? Sophie a tant de simplicité ! comment aimera-t-il leurs airs ? il y a trop loin de ses idées à ses observations, pour que celles-ci lui soient jamais dangereuses.

Tous ceux qui parlent du gouvernement des enfants suivent les mêmes préjugés et les mêmes maximes, parce qu'ils observent mal et réfléchissent plus mal encore. Ce n'est ni par le tempérament ni par le sens que commence l'égarement de la jeunesse, c'est par l'opinion. S'il était ici question des garçons qu'on élève dans les collèges, et des filles qu'on élève dans les couvents, je ferais voir que cela est vrai, même à leur égard; car les premières leçons que prennent les uns et les autres, les seules qui fructifient sont celles du vice; et ce n'est pas la nature qui les corrompt, c'est l'exemple. Mais abandonnons les pensionnaires des collèges et des couvents à leurs mauvaises mœurs; elles seront toujours sans remède. Je ne parle que de l'éducation domestique. Prenez un jeune homme élevé sagement dans la maison de son père en province, et l'examinez au moment qu'il arrive à Paris, ou qu'il entre dans le monde; vous le trouverez pensant bien sur les choses honnêtes, et ayant la volonté même aussi saine que la raison; vous lui trouverez du mépris pour le vice et de l'horreur pour la débauche; au nom seul d'une prostituée, vous verrez dans ses yeux le scandale de l'innocence. Je soutiens qu'il n'y en a pas un qui pût se résoudre à entrer seul dans les tristes demeures de ces malheureuses, quand même il en saurait l'usage, et qu'il en sentirait le besoin.

A six mois de là, considérez de nouveau le même jeune homme, vous ne le reconnaîtrez plus; des propos libres, des maximes du haut ton, des airs dégagés le feraient prendre pour un autre homme, si ses plaisanteries sur sa première simplicité, sa honte quand on la lui rappelle, ne montraient qu'il est le même et qu'il en rougit. O combien il s'est formé dans peu de temps ! D'où vient un changement si grand et si brusque ? Du progrès du tempérament ? Son tempérament n'eût-il pas fait le même progrès dans la maison paternelle ? et sûrement il n'y eût pris ni ce ton ni ces maximes. Des premiers plaisirs des sens ? Tout au contraire : quand on commence à s'y livrer, on est craintif, inquiet, on fuit le grand jour et le bruit. Les premières voluptés sont toujours mystérieuses, la pudeur les assaisonne et les cache : la première maîtresse ne rend pas effronté, mais timide. Tout absorbé dans un état si nouveau pour lui, le jeune homme se recueille pour le goûter, et tremble toujours de le perdre. S'il est bruyant, il n'est ni voluptueux ni tendre; tant qu'il se vante, il n'a pas joui.

D'autres manières de penser ont produit seules ces différences. Son cœur est encore le même, mais ses opinions ont changé. Ses sentiments, plus lents à s'altérer, s'altéreront enfin par elles; et c'est alors seulement qu'il sera véritablement corrompu. A peine est-il entré dans le monde qu'il y prend une seconde éducation tout opposée à la première, par laquelle il apprend à mépriser ce qu'il estimait et à estimer ce qu'il méprisait : on lui fait regarder les leçons de ses parents et de ses maîtres comme un jargon pédantesque, et les devoirs qu'ils lui ont prêchés comme une morale puérile qu'on doit dédaigner étant grand. Il se croit obligé par honneur à changer de conduite; il devient entreprenant sans désirs et fat par mauvaise honte. Il raille les bonnes mœurs avant d'avoir pris du goût pour les mauvaises, et se pique de débauche sans savoir être débauché. Je n'oublierai jamais l'aveu d'un jeune officier aux gardes suisses, qui s'ennuyait beaucoup des plaisirs bruyants de ses camarades, et n'osait s'y refuser de peur d'être moqué d'eux : « Je m'exerce à cela, disait-il, comme à prendre du tabac malgré ma répugnance : le goût viendra par l'habitude; il ne faut pas toujours être enfant. »

Ainsi donc, c'est bien moins de la sensualité que de la vanité qu'il faut préserver un jeune homme entrant dans le monde : il cède plus aux penchants d'autrui qu'aux siens, et l'amour-propre fait plus de libertins que l'amour.

Cela posé, je demande s'il en est un sur la terre entière mieux armé que le mien contre tout ce qui peut attaquer ses mœurs, ses sentiments, ses principes; s'il en est un plus en état de résister au torrent. Car contre quelle séduction n'est-il pas en défense ? Si ses désirs l'entraînent vers le sexe, il n'y trouve point ce qu'il cherche, et son cœur préoccupé le retient. Si ses sens l'agitent et le pressent, où trouvera-t-il à les contenter ? L'horreur de l'adultère et de la débauche l'éloigne également des filles publiques et des femmes mariées, et c'est toujours par l'un de ces deux états que commencent les désordres de la jeunesse. Une fille à marier peut être coquette; mais elle ne sera pas effrontée, elle n'ira pas se jeter à la tête d'une jeune homme qui peut l'épouser s'il la croit sage; d'ailleurs elle aura quelqu'un pour la surveiller. Émile, de son côté, ne sera pas tout à fait livré à lui-même; tous deux auront au moins pour gardes la crainte et la honte, inséparables des premiers désirs; ils ne passeront point tout d'un coup aux dernières familiarités, et n'auront pas le temps d'y venir par degrés sans obstacles. Pour s'y prendre autrement, il faut qu'il ait déjà pris leçon de ses camarades, qu'il ait appris d'eux à se moquer de sa retenue, à devenir insolent à leur imitation. Mais quel homme au monde est moins imitateur qu'Émile ? Quel homme se mène moins par le ton plaisant que celui qui n'a point de préjugés et ne sait rien donner à ceux des autres ? J'ai travaillé vingt ans à l'armer contre les moqueurs : il leur faudra plus d'un jour pour en faire leur dupe; car le ridicule n'est à ses yeux que la raison des sots, et rien ne rend plus insensible à la raillerie que d'être au-dessus de l'opinion. Au lieu de plaisanteries, il lui faut des raisons; et, tant qu'il en sera là, je n'ai pas peur que de jeunes fous me l'enlèvent; j'ai pour moi la conscience et la vérité. S'il faut que le préjugé s'y mêle, un attachement de vingt ans est aussi quelque chose : on ne lui fera jamais croire que je l'aie ennuyé de vaines leçons; et dans un cœur droit et sensible, la voix d'un ami fidèle et vrai saura bien effacer les cris de vingt séducteurs. Comme il n'est alors question que de lui montrer qu'ils le trompent, et qu'en feignant de le traiter en homme ils le traitent réellement en enfant, j'affecterai d'être toujours simple, mais grave et clair dans mes raisonnements, afin qu'il sente que c'est moi qui le traite en homme. Je lui dirai : « Vous voyez que votre seul intérêt, qui est le mien, dicte mes discours, je n'en peux avoir aucun autre. Mais pourquoi ces jeunes gens veulent-ils vous persuader ? C'est qu'ils veulent vous séduire : ils ne vous aiment point, ils ne prennent aucun intérêt à vous; ils ont pour tout motif un dépit secret de voir que vous valez mieux qu'eux; ils veulent vous rabaisser à leur petite mesure, et ne vous reprochent de vous laisser gouverner qu'afin de vous gouverner eux-mêmes. Pouvez-vous croire qu'il y eût à gagner pour vous dans ce change-ment ? Leur sagesse est-elle donc si supérieure, et leur attachement d'un jour est-il plus fort que le mien ? Pour donner quelque poids à leur raillerie, il faudrait en pouvoir donner à leur autorité; et quelle expérience ont-ils pour élever leurs maximes au-dessus des nôtres ? Ils n'ont fait qu'imiter d'autres étourdis, comme ils veulent être imités à leur tour. Pour se mettre au-dessus des prétendus pré-jugés de leurs pères, ils s'asservissent à ceux de leurs camarades. Je ne vois point ce qu'ils gagnent à cela : mais je vois qu'ils y perdent sûrement deux grands avan-tages, celui de l'affection paternelle, dont les conseils sont tendres et sincères, et celui de l'expérience, qui fait juger de ce qu'on connaît; car les pères ont été enfants, et les enfants n'ont pas été pères.

« Mais les croyez-vous sincères au moins dans leurs folles maximes ? Pas même cela, cher Émile; ils se trompent pour vous tromper; ils ne sont point d'accord avec eux-mêmes : leur cœur les dément sans cesse, et souvent leur bouche les contredit. Tel d'entre eux tourne en dérision tout ce qui est honnête, qui serait au désespoir que sa femme pensât comme lui. Tel autre poussera cette indif-férence de mœurs jusqu'à celles de la femme qu'il n'a point encore, ou, pour comble d'infamie, à celles de la femme qu'il a déjà. Mais allez plus loin, parlez-lui de sa mère, et voyez s'il passera volontiers pour être un enfant d'adultère et le fils d'une femme de mauvaise vie, pour prendre à faux le nom d'une famille, pour en voler le patrimoine à l'héritier naturel; enfin s'il se laissera patiem-

ment traiter de bâtard. Qui d'entre eux voudra qu'on
rende à sa fille le déshonneur dont il couvre celle d'autrui ?
Il n'y en a pas un qui n'attentât même à votre vie, si vous
adoptiez avec lui, dans la pratique, tous les principes
qu'il s'efforce de vous donner. C'est ainsi qu'ils décèlent
enfin leur inconséquence, et qu'on sent qu'aucun d'eux
ne croit ce qu'il dit. Voilà des raisons, cher Émile : pesez
les leurs, s'ils en ont, et comparez. Si je voulais user comme
eux de mépris et de raillerie, vous les verriez prêter le
flanc au ridicule autant peut-être et plus que moi. Mais
je n'ai pas peur d'un examen sérieux. Le triomphe des
moqueurs est de courte durée; la vérité demeure, et leur
rire insensé s'évanouit. »

Vous n'imaginez pas comment, à vingt ans, Émile
peut être docile. Que nous pensons différemment ! Moi,
je ne conçois pas comment il a pu l'être à dix; car quelle
prise avais-je sur lui à cet âge ? Il m'a fallu quinze ans
de soins pour me ménager cette prise. Je ne l'élevais pas
alors, je le préparais pour être élevé. Il l'est maintenant
assez pour être docile; il reconnaît la voix de l'amitié,
et il sait obéir à la raison. Je lui laisse, il est vrai, l'apparence de l'indépendance, mais jamais il ne me fut mieux
assujetti, car il l'est parce qu'il veut l'être. Tant que je
n'ai pu me rendre maître de sa volonté, je le suis demeuré
de sa personne; je ne le quittais pas d'un pas. Maintenant
je le laisse quelquefois à lui-même, parce que je le gouverne toujours. En le quittant je l'embrasse, et je lui dis
d'un air assuré : Émile, je te confie à mon ami; je te livre
à son cœur honnête; c'est lui qui me répondra de toi.

Ce n'est pas l'affaire d'un moment de corrompre des
affections saines qui n'ont reçu nulle altération précédente,
et d'effacer des principes dérivés immédiatement des
premières lumières de la raison. Si quelque changement
s'y fait durant mon absence, elle ne sera jamais assez
longue, il ne saura jamais assez bien se cacher de moi
pour que je n'aperçoive pas le danger avant le mal, et que
je ne sois pas à temps d'y porter remède. Comme on ne
se déprave pas tout d'un coup, on n'apprend pas tout
d'un coup à dissimuler; et si jamais homme est maladroit
en cet art, c'est Émile, qui n'eut de sa vie une seule occasion
d'en user.

Par ces soins et d'autres semblables je le crois si bien

garanti des objets étrangers et des maximes vulgaires, que j'aimerais mieux le voir au milieu de la plus mauvaise société de Paris, que seul dans sa chambre ou dans un parc, livré à toute l'inquiétude de son âge. On a beau faire, de tous les ennemis qui peuvent attaquer un jeune homme, le plus dangereux et le seul qu'on ne peut écarter, c'est lui-même : cet ennemi pourtant n'est dangereux que par notre faute; car, comme je l'ai dit mille fois, c'est par la seule imagination que s'éveillent les sens. Leur besoin proprement n'est point un besoin physique : il n'est pas vrai que ce soit un vrai besoin. Si jamais objet lascif n'eût frappé nos yeux, si jamais idée déshonnête ne fût entrée dans notre esprit, jamais peut-être ce prétendu besoin ne se fût fait sentir à nous; et nous serions demeurés chastes, sans tentations, sans efforts et sans mérite. On ne sait pas quelles fermentations sourdes certaines situations et certains spectacles excitent dans le sang de la jeunesse, sans qu'elle sache démêler elle-même la cause de cette première inquiétude, qui n'est pas facile à calmer, et qui ne tarde pas à renaître. Pour moi, plus je réfléchis à cette importante crise et à ses causes prochaines ou éloignées, plus je me persuade qu'un solitaire élevé dans un désert, sans livres, sans instruction et sans femmes, y mourrait vierge à quelque âge qu'il fût parvenu.

Mais il n'est pas ici question d'un sauvage de cette espèce. En élevant un homme parmi ses semblables et pour la société, il est impossible, il n'est même pas à propos de le nourrir toujours dans cette salutaire ignorance; et ce qu'il y a de pis pour la sagesse est d'être savant à demi. Le souvenir des objets qui nous ont frappés, les idées que nous avons acquises, nous suivent dans la retraite, la peuplent, malgré nous, d'images plus séduisantes que les objets mêmes, et rendent la solitude aussi funeste à celui qui les y porte, qu'elle est utile à celui qui s'y maintient toujours seul.

Veillez donc avec soin sur le jeune homme, il pourra se garantir de tout le reste; mais c'est à vous de le garantir de lui. Ne le laissez seul ni jour ni nuit, couchez tout au moins dans sa chambre : qu'il ne se mette au lit qu'accablé de sommeil et qu'il en sorte à l'instant qu'il s'éveille. Défiez-vous de l'instinct sitôt que vous ne vous y bornez

plus : il est bon tant qu'il agit seul; il est suspect dès qu'il
se mêle aux institutions des hommes : il ne faut pas le
détruire, il faut le régler; et cela peut-être est plus difficile
que de l'anéantir. Il serait très dangereux qu'il apprît à
votre élève à donner le change à ses sens et à suppléer
aux occasions de les satisfaire : s'il connaît une fois ce
dangereux supplément, il est perdu. Dès lors il aura toujours
le corps et le cœur énervés; il portera jusqu'au tombeau
les tristes effets de cette habitude, la plus funeste à laquelle
un jeune homme puisse être assujetti. Sans doute il vaudrait mieux encore... Si les fureurs d'un tempérament
ardent deviennent invincibles, mon cher Émile, je te
plains; mais je ne balancerai pas un moment, je ne souf-
frirai point que la fin de la nature soit éludée. S'il faut
qu'un tyran te subjugue, je te livre par préférence à celui
dont je peux te délivrer : quoi qu'il arrive, je t'arracherai
plus aisément aux femmes qu'à toi.

Jusqu'à vingt ans le corps croît, il a besoin de toute
sa substance : la continence est alors dans l'ordre de la
nature, et l'on n'y manque guère qu'aux dépens de sa
constitution. Depuis vingt ans la continence est un devoir
de morale; elle importe pour apprendre à régner sur
soi-même, à rester le maître de ses appétits. Mais les devoirs
moraux ont leurs modifications, leurs exceptions, leurs
règles. Quand la faiblesse humaine rend une alternative
inévitable, de deux maux préférons le moindre; en tout
état de cause il vaut mieux commettre une faute que de
contracter un vice.

Souvenez-vous que ce n'est plus de mon élève que je
parle ici, c'est du vôtre. Ses passions, que vous avez laissées
fermenter, vous subjuguent : cédez-leur donc ouvertement,
et sans lui déguiser sa victoire. Si vous savez la lui montrer
dans son vrai, il en sera moins fier que honteux, et vous
vous ménagerez le droit de le guider durant son égarement,
pour lui faire au moins éviter les précipices. Il importe
que le disciple ne fasse rien que le maître ne le sache et
ne le veuille, pas même ce qui est mal; et il vaut cent fois
mieux que le gouverneur approuve une faute et se trompe,
que s'il était trompé par son élève, et que la faute se fît
sans qu'il en sût rien. Qui croit devoir fermer les yeux
sur quelque chose se voit bientôt forcé de les fermer sur
tout : le premier abus toléré en amène un autre; et cette

chaîne ne finit plus qu'au renversement de tout ordre et au mépris de toute loi.

Une autre erreur que j'ai déjà combattue, mais qui ne sortira jamais des petits esprits, c'est d'affecter toujours la dignité magistrale, et de vouloir passer pour un homme parfait dans l'esprit de son disciple. Cette méthode est à contresens. Comment ne voient-ils pas qu'en voulant affermir leur autorité ils la détruisent; que pour faire écouter ce qu'on dit il faut se mettre à la place de ceux à qui l'on s'adresse, et qu'il faut être homme pour savoir parler au cœur humain ? Tous ces gens parfaits ne touchent ni ne persuadent : on se dit toujours qu'il leur est bien aisé de combattre des passions qu'ils ne sentent pas. Montrez vos faiblesses à votre élève, si vous voulez le guérir des siennes : qu'il voie en vous les mêmes combats qu'il éprouve, qu'il apprenne à se vaincre à votre exemple, et qu'il ne dise pas comme les autres : Ces vieillards, dépités de n'être plus jeunes, veulent traiter les jeunes gens en vieillards : et parce que tous leurs désirs sont éteints, ils nous font un crime des nôtres.

Montaigne dit qu'il demandait un jour au seigneur de Langey combien de fois, dans ses négociations d'Allemagne, il s'était enivré pour le service du roi [167]. Je demanderais volontiers au gouverneur de certain jeune homme combien de fois il est entré dans un mauvais lieu pour le service de son élève. Combien de fois ? Je me trompe. Si la première n'ôte à jamais au libertin le désir d'y rentrer, s'il n'en rapporte le repentir et la honte, s'il ne verse dans votre sein des torrents de larmes, quittez-le à l'instant; il n'est qu'un monstre, ou vous n'êtes qu'un imbécile; vous ne lui servirez jamais à rien. Mais laissons ces expédients extrêmes, aussi tristes que dangereux, et qui n'ont aucun rapport à notre éducation.

Que de précautions à prendre avec un jeune homme bien né avant de l'exposer au scandale des mœurs du siècle ! Ces précautions sont pénibles, mais elles sont indispensables; c'est la négligence en ce point qui perd toute la jeunesse; c'est par le désordre du premier âge que les hommes dégénèrent, et qu'on les voit devenir ce qu'ils sont aujourd'hui. Vils et lâches dans leurs vices mêmes, ils n'ont que de petites âmes, parce que leurs corps usés ont été corrompus de bonne heure; à peine leur reste-t-il

assez de vie pour se mouvoir. Leurs subtiles pensées
marquent des esprits sans étoffe; ils ne savent rien sentir
de grand et de noble; ils n'ont ni simplicité ni vigueur;
abjects en toute chose, et bassement méchants, ils ne sont
que vains, fripons, faux; ils n'ont pas même assez de courage
pour être d'illustres scélérats. Tels sont les méprisables
hommes que forme la crapule de la jeunesse : s'il s'en trouvait
un seul qui sût être tempérant et sobre, qui sût, au milieu
d'eux, préserver son cœur, son sang, ses mœurs, de la
contagion de l'exemple, à trente ans il écraserait tous ces
insectes, et deviendrait leur maître avec moins de peine
qu'il n'en eut à rester le sien.

Pour peu que la naissance ou la fortune eût fait pour
Émile, il serait cet homme s'il voulait l'être : mais il les
mépriserait trop pour daigner les asservir. Voyons-le
maintenant au milieu d'eux, entrant dans le monde, non
pour y primer, mais pour le connaître et pour y trouver
une compagne digne de lui.

Dans quelque rang qu'il puisse être né, dans quelque
société qu'il commence à s'introduire, son début sera
simple et sans éclat : à Dieu ne plaise qu'il soit assez malheureux pour y briller ! Les qualités qui frappent au premier
coup d'œil ne sont pas les siennes; il ne les a ni ne les veut
avoir. Il met trop peu de prix aux jugements des hommes
pour en mettre à leurs préjugés, et ne se soucie point qu'on
l'estime avant que de le connaître. Sa manière de se présenter
n'est ni modeste ni vaine, elle est naturelle et vraie; il ne
connaît ni gêne ni déguisement, et il est au milieu d'un
cercle ce qu'il est seul et sans témoin. Sera-t-il pour cela
grossier, dédaigneux, sans attention pour personne ?
Tout au contraire; si seul il ne compte pas pour rien les
autres hommes, pourquoi les compterait-il pour rien,
vivant avec eux ? Il ne les préfère point à lui dans ses
manières, parce qu'il ne les préfère pas à lui dans son cœur;
mais il ne leur montre pas non plus une indifférence qu'il est
bien éloigné d'avoir; s'il n'a pas les formules de la politesse,
il a les soins de l'humanité. Il n'aime à voir souffrir personne;
il n'offrira pas sa place à un autre par simagrée, mais il la
lui cédera volontiers par bonté, si, le voyant oublié, il
juge que cet oubli le mortifie; car il en coûtera moins à mon
jeune homme de rester debout volontairement, que de voir
l'autre y rester par force.

Quoique en général Émile n'estime pas les hommes, il ne leur montrera point de mépris, parce qu'il les plaint et s'attendrit sur eux [168]. Ne pouvant leur donner le goût des biens réels, il leur laisse les biens de l'opinion dont ils se contentent, de peur que, les leur ôtant à pure perte, il ne les rendît plus malheureux qu'auparavant. Il n'est donc point disputeur ni contredisant; il n'est pas non plus complaisant et flatteur; il dit son avis sans combattre celui de personne, parce qu'il aime la liberté par-dessus toute chose, et que la franchise en est un des plus beaux droits.

Il parle peu, parce qu'il ne se soucie guère qu'on s'occupe de lui, par la même raison il ne dit que des choses utiles : autrement, qu'est-ce qui l'engagerait à parler ? Émile est trop instruit pour être jamais babillard. Le grand caquet vient nécessairement, ou de la prétention à l'esprit, dont je parlerai ci-après, ou du prix qu'on donne à des bagatelles, dont on croit sottement que les autres font autant de cas que nous. Celui qui connaît assez de choses pour donner à toutes leur véritable prix, ne parle jamais trop; car il sait apprécier aussi l'attention qu'on lui donne et l'intérêt qu'on peut prendre à ses discours. Généralement les gens qui savent peu parlent beaucoup, et les gens qui savent beaucoup parlent peu. Il est simple qu'un ignorant trouve important tout ce qu'il sait, et le dise à tout le monde. Mais un homme instruit n'ouvre pas aisément son répertoire; il aurait trop à dire, et il voit encore plus à dire après lui; il se tait.

Loin de choquer les manières des autres, Émile s'y conforme assez volontiers, non pour paraître instruit des usages, ni pour affecter les airs d'un homme poli, mais au contraire de peur qu'on ne le distingue, pour éviter d'être aperçu; et jamais il n'est plus à son aise que quand on ne prend pas garde à lui.

Quoique entrant dans le monde, il en ignore absolument les manières; il n'est pas pour cela timide et craintif; s'il se dérobe, ce n'est point par embarras, c'est que pour bien voir, il faut n'être pas vu; car ce qu'on pense de lui ne l'inquiète guère, et le ridicule ne lui fait pas la moindre peur. Cela fait qu'étant toujours tranquille et de sang-froid, il ne se trouble point par la mauvaise honte. Soit qu'on le regarde ou non, il fait toujours de son mieux ce qu'il fait; et, toujours tout à lui pour bien observer les autres, il saisit leurs manières avec une aisance que ne peuvent avoir les esclaves de l'opinion. On peut dire qu'il prend plutôt l'usage du monde, précisément parce qu'il en fait peu de cas.

Ne vous trompez pas cependant sur sa contenance, et n'allez pas la comparer à celle de vos jeunes agréables. Il est ferme et non suffisant; ses manières sont libres et non dédaigneuses : l'air insolent n'appartient qu'aux esclaves, l'indépendance n'a rien d'affecté. Je n'ai jamais vu d'homme ayant de la fierté dans l'âme en montrer dans son maintien : cette affectation est bien plus propre aux âmes viles et vaines, qui ne peuvent en imposer que par là. Je lis dans un livre [169] qu'un étranger se présentant un jour dans la salle du fameux Marcel [170], celui-ci lui demanda de quel pays il était : « Je suis Anglais, répond l'étranger. — Vous, Anglais ! réplique le danseur; vous seriez de cette île où les citoyens ont part à l'administration publique, et sont une portion de la puissance souveraine* ! Non, monsieur; ce front baissé, ce regard timide, cette démarche incertaine, ne m'annoncent que l'esclave titré d'un électeur. »

Je ne sais si ce jugement montre une grande connaissance du vrai rapport qui est entre le caractère d'un homme et son extérieur. Pour moi, qui n'ai pas l'honneur d'être maître à danser, j'aurais pensé tout le contraire. J'aurais dit : « Cet Anglais n'est pas courtisan, je n'ai jamais ouï dire que les courtisans eussent le front baissé et la démarche incertaine : un homme timide chez un danseur pourrait bien ne l'être pas dans la chambre des Communes. » Assurément, ce M. Marcel-là doit prendre ses compatriotes pour autant de Romains.

Quand on aime, on veut être aimé. Émile aime les hommes, il veut donc leur plaire. A plus forte raison il veut plaire aux femmes; son âge, ses mœurs, son projet, tout

---

* Comme s'il y avait des citoyens qui ne fussent pas membres de la cité et qui n'eussent pas, comme tels, part à l'autorité souveraine ! Mais les Français, ayant jugé à propos d'usurper ce respectable nom de citoyens, dû jadis aux membres des cités gauloises, en ont dénaturé l'idée, au point qu'on n'y conçoit plus rien. Un homme qui vient de m'écrire beaucoup de bêtises contre *la Nouvelle Héloïse*, a orné sa signature du titre de *citoyen de Paimbeuf*, et a cru me faire une excellente plaisanterie.

concourt à nourrir en lui ce désir. Je dis ses mœurs, car elles
y font beaucoup ; les hommes qui en ont sont les vrais
adorateurs des femmes. Ils n'ont pas comme les autres
je ne sais quel jargon moqueur de galanterie ; mais ils
ont un empressement plus vrai, plus tendre, et qui part
du cœur. Je connaîtrais près d'une jeune femme un homme
qui a des mœurs et qui commande à la nature, entre cent
mille débauchés. Jugez de ce que doit être Émile avec un
tempérament tout neuf, et tant de raisons d'y résister !
Pour auprès d'elles, je crois qu'il sera quelquefois timide
et embarrassé ; mais sûrement cet embarras ne leur déplaira
pas, et les moins friponnes n'auront encore que trop souvent l'art d'en jouir et de l'augmenter. Au reste, son empressement changera sensiblement de forme selon les états.
Il sera plus modeste et plus respectueux pour les femmes,
plus vif et plus tendre auprès des filles à marier. Il ne perd
point de vue l'objet de ses recherches, et c'est toujours à ce
qui les lui rappelle qu'il marque le plus d'attention.

Personne ne sera plus exact à tous les égards fondés sur
l'ordre de la nature, et même sur le bon ordre de la société ;
mais les premiers seront toujours préférés aux autres ; et
il respectera davantage un particulier plus vieux que lui,
qu'un magistrat de son âge. Étant donc pour l'ordinaire
un des plus jeunes des sociétés où il se trouvera, il sera
toujours un des plus modestes, non par la vanité de paraître
humble, mais par un sentiment naturel et fondé sur la
raison. Il n'aura point l'impertinent savoir-vivre d'un
jeune fat, qui, pour amuser la compagnie, parle plus haut
que les sages et coupe la parole aux anciens : il n'autorisera
point, par sa part, la réponse d'un vieux gentilhomme à
Louis XV, qui lui demandait lequel il préférait de son
siècle ou de celui-ci : « Sire, j'ai passé ma jeunesse à respecter
les vieillards, et il faut que je passe ma vieillesse à respecter
les enfants. »

Ayant une âme tendre et sensible, mais n'appréciant
rien sur le taux de l'opinion, quoiqu'il aime à plaire aux
autres, il se souciera peu d'en être considéré. D'où il suit
qu'il sera plus affectueux que poli, qu'il n'aura jamais
d'airs ni de faste, et qu'il sera plus touché d'une caresse
que de mille éloges. Par les mêmes raisons il ne négligera
ni ses manières ni son maintien ; il pourra même avoir quelque recherche dans sa parure, non pour paraître un homme

de goût, mais pour rendre sa figure agréable; il n'aura
point recours au cadre doré, et jamais l'enseigne de la
richesse ne souillera son ajustement.

On voit que tout cela n'exige point de ma part un étalage
de préceptes, et n'est qu'un effet de sa première éducation.
On nous fait un grand mystère de l'usage du monde; comme
si, dans l'âge où l'on prend cet usage, on ne le prenait pas
naturellement, et comme si ce n'était pas dans un cœur
honnête qu'il faut chercher ses premières lois ! La véritable
politesse consiste à marquer de la bienveillance aux hommes; elle se montre sans peine quand on en a; c'est pour
celui qui n'en a pas qu'on est forcé de réduire en art ses
apparences.

« Le plus malheureux effet de la politesse d'usage est
d'enseigner l'art de se passer des vertus qu'elle imite. Qu'on
nous inspire dans l'éducation l'humanité et la bienfaisance,
nous aurons la politesse, ou nous n'en aurons plus besoin.

« Si nous n'avons pas celle qui s'annonce par les grâces,
nous aurons celle qui annonce l'honnête homme et le
citoyen; nous n'aurons pas besoin de recourir à la fausseté.

« Au lieu d'être artificieux pour plaire, il suffira d'être
bon; au lieu d'être faux pour flatter les faiblesses des autres,
il suffira d'être indulgent.

« Ceux avec qui l'on aura de tels procédés n'en seront
ni enorgueillis ni corrompus; ils n'en seront que reconnais-
sants, et en deviendront meilleurs [171]. »

Il me semble que si quelque éducation doit produire
l'espèce de politesse qu'exige ici M. Duclos, c'est celle
dont j'ai tracé le plan jusqu'ici.

Je conviens pourtant qu'avec des maximes si différentes,
Émile ne sera point comme tout le monde, et Dieu le
préserve de l'être jamais ! Mais, en ce qu'il sera différent des
autres, il ne sera ni fâcheux, ni ridicule : la différence sera
sensible sans être incommode. Émile sera, si l'on veut,
un aimable étranger. D'abord on lui pardonnera ses singularités en disant : *Il se formera*. Dans la suite on sera tout
accoutumé à ses manières; et voyant qu'il n'en change
pas, on les lui pardonnera encore en disant : *Il est fait ainsi*.

Il ne sera point fêté comme un homme aimable, mais on
l'aimera sans savoir pourquoi; personne ne vantera son
esprit, mais on le prendra volontiers pour juge entre les
gens d'esprit : le sien sera net et borné, il aura le sens droit

et le jugement sain. Ne courant jamais après les idées neuves, il ne saurait se piquer d'esprit. Je lui ai fait sentir que toutes les idées salutaires et vraiment utiles aux hommes ont été les premières connues, qu'elles font de tout temps les seuls vrais liens de la société, et qu'il ne reste aux esprits transcendants qu'à se distinguer par des idées pernicieuses et funestes au genre humain. Cette manière de se faire admirer ne le touche guère : il sait où il doit trouver le bonheur de sa vie, et en quoi il peut contribuer au bonheur d'autrui. La sphère de ses connaissances ne s'étend pas plus loin que ce qui est profitable. Sa route est étroite et bien marquée; n'étant point tenté d'en sortir, il reste confondu avec ceux qui la suivent; il ne veut ni s'égarer ni briller. Émile est un homme de bon sens, et ne veut pas être autre chose : on aura beau vouloir l'injurier par ce titre, il s'en tiendra toujours honoré.

Quoique le désir de plaire ne le laisse plus absolument indifférent sur l'opinion d'autrui, il ne prendra de cette opinion que ce qui se rapporte immédiatement à sa personne, sans se soucier des appréciations arbitraires qui n'ont de loi que la mode ou les préjugés. Il aura l'orgueil de vouloir bien faire tout ce qu'il fait, même de le vouloir faire mieux qu'un autre : à la course il voudra être le plus léger; à la lutte, le plus fort; au travail, le plus habile; aux jeux d'adresse, le plus adroit; mais il cherchera peu les avantages qui ne sont pas clairs par eux-mêmes, et qui ont besoin d'être constatés par le jugement d'autrui, comme d'avoir plus d'esprit qu'un autre, de parler mieux, d'être plus savant, etc.; encore moins ceux qui ne tiennent point du tout à la personne, comme d'être d'une plus grande naissance, d'être estimé plus riche, plus en crédit, plus considéré, d'en imposer par un plus grand faste.

Aimant les hommes parce qu'ils sont ses semblables, il aimera surtout ceux qui lui ressemblent le plus, parce qu'il se sentira bon; et, jugeant de cette ressemblance par la conformité des goûts dans les choses morales, en tout ce qui tient au bon caractère, il sera fort aise d'être approuvé. Il ne se dira pas précisément : Je me réjouis parce qu'on m'approuve; mais, je me réjouis parce qu'on approuve ce que j'ai fait de bien; je me réjouis de ce que les gens qui m'honorent se font honneur : tant qu'ils jugeront aussi sainement, il sera beau d'obtenir leur estime.

Étudiant les hommes par leurs mœurs dans le monde, comme il les étudiait ci-devant par leurs passions dans l'histoire, il aura souvent lieu de réfléchir sur ce qui flatte ou choque le cœur humain. Le voilà philosophant sur les principes du goût; et voilà l'étude qui lui convient durant cette époque [172].

Plus on va chercher loin les définitions du goût, et plus on s'égare: le goût n'est que la faculté de juger ce qui plaît ou déplaît au plus grand nombre. Sortez de là, vous ne savez plus ce que c'est que le goût. Il ne s'ensuit pas qu'il y ait plus de gens de goût que d'autres; car, bien que la pluralité juge sainement de chaque objet, il y a peu d'hommes qui jugent comme elle sur tous; et, bien que le concours des goûts les plus généraux fasse le bon goût, il y a peu de gens de goût, de même qu'il y a peu de belles personnes, quoique l'assemblage des traits les plus communs fasse la beauté.

Il faut remarquer qu'il ne s'agit pas ici de ce qu'on aime parce qu'il nous est utile, ni de ce qu'on hait parce qu'il nous nuit. Le goût ne s'exerce que sur les choses indifférentes ou d'un intérêt d'amusement tout au plus, et non sur celles qui tiennent à nos besoins : pour juger de celles-ci, le goût n'est pas nécessaire, le seul appétit suffit. Voilà ce qui rend si difficiles, et, ce semble, si arbitraires les pures décisions du goût; car, hors l'instinct qui le détermine, on ne voit plus la raison de ses décisions. On doit distinguer encore ses lois dans les choses morales et ses lois dans les choses physiques. Dans celles-ci, les principes du goût semblent absolument inexplicables [173]. Mais il importe d'observer qu'il entre du moral dans tout ce qui tient à l'imitation* : ainsi l'on explique des beautés qui paraissent physiques et qui ne le sont réellement point. J'ajouterai que le goût a des règles locales qui le rendent en mille choses dépendant des climats, des mœurs, du gouvernement, des choses d'institution; qu'il en a d'autres qui tiennent à l'âge, au sexe, au caractère, et que c'est en ce sens qu'il ne faut pas disputer des goûts.

Le goût est naturel à tous les hommes, mais ils ne l'ont pas tous en même mesure, il ne se développe pas dans tous

---

* Cela est prouvé dans un *Essai sur l'origine des langues*, qu'on trouvera dans le recueil de mes écrits.

au même degré, et, dans tous, il est sujet à s'altérer par diverses causes. La mesure du goût qu'on peut avoir dépend de la sensibilité qu'on a reçue; sa culture et sa forme dépendent des sociétés où l'on a vécu. Premièrement il faut vivre dans des sociétés nombreuses pour faire beaucoup de comparaisons. Secondement il faut des sociétés d'amusement et d'oisiveté; car, dans celles d'affaires, on a pour règle, non le plaisir, mais l'intérêt. En troisième lieu il faut des sociétés où l'inégalité ne soit pas trop grande, où la tyrannie de l'opinion soit modérée, et où règne la volupté plus que la vanité; car, dans le cas contraire, la mode étouffe le goût; et l'on ne cherche plus ce qui plaît, mais ce qui distingue.

Dans ce dernier cas, il n'est plus vrai que le bon goût est celui du plus grand nombre. Pourquoi cela ? Parce que l'objet change. Alors la multitude n'a plus de jugement à elle, elle ne juge plus que d'après ceux qu'elle croit plus éclairés qu'elle; elle approuve, non ce qui est bien, mais ce qu'ils ont approuvé. Dans tous les temps, faites que chaque homme ait son propre sentiment; et ce qui est le plus agréable en soi aura toujours la pluralité des suffrages.

Les hommes, dans leurs travaux, ne font rien de beau que par imitation. Tous les vrais modèles du goût sont dans la nature. Plus nous nous éloignons du maître, plus nos tableaux sont défigurés. C'est alors des objets que nous aimons que nous tirons nos modèles; et le beau de fantaisie, sujet au caprice et à l'autorité, n'est plus rien que ce qui plaît à ceux qui nous guident.

Ceux qui nous guident sont les artistes, les grands, les riches; et ce qui les guide eux-mêmes est leur intérêt ou leur vanité. Ceux-ci, pour étaler leurs richesses, et les autres pour en profiter, cherchent à l'envi de nouveaux moyens de dépense. Par là le grand luxe établit son empire, et fait aimer ce qui est difficile et coûteux : alors le prétendu beau, loin d'imiter la nature, n'est tel qu'à force de la contrarier. Voilà comment le luxe et le mauvais goût sont inséparables. Partout où le goût est dispendieux, il est faux.

C'est surtout dans le commerce des deux sexes que le goût, bon ou mauvais, prend sa forme; sa culture est un effet nécessaire de l'objet de cette société. Mais, quand la facilité de jouir attiédit le désir de plaire, le goût doit dégénérer; et c'est là, ce me semble, une autre raison des plus sensibles, pourquoi le bon goût tient aux bonnes mœurs.

Consultez le goût des femmes dans les choses physiques et qui tiennent au jugement des sens; celui des hommes dans les choses morales et qui dépendent plus de l'entendement. Quand les femmes seront ce qu'elles doivent être, elles se borneront aux choses de leur compétence, et jugeront toujours bien; mais depuis qu'elles se sont établies les arbitres de la littérature, depuis qu'elles se sont mises à juger les livres et à en faire à toute force, elles ne connaissent plus rien. Les auteurs qui consultent les savantes sur leurs ouvrages sont toujours sûrs d'être mal conseillés : les galants qui les consultent sur leur parure sont toujours ridiculement mis. J'aurai bientôt occasion de parler des vrais talents de ce sexe, de la manière de les cultiver, et des choses sur lesquelles ses décisions doivent alors être écoutées.

Voilà les considérations élémentaires que je poserai pour principes en raisonnant avec mon Émile sur une matière qui ne lui est rien moins qu'indifférente dans la circonstance où il se trouve, et dans la recherche dont il est occupé. Et à qui doit-elle être indifférente ? La connaissance de ce qui peut être agréable ou désagréable aux hommes n'est pas seulement nécessaire à celui qui a besoin d'eux, mais encore à celui qui veut leur être utile : il importe même de leur plaire pour les servir; et l'art d'écrire n'est rien moins qu'une étude oiseuse quand on l'emploie à faire écouter la vérité.

Si, pour cultiver le goût de mon disciple, j'avais à choisir entre des pays où cette culture est encore à naître et d'autres où elle aurait déjà dégénéré, je suivrais l'ordre rétrograde; je commencerais sa tournée par ces derniers, et je finirais par les premiers. La raison de ce choix est que le goût se corrompt par une délicatesse excessive qui rend sensible à des choses que le gros des hommes n'aperçoit pas; cette délicatesse mène à l'esprit de discussion; car plus on subtilise les objets, plus ils se multiplient : cette subtilité rend le tact plus délicat et moins uniforme. Il se forme alors autant de goûts qu'il y a de têtes. Dans les disputes sur la préférence, la philosophie et les lumières s'étendent; et c'est ainsi qu'on apprend à penser. Les observations fines ne peuvent guère être faites que par des gens très répandus, attendu qu'elles frappent après toutes les autres, et que les gens peu accoutumés aux sociétés nombreuses y épuisent leur attention sur les grands traits. Il n'y a pas peut-être à présent un lieu policé sur la terre où le goût général soit plus mauvais qu'à Paris. Cependant c'est dans cette capitale que le bon goût se cultive; et il paraît peu de livres estimés dans l'Europe dont l'auteur n'ait été se former à Paris. Ceux qui pensent qu'il suffit de lire les livres qui s'y font se trompent : on apprend beaucoup plus dans la conversation des auteurs que dans leurs livres; et les auteurs eux-mêmes ne sont pas ceux avec qui l'on apprend le plus. C'est l'esprit des sociétés qui développe une tête pensante, et qui porte la vue aussi loin qu'elle peut aller. Si vous avez une étincelle de génie, allez passer une année à Paris : bientôt vous serez tout ce que vous pouvez être, ou vous ne serez jamais rien.

On peut apprendre à penser dans les lieux où le mauvais goût règne; mais il ne faut pas penser comme ceux qui ont ce mauvais goût, et il est bien difficile que cela n'arrive quand on reste avec eux trop longtemps. Il faut perfectionner par leurs soins l'instrument qui juge, en évitant de l'employer comme eux. Je me garderai de polir le jugement d'Émile jusqu'à l'altérer; et, quand il aura le tact assez fin pour sentir et comparer les divers goûts des hommes, c'est sur des objets plus simples que je le ramènerai fixer le sien.

Je m'y prendrai de plus loin encore pour lui conserver un goût pur et sain. Dans le tumulte de la dissipation je saurai me ménager avec lui des entretiens utiles; et, les dirigeant toujours sur des objets qui lui plaisent, j'aurai soin de les lui rendre aussi amusants qu'instructifs. Voici le temps de la lecture et des livres agréables; voici le temps de lui apprendre à faire l'analyse du discours, de le rendre sensible à toutes les beautés de l'éloquence et de la diction. C'est peu de chose d'apprendre les langues pour elles-mêmes; leur usage n'est pas si important qu'on croit; mais l'étude des langues mène à celle de la grammaire générale. Il faut apprendre le latin pour bien savoir le français; il faut étudier et comparer l'un et l'autre pour entendre les règles de l'art de parler.

Il y a d'ailleurs une certaine simplicité de goût qui va au cœur, et qui ne se trouve que dans les écrits des anciens. Dans l'éloquence, dans la poésie, dans toute espèce de littérature, il les retrouvera, comme dans l'histoire, abondants en choses, et sobres à juger. Nos auteurs, au contraire, disent peu et prononcent beaucoup. Nous donner sans cesse leur jugement pour loi n'est pas le moyen de former le nôtre. La

différence des deux goûts se fait sentir dans tous les monuments et jusque sur les tombeaux. Les nôtres sont couverts
d'éloges; sur ceux des anciens on lisait des faits.

*Sta, viator ; heroem calcas* [174].

Quand j'aurais trouvé cette épitaphe sur un monument
antique, j'aurais d'abord deviné qu'elle était moderne; car
rien n'est si commun que des héros parmi nous; mais
chez les anciens ils étaient rares. Au lieu de dire qu'un
homme était un héros, ils auraient dit ce qu'il avait fait pour
l'être. A l'épitaphe de ce héros comparez celle de l'efféminé
Sardanapale :

*J'ai bâti Tarse et Anchiale en un jour, et maintenant je suis mort.*

Laquelle dit plus, à votre avis ? Notre style lapidaire,
avec son enflure, n'est bon qu'à souffler des nains. Les
anciens montraient les hommes au naturel, et l'on voyait
que c'étaient des hommes. Xénophon honorant la mémoire
de quelques guerriers tués en trahison dans la retraite des
dix mille : *Ils moururent*, dit-il, *irréprochables dans la guerre
et dans l'amitié* [175]. Voilà tout : mais considérez, dans cet
éloge si court et si simple, de quoi l'auteur devait avoir le
cœur plein. Malheur à qui ne trouve pas cela ravissant !

On lisait ces mots gravés sur un marbre aux Thermopyles :

*Passant, va dire à Sparte que nous sommes morts ici
pour obéir à ses saintes lois* [176].

On voit bien que ce n'est pas l'Académie des inscriptions
qui a composé celle-là.

Je suis trompé si mon élève, qui donne si peu de prix aux
paroles, ne porte sa première attention sur ces différences, et
si elles n'influent sur le choix de ses lectures. Entraîné par
la mâle éloquence de Démosthène, il dira : C'est un orateur;
mais en lisant Cicéron, il dira : C'est un avocat.

En général, Émile prendra plus de goût pour les livres
des anciens que pour les nôtres; par cela seul qu'étant les
premiers, les anciens sont les plus près de la nature, et que
leur génie est plus à eux. Quoi qu'en aient pu dire la Motte
et l'abbé Terrasson, il n'y a point de vrai progrès de raison

dans l'espèce humaine, parce que tout ce qu'on gagne
d'un côté on le perd de l'autre; que tous les esprits partent
toujours du même point, et que le temps qu'on emploie à
savoir ce que d'autres ont pensé étant perdu pour apprendre
à penser soi-même, on a plus de lumières acquises et moins
de vigueur d'esprit. Nos esprits sont comme nos bras,
exercés à tout faire avec des outils, et rien par eux-mêmes.
Fontenelle disait que toute cette dispute sur les anciens
et les modernes se réduisait à savoir si les arbres d'autrefois
étaient plus grands que ceux d'aujourd'hui. Si l'agriculture
avait changé, cette question ne serait pas impertinente à
faire [177].

Après l'avoir ainsi fait remonter aux sources de la pure
littérature, je lui en montre aussi les égouts dans les réser-
voirs des modernes compilateurs : journaux, traductions,
dictionnaires ; il jette un coup d'œil sur tout cela, puis le
laisse pour n'y jamais revenir. Je lui fais entendre, pour le
réjouir, le bavardage des académies ; je lui fais remarquer
que chacun de ceux qui les composent vaut toujours mieux
seul qu'avec le corps : là-dessus il tirera de lui-même la
conséquence de l'utilité de tous ces beaux établissements.

Je le mène aux spectacles, pour étudier, non les mœurs,
mais le goût; car c'est là surtout qu'il se montre à ceux qui
savent réfléchir. Laissez les préceptes et la morale, lui
dirais-je ; ce n'est pas ici qu'il faut les apprendre. Le théâtre
n'est pas fait pour la vérité; il est fait pour flatter, pour
amuser les hommes; il n'y a point d'école où l'on apprenne
si bien l'art de leur plaire et d'intéresser le cœur humain.
L'étude du théâtre mène à celle de la poésie; elles ont
exactement le même objet. Qu'il ait une étincelle de goût
pour elle, avec quel plaisir il cultivera les langues des poètes,
le grec, le latin, l'italien ! Ces études seront pour lui des
amusements sans contrainte, et n'en profiteront que mieux;
elles lui seront délicieuses dans un âge et des circonstances
où le cœur s'intéresse avec tant de charme à tous les genres
de beauté faits pour le toucher. Figurez-vous d'un côté
mon Émile, et de l'autre un polisson de collège, lisant le
quatrième livre de l'*Enéide*, ou Tibulle, ou le *Banquet* de
Platon : quelle différence ! Combien le cœur de l'un est
remué de ce qui n'affecte pas même l'autre ! O bon jeune
homme ! arrête, suspends ta lecture, je te vois trop ému;
je veux bien que le langage de l'amour te plaise, mais non

pas qu'il t'égare; sois homme sensible, mais sois homme
sage. Si tu n'es que l'un des deux, tu n'es rien. Au reste,
qu'il réussisse ou non dans les langues mortes, dans les
belles-lettres, dans la poésie, peu m'importe. Il n'en vaudra
pas moins s'il ne sait rien de tout cela, et ce n'est pas de
tous ces badinages qu'il s'agit dans son éducation.

Mon principal objet, en lui apprenant à sentir et aimer le
beau dans tous les genres, est d'y fixer ses affections et ses
goûts, d'empêcher que ses appétits naturels ne s'altèrent, et
qu'il ne cherche un jour dans sa richesse les moyens d'être
heureux, qu'il doit trouver plus près de lui. J'ai dit ailleurs
que le goût n'était que l'art de se connaître en petites
choses [178] et cela est très vrai; mais puisque c'est d'un tissu
de petites choses que dépend l'agrément de la vie, de tels
soins ne sont rien moins qu'indifférents; c'est par eux que
nous apprenons à la remplir des biens mis à notre portée,
dans toute la vérité qu'ils peuvent avoir pour nous. Je
n'entends point ici les biens moraux qui tiennent à la
bonne disposition de l'âme, mais seulement ce qui est de
sensualité, de volupté réelle, mis à part les préjugés et
l'opinion.

Qu'on me permette, pour mieux développer mon idée,
de laisser un moment Émile, dont le cœur pur et sain ne
peut plus servir de règle à personne, et de chercher en
moi-même un exemple plus sensible et plus rapproché des
mœurs du lecteur.

Il y a des états qui semblent changer la nature, et refondre,
soit en mieux, soit en pis, les hommes qui les remplissent.
Un poltron devient brave en entrant dans le régiment de
Navarre. Ce n'est pas seulement dans le militaire que l'on
prend l'esprit de corps, et ce n'est pas toujours en bien que
ses effets se font sentir. J'ai pensé cent fois avec effroi
que si j'avais le malheur de remplir aujourd'hui tel emploi
que je pense en certains pays, demain je serais presque
inévitablement tyran, concussionnaire, destructeur du
peuple, nuisible au prince, ennemi par état de toute
humanité, de toute équité, de toute espèce de vertu.

De même, si j'étais riche, j'aurais fait tout ce qu'il faut
pour le devenir; je serais donc insolent et bas, sensible et
délicat pour moi seul, impitoyable et dur pour tout le
monde, spectateur dédaigneux des misères de la canaille,
car je ne donnerais plus d'autre nom aux indigents, pour

faire oublier qu'autrefois je fus de leur classe. Enfin je ferais de ma fortune l'instrument de mes plaisirs, dont je serais uniquement occupé; et jusque-là je serais comme tous les autres.

Mais en quoi je crois que j'en différerais beaucoup, c'est que je serais sensuel et voluptueux plutôt qu'orgueilleux et vain, et que je me livrerais au luxe de mollesse bien plus qu'au luxe d'ostentation. J'aurais même quelque honte d'étaler trop ma richesse, et je croirais toujours voir l'envieux que j'écraserais de mon faste dire à ses voisins à l'oreille : *Voilà un fripon qui a grand'peur de n'être pas connu pour tel.*

De cette immense profusion de biens qui couvrent la terre, je chercherais ce qui m'est le plus agréable et que je puis le mieux m'approprier. Pour cela, le premier usage de ma richesse serait d'en acheter du loisir et la liberté, à quoi j'ajouterais la santé, si elle était à prix; mais comme elle ne s'achète qu'avec la tempérance, et qu'il n'y a point sans la santé de vrai plaisir dans la vie, je serais tempérant par sensualité.

Je resterais toujours aussi près de la nature qu'il serait possible pour flatter les sens que j'ai reçus d'elle, bien sûr que plus elle mettrait du sien dans mes jouissances, plus j'y trouverais de réalité. Dans le choix des objets d'imitation je la prendrais toujours pour modèle; dans mes appétits je lui donnerais la préférence; dans mes goûts je la consulterais toujours; dans les mets je voudrais toujours ceux dont elle fait le meilleur apprêt et qui passent par le moins de mains pour parvenir sur nos tables. Je préviendrais les falsifications de la fraude, j'irais au-devant du plaisir. Ma sotte et grossière gourmandise n'enrichirait point un maître d'hôtel; il ne me vendrait point au poids de l'or du poison pour du poisson; ma table ne serait point couverte avec appareil de magnifiques ordures et charognes lointaines; je prodiguerais ma propre peine pour satisfaire ma sensualité, puisque alors cette peine est un plaisir elle-même, et qu'elle ajoute à celui qu'on en attend. Si je voulais goûter un mets du bout du monde, j'irais, comme Apicius[179], plutôt l'y chercher, que de l'en faire venir, car les mets les plus exquis manquent toujours d'un assaisonnement qu'on n'apporte pas avec eux et qu'aucun cuisinier ne leur donne, l'air du climat qui les a produits.

Par la même raison, je n'imiterais pas ceux qui, ne se trouvant bien qu'où ils ne sont point, mettent toujours les saisons en contradiction avec elles-mêmes, et les climats en contradiction avec les saisons; qui, cherchant l'été en hiver, et l'hiver en été, vont avoir froid en Italie et chaud dans le nord, sans songer qu'en croyant fuir la rigueur des saisons, ils la trouvent dans les lieux où l'on n'a point appris à s'en garantir. Moi, je resterais en place, ou je prendrais tout le contre-pied : je voudrais tirer d'une saison tout ce qu'elle a d'agréable, et d'un climat tout ce qu'il a de particulier. J'aurais une diversité de plaisirs et d'habitudes qui ne se ressembleraient point, et qui seraient toujours dans la nature, j'irais passer l'été à Naples, et l'hiver à Pétersbourg; tantôt respirant un doux zéphyr, à demi couché dans les fraîches grottes de Tarente; tantôt dans l'illumination d'un palais de glace, hors d'haleine, et fatigué des plaisirs du bal.

Je voudrais dans le service de ma table, dans la parure de mon logement, imiter par des ornements très simples la variété des saisons, et tirer de chacune toutes ses délices, sans anticiper sur celles qui la suivront. Il y a de la peine et non du goût à troubler ainsi l'ordre de la nature, à lui arracher des productions involontaires qu'elle donne à regret dans sa malédiction, et qui, n'ayant ni qualité ni saveur, ne peuvent ni nourrir l'estomac, ni flatter le palais. Rien n'est plus insipide que les primeurs; ce n'est qu'à grands frais que tel riche de Paris, avec ses fourneaux et ses serres chaudes, vient à bout de n'avoir sur sa table toute l'année que de mauvais légumes et de mauvais fruits. Si j'avais des cerises quand il gèle, et des melons ambrés au cœur de l'hiver, avec quel plaisir les goûterais-je, quand mon palais n'a besoin d'être humecté ni rafraîchi ? Dans les ardeurs de la canicule, le lourd marron me serait-il fort agréable ? Le préférerais-je sortant de la poêle, à la groseille, à la fraise et aux fruits désaltérants qui me sont offerts sur la terre sans tant de soins ? Couvrir sa cheminée au mois de janvier de végétations forcées, de fleurs pâles et sans odeur, c'est moins parer l'hiver que déparer le printemps : c'est s'ôter le plaisir d'aller dans les bois chercher la première violette, épier le premier bourgeon, et s'écrier dans un saisissement de joie : Mortels, vous n'êtes pas abandonnés, la nature vit encore.

Pour être bien servi, j'aurais peu de domestiques : cela a déjà été dit, et cela est bon à redire encore. Un bourgeois tire plus de vrai service de son seul laquais qu'un duc des dix messieurs qui l'entourent. J'ai pensé cent fois qu'ayant à table mon verre à côté de moi, je bois à l'instant qu'il me plaît, au lieu que, si j'avais un grand couvert, il faudrait que vingt voix répétassent : à boire, avant que je pusse étancher ma soif. Tout ce qu'on fait par autrui se fait mal, comme qu'on s'y prenne. Je n'enverrais pas chez les marchands, j'irais moi-même; j'irais pour que mes gens ne traitassent pas avec eux avant moi, pour choisir plus sûrement, et payer moins chèrement; j'irais pour faire un exercice agréable, pour voir un peu ce qui se fait hors de chez moi; cela récrée, et quelquefois cela instruit; enfin j'irais pour aller, c'est toujours quelque chose. L'ennui commence par la vie trop sédentaire; quand on va beaucoup, on s'ennuie peu. Ce sont de mauvais interprètes qu'un portier et des laquais; je ne voudrais point avoir toujours ces gens-là entre moi et le reste du monde, ni marcher toujours avec le fracas d'un carrosse, comme si j'avais peur d'être abordé. Les chevaux d'un homme qui se sert de ses jambes sont toujours prêts; s'ils sont fatigués ou malades, il le sait avant tout autre; et il n'a pas peur d'être obligé de garder le logis sous ce prétexte, quand son cocher veut se donner du bon temps; en chemin mille embarras ne le font point sécher d'impatience, ni rester en place au moment qu'il voudrait voler. Enfin, si nul ne nous sert jamais si bien que nous-mêmes, fût-on plus puissant qu'Alexandre et plus riche que Crésus, on ne doit recevoir des autres que les services qu'on ne peut tirer de soi.

Je ne voudrais point avoir un palais pour demeure; car dans ce palais je n'habiterais qu'une chambre; toute pièce commune n'est à personne, et la chambre de chacun de mes gens me serait aussi étrangère que celle de mon voisin. Les Orientaux, bien que très voluptueux, sont tous logés et meublés simplement. Ils regardent la vie comme un voyage, et leur maison comme un cabaret. Cette raison prend peu sur nous autres riches, qui nous arrangeons pour vivre toujours : mais j'en aurais une différente qui produirait le même effet. Il me semblerait que m'établir avec tant d'appareil dans un lieu serait me bannir de tous les autres, et m'emprisonner pour ainsi dire dans mon palais. C'est un assez beau palais que le monde ; tout n'est-il pas au riche quand il veut jouir ? *Ubi bene, ibi patria* [180] ; c'est là sa devise ; ses lares sont les lieux où l'argent peut tout, son pays est partout où peut passer son coffre-fort, comme Philippe tenait à lui toute place forte où pouvait entrer un mulet chargé d'argent. Pourquoi donc s'aller circonscrire par des murs et par des portes pour n'en sortir jamais ? Une épidémie, une guerre, une révolte me chasse-t-elle d'un lieu, je vais dans un autre, et j'y trouve mon hôtel arrivé avant moi. Pourquoi prendre le soin de m'en faire un moi-même, tandis qu'on en bâtit pour moi par tout l'univers ? Pourquoi, si pressé de vivre, m'apprêter de si loin des jouissances que je puis trouver dès aujourd'hui ? L'on ne saurait se faire un sort agréable en se mettant sans cesse en contradiction avec soi. C'est ainsi qu'Empédocle repro-chait aux Agrigentins d'entasser les plaisirs comme s'ils n'avaient qu'un jour à vivre et de bâtir comme s'ils ne devaient jamais mourir [181].

D'ailleurs, que me sert un logement si vaste, ayant si peu de quoi le peupler, et moins de quoi le remplir ? Mes meubles seraient simples comme mes goûts ; je n'aurais ni galerie ni bibliothèque, surtout si j'aimais la lecture [182] et que je me connusse en tableaux. Je saurais alors que de telles collections ne sont jamais complètes, et que le défaut de ce qui leur manque donne plus de chagrin que de n'avoir rien. En ceci l'abondance fait la misère : il n'y a pas un faiseur de collections qui ne l'ait éprouvé. Quand on s'y connaît, on n'en doit point faire ; on n'a guère un cabinet à montrer aux autres quand on sait s'en servir pour soi.

Le jeu n'est point un amusement d'homme riche, il est la ressource d'un désœuvré ; et mes plaisirs me donneraient trop d'affaires pour me laisser bien du temps à si mal remplir. Je ne joue point du tout, étant solitaire et pauvre, si ce n'est quelquefois aux échecs, et cela de trop. Si j'étais riche, je jouerais moins encore, et seulement un très petit jeu, pour ne voir point de mécontent, ni l'être. L'intérêt du jeu, manquant de motif dans l'opulence, ne peut jamais se changer en fureur que dans un esprit mal fait. Les profits qu'un homme riche peut faire au jeu lui sont toujours moins sensibles que les pertes ; et comme la forme des jeux modérés, qui en use le bénéfice à la longue, fait qu'en général ils vont plus en pertes qu'en gains, on ne peut, en raisonnant bien, s'affectionner beaucoup à un amusement où les risques de toute espèce sont contre soi. Celui qui nourrit sa vanité des préférences de la fortune les peut chercher dans des objets beaucoup plus piquants, et ces préférences ne se marquent pas moins dans le plus petit jeu que dans le plus grand. Le goût du jeu, fruit de l'avarice et de l'ennui, ne prend que dans un esprit et dans un cœur vides; et il me semble que j'aurais assez de sentiment et de connaissances pour me passer d'un tel supplément [183]. On voit rarement les penseurs se plaire beaucoup au jeu, qui suspend cette habitude, ou la tourne sur d'arides combinaisons; aussi l'un des biens, et peut-être le seul qu'ait produit le goût des sciences, est d'amortir un peu cette passion sordide; on aimera mieux s'exercer à prouver l'utilité du jeu que de s'y livrer. Moi, je le combattrais parmi les joueurs, et j'aurais plus de plaisir à me moquer d'eux en les voyant perdre, qu'à leur gagner leur argent.

Je serais le même dans ma vie privée et dans le commerce du monde. Je voudrais que ma fortune mît partout de l'aisance, et ne fît jamais sentir d'inégalité. Le clinquant de la parure est incommode à mille égards. Pour garder parmi les hommes toute la liberté possible, je voudrais être mis de manière que dans tous les rangs je parusse à ma place, et qu'on ne me distinguât dans aucun; que, sans affectation, sans changement sur ma personne, je fusse peuple à la guinguette et bonne compagnie au Palais-Royal. Par là plus maître de ma conduite, je mettrais toujours à ma portée les plaisirs de tous les états. Il y a, dit-on, des femmes qui ferment leur porte aux manchettes brodées, et ne reçoivent personne qu'en dentelle; j'irais donc passer ma journée ailleurs; mais si ces femmes étaient jeunes et jolies, je pourrais quelquefois prendre de la dentelle pour y passer la nuit tout au plus.

Le seul lien de mes sociétés serait l'attachement mutuel, la conformité des goûts, la convenance des caractères; je m'y livrerais comme homme et non comme riche; je ne souffrirais jamais que leur charme fût empoisonné par l'intérêt. Si mon opulence m'avait laissé quelque humanité, j'étendrais au loin mes services et mes bienfaits; mais je voudrais avoir autour de moi une société et non une cour, des amis et non des protégés; je ne serais point le patron de mes

convives, je serais leur hôte. L'indépendance et l'égalité
laisseraient à mes liaisons toute la candeur de la bienveillance ; et où le devoir ni l'intérêt n'entreraient pour rien, le
plaisir et l'amitié feraient seuls la loi.

On n'achète ni son ami ni sa maîtresse. Il est aisé d'avoir
des femmes avec de l'argent ; mais c'est le moyen de n'être
jamais l'amant d'aucune. Loin que l'amour soit à vendre,
l'argent le tue infailliblement. Quiconque paye, fût-il le
plus aimable des hommes, par cela seul qu'il paye, ne peut
être longtemps aimé. Bientôt il payera pour un autre,
ou plutôt cet autre sera payé de son argent ; et, dans ce
double lien, formé par l'intérêt, par la débauche, sans
amour, sans honneur, sans vrai plaisir, la femme avide,
infidèle et misérable, traitée par le vil qui reçoit comme elle
traite le sot qui donne, reste ainsi quitte envers tous les
deux. Il serait doux d'être libéral envers ce qu'on aime, si
cela ne faisait un marché. Je ne connais qu'un moyen de
satisfaire ce penchant avec sa maîtresse, sans empoisonner
l'amour : c'est de lui tout donner et d'être ensuite nourri
par elle. Reste à savoir où est la femme avec qui ce procédé
ne fût pas extravagant.

Celui qui disait : Je possède Laïs sans qu'elle me possède,
disait un mot sans esprit [184]. La possession qui n'est pas
réciproque n'est rien : c'est tout au plus la possession du
sexe, mais non pas de l'individu. Or, où le moral de l'amour
n'est pas, pourquoi faire une si grande affaire du reste ?
Rien n'est si facile à trouver. Un muletier est là-dessus plus
près du bonheur qu'un millionnaire.

Oh ! si l'on pouvait développer assez les inconséquences
du vice, combien, lorsqu'il obtient ce qu'il a voulu, on le
trouverait loin de son compte ! Pourquoi cette barbare
avidité de corrompre l'innocence, de se faire une victime
d'un jeune objet qu'on eût dû protéger, et que de ce premier
pas on traîne inévitablement dans un gouffre de misère
dont il ne sortira qu'à la mort ? Brutalité, vanité, sottise,
erreur, et rien davantage. Ce plaisir même n'est pas de la
nature ; il est de l'opinion, et de l'opinion la plus vile,
puisqu'elle tient au mépris de soi. Celui qui se sent le
dernier des hommes craint la comparaison de tout autre,
et veut passer le premier pour être moins odieux. Voyez si
les plus avides de ce ragoût imaginaire sont jamais de
jeunes gens aimables, dignes de plaire, et qui seraient

plus excusables d'être difficiles. Non : avec de la figure, du
mérite et des sentiments, on craint peu l'expérience de sa
maîtresse; dans une juste confiance, on lui dit : Tu connais
les plaisirs, n'importe; mon cœur t'en promet que tu n'as
jamais connus.

Mais un vieux satyre usé de débauche, sans agrément,
sans ménagement, sans égard, sans aucune espèce d'honnêteté, incapable, indigne de plaire à toute femme qui se
connaît en gens aimables, croit suppléer à tout cela chez
une jeune innocente, en gagnant de vitesse sur l'expérience, et lui donnant la première émotion des sens. Son
dernier espoir est de plaire à la faveur de la nouveauté;
c'est incontestablement là le motif secret de cette fantaisie; mais il se trompe, l'horreur qu'il fait n'est pas moins
de la nature que n'en sont les désirs qu'il voudrait exciter.
Il se trompe aussi dans sa folle attente : cette même nature
a soin de revendiquer ses droits : toute fille qui se vend
s'est déjà donnée; et s'étant donnée à son choix, elle a
fait la comparaison qu'il craint. Il achète donc un plaisir
imaginaire, et n'en est pas moins abhorré.

Pour moi, j'aurais beau changer étant riche, il est un
point où je ne changerai jamais. S'il ne me reste ni mœurs
ni vertu, il me restera du moins quelque goût, quelque
sens, quelque délicatesse; et cela me garantira d'user ma
fortune en dupe à courir après des chimères, d'épuiser
ma bourse et ma vie à me faire trahir et moquer par des
enfants. Si j'étais jeune, je chercherais les plaisirs de la
jeunesse; et, les voulant dans toute leur volupté, je ne les
chercherais pas en homme riche. Si je restais tel que je
suis, ce serait autre chose; je me bornerais prudemment
aux plaisirs de mon âge; je prendrais les goûts dont je
peux jouir, et j'étoufferais ceux qui ne feraient plus que
mon supplice. Je n'irais point offrir ma barbe grise aux
dédains railleurs des jeunes filles; je ne supporterais point
de voir mes dégoûtantes caresses leur faire soulever le
cœur, de leur préparer à mes dépens les récits les plus
ridicules, de les imaginer décrivant les vilains plaisirs du
vieux singe, de manière à se venger de les avoir endurés.
Que si des habitudes mal combattues avaient tourné mes
anciens désirs en besoins, j'y satisferais peut-être, mais
avec honte, mais en rougissant de moi. J'ôterais la passion
du besoin, je m'assortirais le mieux qu'il me serait possible,

et m'en tiendrais là : je ne me ferais plus une occupation
de ma faiblesse, et je voudrais surtout n'en avoir qu'un
seul témoin. La vie humaine a d'autres plaisirs, quand
ceux-là lui manquent; en courant vainement après ceux
qui fuient, on s'ôte encore ceux qui nous sont laissés.
Changeons de goûts avec les années, ne déplaçons pas
plus les âges que les saisons : il faut être soi dan tous
les temps, et ne point lutter contre la nature : ces vains
efforts usent la vie et nous empêchent d'en user [185].

Le peuple ne s'ennuie guère, sa vie est active; si ses
amusements ne sont pas variés, ils sont rares; beaucoup
de jours de fatigue lui font goûter avec délices quelques
jours de fêtes. Une alternative de longs travaux et de
courts loisirs tient lieu d'assaisonnement aux plaisirs de
son état. Pour les riches, leur grand fléau, c'est l'ennui;
au sein de tant d'amusements rassemblés à grands frais,
au milieu de tant de gens concourant à leur plaire, l'ennui
les consume et les tue, ils passent leur vie à le fuir et à
en être atteints : ils sont accablés de son poids insupportable : les femmes surtout, qui ne savent plus ni s'occuper
ni s'amuser, en sont dévorées sous le nom de vapeurs;
il se transforme pour elles en un mal horrible, qui leur
ôte quelquefois la raison, et enfin la vie. Pour moi, je ne
connais point de sort plus affreux que celui d'une jolie
femme de Paris, après celui du petit agréable qui s'attache
à elle, qui, changé de même en femme oisive, s'éloigne
ainsi doublement de son état, et à qui la vanité d'être
homme à bonnes fortunes fait supporter la langueur des
plus tristes jours qu'ait jamais passés créature humaine.

Les bienséances, les modes, les usages qui dérivent du
luxe et du bon air, renferment le cours de la vie dans la
plus maussade uniformité. Le plaisir qu'on veut avoir
aux yeux des autres est perdu pour tout le monde : on ne
l'a ni pour eux ni pour soi*. Le ridicule, que l'opinion

---

\* Deux femmes du monde, pour avoir l'air de s'amuser beaucoup,
se font une loi de ne jamais se coucher qu'à cinq heures du matin.
Dans la rigueur de l'hiver, leurs gens passent la nuit dans la rue à les
attendre, fort embarrassés à s'y garantir d'être gelés. On entre un soir,
ou pour mieux dire, un matin, dans l'appartement où ces deux personnes si amusées laissaient couler les heures sans les compter : on
les trouve exactement seules, dormant chacune dans son fauteuil.

redoute sur toute chose, est toujours à côté d'elle pour la tyranniser et pour la punir. On n'est jamais ridicule que par des formes déterminées : celui qui sait varier ses situations et ses plaisirs efface aujourd'hui l'impression d'hier : il est comme nul dans l'esprit des hommes; mais il jouit, car il est tout entier à chaque heure et à chaque chose. Ma seule forme constante serait celle-là; dans chaque situation je ne m'occuperais d'aucune autre, et je prendrais chaque jour en lui-même, comme indépendant de la veille et du lendemain. Comme je serais peuple avec le peuple, je serais campagnard aux champs; et quand je parlerais d'agriculture, le paysan ne se moquerait pas de moi. Je n'irais pas me bâtir une ville en campagne, et mettre au fond d'une province les Tuileries devant mon appartement. Sur le penchant de quelque agréable colline bien ombragée, j'aurais une petite maison rustique, une maison blanche avec des contrevents verts; et quoique une couverture de chaume soit en toute saison la meilleure, je préférerais magnifiquement, non la triste ardoise, mais la tuile, parce qu'elle a l'air plus propre et plus gai que le chaume, qu'on ne couvre pas autrement les maisons dans mon pays, et que cela me rappellerait un peu l'heureux temps de ma jeunesse. J'aurais pour cour une basse-cour, et pour écurie une étable avec des vaches, pour avoir du laitage que j'aime beaucoup. J'aurais un potager pour jardin, et pour parc un joli verger semblable à celui dont il sera parlé ci-après. Les fruits, à la discrétion des promeneurs, ne seraient ni comptés ni cueillis par mon jardinier; et mon avare magnificence n'étalerait point aux yeux des espaliers superbes auxquels à peine on osât toucher. Or, cette petite prodigalité serait peu coûteuse, parce que j'aurais choisi mon asile dans quelque province éloignée où l'on voit peu d'argent et beaucoup de denrées, et où règnent l'abondance et la pauvreté [186].

Là, je rassemblerais une société, plus choisie que nombreuse, d'amis aimant le plaisir et s'y connaissant, de femmes qui pussent sortir de leur fauteuil et se prêter aux jeux champêtres, prendre quelquefois, au lieu de la navette et des cartes, la ligne, les gluaux, le râteau des faneuses, et le panier des vendangeurs. Là, tous les airs de la ville seraient oubliés, et, devenus villageois au village, nous nous trouverions livrés à des foules d'amusements divers

qui ne nous donneraient chaque soir que l'embarras du
choix pour le lendemain. L'exercice et la vie active nous
feraient un nouvel estomac et de nouveaux goûts. Tous
nos repas seraient des festins, où l'abondance plairait
plus que la délicatesse. La gaieté, les travaux rustiques,
les folâtres jeux, sont les premiers cuisiniers du monde,
et les ragoûts fins sont bien ridicules à des gens en haleine
depuis le lever du soleil. Le service n'aurait pas plus
d'ordre que d'élégance; la salle à manger serait partout,
dans le jardin, dans un bateau, sous un arbre; quelquefois
au loin, près d'une source vive, sur l'herbe verdoyante
et fraîche, sous des touffes d'aunes et de coudriers; une
longue procession de gais convives porterait en chantant l'apprêt du festin; on aurait le gazon pour table et
pour chaise; les bords de la fontaine serviraient de buffet,
et le dessert pendrait aux arbres. Les mets seraient servis
sans ordre, l'appétit dispenserait des façons; chacun se
préférant ouvertement à tout autre, trouverait bon que
tout autre se préférât de même à lui : de cette familiarité
cordiale et modérée naîtrait, sans grossièreté, sans fausseté, sans contrainte, un conflit badin plus charmant cent
fois que la politesse, et plus fait pour lier les cœurs. Point
d'importun laquais épiant nos discours, critiquant tout
bas nos maintiens, comptant nos morceaux d'un œil
avide, s'amusant à nous faire attendre à boire, et murmurant
d'un trop long dîner. Nous serions nos valets pour être
nos maîtres, chacun serait servi par tous; le temps passe-
rait sans le compter; le repas serait le repos, et durerait
autant que l'ardeur du jour. S'il passait près de nous
quelque paysan retournant au travail, ses outils sur l'épaule,
je lui réjouirais le cœur par quelques bons propos, par
quelques coups de bon vin qui lui feraient porter plus
gaiement sa misère; et moi j'aurais aussi le plaisir de me
sentir émouvoir un peu les entrailles, et de me dire en
secret : Je suis encore homme.

   Si quelque fête champêtre rassemblait les habitants
du lieu, j'y serais des premiers avec ma troupe [187]; si
quelques mariages, plus bénis du ciel que ceux des villes,
se faisaient à mon voisinage, on saurait que j'aime la joie,
et j'y serais invité. Je porterais à ces bonnes gens quelques
dons simples comme eux, qui contribueraient à la fête;
et j'y trouverais en échange des biens d'un prix inesti-

mable, des biens si peu connus de mes égaux, la franchise
et le vrai plaisir. Je souperais gaiement au bout de leur
longue table; j'y ferais chorus au refrain d'une vieille chanson rustique, et je danserais dans leur grange de meilleur
cœur qu'au bal de l'Opéra.

Jusqu'ici tout est à merveille, me dira-t-on; mais la
chasse ? est-ce être en campagne que de n'y pas chasser ?
J'entends : je ne voulais qu'une métairie, et j'avais tort.
Je me suppose riche, il me faut donc des plaisirs exclusifs,
des plaisirs destructifs : voici de tout autres affaires. Il
me faut des terres, des bois, des gardes, des redevances,
des honneurs seigneuriaux, surtout de l'encens et de l'eau
bénite [188].

Fort bien. Mais cette terre aura des voisins jaloux de
leurs droits et désireux d'usurper ceux des autres; nos
gardes se chamailleront, et peut-être les maîtres : voilà
des altercations, des querelles, des haines, des procès
tout au moins : cela n'est déjà pas fort agréable. Mes vas-
saux ne verront point avec plaisir labourer leurs blés
par mes lièvres, et leurs fèves par mes sangliers; chacun,
n'osant tuer l'ennemi qui détruit son travail, voudra du
moins le chasser de son champ; après avoir passé le jour
à cultiver leurs terres, il faudra qu'ils passent la nuit à
les garder, ils auront des mâtins, des tambours, des cornets,
des sonnettes : avec tout ce tintamarre ils troubleront
mon sommeil. Je songerai malgré moi à la misère de ces
pauvres gens, et ne pourrai m'empêcher de me la reprocher. Si j'avais l'honneur d'être prince, tout cela ne me
toucherait guère; mais moi, nouveau parvenu, nouveau
riche, j'aurais le cœur encore un peu roturier.

Ce n'est pas tout; l'abondance du gibier tentera les chasseurs; j'aurai bientôt des braconniers à punir; il me faudra des prisons, des geôliers, des archers, des galères :
tout cela me paraît assez cruel. Les femmes de ces malheureux viendront assiéger ma porte et m'importuner de leurs
cris, ou bien il faudra qu'on les chasse, qu'on les maltraite.
Les pauvres gens qui n'auront point braconné, et dont
mon gibier aura fourragé la récolte, viendront se plaindre
de leur côté : les uns seront punis pour avoir tué le gibier,
les autres ruinés pour l'avoir épargné : quelle triste alternative ! Je ne verrai de tous côtés qu'objets de misère,
je n'entendrai que gémissements : cela doit troubler beau-

coup, ce me semble, le plaisir de massacrer à son aise des
foules de perdrix et de lièvres presque sous ses pieds.

Voulez-vous dégager les plaisirs de leurs peines, ôtez
en l'exclusion : plus vous les laisserez communs aux hommes,
plus vous les goûterez toujours purs. Je ne ferai donc
point tout ce que je viens de dire; mais, sans changer de
goûts, je suivrai celui que je me suppose à moindres frais.
J'établirai mon séjour champêtre dans un pays où la
chasse soit libre à tout le monde, et où j'en puisse avoir
l'amusement sans embarras. Le gibier sera plus rare;
mais il y aura plus d'adresse à le chercher et de plaisir
à l'atteindre. Je me souviendrai des battements de cœur
qu'éprouvait mon père au vol de la première perdrix,
et des transports de joie avec lesquels il trouvait le lièvre
qu'il avait cherché tout le jour. Oui, je soutiens que, seul
avec son chien, chargé de son fusil, de son carnier, de son
fourniment, de sa petite proie, il revenait le soir, rendu de
fatigue et déchiré des ronces, plus content de sa journée
que tous vos chasseurs de ruelle, qui, sur un bon cheval,
suivis de vingt fusils chargés, ne font qu'en changer,
tirer, et tuer autour d'eux, sans art, sans gloire, et presque
sans exercice. Le plaisir n'est donc pas moindre, et l'inconvénient est ôté quand on n'a ni terre à garder, ni braconnier
à punir, ni misérable à tourmenter : voilà donc une solide
raison de préférence. Quoi qu'on fasse, on ne tourmente
point sans fin les hommes qu'on n'en reçoive aussi quelque
malaise; et les longues malédictions du peuple rendent
tôt ou tard le gibier amer.

Encore un coup, les plaisirs exclusifs sont la mort du
plaisir. Les vrais amusements sont ceux qu'on partage
avec le peuple; ceux qu'on veut avoir à soi seul, on ne les
a plus. Si les murs que j'élève autour de mon parc m'en
font une triste clôture, je n'ai fait à grands frais que
m'ôter le plaisir de la promenade : me voilà forcé de l'aller
chercher au loin. Le démon de la propriété infecte tout
ce qu'il touche. Un riche veut être partout le maître et
ne se trouve bien qu'où il ne l'est pas : il est forcé de se
fuir toujours. Pour moi, je ferai là-dessus dans ma richesse,
ce que j'ai fait dans ma pauvreté. Plus riche maintenant
du bien des autres que je ne serai jamais du mien, je m'empare
de tout ce qui me convient dans mon voisinage : il n'y a
pas de conquérant plus déterminé que moi; j'usurpe sur

les princes mêmes; je m'accommode sans distinction de tous les terrains ouverts qui me plaisent; je leur donne des noms; je fais de l'un mon parc, de l'autre ma terrasse, et m'en voilà le maître; dès lors, je m'y promène impunément; j'y reviens souvent pour maintenir la possession; j'use autant que je veux le sol à force d'y marcher; et l'on ne me persuadera jamais que le titulaire du fonds que je m'approprie tire plus d'usage de l'argent qu'il lui produit que j'en tire de son terrain. Que si l'on vient à me vexer par des fossés, par des haies, peu m'importe; je prends mon parc sur mes épaules, et je vais le poser ailleurs; les emplacements ne manquent pas aux environs, et j'aurai longtemps à piller mes voisins avant de manquer d'asile.

Voilà quelque essai du vrai goût dans le choix des loisirs agréables : voilà dans quel esprit on jouit; tout le reste n'est qu'illusion, chimère, sotte vanité. Quiconque s'écartera de ces règles, quelque riche qu'il puisse être, mangera son or en fumier, et ne connaîtra jamais le prix de la vie.

On m'objectera sans doute que de tels amusements sont à la portée de tous les hommes, et qu'on n'a pas besoin d'être riche pour les goûter. C'est précisément à quoi j'en voulais venir. On a du plaisir quand on en veut avoir : c'est l'opinion seule qui rend tout difficile, qui chasse le bonheur devant nous; et il est cent fois plus aisé d'être heureux que de le paraître. L'homme de goût et vraiment voluptueux n'a que faire de richesse; il lui suffit d'être libre et maître de lui. Quiconque jouit de la santé et ne manque pas du nécessaire, s'il arrache de son cœur les biens de l'opinion, est assez riche; c'est l'*aurea mediocritas* d'Horace. Gens à coffres-forts, cherchez donc quelque autre emploi de votre opulence, car pour le plaisir elle n'est bonne à rien. Émile ne saura pas tout cela mieux que moi; mais, ayant le cœur plus pur et plus sain, il le sentira mieux encore, et toutes ses observations dans le monde ne feront que le lui confirmer [189].

En passant ainsi le temps, nous cherchons toujours Sophie, et nous ne la trouvons point. Il importait qu'elle ne se trouvât pas si vite, et nous l'avons cherchée où j'étais bien sûr qu'elle n'était pas *.

---

* *Mulierem fortem quis inveniet? Procul, et de ultimis finibus pretium ejus* [190].

Enfin le moment presse; il est temps de la chercher tout de bon, de peur qu'il ne s'en fasse une qu'il prenne pour elle, et qu'il ne connaisse trop tard son erreur. Adieu donc, Paris, ville célèbre, ville de bruit, de fumée et de boue, où les femmes ne croient plus à l'honneur ni les hommes à la vertu. Adieu, Paris : nous cherchons l'amour, le bonheur, l'innocence; nous ne serons jamais assez loin de toi.

# LIVRE CINQUIÈME

Nous voici parvenus au dernier acte de la jeunesse, mais nous ne sommes pas encore au dénouement.

Il n'est pas bon que l'homme soit seul, Émile est homme; nous lui avons promis une compagne, il faut la lui donner. Cette compagne est Sophie. En quels lieux est son asile ? où la trouverons-nous ? Pour la trouver, il la faut connaître. Sachons premièrement ce qu'elle est, nous jugerons mieux des lieux qu'elle habite; et quand nous l'aurons trouvée, encore tout ne sera-t-il pas fait. *Puisque notre jeune gentilhomme*, dit Locke, *est prêt à se marier, il est temps de le laisser auprès de sa maîtresse*. Et là-dessus il finit son ouvrage. Pour moi, qui n'ai pas l'honneur d'élever un gentilhomme, je me garderai d'imiter Locke en cela.

## SOPHIE OU LA FEMME

Sophie doit être femme comme Émile est homme, c'est-à-dire avoir tout ce qui convient à la constitution de son espèce et de son sexe pour remplir sa place dans l'ordre physique et moral. Commençons donc par examiner les conformités et les différences de son sexe et du nôtre.

En tout ce qui ne tient pas au sexe, la femme est homme : elle a les mêmes organes, les mêmes besoins, les mêmes facultés; la machine est construite de la même manière, les pièces en sont les mêmes, le jeu de l'une est celui de l'autre, la figure est semblable; et, sous quelque rapport qu'on les considère, ils ne diffèrent entre eux que du plus au moins.

En tout ce qui tient au sexe, la femme et l'homme ont partout des rapports et partout des différences : la difficulté de les comparer vient de celle de déterminer dans la constitution de l'un et de l'autre ce qui est du sexe et ce qui n'en est pas. Par l'anatomie comparée, et même à la seule inspection, l'on trouve entre eux des différences générales qui paraissent ne point tenir au sexe; elles y tiennent pourtant, mais par des liaisons que nous sommes hors d'état d'apercevoir : nous ne savons jusqu'où ces liaisons peuvent s'étendre; la seule chose que nous savons avec certitude est que tout ce qu'ils ont de commun est de l'espèce, et que tout ce qu'ils ont de différent est du sexe. Sous ce double point de vue, nous trouvons entre eux tant de rapports et tant d'oppositions, que c'est peut-être une des merveilles de la nature d'avoir pu faire deux êtres si semblables en les constituant si différemment.

Ces rapports et ces différences doivent influer sur le moral; cette conséquence est sensible, conforme à l'expérience, et montre la vanité des disputes sur la préférence ou l'égalité des sexes : comme si chacun des deux, allant aux fins de la nature selon sa destination particulière, n'était pas plus parfait en cela que s'il ressemblait davantage à l'autre ! En ce qu'ils ont de commun ils sont égaux; en ce qu'ils ont de différent ils ne sont pas comparables. Une femme parfaite et un homme parfait ne doivent pas plus se ressembler d'esprit que de visage, et la perfection n'est pas susceptible de plus et de moins.

Dans l'union des sexes chacun concourt également à l'objet commun, mais non pas de la même manière. De cette diversité naît la première différence assignable entre les rapports moraux de l'un et de l'autre. L'un doit être actif et fort, l'autre passif et faible : il faut nécessairement que l'un veuille et puisse, il suffit que l'autre résiste peu.

Ce principe établi, il s'ensuit que la femme est faite spécialement pour plaire à l'homme. Si l'homme doit lui plaire à son tour, c'est d'une nécessité moins directe : son mérite est dans sa puissance; il plaît par cela seul qu'il est fort. Ce n'est pas ici la loi de l'amour, j'en conviens; mais c'est celle de la nature, antérieure à l'amour même.

Si la femme est faite pour plaire et pour être subjuguée, elle doit se rendre agréable à l'homme au lieu de le provoquer; sa violence à elle est dans ses charmes; c'est par eux qu'elle doit le contraindre à trouver sa force et à en user. L'art le plus sûr d'animer cette force est de la rendre nécessaire par la résistance. Alors l'amour-propre se joint au désir, et l'un triomphe de la victoire que l'autre lui fait remporter. De là naissent l'attaque et la défense, l'audace d'un sexe et la timidité de l'autre, enfin la modestie et la honte dont la nature arma le faible pour asservir le fort.

Qui est-ce qui peut penser qu'elle ait prescrit indifféremment les mêmes avances aux uns et aux autres, et que le premier à former des désirs doive être aussi le premier à les témoigner ? Quelle étrange dépravation de jugement ! L'entreprise ayant des conséquences si différentes pour les deux sexes, est-il naturel qu'ils aient la même audace à s'y livrer ? Comment ne voit-on pas qu'avec une si grande inégalité dans la mise commune, si la réserve n'imposait à l'un la modération que la nature impose à l'autre, il en résulterait bientôt la ruine de tous deux, et que le genre humain périrait par les moyens établis pour le conserver ? Avec la facilité qu'ont les femmes d'émouvoir les sens des hommes, et d'aller réveiller au fond de leurs cœurs les restes d'un tempérament presque éteint, s'il était quelque malheureux climat sur la terre où la philosophie eût introduit cet usage, surtout dans les pays chauds, où il naît plus de femmes que d'hommes, tyrannisés par elles, ils seraient enfin leurs victimes, et se verraient tous traîner à la mort sans qu'ils pussent jamais s'en défendre.

Si les femelles des animaux n'ont pas la même honte, que s'ensuit-il ? Ont-elles, comme les femmes, les désirs illimités auxquels cette honte sert de frein ? Le désir ne vient pour elles qu'avec le besoin; le besoin satisfait, le désir cesse; elles ne repoussent plus le mâle par feinte *, mais tout de bon : elles font tout le contraire de ce que faisait la fille d'Auguste; elles ne reçoivent plus de passagers quand le navire a sa cargaison. Même quand elles sont libres, leurs temps de bonne volonté sont courts et bientôt passés; l'instinct les pousse et l'instinct les arrête. Où sera le supplément de cet instinct négatif dans les femmes, quand vous leur aurez ôté la pudeur ? Attendre qu'elles ne se soucient plus des hommes, c'est attendre qu'ils ne soient plus bons à rien.

---

* J'ai déjà remarqué que les refus de simagrée et d'agacerie sont communs à presque toutes les femelles, même parmi les animaux, et même quand elles sont plus disposées à se rendre; il faut n'avoir jamais observé leur manège pour disconvenir de cela.

L'Être suprême a voulu faire en tout honneur à l'espèce humaine : en donnant à l'homme des penchants sans mesure, il lui donne en même temps la loi qui les règle, afin qu'il soit libre et se commande à lui-même ; en le livrant à des passions immodérées, il joint à ces passions la raison pour les gouverner ; en livrant la femme à des désirs illimités, il joint à ces désirs la pudeur pour les contenir. Pour surcroît, il ajoute encore une récompense actuelle au bon usage de ses facultés, savoir le goût qu'on prend aux choses honnêtes lorsqu'on en fait la règle de ses actions. Tout cela vaut bien, ce me semble, l'instinct des bêtes.

Soit donc que la femelle de l'homme partage ou non ses désirs et veuille ou non les satisfaire, elle le repousse et se défend toujours, mais non pas toujours avec la même force, ni par conséquent avec le même succès. Pour que l'attaquant soit victorieux, il faut que l'attaqué le permette ou l'ordonne ; car que de moyens adroits n'a-t-il pas pour forcer l'agresseur d'user de force ! Le plus libre et le plus doux de tous les actes n'admet point de violence réelle, la nature et la raison s'y opposent : la nature, en ce qu'elle a pourvu le plus faible d'autant de force qu'il en·faut pour résister quand il lui plaît ; la raison, en ce qu'une violence réelle est non seulement le plus brutal de tous les actes, mais le plus contraire à sa fin, soit parce que l'homme déclare ainsi la guerre à sa compagne, et l'autorise à défendre sa personne et sa liberté aux dépens même de la vie de l'agresseur, soit parce que la femme seule est juge de l'état où elle se trouve, et qu'un enfant n'aurait point de père si tout homme en pouvait usurper les droits.

Voici donc une troisième conséquence de la constitution des sexes, c'est que le plus fort soit le maître en apparence, et dépende en effet du plus faible ; et cela non par un frivole usage de galanterie, ni par une orgueilleuse générosité de protecteur, mais par une invariable loi de la nature, qui, donnant à la femme plus de facilité d'exciter les désirs qu'à l'homme de les satisfaire, fait dépendre celui-ci, malgré qu'il en ait, du bon plaisir de l'autre, et le contraint de chercher à son tour à lui plaire pour obtenir qu'elle consente à le laisser être le plus fort. Alors ce qu'il y a de plus doux pour l'homme dans sa victoire est de douter si c'est la faiblesse qui cède à la force, ou si c'est la volonté qui se rend ; et la ruse ordinaire de la femme est de laisser toujours ce doute

entre elle et lui. L'esprit des femmes répond en ceci parfaitement à leur constitution : loin de rougir de leur faiblesse,
elles en font gloire : leurs tendres muscles sont sans résistance : elles affectent de ne pouvoir soulever les plus légers
fardeaux; elles auraient honte d'être fortes. Pourquoi cela ?
Ce n'est pas seulement pour paraître délicates, c'est par une
précaution plus adroite; elles se ménagent de loin des
excuses et le droit d'être faibles au besoin.

Le progrès des lumières acquises par nos vices a beaucoup
changé sur ce point les anciennes opinions parmi nous, et
l'on ne parle plus guère de violences depuis qu'elles sont si
peu nécessaires et que les hommes n'y croient plus *; au
lieu qu'elles sont très communes dans les hautes antiquités
grecques et juives, parce que ces mêmes opinions sont dans
la simplicité de la nature, et que la seule expérience du libertinage a pu les déraciner. Si l'on cite de nos jours moins
d'actes de violence, ce n'est sûrement pas que les hommes
soient plus tempérants, mais c'est qu'ils ont moins de crédulité, et que telle plainte, qui jadis eût persuadé des peuples
simples, ne ferait de nos jours qu'attirer les ris des moqueurs;
on gagne davantage à se taire. Il y a dans le *Deutéronome* [191]
une loi par laquelle une fille abusée était punie avec le
séducteur, si le délit avait été commis dans la ville; mais s'il
avait été commis à la campagne ou dans des lieux écartés,
l'homme seul était puni; *Car*, dit la loi, *la fille a crié et n'a
point été entendue*. Cette bénigne interprétation apprenait aux
filles à ne pas se laisser surprendre en des lieux fréquentés.

L'effet de ces diversités d'opinions sur les mœurs est sensible. La galanterie moderne en est l'ouvrage. Les hommes,
trouvant que leurs plaisirs dépendaient plus de la volonté du
beau sexe qu'ils n'avaient cru, ont captivé cette volonté par
des complaisances dont il les a bien dédommagés.

Voyez comment le physique nous amène insensiblement
au moral, et comment de la grossière union des sexes naissent peu à peu les plus douces lois de l'amour. L'empire des
femmes n'est point à elles parce que les hommes l'ont voulu,
mais parce que ainsi le veut la nature : il était à elles avant

---

* Il peut y avoir une telle disproportion d'âge et de force qu'une
violence réelle ait lieu : mais traitant ici de l'état relatif des sexes selon
l'ordre de la nature, je les prends tous deux dans le rapport commun
qui constitue cet état.

qu'elles parussent l'avoir. Ce même Hercule, qui crut faire
violence aux cinquante filles de Thespius, fut pourtant contraint de filer près d'Omphale; et le fort Samson n'était pas
si fort que Dalila. Cet empire est aux femmes, et ne peut
leur être ôté, même quand elles en abusent : si jamais elles
pouvaient le perdre, il y a longtemps qu'elles l'auraient
perdu.

Il n'y a nulle parité entre les deux sexes quant à la conséquence du sexe. Le mâle n'est mâle qu'en certains instants,
la femelle est femelle toute sa vie, ou du moins toute sa
jeunesse; tout la rappelle sans cesse à son sexe, et, pour en
bien remplir les fonctions, il lui faut une constitution qui s'y
rapporte. Il lui faut du ménagement durant sa grossesse; il
lui faut du repos dans ses couches; il lui faut une vie molle et
sédentaire pour allaiter ses enfants; il lui faut, pour les
élever, de la patience et de la douceur, un zèle, une affection
que rien ne rebute; elle sert de liaison entre eux et leur père,
elle seule les lui fait aimer et lui donne la confiance de les
appeler siens. Que de tendresse et de soin ne lui faut-il
point pour maintenir dans l'union toute la famille ! Et enfin
tout cela ne doit pas être des vertus, mais des goûts, sans
quoi l'espèce humaine serait bientôt éteinte.

La rigidité des devoirs relatifs des deux sexes n'est ni ne
peut être la même. Quand la femme se plaint là-dessus de
l'injuste inégalité qu'y met l'homme, elle a tort; cette inégalité n'est point une institution humaine, ou du moins elle
n'est point l'ouvrage du préjugé, mais de la raison : c'est à
celui des deux que la nature a chargé du dépôt des enfants
d'en répondre à l'autre. Sans doute il n'est permis à personne
de violer sa foi, et tout mari infidèle qui prive sa femme du
seul prix des austères devoirs de son sexe est un homme
injuste et barbare; mais la femme infidèle fait plus, elle dissout la famille et brise tous les liens de la nature; en donnant
à l'homme des enfants qui ne sont pas à lui, elle trahit les
uns et les autres, elle joint la perfidie à l'infidélité. J'ai peine
à voir quel désordre et quel crime ne tient pas à celui-là. S'il
est un état affreux au monde, c'est celui d'un malheureux
père qui, sans confiance en sa femme, n'ose se livrer aux
plus doux sentiments de son cœur, qui doute, en embrassant son enfant, s'il n'embrasse point l'enfant d'un autre, le
gage de son déshonneur, le ravisseur du bien de ses propres
enfants. Qu'est-ce alors que la famille, si ce n'est une société

d'ennemis secrets qu'une femme coupable arme l'un contre l'autre, en les forçant de feindre de s'entr'aimer ?

Il n'importe donc pas seulement que la femme soit fidèle, mais qu'elle soit jugée telle par son mari, par ses proches, par tout le monde ; il importe qu'elle soit modeste, attentive, réservée, et qu'elle porte aux yeux d'autrui, comme en sa propre conscience, le témoignage de sa vertu. Enfin s'il importe qu'un père aime ses enfants, il importe qu'il estime leur mère. Telles sont les raisons qui mettent l'apparence même au nombre des devoirs des femmes, et leur rendent l'honneur et la réputation non moins indispensables que la chasteté. De ces principes dérive, avec la différence morale des sexes, un motif nouveau de devoir et de convenance, qui prescrit spécialement aux femmes l'attention la plus scrupuleuse sur leur conduite, sur leurs manières, sur leur maintien. Soutenir vaguement que les deux sexes sont égaux, et que leurs devoirs sont les mêmes, c'est se perdre en déclamations vaines, c'est ne rien dire tant qu'on ne répondra pas à cela.

N'est-ce pas une manière de raisonner bien solide, de donner des exceptions pour réponse à des lois générales aussi bien fondées ? Les femmes, dites-vous, ne font pas toujours des enfants ! Non, mais leur destination propre est d'en faire. Quoi ! parce qu'il y a dans l'univers une centaine de grandes villes où les femmes, vivant dans la licence, font peu d'enfants, vous prétendez que l'état des femmes est d'en faire peu ! Et que deviendraient vos villes, si les campagnes éloignées, où les femmes vivent plus simplement et plus chastement, ne réparaient la stérilité des dames ? Dans combien de provinces les femmes qui n'ont fait que quatre ou cinq enfants passent pour peu fécondes * ! Enfin, que telle ou telle femme fasse peu d'enfants, qu'importe ? L'état de la femme est-il moins d'être mère ? et n'est-ce pas par des lois générales que la nature et les mœurs doivent pourvoir à cet état ?

* Sans cela l'espèce dépérirait nécessairement : pour qu'elle se conserve, il faut, tout compensé, que chaque femme fasse à peu près quatre enfants : car des enfants qui naissent il en meurt près de la moitié avant qu'ils puissent en avoir d'autres, et il en faut deux restants pour représenter le père et la mère. Voyez si les villes vous fourniront cette population-là.

Quand il y aurait entre les grossesses d'aussi longs intervalles qu'on le suppose, une femme changera-t-elle ainsi
brusquement et alternativement de manière de vivre sans
péril et sans risque ? Sera-t-elle aujourd'hui nourrice et
demain guerrière ? Changera-t-elle de tempérament et de
goûts comme un caméléon de couleurs ? Passera-t-elle tout à
coup de l'ombre de la clôture et des soins domestiques aux
injures de l'air, aux travaux, aux fatigues, aux périls de la
guerre ? Sera-t-elle tantôt craintive * et tantôt brave, tantôt
délicate et tantôt robuste ? Si les jeunes gens élevés dans
Paris ont peine à supporter le métier des armes, des femmes
qui n'ont jamais affronté le soleil, et qui savent à peine marcher, le supporteront-elles après cinquante ans de mollesse ?
Prendront-elles ce dur métier à l'âge où les hommes le
quittent ?

Il y a des pays où les femmes accouchent presque sans
peine et nourrissent leurs enfants presque sans soin; j'en
conviens : mais dans ces mêmes pays les hommes vont demi-
nus en tout temps, terrassent les bêtes féroces, portent un
canot comme un havresac, font des chasses de sept ou huit
cent lieues, dorment à l'air à plate terre, supportent des
fatigues incroyables, et passent plusieurs jours sans manger.
Quand les femmes deviennent robustes, les hommes le
deviennent encore plus; quand les hommes s'amollissent, les
femmes s'amollissent davantage; quand les deux termes
changent également, la différence reste la même.

Platon, dans sa *République* [192], donne aux femmes les
mêmes exercices qu'aux hommes; je le crois bien. Ayant ôté
de son gouvernement les familles particulières, et ne sachant
plus que faire des femmes, il se vit forcé de les faire hommes.
Ce beau génie avait tout combiné, tout prévu : il allait au-
devant d'une objection que personne peut-être n'eût songé
à lui faire; mais il a mal résolu celle qu'on lui fait. Je ne parle
point de cette prétendue communauté de femmes, dont le
reproche tant répété prouve que ceux qui le lui font ne l'ont
jamais lu; je parle de cette promiscuité civile qui confond
partout les deux sexes dans les mêmes emplois, dans les
mêmes travaux, et ne peut manquer d'engendrer les plus
intolérables abus; je parle de cette subversion des plus doux

---

* La timidité des femmes est encore un instinct de la nature contre
le double risque qu'elles courent durant leur grossesse.

sentiments de la nature, immolés à un sentiment artificiel qui ne peut subsister que par eux : comme s'il ne fallait pas une prise naturelle pour former des liens de convention ! comme si l'amour qu'on a pour ses proches n'était pas le principe de celui qu'on doit à l'État ! comme si ce n'était pas par la petite patrie, qui est la famille, que le cœur s'attache à la grande ! comme si ce n'était pas le bon fils, le bon mari, le bon père, qui font le bon citoyen !

Dès qu'une fois il est démontré que l'homme et la femme ne sont ni ne doivent être constitués de même, de caractère ni de tempérament, il s'ensuit qu'ils ne doivent pas avoir la même éducation. En suivant les directions de la nature, ils doivent agir de concert, mais ils ne doivent pas faire les mêmes choses; la fin des travaux est commune, mais les travaux sont différents, et par conséquent les goûts qui les dirigent. Après avoir tâché de former l'homme naturel, pour ne pas laisser imparfait notre ouvrage, voyons comment doit se former aussi la femme qui convient à cet homme.

Voulez-vous toujours être bien guidé, suivez toujours les indications de la nature. Tout ce qui caractérise le sexe doit être respecté comme établi par elle. Vous dites sans cesse : les femmes ont tel et tel défaut que nous n'avons pas. Votre orgueil vous trompe; ce seraient des défauts pour vous, ce sont des qualités pour elles; tout irait moins bien si elles ne les avaient pas. Empêchez ces prétendus défauts de dégénérer, mais gardez-vous de les détruire.

Les femmes, de leur côté, ne cessent de crier que nous les élevons pour être vaines et coquettes, que nous les amusons sans cesse à des puérilités pour rester plus facilement les maîtres; elles s'en prennent à nous des défauts que nous leur reprochons. Quelle folie ! Et depuis quand sont-ce les hommes qui se mêlent de l'éducation des filles ? Qui est-ce qui empêche les mères de les élever comme il leur plaît ? Elles n'ont point de collèges : grand malheur ! Eh ! plût à Dieu qu'il n'y en eût point pour les garçons ! ils seraient plus sensément et plus honnêtement élevés. Force-t-on vos filles à perdre leur temps en niaiseries ? Leur fait-on malgré elles passer la moitié de leur vie à leur toilette, à votre exemple ? Vous empêche-t-on de les instruire et faire instruire à votre gré ? Est-ce notre faute si elles nous plaisent quand elles sont belles, si leurs minauderies nous séduisent, si l'art qu'elles apprennent de vous nous attire et nous flatte, si nous aimons à les voir mises avec goût, si nous leur laissons affiler à loisir les armes dont elles nous subjuguent ? Eh ! prenez le parti de les élever comme des hommes; ils y consentiront de bon cœur. Plus elles voudront leur ressembler, moins elles les gouverneront, et c'est alors qu'ils seront vraiment les maîtres.

Toutes les facultés communes aux deux sexes ne leur sont pas également partagées; mais prises en tout, elles se compensent. La femme vaut mieux comme femme et moins comme homme; partout où elle fait valoir ses droits, elle a l'avantage; partout où elle veut usurper les nôtres, elle reste au-dessous de nous. On ne peut répondre à cette vérité générale que par des exceptions; constante manière d'argumenter des galants partisans du beau sexe.

Cultiver dans les femmes les qualités de l'homme, et négliger celles qui leur sont propres, c'est donc visiblement travailler à leur préjudice. Les rusées le voient trop bien pour en être les dupes; en tâchant d'usurper nos avantages, elles n'abandonnent pas les leurs; mais il arrive de là que, ne pouvant bien ménager les uns et les autres parce qu'ils sont incompatibles, elles restent au-dessous de leur portée sans se mettre à la nôtre, et perdent la moitié de leur prix. Croyez-moi, mère judicieuse, ne faites point de votre fille un honnête homme, comme pour donner un démenti à la nature; faites-en une honnête femme, et soyez sûre qu'elle en vaudra mieux pour elle et pour nous.

S'ensuit-il qu'elle doive être élevée dans l'ignorance de toute chose, et bornée aux seules fonctions du ménage ? L'homme fera-t-il sa servante de sa compagne ? Se privera-t-il auprès d'elle du plus grand charme de la société ? Pour mieux l'asservir l'empêchera-t-il de rien sentir, de rien connaître ? En fera-t-il un véritable automate ? Non, sans doute; ainsi ne l'a pas dit la nature, qui donne aux femmes un esprit si agréable et si délié; au contraire, elle veut qu'elles pensent, qu'elles jugent, qu'elles aiment, qu'elles connaissent, qu'elles cultivent leur esprit comme leur figure; ce sont les armes qu'elle leur donne pour suppléer à la force qui leur manque et pour diriger la nôtre. Elles doivent apprendre beaucoup de choses, mais seulement celles qu'il leur convient de savoir.

Soit que je considère la destination particulière du sexe,

soit que j'observe ses penchants, soit que je compte ses devoirs, tout concourt également à m'indiquer la forme d'éducation qui lui convient. La femme et l'homme sont faits l'un pour l'autre, mais leur mutuelle dépendance n'est pas égale : les hommes dépendent des femmes par leurs désirs; les femmes dépendent des hommes et par leurs désirs et par leurs besoins; nous subsisterions plutôt sans elles qu'elles sans nous. Pour qu'elles aient le nécessaire, pour qu'elles soient dans leur état, il faut que nous le leur donnions, que nous voulions le leur donner, que nous les en estimions dignes; elles dépendent de nos sentiments, du prix que nous mettons à leur mérite, du cas que nous faisons de leurs charmes et de leurs vertus. Par la loi même de la nature, les femmes, tant pour elles que pour leurs enfants, sont à la merci des jugements des hommes : il ne suffit pas qu'elles soient estimables, il faut qu'elles soient estimées; il ne leur suffit pas d'être belles, il faut qu'elles plaisent; il ne leur suffit pas d'être sages, il faut qu'elles soient reconnues pour telles; leur honneur n'est pas seulement dans leur conduite, mais dans leur réputation, et il n'est pas possible que celle qui consent à passer pour infâme puisse jamais être honnête. L'homme, en bien faisant, ne dépend que de lui-même, et peut braver le jugement public; mais la femme en bien faisant, n'a fait que la moitié de sa tâche, et ce que l'on pense d'elle ne lui importe pas moins que ce qu'elle est en effet. Il suit de là que le système de son éducation doit être à cet égard contraire à celui de la nôtre : l'opinion est le tombeau de la vertu parmi les hommes, et son trône parmi les femmes.

De la bonne constitution des mères dépend d'abord celle des enfants; du soin des femmes dépend la première éducation des hommes; des femmes dépendent encore leurs mœurs, leurs passions, leurs goûts, leurs plaisirs, leur bonheur même. Ainsi toute l'éducation des femmes doit être relative aux hommes. Leur plaire, leur être utiles, se faire aimer et honorer d'eux, les élever jeunes, les soigner grands, les conseiller, les consoler, leur rendre la vie agréable et douce : voilà les devoirs des femmes dans tous les temps, et ce qu'on doit leur apprendre dès leur enfance. Tant qu'on ne remontera pas à ce principe, on s'écartera du but, et tous les préceptes qu'on leur donnera ne serviront de rien pour leur bonheur ni pour le nôtre.

Mais, quoique toute femme veuille plaire aux hommes et doive le vouloir, il y a bien de la différence entre vouloir plaire à l'homme de mérite, à l'homme vraiment aimable, et vouloir plaire à ces petits agréables qui déshonorent leur sexe et celui qu'ils imitent. Ni la nature ni la raison ne peuvent porter la femme à aimer dans les hommes ce qui lui ressemble, et ce n'est pas non plus en prenant leurs manières qu'elle doit chercher à s'en faire aimer.

Lors donc que, quittant le ton modeste et posé de leur sexe, elles prennent les airs de ces étourdis, loin de suivre leur vocation, elles y renoncent; elles s'ôtent à elles-mêmes les droits qu'elles pensent usurper. Si nous étions autrement, disent-elles, nous ne plairions point aux hommes. Elles mentent. Il faut être folle pour aimer les fous; le désir d'attirer ces gens-là montre le goût de celle qui s'y livre. S'il n'y avait point d'hommes frivoles, elle se presserait d'en faire; et leurs frivolités sont bien plus son ouvrage que les siennes ne sont le leur. La femme qui aime les vrais hommes, et qui veut leur plaire, prend des moyens assortis à son dessein. La femme est coquette par état; mais sa coquetterie change de forme et d'objet selon ses vues; réglons ces vues sur celles de la nature, la femme aura l'éducation qui lui convient.

Les petites filles, presque en naissant, aiment la parure : non contentes d'être jolies, elles veulent qu'on les trouve telles : on voit dans leurs petits airs que ce soin les occupe déjà; et à peine sont-elles en état d'entendre ce qu'on leur dit, qu'on les gouverne en leur parlant de ce qu'on pensera d'elles. Il s'en faut bien que le même motif très indiscrètement proposé aux petits garçons n'ait sur eux le même empire. Pourvu qu'ils soient indépendants et qu'ils aient du plaisir, ils se soucient fort peu de ce qu'on pourra penser d'eux. Ce n'est qu'à force de temps et de peine qu'on les assujettit à la même loi.

De quelque part que vienne aux filles cette première leçon, elle est très bonne. Puisque le corps naît pour ainsi dire avant l'âme, la première culture doit être celle du corps : cet ordre est commun aux deux sexes. Mais l'objet de cette culture est différent; dans l'un cet objet est le développement des forces, dans l'autre il est celui des agréments : non que ces qualités doivent être exclusives dans chaque sexe, l'ordre seulement est renversé; il faut assez de force aux femmes

pour faire tout ce qu'elles font avec grâce; il faut assez
d'adresse aux hommes pour faire tout ce qu'ils font avec
facilité.

Par l'extrême mollesse des femmes commence celle des
hommes. Les femmes ne doivent pas être robustes comme
eux, mais pour eux, pour que les hommes qui naîtront d'elles
le soient aussi. En ceci, les couvents, où les pensionnaires
ont une nourriture grossière, mais beaucoup d'ébats, de
courses, de jeux en plein air et dans des jardins, sont à préférer à la maison paternelle, où une fille, délicatement nourrie, toujours flattée ou tancée, toujours assise sous les yeux
de sa mère dans une chambre bien close, n'ose se lever, ni
marcher, ni parler, ni souffler, et n'a pas un moment de liberté pour jouer, sauter, courir, crier, se livrer à la pétulance naturelle à son âge : toujours ou relâchement dangereux ou sévérité mal entendue; jamais rien selon la raison.
Voilà comment on ruine le corps et le cœur de la jeunesse.

Les filles de Sparte s'exerçaient, comme les garçons, aux
jeux militaires, non pour aller à la guerre, mais pour porter
un jour des enfants capables d'en soutenir les fatigues. Ce
n'est pas là ce que j'approuve : il n'est pas nécessaire pour
donner des soldats à l'État que les mères aient porté le mous-
quet et fait l'exercice à la prussienne; mais je trouve qu'en
général l'éducation grecque était très bien entendue en cette
partie. Les jeunes filles paraissaient souvent en public, non
pas mêlées avec les garçons, mais rassemblées entre elles. Il
n'y avait presque pas une fête, pas un sacrifice, pas une cérémonie, où l'on ne vît des bandes de filles des premiers
citoyens couronnées de fleurs, chantant des hymnes, for-
mant des chœurs de danses, portant des corbeilles [193], des
vases, des offrandes, et présentant aux sens dépravés des
Grecs un spectacle charmant et propre à balancer le mauvais
effet de leur indécente gymnastique. Quelque impression
que fît cet usage sur les cœurs des hommes, toujours était-il
excellent pour donner au sexe une bonne constitution
dans la jeunesse par des exercices agréables, modérés, salutaires, et pour aiguiser et former son goût par le désir continuel de plaire, sans jamais exposer ses mœurs.

Sitôt que ces jeunes personnes étaient mariées, on ne les
voyait plus en public; renfermées dans leurs maisons, elles
bornaient tous leurs soins à leur ménage et à leur famille. Telle
est la manière de vivre que la nature et la raison prescrivent

au sexe. Aussi de ces mères-là naissaient les hommes les plus
sains, les plus robustes, les mieux faits de la terre; et malgré
le mauvais renom de quelques îles, il est constant que de tous
les peuples du monde, sans en excepter même les Romains,
on n'en cite aucun où les femmes aient été à la fois plus
sages et plus aimables, et aient mieux réuni les mœurs à la
beauté, que l'ancienne Grèce.

On sait que l'aisance des vêtements qui ne gênaient
point le corps contribuait beaucoup à lui laisser dans les
deux sexes ces belles proportions qu'on voit dans leurs
statues, et qui servent encore de modèle à l'art quand la
nature défigurée a cessé de lui en fournir parmi nous.
De toutes ces entraves gothiques, de ces multitudes de
ligatures qui tiennent de toutes parts nos membres en
presse, ils n'en avaient pas une seule. Leurs femmes igno-
raient l'usage de ces corps de baleine par lesquels les nôtres
contrefont leur taille plutôt qu'elles ne la marquent. Je
ne puis concevoir que cet abus, poussé en Angleterre à
un point inconcevable, n'y fasse pas à la fin dégénérer
l'espèce, et je soutiens même que l'objet d'agrément qu'on
se propose en cela est de mauvais goût. Il n'est point agréable
de voir une femme coupée en deux comme une guêpe;
cela choque la vue et fait souffrir l'imagination. La finesse
de la taille a, comme tout le reste, ses proportions, sa
mesure, passé laquelle elle est certainement un défaut :
ce défaut serait même frappant à l'œil sur le nu : pourquoi
serait-il une beauté sous le vêtement !

Je n'ose presser les raisons sur lesquelles les femmes
s'obstinent à s'encuirasser ainsi : un sein qui tombe, un
ventre qui grossit, etc., cela déplaît fort, j'en conviens,
dans une personne de vingt ans, mais cela ne choque plus
à trente; et comme il faut en dépit de nous être en tout
temps ce qu'il plaît à la nature, et que l'œil de l'homme
ne s'y trompe point, ces défauts sont moins déplaisants à tout
âge que la sotte affectation d'une petite fille de quarante
ans.

Tout ce qui gêne et contraint la nature est de mauvais
goût; cela est vrai des parures du corps comme des ornements de l'esprit. La vie, la santé, la raison, le bien-être
doivent aller avant tout; la grâce ne va point sans l'aisance;
la délicatesse n'est pas la langueur, et il ne faut pas être
malsaine pour plaire. On excite la pitié quand on souffre;

mais le plaisir et le désir cherchent la fraîcheur de la santé.

Les enfants des deux sexes ont beaucoup d'amusements communs, et cela doit être; n'en ont-ils pas de même étant grands ? Ils ont aussi des goûts propres qui les distinguent. Les garçons cherchent le mouvement et le bruit; des tambours, des sabots, de petits carrosses : les filles aiment mieux ce qui donne dans la vue et sert à l'ornement; des miroirs, des bijoux, des chiffons, surtout des poupées : la poupée est l'amusement spécial de ce sexe; voilà très évidemment son goût déterminé sur sa destination. Le physique de l'art de plaire est dans la parure : c'est tout ce que des enfants peuvent cultiver de cet art.

Voyez une petite fille passer la journée autour de sa poupée, lui changer sans cesse d'ajustement, l'habiller, la déshabiller cent et cent fois, chercher continuellement de nouvelles combinaisons d'ornements bien ou mal assortis, il n'importe; les doigts manquent d'adresse, le goût n'est pas formé, mais déjà le penchant se montre; dans cette éternelle occupation le temps coule sans qu'elle y songe; les heures passent, elle n'en sait rien; elle oublie les repas mêmes, elle a plus faim de parure que d'aliment. Mais, direz-vous, elle pare sa poupée et non sa personne. Sans doute; elle voit sa poupée et ne se voit pas, elle ne peut rien faire pour elle-même, elle n'est pas formée, elle n'a ni talent ni force, elle n'est rien encore, elle est toute dans sa poupée, elle y met toute sa coquetterie. Elle ne l'y laissera pas toujours, elle attend le moment d'être sa poupée elle-même.

Voilà donc un premier goût bien décidé : vous n'avez qu'à le suivre et le régler. Il est sûr que la petite voudrait de tout son cœur savoir orner sa poupée, faire ses nœuds de manche, son fichu, son falbala, sa dentelle; en tout cela on la fait dépendre si durement du bon plaisir d'autrui, qu'il lui serait bien plus commode de tout devoir à son industrie. Ainsi vient la raison des premières leçons qu'on lui donne : ce ne sont pas des tâches qu'on lui prescrit, ce sont des bontés qu'on a pour elle. Et en effet, presque toutes les petites filles apprennent avec répugnance à lire et à écrire; mais, quant à tenir l'aiguille, c'est ce qu'elles apprennent toujours volontiers. Elles s'imaginent d'avance être grandes, et songent avec plaisir que ces talents pourront un jour leur servir à se parer.

Cette première route ouverte est facile à suivre : la couture, la broderie, la dentelle viennent d'elles-mêmes. La tapisserie n'est plus si fort à leur gré : les meubles sont trop loin d'elles, ils ne tiennent point à la personne, ils tiennent à d'autres opinions. La tapisserie est l'amusement des femmes; de jeunes filles n'y prendront jamais un fort grand plaisir.

Ces progrès volontaires s'étendront aisément jusqu'au dessin, car cet art n'est pas indifférent à celui de se mettre avec goût : mais je ne voudrais point qu'on les appliquât au paysage, encore moins à la figure. Des feuillages, des fruits, des fleurs, des draperies, tout ce qui peut servir à donner un contour élégant aux ajustements, et à faire soi-même un patron de broderie quand on n'en trouve pas à son gré, cela leur suffit. En général, s'il importe aux hommes de borner leurs études à des connaissances d'usage, cela importe encore plus aux femmes, parce que la vie de celles-ci, bien que moins laborieuse, étant ou devant être plus assidue à leurs soins, et plus entrecoupée de soins divers, ne leur permet de se livrer par choix à aucun talent au préjudice de leurs devoirs.

Quoi qu'en disent les plaisants, le bon sens est également des deux sexes. Les filles en général sont plus dociles que les garçons, et l'on doit même user sur elles de plus d'autorité, comme je le dirai tout à l'heure; mais il ne s'ensuit pas que l'on doive exiger d'elles rien dont elles ne puissent voir l'utilité; l'art des mères est de la leur montrer dans tout ce qu'elles leur prescrivent, et cela est d'autant plus aisé, que l'intelligence dans les filles est plus précoce que dans les garçons. Cette règle bannit de leur sexe, ainsi que du nôtre, non seulement toutes les études oisives qui n'aboutissent à rien de bon et ne rendent pas même plus agréables aux autres ceux qui les ont faites, mais même toutes celles dont l'utilité n'est pas de l'âge, et où l'enfant ne peut la prévoir dans un âge plus avancé. Si je ne veux pas qu'on presse un garçon d'apprendre à lire, à plus forte raison je ne veux pas qu'on y force de jeunes filles avant de leur faire bien sentir à quoi sert la lecture; et, dans la manière dont on leur montre ordinairement cette utilité, on suit bien plus sa propre idée que la leur. Après tout, où est la nécessité qu'une fille sache lire et écrire de si bonne heure ? Aura-t-elle si tôt un ménage à gouverner ? Il y en a bien

peu qui ne fassent plus d'abus que d'usage de cette fatale
science; et toutes sont un peu trop curieuses pour ne
pas l'apprendre sans qu'on les y force, quand elles en
auront le loisir et l'occasion. Peut-être devraient-elles
apprendre à chiffrer avant tout; car rien n'offre une utilité
plus sensible en tout temps, ne demande un plus long
usage, et ne laisse tant de prise à l'erreur que les comptes.
Si la petite n'avait les cerises de son goûter que par une
opération d'arithmétique, je vous réponds qu'elle saurait
bientôt calculer.

Je connais une jeune personne qui apprit à écrire plus tôt
qu'à lire, et qui commença d'écrire avec l'aiguille avant
que d'écrire avec la plume. De toute l'écriture elle ne voulut
d'abord faire que des *O*. Elle faisait incessamment des *O*
grands et petits, des *O* de toutes les tailles, des *O* les uns
dans les autres, et toujours tracés à rebours. Malheureusement un jour qu'elle était occupée à cet utile exercice,
elle se vit dans un miroir; et, trouvant que cette attitude
contrainte lui donnait mauvaise grâce, comme une autre
Minerve, elle jeta la plume, et ne voulut plus faire des *O*.
Son frère n'aimait pas plus à écrire qu'elle; mais ce qui le
fâchait était la gêne, et non pas l'air qu'elle lui donnait.
On prit un autre tour pour la ramener à l'écriture; la
petite fille était délicate et vaine, elle n'entendait point
que son linge servît à ses sœurs; on le marquait, on ne
voulut plus le marquer; il fallut le marquer elle-même:
on conçoit le reste du progrès.

Justifiez toujours les soins que vous imposez aux jeunes
filles, mais imposez-leur-en toujours. L'oisiveté et l'indo-
cilité sont les deux défauts les plus dangereux pour elles,
et dont on guérit le moins quand on les a contractés. Les
filles doivent être vigilantes et laborieuses; ce n'est pas
tout: elles doivent être gênées de bonne heure. Ce malheur,
si c'en est un pour elles, est inséparable de leur sexe;
et jamais elles ne s'en délivrent que pour en souffrir de
bien plus cruels. Elles seront toute leur vie asservies à
la gêne la plus continuelle et la plus sévère, qui est celle
des bienséances. Il faut les exercer d'abord à la contrainte,
afin qu'elle ne leur coûte jamais rien; à dompter toutes
leurs fantaisies, pour les soumettre aux volontés d'autrui.
Si elles voulaient toujours travailler, on devrait quelquefois les forcer à ne rien faire. La dissipation, la frivolité,

l'inconstance, sont des défauts qui naissent aisément de
leurs premiers goûts corrompus et toujours suivis. Pour
prévenir cet abus, apprenez-leur surtout à se vaincre.
Dans nos insensés établissements, la vie de l'honnête
femme est un combat perpétuel contre elle-même; il est
juste que ce sexe partage la peine des maux qu'il nous a
causés.

Empêchez que les filles ne s'ennuient dans leurs occupations et ne se passionnent dans leurs amusements, comme il
arrive toujours dans les éducations vulgaires, où l'on met,
comme dit Fénelon, tout l'ennui d'un côté et tout le plaisir de l'autre. Le premier de ces deux inconvénients n'aura
lieu, si on suit les règles précédentes, que quand les personnes qui seront avec elles leur déplairont. Une petite
fille qui aimera sa mère ou sa mie travaillera tout le jour
à ses côtés sans ennui; le babil seul la dédommagera de
toute sa gêne. Mais, si celle qui la gouverne lui est insupportable, elle prendra dans le même dégoût tout ce qu'elle
fera sous ses yeux. Il est très difficile que celles qui ne se
plaisent pas avec leurs mères plus qu'avec personne au
monde puissent un jour tourner à bien; mais, pour juger
de leurs vrais sentiments, il faut les étudier, et non pas
se fier à ce qu'elles disent; car elles sont flatteuses, dissimulées, et savent de bonne heure se déguiser. On ne doit
pas non plus leur prescrire d'aimer leur mère; l'affection ne
vient point par devoir, et ce n'est pas ici que sert la contrainte. L'attachement, les soins, la seule habitude, feront
aimer la mère de la fille, si elle ne fait rien pour s'attirer sa
haine. La gêne même où elle la tient, bien dirigée, loin
d'affaiblir cet attachement, ne fera que l'augmenter, parce
que la dépendance étant un état naturel aux femmes, les
filles se sentent faites pour obéir.

Par la même raison qu'elles ont ou doivent avoir peu
de liberté, elles portent à l'excès celle qu'on leur laisse;
extrêmes en tout, elles se livrent à leurs jeux avec plus
d'emportement encore que les garçons : c'est le second
des inconvénients dont je viens de parler. Cet emportement doit être modéré; car il est la cause de plusieurs
vices particuliers aux femmes, comme, entre autres, le
caprice de l'engouement, par lequel une femme se transporte aujourd'hui pour tel objet qu'elle ne regardera pas
demain. L'inconstance des goûts leur est aussi funeste

que leur excès, et l'un et l'autre leur vient de la même source. Ne leur ôtez pas la gaieté, les ris, le bruit, les folâtres jeux; mais empêchez qu'elles ne se rassasient de l'un pour courir à l'autre; ne souffrez pas qu'un seul instant dans leur vie elles ne connaissent plus de frein. Accoutumez-les à se voir interrompre au milieu de leurs jeux, et ramener à d'autres soins sans murmurer. La seule habitude suffit encore en ceci, parce qu'elle ne fait que seconder la nature.

Il résulte de cette contrainte habituelle une docilité dont les femmes ont besoin toute leur vie, puisqu'elles ne cessent jamais d'être assujetties ou à un homme, ou aux jugements des hommes, et qu'il ne leur est jamais permis de se mettre au-dessus de ces jugements. La première et la plus importante qualité d'une femme est la douceur : faite pour obéir à un être aussi imparfait que l'homme, souvent si plein de vices, et toujours si plein de défauts, elle doit apprendre de bonne heure à souffrir même l'injustice et à supporter les torts d'un mari sans se plaindre; ce n'est pas pour lui, c'est pour elle qu'elle doit être douce. L'aigreur et l'opiniâtreté des femmes ne font jamais qu'augmenter leurs maux et les mauvais procédés des maris; ils sentent que ce n'est pas avec ces armes-là qu'elles doivent les vaincre. Le ciel ne les fit point insinuantes et persuasives pour devenir acariâtres; il ne les fit point faibles pour être impérieuses; il ne leur donna point une voix si douce pour dire des injures; il ne leur fit point des traits si délicats pour les défigurer par la colère. Quand elles se fâchent, elles s'oublient : elles ont souvent raison de se plaindre, mais elles ont toujours tort de gronder. Chacun doit garder le ton de son sexe; un mari trop doux peut rendre une femme impertinente; mais, à moins qu'un homme ne soit un monstre, la douceur d'une femme le ramène, et triomphe de lui tôt ou tard.

Que les filles soient toujours soumises, mais que les mères ne soient pas toujours inexorables. Pour rendre docile une jeune personne, il ne faut pas la rendre malheureuse; pour la rendre modeste, il ne faut pas l'abrutir; au contraire, je ne serais pas fâché qu'on lui laissât mettre quelquefois un peu d'adresse, non pas à éluder la punition dans sa désobéissance, mais à se faire exempter d'obéir. Il n'est pas question de lui rendre sa dépendance pénible,

il suffit de la lui faire sentir. La ruse est un talent naturel
au sexe; et, persuadé que tous les penchants naturels
sont bons et droits par eux-mêmes, je suis d'avis qu'on
cultive celui-là comme les autres : il ne s'agit que d'en
prévenir l'abus.

Je m'en rapporte sur la vérité de cette remarque à tout
observateur de bonne foi. Je ne veux point qu'on examine
là-dessus les femmes mêmes : nos gênantes institutions
peuvent les forcer d'aiguiser leur esprit. Je veux qu'on
examine les filles, les petites filles, qui ne font pour ainsi
dire que de naître : qu'on les compare avec les petits garçons de même âge; et, si ceux-ci ne paraissent lourds,
étourdis, bêtes, auprès d'elles, j'aurai tort incontestablement. Qu'on me permette un seul exemple pris dans toute
la naïveté puérile.

Il est très commun de défendre aux enfants de rien
demander à table; car on ne croit jamais mieux réussir
dans leur éducation qu'en la surchargeant de préceptes
inutiles, comme si un morceau de ceci ou de cela n'était
pas bientôt accordé ou refusé *, sans faire mourir sans
cesse un pauvre enfant d'une convoitise aiguisée par
l'espérance. Tout le monde sait l'adresse d'un jeune garçon soumis à cette loi, lequel, ayant été oublié à table,
s'avisa de demander du sel, etc. Je ne dirai pas qu'on pouvait le chicaner pour avoir demandé directement du sel
et indirectement de la viande; l'omission était si cruelle,
que, quand il eût enfreint ouvertement la loi et dit sans
détour qu'il avait faim, je ne puis croire qu'on l'en eût puni.
Mais voici comment s'y prit, en ma présence, une petite
fille de six ans dans un cas beaucoup plus difficile; car,
outre qu'il lui était rigoureusement défendu de demander
jamais rien ni directement ni indirectement, la désobéissance n'eût pas été graciable, puisqu'elle avait mangé
de tous les plats, hormis un seul, dont on avait oublié
de lui donner, et qu'elle convoitait beaucoup.

Or, pour obtenir qu'on réparât cet oubli sans qu'on pût
l'accuser de désobéissance, elle fit en avançant son doigt
la revue de tous les plats, disant tout haut, à mesure qu'elle

---

* Un enfant se rend importun quand il trouve son compte à l'être;
mais il ne demandera jamais deux fois la même chose, si la première
réponse est toujours irrévocable.

les montrait : *J'ai mangé de ça, j'ai mangé de ça ;* mais elle affecta si visiblement de passer sans rien dire celui dont elle n'avait point mangé, que quelqu'un s'en apercevant lui dit : Et de cela, en avez-vous mangé ? *Oh ! non*, reprit doucement la petite gourmande en baissant les yeux. Je n'ajouterai rien; comparez : ce tour-ci est une ruse de fille, l'autre est une ruse de garçon.

Ce qui est est bien, et aucune loi générale n'est mauvaise. Cette adresse particulière donnée au sexe est un dédommagement très équitable de la force qu'il a de moins; sans quoi la femme ne serait pas la compagne de l'homme, elle serait son esclave : c'est par cette supériorité de talent qu'elle se maintient son égale, et qu'elle le gouverne en lui obéissant. La femme a tout contre elle, nos défauts, sa timidité, sa faiblesse; elle n'a pour elle que son art et sa beauté. N'est-il pas juste qu'elle cultive l'un et l'autre ? Mais la beauté n'est pas générale; elle périt par mille accidents, elle passe avec les années; l'habitude en détruit l'effet. L'esprit seul est la véritable ressource du sexe : non ce sot esprit auquel on donne tant de prix dans le monde, et qui ne sert à rien pour rendre la vie heureuse, mais l'esprit de son état, l'art de tirer parti du nôtre, et de se prévaloir de nos propres avantages. On ne sait pas combien cette adresse des femmes nous est utile à nous-mêmes, combien elle ajoute de charme à la société des deux sexes, combien elle sert à réprimer la pétulance des enfants, combien elle contient de maris brutaux, combien elle maintient de bons ménages, que la discorde troublerait sans cela. Les femmes artificieuses et méchantes en abusent, je le sais bien; mais de quoi le vice n'abuse-t-il pas ? Ne détruisons point les instruments du bonheur parce que les méchants s'en servent quelquefois à nuire.

On peut briller par la parure, mais on ne plaît que par la personne. Nos ajustements ne sont point nous; souvent ils déparent à force d'être recherchés, et souvent ceux qui font le plus remarquer celle qui les porte sont ceux qu'on remarque le moins. L'éducation des jeunes filles est en ce point tout à fait à contresens. On leur promet des ornements pour récompense, on leur fait aimer les atours recherchés : *Qu'elle est belle !* leur dit-on quand elles sont fort parées. Et tout au contraire on devrait leur faire entendre que tant d'ajustement n'est fait que pour cacher des défauts,

et que le vrai triomphe de la beauté est de briller par elle-
même. L'amour des modes est de mauvais goût, parce
que les visages ne changent pas avec elles, et que la figure
restant la même, ce qui lui sied une fois lui sied toujours.

Quand je verrais la jeune fille se pavaner dans ses atours,
je paraîtrais inquiet de sa figure ainsi déguisée et de ce
qu'on en pourra penser; je dirais : Tous ces ornements
la parent trop, c'est dommage : croyez-vous qu'elle en
pût supporter de plus simples ? est-elle assez belle pour
se passer de ceci ou de cela ? Peut-être sera-t-elle alors
la première à prier qu'on lui ôte cet ornement, et qu'on
juge : c'est le cas de l'applaudir, s'il y a lieu. Je ne la loue-
rais jamais tant que quand elle serait le plus simplement
mise. Quand elle ne regardera la parure que comme un
supplément aux grâces de la personne et comme un aveu
tacite qu'elle a besoin de secours pour plaire, elle ne sera
point fière de son ajustement, elle en sera humble; et si,
plus parée que de coutume, elle s'entend dire : *Qu'elle
est belle !* elle en rougira de dépit.

Au reste, il y a des figures qui ont besoin de parure,
mais il n'y en a point qui exigent de riches atours. Les
parures ruineuses sont la vanité du rang et non de la personne, elles tiennent uniquement au préjugé. La véritable
coquetterie est quelquefois recherchée, mais elle n'est
jamais fastueuse; et Junon se mettait plus superbement que
Vénus. *Ne pouvant la faire belle, tu la fais riche*, disait Apelle
à un mauvais peintre qui peignait Hélène fort chargée
d'atours [194]. J'ai aussi remarqué que les plus pompeuses
parures annonçaient le plus souvent de laides femmes;
on ne saurait avoir une vanité plus maladroite. Donnez
à une jeune fille qui ait du goût, et qui méprise la mode,
des rubans, de la gaze, de la mousseline et des fleurs;
sans diamants, sans pompons, sans dentelles *, elle
va se faire un ajustement qui la rendra cent fois plus charmante que n'eussent fait tous les brillants chiffons de la
Duchapt.

Comme ce qui est bien est toujours bien, et qu'il faut

---

* Les femmes qui ont la peau assez blanche pour se passer de dentelle
donneraient bien du dépit aux autres, si elles n'en portaient pas. Ce
sont presque toujours de laides personnes qui amènent les modes,
auxquelles les belles ont la bêtise de s'assujettir.

être toujours le mieux qu'il est possible, les femmes qui se connaissent en ajustements choisissent les bons, s'y tiennent; et, n'en changeant pas tous les jours, elles en sont moins occupées que celles qui ne savent à quoi se fixer. Le vrai soin de la parure demande peu de toilette. Les jeunes demoiselles ont rarement des toilettes d'appareil; le travail, les leçons, remplissent leur journée; cependant, en général, elles sont mises, au rouge près, avec autant de soin que les dames, et souvent de meilleur goût. L'abus de la toilette n'est pas ce qu'on pense, il vient bien plus d'ennui que de vanité. Une femme qui passe six heures à sa toilette n'ignore point qu'elle n'en sort pas mieux mise que celle qui n'y passe qu'une demi-heure; mais c'est autant de pris sur l'assommante longueur du temps, et il vaut mieux s'amuser de soi que de s'ennuyer de tout. Sans la toilette, que ferait-on de la vie depuis midi jusqu'à neuf heures ? En rassemblant des femmes autour de soi, on s'amuse à les impatienter, c'est déjà quelque chose; on évite le tête-à-tête avec un mari qu'on ne voit qu'à cette heure-là, c'est beaucoup plus; et puis viennent les marchandes, les brocanteurs, les petits messieurs, les petits auteurs, les vers, les chansons, les brochures : sans la toilette on ne réunirait jamais si bien tout cela. Le seul profit réel qui tienne à la chose est le prétexte de s'étaler un peu plus que quand on est vêtue; mais ce profit n'est peut-être pas si grand qu'on pense, et les femmes à toilette n'y gagnent pas tant qu'elles diraient bien. Donnez sans scrupule une éducation de femme aux femmes, faites qu'elles aiment les soins de leur sexe, qu'elles aient de la modestie, qu'elles sachent veiller à leur ménage et s'occuper dans leur maison; la grande toilette tombera d'elle-même, et elles n'en seront mises que de meilleur goût.

La première chose que remarquent en grandissant les jeunes personnes, c'est que tous ces agréments étrangers ne leur suffisent pas, si elles n'en ont qui soient à elles. On ne peut jamais se donner la beauté, et l'on n'est pas si tôt en état d'acquérir la coquetterie; mais on peut déjà chercher à donner un tour agréable à ses gestes, un accent flatteur à sa voix, à composer son maintien, à marcher avec légèreté, à prendre des attitudes gracieuses, et à choisir partout ses avantages. La voix s'étend, s'affermit, et prend du timbre; les bras se développent, la démarche s'assure,

et l'on s'aperçoit que, de quelque manière qu'on soit mise,
il y a un art de se faire regarder. Dès lors il ne s'agit plus
seulement d'aiguille et d'industrie; de nouveaux talents
se présentent, et font déjà sentir leur utilité.

Je sais que les sévères instituteurs veulent qu'on n'apprenne aux jeunes filles ni chant, ni danse, ni aucun des arts
agréables. Cela me paraît plaisant; et à qui veulent-ils donc
qu'on les apprenne ? Aux garçons ? A qui des hommes ou
des femmes appartient-il d'avoir ces talents par préférence ?
A personne, répondront-ils; les chansons profanes sont
autant de crimes; la danse est une invention du démon,
une jeune fille ne doit avoir d'amusement que son
travail et la prière. Voilà d'étranges amusements pour un
enfant de dix ans ! Pour moi, j'ai grand'peur que toutes
ces petites saintes qu'on force de passer leur enfance à
prier Dieu ne passent leur jeunesse à tout autre chose,
et ne réparent de leur mieux, étant mariées, le temps qu'elles
pensent avoir perdu filles. J'estime qu'il faut avoir égard
à ce qui convient à l'âge aussi bien qu'au sexe; qu'une
jeune fille ne doit pas vivre comme sa grand'mère; qu'elle
doit être vive, enjouée, folâtre, chanter, danser autant
qu'il lui plaît, et goûter tous les innocents plaisirs de son
âge; le temps ne viendra que trop tôt d'être posée et de
prendre un maintien plus sérieux.

Mais la nécessité de ce changement même est-elle bien
réelle ? n'est-elle point peut-être encore un fruit de nos
préjugés ? En n'asservissant les honnêtes femmes qu'à de
tristes devoirs, on a banni du mariage tout ce qui pouvait le
rendre agréable aux hommes. Faut-il s'étonner si la tacitur-
nité qu'ils voient régner chez eux les en chasse, ou s'ils sont
peu tentés d'embrasser un état si déplaisant ? A force d'ou-
trer tous les devoirs, le christianisme les rend impraticables et
vains; à force d'interdire aux femmes le chant, la danse, et
tous les amusements du monde, il les rend maussades, gron-
deuses, insupportables dans leurs maisons. Il n'y a point de
religion où le mariage soit soumis à des devoirs si sévères, et
point où un engagement si saint soit si méprisé. On a tant
fait pour empêcher les femmes d'être aimables, qu'on a
rendu les maris indifférents. Cela ne devrait pas être; j'entends fort bien : mais moi je dis que cela devait être, puisque
enfin les chrétiens sont hommes. Pour moi, je voudrais
qu'une jeune Anglaise cultivât avec autant de soin les

talents agréables pour plaire au mari qu'elle aura, qu'une jeune Albanaise les cultive pour le harem d'Ispahan. Les maris, dira-t-on, ne se soucient point trop de tous ces talents. Vraiment je le crois, quand ces talents, loin d'être employés à leur plaire, ne servent que d'amorce pour attirer chez eux de jeunes impudents qui les déshonorent. Mais pensez-vous qu'une femme aimable et sage, ornée de pareils talents, et qui les consacrerait à l'amusement de son mari, n'ajouterait pas au bonheur de sa vie, et ne l'empêcherait pas, sortant de son cabinet la tête épuisée, d'aller chercher des récréations hors de chez lui ? Personne n'a-t-il vu d'heureuses familles ainsi réunies, où chacun sait fournir du sien aux amusements communs ? Qu'il dise si la confiance et la familiarité qui s'y joint, si l'innocence et la douceur des plaisirs qu'on y goûte, ne rachètent pas bien ce que les plaisirs publics ont de plus bruyant ?

On a trop réduit en arts les talents agréables ; on les a trop généralisés ; on a tout fait maxime et précepte, et l'on a rendu fort ennuyeux aux jeunes personnes ce qui ne doit être pour elles qu'amusement et folâtres jeux. Je n'imagine rien de plus ridicule que de voir un vieux maître à danser ou à chanter aborder d'un air refrogné de jeunes personnes qui ne cherchent qu'à rire, et prendre pour leur enseigner sa frivole science un ton plus pédantesque et plus magistral que s'il s'agissait de leur catéchisme. Est-ce, par exemple, que l'art de chanter tient à la musique écrite ? ne saurait-on rendre sa voix flexible et juste, apprendre à chanter avec goût, même à s'accompagner, sans connaître une seule note ? Le même genre de chant va-t-il à toutes les voix ? la même méthode va-t-elle à tous les esprits ? On ne me fera jamais croire que les mêmes attitudes, les mêmes pas, les mêmes mouvements, les mêmes gestes, les mêmes danses conviennent à une petite brune vive et piquante, et à une grande belle blonde aux yeux languissants. Quand donc je vois un maître donner exactement à toutes deux les mêmes leçons, je dis : Cet homme suit sa routine, mais il n'entend rien à son art.

On demande s'il faut aux filles des maîtres ou des maîtresses. Je ne sais : je voudrais bien qu'elles n'eussent besoin ni des uns ni des autres, qu'elles apprissent librement ce qu'elles ont tant de penchant à vouloir apprendre, et qu'on ne vît pas sans cesse errer dans nos villes tant de baladins chamarrés. J'ai quelque peine à croire que le commerce de ces gens-là ne soit pas plus nuisible à de jeunes filles que leurs leçons ne leur sont utiles, et que leur jargon, leur ton, leurs airs, ne donnent pas à leurs écolières le premier goût des frivolités, pour eux si importantes, dont elles ne tarderont guère, à leur exemple, de faire leur unique occupation.

Dans les arts qui n'ont que l'agrément pour objet, tout peut servir de maître aux jeunes personnes : leur père, leur mère, leur frère, leur sœur, leurs amies, leurs gouvernantes, leur miroir, et surtout leur propre goût. On ne doit point offrir de leur donner leçon, il faut que ce soient elles qui la demandent; on ne doit point faire une tâche d'une récompense; et c'est surtout dans ces sortes d'études que le premier succès est de vouloir réussir. Au reste, s'il faut absolument des leçons en règle, je ne déciderai point du sexe de ceux qui les doivent donner. Je ne sais s'il faut qu'un maître à danser prenne une jeune écolière par sa main délicate et blanche, qu'il lui fasse accourcir la jupe, lever les yeux, déployer les bras, avancer un sein palpitant; mais je sais bien que pour rien au monde je ne voudrais être ce maître-là.

Par l'industrie et les talents le goût se forme; par le goût l'esprit s'ouvre insensiblement aux idées du beau dans tous les genres, et enfin aux notions morales qui s'y rapportent. C'est peut-être une des raisons pourquoi le sentiment de la décence et de l'honnêteté s'insinue plus tôt chez les filles que chez les garçons; car, pour croire que ce sentiment précoce soit l'ouvrage des gouvernantes, il faudrait être fort mal instruit de la tournure de leurs leçons et de la marche de l'esprit humain. Le talent de parler tient le premier rang dans l'art de plaire; c'est par lui seul qu'on peut ajouter de nouveaux charmes à ceux auxquels l'habitude accoutume les sens. C'est l'esprit qui non seulement vivifie le corps, mais qui le renouvelle en quelque sorte, c'est par la succession des sentiments et des idées qu'il anime et varie la physionomie; et c'est par les discours qu'il inspire que l'attention, tenue en haleine, soutient longtemps le même intérêt sur le même objet. C'est, je crois, par toutes ces raisons que les jeunes filles acquièrent si vite un petit babil agréable, qu'elles mettent de l'accent dans leurs propos, même avant que de les sentir, et que les hommes s'amusent si tôt à les écouter, même avant qu'elles puissent les entendre [195]; ils épient le premier moment de cette intelligence pour pénétrer ainsi celui du sentiment.

Les femmes ont la langue flexible; elles parlent plus tôt, plus aisément et plus agréablement que les hommes. On les accuse aussi de parler davantage : cela doit être, et je changerais volontiers ce reproche en éloge; la bouche et les yeux ont chez elles la même activité, et par la même raison. L'homme dit ce qu'il sait, la femme dit ce qui plaît; l'un pour parler a besoin de connaissance, et l'autre de goût; l'un doit avoir pour objet principal les choses utiles, l'autre les agréables. Leurs discours ne doivent avoir de formes communes que celles de la vérité.

On ne doit donc pas contenir le babil des filles, comme celui des garçons, par cette interrogation dure : *A quoi cela est-il bon ?* mais par cette autre, à laquelle il n'est pas plus aisé de répondre : *Quel effet cela fera-t-il ?* Dans ce premier âge, où, ne pouvant discerner encore le bien et le mal, elles ne sont les juges de personne, elles doivent s'imposer pour loi de ne jamais rien dire que d'agréable à ceux à qui elles parlent; et ce qui rend la pratique de cette règle plus difficile est qu'elle reste toujours subordonnée à la première, qui est de ne jamais mentir.

J'y vois bien d'autres difficultés encore, mais elles sont d'un âge plus avancé. Quant à présent, il n'en peut coûter aux jeunes filles pour être vraies que de l'être sans grossièreté; et comme naturellement cette grossièreté leur répugne, l'éducation leur apprend aisément à l'éviter. Je remarque en général, dans le commerce du monde, que la politesse des hommes est plus officieuse, et celle des femmes plus caressante. Cette différence n'est point d'institution, elle est naturelle. L'homme paraît chercher davantage à vous servir, et la femme à vous agréer. Il suit de là que, quoi qu'il en soit du caractère des femmes, leur politesse est moins fausse que la nôtre; elle ne fait qu'étendre leur premier instinct; mais quand un homme feint de préférer mon intérêt au sien propre, de quelque démonstration qu'il colore ce mensonge, je suis très sûr qu'il en fait un. Il n'en coûte donc guère aux femmes d'être polies, ni par conséquent aux filles d'apprendre à le devenir. La première leçon vient de la nature, l'art ne fait plus que la suivre, et déterminer suivant nos usages sous quelle forme elle doit se montrer. A l'égard de leur politesse entre elles, c'est tout autre chose; elles y mettent un air si

contraint et des attentions si froides, qu'en se gênant mutuellement elles n'ont pas grand soin de cacher leur gêne, et
semblent sincères dans leur mensonge on ne cherchant
guère à le déguiser. Cependant les jeunes personnes se font
quelquefois tout de bon des amitiés plus franches. A leur
âge la gaieté tient lieu de bon naturel; et contentes d'elles,
elles le sont de tout le monde. Il est constant aussi qu'elles
se baisent de meilleur cœur et se caressent avec plus de
grâce devant les hommes, fières d'aiguiser impunément leur
convoitise par l'image des faveurs qu'elles savent leur faire
envier.

Si l'on ne doit pas permettre aux jeunes garçons des questions indiscrètes, à plus forte raison doit-on les interdire à
de jeunes filles dont la curiosité satisfaite ou mal éludée est
bien d'une autre conséquence, vu leur pénétration à pressentir les mystères qu'on leur cache et leur adresse à les
découvrir. Mais sans souffrir leurs interrogations, je voudrais
qu'on les interrogeât beaucoup elles-mêmes, qu'on eût soin
de les faire causer, qu'on les agaçât pour les exercer à parler
aisément, pour les rendre vives à la riposte, pour leur délier
l'esprit et la langue, tandis qu'on le peut sans danger. Ces
conversations toujours tournées en gaieté, mais ménagées
avec art et bien dirigées, feraient un amusement charmant
pour cet âge, et pourraient porter dans les cœurs innocents
de ces jeunes personnes les premières et peut-être les plus
utiles leçons de morale qu'elles prendront de leur vie, en
leur apprenant, sous l'attrait du plaisir et de la varité, à
quelles qualités les hommes accordent véritablement leur
estime, et en quoi consiste la gloire et le bonheur d'une
honnête femme.

On comprend bien que si les enfants mâles sont hors
d'état de se former aucune véritable idée de religion, à plus
forte raison la même idée est-elle au-dessus de la conception des filles : c'est pour cela même que je voudrais en parler à celles-ci de meilleure heure; car s'il fallait attendre
qu'elles fussent en état de discuter méthodiquement ces
questions profondes, on courrait risque de ne leur en parler
jamais. La raison des femmes est une raison pratique qui
leur fait trouver très habilement les moyens d'arriver à une
fin connue, mais qui ne leur fait pas trouver cette fin. La
relation sociale des sexes est admirable. De cette société
résulte une personne morale dont la femme est l'œil et

l'homme le bras, mais avec une telle dépendance l'une de l'autre, que c'est de l'homme que la femme apprend ce qu'il faut voir, et de la femme que l'homme apprend ce qu'il faut faire. Si la femme pouvait remonter aussi bien que l'homme aux principes, et que l'homme eût aussi bien qu'elle l'esprit des détails, toujours indépendants l'un de l'autre, ils vivraient dans une discorde éternelle, et leur société ne pourrait subsister. Mais dans l'harmonie qui règne entre eux, tout tend à la fin commune; on ne sait lequel met le plus du sien; chacun suit l'impulsion de l'autre; chacun obéit, et tous deux sont les maîtres.

Par cela même que la conduite de la femme est asservie à l'opinion publique, sa croyance est asservie à l'autorité. Toute fille doit avoir la religion de sa mère, et toute femme celle de son mari. Quand cette religion serait fausse, la docilité qui soumet la mère et la famille à l'ordre de la nature efface auprès de Dieu le péché de l'erreur. Hors d'état d'être juges elles-mêmes, elles doivent recevoir la décision des pères et des maris comme celle de l'Église.

Ne pouvant tirer d'elles seules la règle de leur foi, les femmes ne peuvent lui donner pour bornes celles de l'évidence et de la raison; mais, se laissant entraîner par mille impulsions étrangères, elles sont toujours en deçà ou au delà du vrai. Toujours extrêmes, elles sont toutes libertines ou dévotes; on n'en voit point savoir réunir la sagesse à la piété. La source du mal n'est pas seulement dans le caractère outré de leur sexe, mais aussi dans l'autorité mal réglée du nôtre : le libertinage des mœurs la fait mépriser, l'effroi du repentir la rend tyrannique, et voilà comment on en fait toujours trop ou trop peu.

Puisque l'autorité doit régler la religion des femmes, il ne s'agit pas tant de leur expliquer les raisons qu'on a de croire, que de leur exposer nettement ce qu'on croit : car la foi qu'on donne à des idées obscures est la première source du fanatisme, et celle qu'on exige pour des choses absurdes mène à la folie ou à l'incrédulité. Je ne sais à quoi nos catéchismes portent le plus, d'être impie ou fanatique; mais je sais bien qu'ils font nécessairement l'un ou l'autre.

Premièrement, pour enseigner la religion à de jeunes filles, n'en faites jamais pour elles un objet de tristesse et de gêne, jamais une tâche ni un devoir; par conséquent ne leur faites jamais rien apprendre par cœur qui s'y rapporte, pas même les prières. Contentez-vous de faire régulièrement les vôtres devant elles, sans les forcer pourtant d'y assister. Faites-les courtes, selon l'instruction de Jésus-Christ. Faites-les toujours avec le recueillement et le respect convenables ; songez qu'en demandant à l'Être suprême de l'attention pour nous écouter, cela vaut bien qu'on en mette à ce qu'on va lui dire.

Il importe moins que de jeunes filles sachent sitôt leur religion, qu'il n'importe qu'elles la sachent bien, et surtout qu'elles l'aiment. Quand vous la leur rendez onéreuse, quand vous leur peignez toujours Dieu fâché contre elles, quand vous leur imposez en son nom mille devoirs pénibles qu'elles ne vous voient jamais remplir, que peuvent-elles penser, sinon que savoir son catéchisme et prier Dieu sont les devoirs des petites filles, et désirer d'être grandes pour s'exempter comme vous de tout cet assujettissement ? L'exemple ! l'exemple ! sans cela jamais on ne réussit à rien auprès des enfants.

Quand vous leur expliquez des articles de foi, que ce soit en forme d'instruction directe, et non par demandes et par réponses. Elles ne doivent jamais répondre que ce qu'elles pensent, et non ce qu'on leur a dicté. Toutes les réponses du catéchisme sont à contresens, c'est l'écolier qui instruit le maître ; elles sont même des mensonges dans la bouche des enfants, puisqu'ils expliquent ce qu'ils n'entendent point, et qu'ils affirment ce qu'ils sont hors d'état de croire. Parmi les hommes les plus intelligents, qu'on me montre ceux qui ne mentent pas en disant leur catéchisme.

La première question que je vois dans le nôtre est celle-ci : *Qui vous a créée et mise au monde ?* A quoi la petite fille, croyant bien que c'est sa mère, dit pourtant sans hésiter que c'est Dieu. La seule chose qu'elle voit là, c'est qu'à une demande qu'elle n'entend guère elle fait une réponse qu'elle n'entend point du tout.

Je voudrais qu'un homme qui connaîtrait bien la marche de l'esprit des enfants voulût faire pour eux un catéchisme. Ce serait peut-être le livre le plus utile qu'on eût jamais écrit, et ce ne serait pas, à mon avis, celui qui ferait le moins d'honneur à son auteur. Ce qu'il y a de bien sûr, c'est que, si ce livre était bon, il ne ressemblerait guère aux nôtres.

Un tel catéchisme ne sera bon que quand, sur les seules demandes, l'enfant fera de lui-même les réponses sans les apprendre ; bien entendu qu'il sera quelquefois dans le cas

d'interroger à son tour. Pour faire entendre ce que je veux
dire, il faudrait une espèce de modèle, et je sens bien ce qui
me manque pour le tracer. J'essayerai du moins d'en donner
quelque légère idée.

Je m'imagine donc que, pour venir à la première question
de notre catéchisme, il faudrait que celui-là commençât à
peu près ainsi [196] :

LA BONNE

Vous souvenez-vous du temps que votre mère était
fille ?

LA PETITE

Non, ma bonne.

LA BONNE

Pourquoi non, vous qui avez si bonne mémoire ?

LA PETITE

C'est que je n'étais pas au monde.

LA BONNE

Vous n'avez donc pas toujours vécu ?

LA PETITE

Non.

LA BONNE

Vivrez-vous toujours ?

LA PETITE

Oui.

LA BONNE

Êtes-vous jeune ou vieille ?

LA PETITE

Je suis jeune.

LA BONNE

Et votre grand'maman, est-elle jeune ou vieille ?

LA PETITE

Elle est vieille.

LA BONNE

A-t-elle été jeune ?

LA PETITE

Oui.

LA BONNE

Pourquoi ne l'est-elle plus ?

LA PETITE

C'est qu'elle a vieilli.

LA BONNE

Vieillirez-vous comme elle ?

LA PETITE

Je ne sais *.

LA BONNE

Où sont vos robes de l'année passée ?

LA PETITE

On les a défaites.

LA BONNE

Et pourquoi les a-t-on défaites ?

LA PETITE

Parce qu'elles m'étaient trop petites.

LA BONNE

Et pourquoi vous étaient-elles trop petites ?

LA PETITE

Parce que j'ai grandi.

LA BONNE

Grandirez-vous encore ?

---

* Si partout où j'ai mis *je ne sais*, la petite répond autrement, il faut se méfier de sa réponse et la lui faire expliquer avec soin.

LA PETITE

Oh ! oui.

LA BONNE

Et que deviennent les grandes filles ?

LA PETITE

Elles deviennent femmes.

LA BONNE

Et que deviennent les femmes ?

LA PETITE

Elles deviennent mères.

LA BONNE

Et les mères, que deviennent-elles ?

LA PETITE

Elles deviennent vieilles.

LA BONNE

Vous deviendrez donc vieille ?

LA PETITE

Quand je serai mère.

LA BONNE

Et que deviennent les vieilles gens ?

LA PETITE

Je ne sais.

LA BONNE

Qu'est devenu votre grand-papa ?

LA PETITE

Il est mort.*

---

* La petite dira cela parce qu'elle l'a entendu dire ; mais il faut vérifier si elle a quelque juste idée de la mort, car cette idée n'est pas si simple ni si à la portée des enfants que l'on pense. On peut voir, dans le petit poème d'*Abel*, un exemple de la manière dont on doit la leur donner. Ce charmant ouvrage respire une simplicité délicieuse dont on ne peut trop se nourrir pour converser avec les enfants.

LA BONNE

Et pourquoi est-il mort ?

LA PETITE

Parce qu'il était vieux.

LA BONNE

Que deviennent donc les vieilles gens ?

LA PETITE

Ils meurent.

LA BONNE

Et, vous, quand vous serez vieille, que...

LA PETITE, *l'interrompant*.

Oh ! ma bonne, je ne veux pas mourir.

LA BONNE

Mon enfant, personne ne veut mourir, et tout le monde
meurt.

LA PETITE

Comment ! est-ce que maman mourra aussi !

LA BONNE

Comme tout le monde. Les femmes vieillissent ainsi que
les hommes, et la vieillesse mène à la mort.

LA PETITE

Que faut-il faire pour vieillir bien tard ?

LA BONNE

Vivre sagement tandis qu'on est jeune !

LA PETITE

Ma bonne, je serai toujours sage.

LA BONNE

Tant mieux pour vous. Mais, enfin, croyez-vous de
vivre toujours ?

LA PETITE

Quand je serai bien vieille, bien vieille...

LA BONNE

Eh bien ?

LA PETITE

Enfin, quand on est si vieille, vous dites qu'il faut bien mourir.

LA BONNE

Vous mourrez donc une fois ?

LA PETITE

Hélas ! oui.

LA BONNE

Qui est-ce qui vivait avant vous ?

LA PETITE

Mon père et ma mère.

LA BONNE

Qui est-ce qui vivait avant eux ?

LA PETITE

Leur père et leur mère.

LA BONNE

Qui est-ce qui vivra après vous ?

LA PETITE

Mes enfants.

LA BONNE

Qui est-ce qui vivra après eux ?

LA PETITE

Leurs enfants, etc.

En suivant cette route, on trouve à la race humaine, par des inductions sensibles, un commencement et une fin, comme à toutes choses, c'est-à-dire un père et une mère qui n'ont eu ni père ni mère, et des enfants qui n'auront point d'enfants*.

Ce n'est qu'après une longue suite de questions pareilles que la première demande du catéchisme est suffisamment préparée. Mais de là jusqu'à la deuxième réponse, qui est pour ainsi dire la définition de l'essence divine, quel saut immense ! Quand cet intervalle sera-t-il rempli ? Dieu est un esprit ! Et qu'est-ce qu'un esprit ? Irai-je embarquer celui d'un enfant dans cette obscure métaphysique dont les hommes ont tant de peine à se tirer ? Ce n'est pas à une petite fille à résoudre ces questions, c'est tout au plus à elle à les faire. Alors je lui répondrais simplement : Vous me demandez ce que c'est que Dieu ; cela n'est pas facile à dire : on ne peut entendre, ni voir, ni toucher Dieu ; on ne le connaît que par ses œuvres. Pour juger ce qu'il est, attendez de savoir ce qu'il a fait.

Si nos dogmes sont tous de la même vérité, tous ne sont pas pour cela de la même importance. Il est fort indifférent à la gloire de Dieu qu'elle nous soit connue en toutes choses ; mais il importe à la société humaine et à chacun de ses membres que tout homme connaisse et remplisse les devoirs que lui impose la loi de Dieu envers son prochain et envers soi-même. Voilà ce que nous devons incessamment nous enseigner les uns aux autres, et voilà surtout de quoi les pères et les mères sont tenus d'instruire leurs enfants. Qu'une vierge soit la mère de son créateur, qu'elle ait enfanté Dieu, ou seulement un homme auquel Dieu s'est joint ; que la substance du père et du fils soit la même, ou ne soit que semblable ; que l'esprit procède de l'un des deux qui sont le même, ou de tous deux conjointement, je ne vois pas que la décision de ces questions, en apparence essentielles, importe plus à l'espèce humaine que de savoir quel jour de la lune on doit célébrer la pâque, s'il faut dire le chapelet, jeûner, faire maigre, parler latin ou français à l'église, orner les murs d'images, dire ou entendre la messe, et n'avoir point de femme en propre. Que chacun pense là-dessus comme il lui plaira : j'ignore en quoi cela peut intéresser les autres ; quant à moi, cela ne m'intéresse point

---

\* L'idée de l'éternité ne saurait s'appliquer aux générations humaines avec le consentement de l'esprit. Toute succession numérique réduite en acte est incompatible avec cette idée.

du tout. Mais ce qui m'intéresse, moi et tous mes semblables, c'est que chacun sache qu'il existe un arbitre du sort des humains, duquel nous sommes tous les enfants, qui nous prescrit à tous d'être justes, de nous aimer les uns les autres, d'être bienfaisants et miséricordieux, de tenir nos engagements envers tout le monde, même envers nos ennemis et les siens ; que l'apparent bonheur de cette vie n'est rien ; qu'il en est une autre après elle, dans laquelle cet Être suprême sera le rémunérateur des bons et le juge des méchants. Ces dogmes et les dogmes semblables sont ceux qu'il importe d'enseigner à la jeunesse, et de persuader à tous les citoyens. Quiconque les combat mérite châtiment, sans doute ; il est le perturbateur de l'ordre et l'ennemi de la société. Quiconque les passe, et veut nous asservir à ses opinions particulières, vient au même point par une route opposée ; pour établir l'ordre à sa manière, il trouble la paix ; dans son téméraire orgueil, il se rend l'interprète de la Divinité, il exige en son nom les hommages et les respects des hommes, il se fait Dieu tant qu'il peut à sa place : on devrait le punir comme sacrilège, quand on ne le punirait pas comme intolérant.

Négligez donc tous ces dogmes mystérieux qui ne sont pour nous que des mots sans idées, toutes ces doctrines bizarres dont la vaine étude tient lieu de vertus à ceux qui s'y livrent, et sert plutôt à les rendre fous que bons. Maintenez toujours vos enfants dans le cercle étroit des dogmes qui tiennent à la morale. Persuadez-leur bien qu'il n'y a rien pour nous d'utile à savoir que ce qui nous apprend à bien faire. Ne faites point de vos filles des théologiennes et des raisonneuses ; ne leur apprenez des choses du ciel que ce qui sert à la sagesse humaine ; accoutumez-les à se sentir toujours sous les yeux de Dieu, à l'avoir pour témoin de leurs actions, de leurs pensées, de leur vertu, de leurs plaisirs, à faire le bien sans ostentation, parce qu'il l'aime ; à souffrir le mal sans murmure, parce qu'il les en dédommagera ; à être enfin tous les jours de leur vie ce qu'elles seront bien aises d'avoir été lorsqu'elles comparaîtront devant lui. Voilà la véritable religion, voilà la seule qui n'est susceptible ni d'abus, ni d'impiété, ni de fanatisme. Qu'on en prêche tant qu'on voudra de plus sublimes ; pour moi, je n'en reconnais point d'autre que celle-là.

Au reste, il est bon d'observer que, jusqu'à l'âge où la

raison s'éclaire et où le sentiment naissant fait parler la
conscience, ce qui est bien ou mal pour les jeunes personnes
est ce que les gens qui les entourent ont décidé tel. Ce
qu'on leur commande est bien, ce qu'on leur défend est
mal, elles n'en doivent pas savoir davantage : par où l'on
voit de quelle importance est, encore plus pour elles que
pour les garçons, le choix des personnes qui doivent les
approcher et avoir quelque autorité sur elles. Enfin le
moment vient où elles commencent à juger des choses
par elles-mêmes, et alors il est temps de changer le plan de
leur éducation.

J'en ai trop dit jusqu'ici peut-être. A quoi réduirons-
nous les femmes, si nous ne leur donnons pour loi que les
préjugés publics ? N'abaissons pas à ce point le sexe qui
nous gouverne, et qui nous honore quand nous ne l'avons
pas avili. Il existe pour toute l'espèce humaine une règle
antérieure à l'opinion. C'est à l'inflexible direction de
cette règle que se doivent rapporter toutes les autres : elle
juge le préjugé même : et ce n'est qu'autant que l'estime
des hommes s'accorde avec elle, que cette estime doit faire
autorité pour nous.

Cette règle est le sentiment intérieur. Je ne répéterai
point ce qui en a été dit ci-devant; il me suffit de remarquer
que si ces deux règles ne concourent à l'éducation des
femmes, elle sera toujours défectueuse. Le sentiment sans
l'opinion ne leur donnera point cette délicatesse d'âme
qui pare les bonnes mœurs de l'honneur du monde; et
l'opinion sans le sentiment n'en fera jamais que des femmes
fausses et déshonnêtes, qui mettent l'apparence à la place
de la vertu.

Il leur importe donc de cultiver une faculté qui serve
d'arbitre entre les deux guides, qui ne laisse point égarer
la conscience, et qui redresse les erreurs du préjugé. Cette
faculté est la raison. Mais à ce mot que de questions
s'élèvent ! Les femmes sont-elles capables d'un solide
raisonnement ? importe-t-il qu'elles le cultivent ? le culti-
veront-elles avec succès ? Cette culture est-elle utile aux
fonctions qui leur sont imposées ? Est-elle compatible
avec la simplicité qui leur convient ?

Les diverses manières d'envisager et de résoudre ces
questions font que, donnant dans les excès contraires, les
uns bornent la femme à coudre et filer dans son ménage

avec ses servantes, et n'en font ainsi que la première servante du maître; les autres, non contents d'assurer ses droits, lui font encore usurper les nôtres; car la laisser au-dessus de nous dans les qualités propres à son sexe, et la rendre notre égale dans tout le reste, qu'est-ce autre chose que transporter à la femme la primauté que la nature donne au mari ?

La raison qui mène l'homme à la connaissance de ses devoirs n'est pas fort composée; la raison qui mène la femme à la connaissance des siens est plus simple encore. L'obéissance et la fidélité qu'elle doit à son mari, la tendresse et les soins qu'elle doit à ses enfants, sont des conséquences si naturelles et si sensibles de sa condition, qu'elle ne peut, sans mauvaise foi, refuser son consentement au sentiment intérieur qui la guide, ni méconnaître le devoir dans le penchant qui n'est point encore altéré.

Je ne blâmerais pas sans distinction qu'une femme fût bornée aux seuls travaux de son sexe, et qu'on la laissât dans une profonde ignorance sur tout le reste; mais il faudrait pour cela des mœurs publiques très simples, très saines ou une manière de vivre très retirée. Dans de grandes villes, et parmi des hommes corrompus, cette femme serait trop facile à séduire; souvent sa vertu ne tiendrait qu'aux occasions. Dans ce siècle philosophe, il lui en faut une à l'épreuve; il faut qu'elle sache d'avance et ce qu'on lui peut dire et ce qu'elle en doit penser.

D'ailleurs, soumise au jugement des hommes, elle doit mériter leur estime; elle doit surtout obtenir celle de son époux; elle ne doit pas seulement lui faire aimer sa personne, mais lui faire approuver sa conduite; elle doit justifier devant le public le choix qu'il a fait, et faire honorer le mari de l'honneur qu'on rend à la femme. Or, comment s'y prendra-t-elle pour tout cela, si elle ignore nos institutions, si elle ne sait rien de nos usages, de nos bienséances, si elle ne connaît ni la source des jugements humains, ni les passions qui les déterminent ? Dès là qu'elle dépend à la fois de sa propre conscience et des opinions des autres, il faut qu'elle apprenne à comparer ces deux règles, à les concilier, et à ne préférer la première que quand elles sont en opposition. Elle devient le juge de ses juges, elle décide quand elle doit s'y soumettre et quand elle doit les récuser. Avant de rejeter ou d'admettre leurs préjugés, elle les pèse; elle apprend à remonter à leur source, à les prévenir, à se les rendre favorables; elle a soin de ne jamais s'attirer le blâme quand son devoir lui permet de l'éviter. Rien de tout cela ne peut bien se faire sans cultiver son esprit et sa raison.

Je reviens toujours au principe, et il me fournit la solution de toutes mes difficultés. J'étudie ce qui est, j'en recherche la cause, et je trouve enfin que ce qui est est bien. J'entre dans des maisons ouvertes dont le maître et la maîtresse font conjointement les honneurs. Tous deux ont eu la même éducation, tous deux sont d'une égale politesse, tous deux également pourvus de goût et d'esprit, tous deux animés du même désir de bien recevoir leur monde, et de renvoyer chacun content d'eux. Le mari n'omet aucun soin pour être attentif à tout : il va, vient, fait la ronde et se donne mille peines; il voudrait être tout attention. La femme reste à sa place; un petit cercle se rassemble autour d'elle, et semble lui cacher le reste de l'assemblée; cependant il ne s'y passe rien qu'elle n'aperçoive, il n'en sort personne à qui elle n'ait parlé; elle n'a rien omis de ce qui pouvait intéresser tout le monde; elle n'a rien dit à chacun qui ne lui fût agréable; et sans rien troubler à l'ordre, le moindre de la compagnie n'est pas plus oublié que le premier. On est servi, l'on se met à table : l'homme, instruit des gens qui se conviennent, les placera selon ce qu'il sait; la femme, sans rien savoir, ne s'y trompera pas; elle aura déjà lu dans les yeux, dans le maintien, toutes les convenances, et chacun se trouvera placé comme il veut l'être. Je ne dis point qu'au service personne n'est oublié. Le maître de la maison, en faisant la ronde, aura pu n'oublier personne; mais la femme devine ce qu'on regarde avec plaisir et vous en offre; en parlant à son voisin elle a l'œil au bout de la table; elle discerne celui qui ne mange point parce qu'il n'a pas faim, et celui qui n'ose se servir ou demander parce qu'il est maladroit ou timide. En sortant de table, chacun croit qu'elle n'a songé qu'à lui; tous ne pensent pas qu'elle ait eu le temps de manger un seul morceau; mais la vérité est qu'elle a mangé plus que personne.

Quand tout le monde est parti, l'on parle de ce qui s'est passé. L'homme rapporte ce qu'on lui a dit, ce qu'ont dit et fait ceux avec lesquels il s'est entretenu. Si ce n'est pas

toujours là-dessus que la femme est plus exacte, en revanche
elle a vu ce qui s'est dit tout bas à l'autre bout de la salle;
elle sait ce qu'un tel a pensé, à quoi tenait tel propos ou tel
geste; il s'est fait à peine un mouvement expressif dont
elle n'ait l'interprétation toute prête, et presque toujours
conforme à la vérité.

Le même tour d'esprit qui fait exceller une femme du
monde dans l'art de tenir maison, fait exceller une coquette
dans l'art d'amuser plusieurs soupirants. Le manège de la
coquetterie exige un discernement encore plus fin que celui
de la politesse : car, pourvu qu'une femme polie le soit
envers tout le monde, elle a toujours assez bien fait; mais
la coquette perdrait bientôt son empire par cette uniformité maladroite; à force de vouloir obliger tous ses
amants, elle les rebuterait tous. Dans la société, les manières
qu'on prend avec tous les hommes ne laissent pas de plaire
à chacun; pourvu qu'on soit bien traité, l'on n'y regarde
pas de si près sur les préférences; mais en amour, une faveur
qui n'est pas exclusive est une injure. Un homme sensible
aimerait cent fois mieux être seul maltraité que caressé
avec tous les autres, et ce qui lui peut arriver de pis est de
n'être point distingué. Il faut donc qu'une femme qui
veut conserver plusieurs amants persuade à chacun d'eux
qu'elle le préfère, et qu'elle le lui persuade sous les yeux
de tous les autres, à qui elle en persuade autant sous les
siens.

Voulez-vous voir un personnage embarrassé, placez un
homme entre deux femmes avec chacune desquelles il aura
des liaisons secrètes, puis observez quelle sotte figure il y
fera. Placez en même cas une femme entre deux hommes,
et sûrement l'exemple ne sera pas plus rare; vous serez
émerveillé de l'adresse avec laquelle elle donnera le change
à tous deux, et fera que chacun se rira de l'autre. Or, si
cette femme leur témoignait la même confiance et prenait
avec eux la même familiarité, comment seraient-ils un
instant ses dupes ? En les traitant également, ne montrerait-
elle pas qu'ils ont les mêmes droits sur elle ? Oh ! qu'elle
s'y prend bien mieux que cela ! Loin de les traiter de la même
manière, elle affecte de mettre entre eux de l'inégalité; elle
fait si bien que celui qu'elle flatte croit que c'est par tendresse, et que celui qu'elle maltraite croit que c'est par dépit.
Ainsi chacun, content de son partage, la voit toujours

s'occuper de lui, tandis qu'elle ne s'occupe en effet que d'elle seule.

Dans le désir général de plaire, la coquetterie suggère de semblables moyens : les caprices ne feraient que rebuter, s'ils n'étaient sagement ménagés; et c'est en les dispensant avec art qu'elle en fait les plus fortes chaînes de ses esclaves.

> *Usa ogn'arte la donna, onde sia colte*
> *Nella sua rete alcun novello amante ;*
> *Nè con tutti, nè sempre un stesso volto*
> *Serba ; ma cangia a tempo atto e sembiante*[197].

A quoi tient tout cet art, si ce n'est à des observations fines et continuelles qui lui font voir à chaque instant ce qui se passe dans les cœurs des hommes, et qui la disposent à porter à chaque mouvement secret qu'elle aperçoit la force qu'il faut pour le suspendre ou l'accélérer ? Or, cet art s'apprend-il ? Non; il naît avec les femmes; elles l'ont toutes, et jamais les hommes ne l'ont eu au même degré. Tel est un des caractères distinctifs du sexe. La présence d'esprit, la pénétration, les observations fines sont la science des femmes; l'habileté de s'en prévaloir est leur talent.

Voilà ce qui est, et l'on a vu pourquoi cela doit être. Les femmes sont fausses, nous dit-on. Elles le deviennent. Le don qui leur est propre est l'adresse et non pas la fausseté : dans les vrais penchants de leur sexe, même en mentant, elles ne sont point fausses. Pourquoi consultez-vous leur bouche, quand ce n'est pas elle qui doit parler ? Consultez leurs yeux, leur teint, leur respiration, leur air craintif, leur molle résistance : voilà le langage que la nature leur donne pour vous répondre. La bouche dit toujours non, et doit le dire; mais l'accent qu'elle y joint n'est pas toujours le même, et cet accent ne sait point mentir. La femme n'a-t-elle pas les mêmes besoins que l'homme, sans avoir le même droit de les témoigner ? Son sort serait trop cruel, si, même dans les désirs légitimes, elle n'avait un langage équivalent à celui qu'elle n'ose tenir. Faut-il que sa pudeur la rende malheureuse ? Ne lui faut-il pas un art de communiquer ses penchants sans les découvrir ? De quelle adresse n'a-t-elle pas besoin pour faire qu'on lui dérobe ce qu'elle brûle d'accorder ! Combien ne lui importe-t-il point d'apprendre à toucher le cœur de l'homme, sans paraître songer

à lui ! Quel discours charmant n'est-ce pas que la pomme
de Galatée et sa fuite maladroite [198] ! Que faudra-t-il qu'elle
ajoute à cela ? Ira-t-elle dire au berger qui la suit entre les
saules qu'elle n'y fuit qu'à dessein de l'attirer ? Elle men-
tirait, pour ainsi dire; car alors elle ne l'attirerait plus.
Plus une femme a de réserve, plus elle doit avoir d'art,
même avec son mari. Oui, je soutiens qu'en tenant la
coquetterie dans ses limites, on la rend modeste et vraie,
on en fait une loi d'honnêteté.

La vertu est une, disait très bien un de mes adversaires;
on ne la décompose pas pour admettre une partie et rejeter
l'autre. Quand on l'aime, on l'aime dans toute son intégrité;
et l'on refuse son cœur quand on peut, et toujours sa bouche
aux sentiments qu'on ne doit point avoir. La vérité morale
n'est pas ce qui est, mais ce qui est bien; ce qui est mal ne
devrait point être, et ne doit point être avoué, surtout quand
cet aveu lui donne un effet qu'il n'aurait pas eu sans cela.
Si j'étais tenté de voler, et qu'en le disant je tentasse un
autre d'être mon complice, lui déclarer ma tentation ne
serait-ce pas y succomber ? Pourquoi dites-vous que la
pudeur rend les femmes fausses ? Celles qui la perdent le
plus sont-elles au reste plus vraies que les autres ? Tant s'en
faut; elles sont plus fausses mille fois. On n'arrive à ce
point de dépravation qu'à force de vices, qu'on garde
tous, et qui ne règnent qu'à la faveur de l'intrigue et du
mensonge*. Au contraire, celles qui ont encore de la
honte, qui ne s'enorgueillissent point de leurs fautes, qui
savent cacher leurs désirs à ceux mêmes qui les inspirent,
celles dont ils en arrachent les aveux avec le plus de peine,
sont d'ailleurs les plus vraies, les plus sincères, les plus constantes dans tous leurs engagements, et celles sur la foi desquelles on peut généralement le plus compter.

* Je sais que les femmes qui ont ouvertement pris leur parti sur
un certain point prétendent bien se faire valoir de cette franchise, et
jurent qu'à cela près il n'y a rien d'estimable qu'on ne trouve en elles;
mais je sais bien aussi qu'elles n'ont jamais persuadé cela qu'à des sots.
Le plus grand frein de leur sexe ôté, que reste-t-il qui les retienne ? et
de quel honneur feront-elles cas après avoir renoncé à celui qui leur
est propre ? Ayant mis une fois leurs passions à l'aise, elles n'ont
plus aucun intérêt d'y résister : « *Nec femina, amissa pudicitia, alia
abnuerit* [199]. » Jamais auteur connut-il mieux le cœur humain dans les
deux sexes que celui qui a dit cela ?

Je ne sache que la seule mademoiselle de l'Enclos [200]
qu'on ait pu citer pour exception connue à ces remarques.
Aussi mademoiselle de l'Enclos a-t-elle passé pour un prodige. Dans le mépris des vertus de son sexe, elle avait,
dit-on, conservé celles du nôtre : on vante sa franchise, sa
droiture, la sûreté de son commerce, sa fidélité dans
l'amitié; enfin, pour achever le tableau de sa gloire, on dit
qu'elle s'était faite homme. A la bonne heure. Mais, avec
toute sa haute réputation, je n'aurais pas plus voulu de cet
homme-là pour mon ami que pour ma maîtresse.

Tout ceci n'est pas si hors de propos qu'il paraît être.
Je vois où tendent les maximes de la philosophie moderne
en tournant en dérision la pudeur du sexe et sa fausseté
prétendue; et je vois que l'effet le plus assuré de cette
philosophie sera d'ôter aux femmes de notre siècle le peu
d'honneur qui leur est resté.

Sur ces considérations, je crois qu'on peut déterminer
en général quelle espèce de culture convient à l'esprit des
femmes, et sur quels objets on doit tourner leurs réflexions
dès leur jeunesse.

Je l'ai déjà dit, les devoirs de leur sexe sont plus aisés
à voir qu'à remplir. La première chose qu'elles doivent
apprendre est à les aimer par la considération de leurs
avantages; c'est le seul moyen de les leur rendre faciles.
Chaque état et chaque âge a ses devoirs. On connaît bientôt
les siens pourvu qu'on les aime. Honorez votre état de
femme, et dans quelque rang que le ciel vous place, vous
serez toujours une femme de bien. L'essentiel est d'être ce
que nous fit la nature; on n'est toujours que trop ce que les
hommes veulent que l'on soit.

La recherche des vérités abstraites et spéculatives, des
principes, des axiomes dans les sciences, tout ce qui tend
à généraliser les idées n'est point du ressort des femmes,
leurs études doivent se rapporter toutes à la pratique;
c'est à elles à faire l'application des principes que l'homme
a trouvés, et c'est à elles de faire les observations qui
mènent l'homme à l'établissement des principes. Toutes
les réflexions des femmes en ce qui ne tient pas immédiatement à leurs devoirs, doivent tendre à l'étude des hommes
ou aux connaissances agréables qui n'ont que le goût pour
objet; car, quant aux ouvrages de génie, ils passent leur
portée; elles n'ont pas non plus assez de justesse et d'atten-

tion pour réussir aux sciences exactes, et, quant aux connaissances physiques, c'est à celui des deux qui est le plus
agissant, le plus allant, qui voit le plus d'objets ; c'est à celui
qui a le plus de force et qui l'exerce davantage, à juger des
rapports des êtres sensibles et des lois de la nature. La
femme, qui est faible et qui ne voit rien au dehors, apprécie
et juge les mobiles qu'elle peut mettre en œuvre pour
suppléer à sa faiblesse, et ces mobiles sont les passions de
l'homme. Sa mécanique à elle est plus forte que la nôtre,
tous ses leviers vont ébranler le cœur humain. Tout ce
que son sexe ne peut faire par lui-même, et qui lui est
nécessaire ou agréable, il faut qu'elle ait l'art de nous le
faire vouloir ; il faut donc qu'elle étudie à fond l'esprit de
l'homme, non par abstraction l'esprit de l'homme en
général, mais l'esprit des hommes qui l'entourent, l'esprit
des hommes auxquels elle est assujettie, soit par la loi,
soit par l'opinion. Il faut qu'elle apprenne à pénétrer
leurs sentiments par leurs discours, par leurs actions,
par leurs regards, par leurs gestes. Il faut que, par ses
discours, par ses actions, par ses regards, par ses gestes,
elle sache leur donner les sentiments qu'il lui plaît, sans
même paraître y songer. Ils philosopheront mieux qu'elle
sur le cœur humain ; mais elle lira mieux qu'eux dans le
cœur des hommes. C'est aux femmes à trouver pour ainsi
dire la morale expérimentale, à nous à la réduire en système.
La femme a plus d'esprit, et l'homme plus de génie ; la
femme observe, et l'homme raisonne : de ce concours
résultent la lumière la plus claire et la science la plus complète que puisse acquérir de lui-même l'esprit humain,
la plus sûre connaissance, en un mot, de soi et des autres
qui soit à la portée de notre espèce. Et voilà comment
l'art peut tendre incessamment à perfectionner l'instrument
donné par la nature.

Le monde est le livre des femmes : quand elles y lisent
mal, c'est leur faute ; ou quelque passion les aveugle.
Cependant la véritable mère de famille, loin d'être une femme
du monde, n'est guère moins recluse dans sa maison que
la religieuse dans son cloître. Il faudrait donc faire, pour
les jeunes personnes qu'on marie, comme on fait ou comme
on doit faire pour celles qu'on met dans des couvents :
leur montrer les plaisirs qu'elles quittent avant de les y
laisser renoncer, de peur que la fausse image de ces plaisirs

qui leur sont inconnus ne vienne un jour égarer leurs cœurs
et troubler le bonheur de leur retraite. En France les filles
vivent dans des couvents, et les femmes courent le monde.
Chez les anciens, c'était tout le contraire ; les filles avaient,
comme je l'ai dit, beaucoup de jeux et de fêtes publiques ;
les femmes vivaient retirées. Cet usage était plus raisonnable
et maintenait mieux les mœurs. Une sorte de coquetterie
est permise aux filles à marier ; s'amuser est leur grande
affaire. Les femmes ont d'autres soins chez elles, et n'ont
plus de maris à chercher ; mais elles ne trouveraient pas
leur compte à cette réforme, et malheureusement elles
donnent le ton. Mères, faites du moins vos compagnes de
vos filles. Donnez-leur un sens droit et une âme honnête,
puis ne leur cachez rien de ce qu'un œil chaste peut regarder.
Le bal, les festins, les jeux, même le théâtre, tout ce qui,
mal vu, fait le charme d'une imprudente jeunesse, peut être
offert sans risque à des yeux sains. Mieux elles verront ces
bruyants plaisirs, plus tôt elles en seront dégoûtées.

J'entends la clameur qui s'élève contre moi. Quelle fille
résiste à ce dangereux exemple ? A peine ont-elles vu le
monde que la tête leur tourne à toutes ; pas une d'elles
ne veut le quitter. Cela peut être : mais, avant de leur offrir
ce tableau trompeur, les avez-vous bien préparées à le voir
sans émotion ? Leur avez-vous bien annoncé les objets
qu'il représente ? Les leur avez-vous bien peints tels qu'ils
sont ? Les avez-vous bien armées contre les illusions de la
vanité ? Avez-vous porté dans leur jeune cœur le goût des
vrais plaisirs qu'on ne trouve point dans ce tumulte ?
Quelles précautions, quelles mesures avez-vous prises pour
les préserver du faux goût qui les égare ? Loin de rien
opposer dans leur esprit à l'empire des préjugés publics,
vous les avez nourris ; vous leur avez fait aimer d'avance
tous les frivoles amusements qu'elles trouvent. Vous les
leur faites aimer encore en s'y livrant. De jeunes personnes
entrant dans le monde n'ont d'autre gouvernante que leur
mère, souvent plus folle qu'elles, et qui ne peut leur montrer
les objets autrement qu'elle ne les voit. Son exemple, plus
fort que la raison même, les justifie à leurs propres yeux,
et l'autorité de la mère est pour la fille une excuse sans
réplique. Quand je veux qu'une mère introduise sa fille
dans le monde, c'est en supposant qu'elle le lui fera voir
tel qu'il est.

Le mal commence plus tôt encore. Les couvents sont de véritables écoles de coquetterie, non de cette coquetterie honnête dont j'ai parlé, mais de celle qui produit tous les travers des femmes et fait les plus extravagantes petites maîtresses. En sortant de là pour entrer tout d'un coup dans des sociétés bruyantes, de jeunes femmes s'y sentent d'abord à leur place. Elles ont été élevées pour y vivre; faut-il s'étonner qu'elles s'y trouvent bien ? Je n'avancerai point ce que je vais dire sans crainte de prendre un préjugé pour une observation; mais il me semble qu'en général, dans les pays protestants, il y a plus d'attachement de famille, de plus dignes épouses et de plus tendres mères que dans les pays catholiques; et, si cela est, on ne peut douter que cette différence ne soit due en partie à l'éducation des couvents.

Pour aimer la vie paisible et domestique il faut la connaître; il faut en avoir senti les douceurs dès l'enfance. Ce n'est que dans la maison paternelle qu'on prend du goût pour sa propre maison, et toute femme que sa mère n'a point élevée n'aimera point élever ses enfants. Malheureusement il n'y a plus d'éducation privée dans les grandes villes. La société y est si générale et si mêlée, qu'il ne reste plus d'asile pour la retraite, et qu'on est en public jusque chez soi. A force de vivre avec tout le monde, on n'a plus de famille; à peine connaît-on ses parents : on les voit en étrangers; et la simplicité des mœurs domestiques s'éteint avec la douce familiarité qui en faisait le charme. C'est ainsi qu'on suce avec le lait le goût des plaisirs du siècle et des maximes qu'on y voit régner.

On oppose aux filles une gêne apparente pour trouver des dupes qui les épousent sur leur maintien. Mais étudiez un moment ces jeunes personnes; sous un air contraint elles déguisent mal la convoitise qui les dévore, et déjà on lit dans leurs yeux l'ardent désir d'imiter leurs mères. Ce qu'elles convoitent n'est pas un mari, mais la licence du mariage. Qu'a-t-on besoin d'un mari, avec tant de ressources pour s'en passer ? Mais on a besoin d'un mari pour couvrir ces ressources *. La modestie est sur leur visage, et le libertinage est au fond de leur cœur : cette feinte modestie elle-

* La voie de l'homme dans sa jeunesse était une des quatre choses que le sage ne pouvait comprendre; la cinquième était l'impudence de la femme adultère. « *Quæ comédit, et tergens os suum dicit : Non sum operata malum.* [201] » *Proverbes* XXX, 20.

même en est un signe; elles ne l'affectent que pour pouvoir s'en débarrasser plus tôt. Femmes de Paris et de
Londres, pardonnez-le-moi, je vous supplie. Nul séjour
n'exclut les miracles; mais pour moi je n'en connais point;
et si une seule d'entre vous a l'âme vraiment honnête, je
n'entends rien à vos institutions.

Toutes ces éducations diverses livrent également de
jeunes personnes au goût des plaisirs du monde, et aux
passions qui naissent bientôt de ce goût. Dans les grandes
villes la dépravation commence avec la vie, et dans les
petites elle commence avec la raison. De jeunes provinciales,
instruites à mépriser l'heureuse simplicité de leurs mœurs,
s'empressent à venir à Paris partager la corruption des
nôtres; les vices, ornés du beau nom de talents, sont
l'unique objet de leur voyage; et, honteuses en arrivant
de se trouver si loin de la noble licence des femmes du
pays, elles ne tardent pas à mériter d'être aussi de la capitale. Où commence le mal, à votre avis ? dans les lieux où
on le projette, ou dans ceux où on l'accomplit ?

Je ne veux pas que de la province une mère sensée amène
sa fille à Paris pour lui montrer ces tableaux si pernicieux
pour d'autres; mais je dis que quand cela serait, ou cette
fille est mal élevée, ou ces tableaux seront peu dangereux
pour elle. Avec du goût, du sens et l'amour des choses
honnêtes, on ne les trouve pas si attrayants qu'ils le sont
pour ceux qui s'en laissent charmer. On remarque à Paris
les jeunes écervelées qui viennent se hâter de prendre le
ton du pays, et se mettre à la mode six mois durant pour
se faire siffler le reste de leur vie; mais qui est-ce qui remarque celles, qui, rebutées de tout ce fracas, s'en retournent
dans leur province, contentes de leur sort, après l'avoir
comparé à celui qu'envient les autres ? Combien j'ai vu de
jeunes femmes, amenées dans la capitale par des maris,
complaisants et maîtres de s'y fixer, les en détourner elles-
mêmes, repartir plus volontiers qu'elles n'étaient venues,
et dire avec attendrissement la veille de leur départ : Ah !
retournons dans notre chaumière, on y vit plus heureux
que dans les palais d'ici ! On ne sait pas combien il reste
encore de bonnes gens qui n'ont point fléchi le genou devant
l'idole, et qui méprisent son culte insensé. Il n'y a de
bruyantes que les folles; les femmes sages ne font point
de sensation.

Que si, malgré la corruption générale, malgré les préjugés universels, malgré la mauvaise éducation des filles,
plusieurs gardent encore un jugement à l'épreuve, que
sera-ce quand ce jugement aura été nourri par des instructions convenables, ou, pour mieux dire, qu'on ne l'aura
point altéré par des instructions vicieuses ? car tout consiste
toujours à conserver ou rétablir les sentiments naturels.
Il ne s'agit point pour cela d'ennuyer de jeunes filles de
vos longs prônes, ni de leur débiter vos sèches moralités.
Les moralités pour les deux sexes sont la mort de toute
bonne éducation. De tristes leçons ne sont bonnes qu'à
faire prendre en haine et ceux qui les donnent et tout ce
qu'ils disent. Il ne s'agit point, en parlant à de jeunes
personnes, de leur faire peur de leurs devoirs, ni d'aggraver
le joug qui leur est imposé par la nature. En leur exposant
ces devoirs, soyez précise et facile; ne leur laissez pas croire
qu'on est chagrine quand on les remplit; point d'air fâché,
point de morgue. Tout ce qui doit passer au cœur doit en
sortir; leur catéchisme de morale doit être aussi court et
aussi clair que leur catéchisme de religion, mais il ne doit
pas être aussi grave. Montrez-leur dans les mêmes devoirs
la source de leurs plaisirs et le fondement de leurs droits.
Est-il si pénible d'aimer pour être aimée, de se rendre
aimable pour être heureuse, de se rendre estimable pour
être obéie, de s'honorer pour se faire honorer ? Que ces
droits sont beaux ! qu'ils sont respectables ! qu'ils sont
chers au cœur de l'homme quand la femme sait les faire
valoir ! Il ne faut point attendre les ans ni la vieillesse pour
en jouir. Son empire commence avec ses vertus; à peine
ses attraits se développent, qu'elle règne déjà par la douceur
de son caractère et rend sa modestie imposante. Quel
homme insensible et barbare n'adoucit pas sa fierté et ne
prend pas des manières plus attentives près d'une fille de
seize ans, aimable et sage, qui parle peu, qui écoute, qui met
de la décence dans son maintien et de l'honnêteté dans ses
propos, à qui sa beauté ne fait oublier ni son sexe ni sa jeunesse, qui sait intéresser par sa timidité même, et s'attirer le
respect qu'elle porte à tout le monde ?

Ces témoignages, bien qu'extérieurs, ne sont point frivoles; ils ne sont point fondés seulement sur l'attrait des
sens; ils partent de ce sentiment intime que nous avons
tous, que les femmes sont les juges naturels du mérite des

hommes. Qui est-ce qui veut être méprisé des femmes ?
personne au monde, non pas même celui qui ne veut plus
les aimer. Et moi, qui leur dis des vérités si dures, croyez-
vous que leurs jugements me soient indifférents ? Non ; leurs
suffrages me sont plus chers que les vôtres, lecteurs, souvent
plus femmes qu'elles. En méprisant leurs mœurs, je veux
encore honorer leur justice : peu m'importe qu'elles me
haïssent, si je les force à m'estimer.

Que de grandes choses on ferait avec ce ressort, si l'on
savait le mettre en œuvre ? Malheur au siècle où les femmes
perdent leur ascendant et où leurs jugements ne font plus
rien aux hommes ! c'est le dernier degré de la dépravation.
Tous les peuples qui ont eu des mœurs ont respecté les
femmes. Voyez Sparte, voyez les Germains, voyez Rome,
Rome le siège de la gloire et de la vertu, si jamais elles en
eurent un sur la terre. C'est là que les femmes honoraient
les exploits des grands généraux, qu'elles pleuraient publi-
quement les pères de la patrie, que leurs vœux ou leurs
deuils étaient consacrés comme le plus solennel jugement de
la république. Toutes les grandes révolutions y vinrent des
femmes : par une femme Rome acquit la liberté [202], par une
femme les plébéiens obtinrent le consultat [203], par une
femme finit la tyrannie des décemvirs [204], par les femmes
Rome assiégée fut sauvée des mains d'un proscrit [205].
Galants Français, qu'eussiez-vous dit en voyant passer
cette procession si ridicule à vos yeux moqueurs ? Vous
l'eussiez accompagnée de vos huées. Que nous voyons d'un
œil différent les mêmes objets ! et peut-être avons-nous
tous raison. Formez ce cortège de belles dames françaises,
je n'en connais point de plus indécent : mais composez-le de
Romaines, vous aurez tous les yeux des Volsques et le cœur
de Coriolan.

Je dirai davantage, et je soutiens que la vertu n'est pas
moins favorable à l'amour qu'aux autres droits de la nature,
et que l'autorité des maîtresses n'y gagne pas moins que celle
des femmes et des mères. Il n'y a point de véritable amour
sans enthousiasme, et point d'enthousiasme sans un objet de
perfection réel ou chimérique, mais toujours existant dans
l'imagination. De quoi s'enflammeront des amants pour qui
cette perfection n'est plus rien, et qui ne voient dans ce qu'ils
aiment que l'objet du plaisir des sens ? Non, ce n'est pas
ainsi que l'âme s'échauffe et se livre à ces transports sublimes

qui font le délire des amants et le charme de leur passion.
Tout n'est qu'illusion dans l'amour, je l'avoue; mais ce qui
est réel, ce sont les sentiments dont il nous anime pour le
vrai beau qu'il nous fait aimer. Ce beau n'est point dans
l'objet qu'on aime, il est l'ouvrage de nos erreurs. Eh !
qu'importe ? En sacrifie-t-on moins tous ses sentiments bas
à ce modèle imaginaire ? En pénètre-t-on moins son cœur
des vertus qu'on prête à ce qu'il chérit ? S'en détache-t-on
moins de la bassesse du moi humain ? Où est le véritable
amant qui n'est pas prêt à immoler sa vie à sa maîtresse ? et
où est la passion sensuelle et grossière dans un homme qui
veut mourir ? Nous nous moquons des paladins ? c'est qu'ils
connaissaient l'amour, et que nous ne connaissons plus que
la débauche. Quand ces maximes romanesques commencèrent à devenir ridicules, ce changement fut moins l'ouvrage de la raison que celui des mauvaises mœurs.

Dans quelque siècle que ce soit, les relations naturelles ne
changent point, la convenance ou disconvenance qui en
résulte reste la même, les préjugés sous le vain nom de raison n'en changent que l'apparence. Il sera toujours grand et
beau de régner sur soi, fût-ce pour obéir à des opinions
fantastiques; et les vrais motifs d'honneur parleront toujours au cœur de toute femme de jugement qui saura chercher dans son état le bonheur de la vie. La chasteté doit
être surtout une vertu délicieuse pour une belle femme qui
a quelque élévation dans l'âme. Tandis qu'elle voit toute
la terre à ses pieds, elle triomphe de tout et d'elle-même :
elle s'élève dans son propre cœur un trône auquel tout vient
rendre hommage; les sentiments, tendres ou jaloux, mais
toujours respectueux des deux sexes, l'estime universelle
et la sienne propre, lui payent sans cesse en tribut de gloire
les combats de quelques instants. Les privations sont passagères, mais le prix en est permanent. Quelle jouissance
pour une âme noble, que l'orgueil de la vertu jointe à la
beauté ! Réalisez une héroïne de roman, elle goûtera des
voluptés plus exquises que les Laïs et les Cléopâtre; et
quand sa beauté ne sera plus, sa gloire et ses plaisirs resteront encore; elle seule saura jouir du passé [206].

Plus les devoirs sont grands et pénibles, plus les raisons
sur lesquelles on les fonde doivent être sensibles et fortes. Il
y a un certain langage dévot dont, sur les sujets les plus
graves, on rebat les oreilles des jeunes personnes sans pro-

duire la persuasion. De ce langage trop disproportionné à
leurs idées, et du peu de cas qu'elles en font en secret, naît
la facilité de céder à leurs penchants, faute de raisons d'y
résister tirées des choses mêmes. Une fille élevée sagement
et pieusement a sans doute de fortes armes contre les tentations ; mais celle dont on nourrit uniquement le cœur ou
plutôt les oreilles du jargon de la dévotion devient infailliblement la proie du premier séducteur adroit qui l'entre-
prend. Jamais une jeune et belle personne ne méprisera son
corps, jamais elle ne s'affligera de bonne foi des grands péchés
que sa beauté fait commettre ; jamais elle ne pleurera sincèrement et devant Dieu d'être un objet de convoitise, jamais
elle ne pourra croire en elle-même que le plus doux sentiment
du cœur soit une invention de Satan. Donnez-lui d'autres
raisons en dedans et pour elle-même, car celles-là ne péné-
treront pas. Ce sera pis encore si l'on met, comme on n'y
manque guère, de la contradiction dans ses idées, et qu'après
l'avoir humiliée en avilissant son corps et ses charmes
comme la souillure du péché, on lui fasse ensuite respecter
comme le temple de Jésus-Christ ce même corps qu'on lui a
rendu si méprisable. Les idées trop sublimes et trop basses
sont également insuffisantes et ne peuvent s'associer : il faut
une raison à la portée du sexe et de l'âge. La considération
du devoir n'a de force qu'autant qu'on y joint des motifs qui
nous portent à le remplir.

*Quæ quia non liceat non facit, illa facit* [207].

On ne se douterait pas que c'est Ovide qui porte un jugement si sévère.

Voulez-vous donc inspirer l'amour des bonnes mœurs
aux jeunes personnes ; sans leur dire incessamment : Soyez
sages, donnez-leur un grand intérêt à l'être ; faites-leur sentir
tout le prix de la sagesse, et vous la leur ferez aimer. Il ne
suffit pas de prendre cet intérêt au loin dans l'avenir, mon-
trez-le-leur dans le moment même, dans les relations de leur
âge, dans le caractère de leurs amants. Dépeignez-leur
l'homme de bien, l'homme de mérite ; apprenez-leur à le
reconnaître, à l'aimer, et à l'aimer pour elles ; prouvez-leur
qu'amies, femmes, ou maîtresses, cet homme seul peut les
rendre heureuses. Amenez la vertu par la raison ; faites-leur
sentir que l'empire de leur sexe et tous ses avantages ne

tiennent pas seulement à sa bonne conduite, à ses mœurs, mais encore à celles des hommes ; quelles ont peu de prise sur des âmes viles et basses, et qu'on ne sait servir sa maîtresse que comme on sait servir la vertu. Soyez sûr qu'alors, en leur dépeignant les mœurs de nos jours, vous leur en inspirerez un dégoût sincère ; en leur montrant les gens à la mode, vous les leur ferez mépriser ; vous ne leur donnerez qu'éloignement pour leurs maximes, aversion pour leurs sentiments, dédain pour leurs vaines galanteries ; vous leur ferez naître une ambition plus noble, celle de régner sur des âmes grandes et fortes, celle des femmes de Sparte, qui était de commander à des hommes. Une femme hardie, effrontée, intrigante, qui ne sait attirer ses amants que par la coquetterie, ni les conserver que par les faveurs, les fait obéir comme des valets dans les choses serviles et communes : dans les choses importantes et graves elle est sans autorité sur eux. Mais la femme à la fois honnête, aimable et sage, celle qui force les siens à la respecter, celle qui a de la réserve et de la modestie, celle en un mot qui soutient l'amour par l'estime, les envoie d'un signe au bout du monde, au combat, à la gloire, à la mort, où il lui plaît *. Cet empire est beau, ce me semble, et vaut bien la peine d'être acheté.

Voilà dans quel esprit Sophie a été élevée, avec plus de soin que de peine, et plutôt en suivant son goût qu'en le gênant. Disons maintenant un mot de sa personne, selon le portrait que j'en ai fait à Émile, et selon qu'il imagine lui-même l'épouse qui peut le rendre heureux.

Je ne redirai jamais trop que je laisse à part les prodiges. Émile n'en est pas un, Sophie n'en est pas un non plus.

---

* Brantôme dit que, du temps de François I<sup>er</sup>, une jeune personne ayant un amant babillard lui imposa un silence absolu et illimité, qu'il garda si fidèlement deux ans entiers, qu'on le crut devenu muet par maladie. Un jour, en pleine assemblée, sa maîtresse qui, dans ces temps où l'amour se faisait avec mystère, n'était point connue pour telle, se vanta de le guérir sur-le-champ, et le fit avec ce seul mot : *Parlez*. N'y a-t-il pas quelque chose de grand et d'héroïque dans cet amour-là ? Qu'eût fait de plus la philosophie de Pythagore avec tout son faste ? N'imaginerait-on pas une divinité donnant à un mortel, d'un seul mot, l'organe de la parole ? Quelle femme aujourd'hui pourrait compter sur un pareil silence un seul jour, dût-elle le payer de tout le prix qu'elle y peut mettre ?

Émile est homme, et Sophie est femme; voilà toute leur
gloire. Dans la confusion des sexes qui règne entre nous,
c'est presque un prodige d'être du sien.

Sophie est bien née, elle est d'un bon naturel; elle a le
cœur très sensible, et cette extrême sensibilité lui donne
quelquefois une activité d'imagination difficile à modérer.
Elle a l'esprit moins juste que pénétrant, l'humeur facile et
pourtant inégale, la figure commune, mais agréable, une
physionomie qui promet une âme et qui ne ment pas; on
peut l'aborder avec indifférence, mais non pas la quitter
sans émotion. D'autres ont de bonnes qualités qui lui
manquent; d'autres ont à plus grande mesure celles qu'elle
a; mais nulle n'a des qualités mieux assorties pour faire un
heureux caractère. Elle sait tirer parti de ses défauts mêmes;
et si elle était plus parfaite, elle plairait beaucoup moins.

Sophie n'est pas belle; mais auprès d'elle les hommes
oublient les belles femmes, et les belles femmes sont mécon-
tentes d'elles-mêmes. A peine est-elle jolie au premier
aspect; mais plus on la voit et plus elle s'embellit; elle gagne
où tant d'autres perdent; et ce qu'elle gagne, elle ne le perd
plus. On peut avoir de plus beaux yeux, une plus belle
bouche, une figure plus imposante; mais on ne saurait avoir
une taille mieux prise, un plus beau teint, une main plus
blanche, un pied plus mignon, un regard plus doux, une
physionomie plus touchante. Sans éblouir elle intéresse; elle
charme, et l'on ne saurait dire pourquoi.

Sophie aime la parure et s'y connaît; sa mère n'a point
d'autre femme de chambre qu'elle; elle a beaucoup de goût
pour se mettre avec avantage; mais elle hait les riches habil-
lements; on voit toujours dans le sien la simplicité jointe à
l'élégance; elle n'aime point ce qui brille, mais ce qui sied.
Elle ignore quelles sont les couleurs à la mode, mais elle sait
à merveille celles qui lui sont favorables. Il n'y a pas une
jeune personne qui paraisse mise avec moins de recherche et
dont l'ajustement soit plus recherché; pas une pièce du sien
n'est prise au hasard, et l'art ne paraît dans aucune. Sa parure
est très modeste en apparence, très coquette en effet; elle
n'étale point ses charmes; elle les couvre, mais en les couvrant elle sait les faire imaginer. En la voyant on dit : Voilà
une fille modeste et sage; mais tant qu'on reste auprès d'elle,
les yeux et le cœur errent sur toute sa personne sans qu'on
puisse les en détacher, et l'on dirait que tout cet ajustement

si simple n'est mis à sa place que pour en être ôté pièce à
pièce par l'imagination.

Sophie a des talents naturels; elle les sent, et ne les a pas
négligés : mais n'ayant pas été à portée de mettre beaucoup
d'art à leur culture, elle s'est contentée d'exercer sa jolie
voix à chanter juste et avec goût, ses petits pieds à marcher
légèrement, facilement, avec grâce, à faire la révérence en
toutes sortes de situations sans gêne et sans maladresse. Du
reste, elle n'a eu de maître à chanter que son père, de maîtresse à danser que sa mère; et un organiste du voisinage lui
a donné sur le clavecin quelques leçons d'accompagnement
qu'elle a depuis cultivé seule. D'abord elle ne songeait qu'à
faire paraître sa main avec avantage sur ces touches noires,
ensuite elle trouva que le son aigre et sec du clavecin rendait
plus doux le son de la voix; peu à peu elle devint sensible
à l'harmonie; enfin, en grandissant, elle a commencé de sentir les charmes de l'expression, et d'aimer la musique pour
elle-même. Mais c'est un goût plutôt qu'un talent; elle ne
sait point déchiffrer un air sur la note.

Ce que Sophie sait le mieux, et qu'on lui a fait apprendre
avec le plus de soin, ce sont les travaux de son sexe, même
ceux dont on ne s'avise point, comme de tailler et coudre
ses robes. Il n'y a pas un ouvrage à l'aiguille qu'elle ne sache
faire, et qu'elle ne fasse avec plaisir; mais le travail qu'elle
préfère à tout autre est la dentelle, parce qu'il n'y en a pas un
qui donne une attitude plus agréable, et où les doigts
s'exercent avec plus de grâce et de légèreté. Elle s'est appliquée aussi à tous les détails du ménage. Elle entend la cuisine et l'office; elle sait le prix des denrées; elle en connaît
les qualités; elle sait fort bien tenir les comptes; elle sert
de maître d'hôtel à sa mère. Faite pour être un jour mère de
famille elle-même, en gouvernant la maison paternelle, elle
apprend à gouverner la sienne; elle peut suppléer aux fonctions des domestiques, et le fait toujours volontiers. On ne
sait jamais bien commander que ce qu'on sait exécuter soi-
même : c'est la raison de sa mère pour l'occuper ainsi. Pour
Sophie elle ne va pas si loin; son premier devoir est celui de
fille, et c'est maintenant le seul qu'elle songe à remplir. Son
unique vue est de servir sa mère, et de la soulager d'une
partie de ses soins. Il est pourtant vrai qu'elle ne les remplit
pas tous avec un plaisir égal. Par exemple, quoiqu'elle soit
gourmande, elle n'aime pas la cuisine; le détail en a quelque

chose qui la dégoûte; elle n'y trouve jamais assez de propreté. Elle est là-dessus d'une délicatesse extrême, et cette
délicatesse poussée à l'excès est devenue un de ses défauts :
elle laisserait plutôt aller tout le dîner par le feu, que de
tacher sa manchette. Elle n'a jamais voulu de l'inspection
du jardin par la même raison. La terre lui paraît malpropre;
sitôt qu'elle voit du fumier, elle croit en sentir l'odeur.

Elle doit ce défaut aux leçons de sa mère. Selon elle, entre
les devoirs de la femme, un des premiers est la propreté;
devoir spécial, indispensable, imposé par la nature. Il n'y a
pas au monde un objet plus dégoûtant qu'une femme malpropre, et le mari qui s'en dégoûte n'a jamais tort. Elle a
tant prêché ce devoir à sa fille dès son enfance, elle en a
tant exigé de propreté sur sa personne, tant pour ses hardes,
pour son appartement, pour son travail, pour sa toilette,
que toutes ces attentions, tournées en habitude prennent
une assez grande partie de son temps et président encore à
l'autre : en sorte que bien faire ce qu'elle fait n'est que le
second de ses soins; le premier est toujours de le faire proprement.

Cependant tout cela n'a point dégénéré en vaine affectation ni en mollesse; les raffinements du luxe n'y sont pour
rien. Jamais il n'entra dans son appartement que de l'eau
simple; elle ne connaît d'autre parfum que celui des fleurs,
et jamais son mari n'en respirera de plus doux que son
haleine. Enfin l'attention qu'elle donne à l'extérieur ne
lui fait pas oublier qu'elle doit sa vie et son temps à des
soins plus nobles; elle ignore ou dédaigne cette excessive
propreté du corps qui souille l'âme; Sophie est bien plus
que propre, elle est pure.

J'ai dit que Sophie était gourmande. Elle l'était naturellement; mais elle est devenue sobre par habitude, et maintenant elle l'est par vertu. Il n'en est pas des filles comme
des garçons, qu'on peut jusqu'à certain point gouverner
par la gourmandise. Ce penchant n'est point sans conséquence pour le sexe; il est trop dangereux de le lui laisser.
La petite Sophie, dans son enfance, entrant seule dans le
cabinet de sa mère, n'en revenait pas toujours à vide, et
n'était pas d'une fidélité à toute épreuve sur les dragées
et sur les bonbons. Sa mère la surprit, la reprit, la punit,
la fit jeûner. Elle vint enfin à bout de lui persuader que
les bonbons gâtaient les dents, et que de trop manger

grossissait la taille. Ainsi Sophie se corrigea : en grandissant elle a pris d'autres goûts qui l'ont détournée de cette sensualité basse. Dans les femmes comme dans les hommes, sitôt que le cœur s'anime, la gourmandise n'est plus un vice dominant. Sophie a conservé le goût propre de son sexe; elle aime le laitage et les sucreries; elle aime la pâtisserie et les entremets, mais fort peu la viande; elle n'a jamais goûté ni vin ni liqueurs fortes : au surplus, elle mange de tout très modérément; son sexe, moins laborieux que le nôtre, a moins besoin de réparation. En toute chose, elle aime ce qui est bon et le sait goûter; elle sait aussi s'accommoder de ce qui ne l'est pas, sans que cette privation lui coûte.

Sophie a l'esprit agréable sans être brillant, et solide sans être profond; un esprit dont on ne dit rien, parce qu'on ne lui en trouve jamais ni plus ni moins qu'à soi. Elle a toujours celui qui plaît aux gens qui lui parlent, quoiqu'il ne soit pas fort orné, selon l'idée que nous avons de la culture de l'esprit des femmes; car le sien ne s'est point formé par la lecture, mais seulement par les conversations de son père et de sa mère, par ses propres réflexions, et par les observations qu'elle a faites dans le peu de monde qu'elle a vu. Sophie a naturellement de la gaieté, elle était même folâtre dans son enfance; mais peu à peu sa mère a pris soin de réprimer ses airs évaporés, de peur que bientôt un changement trop subit n'instruisît du moment qui l'avait rendu nécessaire. Elle est donc devenue modeste et réservée même avant le temps de l'être; et maintenant que ce temps est venu, il lui est plus aisé de garder le ton qu'elle a pris, qu'il ne lui serait de le prendre sans indiquer la raison de ce changement. C'est une chose plaisante de la voir se livrer quelquefois par un reste d'habitude à des vivacités de l'enfance, puis tout d'un coup rentrer en elle-même, se taire, baisser les yeux et rougir : il faut bien que le terme intermédiaire entre les deux âges participe un peu de chacun des deux.

Sophie est d'une sensibilité trop grande pour conserver une parfaite égalité d'humeur, mais elle a trop de douceur pour que cette sensibilité soit fort importune aux autres; c'est à elle seule qu'elle fait du mal. Qu'on dise un seul mot qui la blesse, elle ne boude pas, mais son cœur se gonfle; elle tâche de s'échapper pour aller pleurer. Qu'au milieu de ses pleurs son père ou sa mère la rappelle, et dise un seul mot, elle vient à l'instant jouer et rire en s'essuyant adroitement les yeux et tâchant d'étouffer ses sanglots.

Elle n'est pas non plus tout à fait exempte de caprice : son humeur un peu trop poussée dégénère en mutinerie, et alors elle est sujette à s'oublier. Mais laissez-lui le temps de revenir à elle, et sa manière d'effacer son tort lui en fera presque un mérite. Si on la punit, elle est docile et soumise, et l'on voit que sa honte ne vient pas tant du châtiment que de la faute. Si on ne lui dit rien, jamais elle ne manque de la réparer d'elle-même, mais si franchement et de si bonne grâce, qu'il n'est pas possible d'en garder la rancune. Elle baiserait la terre devant le dernier domestique, sans que cet abaissement lui fît la moindre peine; et sitôt qu'elle est pardonnée, sa joie et ses caresses montrent de quel poids son bon cœur est soulagé. En un mot, elle souffre avec patience les torts des autres, et répare avec plaisir les siens. Tel est l'aimable naturel de son sexe avant que nous l'ayons gâté. La femme est faite pour céder à l'homme et pour supporter même son injustice. Vous ne réduirez jamais les jeunes garçons au même point; le sentiment intérieur s'élève et se révolte en eux contre l'injustice; la nature ne les fit pas pour la tolérer.

> *Gravem*
> *Pelidae stomachum cedere nescii* [208].

Sophie a de la religion, mais une religion raisonnable et simple, peu de dogmes et moins de pratiques de dévotion; ou plutôt ne connaissant de pratique essentielle que la morale, elle dévoue sa vie entière à servir Dieu en faisant le bien. Dans toutes les instructions que ses parents lui ont données sur ce sujet, ils l'ont accoutumée à une soumission respectueuse, en lui disant toujours : « Ma fille, ces connaissances ne sont pas de votre âge; votre mari vous en instruira quand il sera temps. » Du reste, au lieu de longs discours de piété, ils se contentent de la lui prêcher par leur exemple, et cet exemple est gravé dans son cœur.

Sophie aime la vertu; cet amour est devenu sa passion dominante. Elle l'aime, parce qu'il n'y a rien de si beau que la vertu; elle l'aime, parce que la vertu fait la gloire de

la femme, et qu'une femme vertueuse lui paraît presque
égale aux anges; elle l'aime comme la seule route du vrai
bonheur, et parce qu'elle ne voit que misère, abandon,
malheur, opprobre, ignominie, dans la vie d'une femme
déshonnête; elle l'aime enfin comme chère à son respectable
père, à sa tendre et digne mère : non contents d'être
heureux de leur propre vertu, ils veulent l'être aussi de
la sienne, et son premier bonheur à elle-même est l'espoir
de faire le leur. Tous ces sentiments lui inspirent un enthousiasme
qui lui élève l'âme et tient tous ses petits penchants
asservis à une passion si noble. Sophie sera chaste et honnête
jusqu'à son dernier soupir; elle l'a juré dans le fond de
son âme, et elle l'a juré dans un temps où elle sentait déjà
tout ce qu'un tel serment coûte à tenir; elle l'a juré quand
elle en aurait dû révoquer l'engagement, si ses sens étaient
faits pour régner sur elle.

Sophie n'a pas le bonheur d'être une aimable Française,
froide par tempérament et coquette par vanité, voulant
plutôt briller que plaire, cherchant l'amusement et non le
plaisir. Le seul besoin d'aimer la dévore, il vient la distraire
et troubler son cœur dans les fêtes; elle a perdu son
ancienne gaieté; les folâtres jeux ne sont plus faits pour
elle; loin de craindre l'ennui de la solitude, elle la cherche;
elle y pense à celui qui doit la lui rendre douce : tous les
indifférents l'importunent; il ne lui faut pas une cour,
mais un amant; elle aime mieux plaire à un seul honnête
homme, et lui plaire toujours, que d'élever en sa faveur
le cri de la mode, qui dure un jour, et le lendemain se
change en huée.

Les femmes ont le jugement plus tôt formé que les
hommes : étant sur la défensive presque dès leur enfance,
et chargées d'un dépôt difficile à garder, le bien et le mal
leur sont nécessairement plus tôt connus. Sophie, précoce
en tout, parce que son tempérament la porte à l'être, a
aussi le jugement plus tôt formé que d'autres filles de son
âge. Il n'y a rien à cela de fort extraordinaire; la maturité
n'est pas partout la même en même temps.

Sophie est instruite des devoirs et des droits de son
sexe et du nôtre. Elle connaît les défauts des hommes et
les vices des femmes; elle connaît aussi les qualités, les
vertus contraires, et les a toutes empreintes au fond de
son cœur. On ne peut pas avoir une plus haute idée de

l'honnête femme que celle qu'elle en a conçue, et cette
idée ne l'épouvante point; mais elle pense avec plus de
complaisance à l'honnête homme, à l'homme de mérite;
elle sent qu'elle est faite pour cet homme-là, qu'elle en est
digne, qu'elle peut lui rendre le bonheur qu'elle recevra
de lui; elle sent qu'elle saura bien le reconnaître; il ne
s'agit que de le trouver.

Les femmes sont les juges naturels du mérite des hommes,
comme ils le sont du mérite des femmes : cela est de leur
droit réciproque; et ni les uns ni les autres ne l'ignorent.
Sophie connaît ce droit et en use, mais avec la modestie
qui convient à sa jeunesse, à son inexpérience, à son état;
elle ne juge que des choses qui sont à sa portée, et elle
n'en juge que quand cela sert à développer quelque maxime
utile. Elle ne parle des absents qu'avec la plus grande
circonspection, surtout si ce sont des femmes. Elle pense
que ce qui les rend médisantes et satiriques est de parler
de leur sexe : tant qu'elles se bornent à parler du nôtre
elles ne sont qu'équitables. Sophie s'y borne donc. Quant
aux femmes, elle n'en parle jamais que pour en dire le
bien qu'elle sait : c'est un honneur qu'elle croit devoir à
son sexe; et pour celles dont elle ne sait aucun bien à dire,
elle n'en dit rien du tout, et cela s'entend.

Sophie a peu d'usage du monde; mais elle est obligeante,
attentive, et met de la grâce à tout ce qu'elle fait. Un heureux naturel la sert mieux que beaucoup d'art. Elle a une
certaine politesse à elle qui ne tient point aux formules,
qui n'est point asservie aux modes, qui ne change point
avec elles, qui ne fait rien par usage, mais qui vient d'un
vrai désir de plaire, et qui plaît. Elle ne sait point les compli-
ments triviaux, et n'en invente point de plus recherchés;
elle ne dit pas qu'elle est très obligée, qu'on lui fait beaucoup d'honneur, qu'on ne prenne pas la peine, etc. Elle
s'avise encore moins de tourner des phrases. Pour une
attention, pour une politesse établie, elle répond par une
révérence, ou par un simple *Je vous remercie ;* mais ce mot,
dit de sa bouche, en vaut bien un autre. Pour un vrai
service, elle laisse parler son cœur, et ce n'est pas un compliment qu'il trouve. Elle n'a jamais souffert que l'usage
français l'asservît au joug des simagrées, comme d'étendre
sa main, en passant d'une chambre à l'autre, sur un bras
sexagénaire qu'elle aurait grande envie de soutenir. Quand

un galant musqué lui offre cet impertinent service, elle laisse l'officieux bras sur l'escalier, et s'élance en deux sauts dans la chambre en disant qu'elle n'est pas boiteuse. En effet, quoiqu'elle ne soit pas grande, elle n'a jamais voulu de talons hauts; elle a les pieds assez petits pour s'en passer.

Non seulement elle se tient dans le silence et dans le respect avec les femmes, mais même avec les hommes mariés, ou beaucoup plus âgés qu'elle; elle n'acceptera jamais de place au-dessus d'eux que par obéissance, et reprendra la sienne au-dessous sitôt qu'elle le pourra; car elle sait que les droits de l'âge vont avant ceux du sexe, comme ayant pour eux le préjugé de la sagesse, qui doit être honorée avant tout.

Avec les jeunes gens de son âge, c'est autre chose; elle a besoin d'un ton différent pour leur en imposer, et elle sait le prendre sans quitter l'air modeste qui lui convient. S'ils sont modestes et réservés eux-mêmes, elle gardera volontiers avec eux l'aimable familiarité de la jeunesse; leurs entretiens pleins d'innocence seront badins, mais décents; s'ils deviennent sérieux, elle veut qu'ils soient utiles; s'ils dégénèrent en fadeurs, elle les fera bientôt cesser, car elle méprise surtout le petit jargon de la galanterie, comme très offensant pour son sexe. Elle sait bien que l'homme qu'elle cherche n'a pas ce jargon-là, et jamais elle ne souffre volontiers d'un autre ce qui ne convient pas à celui dont elle a le caractère empreint au fond du cœur. La haute opinion qu'elle a des droits de son sexe, la fierté d'âme que lui donne la pureté de ses sentiments, cette énergie de la vertu qu'elle sent en elle-même et qui la rend respectable à ses propres yeux, lui font écouter avec indignation les propos doucereux dont on prétend l'amuser. Elle ne les reçoit point avec une colère apparente, mais avec un ironique applaudissement qui déconcerte, ou d'un ton froid auquel on ne s'attend point. Qu'un beau Phébus [209] lui débite ses gentillesses, la loue avec esprit sur le sien, sur sa beauté, sur ses grâces, sur le prix du bonheur de lui plaire, elle est fille à l'interrompre, en lui disant poliment : « Monsieur, j'ai grand'peur de savoir ces choses-là mieux que vous; si nous n'avons rien de plus curieux à nous dire, je crois que nous pouvons finir ici l'entretien. » Accompagner ces mots d'une grande

révérence, et puis se trouver à vingt pas de lui n'est pour
elle que l'affaire d'un instant. Demandez à vos agréables
s'il est aisé d'étaler longtemps son caquet avec un esprit
aussi rebours que celui-là.

Ce n'est pas pourtant qu'elle n'aime fort à être louée,
pourvu que ce soit tout de bon, et qu'elle puisse croire
qu'on pense en effet le bien qu'on lui dit d'elle. Pour
paraître touché de son mérite, il faut commencer par en
montrer. Un hommage fondé sur l'estime peut flatter
son cœur altier, mais tout galant persiflage est toujours
rebuté; Sophie n'est pas faite pour exercer les petits talents
d'un baladin.

Avec une si grande maturité de jugement, et formée à
tous égards comme une fille de vingt ans, Sophie, à quinze,
ne sera point traitée en enfant par ses parents. A peine
apercevront-ils en elle la première inquiétude de la jeunesse,
qu'avant le progrès ils se hâteront d'y pourvoir; ils lui
tiendront des discours tendres et sensés. Les discours
tendres et sensés sont de son âge et de son caractère. Si
ce caractère est tel que je l'imagine, pourquoi son père ne
lui parlerait-il pas à peu près ainsi :

« Sophie, vous voilà grande fille, et ce n'est pas pour l'être
toujours qu'on le devient. Nous voulons que vous soyez heureuse : c'est pour nous que nous le voulons, parce que notre
bonheur dépend du vôtre. Le bonheur d'une honnête fille est
de faire celui d'un honnête homme : il faut donc penser à vous
marier ; il y faut penser de bonne heure, car du mariage dépend
le sort de la vie, et l'on n'a jamais trop de temps pour y penser.

« Rien n'est plus difficile que le choix d'un bon mari, si ce
n'est peut-être celui d'une bonne femme. Sophie, vous serez
cette femme rare, vous serez la gloire de notre vie et le bonheur de nos vieux jours ; mais, de quelque mérite que vous
soyez pourvue, la terre ne manque pas d'hommes qui en ont
encore plus que vous. Il n'y en a pas un qui ne dût s'honorer
de vous obtenir, il y en a beaucoup qui vous honoreraient davantage. Dans ce nombre il s'agit d'en trouver un qui vous convienne, de le connaître, et de vous faire connaître à lui.

« Le plus grand bonheur du mariage dépend de tant de convenances, que c'est une folie de les vouloir toutes rassembler.
Il faut d'abord s'assurer des plus importantes : quand les autres
s'y trouvent, on s'en prévaut ; quand elles manquent, on s'en
passe. Le bonheur parfait n'est pas sur la terre, mais le plus
grand des malheurs, et celui qu'on peut toujours éviter, est
d'être malheureux par sa faute.

« Il y a des convenances naturelles, il y en a d'institution, il y en a qui ne tiennent qu'à l'opinion seule. Les parents sont juges des deux dernières espèces, les enfants seuls le sont de la première. Dans les mariages qui se font par l'autorité des pères, on se règle uniquement sur les convenances d'institution et d'opinion : ce ne sont pas les personnes qu'on marie, ce sont les conditions et les biens ; mais tout cela peut changer ; les personnes seules restent toujours, elles se portent partout avec elles ; en dépit de la fortune, ce n'est que par les rapports personnels qu'un mariage peut être heureux ou malheureux.

« Votre mère était de condition, j'étais riche ; voilà les seules considérations qui portèrent nos parents à nous unir. J'ai perdu mes biens, elle a perdu son nom : oubliée de sa famille, que lui sert aujourd'hui d'être née demoiselle ? Dans nos désastres, l'union de nos cœurs nous a consolés de tout ; la conformité de nos goûts nous a fait choisir cette retraite; nous y vivons heureux dans la pauvreté, nous nous tenons lieu de tout l'un à l'autre. Sophie est notre trésor commun ; nous bénissons le ciel de nous avoir donné celui-là et de nous avoir ôté tout le reste. Voyez, mon enfant, où nous a conduits la Providence : les convenances qui nous firent marier sont évanouies ; nous ne sommes heureux que par celles que l'on compta pour rien.

« C'est aux époux à s'assortir. Le penchant mutuel doit être leur premier lien; leurs yeux, leurs cœurs doivent être leurs premiers guides ; car, comme leur premier devoir, étant unis, est de s'aimer, et qu'aimer ou n'aimer pas ne dépend point de nous-mêmes, ce devoir en emporte nécessairement un autre, qui est de commencer par s'aimer avant de s'unir. C'est là le droit de la nature, que rien ne peut abroger : ceux qui l'ont gênée par tant de lois civiles ont eu plus d'égard à l'ordre apparent qu'au bonheur du mariage et aux mœurs des citoyens. Vous voyez, ma Sophie, que nous ne vous prêchons pas une morale difficile. Elle ne tend qu'à vous rendre maîtresse de vous-même, et à nous en rapporter à vous sur le choix de votre époux.

« Après vous avoir dit nos raisons pour vous laisser une entière liberté, il est juste de vous parler aussi des vôtres pour en user avec sagesse. Ma fille, vous êtes bonne et raisonnable, vous avez de la droiture et de la piété, vous avez les talents qui conviennent à d'honnêtes femmes, et vous n'êtes pas dépourvue d'agréments ; mais vous êtes pauvre ; vous avez les biens les plus estimables, et vous manquez de ceux qu'on estime le plus. N'aspirez donc qu'à ce que vous pouvez obtenir, et réglez votre ambition, non sur vos jugements ni sur les nôtres, mais sur l'opinion des hommes. S'il n'était question que d'une égalité de mérite, j'ignore à quoi je devrais borner vos espé-

rances ; mais ne les élevez point au-dessus de votre fortune,
et n'oubliez pas qu'elle est au plus bas rang. Bien qu'un homme
digne de vous ne compte pas cette inégalité pour un obstacle,
vous devez faire alors ce qu'il ne fera pas : Sophie doit imiter
sa mère, et n'entrer que dans une famille qui s'honore d'elle.
Vous n'avez point vu notre opulence, vous êtes née durant
notre pauvreté ; vous nous la rendez douce et vous la partagez sans peine. Croyez-moi, Sophie, ne cherchez point des
biens dont nous bénissons le ciel de nous avoir délivrés ; nous
n'avons goûté le bonheur qu'après avoir perdu la richesse.

« Vous êtes trop aimable pour ne plaire à personne, et votre
misère n'est pas telle qu'un honnête homme se trouve embarrassé de vous. Vous serez recherchée, et vous pourrez l'être
de gens qui ne nous vaudront pas. S'ils se montraient à vous
tels qu'ils sont, vous les estimeriez ce qu'ils valent; tout leur
faste ne vous en imposerait pas longtemps ; mais, quoique
vous ayez le jugement bon et que vous vous connaissiez en
mérite, vous manquez d'expérience et vous ignorez jusqu'où
les hommes peuvent se contrefaire. Un fourbe adroit peut
étudier vos goûts pour vous séduire, et feindre auprès de vous
des vertus qu'il n'aura point. Il vous perdrait Sophie, avant
que vous vous en fussiez aperçue, et vous ne connaîtriez votre
erreur que pour la pleurer. Le plus dangereux de tous les pièges,
et le seul que la raison ne peut éviter, est celui des sens ; si
jamais vous avez le malheur d'y tomber, vous ne verrez plus
qu'illusions et chimères ; vos yeux se fascineront, votre jugement se troublera, votre volonté sera corrompue, votre erreur
même vous sera chère ; et quand vous seriez en état de la connaître, vous n'en voudriez pas revenir. Ma fille, c'est à la raison
de Sophie que je vous livre ; je ne vous livre point au penchant
de son cœur. Tant que vous serez de sang-froid, restez votre
propre juge ; mais sitôt que vous aimerez, rendez à votre mère
le soin de vous.

« Je vous propose un accord qui vous marque notre estime et
rétablisse entre nous l'ordre naturel. Les parents choisissent
l'époux de leur fille, et ne la consultent que pour la forme :
tel est l'usage. Nous ferons entre nous tout le contraire : vous
choisirez, et nous serons consultés. Usez de votre droit, Sophie ;
usez-en librement et sagement. L'époux qui vous convient
doit être de votre choix et non pas du nôtre. Mais c'est à nous
de juger si vous ne vous trompez pas sur les convenances,
et si, sans le savoir, vous ne faites point autre chose que ce
que vous voulez. La naissance, les biens, le rang, l'opinion,
n'entreront pour rien dans nos raisons. Prenez un honnête
homme dont la personne vous plaise et dont le caractère vous
convienne : quel qu'il soit d'ailleurs, nous l'acceptons pour
notre gendre. Son bien sera toujours assez grand, s'il a des

bras, des mœurs, et qu'il aime sa famille. Son rang sera toujours assez illustre, s'il l'ennoblit par la vertu. Quand toute la terre nous blâmerait, qu'importe ? Nous ne cherchons pas l'approbation publique, il nous suffit de votre bonheur. »

Lecteurs, j'ignore quel effet ferait un pareil discours sur les filles élevées à votre manière. Quant à Sophie, elle pourra n'y pas répondre par des paroles; la honte et l'attendrissement ne la laisseraient pas aisément s'exprimer; mais je suis bien sûr qu'il restera gravé dans son cœur le reste de sa vie, et que si l'on peut compter sur quelque résolution humaine, c'est sur celle qu'il lui fera faire d'être digne de l'estime de ses parents.

Mettons la chose au pis, et donnons-lui un tempérament ardent qui lui rende pénible une longue attente; je dis que son jugement, ses connaissances, son goût, sa délicatesse, et surtout les sentiments dont son cœur a été nourri dans son enfance, opposeront à l'impétuosité de ses sens un contre-poids qui lui suffira pour les vaincre, ou du moins pour leur résister longtemps. Elle mourrait plutôt martyre de son état que d'affliger ses parents, d'épouser un homme sans mérite, et de s'exposer au malheur d'un mariage mal assorti. La liberté même qu'elle a reçue ne fait que lui donner une nouvelle élévation d'âme, et la rendre plus difficile sur le choix de son maître. Avec le tempérament d'une Italienne et la sensibilité d'une Anglaise, elle a, pour contenir son cœur et ses sens, la fierté d'une Espagnole, qui, même en cherchant un amant, ne trouve pas aisément celui qu'elle estime digne d'elle.

Il n'appartient pas à tout le monde de sentir quel ressort l'amour des choses honnêtes peut donner à l'âme, et quelle force on peut trouver en soi quand on veut être sincèrement vertueux. Il y a des gens à qui tout ce qui est grand paraît chimérique, et qui, dans leur basse et vile raison, ne connaîtront jamais ce que peut sur les passions humaines la folie même de la vertu. Il ne faut parler à ces gens-là que par des exemples : tant pis pour eux s'ils s'obstinent à les nier. Si je leur disais que Sophie n'est point un être imaginaire, que son nom seul est de mon invention, que son éducation, ses mœurs, son caractère, sa figure même ont réellement existé, et que sa mémoire coûte encore des larmes à toute une honnête famille, sans doute ils n'en croiraient rien; mais enfin, que risquerai-je

d'achever sans détour l'histoire d'une fille si semblable à
Sophie, que cette histoire pourrait être la sienne sans
qu'on dût en être surpris ? Qu'on la croie véritable ou
non, peu importe; j'aurai, si l'on veut, raconté des fictions,
mais j'aurai toujours expliqué ma méthode, et j'irai toujours à mes fins.

La jeune personne, avec le tempérament dont je viens de
charger Sophie, avait d'ailleurs avec elle toutes les conformités qui pouvaient lui en faire mériter le nom, et je le
lui laisse. Après l'entretien que j'ai rapporté, son père et
sa mère, jugeant que les partis ne viendraient pas s'offrir
dans le hameau qu'ils habitaient, l'envoyèrent passer un
hiver à la ville, chez une tante qu'on instruisit en secret
du sujet de ce voyage; car la fière Sophie portait au fond
de son cœur le noble orgueil de savoir triompher d'elle;
et, quelque besoin qu'elle eût d'un mari, elle fût morte
fille plutôt que de se résoudre à l'aller chercher.

Pour répondre aux vues de ses parents, sa tante la pré-
senta dans les maisons, la mena dans les sociétés, dans les
fêtes, lui fit voir le monde, ou plutôt l'y fit voir, car Sophie
se souciait peu de tout ce fracas. On remarqua pourtant
qu'elle ne fuyait pas les jeunes gens d'une figure agréable
qui paraissaient décents et modestes. Elle avait dans sa
réserve même un certain art de les attirer, qui ressemblait
assez à de la coquetterie; mais après s'être entretenue avec
eux deux ou trois fois, elle s'en rebutait. Bientôt, à cet
air d'autorité qui semblait accepter les hommages [210], elle
substituait un maintien plus humble et une politesse plus
repoussante. Toujours attentive sur elle-même, elle ne
leur laissait plus l'occasion de lui rendre le moindre service :
c'était dire qu'elle ne voulait pas être leur maîtresse.

Jamais les cœurs sensibles n'aimèrent les plaisirs bruyants,
vain et stérile bonheur des gens qui ne sentent rien, et qui
croient qu'étourdir sa vie c'est en jouir. Sophie, ne trouvant
point ce qu'elle cherchait, et désespérant de le trouver
ainsi, s'ennuya de la ville. Elle aimait tendrement ses
parents, rien ne la dédommageait d'eux, rien n'était propre
à les lui faire oublier; elle retourna les joindre longtemps
avant le terme fixé pour son retour.

A peine eut-elle repris ses fonctions dans la maison
paternelle, qu'on vit qu'en gardant la même conduite elle
avait changé d'humeur. Elle avait des distractions, de

l'impatience, elle était triste et rêveuse, elle se cachait pour pleurer. On crut d'abord qu'elle aimait et qu'elle en avait honte : on lui en parla, elle s'en défendit. Elle protesta n'avoir vu personne qui pût toucher son cœur, et Sophie ne mentait point.

Cependant, sa langueur augmentait sans cesse, et sa santé commençait à s'altérer. Sa mère, inquiète de ce changement, résolut enfin d'en savoir la cause. Elle la prit en particulier, et mit en œuvre auprès d'elle ce langage insinuant et ces caresses invincibles que la seule tendresse maternelle sait employer. Ma fille, toi que j'ai portée dans mes entrailles et que je porte incessamment dans mon cœur, verse les secrets du tien dans le sein de ta mère. Quels sont donc ces secrets qu'une mère ne peut savoir ? Qui est-ce qui plaint tes peines, qui est-ce qui les partage, qui est-ce qui veut les soulager, si ce n'est ton père et moi ? Ah ! mon enfant, veux-tu que je meure de ta douleur sans la connaître ?

Loin de cacher ses chagrins à sa mère, la jeune fille ne demandait pas mieux que de l'avoir pour consolatrice et pour confidente; mais la honte l'empêchait de parler, et sa modestie ne trouvait point de langage pour décrire un état si peu digne d'elle que l'émotion qui troublait ses sens malgré qu'elle en eût. Enfin, sa honte même servant d'indice à sa mère, elle lui arracha ces humiliants aveux. Loin de l'affliger par d'injustes réprimandes, elle la consola, la plaignit, pleura sur elle; elle était trop sage pour lui faire un crime d'un mal que sa vertu seule rendait si cruel. Mais pourquoi supporter sans nécessité un mal dont le remède était si facile et si légitime ? Que n'usait-elle de la liberté qu'on lui avait donnée ? Que n'acceptait-elle un mari ? que ne le choisissait-elle ? Ne savait-elle pas que son sort dépendait d'elle seule, et que, quel que fût son choix, il serait confirmé, puisqu'elle n'en pouvait faire un qui ne fût honnête ? On l'avait envoyée à la ville, elle n'y avait point voulu rester; plusieurs partis s'étaient présentés, elle les avait tous rebutés. Qu'attendait-elle donc ? que voulait-elle ? Quelle inexplicable contradiction !

La réponse était simple. S'il ne s'agissait que d'un secours pour la jeunesse, le choix serait bientôt fait; mais un maître pour toute la vie n'est pas si facile à choisir; et, puisqu'on ne peut séparer ces deux choix, il faut bien attendre, et

souvent perdre sa jeunesse, avant de trouver l'homme
avec qui l'on veut passer ses jours. Tel était le cas de
Sophie : elle avait besoin d'un amant, mais cet amant
devait être son mari; et, pour le cœur qu'il fallait au sien,
l'un était presque aussi difficile à trouver que l'autre.
Tous ces jeunes gens si brillants n'avaient avec elle que la
convenance de l'âge, les autres leur manquaient toujours;
leur esprit superficiel, leur vanité, leur jargon, leurs mœurs
sans règle, leurs frivoles imitations, la dégoûtaient d'eux.
Elle cherchait un homme et ne trouvait que des singes;
elle cherchait une âme et n'en trouvait point.

Que je suis malheureuse ! disait-elle à sa mère; j'ai besoin
d'aimer, et je ne vois rien qui me plaise. Mon cœur repousse
tous ceux qu'attirent mes sens. Je n'en vois pas un qui
n'excite mes désirs, et pas un qui ne les réprime; un goût
sans estime ne peut durer. Ah ! ce n'est pas là l'homme
qu'il faut à votre Sophie ! son charmant modèle est empreint
trop avant dans son âme. Elle ne peut aimer que lui, elle
ne peut rendre heureux que lui, elle ne peut être heureuse
qu'avec lui seul. Elle aime mieux se consumer et combattre sans cesse, elle aime mieux mourir malheureuse et
libre, que désespérée auprès d'un homme qu'elle n'aimerait pas et qu'elle rendrait malheureux lui-même; il vaut
mieux n'être plus, que de n'être que pour souffrir.

Frappée de ces singularités, sa mère les trouva trop
bizarres pour n'y pas soupçonner quelque mystère. Sophie
n'était ni précieuse, ni ridicule. Comment cette délicatesse outrée avait-elle pu lui convenir, à elle à qui l'on
n'avait rien tant appris dès son enfance, qu'à s'accommoder
des gens avec qui elle avait à vivre, et à faire de nécessité
vertu ? Ce modèle de l'homme aimable duquel elle était
si enchantée, et qui revenait si souvent dans tous ses entretiens, fit conjecturer à sa mère que ce caprice avait quelque
autre fondement qu'elle ignorait encore et que Sophie
n'avait pas tout dit. L'infortunée, surchargée de sa peine
secrète, ne cherchait qu'à s'épancher. Sa mère la presse,
elle hésite; elle se rend enfin, et sortant sans rien dire,
elle entre un moment après, un livre à la main : Plaignez
votre malheureuse fille, sa tristesse est sans remède, ses
pleurs ne peuvent tarir. Vous en voulez savoir la cause :
eh bien ! la voilà, dit-elle en jetant le livre sur la table. La
mère prend le livre et l'ouvre : c'étaient les *Aventures de*

*Télémaque*. Elle ne comprend rien d'abord à cette énigme;
à force de questions et de réponses obscures, elle voit
enfin, avec une surprise facile à concevoir, que sa fille
est la rivale d'Eucharis [211].

Sophie aimait Télémaque, et l'aimait avec une passion
dont rien ne put la guérir. Sitôt que son père et sa mère
connurent sa manie, ils en rirent, et crurent la ramener
par la raison. Ils se trompèrent : la raison n'était pas toute
de leur côté; Sophie avait aussi la sienne et savait la faire
valoir. Combien de fois elle les réduisit au silence en se
servant contre eux de leurs propres raisonnements, en leur
montrant qu'ils avaient fait tout le mal eux-mêmes, qu'ils
ne l'avaient point formée pour un homme de son siècle;
qu'il faudrait nécessairement qu'elle adoptât les manières
de penser de son mari, ou qu'elle lui donnât les siennes;
qu'ils lui avaient rendu le premier moyen impossible par
la manière dont ils l'avaient élevée, et que l'autre était
précisément ce qu'elle cherchait. Donnez-moi, disait-elle,
un homme imbu de mes maximes, ou que j'y puisse amener,
et je l'épouse; mais jusque-là pourquoi me grondez-vous ?
Plaignez-moi. Je suis malheureuse et non pas folle. Le
cœur dépend-il de la volonté ? Mon père ne l'a-t-il pas dit
lui-même ? Est-ce ma faute si j'aime ce qui n'est pas ? Je
ne suis point visionnaire; je ne veux point un prince, je
ne cherche point Télémaque, je sais qu'il n'est qu'une
fiction : je cherche quelqu'un qui lui ressemble. Et pourquoi
ce quelqu'un ne peut-il exister, puisque j'existe, moi qui
me sens un cœur si semblable au sien ? Non, ne déshono-
rons pas ainsi l'humanité; ne pensons pas qu'un homme
aimable et vertueux ne soit qu'une chimère. Il existe, il
vit, il me cherche peut-être; il cherche une âme qui le
sache aimer. Mais quel est-il ? où est-il ? Je l'ignore : il
n'est aucun de ceux que j'ai vus; sans doute il n'est aucun
de ceux que je verrai. O ma mère ! pourquoi m'avez-vous
rendu la vertu trop aimable ? Si je ne puis aimer qu'elle,
le tort en est moins à moi qu'à vous.

Amènerai-je ce triste récit jusqu'à sa catastrophe ? Dirai-je
les longs débats qui la précédèrent ? Représenterai-je une
mère impatientée changeant en rigueur ses premières
caresses ? Montrerai-je un père irrité oubliant ses premiers
engagements, et traitant comme une folle la plus vertueuse
des filles ? Peindrai-je enfin l'infortunée, encore plus atta-

chée à sa chimère par la persécution qu'elle lui fait souffrir, marchant à pas lents vers la mort, et descendant dans la tombe au moment qu'on croit l'entraîner à l'autel ? Non, j'écarte ces objets funestes. Je n'ai pas besoin d'aller si loin pour montrer par un exemple assez frappant, ce me semble, que, malgré les préjugés qui naissent des mœurs du siècle, l'enthousiasme de l'honnête et du beau n'est pas plus étranger aux femmes qu'aux hommes, et qu'il n'y a rien que, sous la direction de la nature, on ne puisse obtenir d'elles comme de nous.

On m'arrête ici pour me demander si c'est la nature qui nous prescrit de prendre tant de peine pour réprimer des désirs immodérés. Je réponds que non, mais qu'aussi ce n'est point la nature qui nous donne tant de désirs immodérés. Or, tout ce qui n'est pas elle est contre elle : j'ai prouvé cela mille fois.

Rendons à notre Émile sa Sophie : ressuscitons cette aimable fille pour lui donner une imagination moins vive et un destin plus heureux. Je voulais peindre une femme ordinaire; et à force de lui élever l'âme j'ai troublé sa raison; je me suis égaré moi-même. Revenons sur nos pas. Sophie n'a qu'un bon naturel dans une âme commune : tout ce qu'elle a de plus que les autres femmes est l'effet de son éducation.

Je me suis proposé dans ce livre de dire tout ce qui se pouvait faire, laissant à chacun le choix de ce qui est à sa portée dans ce que je puis avoir dit de bien. J'avais pensé dès le commencement à former de loin la compagne d'Émile, et à les élever l'un pour l'autre et l'un avec l'autre. Mais, en y réfléchissant, j'ai trouvé que tous ces arrangements trop prématurés étaient mal entendus, et qu'il était absurde de destiner deux enfants à s'unir avant de pouvoir connaître si cette union était dans l'ordre de la nature, et s'ils auraient entre eux les rapports convenables pour la former. Il ne faut pas confondre ce qui est naturel à l'état sauvage, et ce qui est naturel à l'état civil. Dans le premier état, toutes les femmes conviennent à tous les hommes, parce que les uns et les autres n'ont encore que la forme primitive et commune; dans le second, chaque caractère étant développé par les institutions sociales, et chaque esprit ayant reçu sa forme propre et déterminée, non de l'éducation seule, mais du concours bien ou mal ordonné du naturel et de l'éducation, on ne peut plus les assortir qu'en les présentant l'un à l'autre pour voir s'ils se conviennent à tous égards, ou pour préférer au moins le choix qui donne le plus de ces convenances.

Le mal est qu'en développant les caractères l'état social distingue les rangs, et que l'un de ces deux ordres n'étant point semblable à l'autre, plus on distingue les conditions, plus on confond les caractères. De là les mariages mal assortis et tous les désordres qui en dérivent; d'où l'on voit, par une conséquence évidente, que, plus on s'éloigne de l'égalité, plus les sentiments naturels s'altèrent; plus l'intervalle des grands aux petits s'accroît, plus le lien conjugal se relâche; plus il y a de riches et de pauvres, moins il y a de pères et de maris. Le maître ni l'esclave n'ont plus de famille, chacun des deux ne voit que son état.

Voulez-vous prévenir les abus et faire d'heureux mariages, étouffez les préjugés, oubliez les institutions humaines, et consultez la nature. N'unissez pas des gens qui ne se conviennent que dans une condition donnée, et qui ne se conviendront plus, cette condition venant à changer, mais des gens qui se conviendront dans quelque situation qu'ils se trouvent, dans quelque pays qu'ils habitent, dans quelque rang qu'ils puissent tomber. Je ne dis pas que les rapports conventionnels soient indifférents dans le mariage, mais je dis que l'influence des rapports naturels l'emporte tellement sur la leur, que c'est elle seule qui décide du sort de la vie, et qu'il y a telle convenance de goûts, d'humeurs, de sentiments, de caractères, qui devrait engager un père sage, fût-il prince, fût-il monarque, à donner sans balancer à son fils la fille avec laquelle il aurait toutes ces convenances, fût-elle née dans une famille déshonnête, fût-elle la fille du bourreau. Oui, je soutiens que, tous les malheurs imaginables dussent-ils tomber sur deux époux bien unis, ils jouiront d'un plus vrai bonheur à pleurer ensemble, qu'ils n'en auraient dans toutes les fortunes de la terre, empoisonnées par la désunion des cœurs.

Au lieu donc de destiner dès l'enfance une épouse à mon Émile, j'ai attendu de connaître celle qui lui convient.

Ce n'est point moi qui fais cette destination, c'est la nature; mon affaire est de trouver le choix qu'elle a fait. Mon affaire, je dis la mienne et non celle du père; car en me confiant son fils, il me cède sa place, il substitue mon droit au sien; c'est moi qui suis le vrai père d'Émile, c'est moi qui l'ai fait homme. J'aurais refusé de l'élever si je n'avais pas été le maître de le marier à son choix, c'est-à-dire au mien. Il n'y a que le plaisir de faire un heureux qui puisse payer ce qu'il en coûte pour mettre un homme en état de le devenir.

Mais ne croyez pas non plus que j'ai attendu, pour trouver l'épouse d'Émile, que je le misse en devoir de la chercher. Cette feinte recherche n'est qu'un prétexte pour lui faire connaître les femmes, afin qu'il sente le prix de celle qui lui convient. Dès longtemps Sophie est trouvée; peut-être Émile l'a-t-il déjà vue; mais il ne la reconnaîtra que quand il en sera temps.

Quoique l'égalité des conditions ne soit pas nécessaire au mariage, quand cette égalité se joint aux autres convenances, elle leur donne un nouveau prix; elle n'entre en balance avec aucune, mais la fait pencher quand tout est égal.

Un homme, à moins qu'il ne soit monarque, ne peut pas chercher une femme dans tous les états; car les préjugés qu'il n'aura pas, il les trouvera dans les autres; et telle fille lui conviendrait peut-être, qu'il ne l'obtiendrait pas pour cela. Il y a donc des maximes de prudence qui doivent borner les recherches d'un père judicieux. Il ne doit point vouloir donner à son élève un établissement au-dessus de son rang, car cela ne dépend pas de lui. Quand il le pourrait, il ne devrait pas le vouloir encore; car qu'importe le rang au jeune homme, du moins au mien? Et cependant, en montant, il s'expose à mille maux réels qu'il sentira toute sa vie. Je dis même qu'il ne doit pas vouloir compenser des biens de différentes natures, comme la noblesse et l'argent, parce que chacun des deux ajoute moins de prix à l'autre qu'il n'en reçoit d'altération; que de plus on ne s'accorde jamais sur l'estimation commune; qu'enfin la préférence que chacun donne à sa mise prépare la discorde entre deux familles, et souvent entre deux époux.

Il est encore fort différent pour l'ordre du mariage que l'homme s'allie au-dessus ou au-dessous de lui. Le premier cas est tout à fait contraire à la raison; le second y est plus conforme. Comme la famille ne tient à la société que par son chef, c'est l'état de ce chef qui règle celui de la famille entière. Quand il s'allie dans un rang plus bas, il ne descend point, il élève son épouse; au contraire, en prenant une femme au-dessus de lui, il l'abaisse sans s'élever. Ainsi, dans le premier cas, il y a du bien sans mal, et dans le second, du mal sans bien. De plus, il est dans l'ordre de la nature que la femme obéisse à l'homme. Quand donc il la prend dans un rang inférieur, l'ordre naturel et l'ordre civil s'accordent, et tout va bien. C'est le contraire quand, s'alliant au-dessus de lui, l'homme se met dans l'alternative de blesser son droit ou sa reconnaissance, et d'être ingrat ou méprisé. Alors la femme, prétendant à l'autorité, se rend le tyran de son chef; et le maître, devenu l'esclave, se trouve la plus ridicule et la plus misérable des créatures. Tels sont ces malheureux favoris que les rois de l'Asie honorent et tourmentent de leur alliance, et qui, dit-on, pour coucher avec leurs femmes, n'osent entrer dans le lit que par le pied.

Je m'attends que beaucoup de lecteurs, se souvenant que je donne à la femme un talent naturel pour gouverner l'homme, m'accuseront ici de contradiction : ils se tromperont pourtant. Il y a bien de la différence entre s'arroger le droit de commander, et gouverner celui qui commande. L'empire de la femme est un empire de douceur, d'adresse et de complaisance; ses ordres sont des caresses, ses menaces sont des pleurs. Elle doit régner dans la maison comme un ministre dans l'État, en se faisant commander ce qu'elle veut faire. En ce sens il est constant que les meilleurs ménages sont ceux où la femme a le plus d'autorité : mais quand elle méconnaît la voix du chef, qu'elle veut usurper ses droits et commander elle-même, il ne résulte jamais de ce désordre que misère, scandale et déshonneur.

Reste le choix entre ses égales et ses inférieures; et je crois qu'il y a encore quelque restriction à faire pour ces dernières; car il est difficile de trouver dans la lie du peuple une épouse capable de faire le bonheur d'un honnête homme : non qu'on soit plus vicieux dans les derniers rangs que dans les premiers, mais parce qu'on y a peu d'idée de ce qui est beau et honnête, et que l'injustice des autres états fait voir à celui-ci la justice dans ses vices mêmes.

Naturellement l'homme ne pense guère. Penser est un art qu'il apprend comme tous les autres, et même plus difficilement. Je ne connais pour les deux sexes que deux classes réellement distinguées : l'une des gens qui pensent, l'autre des gens qui ne pensent point; et cette différence vient presque uniquement de l'éducation. Un homme de la première de ces deux classes ne doit point s'allier dans l'autre; car le plus grand charme de la société manque à la sienne lorsque, ayant une femme, il est réduit à penser seul. Les gens qui passent exactement la vie entière à travailler pour vivre n'ont d'autre idée que celle de leur travail ou de leur intérêt, et tout leur esprit semble être au bout de leurs bras. Cette ignorance ne nuit ni à la probité ni aux mœurs; souvent même elle y sert; souvent on compose avec ses devoirs à force d'y réfléchir, et l'on finit par mettre un jargon à la place des choses. La conscience est le plus éclairé des philosophes : on n'a pas besoin de savoir les *Offices* de Cicéron pour être homme de bien; et la femme du monde la plus honnête sait peut-être le moins ce que c'est qu'honnêteté. Mais il n'en est pas moins vrai qu'un esprit cultivé rend seul le commerce agréable; et c'est une triste chose pour un père de famille qui se plaît dans sa maison, d'être forcé de s'y renfermer en lui-même, et de ne pouvoir s'y faire entendre à personne.

D'ailleurs, comment une femme qui n'a nulle habitude de réfléchir élèvera-t-elle ses enfants ? Comment discernera-t-elle ce qui leur convient ? Comment les disposera-t-elle aux vertus qu'elle ne connaît pas, au mérite dont elle n'a nulle idée ? Elle ne saura que les flatter ou les menacer, les rendre insolents ou craintifs; elle en fera des singes maniérés ou d'étourdis polissons, jamais de bons esprits ni des enfants aimables.

Il ne convient donc pas à un homme qui a de l'éducation de prendre une femme qui n'en ait point, ni par conséquent dans un rang où l'on ne saurait en avoir. Mais j'aimerais encore cent fois mieux une fille simple et grossièrement élevée, qu'une fille savante et bel esprit, qui viendrait établir dans ma maison un tribunal de littérature dont elle se ferait la présidente. Une femme bel esprit est le fléau de son mari, de ses enfants, de ses amis, de ses valets, de tout le monde. De la sublime élévation de son beau génie, elle dédaigne tous ses devoirs de femme, et commence toujours par se faire homme à la manière de mademoiselle de l'Enclos [212]. Au dehors, elle est toujours ridicule et très justement critiquée, parce qu'on ne peut manquer de l'être aussitôt qu'on sort de son état et qu'on n'est point fait pour celui qu'on veut prendre. Toutes ces femmes à grands talents n'en imposent jamais qu'aux sots. On sait toujours quel est l'artiste ou l'ami qui tient la plume ou le pinceau quand elles travaillent; on sait quel est le discret homme de lettres qui leur dicte en secret leurs oracles. Toute cette charlatanerie est indigne d'une honnête femme. Quand elle aurait de vrais talents, sa prétention les avilirait. Sa dignité est d'être ignorée; sa gloire est dans l'estime de son mari : ses plaisirs sont dans le bonheur de sa famille. Lecteurs, je m'en rapporte à vous-mêmes, soyez de bonne foi : lequel vous donne meilleure opinion d'une femme en entrant dans sa chambre, lequel vous la fait aborder avec plus de respect, de la voir occupée des travaux de son sexe, des soins de son ménage, environnée des hardes de ses enfants, ou de la trouver écrivant des vers sur sa toilette, entourée de brochures de toutes les sortes et de petits billets peints de toutes les couleurs ? Toute fille lettrée restera fille toute sa vie, quand il n'y aura que des hommes sensés sur la terre.

*Quaeris cur nolim te ducere, Galla ? diserta es.* [213]

Après ces considérations vient celle de la figure; c'est la première qui frappe et la dernière qu'on doit faire, mais encore ne la faut-il pas compter pour rien. La grande beauté me paraît plutôt à fuir qu'à rechercher dans le mariage. La beauté s'use promptement par la possession; au bout de six semaines, elle n'est plus rien pour le possesseur, mais ses dangers durent autant qu'elle. A moins qu'une belle femme ne soit un ange, son mari est le plus malheureux des hommes; et quand elle serait un ange, comment empêchera-t-elle qu'il ne soit sans cesse entouré d'ennemis ? Si l'extrême laideur n'était pas dégoûtante, je la préférerais à l'extrême beauté; car en peu de temps l'une et l'autre étant nulle pour le mari, la beauté devient un inconvénient et la laideur un avantage. Mais la laideur qui produit le dégoût est le plus grand des malheurs; ce sentiment, loin de s'effacer, augmente sans cesse et se tourne en haine. C'est un enfer qu'un pareil mariage; il vaudrait mieux être morts qu'unis ainsi.

Désirez en tout la médiocrité, sans en excepter la beauté même. Une figure agréable et prévenante, qui n'inspire pas l'amour, mais la bienveillance, est ce qu'on doit préférer; elle est sans préjudice pour le mari, et l'avantage en tourne au profit commun : les grâces ne s'usent pas comme la beauté; elles ont de la vie, elles se renouvellent sans cesse, et au bout de trente ans de mariage, une honnête femme avec des grâces plaît à son mari comme le premier jour.

Telles sont les réflexions qui m'ont déterminé dans le choix de Sophie. Élève de la nature ainsi qu'Émile, elle est faite pour lui plus qu'aucune autre; elle sera la femme de l'homme. Elle est son égale par la naissance et par le mérite, son inférieure par la fortune. Elle n'enchante pas au premier coup d'œil, mais elle plaît chaque jour davantage. Son plus grand charme n'agit que par degrés; il ne se déploie que dans l'intimité du commerce; et son mari le sentira plus que personne au monde. Son éducation n'est ni brillante ni négligée; elle a du goût sans étude, des talents sans art, du jugement sans connaissances. Son esprit ne sait pas, mais il est cultivé pour apprendre; c'est une terre bien préparée qui n'attend que le grain pour rapporter. Elle n'a jamais lu de livre que Barrême et Télémaque, qui lui tomba par hasard dans les mains; mais une fille capable de se passionner pour Télémaque a-t-elle un cœur sans sentiment et un esprit sans délicatesse ? O l'aimable ignorance ! Heureux celui qu'on destine à l'instruire ! Elle ne sera point le professeur de son mari, mais son disciple; loin de vouloir l'assujettir à ses goûts, elle prendra les siens. Elle vaudra mieux pour lui que si elle était savante; il aura le plaisir de lui tout enseigner. Il est temps enfin qu'ils se voient; travaillons à les rapprocher.

Nous partons de Paris tristes et rêveurs. Ce lieu de babil n'est pas notre centre. Émile tourne un œil de dédain vers cette grande ville, et dit avec dépit : Que de jours perdus en vaines recherches ! Ah ! ce n'est pas là qu'est l'épouse de mon cœur. Mon ami, vous le saviez bien, mais mon temps ne vous coûte guère, et mes maux vous font peu souffrir. Je le regarde fixement, et je lui dis sans m'émouvoir : Émile, croyez-vous ce que vous dites ? A l'instant,

il me saute au cou tout confus, et me serre dans ses bras
sans répondre. C'est toujours sa réponse quand il a tort.

Nous voici par les champs en vrais chevaliers errants;
non pas comme ceux cherchant les aventures, nous les
fuyons au contraire en quittant Paris; mais imitant assez
leur allure errante, inégale, tantôt piquant des deux, et
tantôt marchant à petits pas. A force de suivre ma pratique,
on en aura pris enfin l'esprit; et je n'imagine aucun lecteur
encore assez prévenu par les usages pour nous supposer
tous deux endormis dans une bonne chaise de poste bien
fermée, marchant sans rien voir, sans rien observer, rendant nul pour nous l'intervalle du départ à l'arrivée, et,
dans la vitesse de notre marche, perdant le temps pour le
ménager.

Les hommes disent que la vie est courte, et je vois
qu'ils s'efforcent de la rendre telle. Ne sachant pas l'employer, ils se plaignent de la rapidité du temps, et je vois
qu'il coule trop lentement à leur gré. Toujours pleins de
l'objet auquel ils tendent, ils voient à regret l'intervalle
qui les en sépare : l'un voudrait être à demain, l'autre
au mois prochain, l'autre à dix ans de là; nul ne veut
vivre aujourd'hui; nul n'est content de l'heure présente,
tous la trouvent trop lente à passer. Quand ils se plaignent
que le temps coule trop vite, ils mentent; ils payeraient
volontiers le pouvoir de l'accélérer; ils emploieraient
volontiers leur fortune à consumer leur vie entière; et
il n'y en a peut-être pas un qui n'eût réduit ses ans à très
peu d'heures s'il eût été le maître d'en ôter au gré de son
ennui celles qui lui étaient à charge, et au gré de son impatience celles qui le séparaient du moment désiré. Tel
passe la moitié de sa vie à se rendre de Paris à Versailles,
de Versailles à Paris, de la ville à la campagne, de la campagne à la ville, et d'un quartier à l'autre, qui serait fort
embarrassé de ses heures s'il n'avait le secret de les perdre
ainsi, et qui s'éloigne exprès de ses affaires pour s'occuper à les aller chercher : il croit gagner le temps qu'il y met
de plus, et dont autrement il ne saurait que faire; ou
bien, au contraire, il court pour courir, et vient en poste
sans autre objet que de retourner de même. Mortels,
ne cesserez-vous jamais de calomnier la nature ? Pourquoi
vous plaindre que la vie est courte puisqu'elle ne l'est
pas encore assez à votre gré ? S'il est un seul d'entre

vous qui sache mettre assez de tempérance à ses désirs
pour ne jamais souhaiter que le temps s'écoule, celui-là
ne l'estimera point trop courte; vivre et jouir seront pour
lui la même chose; et, dût-il mourir jeune, il ne mourra
que rassasié de jours.

Quand je n'aurais que cet avantage dans ma méthode,
par cela seul il la faudrait préférer à toute autre. Je n'ai
point élevé mon Émile pour désirer ni pour attendre,
mais pour jouir; et quand il porte ses désirs au delà du
présent, ce n'est point avec une ardeur assez impétueuse
pour être importuné de la lenteur du temps. Il ne jouira
pas seulement du plaisir de désirer, mais de celui d'aller
à l'objet qu'il désire; et ses passions sont tellement modérées
qu'il est toujours plus où il est qu'où il sera.

Nous ne voyageons donc point en courriers, mais en
voyageurs. Nous ne songeons pas seulement aux deux
termes, mais à l'intervalle qui les sépare. Le voyage même
est un plaisir pour nous. Nous ne le faisons point triste-
ment assis et comme emprisonnés dans une petite cage
bien fermée. Nous ne voyageons point dans la mollesse
et dans le repos des femmes. Nous ne nous ôtons ni le
grand air, ni la vue des objets qui nous environnent, ni
la commodité de les contempler à notre gré quand il
nous plaît. Émile n'entra jamais dans une chaise de poste,
et ne court guère en poste s'il n'est pressé. Mais de quoi
jamais Émile peut-il être pressé ? D'une seule chose, de
jouir de la vie. Ajouterai-je et de faire du bien quand il
le peut ? Non, car cela même est jouir de la vie.

Je ne conçois qu'une manière de voyager plus agréable
que d'aller à cheval; c'est d'aller à pied. On part à son
moment, on s'arrête à sa volonté, on fait tant et si peu
d'exercice qu'on veut. On observe tout le pays; on se
détourne à droite, à gauche; on examine tout ce qui nous
flatte; on s'arrête à tous les points de vue. Aperçois-je
une rivière, je la côtoie; un bois touffu, je vais sous son
ombre; une grotte, je la visite; une carrière, j'examine les
minéraux. Partout où je me plais, j'y reste. A l'instant
que je m'ennuie, je m'en vais. Je ne dépends ni des chevaux
ni du postillon. Je n'ai pas besoin de choisir des chemins
tout faits, des routes commodes; je passe partout où un
homme peut passer; je vois tout ce qu'un homme peut
voir; et, ne dépendant que de moi-même, je jouis de toute

la liberté dont un homme peut jouir. Si le mauvais temps m'arrête et que l'ennui me gagne, alors je prends des chevaux. Si je suis las... Mais Émile ne se lasse guère; il est robuste; et pourquoi se lasserait-il ? Il n'est point pressé. S'il s'arrête, comment peut-il s'ennuyer ? Il porte partout de quoi s'amuser. Il entre chez un maître, il travaille; il exerce ses bras pour reposer ses pieds.

Voyager à pied, c'est voyager comme Thalès, Platon et Pythagore. J'ai peine à comprendre comment un philosophe peut se résoudre à voyager autrement, et s'arracher à l'examen des richesses qu'il foule aux pieds et que la terre prodigue à sa vue. Qui est-ce qui, aimant un peu l'agriculture, ne veut pas connaître les productions particulières au climat des lieux qu'il traverse, et la manière de les cultiver ? Qui est-ce qui, ayant un peu de goût pour l'histoire naturelle, peut se résoudre à passer un terrain sans l'examiner, un rocher sans l'écorner, des montagnes sans herboriser, des cailloux sans chercher des fossiles ? Vos philosophes de ruelles étudient l'histoire naturelle dans des cabinets; ils ont des colifichets; ils savent des noms, et n'ont aucune idée de la nature. Mais le cabinet d'Émile est plus riche que ceux des rois; ce cabinet est la terre entière. Chaque chose y est à sa place : le naturaliste qui en prend soin a rangé le tout dans un fort bel ordre : Daubenton ne ferait pas mieux.

Combien de plaisirs différents on rassemble par cette agréable manière de voyager ! sans compter la santé qui s'affermit, l'humeur qui s'égaye. J'ai toujours vu ceux qui voyageaient dans de bonnes voitures bien douces, rêveurs, tristes, grondants ou souffrants; et les piétons toujours gais, légers et contents de tout. Combien le cœur rit quand on approche du gîte ! Combien un repas grossier paraît savoureux ! Avec quel plaisir on se repose à table ! Quel bon sommeil on fait dans un mauvais lit ! Quand on ne veut qu'arriver, on peut courir en chaise de poste; mais quand on veut voyager, il faut aller à pied.

Si, avant que nous ayons fait cinquante lieues de la manière que j'imagine, Sophie n'est pas oubliée, il faut que je ne sois guère adroit, ou qu'Émile soit bien peu curieux; car, avec tant de connaissances élémentaires, il est difficile qu'il ne soit pas tenté d'en acquérir davantage. On n'est curieux qu'à proportion qu'on est instruit; il sait précisément assez pour vouloir apprendre.

Cependant, un objet en attire un autre, et nous avançons toujours. J'ai mis à notre première course un terme éloigné : le prétexte en est facile; en sortant de Paris, il faut aller chercher une femme au loin.

Quelque jour, après nous être égarés plus qu'à l'ordinaire dans des vallons, dans des montagnes où l'on n'aperçoit aucun chemin, nous ne savons plus retrouver le nôtre. Peu nous importe, tous chemins sont bons, pourvu qu'on arrive : mais encore faut-il arriver quelque part quand on a faim. Heureusement nous trouvons un paysan qui nous mène dans sa chaumière; nous mangeons de grand appétit son maigre dîner. En nous voyant si fatigués, si affamés, il nous dit : Si le bon Dieu vous eût conduits de l'autre côté de la colline, vous eussiez été mieux reçus... vous auriez trouvé une maison de paix... des gens si charitables... de si bonnes gens !... Ils n'ont pas meilleur cœur que moi, mais ils sont plus riches, quoiqu'on dise qu'ils l'étaient bien plus autrefois... Ils ne pâtissent pas, Dieu merci; et tout le pays se sent de ce qui leur reste.

A ce mot de bonnes gens, le cœur du bon Émile s'épanouit. Mon ami, dit-il en me regardant, allons à cette maison dont les maîtres sont bénis dans le voisinage : je serais bien aise de les voir; peut-être seront-ils bien aises de nous voir aussi. Je suis sûr qu'ils nous recevront bien : s'ils sont des nôtres, nous serons des leurs.

La maison bien indiquée, on part, on erre dans les bois, une grande pluie nous surprend en chemin; elle nous retarde sans nous arrêter. Enfin l'on se retrouve, et le soir nous arrivons à la maison désignée. Dans le hameau qui l'entoure, cette seule maison, quoique simple, a quelque apparence. Nous nous présentons, nous demandons l'hospitalité. L'on nous fait parler au maître; il nous questionne, mais poliment : sans dire le sujet de notre voyage, nous disons celui de notre détour. Il a gardé de son ancienne opulence la facilité de connaître l'état des gens dans leurs manières; quiconque a vécu dans le grand monde se trompe rarement là-dessus : sur ce passeport nous sommes admis.

On nous montre un appartement fort petit, mais propre et commode; on y fait du feu, nous y trouvons du linge, des nippes, tout ce qu'il nous faut. Quoi ! dit Émile tout

surpris, on dirait que nous étions attendus ! O que le
paysan avait bien raison ! quelle attention ! quelle bonté !
quelle prévoyance ! et pour des inconnus ! Je crois être
au temps d'Homère. Soyez sensible à tout cela, lui dis-je,
mais ne vous en étonnez pas; partout où les étrangers
sont rares, ils sont bien venus : rien ne rend plus hospi-
talier que de n'avoir pas souvent besoin de l'être : c'est
l'affluence des hôtes qui détruit l'hospitalité. Du temps
d'Homère on ne voyageait guère, et les voyageurs étaient
bien reçus partout Nous sommes peut-être les seuls passagers qu'on ait vus ici de toute l'année. N'importe, reprend-
il, cela même est un éloge de savoir se passer d'hôtes, et
de les recevoir toujours bien.

Séchés et rajustés, nous allons rejoindre le maître de
la maison; il nous présente à sa femme; elle nous reçoit,
non pas seulement avec politesse, mais avec bonté. L'honneur de ses coups d'œil est pour Émile. Une mère, dans
le cas où elle est, voit rarement sans inquiétude, ou du
moins sans curiosité, entrer chez elle un homme de cet
âge.

On fait hâter le souper pour l'amour de nous. En entrant
dans la salle à manger, nous voyons cinq couverts : nous
nous plaçons, il en reste un vide. Une jeune personne entre,
fait une grande révérence, et s'assied modestement sans
parler. Émile, occupé de sa faim ou de ses réponses, la
salue, parle, et mange. Le principal objet de son voyage
est aussi loin de sa pensée qu'il se croit lui-même encore
loin du terme. L'entretien roule sur l'égarement des voyageurs. Monsieur, lui dit le maître de la maison, vous me
paraissez un jeune homme aimable et sage; et cela me fait
songer que vous êtes arrivés ici, votre gouverneur et vous,
las et mouillés, comme Télémaque et Mentor dans l'île
de Calypso. Il est vrai, répond Émile, que nous trouvons
ici l'hospitalité de Calypso. Son Mentor ajoute : Et les
charmes d'Eucharis. Mais Émile connaît l'*Odyssée* et n'a
point lu *Télémaque ;* il ne sait ce que c'est qu'Eucharis [214].
Pour la jeune personne, je la vois rougir jusqu'aux yeux,
les baisser sur son assiette, et n'oser souffler. La mère,
qui remarque son embarras, fait signe au père, et celui-ci
change de conversation. En parlant de sa solitude, il
s'engage insensiblement dans le récit des événements qui
l'y ont confiné; les malheurs de sa vie, la constance de son

épouse, les consolations qu'ils ont trouvées dans leur union,
la vie douce et paisible qu'ils mènent dans leur retraite,
et toujours sans dire un mot de la jeune personne; tout
cela forme un récit agréable et touchant qu'on ne peut
entendre sans intérêt. Émile, ému, attendri, cesse de manger
pour écouter. Enfin, à l'endroit où le plus honnête des
hommes s'étend avec plus de plaisir sur l'attachement de la
plus digne des femmes, le jeune voyageur, hors de lui, serre
une main du mari, qu'il a saisie, et de l'autre prend aussi
la main de la femme, sur laquelle il se penche avec transport en l'arrosant de pleurs. La naïve vivacité du jeune
homme touche tout le monde; mais la fille, plus sensible
que personne à cette marque de son bon cœur, croit voir
Télémaque affecté des malheurs de Philoctète. Elle porte
à la dérobée les yeux sur lui pour mieux examiner sa figure;
elle n'y trouve rien qui démente la comparaison. Son air
aisé a de la liberté sans arrogance; ses manières sont vives
sans étourderie; sa sensibilité rend son regard plus doux,
sa physionomie plus touchante : la jeune personne le
voyant pleurer est près de mêler ses larmes aux siennes.
Dans un si beau prétexte, une honte secrète la retient :
elle se reproche déjà les pleurs prêts à s'échapper de
ses yeux, comme s'il était mal d'en verser pour sa
famille.

La mère, qui dès le commencement du souper n'a cessé
de veiller sur elle, voit sa contrainte, et l'en délivre en
l'envoyant faire une commission. Une minute après, la
jeune fille rentre, mais si mal remise, que son désordre
est visible à tous les yeux. La mère lui dit avec douceur :
Sophie, remettez-vous; ne cesserez-vous point de pleurer
les malheurs de vos parents. Vous qui les en consolez,
n'y soyez pas plus sensible qu'eux-mêmes.

A ce nom de Sophie, vous eussiez vu tressaillir Émile.
Frappé d'un nom si cher, il se réveille en sursaut, et jette
un regard avide sur celle qui l'ose porter. Sophie, ô Sophie !
est-ce vous que mon cœur cherche ? est-ce vous que mon
cœur aime ? Il l'observe, il la contemple avec une sorte
de crainte et de défiance. Il ne voit pas exactement la figure
qu'il s'était peinte; il ne sait si celle qu'il voit vaut mieux
ou moins. Il étudie chaque trait, il épie chaque mouvement,
chaque geste; il trouve à tout mille interprétations confuses;
il donnerait la moitié de sa vie pour qu'elle voulût dire

« *Sophie remettez-vous …* »
Illustration de Moreau le Jeune gravée par N. de Launay
(Londres 1774-1784)

un seul mot. Il me regarde, inquiet et troublé; ses yeux me font à la fois cent questions, cent reproches. Il semble me dire à chaque regard : Guidez-moi tandis qu'il est temps; si mon cœur se livre et se trompe, je n'en reviendrai de mes jours.

Émile est l'homme du monde qui sait le moins se déguiser. Comment se déguiserait-il dans le plus grand trouble de sa vie, entre quatre spectateurs qui l'examinent, et dont le plus distrait en apparence est en effet le plus attentif? Son désordre n'échappe point aux yeux pénétrants de Sophie; les siens l'instruisent de reste qu'elle en est l'objet : elle voit que cette inquiétude n'est pas de l'amour encore; mais qu'importe? il s'occupe d'elle, et cela suffit : elle sera bien malheureuse s'il s'en occupe impunément.

Les mères ont des yeux comme leurs filles, et l'expérience de plus. La mère de Sophie sourit du succès de nos projets. Elle lit dans les cœurs des deux jeunes gens; elle voit qu'il est temps de fixer celui du nouveau Télémaque; elle fait parler sa fille. Sa fille, avec sa douceur naturelle, répond d'un ton timide qui ne fait que mieux son effet. Au premier son de cette voix, Émile est rendu; c'est Sophie, il n'en doute plus. Ce ne la serait pas, qu'il serait trop tard pour s'en dédire.

C'est alors que les charmes de cette fille enchanteresse vont par torrents à son cœur, et qu'il commence d'avaler à longs traits le poison dont elle l'enivre. Il ne parle plus, il ne répond plus; il ne voit que Sophie; il n'entend que Sophie : si elle dit un mot, il ouvre la bouche; si elle baisse les yeux, il les baisse; s'il la voit soupirer, il soupire : c'est l'âme de Sophie qui paraît l'animer. Que la sienne a changé dans peu d'instants ! Ce n'est plus le tour de Sophie de trembler, c'est celui d'Émile. Adieu la liberté, la naïveté, la franchise. Confus, embarrassé, craintif, il n'ose plus regarder autour de lui, de peur de voir qu'on le regarde. Honteux de se laisser pénétrer, il voudrait se rendre invisible à tout le monde pour se rassasier de la contempler sans être observé. Sophie, au contraire, se rassure de la crainte d'Émile; elle voit son triomphe, elle en jouit.

*No'l mostra già, ben che in suo cor ne rida* [215].

Elle n'a pas changé de contenance; mais, malgré cet

air modeste et ces yeux baissés, son tendre cœur palpite de joie, et lui dit que Télémaque est trouvé.

Si j'entre ici dans l'histoire trop naïve et trop simple peut-être de leurs innocentes amours, on regardera ces détails comme un jeu frivole, et l'on aura tort. On ne considère pas assez l'influence que doit avoir la première liaison d'un homme avec une femme dans le cours de la vie de l'un et de l'autre. On ne voit pas qu'une première impression, aussi vive que celle de l'amour ou du penchant qui tient sa place, a de longs effets dont on n'aperçoit point la chaîne dans le progrès des ans, mais qui ne cessent d'agir jusqu'à la mort. On nous donne, dans les traités d'éducation, de grands verbiages inutiles et pédantesques sur les chimériques devoirs des enfants; et l'on ne nous dit pas un mot de la partie la plus importante et la plus difficile de toute l'éducation, savoir, la crise qui sert de passage de l'enfance à l'état d'homme. Si j'ai pu rendre ces essais utiles par quelque endroit, ce sera surtout pour m'y être étendu fort au long sur cette partie essentielle, omise par tous les autres, et pour ne m'être point laissé rebuter dans cette entreprise par de fausses délicatesses, ni effrayer par des difficultés de langue. Si j'ai dit ce qu'il faut faire, j'ai dit ce que j'ai dû dire : il m'importe fort peu d'avoir écrit un roman. C'est un assez beau roman que celui de la nature humaine. S'il ne se trouve que dans cet écrit, est-ce ma faute ? Ce devrait être l'histoire de mon espèce ? Vous qui la dépravez, c'est vous qui faites un roman de mon livre.

Une autre considération qui renforce la première, est qu'il ne s'agit pas ici d'un jeune homme livré dès l'enfance à la crainte, à la convoitise, à l'envie, à l'orgueil, et à toutes les passions qui servent d'instruments aux éducations communes; qu'il s'agit d'un jeune homme dont c'est ici, non seulement le premier amour, mais la première passion de toute espèce; que de cette passion, l'unique peut-être qu'il sentira vivement dans toute sa vie, dépend la dernière forme que doit prendre son caractère. Ses manières de penser, ses sentiments, ses goûts, fixés par une passion durable, vont acquérir une consistance qui ne leur permettra plus de s'altérer.

On conçoit qu'entre Émile et moi la nuit qui suit une pareille soirée ne se passe pas toute à dormir. Quoi donc !

la seule conformité d'un nom doit-elle avoir tant de pouvoir sur un homme sage ? N'y a-t-il qu'une Sophie au monde ? Se ressemblent-elles toutes d'âme comme de nom ? Toutes celles qu'il verra sont-elles la sienne ? Est-il fou de se passionner ainsi pour une inconnue à laquelle il n'a jamais parlé ? Attendez, jeune homme, examinez, observez. Vous ne savez pas même encore chez qui vous êtes ; et, à vous entendre, on vous croirait déjà dans votre maison.

Ce n'est pas le temps des leçons, et celles-ci ne sont pas faites pour être écoutées. Elles ne font que donner au jeune homme un nouvel intérêt pour Sophie par le désir de justifier son penchant. Ce rapport des noms, cette rencontre qu'il croit fortuite, ma réserve même, ne font qu'irriter sa vivacité : déjà Sophie lui paraît trop estimable pour qu'il ne soit pas sûr de me la faire aimer.

Le matin, je me doute bien que, dans son mauvais habit de voyage, Émile tâchera de se mettre avec plus de soin. Il n'y manque pas ; mais je ris de son empressement à s'accommoder du linge de la maison. Je pénètre sa pensée ; je lis avec plaisir qu'il cherche, en se préparant des restitutions, des échanges, à s'établir une espèce de correspondance qui le mette en droit d'y renvoyer et d'y revenir.

Je m'étais attendu de trouver Sophie un peu plus ajustée aussi de son côté : je me suis trompé. Cette vulgaire coquetterie est bonne pour ceux à qui l'on ne veut que plaire. Celle du véritable amour est plus raffinée ; elle a bien d'autres prétentions. Sophie est mise encore plus simplement que la veille, et même plus négligemment, quoique avec une propreté toujours scrupuleuse. Je ne vois de la coquetterie dans cette négligence que parce que j'y vois de l'affectation. Sophie sait bien qu'une parure plus recherchée est une déclaration ; mais elle ne sait pas qu'une parure plus négligée en est une autre ; elle montre qu'on ne se contente pas de plaire par l'ajustement, qu'on veut plaire aussi par la personne. Eh ! qu'importe à l'amant comment on soit mise, pourvu qu'il voie qu'on s'occupe de lui ? Déjà sûre de son empire, Sophie ne se borne pas à frapper par ses charmes les yeux d'Émile, si son cœur ne va les chercher ; il ne lui suffit plus qu'il les voie, elle veut qu'il les suppose. N'en a-t-il pas assez vu pour être obligé de deviner le reste ?

Il est à croire que, durant nos entretiens de cette nuit,

Sophie et sa mère n'ont pas non plus resté muettes; il y a eu des aveux arrachés, des instructions données. Le lendemain on se rassemble bien préparés. Il n'y a pas douze heures que nos jeunes gens se sont vus; ils ne se sont pas dit encore un seul mot, et déjà l'on voit qu'ils s'entendent. Leur abord n'est pas familier; il est embarrassé, timide; ils ne se parlent point; leurs yeux baissés semblent s'éviter, et cela même est un signe d'intelligence; ils s'évitent, mais de concert; ils sentent déjà le besoin du mystère avant de s'être rien dit. En partant nous demandons la permission de venir nous-mêmes rapporter ce que nous emportons. La bouche d'Émile demande cette permission au père, à la mère, tandis que ses yeux inquiets, tournés sur la fille, la lui demandent beaucoup plus instamment. Sophie ne dit rien, ne fait aucun signe, ne paraît rien voir, rien entendre; mais elle rougit; et cette rougeur est une réponse encore plus claire que celle de ses parents.

On nous permet de revenir sans nous inviter à rester. Cette conduite est convenable; on donne le couvert à des passants embarrassés de leur gîte, mais il n'est pas décent qu'un amant couche dans la maison de sa maîtresse.

A peine sommes-nous hors de cette maison chérie, qu'Émile songe à nous établir aux environs : la chaumière la plus voisine lui semble déjà trop éloignée; il voudrait coucher dans les fossés du château. Jeune étourdi ! lui dis-je d'un ton de pitié, quoi ! déjà la passion vous aveugle ! Vous ne voyez déjà plus ni les bienséances ni la raison ! Malheureux ! vous croyez aimer, et vous voulez déshonorer votre maîtresse ! Que dira-t-on d'elle quand on saura qu'un jeune homme qui sort de sa maison couche aux environs ? Vous l'aimez, dites-vous ? Est-ce donc à vous de la perdre de réputation ? Est-ce là le prix de l'hospitalité que ses parents vous ont accordée ! Ferez-vous l'opprobre de celle dont vous attendez votre bonheur ? Eh ! qu'importent, répond-il avec vivacité, les vains discours des hommes et leurs injustes soupçons ? Ne m'avez-vous pas appris vous-même à n'en faire aucun cas ? Qui sait mieux que moi combien j'honore Sophie, combien je la veux respecter ? Mon attachement ne fera point sa honte, il fera sa gloire, il sera digne d'elle. Quand mon cœur et mes soins lui rendront partout l'hommage qu'elle mérite, en quoi

puis-je l'outrager ? Cher Émile, reprends-je en l'embrassant, vous raisonnez pour vous : apprenez à raisonner
pour elle. Ne comparez point l'honneur d'un sexe à celui
de l'autre : ils ont des principes tout différents. Ces principes sont également solides et raisonnables, parce qu'ils
dérivent également de la nature, et que la même vertu
qui vous fait mépriser pour vous les discours des hommes
vous oblige à les respecter pour votre maîtresse. Votre
honneur est en vous seul, et le sien dépend d'autrui. Le
négliger serait blesser le vôtre même, et vous ne vous
rendez point ce que vous vous devez, si vous êtes cause
qu'on ne lui rende pas ce qui lui est dû.

Alors, lui expliquant les raisons de ces différences, je
lui fais sentir quelle injustice il y aurait à vouloir les compter
pour rien. Qui est-ce qui lui a dit qu'il sera l'époux de
Sophie, elle dont il ignore les sentiments, elle dont le
cœur ou les parents ont peut-être des engagements antérieurs, elle qu'il ne connaît point, et qui n'a peut-être
avec lui pas une des convenances qui peuvent rendre un
mariage heureux ? Ignore-t-il que tout scandale est pour
une fille une tache indélébile, que n'efface pas même son
mariage avec celui qui l'a causé ? Eh ! quel est l'homme
sensible qui veut perdre celle qu'il aime ? Quel est l'honnête
homme qui veut faire pleurer à jamais à une infortunée
le malheur de lui avoir plu ?

Le jeune homme, effrayé des conséquences que je lui
fais envisager, et toujours extrême dans ses idées, croit
déjà n'être jamais assez loin du séjour de Sophie : il double
le pas pour fuir plus promptement; il regarde autour de
nous si nous ne sommes point écoutés; il sacrifierait
mille fois son bonheur à l'honneur de celle qu'il aime; il
aimerait mieux ne la revoir de sa vie que de lui causer un
seul déplaisir. C'est le premier fruit des soins que j'ai pris
dès sa jeunesse de lui former un cœur qui sache aimer.

Il s'agit donc de trouver un asile éloigné, mais à portée.
Nous cherchons, nous nous informons : nous apprenons
qu'à deux grandes lieues est une ville; nous allons chercher
à nous y loger, plutôt que dans les villages plus proches,
où notre séjour deviendrait suspect. C'est là qu'arrive enfin
le nouvel amant, plein d'amour, d'espoir, de joie et surtout de bons sentiments; et voilà comment, dirigeant
peu à peu sa passion naissante vers ce qui est bon et hon-

nête, je dispose insensiblement tous ses penchants à prendre le même pli.

J'approche du terme de ma carrière; je l'aperçois déjà de loin. Toutes les grandes difficultés sont vaincues, tous les grands obstacles sont surmontés; il ne me reste plus rien de pénible à faire que de ne pas gâter mon ouvrage en me hâtant de le consommer. Dans l'incertitude de la vie humaine, évitons surtout la fausse prudence d'immoler le présent à l'avenir; c'est souvent immoler ce qui est à ce qui ne sera point. Rendons l'homme heureux dans tous les âges, de peur qu'après bien des soins il ne meure avant de l'avoir été. Or, s'il est un temps pour jouir de la vie, c'est assurément la fin de l'adolescence, où les facultés du corps et de l'âme ont acquis leur plus grande vigueur, et où l'homme, au milieu de sa course, voit de plus loin les deux termes qui lui en font sentir la brièveté. Si l'imprudente jeunesse se trompe, ce n'est pas en ce qu'elle veut jouir, c'est en ce qu'elle cherche la jouissance où elle n'est point, et qu'en s'apprêtant un avenir misérable, elle ne sait pas même user du moment présent.

Considérez mon Émile, à vingt ans passés, bien formé, bien constitué d'esprit et de corps, fort, sain, dispos, adroit, robuste, plein de sens, de raison, de bonté, d'humanité, ayant des mœurs, du goût, aimant le beau, faisant le bien, libre de l'empire des passions cruelles, exempt du joug de l'opinion, mais soumis à la loi de la sagesse, et docile à la voix de l'amitié; possédant tous les talents utiles et plusieurs talents agréables, se souciant peu des richesses, portant sa ressource au bout de ses bras, et n'ayant pas peur de manquer de pain, quoi qu'il arrive. Le voilà maintenant enivré d'une passion naissante, son cœur s'ouvre aux premiers feux de l'amour : ses douces illusions lui font un nouvel univers de délices et de jouissance; il aime un objet aimable, et plus aimable encore par son caractère que par sa personne; il espère, il attend un retour qu'il sent lui être dû.

C'est du rapport des cœurs, c'est du concours des sentiments honnêtes, que s'est formé leur premier penchant : ce penchant doit être durable. Il se livre avec confiance, avec raison même, au plus charmant délire, sans crainte, sans regret, sans remords, sans autre inquiétude que celle dont le sentiment du bonheur est inséparable. Que peut-il man-

quer au sien ? Voyez, cherchez, imaginez ce qu'il lui faut
encore, et qu'on puisse accorder avec ce qu'il a. Il réunit tous
les biens qu'on peut obtenir à la fois; on n'y en peut ajouter aucun qu'aux dépens d'un autre; il est heureux autant
qu'un homme peut l'être. Irai-je en ce moment abréger un
destin si doux ? Irai-je troubler une volupté si pure ? Ah !
tout le prix de la vie est dans la félicité qu'il goûte. Que pourrais-je lui rendre qui valût ce que je lui aurais ôté ? Même en
mettant le comble à son bonheur, j'en détruirais le plus
grand charme. Ce bonheur suprême est cent fois plus doux
à espérer qu'à obtenir; on en jouit mieux quand on l'attend
que quand on le goûte. O bon Émile, aime et sois aimé !
jouis longtemps avant que de posséder; jouis à la fois de
l'amour et de l'innocence; fais ton paradis sur la terre en
attendant l'autre : je n'abrégerai point cet heureux temps de
ta vie; j'en filerai pour toi l'enchantement; je le prolongerai
le plus qu'il sera possible. Hélas ! il faut qu'il finisse et qu'il
finisse en peu de temps; mais je ferai du moins qu'il dure
toujours dans ta mémoire, et que tu ne te repentes jamais
de l'avoir goûté.

Émile n'oublie pas que nous avons des restitutions à faire.
Sitôt qu'elles sont prêtes, nous prenons des chevaux, nous
allons grand train; pour cette fois, en partant il voudrait
être arrivé. Quand le cœur s'ouvre aux passions, il s'ouvre
à l'ennui de la vie. Si je n'ai pas perdu mon temps, la sienne
entière ne se passera pas ainsi.

Malheureusement la route est fort coupée et le pays difficile. Nous nous égarons; il s'en aperçoit le premier, et, sans
s'impatienter, sans se plaindre, il met toute son attention à
retrouver son chemin; il erre longtemps avant de se reconnaître, et toujours avec le même sang-froid. Ceci n'est rien
pour vous, mais c'est beaucoup pour moi qui connais son
naturel emporté : je vois le fruit des soins que j'ai mis dès
son enfance à l'endurcir aux coups de la nécessité.

Nous arrivons enfin. La réception qu'on nous fait est
bien plus simple et plus obligeante que la première fois;
nous sommes déjà d'anciennes connaissances. Émile et
Sophie se saluent avec un peu d'embarras, et ne se parlent
toujours point : que se diraient-ils en notre présence ? L'entretien qu'il leur faut n'a pas besoin de témoins. L'on se
promène dans le jardin : ce jardin a pour parterre un potager
très bien entendu; pour parc, un verger couvert de grands et

beaux arbres fruitiers de toute espèce, coupé en divers sens
de jolis ruisseaux, et de plates-bandes pleines de fleurs. Le
beau lieu ! s'écrie Émile plein de son Homère et toujours
dans l'enthousiasme; je crois voir le jardin d'Alcinoüs. La
fille voudrait savoir ce que c'est qu'Alcinoüs, et la mère le
demande. Alcinoüs, leur dis-je, était un roi de Corcyre, dont
le jardin, décrit par Homère, est critiqué par les gens de goût,
comme trop simple et trop peu paré *. Cet Alcinoüs avait
une fille aimable, qui, la veille qu'un étranger reçut l'hospitalité chez son père, songea qu'elle aurait bientôt un mari [216].
Sophie, interdite, rougit, baisse les yeux, se mord la langue;
on ne peut imaginer une pareille confusion. Le père, qui se
plaît à l'augmenter, prend la parole, et dit que la jeune princesse allait elle-même laver le linge à la rivière. Croyez-vous,
poursuit-il, qu'elle eût dédaigné de toucher aux serviettes
sales, en disant qu'elles sentaient le graillon ? Sophie, sur qui
le coup porte, oubliant sa timidité naturelle, s'excuse avec
vivacité. Son papa sait bien que tout le menu linge n'eût
point eu d'autre blanchisseuse qu'elle, si on l'avait laissée
faire**, et qu'elle en eût fait davantage avec plaisir, si on le

---

* « En sortant du palais on trouve un vaste jardin de quatre arpents,
enceint et clos tout à l'entour, planté de grands arbres fleuris, produisant des poires, des pommes de grenade, et d'autres des plus belles
espèces, des figuiers au doux fruit, et des oliviers verdoyants. Jamais
durant l'année entière ces beaux arbres ne restent sans fruits : l'hiver et
l'été, la douce haleine du vent d'ouest fait à la fois nouer les uns et
mûrir les autres. On voit la poire et la pomme vieillir et sécher sur leur
arbre, la figue sur le figuier, et la grappe sur la souche. La vigne inépuisable ne cesse d'y porter de nouveaux raisins; on fait cuire et confire les
uns au soleil sur une aire, tandis qu'on en vendange d'autres, laissant
sur la plante ceux qui sont encore en fleur, en verjus, ou qui commencent à noircir. A l'un des bouts, deux carrés, bien cultivés, et couverts de fleurs toute l'année, sont ornés de deux fontaines, dont l'une
est distribuée dans tout le jardin, et l'autre, après avoir traversé le palais,
est conduite à un bâtiment élevé dans la ville pour abreuver les
citoyens. »
    Telle est la description du jardin royal d'Alcinoüs, au septième livre
de l'*Odyssée ;* jardin dans lequel, à la honte de ce vieux rêveur d'Homère
et des princes de son temps, on ne voit ni treillages, ni statues, ni cas-
cades, ni boulingrins.

    ** J'avoue que je sais quelque gré à la mère de Sophie de ne lui avoir
pas laissé gâter dans le savon des mains aussi douces que les siennes, et
qu'Émile doit baiser si souvent.

lui eût ordonné. Durant ces mots, elle me regarde à la dérobée avec une inquiétude dont je ne puis m'empêcher de rire en lisant dans son cœur ingénu les alarmes qui la font parler. Son père a la cruauté de relever cette étourderie en lui demandant d'un ton railleur à quel propos elle parle ici pour elle, et ce qu'elle a de commun avec la fille d'Alcinoüs. Honteuse et tremblante, elle n'ose plus souffler, ni regarder personne. Fille charmante ! Il n'est plus temps de feindre : vous voilà déclarée en dépit de vous.

Bientôt cette petite scène est oubliée ou paraît l'être; très heureusement pour Sophie, Émile est le seul qui n'y a rien compris. La promenade se continue, et nos jeunes gens, qui d'abord étaient à nos côtés, ont peine à se régler sur la lenteur de notre marche; insensiblement ils nous précèdent, ils s'approchent, ils s'accostent à la fin; et nous les voyons assez loin devant nous. Sophie semble attentive et posée; Émile parle et gesticule avec feu : il ne paraît pas que l'entretien les ennuie. Au bout d'une grande heure on retourne, on les rappelle, ils reviennent, mais lentement à leur tour, et l'on voit qu'ils mettent le temps à profit. Enfin, tout à coup, leur entretien cesse avant qu'on soit à portée de les entendre, et ils doublent le pas pour nous rejoindre. Émile nous aborde avec un air ouvert et caressant; ses yeux pétillent de joie; il les tourne pourtant avec un peu d'inquiétude vers la mère de Sophie pour voir la réception qu'elle lui fera. Sophie n'a pas, à beaucoup près, un maintien si dégagé; en approchant, elle semble toute confuse de se voir tête à tête avec un jeune homme, elle qui s'y est si souvent trouvée avec d'autres sans être embarrassée, et sans qu'on l'ait jamais trouvé mauvais. Elle se hâte d'accourir à sa mère, un peu essoufflée, en disant quelques mots qui ne signifient pas grand'chose, comme pour avoir l'air d'être là depuis longtemps.

À la sérénité qui se peint sur le visage de ces aimables enfants, on voit que cet entretien a soulagé leurs jeunes cœurs d'un grand poids. Ils ne sont pas moins réservés l'un avec l'autre, mais leur réserve est moins embarrassée; elle ne vient plus que du respect d'Émile, de la modestie de Sophie, et de l'honnêteté de tous deux. Émile ose lui adresser quelques mots, quelquefois elle ose répondre, mais jamais elle n'ouvre la bouche pour cela sans jeter les yeux sur ceux de sa mère. Le changement qui paraît le plus sensible en elle

est envers moi. Elle me témoigne une considération plus
empressée, elle me regarde avec intérêt, elle me parle affec-
tueusement, elle est attentive à ce qui peut me plaire; je vois
qu'elle m'honore de son estime, et qu'il ne lui est pas indifférent d'obtenir la mienne. Je comprends qu'Émile lui a
parlé de moi; on dirait qu'ils ont déjà comploté de me
gagner : il n'en est rien pourtant, et Sophie elle-même ne se
gagne pas si vite. Il aura peut-être plus besoin de ma faveur
auprès d'elle, que de la sienne auprès de moi. Couple charmant !... En songeant que le cœur sensible de mon jeune
ami m'a fait entrer pour beaucoup dans son premier entretien avec sa maîtresse, je jouis du prix de ma peine; son amitié m'a tout payé.

Les visites se réitèrent. Les conversations entre nos jeunes
gens deviennent plus fréquentes. Émile, enivré d'amour,
croit déjà toucher à son bonheur. Cependant, il n'obtient
point d'aveu formel de Sophie : elle l'écoute et ne lui dit
rien. Émile connaît toute sa modestie; tant de retenue
l'étonne peu; il sent qu'il n'est pas mal auprès d'elle; il sait
que ce sont les pères qui marient les enfants; il suppose que
Sophie attend un ordre de ses parents, il lui demande la permission de le solliciter; elle ne s'y oppose pas. Il m'en parle;
j'en parle en son nom, même en sa présence. Quelle surprise pour lui d'apprendre que Sophie dépend d'elle seule,
et que pour le rendre heureux elle n'a qu'à le vouloir ! Il
commence à ne plus rien comprendre à sa conduite. Sa confiance diminue. Il s'alarme, il se voit moins avancé qu'il ne
pensait l'être, et c'est alors que l'amour le plus tendre emploie son langage le plus touchant pour la fléchir.

Émile n'est pas fait pour deviner ce qui lui nuit : si on
ne le lui dit, il ne le saura de ses jours, et Sophie est trop
fière pour le lui dire. Les difficultés qui l'arrêtent feraient
l'empressement d'une autre. Elle n'a pas oublié les leçons
de ses parents. Elle est pauvre, Émile est riche, elle le sait.
Combien il a besoin de se faire estimer d'elle ! Quel mérite
ne lui faut-il point pour effacer cette inégalité ! Mais comment songerait-il à ces obstacles ? Émile sait-il s'il est riche ?
Daigne-t-il même s'en informer ? Grâce au ciel, il n'a nul
besoin de l'être, il sait être bienfaisant sans cela. Il tire le
bien qu'il fait de son cœur, et non de sa bourse. Il donne
aux malheureux son temps, ses soins, ses affections, sa personne; et, dans l'estimation de ses bienfaits, à peine ose-t-il

compter pour quelque chose l'argent qu'il répand sur les indigents.

Ne sachant à quoi s'en prendre de sa disgrâce, il l'attribue à sa propre faute : car qui oserait accuser de caprice l'objet de ses adorations ? L'humiliation de l'amour-propre augmente les regrets de l'amour éconduit. Il n'approche plus de Sophie avec cette aimable confiance d'un cœur qui se sent digne du sien; il est craintif et tremblant devant elle. Il n'espère plus la toucher par la tendresse, il cherche à la fléchir par la pitié. Quelquefois sa patience se lasse, le dépit est prêt à lui succéder. Sophie semble pressentir ses emportements, et le regarde. Ce seul regard le désarme et l'intimide : il est plus soumis qu'auparavant.

Troublé de cette résistance obstinée et de ce silence invincible, il épanche son cœur dans celui de son ami. Il y dépose les douleurs de ce cœur navré de tristesse; il implore son assistance et ses conseils. Quel impénétrable mystère ! Elle s'intéresse à mon sort, je n'en puis douter : loin de m'éviter, elle se plaît avec moi; quand j'arrive, elle marque de la joie, et du regret quand je pars; elle reçoit mes soins avec bonté; mes services paraissent lui plaire; elle daigne me donner des avis, quelquefois même des ordres. Cependant, elle rejette mes sollicitations, mes prières. Quand j'ose parler d'union, elle m'impose impérieusement silence; et, si j'ajoute un mot, elle me quitte à l'instant. Par quelle étrange raison veut-elle bien que je sois à elle sans vouloir entendre parler d'être à moi ? Vous qu'elle honore, vous qu'elle aime et qu'elle n'osera faire taire, parlez, faites-la parler; servez votre ami, couronnez votre ouvrage; ne rendez pas vos soins funestes à votre élève : ah ! ce qu'il tient de vous fera sa misère, si vous n'achevez son bonheur.

Je parle à Sophie, et j'en arrache avec peu de peine un secret que je savais avant qu'elle me l'eût dit. J'obtiens plus difficilement la permission d'en instruire Émile : je l'obtiens enfin, et j'en use. Cette explication le jette dans un étonnement dont il ne peut revenir. Il n'entend rien à cette délicatesse; il n'imagine pas ce que des écus de plus ou de moins font au caractère et au mérite. Quand je lui fais entendre ce qu'ils font aux préjugés, il se met à rire, et, transporté de joie, il veut partir à l'instant, aller tout déchirer, tout jeter, renoncer à tout, pour avoir l'honneur d'être aussi pauvre que Sophie, et revenir digne d'être son époux.

Hé quoi ! dis-je en l'arrêtant, et riant à mon tour de son impétuosité, cette jeune tête ne mûrira-t-elle point ? et, après avoir philosophé toute votre vie, n'apprendrez-vous jamais à raisonner ? Comment ne voyez-vous pas qu'en suivant votre insensé projet, vous allez empirer votre situation et rendre Sophie plus intraitable ? C'est un petit avantage d'avoir quelques biens de plus qu'elle, c'en serait un très grand de les lui avoir tous sacrifiés ; et si sa fierté ne peut se résoudre à vous avoir la première obligation, comment se résoudrait-elle à vous avoir l'autre ? Si elle ne peut souffrir qu'un mari puisse lui reprocher de l'avoir enrichie, souffrira-t-elle qu'il puisse lui reprocher de s'être appauvri pour elle ? Eh malheureux ! tremblez qu'elle ne vous soupçonne d'avoir eu ce projet. Devenez au contraire économe et soigneux pour l'amour d'elle, de peur qu'elle ne vous accuse de vouloir la gagner par adresse, et de lui sacrifier volontairement ce que vous perdrez par négligence.

Croyez-vous au fond que de grands biens lui fassent peur, et que ses oppositions viennent précisément des richesses ? Non, cher Émile ; elles ont une cause plus solide et plus grave dans l'effet que produisent ces richesses dans l'âme du possesseur. Elle sait que les biens de la fortune sont toujours préférés à tout par ceux qui les ont. Tous les riches comptent l'or avant le mérite. Dans la mise commune de l'argent et des services, ils trouvent toujours que ceux-ci n'acquittent jamais l'autre, et pensent qu'on leur en doit de reste quand on a passé sa vie à les servir en mangeant leur pain. Qu'avez-vous donc à faire, ô Émile ! pour la rassurer sur ses craintes ? Faites-vous bien connaître à elle ; ce n'est pas l'affaire d'un jour. Montrez-lui dans les trésors de votre âme noble de quoi racheter ceux dont vous avez le malheur d'être partagé. A force de constance et de temps, surmontez sa résistance ; à force de sentiments grands et généreux, forcez-la d'oublier vos richesses. Aimez-la, servez-la, servez ses respectables parents. Prouvez-lui que ces soins ne sont pas l'effet d'une passion folle et passagère, mais des principes ineffaçables gravés au fond de votre cœur. Honorez dignement le mérite outragé par la fortune : c'est le seul moyen de le réconcilier avec le mérite qu'elle a favorisé.

On conçoit quels transports de joie ce discours donne au jeune homme, combien il lui rend de confiance et d'espoir, combien son honnête cœur se félicite d'avoir à faire, pour plaire à Sophie, tout ce qu'il ferait de lui-même quand Sophie n'existerait pas, ou qu'il ne serait pas amoureux d'elle. Pour peu qu'on ait compris son caractère, qui est-ce qui n'imaginera pas sa conduite en cette occasion ?

Me voilà donc le confident de mes deux bonnes gens et le médiateur de leurs amours ! Bel emploi pour un gouverneur ! Si beau que je ne fis de ma vie rien qui m'élevât tant à mes propres yeux, et qui me rendît si content de moi-même. Au reste, cet emploi ne laisse pas d'avoir ses agréments : je ne suis pas mal venu dans la maison; l'on s'y fie à moi du soin d'y tenir les deux amants dans l'ordre : Émile, toujours tremblant de déplaire, ne fut jamais si docile. La petite personne m'accable d'amitiés dont je ne suis pas la dupe, et dont je ne prends pour moi que ce qui m'en revient. C'est ainsi qu'elle se dédommage indirectement du respect dans lequel elle tient Émile. Elle lui fait en moi mille tendres caresses, qu'elle aimerait mieux mourir que de lui faire à lui-même; et lui qui sait que je ne veux pas nuire à ses intérêts, est charmé de ma bonne intelligence avec elle. Il se console quand elle refuse son bras à la promenade et que c'est pour lui préférer le mien. Il s'éloigne sans murmure en me serrant la main, et me disant tout bas de la voix et de l'œil : Ami, parlez pour moi. Il nous suit des yeux avec intérêt; il tâche de lire nos sentiments sur nos visages, et d'interpréter nos discours par nos gestes; il sait que rien de ce qui se dit entre nous ne lui est indifférent. Bonne Sophie, combien votre cœur sincère est à son aise, quand, sans être entendue de Télémaque, vous pouvez vous entretenir avec son Mentor ! Avec quelle aimable franchise vous lui laissez lire dans ce tendre cœur tout ce qui s'y passe ! Avec quel plaisir vous lui montrez toute votre estime pour son élève ! Avec quelle ingénuité touchante vous lui laissez pénétrer des sentiments plus doux ! Avec quelle feinte colère vous renvoyez l'importun quand l'impatience le force à vous interrompre ! Avec quel charmant dépit vous lui reprochez son indiscrétion quand il vient vous empêcher de dire du bien de lui, d'en entendre, et de tirer toujours de mes réponses quelque nouvelle raison de l'aimer !

Ainsi parvenu à se faire souffrir comme amant déclaré, Émile en fait valoir tous les droits; il parle, il presse, il sollicite, il importune. Qu'on lui parle durement, qu'on le maltraite, peu lui importe, pourvu qu'il se fasse écouter. Enfin il obtient, non sans peine, que Sophie de son côté veuille bien prendre ouvertement sur lui l'autorité d'une maîtresse, qu'elle lui prescrive ce qu'il doit faire, qu'elle commande au lieu de prier, qu'elle accepte au lieu de remercier, qu'elle règle le nombre et le temps des visites, qu'elle lui défende de venir jusqu'à tel jour et de rester passé telle heure. Tout cela ne se fait point par jeu, mais très sérieusement, et si elle accepta ces droits avec peine, elle en use avec une rigueur qui réduit souvent le pauvre Émile au regret de les lui avoir donnés. Mais, quoi qu'elle ordonne, il ne réplique point; et souvent, en partant pour obéir, il me regarde avec des yeux pleins de joie qui me disent : Vous voyez qu'elle a pris possession de moi. Cependant, l'orgueilleuse l'observe en dessous, et sourit en secret de la fierté de son esclave.

Albane et Raphaël [217], prêtez-moi le pinceau de la volupté ! Divin Milton [218], apprends à ma plume grossière à décrire les plaisirs de l'amour et de l'innocence ! Mais non, cachez vos arts mensongers devant la sainte vérité de la nature. Ayez seulement des cœurs sensibles, des âmes honnêtes; puis laisser errer votre imagination sans contrainte sur les transports de deux jeunes amants qui, sous les yeux de leurs parents et de leurs guides, se livrent sans trouble à la douce illusion qui les flatte, et, dans l'ivresse des désirs, s'avançant lentement vers le terme, entrelacent de fleurs et de guirlandes l'heureux lien qui doit les unir jusqu'au tombeau. Tant d'images charmantes m'enivrent moi-même; je les rassemble sans ordre et sans suite; le délire qu'elles me causent m'empêche de les lier. Oh ! qui est-ce qui a un cœur, et qui ne saura pas faire en lui-même le tableau délicieux des situations diverses du père, de la mère, de la fille, du gouverneur, de l'élève, et du concours des uns et des autres à l'union du plus charmant couple dont l'amour et la vertu puissent faire le bonheur ?

C'est à présent que, devenu véritablement empressé de plaire, Émile commence à sentir le prix des talents agréables qu'il s'est donnés. Sophie aime à chanter, il chante avec elle; il fait plus, il lui apprend la musique. Elle est vive et légère, elle aime à sauter, il danse avec elle; il change ses sauts en pas, il la perfectionne. Ces leçons sont charmantes, la gaieté folâtre les anime, elle adoucit le timide respect de l'amour : il

est permis à un amant de donner ces leçons avec volupté; il
est permis d'être le maître de sa maîtresse.

On a un vieux clavecin tout dérangé; Émile l'accommode
et l'accorde; il est facteur, il est luthier aussi bien que menuisier; il eut toujours pour maxime d'apprendre à se passer
du secours d'autrui dans tout ce qu'il pouvait faire lui-même.
La maison est dans une situation pittoresque, il en tire différentes vues auxquelles Sophie a quelquefois mis la main,
et dont elle orne le cabinet de son père. Les cadres n'en sont
point dorés et n'ont pas besoin de l'être. En voyant dessiner
Émile, en l'imitant, elle se perfectionne à son exemple; elle
cultive tous les talents, et son charme les embellit tous. Son
père et sa mère se rappellent leur ancienne opulence en
revoyant briller autour d'eux les beaux-arts, qui seuls la leur
rendaient chère; l'amour a paré toute leur maison; lui seul
y fait régner sans frais et sans peine les mêmes plaisirs qu'ils
n'y rassemblaient autrefois qu'à force d'argent et d'ennui.

Comme l'idolâtre enrichit des trésors qu'il estime l'objet
de son culte, et pare sur l'autel le dieu qu'il adore, l'amant
a beau voir sa maîtresse parfaite, il lui veut sans cesse ajouter
de nouveaux ornements. Elle n'en a pas besoin pour lui
plaire; mais il a besoin, lui, de la parer : c'est un nouvel hommage qu'il croit lui rendre, c'est un nouvel intérêt qu'il
donne au plaisir de la contempler. Il lui semble que rien de
beau n'est à sa place quand il n'orne pas la suprême beauté.
C'est un spectacle à la fois touchant et risible, de voir
Émile empressé d'apprendre à Sophie tout ce qu'il sait, sans
consulter si ce qu'il lui veut apprendre est de son goût
ou lui convient. Il lui parle de tout, il lui explique tout
avec un empressement puéril; il croit qu'il n'a qu'à dire
et qu'à l'instant elle l'entendra; il se figure d'avance le
plaisir qu'il aura de raisonner, de philosopher avec elle;
il regarde comme inutile tout l'acquis qu'il ne peut point
étaler à ses yeux; il rougit presque de savoir quelque chose
qu'elle ne sait pas.

Le voilà donc lui donnant une leçon de philosophie, de
physique, de mathématiques, d'histoire, de tout en un mot.
Sophie se prête avec plaisir à son zèle, et tâche d'en profiter. Quand il peut obtenir de donner ses leçons à genoux
devant elle, qu'Émile est content ! Il croit voir les cieux
ouverts. Cependant, cette situation, plus gênante pour
l'écolière que pour le maître, n'est pas la plus favorable

à l'instruction. L'on ne sait pas trop alors que faire de ses yeux pour éviter ceux qui les poursuivent, et quand ils se rencontrent la leçon n'en va pas mieux.

L'art de penser n'est pas étranger aux femmes, mais elles ne doivent faire qu'effleurer les sciences de raisonnement. Sophie conçoit tout et ne retient pas grand'chose. Ses plus grands progrès sont dans la morale et les choses du goût; pour la physique, elle n'en retient que quelque idée des lois générales et du système du monde. Quelquefois, dans leurs promenades, en contemplant les merveilles de la nature, leurs cœurs innocents et purs osent s'élever jusqu'à son auteur : ils ne craignent pas sa présence, ils s'épanchent conjointement devant lui.

Quoi ! deux amants dans la fleur de l'âge emploient leur tête-à-tête à parler de religion ! Ils passent leur temps à dire leur catéchisme ! Que sert d'avilir ce qui est sublime ? Oui, sans doute, ils le disent dans l'illusion qui les charme : ils se voient parfaits, ils s'aiment, ils s'entretiennent avec enthousiasme de ce qui donne un prix à la vertu. Les sacrifices qu'ils lui font la leur rendent chère. Dans des transports qu'il faut vaincre, ils versent quelquefois ensemble des larmes plus pures que la rosée du ciel, et ces douces larmes font l'enchantement de leur vie : ils sont dans le plus charmant délire qu'aient jamais éprouvé des âmes humaines. Les privations mêmes ajoutent à leur bonheur et les honorent à leurs propres yeux de leurs sacrifices. Hommes sensuels, corps sans âme, ils connaîtront un jour vos plaisirs, et regretteront toute leur vie l'heureux temps où ils se les sont refusés !

Malgré cette bonne intelligence, il ne laisse pas d'y avoir quelquefois des dissensions, même des querelles; la maîtresse n'est pas sans caprice, ni l'amant sans emportement; mais ces petits orages passent rapidement et ne font que raffermir l'union; l'expérience même apprend à Émile à ne les plus tant craindre; les raccommodements lui sont toujours plus avantageux que les brouilleries ne lui sont nuisibles. Le fruit de la première lui en a fait espérer autant des autres; il s'est trompé : mais enfin, s'il n'en rapporte pas toujours un profit aussi sensible, il y gagne toujours de voir confirmé par Sophie l'intérêt sincère qu'elle prend à son cœur. On veut savoir quel est donc ce profit. J'y consens d'autant plus volontiers que cet exemple me donnera lieu d'exposer une maxime très utile et d'en combattre une très funeste.

Émile aime, il n'est donc pas téméraire; et l'on conçoit encore mieux que l'impérieuse Sophie n'est pas fille à lui passer des familiarités. Comme la sagesse a son terme en toute chose, on la taxerait bien plutôt de trop de dûreté que de trop d'indulgence; et son père lui-même craint quelquefois que son extrême fierté ne dégénère en hauteur. Dans les tête-à-tête les plus secrets, Émile n'oserait solliciter la moindre faveur, pas même y paraître aspirer; et quand elle veut bien passer son bras sous le sien à la promenade, grâce qu'elle ne laisse pas changer en droit, à peine ose-t-il quelquefois, en soupirant, presser ce bras contre sa poitrine. Cependant, après une longue contrainte, il se hasarde à baiser furtivement sa robe; et plusieurs fois il est assez heureux pour qu'elle veuille bien ne pas s'en apercevoir. Un jour qu'il veut prendre un peu plus ouvertement la même liberté, elle s'avise de le trouver très mauvais. Il s'obstine, elle s'irrite, le dépit lui dicte quelques mots piquants; Émile ne les endure pas sans réplique : le reste du jour se passe en bouderie, et l'on se sépare très mécontents.

Sophie est mal à son aise. Sa mère est sa confidente; comment lui cacherait-elle son chagrin ? C'est sa première brouillerie; et une brouillerie d'une heure est une si grande affaire ! Elle se repent de sa faute : sa mère lui permet de la réparer, son père le lui ordonne.

Le lendemain, Émile, inquiet, revient plus tôt qu'à l'ordinaire. Sophie est à la toilette de sa mère, le père est aussi dans la même chambre : Émile entre avec respect, mais d'un air triste. A peine le père et la mère l'ont-ils salué, que Sophie se retourne, et, lui présentant la main, lui demande, d'un ton caressant, comment il se porte. Il est clair que cette jolie main ne s'avance ainsi que pour être baisée : il la reçoit et ne la baise pas. Sophie, un peu honteuse, la retire d'aussi bonne grâce qu'il lui est possible. Émile, qui n'est pas fait aux manières des femmes, et qui ne sait à quoi le caprice est bon, ne l'oublie pas aisément et ne s'apaise pas si vite. Le père de Sophie, la voyant embarrassée, achève de la déconcerter par des railleries. La pauvre fille, confuse, humiliée, ne sait plus ce qu'elle fait, et donnerait tout au monde pour oser pleurer. Plus

elle se contraint, plus son cœur se gonfle; une larme
s'échappe enfin malgré qu'elle en ait. Émile voit cette
larme, se précipite à ses genoux, lui prend la main, la baise
plusieurs fois avec saisissement. Ma foi, vous êtes trop
bon, dit le père en éclatant de rire; j'aurais moins d'indulgence pour toutes ces folles, et je punirais la bouche qui
m'aurait offensé. Émile, enhardi par ce discours, tourne
un œil suppliant vers la mère, et, croyant voir un signe
de consentement, s'approche en tremblant du visage de
Sophie, qui détourne la tête, et, pour sauver la bouche,
expose une joue de roses. L'indiscret ne s'en contente
pas; on résiste faiblement. Quel baiser, s'il n'était pas pris
sous les yeux d'une mère! Sévère Sophie, prenez garde
à vous; on vous demandera souvent votre robe à baiser,
à condition que vous la refuserez quelquefois.

Après cette exemplaire punition, le père sort pour quelque
affaire; la mère envoie Sophie sous quelque prétexte,
puis elle adresse la parole à Émile et lui dit d'un ton
sérieux :

« Monsieur, je crois qu'un jeune homme aussi bien né,
aussi bien élevé que vous, qui a des sentiments et des mœurs,
ne voudrait pas payer du déshonneur d'une famille l'amitié
qu'elle lui témoigne. Je ne suis ni farouche ni prude; je sais
ce qu'il faut passer à la jeunesse folâtre; et ce que j'ai souffert sous mes yeux vous le prouve assez. Consultez votre
ami sur vos devoirs; il vous dira quelle différence il y a
entre les jeux que la présence d'un père et d'une mère autorise et les libertés qu'on prend loin d'eux en abusant de leur
confiance, et tournant en pièges les mêmes faveurs qui, sous
leurs yeux, ne sont qu'innocentes. Il vous dira, Monsieur,
que ma fille n'a eu d'autre tort avec vous que celui de ne
pas voir, dès la première fois, ce qu'elle ne devait jamais
souffrir; il vous dira que tout ce qu'on prend pour faveur
en devient une, et qu'il est indigne d'un homme d'honneur
d'abuser de la simplicité d'une jeune fille pour usurper en
secret les mêmes libertés qu'elle peut souffrir devant tout le
monde. Car on sait ce que la bienséance peut tolérer en
public; mais on ignore où s'arrête, dans l'ombre du mystère,
celui qui se fait seul juge de ses fantaisies. »

Après cette juste réprimande, bien plus adressée à moi
qu'à mon élève, cette sage mère nous quitte, et me laisse
dans l'admiration de sa rare prudence, qui compte pour

peu qu'on baise devant elle la bouche de sa fille, et qui s'effraye qu'on ose baiser sa robe en particulier. En réfléchissant à la folie de nos maximes, qui sacrifient toujours à la décence la véritable honnêteté, je comprends pourquoi le langage est d'autant plus chaste que les cœurs sont plus corrompus, et pourquoi les procédés sont d'autant plus exacts que ceux qui les ont sont plus malhonnêtes.

En pénétrant, à cette occasion, le cœur d'Émile des devoirs que j'aurais dû plutôt lui dicter, il me vient une réflexion nouvelle, qui fait peut-être le plus d'honneur à Sophie, et que je me garde pourtant bien de communiquer à son amant; c'est qu'il est clair que cette prétendue fierté qu'on lui reproche n'est qu'une précaution très sage pour se garantir d'elle-même. Ayant le malheur de se sentir un tempérament combustible, elle redoute la première étincelle et l'éloigne de tout son pouvoir. Ce n'est pas par fierté qu'elle est sévère, c'est par humilité. Elle prend sur Émile l'empire qu'elle craint de n'avoir pas sur Sophie; elle se sert de l'un pour combattre l'autre. Si elle était plus confiante, elle serait bien moins fière. Otez ce seul point, quelle fille au monde est plus facile et plus douce ? qui est-ce qui supporte plus patiemment une offense ? qui est-ce qui craint plus d'en faire à autrui ? qui est-ce qui a moins de prétentions en tout genre, hors la vertu ? Encore n'est-ce pas de sa vertu qu'elle est fière, elle ne l'est que pour la conserver; et quand elle peut se livrer sans risque au penchant de son cœur, elle caresse jusqu'à son amant. Mais sa discrète mère ne fait pas tous ces détails à son père même : les hommes ne doivent pas tout savoir.

Loin même qu'elle semble s'enorgueillir de sa conquête, Sophie en est devenue encore plus affable et moins exigeante avec tout le monde, hors peut-être le seul qui produit ce changement. Le sentiment de l'indépendance n'enfle plus son noble cœur. Elle triomphe avec modestie d'une victoire qui lui coûte sa liberté. Elle a le maintien moins libre et le parler plus timide depuis qu'elle n'entend plus le mot d'amant sans rougir; mais le contentement perce à travers son embarras, et cette honte elle-même n'est pas un sentiment fâcheux. C'est surtout avec les jeunes survenants que la différence de sa conduite est le plus sensible. Depuis qu'elle ne les craint plus, l'extrême

réserve qu'elle avait avec eux s'est beaucoup relâchée.
Décidée dans son choix, elle se montre sans scrupule gra-
cieuse aux indifférents; moins difficile sur leur mérite depuis
qu'elle n'y prend plus d'intérêt, elle les trouve toujours
assez aimables pour des gens qui ne lui seront jamais
rien.

Si le véritable amour pouvait user de coquetterie, j'en
croirais même voir quelques traces dans la manière dont
Sophie se comporte avec eux en présence de son amant.
On dirait que non contente de l'ardente passion dont elle
l'embrase par un mélange exquis de réserve et de caresse,
elle n'est pas fâchée encore d'irriter cette même passion
par un peu d'inquiétude; on dirait qu'égayant à dessein
ses jeunes hôtes, elle destine au tourment d'Émile les
grâces d'un enjouement qu'elle n'ose avoir avec lui :
mais Sophie est trop attentive, trop bonne, trop judicieuse,
pour le tourmenter en effet. Pour tempérer ce dangereux
stimulant, l'amour et l'honnêteté lui tiennent lieu de prudence : elle sait l'alarmer et le rassurer précisément quand
il faut; et si quelquefois elle l'inquiète, elle ne l'attriste
jamais. Pardonnons le souci qu'elle donne à ce qu'elle
aime à la peur qu'elle a qu'il ne soit jamais assez enlacé.

Mais quel effet ce petit manège fera-t-il sur Émile ? Sera-
t-il jaloux ? ne le sera-t-il pas ? C'est ce qu'il faut examiner :
car de telles digressions entrent aussi dans l'objet de mon
livre et m'éloignent peu de mon sujet.

J'ai fait voir précédemment comment, dans les choses
qui ne tiennent qu'à l'opinion, cette passion s'introduit
dans le cœur de l'homme. Mais en amour c'est autre
chose; la jalousie paraît alors tenir de si près à la nature,
qu'on a bien de la peine à croire qu'elle n'en vienne pas;
et l'exemple même des animaux, dont plusieurs sont
jaloux jusqu'à la fureur, semble établir le sentiment opposé
sans réplique. Est-ce l'opinion des hommes qui apprend
aux coqs à se mettre en pièces, et aux taureaux à se battre
jusqu'à la mort ?

L'aversion contre tout ce qui trouble et combat nos plaisirs est un mouvement naturel, cela est incontestable.
Jusqu'à certain point le désir de posséder exclusivement
ce qui nous plaît est encore dans le même cas. Mais quand
ce désir, devenu passion, se transforme en fureur ou en
une fantaisie ombrageuse et chagrine appelée jalousie,

alors c'est autre chose; cette passion peut être naturelle, ou ne l'être pas : il faut distinguer.

L'exemple tiré des animaux a été ci-devant examiné dans le *Discours sur l'Inégalité ;* et maintenant que j'y réfléchis de nouveau, cet examen me paraît assez solide pour oser y renvoyer les lecteurs. J'ajouterai seulement aux distinctions que j'ai faites dans cet écrit que la jalousie qui vient de la nature tient beaucoup à la puissance du sexe, et que, quand cette puissance est ou paraît être illimitée, cette jalousie est à son comble; car le mâle alors, mesurant ses droits sur ses besoins, ne peut jamais voir un autre mâle que comme un importun concurrent. Dans ces mêmes espèces, les femelles, obéissant toujours au premier venu, n'appartiennent aux mâles que par le droit de conquête, et causent entre eux des combats éternels.

Au contraire, dans les espèces où un s'unit avec une, où l'accouplement produit une sorte de lien moral, une sorte de mariage, la femelle, appartenant par son choix au mâle qu'elle s'est donné, se refuse communément à tout autre; et le mâle ayant pour garant de sa fidélité cette affection de préférence, s'inquiète aussi moins de la vue des autres mâles, et vit plus paisiblement avec eux. Dans ces espèces, le mâle partage le soin des petits; et par une de ces lois de la nature qu'on n'observe point sans attendrissement, il semble que la femelle rende au père l'attachement qu'il a pour ses enfants.

Or, à considérer l'espèce humaine dans sa simplicité primitive, il est aisé de voir, par la puissance bornée du mâle et par la tempérance de ses désirs, qu'il est destiné par la nature à se contenter d'une seule femelle; ce qui se confirme par l'égalité numérique des individus des deux sexes, au moins dans nos climats; égalité qui n'a pas lieu, à beaucoup près, dans les espèces où la plus grande force des mâles réunit plusieurs femelles à un seul. Et bien que l'homme ne couve pas comme le pigeon, et que n'ayant pas non plus des mamelles pour allaiter, il soit à cet égard dans la classe des quadrupèdes, les enfants sont si longtemps rampants et faibles, que la mère et eux se passeraient difficilement de l'attachement du père, et des soins qui en sont l'effet.

Toutes les observations concourent donc à prouver que la fureur jalouse des mâles, dans quelques espèces d'animaux, ne conclut point du tout pour l'homme; et l'exception même des climats méridionaux, où la polygamie est établie, ne fait que mieux confirmer le principe, puisque c'est de la pluralité des femmes que vient la tyrannique précaution des maris, et que le sentiment de sa propre faiblesse porte l'homme à recourir à la contrainte pour éluder les lois de la nature.

Parmi nous, où ces mêmes lois, en cela moins éludées, le sont dans un sens contraire et plus odieux, la jalousie a son motif dans les passions sociales plus que dans l'instinct primitif. Dans la plupart des liaisons de galanterie, l'amant hait bien plus ses rivaux qu'il n'aime sa maîtresse; s'il craint de n'être pas seul écouté, c'est l'effet de cet amour-propre dont j'ai montré l'origine, et la vanité pâtit en lui bien plus que l'amour. D'ailleurs nos maladroites institutions ont rendu les femmes si dissimulées *, et ont si fort allumé leurs appétits, qu'on peut à peine compter sur leur attachement le mieux prouvé, et qu'elles ne peuvent plus marquer de préférences qui rassurent sur la crainte des concurrents.

Pour l'amour véritable, c'est autre chose. J'ai fait voir, dans l'écrit déjà cité, que ce sentiment n'est pas aussi naturel que l'on pense; et il y a bien de la différence entre la douce habitude qui affectionne l'homme à sa compagne, et cette ardeur effrénée qui l'enivre des chimériques attraits d'un objet qu'il ne voit plus tel qu'il est. Cette passion, qui ne respire qu'exclusions et préférences, ne diffère en ceci de la vanité, qu'en ce que la vanité, exigeant tout et n'accordant rien, est toujours inique; au lieu que l'amour, donnant autant qu'il exige, est par lui-même un sentiment rempli d'équité. D'ailleurs plus il est exigeant, plus il est crédule : la même illusion qui le cause le rend facile à persuader. Si l'amour est inquiet, l'estime est confiante; et jamais l'amour sans estime n'exista dans un cœur honnête, parce que nul n'aime dans ce qu'il aime que les qualités dont il fait cas.

---

* L'espèce de dissimulation que j'entends ici est opposée à celle qui leur convient et qu'elles tiennent de la nature; l'une consiste à déguiser les sentiments qu'elles ont, et l'autre à feindre ceux qu'elles n'ont pas. Toutes les femmes du monde passent leur vie à faire trophée de leur prétendue sensibilité, et n'aiment jamais rien qu'elles-mêmes.

Tout ceci bien éclairci, l'on peut dire, à coup sûr, de quelle sorte de jalousie Émile sera capable; car, puisqu'à peine cette passion a-t-elle un germe dans le cœur humain, sa forme est déterminée uniquement par l'éducation. Émile amoureux et jaloux ne sera point colère, ombrageux, méfiant, mais délicat, sensible et craintif; il sera plus alarmé qu'irrité; il s'attachera bien plus à gagner sa maîtresse qu'à menacer son rival; il l'écartera, s'il peut, comme un obstacle, sans le haïr comme un ennemi; s'il le hait, ce ne sera pas pour l'audace de lui disputer un cœur auquel il prétend, mais pour le danger réel qu'il lui fait courir de le perdre; son injuste orgueil ne s'offensera point sottement qu'on ose entrer en concurrence avec lui; comprenant que le droit de préférence est uniquement fondé sur le mérite, et que l'honneur est dans le succès, il redoublera de soins pour se rendre aimable, et probablement il réussira. La généreuse Sophie, en irritant son amour par quelques alarmes, saura bien les régler, l'en dédommager; et les concurrents, qui n'étaient soufferts que pour le mettre à l'épreuve, ne tarderont pas d'être écartés.

Mais où me sens-je insensiblement entraîné? O Émile, qu'es-tu devenu? Puis-je reconnaître en toi mon élève? Combien je te vois déchu! Où est ce jeune homme formé si durement, qui bravait les rigueurs des saisons, qui livrait son corps aux plus rudes travaux et son âme aux seules lois de la sagesse; inaccessible aux préjugés, aux passions; qui n'aimait que la vérité, qui ne cédait qu'à la raison, et ne tenait à rien de ce qui n'était pas lui? Maintenant, amolli dans une vie oisive, il se laisse gouverner par des femmes; leurs amusements sont ses occupations, leurs volontés sont ses lois; une jeune fille est l'arbitre de sa destinée; il rampe et fléchit devant elle; le grave Émile est le jouet d'un enfant!

Tel est le changement des scènes de la vie: chaque âge a ses ressorts qui le font mouvoir; mais l'homme est toujours le même. A dix ans, il est mené par des gâteaux, à vingt par une maîtresse, à trente par les plaisirs, à quarante par l'ambition, à cinquante par l'avarice: quand ne court-il qu'après la sagesse? Heureux celui qu'on y conduit malgré lui! Qu'importe de quel guide on se serve, pourvu qu'il le mène au but? Les héros, les sages eux-mêmes, ont payé ce tribut à la faiblesse humaine; et tel dont les doigts ont cassé des fuseaux n'en fut pas pour cela moins grand homme.

Voulez-vous étendre sur la vie entière l'effet d'une heureuse éducation, prolongez durant la jeunesse les bonnes habitudes de l'enfance; et, quand votre élève est ce qu'il doit être, faites qu'il soit le même dans tous les temps. Voilà la dernière perfection qu'il vous reste à donner à votre ouvrage. C'est pour cela surtout qu'il importe de laisser un gouverneur aux jeunes hommes; car d'ailleurs il est peu à craindre qu'ils ne sachent pas faire l'amour sans lui. Ce qui trompe les instituteurs, et surtout les pères, c'est qu'ils croient qu'une manière de vivre en exclut une autre, et qu'aussitôt qu'on est grand on doit renoncer à tout ce qu'on faisait étant petit. Si cela était, à quoi servirait de soigner l'enfance, puisque le bon ou le mauvais usage qu'on en ferait s'évanouirait avec elle, et qu'en prenant des manières de vivre absolument différentes, on prendrait nécessairement d'autres façons de penser.

Comme il n'y a que de grandes maladies qui fassent solution de continuité dans la mémoire, il n'y a guère que de grandes passions qui la fassent dans les mœurs. Bien que nos goûts et nos inclinations changent, ce changement, quelquefois assez brusque, est adouci par les habitudes. Dans la succession de nos penchants, comme dans une bonne dégradation de couleurs, l'habile artiste doit rendre les passages imperceptibles, confondre et mêler les teintes, et, pour qu'aucune ne tranche, en étendre plusieurs sur tout son travail. Cette règle est confirmée par l'expérience; les gens immodérés changent tous les jours d'affections, de goûts, de sentiments, et n'ont pour toute constance que l'habitude du changement; mais l'homme réglé revient toujours à ses anciennes pratiques, et ne perd pas même dans sa vieillesse le goût des plaisirs qu'il aimait enfant.

Si vous faites qu'en passant dans un nouvel âge les jeunes gens ne prennent point en mépris celui qui l'a précédé, qu'en contractant de nouvelles habitudes ils n'abandonnent point les anciennes, et qu'ils aiment toujours à faire ce qui est bien, sans égard au temps où ils ont commencé, alors seulement vous aurez sauvé votre ouvrage, et vous serez sûrs d'eux jusqu'à la fin de leurs jours; car la révolution la plus à craindre est celle de l'âge sur lequel vous veillez maintenant. Comme on le regrette

toujours, on perd difficilement dans la suite les goûts
qu'on y a conservés; au lieu que, quand ils sont interrompus,
on ne les reprend de la vie.

La plupart des habitudes que vous croyez faire contracter
aux enfants et aux jeunes gens ne sont point de véritables
habitudes, parce qu'ils ne les ont prises que par force, et
que, les suivant malgré eux, ils n'attendent que l'occasion
de s'en délivrer. On ne prend point le goût d'être en prison
à force d'y demeurer; l'habitude alors, loin de diminuer
l'aversion, l'augmente. Il n'en est pas ainsi d'Émile, qui,
n'ayant rien fait dans son enfance que volontairement et
avec plaisir, ne fait, en continuant d'agir de même étant
homme, qu'ajouter l'empire de l'habitude aux douceurs
de la liberté. La vie active, le travail des bras, l'exercice,
le mouvement, lui sont tellement devenus nécessaires,
qu'il n'y pourrait renoncer sans souffrir. Le réduire tout
à coup à une vie molle et sédentaire serait l'emprisonner,
l'enchaîner, le tenir dans un état violent et contraint;
je ne doute pas que son humeur et sa santé n'en fussent
également altérées. A peine peut-il respirer à son aise
dans une chambre bien fermée; il lui faut le grand air,
le mouvement, la fatigue. Aux genoux même de Sophie,
il ne peut s'empêcher de regarder quelquefois la campagne
du coin de l'œil, et de désirer de la parcourir avec elle.
Il reste pourtant quand il faut rester; mais il est inquiet,
agité; il semble se débattre; il reste parce qu'il est dans les
fers. Voilà donc, allez-vous dire, des besoins auxquels
je l'ai soumis, des assujettissements que je lui ai donnés :
et tout cela est vrai; je l'ai assujetti à l'état d'homme.

Émile aime Sophie; mais quels sont les premiers charmes
qui l'ont attaché ? La sensibilité, la vertu, l'amour des
choses honnêtes. En aimant cet amour dans sa maîtresse,
l'aurait-il perdu pour lui-même ? A quel prix à son tour
Sophie s'est-elle mise ? A celui de tous les sentiments
qui sont naturels au cœur de son amant : l'estime des
vrais biens, la frugalité, la simplicité, le généreux désintéressement, le mépris du faste et des richesses. Émile avait
ces vertus avant que l'amour les lui eût imposées. En quoi
donc Émile est-il véritablement changé ? Il a de nouvelles
raisons d'être lui-même; c'est le seul point où il soit différent de ce qu'il était.

Je n'imagine pas qu'en lisant ce livre avec quelque

attention, personne puisse croire que toutes les circonstances de la situation où il se trouve se soient ainsi
rassemblées autour de lui par hasard. Est-ce par hasard
que, les villes fournissant tant de filles aimables, celle qui
lui plaît ne se trouve qu'au fond d'une retraite éloignée ?
Est-ce par hasard qu'il la rencontre ? Est-ce par hasard
qu'ils se conviennent ? Est-ce par hasard qu'ils ne peuvent
loger dans le même lieu ? Est-ce par hasard qu'il ne trouve
un asile que si loin d'elle ? Est-ce par hasard qu'il la voit
si rarement, et qu'il est forcé d'acheter par tant de fatigues
le plaisir de la voir quelquefois ? Il s'effémine, dites-vous.
Il s'endurcit, au contraire; il faut qu'il soit aussi robuste
que je l'ai fait pour résister aux fatigues que Sophie lui
fait supporter.

Il loge à deux grandes lieues d'elle. Cette distance est
le soufflet de la forge; c'est par elle que je trempe les traits
de l'amour. S'ils logeaient porte à porte, ou qu'il pût
l'aller voir mollement assis dans un bon carrosse, il l'aimerait à son aise, il l'aimerait en Parisien. Léandre eût-il
voulu mourir pour Héro, si la mer ne l'eût séparé d'elle [219] ?
Lecteur, épargnez-moi des paroles; si vous êtes fait pour
m'entendre, vous suivrez assez mes règles dans mes détails.

Les premières fois que nous sommes allés voir Sophie,
nous avons pris des chevaux pour aller plus vite. Nous
trouvons cet expédient commode, et à la cinquième fois
nous continuons de prendre des chevaux. Nous étions
attendus; à plus d'une demi-lieue de la maison, nous
apercevons du monde sur le chemin. Émile observe, le
cœur lui bat; il approche, il reconnaît Sophie, il se précipite
à bas de son cheval, il part, il vole, il est aux pieds de l'aimable famille. Émile aime les beaux chevaux; le sien est
vif, il se sent libre, il s'échappe à travers champs : je le
suis, je l'atteins avec peine, je le ramène. Malheureusement
Sophie a peur des chevaux, je n'ose approcher d'elle. Émile
ne voit rien; mais Sophie l'avertit à l'oreille de la peine
qu'il a laissé prendre à son ami. Émile accourt tout honteux,
prend les chevaux, reste en arrière : il est juste que chacun
ait son tour. Il part le premier pour se débarrasser de
nos montures. En laissant ainsi Sophie derrière lui, il ne
trouve plus le cheval une voiture aussi commode. Il revient
essoufflé, et nous rencontre à moitié chemin.

Au voyage suivant Émile ne veut plus de chevaux.

Pourquoi ? lui dis-je; nous n'avons qu'à prendre un laquais pour en avoir soin. Ah ! dit-il, surchargerons-nous ainsi la respectable famille ? Vous voyez bien qu'elle veut tout nourrir, hommes et chevaux. Il est vrai, reprends-je, qu'ils ont la noble hospitalité de l'indigence. Les riches, avares dans leur faste, ne logent que leurs amis; mais les pauvres logent aussi les chevaux de leurs amis. Allons à pied, dit-il; n'en avez-vous pas le courage, vous qui partagez de si bon cœur les fatigants plaisirs de votre enfant ? Très volontiers, reprends-je à l'instant : aussi bien l'amour, à ce qu'il me semble, ne veut pas être fait avec tant de bruit.

En approchant, nous trouvons la mère et la fille plus loin encore que la première fois. Nous sommes venus comme un trait. Émile est tout en nage : une main chérie daigne lui passer un mouchoir sur les joues. Il y aurait bien des chevaux au monde, avant que nous fussions désormais tentés de nous en servir.

Cependant, il est assez cruel de ne pouvoir jamais passer la soirée ensemble. L'été s'avance, les jours commencent à diminuer. Quoi que nous puissions dire, on ne nous permet jamais de nous en retourner de nuit; et, quand nous ne venons pas dès le matin, il faut presque repartir aussitôt qu'on est arrivé. A force de nous plaindre et de s'inquiéter de nous, la mère pense enfin qu'à la vérité l'on ne peut nous loger décemment dans la maison, mais qu'on peut nous trouver un gîte au village pour y coucher quelquefois. A ces mots Émile frappe des mains, tressaillit [220] de joie; et Sophie, sans y songer, baise un peu plus souvent sa mère le jour qu'elle a trouvé cet expédient.

Peu à peu la douceur de l'amitié, la familiarité de l'innocence s'établissent et s'affermissent entre nous. Les jours prescrits par Sophie ou par sa mère, je viens ordinairement avec mon ami, quelquefois aussi je le laisse aller seul. La confiance élève l'âme, et l'on ne doit plus traiter un homme en enfant; et qu'aurais-je avancé jusque-là, si mon élève ne méritait pas mon estime ? Il m'arrive aussi d'aller sans lui; alors il est triste et ne murmure point : que serviraient ses murmures ? Et puis il sait bien que je ne vais pas nuire à ses intérêts. Au reste, que nous allions ensemble ou séparément, on conçoit qu'aucun temps ne nous arrête, tout fiers d'arriver dans un état à pouvoir être plaints. Malheureusement, Sophie nous interdit cet honneur, et

défend qu'on vienne par le mauvais temps. C'est la seule
fois que je la trouve rebelle aux règles que je lui dicte en
secret.

Un jour qu'il est allé seul, et que je ne l'attends que le
lendemain, je le vois arriver le soir même, et je lui dis
en l'embrassant : Quoi ! cher Émile, tu reviens à ton ami !
Mais, au lieu de répondre à mes caresses, il me dit avec
un peu d'humeur : Ne croyez pas que je revienne si tôt
de mon gré, je viens malgré moi. Elle a voulu que je
vinsse; je viens pour elle et non pas pour vous. Touché
de cette naïveté, je l'embrasse derechef, en lui disant :
Ame franche, ami sincère, ne me dérobe pas ce qui m'appartient. Si tu viens pour elle, c'est pour moi que tu le
dis : ton retour est son ouvrage, mais ta franchise est le
mien. Garde à jamais cette noble candeur des belles âmes.
On peut laisser penser aux indifférents ce qu'ils veulent;
mais c'est un crime de souffrir qu'un ami nous fasse un
mérite de ce que nous n'avons pas fait pour lui.

Je me garde bien d'avilir à ses yeux le prix de cet aveu,
en y trouvant plus d'amour que de générosité, et en lui
disant qu'il veut moins s'ôter le mérite de ce retour que le
donner à Sophie. Mais voici comment il me dévoile le
fond de son cœur sans y songer : s'il est venu à son aise,
à petits pas, et rêvant à ses amours, Émile n'est que l'amant
de Sophie; s'il arrive à grands pas, échauffé, quoique un
peu grondeur, Émile est l'ami de son Mentor.

On voit par ces arrangements que mon jeune homme est
bien éloigné de passer sa vie auprès de Sophie et de la voir
autant qu'il voudrait. Un voyage ou deux par semaine
bornent les permissions qu'il reçoit; et ses visites, souvent
d'une seule demi-journée, s'étendent rarement au lendemain. Il emploie bien plus de temps à espérer de la voir,
ou à se féliciter de l'avoir vue, qu'à la voir en effet. Dans
celui même qu'il donne à ses voyages, il en passe moins
auprès d'elle qu'à s'en approcher ou s'en éloigner. Ses
plaisirs vrais, purs, délicieux, mais moins réels qu'imaginaires, irritent son amour sans efféminer son cœur.

Les jours qu'il ne la voit point, il n'est pas oisif et sédentaire. Ces jours-là c'est Émile encore : il n'est point du
tout transformé. Le plus souvent, il court les campagnes
des environs, il suit son histoire naturelle; il observe, il
examine les terres, leurs productions, leur culture; il

compare les travaux qu'il voit à ceux qu'il connaît; il
cherche les raisons des différences : quand il juge d'autres
méthodes préférables à celles du lieu, il les donne aux
cultivateurs; s'il propose une meilleure forme de charrue,
il en fait faire sur ses dessins : s'il trouve une carrière de
marne, il leur en apprend l'usage inconnu dans le pays;
souvent il met lui-même la main à l'œuvre; ils sont tout
étonnés de lui voir manier leurs outils plus aisément qu'ils
ne font eux-mêmes, tracer des sillons plus profonds et
plus droits que les leurs, semer avec plus d'égalité, diriger
des ados avec plus d'intelligence. Ils ne se moquent pas
de lui comme d'un beau diseur d'agriculture : ils voient
qu'il la sait en effet. En un mot, il étend son zèle et ses
soins à tout ce qui est d'utilité première et générale; même
il ne s'y borne pas : il visite les maisons des paysans, s'informe de leur état, de leurs familles, du nombre de leurs
enfants, de la quantité de leurs terres, de la nature du
produit, de leurs débouchés, de leurs facultés, de leurs
charges, de leurs dettes, etc. Il donne peu d'argent, sachant
que, pour l'ordinaire, il est mal employé, mais il en dirige
l'emploi lui-même, et le leur rend utile malgré qu'ils en
aient. Il leur fournit des ouvriers, et souvent leur paye
leurs propres journées pour les travaux dont ils ont besoin.
A l'un il fait relever ou couvrir sa chaumière à demi tombée; à l'autre il fait défricher sa terre abandonnée faute
de moyens; à l'autre il fournit une vache, un cheval, du
bétail de toute espèce à la place de celui qu'il a perdu;
deux voisins sont près d'entrer en procès, il les gagne,
il les accommode; un paysan tombe malade, il le fait soigner, il le soigne lui-même *; un autre est vexé par un
voisin puissant, il le protège et le recommande; de pauvres
jeunes gens se recherchent, il aide à les marier; une bonne
femme a perdu son enfant chéri, il va la voir, il la console,
il ne sort point aussitôt qu'il est entré; il ne dédaigne

---

* Soigner un paysan malade, ce n'est pas le purger, lui donner des
drogues, lui envoyer un chirurgien. Ce n'est pas de tout cela qu'ont
besoin ces pauvres gens dans leurs maladies; c'est de nourriture meilleure et plus abondante. Jeûnez, vous autres, quand vous avez la fièvre;
mais quand vos paysans l'ont, donnez-leur de la viande et du vin;
presque toutes leurs maladies viennent de misère et d'épuisement :
leur meilleure tisane est dans votre cave, leur seul apothicaire doit être
votre boucher.

point les indigents, il n'est point pressé de quitter les malheureux, il prend souvent son repas chez les paysans qu'il assiste, il l'accepte aussi chez ceux qui n'ont pas besoin de lui; en devenant le bienfaiteur des uns et l'ami des autres, il ne cesse point d'être leur égal. Enfin, il fait toujours de sa personne autant de bien que de son argent.

Quelquefois, il dirige ses tournées du côté de l'heureux séjour : il pourrait espérer d'apercevoir Sophie à la dérobée, de la voir à la promenade sans en être vu; mais Émile est toujours sans détour dans sa conduite, il ne sait et ne veut rien éluder. Il a cette aimable délicatesse qui flatte et nourrit l'amour-propre du bon témoignage de soi. Il garde à la rigueur son ban, et n'approche jamais assez pour tenir du hasard ce qu'il ne veut devoir qu'à Sophie. En revanche, il erre avec plaisir dans les environs, recherchant les traces des pas de sa maîtresse, s'attendrissant sur les peines qu'elle a prises et sur les courses qu'elle a bien voulu faire par complaisance pour lui. La veille des jours qu'il doit la voir, il ira dans quelque ferme voisine ordonner une collation pour le lendemain. La promenade se dirige de ce côté sans qu'il y paraisse; on entre comme par hasard; on trouve des fruits, des gâteaux, de la crème. La friande Sophie n'est pas insensible à ces attentions, et fait volontiers honneur à notre prévoyance; car j'ai toujours ma part au compliment, n'en eussé-je eu aucune au soin qui l'attire : c'est un détour de petite fille pour être moins embarrassée en remerciant. Le père et moi mangeons des gâteaux et buvons du vin : mais Émile est de l'écot des femmes, toujours au guet pour voler quelque assiette de crème où la cuillère de Sophie ait trempé.

A propos de gâteaux, je parle à Émile de ses anciennes courses. On veut savoir ce que c'est que ces courses; je l'explique, on en rit; on lui demande s'il sait courir encore. Mieux que jamais, répond-il; je serais bien fâché de l'avoir oublié. Quelqu'un de la compagnie aurait grande envie de le voir, et n'ose le dire; quelque autre se charge de la proposition; il accepte : on fait rassembler deux ou trois jeunes gens des environs; on décerne un prix, et, pour mieux imiter les anciens jeux, on met un gâteau sur le but. Chacun se tient prêt, le papa donne le signal en frappant des mains. L'agile Émile fend l'air, et se trouve au bout de la carrière qu'à peine mes trois lourdauds sont partis. Émile reçoit le prix des mains de Sophie, et, non moins généreux qu'Énée, fait des présents à tous les vaincus.

Au milieu de l'éclat du triomphe, Sophie ose défier le vainqueur, et se vante de courir aussi bien que lui. Il ne refuse point d'entrer en lice avec elle; et, tandis qu'elle s'apprête à l'entrée de la carrière, qu'elle retrousse sa robe des deux côtés, et que, plus curieuse d'étaler une jambe fine aux yeux d'Émile que de le vaincre à ce combat, elle regarde si ses jupes sont assez courtes, il dit un mot à l'oreille de la mère; elle sourit et fait un signe d'approbation. Il vient alors se placer à côté de sa concurrente; et le signal n'est pas plus tôt donné, qu'on la voit partir comme un oiseau.

Les femmes ne sont pas faites pour courir; quand elles fuient, c'est pour être atteintes. La course n'est pas la seule chose qu'elles fassent maladroitement, mais c'est la seule qu'elles fassent de mauvaise grâce : leurs coudes en arrière et collés contre leur corps leur donnent une attitude risible, et les hauts talons sur lesquels elles sont juchées les font paraître autant de sauterelles qui voudraient courir sans sauter.

Émile, n'imaginant point que Sophie coure mieux qu'une autre femme, ne daigne pas sortir de sa place, et la voit partir avec un sourire moqueur. Mais Sophie est légère et porte des talons bas; elle n'a pas besoin d'artifice pour paraître avoir le pied petit; elle prend les devants d'une telle rapidité, que, pour atteindre cette nouvelle Atalante, il n'a que le temps qu'il lui faut quand il l'aperçoit si loin devant lui. Il part donc à son tour, semblable à l'aigle qui fond sur sa proie; il la poursuit, la talonne, l'atteint enfin tout essoufflée, passe doucement son bras gauche autour d'elle, l'enlève comme une plume, et, pressant sur son cœur cette douce charge, il achève ainsi la course, lui fait toucher le but la première, puis, criant *Victoire à Sophie !* met devant elle un genou en terre, et se reconnaît le vaincu.

A ces occupations diverses se joint celle du métier que nous avons appris. Au moins un jour par semaine, et tous ceux où le mauvais temps ne nous permet pas de tenir la campagne, nous allons, Émile et moi, travailler chez un maître. Nous n'y travaillons pas pour la forme,

en gens au-dessus de cet état, mais tout de bon et en vrais
ouvriers. Le père de Sophie nous venant voir nous trouve
tout de bon à l'ouvrage, et ne manque pas de rapporter
avec admiration à sa femme et à sa fille ce qu'il a vu. Allez
voir, dit-il, ce jeune homme à l'atelier, et vous verrez
s'il méprise la condition du pauvre ! On peut imaginer
si Sophie entend ce discours avec plaisir ! On en reparle,
on voudrait le surprendre à l'ouvrage. On me questionne
sans faire semblant de rien; et, après s'être assurées d'un
de nos jours, la mère et la fille prennent une calèche, et
viennent à la ville le même jour.

   En entrant dans l'atelier, Sophie aperçoit à l'autre bout
un jeune homme en veste, les cheveux négligemment
rattachés, et si occupé de ce qu'il fait qu'il ne la voit point :
elle s'arrête et fait signe à sa mère. Émile, un ciseau d'une
main et le maillet de l'autre, achève une mortaise; puis il
scie une planche et en met une pièce sous le valet pour la
polir. Ce spectacle ne fait point rire Sophie; il la touche,
il est respectable. Femme, honore ton chef; c'est lui qui
travaille pour toi, qui te gagne ton pain, qui te nourrit :
voilà l'homme.

   Tandis qu'elles sont attentives à l'observer, je les aperçois, je tire Émile par la manche; il se retourne, les voit,
jette ses outils, et s'élance avec un cri de joie. Après s'être
livré à ses premiers transports, il les fait asseoir et reprend
son travail. Mais Sophie ne peut rester assise; elle se lève
avec vivacité, parcourt l'atelier, examine les outils, touche
le poli des planches, ramasse des copeaux par terre, regarde
à nos mains, et puis dit qu'elle aime ce métier, parce qu'il
est propre. La folâtre essaye même d'imiter Émile. De sa
blanche et débile main, elle pousse un rabot sur la planche;
le rabot glisse et ne mord point. Je crois voir l'Amour
dans les airs rire et battre des ailes; je crois l'entendre
pousser des cris d'allégresse, et dire : *Hercule est vengé*.

   Cependant, la mère questionne le maître. Monsieur,
combien payez-vous ces garçons-là ? Madame, je leur donne
à chacun vingt sous par jour, et je les nourris; mais si
ce jeune homme voulait, il gagnerait bien davantage,
car c'est le meilleur ouvrier du pays. Vingt sous par jour,
et vous les nourrissez ! dit la mère en nous regardant avec
attendrissement. Madame, il en est ainsi, reprend le maître.
A ces mots, elle court à Émile, l'embrasse, le presse contre

son sein en versant sur lui des larmes, et sans pouvoir dire autre chose que de répéter plusieurs fois : Mon fils ! ô mon fils !

Après avoir passé quelque temps à causer avec nous, mais sans nous détourner : Allons-nous-en, dit la mère à sa fille; il se fait tard, il ne faut pas nous faire attendre. Puis, s'approchant d'Émile, elle lui donne un petit coup sur la joue en lui disant : Eh bien ! bon ouvrier, ne voulez-vous pas venir avec nous ? Il lui répond d'un ton fort triste : Je suis engagé, demandez au maître. On demande au maître s'il veut bien se passer de nous. Il répond qu'il ne peut. J'ai, dit-il, de l'ouvrage qui presse et qu'il faut rendre après-demain. Comptant sur ces messieurs, j'ai refusé des ouvriers qui se sont présentés; si ceux-ci me manquent, je ne sais plus où en prendre d'autres, et je ne pourrai rendre l'ouvrage au jour promis. La mère ne réplique rien; elle attend qu'Émile parle. Émile baisse la tête et se tait. Monsieur, lui dit-elle un peu surprise de ce silence, n'avez-vous rien à dire à cela ? Émile regarde tendrement la fille et ne répond que ces mots : Vous voyez bien qu'il faut que je reste. Là-dessus les dames partent et nous laissent. Émile les accompagne jusqu'à la porte, les suit des yeux autant qu'il peut, soupire, et revient se mettre au travail sans parler.

En chemin, la mère, piquée, parle à sa fille de la bizarrerie de ce procédé ! Quoi ! dit-elle, était-il si difficile de contenter le maître sans être obligé de rester ? Et ce jeune homme si prodigue, qui verse l'argent sans nécessité, n'en sait-il plus trouver dans les occasions convenables ? O maman ! répond Sophie, à Dieu ne plaise qu'Émile donne tant de force à l'argent, qu'il s'en serve pour rompre un engagement personnel, pour violer impunément sa parole, et faire violer celle d'autrui ! Je sais qu'il dédommagerait aisément l'ouvrier du léger préjudice que lui causerait son absence; mais cependant il asservirait son âme aux richesses, il s'accoutumerait à les mettre à la place de ses devoirs, et à croire qu'on est dispensé de tout, pourvu qu'on paye. Émile a d'autres manières de penser, et j'espère n'être pas cause qu'il en change. Croyez-vous qu'il ne lui en ait rien coûté de rester ? Maman, ne vous y trompez pas, c'est pour moi qu'il reste; je l'ai bien vu dans ses yeux.

Ce n'est pas que Sophie soit indulgente sur les vrais soins de l'amour; au contraire, elle est impérieuse, exigeante; elle aimerait mieux n'être point aimée que de l'être modérément. Elle a le noble orgueil du mérite qui se sent, qui s'estime, qui veut être honoré comme il s'honore. Elle dédaignerait un cœur qui ne sentirait pas tout le prix du sien, qui ne l'aimerait pas pour ses vertus autant et plus que pour ses charmes; un cœur qui ne lui préférerait pas son propre devoir, et qui ne la préférerait pas à toute autre chose. Elle n'a point voulu d'amant qui ne connût de loi que la sienne; elle veut régner sur un homme qu'elle n'ait point défiguré. C'est ainsi qu'ayant avili les compagnons d'Ulysse, Circé les dédaigne, et se donne à lui seul, qu'elle n'a pu changer [221].

Mais ce droit inviolable et sacré mis à part, jalouse à l'excès de tous les siens, Sophie épie avec quel scrupule Émile les respecte, avec quel zèle il accomplit ses volontés, avec quelle adresse il les devine, avec quelle vigilance il arrive au moment prescrit; elle ne veut ni qu'il retarde ni qu'il anticipe; elle veut qu'il soit exact. Anticiper, c'est se préférer à elle; retarder, c'est la négliger. Négliger Sophie! cela n'arriverait pas deux fois. L'injuste soupçon d'une a failli tout perdre; mais Sophie est équitable et sait bien réparer ses torts.

Un soir nous sommes attendus; Émile a reçu l'ordre. On vient au-devant de nous; nous n'arrivons point. Que sont-ils devenus? Quel malheur leur est arrivé? Personne de leur part? La soirée s'écoule à nous attendre. La pauvre Sophie nous croit morts; elle se désole, elle se tourmente; elle passe la nuit à pleurer. Dès le soir on a expédié un messager pour s'informer de nous et rapporter de nos nouvelles le lendemain matin. Le messager revient accompagné d'un autre de notre part, qui fait nos excuses de bouche et dit que nous nous portons bien. Un moment après, nous paraissons nous-mêmes. Alors la scène change; Sophie essuie ses pleurs, ou, si elle en verse, ils sont de rage. Son cœur altier n'a pas gagné à se rassurer sur notre vie: Émile vit, et s'est fait attendre inutilement.

À notre arrivée, elle veut s'enfermer. On veut qu'elle reste; il faut rester: mais, prenant à l'instant son parti, elle affecte un air tranquille et content qui en imposerait à d'autres. Le père vient au-devant de nous et nous dit:

Vous avez tenu vos amis en peine; il y a ici des gens qui
ne vous le pardonneront pas aisément. Qui donc, mon
papa ? dit Sophie avec une manière de sourire le plus
gracieux qu'elle puisse affecter. Que vous importe, répond
le père, pourvu que ce ne soit pas vous ? Sophie ne réplique
point, et baisse les yeux sur son ouvrage. La mère nous
reçoit d'un air froid et composé. Émile embarrassé n'ose
aborder Sophie. Elle lui parle la première, lui demande
comment il se porte, l'invite à s'asseoir, et se contrefait
si bien que le pauvre jeune homme, qui n'entend rien
encore au langage des passions violentes, est la dupe de
ce sang-froid, et presque sur le point d'en être piqué
lui-même.

Pour le désabuser je vais prendre la main de Sophie,
j'y veux porter mes lèvres comme je fais quelquefois :
elle la retire brusquement, avec un mot de *Monsieur* si
singulièrement prononcé, que ce mouvement involontaire
la décèle à l'instant aux yeux d'Émile.

Sophie elle-même, voyant qu'elle s'est trahie, se contraint
moins. Son sang-froid apparent se change en un mépris
ironique. Elle répond à tout ce qu'on lui dit par des mono-
syllabes prononcés d'une voix lente et mal assurée, comme
craignant d'y laisser trop percer l'accent de l'indignation.
Émile, demi-mort d'effroi, la regarde avec douleur, et
tâche de l'engager à jeter les yeux sur les siens pour y
mieux lire ses vrais sentiments. Sophie, plus irritée de sa
confiance, lui lance un regard qui lui ôte l'envie d'en
solliciter un second. Émile, interdit et tremblant, n'ose
plus, très heureusement pour lui, ni lui parler ni la regarder,
car, n'eût-il pas été coupable, s'il eût pu supporter sa
colère, elle ne lui eût jamais pardonné.

Voyant alors que c'est mon tour, et qu'il est temps
de s'expliquer, je reviens à Sophie. Je reprends sa main,
qu'elle ne retire plus, car elle est prête à se trouver mal.
Je lui dis avec douceur : Chère Sophie, nous sommes
malheureux; mais vous êtes raisonnable et juste, vous ne
nous jugerez pas sans nous entendre : écoutez-nous. Elle
ne répond rien, et je parle ainsi :

« Nous sommes partis hier à quatre heures ; il nous était
prescrit d'arriver à sept, et nous prenons toujours plus de
temps qu'il ne nous est nécessaire afin de nous reposer en approchant d'ici. Nous avions déjà fait les trois quarts du chemin,

quand des lamentations douloureuses nous frappent l'oreille ; elles partaient d'une gorge de la colline à quelque distance de nous. Nous accourons aux cris : nous trouvons un malheureux paysan qui, revenant de la ville un peu pris de vin sur son cheval, en était tombé si lourdement qu'il s'était cassé la jambe. Nous crions, nous appelons du secours ; personne ne répond ; nous essayons de remettre le blessé sur son cheval, nous n'en pouvons venir à bout : au moindre mouvement le malheureux souffre des douleurs horribles. Nous prenons le parti d'attacher le cheval dans le bois à l'écart ; puis, faisant un brancard de nos bras, nous y posons le blessé, et le portons le plus doucement qu'il est possible, en suivant ses indications sur la route qu'il fallait tenir pour aller chez lui. Le trajet était long ; il fallut nous reposer plusieurs fois. Nous arrivons enfin, rendus de fatigue ; nous trouvons avec une surprise amère que nous connaissions déjà la maison, et que ce misérable que nous rapportions avec tant de peine était le même qui nous avait si cordialement reçus le jour de notre première arrivée ici. Dans le trouble où nous étions tous, nous ne nous étions point reconnus jusqu'à ce moment.

« Il n'avait que deux petits enfants. Prête à lui en donner un troisième, sa femme fut si saisie en le voyant arriver, qu'elle sentit des douleurs aiguës et accoucha peu d'heures après. Que faire en cet état dans une chaumière écartée où l'on ne pouvait espérer aucun secours ? Émile prit le parti d'aller prendre le cheval que nous avions laissé dans le bois, de le monter, de courir à toute bride chercher un chirurgien à la ville. Il donna le cheval au chirurgien ; et, n'ayant pu trouver assez tôt une garde, il revint à pied avec un domestique, après vous avoir expédié un exprès, tandis qu'embarrassé, comme vous pouvez croire, entre un homme ayant une jambe cassée et une femme en travail, je préparais dans la maison tout ce que je pouvais prévoir être nécessaire pour le secours de tous les deux.

« Je ne vous ferai point le détail du reste ; ce n'est pas de cela qu'il est question. Il était deux heures après minuit avant que nous ayons eu ni l'un ni l'autre un moment de relâche. Enfin nous sommes revenus avant le jour dans notre asile ici proche, où nous avons attendu l'heure de votre réveil pour vous rendre compte de notre accident. »

Je me tais sans rien ajouter. Mais, avant que personne parle, Émile s'approche de sa maîtresse, élève la voix et lui dit avec plus de fermeté que je ne m'y serais attendu : Sophie, vous êtes l'arbitre de mon sort, vous le savez bien. Vous pouvez me faire mourir de douleur ; mais n'espérez pas me faire oublier les droits de l'humanité : ils me sont plus sacrés que les vôtres, je n'y renoncerai jamais pour vous.

Sophie, à ces mots, au lieu de répondre, se lève, lui passe un bras autour du cou, lui donne un baiser sur la joue; puis, lui tendant la main avec une grâce inimitable, elle lui dit : Émile, prends cette main : elle est à toi. Sois, quand tu voudras, mon époux et mon maître; je tâcherai de mériter cet honneur.

A peine l'a-t-elle embrassé, que le père, enchanté, frappe des mains, en criant *bis*, *bis*, et Sophie, sans se faire presser, lui donne aussitôt deux baisers sur l'autre joue; mais, presque au même instant, effrayée de tout ce qu'elle vient de faire, elle se sauve dans les bras de sa mère et cache dans ce sein maternel son visage enflammé de honte.

Je ne décrirai point la commune joie; tout le monde la doit sentir. Après le dîner, Sophie demande s'il y aurait trop loin pour aller voir ces pauvres malades. Sophie le désire et c'est une bonne œuvre. On y va : on les trouve dans deux lits séparés; Émile en avait fait apporter un : on trouve autour d'eux du monde pour les soulager : Émile y avait pourvu. Mais au surplus tous deux sont si mal en ordre, qu'ils souffrent autant du malaise que de leur état. Sophie se fait donner un tablier de la bonne femme, et va la ranger dans son lit; elle en fait ensuite autant à l'homme; sa main douce et légère sait aller chercher tout ce qui les blesse, et faire poser plus mollement leurs membres endoloris. Ils se sentent déjà soulagés à son approche; on dirait qu'elle devine tout ce qui fait leur mal. Cette fille si délicate ne se rebute ni de la malpropreté ni de la mauvaise odeur, et sait faire disparaître l'une et l'autre sans mettre personne en œuvre, et sans que les malades soient tourmentés. Elle qu'on voit toujours si modeste et quelquefois si dédaigneuse, elle qui, pour tout au monde, n'aurait pas touché du bout du doigt le lit d'un homme, retourne et change le blessé sans aucun scrupule, et le met dans une situation plus commode pour y pouvoir rester longtemps. Le zèle de la charité vaut bien la modestie; ce qu'elle fait, elle le fait si légèrement et avec tant d'adresse, qu'il se sent soulagé sans presque s'être aperçu qu'on l'ait touché. La femme et le mari bénissent de concert l'aimable fille qui les sert, qui les plaint, qui les console. C'est un ange du ciel que Dieu

leur envoie, elle en a la figure et la bonne grâce, elle en a
la douceur et la bonté. Émile attendri la contemple en
silence. Homme, aime ta compagne. Dieu te la donne
pour te consoler dans tes peines, pour te soulager dans
tes maux : voilà la femme.

On fait baptiser le nouveau-né. Les deux amants le
présentent, brûlant au fond de leurs cœurs d'en donner
bientôt autant à faire à d'autres. Ils aspirent au moment
désiré; ils croient y toucher : tous les scrupules de Sophie
sont levés, mais les miens viennent. Ils n'en sont pas
encore où ils pensent : il faut que chacun ait son tour.

Un matin qu'ils ne se sont vus depuis deux jours, j'entre
dans la chambre d'Émile une lettre à la main, et je lui dis
en le regardant fixement : Que feriez-vous si l'on vous
apprenait que Sophie est morte ? Il fait un grand cri, se
lève en frappant des mains, et, sans dire un seul mot,
me regarde d'un œil égaré. Répondez donc, poursuis-je
avec la même tranquillité. Alors, irrité de mon sang-froid,
il s'approche, les yeux enflammés de colère; et, s'arrêtant
dans une attitude presque menaçante : Ce que je ferais ?...
je n'en sais rien; mais ce que je sais, c'est que je ne reverrais
de ma vie celui qui me l'aurait appris. Rassurez vous,
répondis-je en souriant : elle vit, elle se porte bien, elle
pense à vous, et nous sommes attendus ce soir. Mais
allons faire un tour de promenade, et nous causerons.

La passion dont il est préoccupé ne lui permet plus de
se livrer, comme auparavant, à des entretiens purement
raisonnés : il faut l'intéresser par cette passion même à
se rendre attentif à mes leçons. C'est ce que j'ai fait par
ce terrible préambule; je suis bien sûr maintenant qu'il
m'écoutera.

« Il faut être heureux, cher Émile : c'est la fin de tout être
sensible ; c'est le premier désir que nous imprima la nature,
et le seul qui ne nous quitte jamais. Mais où est le bonheur ?
qui le sait ? Chacun le cherche, et nul ne le trouve. On use
la vie à le poursuivre et l'on meurt sans l'avoir atteint. Mon
jeune ami, quand à ta naissance je te pris dans mes bras, et
qu'attestant l'Être suprême de l'engagement que j'osai contracter, je vouai mes jours au bonheur des tiens, savais-je moi-
même à quoi je m'engageais ? Non : je savais seulement qu'en
te rendant heureux j'étais sûr de l'être. En faisant pour toi cette
utile recherche, je la rendais commune à tous deux.

« Tant que nous ignorons ce que nous devons faire, la sagesse consiste à rester dans l'inaction. C'est de toutes les maximes celle dont l'homme a le plus grand besoin, et celle qu'il sait le moins suivre. Chercher le bonheur sans savoir où il est, c'est s'exposer à le fuir, c'est courir autant de risques contraires qu'il y a de. routes pour s'égarer. Mais il n'appartient pas à tout le monde de savoir ne point agir. Dans l'inquiétude où nous tient l'ardeur du bien-être, nous aimons mieux nous tromper à le poursuivre, que de ne rien faire pour le chercher : et, sortis une fois de la place où nous pouvons le connaître, nous n'y savons plus revenir.

« Avec la même ignorance j'essayai d'éviter la même faute. En prenant soin de toi, je résolus de ne pas faire un pas inutile et de t'empêcher d'en faire. Je me tins dans la route de la nature, en attendant qu'elle me montrât celle du bonheur. Il s'est trouvé qu'elle était la même, et qu'en n'y pensant pas je l'avais suivie.

« Sois mon témoin, sois mon juge ; je ne te récuserai jamais. Tes premiers ans n'ont pas été sacrifiés à ceux qui les doivent suivre ; tu as joui de tous les biens que la nature t'avait donnés. Des maux auxquels elle t'assujettit, et dont j'ai pu te garantir, tu n'as senti que ceux qui pouvaient t'endurcir aux autres. Tu n'en as jamais souffert aucun que pour en éviter un plus grand. Tu n'as connu ni la haine, ni l'esclavage. Libre et content, tu es resté juste et bon ; car la peine et le vice sont inséparables, et jamais l'homme ne devient méchant que lorsqu'il est malheureux. Puisse le souvenir de ton enfance se prolonger jusqu'à tes vieux jours ! Je ne crains pas que jamais ton bon cœur se la rappelle sans donner quelques bénédictions à la main qui la gouverna.

« Quand tu es entré dans l'âge de raison, je t'ai garanti de l'opinion des hommes ; quand ton cœur est devenu sensible, je t'ai préservé de l'empire des passions. Si j'avais pu prolonger ce calme intérieur jusqu'à la fin de ta vie, j'aurais mis mon ouvrage en sûreté, et tu serais toujours heureux autant qu'un homme peut l'être ; mais, cher Émile, j'ai eu beau tremper ton âme dans le Styx, je n'ai pu la rendre partout invulnérable ; il s'élève un nouvel ennemi que tu n'as pas encore appris à vaincre, et dont je n'ai pu te sauver. Cet ennemi, c'est toi-même. La nature et la fortune t'avaient laissé libre. Tu pouvais endurer la misère ; tu pouvais supporter les douleurs du corps, celles de l'âme t'étaient inconnues ; tu ne tenais à rien qu'à la condition humaine, et maintenant tu tiens à tous les attachements que tu t'es donnés ; en apprenant à désirer, tu t'es rendu l'esclave de tes désirs. Sans que rien change en toi, sans que rien t'offense, sans que rien touche à ton être, que de douleurs peuvent attaquer ton âme ! que de maux tu peux sentir sans être malade ! que de morts tu peux souffrir sans mourir ! Un mensonge, une erreur, un doute peut te mettre au désespoir.

« Tu voyais au théâtre les héros, livrés à des douleurs extrêmes, faire retentir la scène de leurs cris insensés, s'affliger comme des femmes, pleurer comme des enfants, et mériter ainsi les applaudissements publics. Souviens-toi du scandale que te causaient ces lamentations, ces cris, ces plaintes, dans des hommes dont on ne devait attendre que des actes de constance et de fermeté. Quoi ! disais-tu tout indigné, ce sont là les exemples qu'on nous donne à suivre, les modèles qu'on nous offre à imiter ! A-t-on peur que l'homme ne soit pas assez petit, assez malheureux, assez faible, si l'on ne vient encore encenser sa faiblesse sous la fausse image de la vertu ? Mon jeune ami, sois plus indulgent désormais pour la scène : te voilà devenu l'un de ses héros.

« Tu sais souffrir et mourir : tu sais endurer la loi de la nécessité dans les maux physiques ; mais tu n'as point encore imposé de lois aux appétits de ton cœur ; et c'est de nos affections, bien plus que de nos besoins, que naît le trouble de notre vie. Nos désirs sont étendus, notre force est presque nulle. L'homme tient par ses vœux à mille choses, et par lui-même il ne tient à rien, pas même à sa propre vie ; plus il augmente ses attachements, plus il multiplie ses peines. Tout ne fait que passer sur la terre : tout ce que nous aimons nous échappera tôt ou tard, et nous y tenons comme s'il devait durer éternellement. Quel effroi sur le seul soupçon de la mort de Sophie ! As-tu donc compté qu'elle vivrait toujours ? Ne meurt-il personne à son âge ? Elle doit mourir, mon enfant, et peut-être avant toi. Qui sait si elle est vivante à présent même ? La nature ne t'avait asservi qu'à une seule mort, tu t'asservis à une seconde ; te voilà dans le cas de mourir deux fois.

« Ainsi soumis à tes passions déréglées, que tu vas rester à plaindre ! Toujours des privations, toujours des pertes, toujours des alarmes ; tu ne jouiras pas même de ce qui te sera laissé. La crainte de tout perdre t'empêchera de rien posséder ; pour n'avoir voulu suivre que tes passions, jamais tu ne les pourras satisfaire. Tu chercheras toujours le repos, il fuira toujours devant toi, tu seras misérable, et tu deviendras méchant. Et comment pourrais-tu ne pas l'être, n'ayant de loi que tes désirs effrénés ! Si tu ne peux supporter des privations involontaires, comment t'en imposeras-tu volontairement ? comment sauras-tu sacrifier le penchant au devoir et résister à ton cœur pour écouter ta raison ? Toi qui ne veux déjà plus voir celui qui t'apprendra la mort de ta maîtresse, comment verrais-tu celui qui voudrait te l'ôter vivante, celui qui t'oserait dire : Elle est morte pour toi, la vertu te sépare d'elle ? S'il faut vivre avec elle quoi qu'il arrive, que Sophie soit mariée ou non, que tu sois libre ou ne le sois pas, qu'elle t'aime ou te haïsse, qu'on te l'accorde ou qu'on te la refuse, n'importe, tu la veux, il la

faut posséder à quelque prix que ce soit. Apprends-moi donc
à quel crime s'arrête celui qui n'a de lois que les vœux de son
cœur, et ne sait résister à rien de ce qu'il désire.

« Mon enfant, il n'y a point de bonheur sans courage, ni de
vertu sans combat. Le mot de *vertu* vient de *force ;* la force
est la base de toute vertu. La vertu n'appartient qu'à un être
faible par sa nature, et fort par sa volonté; c'est en cela seul
que consiste le mérite de l'homme juste; et quoique nous appe-
lions Dieu bon, nous ne l'appelons pas vertueux, parce
qu'il n'a pas besoin d'efforts pour bien faire. Pour t'expliquer
ce mot si profané, j'ai attendu que tu fusses en état de m'entendre. Tant que la vertu ne coûte rien à pratiquer, on a peu
besoin de la connaître. Ce besoin vient quand les passions
s'éveillent : il est déjà venu pour toi.

« En t'élevant dans toute la simplicité de la nature, au lieu
de te prêcher de pénibles devoirs, je t'ai garanti des vices qui
rendent ces devoirs pénibles; je t'ai moins rendu le mensonge
odieux qu'inutile; je t'ai moins appris à rendre à chacun ce qui
lui appartient, qu'à ne te soucier que de ce qui est à toi; je t'ai
fait plutôt bon que vertueux. Mais celui qui n'est que bon ne
demeure tel qu'autant qu'il a du plaisir à l'être : la bonté se brise
et périt sous le choc des passions humaines; l'homme qui n'est
que bon n'est bon que pour lui.

« Qu'est-ce donc que l'homme vertueux ? C'est celui qui
sait vaincre ses affections; car alors il suit sa raison, sa conscience; il fait son devoir; il se tient dans l'ordre, et rien ne
l'en peut écarter. Jusqu'ici tu n'étais libre qu'en apparence;
tu n'avais que la liberté précaire d'un esclave à qui l'on n'a
rien commandé. Maintenant sois libre en effet; apprends à
devenir ton propre maître; commande à ton cœur, ô Émile,
et tu seras vertueux.

« Voilà donc un autre apprentissage à faire, et cet apprentissage est plus pénible que le premier : car la nature nous
délivre des maux qu'elle nous impose, ou nous apprend à
les supporter; mais elle ne nous dit rien pour ceux qui nous
viennent de nous; elle nous abandonne à nous-mêmes; elle
nous laisse, victimes de nos passions, succomber à nos vaines
douleurs, et nous glorifier encore des pleurs dont nous aurions
dû rougir.

« C'est ici la première passion. C'est la seule peut-être qui
soit digne de toi. Si tu la sais régir en homme, elle sera la dernière; tu subjugueras toutes les autres, et tu n'obéiras qu'à
celle de la vertu.

« Cette passion n'est pas criminelle, je le sais bien; elle est
aussi pure que les âmes qui la ressentent. L'honnêteté la forma,
l'innocence l'a nourrie. Heureux amants ! les charmes de la
vertu ne font qu'ajouter pour vous à ceux de l'amour; et le

doux lien qui vous attend n'est pas moins le prix de votre sagesse que celui de votre attachement. Mais dis-moi, homme sincère, cette passion si pure t'en a-t-elle moins subjugué ? t'en es-tu moins rendu l'esclave ? et si demain elle cessait d'être innocente, l'étoufferais-tu dès demain ? C'est à présent le moment d'essayer tes forces ; il n'est plus temps quand il les faut employer. Ces dangereux essais doivent se faire loin du péril. On ne s'exerce point au combat devant l'ennemi, on s'y prépare avant la guerre ; on s'y présente déjà tout préparé.

« C'est une erreur de distinguer les passions en permises et défendues, pour se livrer aux premières et se refuser aux autres. Toutes sont bonnes quand on en reste le maître ; toutes sont mauvaises quand on s'y laisse assujettir. Ce qui nous est défendu par la nature, c'est d'étendre nos attachements plus loin que nos forces : ce qui nous est défendu par la raison, c'est de vouloir ce que nous ne pouvons obtenir ; ce qui nous est défendu par la conscience n'est pas d'être tentés, mais de nous laisser vaincre aux tentations. Il ne dépend pas de nous d'avoir ou de n'avoir pas des passions, mais il dépend de nous de régner sur elles. Tous les sentiments que nous dominons sont légitimes ; tous ceux qui nous dominent sont criminels. Un homme n'est pas coupable d'aimer la femme d'autrui, s'il tient cette passion malheureuse asservie à la loi du devoir ; il est coupable d'aimer sa propre femme au point d'immoler tout à son amour.

« N'attends pas de moi de longs préceptes de morale ; je n'en ai qu'un seul à te donner, et celui-là comprend tous les autres. Sois homme ; retire ton cœur dans les bornes de ta condition. Étudie et connais ces bornes ; quelque étroites qu'elles soient, on n'est point malheureux tant qu'on s'y renferme ; on ne l'est que quand on veut les passer ; on l'est quand dans ses désirs insensés, on met au rang des possibles ce qui ne l'est pas ; on l'est quand on oublie son état d'homme pour s'en forger d'imaginaires, desquels on retombe toujours dans le sien. Les seuls biens dont la privation coûte sont ceux auxquels on croit avoir droit. L'évidente impossibilité de les obtenir en détache ; les souhaits sans espoir ne tourmentent point. Un gueux n'est point tourmenté du désir d'être roi ; un roi ne veut être dieu que quand il croit n'être plus homme.

« Les illusions de l'orgueil sont la source de nos plus grands maux ; mais la contemplation de la misère humaine rend le sage toujours modéré. Il se tient à sa place, il ne s'agite point pour en sortir ; il n'use point inutilement ses forces pour jouir de ce qu'il ne peut conserver ; et, les employant toutes à bien posséder ce qu'il a, il est en effet plus puissant et plus riche de tout ce qu'il désire de moins que nous. Être mortel et périssable, irai-je me former des nœuds éternels sur cette terre, où tout change, où tout passe, et dont je disparaîtrai demain ? O Émile, ô mon fils ! en te perdant, que me resterait-il de moi ? Et pourtant il faut que j'apprenne à te perdre : car qui sait quand tu me seras ôté ?

« Veux-tu donc vivre heureux et sage, n'attache ton cœur qu'à la beauté qui ne périt point : que ta condition borne tes désirs, que tes devoirs aillent avant tes penchants : étends la loi de la nécessité aux choses morales; apprends à perdre ce qui peut t'être enlevé; apprends à tout quitter quand la vertu l'ordonne, à te mettre au-dessus des événements, à détacher ton cœur sans qu'ils le déchirent, à être courageux dans l'adversité, afin de n'être jamais misérable, à être ferme dans ton devoir, afin de n'être jamais criminel. Alors tu seras heureux malgré la fortune, et sage malgré les passions. Alors tu trouveras dans la possession même des biens fragiles une volupté que rien ne pourra troubler; tu les posséderas sans qu'ils te possèdent, et tu sentiras que l'homme, à qui tout échappe, ne jouit que de ce qu'il sait perdre. Tu n'auras point, il est vrai, l'illusion des plaisirs imaginaires; tu n'auras point aussi les douleurs qui en sont le fruit. Tu gagneras beaucoup à cet échange; car ces douleurs sont fréquentes et réelles, et ces plaisirs sont rares et vains. Vainqueur de tant d'opinions trompeuses, tu le seras encore de celle qui donne un si grand prix à la vie. Tu passeras la tienne sans trouble et la termineras sans effroi; tu t'en détacheras, comme de toutes choses. Que d'autres, saisis d'horreur, pensent en la quittant cesser d'être; instruit de son néant, tu croiras commencer. La mort est la fin de la vie du méchant, et le commencement de celle du juste. »

Émile m'écoute avec une attention mêlée d'inquiétude. Il craint à ce préambule quelque conclusion sinistre. Il pressent qu'en lui montrant la nécessité d'exercer la force de l'âme, je veux le soumettre à ce dur exercice; et, comme un blessé qui frémit en voyant approcher le chirurgien, il croit déjà sentir sur sa plaie la main douloureuse, mais salutaire, qui l'empêche de tomber en corruption.

Incertain, troublé, pressé de savoir où j'en veux venir, au lieu de répondre, il m'interroge, mais avec crainte. Que faut-il faire ? me dit-il presque en tremblant et sans oser lever les yeux. Ce qu'il faut faire, réponds-je d'un ton ferme, il faut quitter Sophie. Que dites-vous ? s'écrie-t-il avec emportement : quitter Sophie ! la quitter, la tromper, être un traître, un fourbe, un parjure !... Quoi ! reprends-je en l'interrompant, c'est de moi qu'Émile craint d'apprendre à mériter de pareils noms ? Non, continue-t-il avec la même impétuosité, ni de vous ni d'un autre; je saurai, malgré vous, conserver votre ouvrage; je saurai ne les pas mériter.

Je me suis attendu à cette première furie; je la laisse passer sans m'émouvoir. Si je n'avais pas la modération que je lui prêche, j'aurais bonne grâce à la lui prêcher ! Émile me connaît trop pour me croire capable d'exiger de lui rien qui soit mal, et il sait bien qu'il ferait mal de quitter Sophie, dans le sens qu'il donne à ce mot. Il attend donc enfin que je m'explique. Alors je reprends mon discours.

« Croyez-vous, cher Émile, qu'un homme, en quelque situation qu'il se trouve, puisse être plus heureux que vous l'êtes depuis trois mois ? Si vous le croyez, détrompez-vous. Avant de goûter les plaisirs de la vie, vous en avez épuisé le bonheur. Il n'y a rien au delà de ce que vous avez senti. La félicité des sens est passagère; l'état habituel du cœur y perd toujours. Vous avez plus joui par l'espérance que vous ne jouirez jamais en réalité. L'imagination qui pare ce qu'on désire l'abandonne dans la possession. Hors le seul être existant par lui-même, il n'y a rien de beau que ce qui n'est pas. Si cet état eût pu durer toujours, vous auriez trouvé le bonheur suprême. Mais tout ce qui tient à l'homme se sent de sa caducité; tout est fini, tout est passager dans la vie humaine : et quand l'état qui nous rend heureux durerait sans cesse, l'habitude d'en jouir nous en ôterait le goût. Si rien ne change au dehors, le cœur change; le bonheur nous quitte, ou nous le quittons.

« Le temps que vous ne mesuriez pas s'écoulait durant votre délire. L'été finit, l'hiver s'approche. Quand nous pourrions continuer nos courses dans une saison si rude, on ne le souffrirait jamais. Il faut bien, malgré nous, changer de manière de vivre; celle-ci ne peut plus durer. Je vois dans vos yeux impatients que cette difficulté ne vous embarrasse guère : l'aveu de Sophie et vos propres désirs vous suggèrent un moyen facile d'éviter la neige et de n'avoir plus de voyage à faire pour l'aller voir. L'expédient est commode sans doute : mais le printemps venu, la neige fond et le mariage reste; il y faut penser pour toutes les saisons.

« Vous voulez épouser Sophie, et il n'y a pas cinq mois que vous la connaissez ! Vous voulez l'épouser, non parce qu'elle vous convient, mais parce qu'elle vous plaît; comme si l'amour ne se trompait jamais sur les convenances, et que ceux qui commencent par s'aimer ne finissent jamais par se haïr ! Elle est vertueuse, je le sais; mais en est-ce assez ? suffit-il d'être honnêtes gens pour se convenir ? ce n'est pas sa vertu que je mets en doute, c'est son caractère. Celui d'une femme se montre-t-il en un jour ? Savez-vous en combien de situations il faut

l'avoir vue pour connaître à fond son humeur ? Quatre mois
d'attachement vous répondent-ils de toute la vie ? Peut-être
deux mois d'absence vous feront-ils oublier d'elle; peut-être
un autre n'attend-il que votre éloignement pour vous effacer
de son cœur; peut-être, à votre retour, la trouverez-vous aussi
indifférente que vous l'avez trouvée sensible jusqu'à présent.
Les sentiments ne dépendent pas des principes; elle peut rester
fort honnête et cesser de vous aimer. Elle sera constante et
fidèle, je penche à le croire; mais qui vous répond d'elle et qui
lui répond de vous, tant que vous ne vous êtes point mis à
l'épreuve ? Attendrez-vous, pour cette épreuve, qu'elle vous
devienne inutile ? Attendrez-vous, pour vous connaître, que
vous ne puissiez plus vous séparer ?

« Sophie n'a pas dix-huit ans; à peine en passez-vous vingt-
deux; cet âge est celui de l'amour, mais non celui du mariage.
Quel père et quelle mère de famille ! Eh ! pour savoir élever
des enfants, attendez au moins de cesser de l'être. Savez-vous
à combien de jeunes personnes les fatigues de la grossesse
supportées avant l'âge ont affaibli la constitution, ruiné la santé,
abrégé la vie ? Savez-vous combien d'enfants sont restés languissants et faibles, faute d'avoir été nourris dans un corps assez
formé ? Quand la mère et l'enfant croissent à la fois, et que la
substance nécessaire à l'accroissement de chacun des deux se
partage, ni l'un ni l'autre n'a ce que lui destinait la nature :
comment se peut-il que tous deux n'en souffrent pas ? Ou je
connais fort mal Émile, ou il aimera mieux avoir plus tard une
femme et des enfants robustes, que de contenter son impatience aux dépens de leur vie et de leur santé.

« Parlons de vous. En aspirant à l'état d'époux et de père,
en avez-vous bien médité les devoirs ? En devenant chef de
famille, vous allez devenir membre de l'État. Et qu'est-ce
qu'être membre de l'État ? le savez-vous ? Vous avez étudié
vos devoirs d'homme, mais ceux de citoyen, les connaissez-
vous ? savez-vous ce que c'est que gouvernement, lois, patrie ?
Savez-vous à quel prix il vous est permis de vivre, et pour qui
vous devez mourir ? Vous croyez avoir tout appris, et vous ne
savez rien encore. Avant de prendre une place dans l'ordre
civil, apprenez à le connaître et à savoir quel rang vous y convient.

« Émile, il faut quitter Sophie : je ne dis pas l'abandonner;
si vous en étiez capable, elle serait trop heureuse de ne vous
avoir point épousé : il la faut quitter pour revenir digne d'elle.
Ne soyez pas assez vain pour croire déjà la mériter. Ô combien
il vous reste à faire ! Venez remplir cette noble tâche; venez
apprendre à supporter l'absence; venez gagner le prix de la
fidélité, afin qu'à votre retour vous puissiez vous honorer de
quelque chose auprès d'elle, et demander sa main, non comme
une grâce, mais comme une récompense. »

Non encore exercé à lutter contre lui-même, non encore
accoutumé à désirer une chose et à en vouloir une autre,
le jeune homme ne se rend pas; il résiste, il dispute. Pourquoi se refuserait-il au bonheur qui l'attend ? Ne serait-ce
pas dédaigner la main qui lui est offerte que de tarder à
l'accepter ? Qu'est-il besoin de s'éloigner d'elle pour
s'instruire de ce qu'il doit savoir ? Et quand cela serait
nécessaire, pourquoi ne lui laisserait-il pas, dans des nœuds
indissolubles, le gage assuré de son retour ? Qu'il soit
son époux, et il est prêt à me suivre; qu'ils soient unis,
et il la quitte sans crainte... Vous unir pour vous quitter,
cher Émile, quelle contradiction ! Il est beau qu'un amant
puisse vivre sans sa maîtresse; mais un mari ne doit jamais
quitter sa femme sans nécessité. Pour guérir vos scrupules,
je vois que vos délais doivent être involontaires : il faut
que vous puissiez dire à Sophie que vous la quittez malgré
vous. Eh bien ! soyez content, et, puisque vous n'obéissez
pas à la raison, reconnaissez un autre maître. Vous n'avez
pas oublié l'engagement que vous avez pris avec moi.
Émile, il faut quitter Sophie; je le veux.

A ce mot il baisse la tête, se tait, rêve un moment, et
puis, me regardant avec assurance, il me dit : Quand
partons-nous ? Dans huit jours, lui dis-je; il faut préparer
Sophie à ce départ. Les femmes sont plus faibles, on leur
doit des ménagements; et cette absence n'étant pas un
devoir pour elle comme pour vous, il lui est permis de
la supporter avec moins de courage.

Je ne suis que trop tenté de prolonger jusqu'à la séparation de mes jeunes gens le journal de leurs amours; mais
j'abuse depuis longtemps de l'indulgence des lecteurs;
abrégeons pour finir une fois. Émile osera-t-il porter aux
pieds de sa maîtresse la même assurance qu'il vient de
montrer à son ami ? Pour moi, je le crois; c'est de la vérité
même de son amour qu'il doit tirer cette assurance. Il
serait plus confus devant elle s'il lui en coûtait moins de
la quitter; il la quitterait en coupable, et ce rôle est toujours embarrassant pour un cœur honnête : mais plus le
sacrifice lui coûte, plus il s'en honore aux yeux de celle
qui le lui rend pénible. Il n'a pas peur qu'elle prenne le
change sur le motif qui le détermine. Il semble lui dire à
chaque regard : O Sophie ! lis dans mon cœur, et sois
fidèle; tu n'as pas un amant sans vertu.

La fière Sophie, de son côté, tâche de supporter avec dignité le coup imprévu qui la frappe. Elle s'efforce d'y paraître insensible; mais, comme elle n'a pas, ainsi qu'Émile, l'honneur du combat et de la victoire, sa fermeté se soutient moins. Elle pleure, elle gémit en dépit d'elle, et la frayeur d'être oubliée aigrit la douleur de la séparation. Ce n'est pas devant son amant qu'elle pleure, ce n'est pas à lui qu'elle montre ses frayeurs; elle étoufferait plutôt que de laisser échapper un soupir en sa présence : c'est moi qui reçois ses plaintes, qui vois ses larmes, qu'elle affecte de prendre pour confident. Les femmes sont adroites et savent se déguiser : plus elle murmure en secret contre ma tyrannie, plus elle est attentive à me flatter; elle sent que son sort est dans mes mains.

Je la console, je la rassure, je lui réponds de son amant, ou plutôt de son époux : qu'elle lui garde la même fidélité qu'il aura pour elle, et dans deux ans il le sera, je le jure. Elle m'estime assez pour croire que je ne veux pas la tromper. Je suis garant de chacun des deux envers l'autre. Leurs cœurs, leur vertu, ma probité, la confiance de leurs parents, tout les rassure. Mais que sert la raison contre la faiblesse ? Ils se séparent comme s'ils ne devaient plus se voir.

C'est alors que Sophie se rappelle les regrets d'Eucharis [222] et se croit réellement à sa place. Ne laissons point durant l'absence réveiller ces fantasques amours. Sophie, lui dis-je un jour, faites avec Émile un échange de livres. Donnez-lui votre *Télémaque*, afin qu'il apprenne à lui ressembler; et qu'il vous donne le *Spectateur* [223], dont vous aimez la lecture. Étudiez-y les devoirs des honnêtes femmes, et songez que dans deux ans ces devoirs seront les vôtres. Cet échange plaît à tous deux, et leur donne de la confiance. Enfin vient le triste jour, il faut se séparer.

Le digne père de Sophie, avec lequel j'ai tout concerté, m'embrasse en recevant mes adieux; puis, me prenant à part, il me dit ces mots d'un ton grave et d'un accent un peu appuyé : « J'ai tout fait pour vous complaire; je savais que je traitais avec un homme d'honneur. Il ne me reste qu'un mot à vous dire : Souvenez-vous que votre élève a signé son contrat de mariage sur la bouche de ma fille. »

Quelle différence dans la contenance des deux amants !

Émile, impétueux, ardent, agité, hors de lui, pousse des
cris, verse des torrents de pleurs sur les mains du père,
de la mère, de la fille, embrasse en sanglotant tous les
gens de la maison, et répète mille fois les mêmes choses
avec un désordre qui ferait rire en toute autre occasion.
Sophie, morne, pâle, l'œil éteint, le regard sombre, reste
en repos, ne dit rien, ne pleure point, ne voit personne,
pas même Émile. Il a beau lui prendre les mains, la presser
dans ses bras; elle reste immobile, insensible à ses pleurs,
à ses caresses, à tout ce qu'il fait; il est déjà parti pour
elle. Combien cet objet est plus touchant que la plainte
importune et les regrets bruyants de son amant ! Il le voit,
il le sent, il en est navré : je l'entraîne avec peine; si je
le laisse encore un moment, il ne voudra plus partir. Je
suis charmé qu'il emporte avec lui cette triste image.
Si jamais il est tenté d'oublier ce qu'il doit à Sophie, en
la lui rappelant telle qu'il la vit au moment de son départ,
il faudra qu'il ait le cœur bien aliéné si je ne le ramène
pas à elle.

## DES VOYAGES

On demande s'il est bon que les jeunes gens voyagent,
et l'on dispute beaucoup là-dessus. Si l'on proposait
autrement la question, et qu'on demandât s'il est bon
que les hommes aient voyagé, peut-être ne disputerait-on
pas tant.

L'abus des livres tue la science. Croyant savoir ce qu'on
a lu, on se croit dispensé de l'apprendre. Trop de lecture
ne sert qu'à faire de présomptueux ignorants. De tous les
siècles de littérature, il n'y en a point où l'on lût tant que
dans celui-ci, et point où l'on fût moins savant; de tous
les pays de l'Europe, il n'y en a point où l'on imprime
tant d'histoires, de relations de voyages qu'en France,
et point où l'on connaisse moins le génie et les mœurs
des autres nations. Tant de livres nous font négliger le
livre du monde; ou, si nous y lisons encore, chacun s'en
tient à son feuillet. Quand le mot *Peut-on être Persan ?* [224]
me serait inconnu, je devinerais, à l'entendre dire, qu'il
vient du pays où les préjugés nationaux sont le plus en
règne, et du sexe qui les propage le plus.

Un Parisien croit connaître les hommes, et ne connaît

que les Français; dans sa ville, toujours pleine d'étrangers,
il regarde chaque étranger comme un phénomène extraordinaire qui n'a rien d'égal dans le reste de l'univers.
Il faut avoir vu de près les bourgeois de cette grande ville,
il faut avoir vécu chez eux, pour croire qu'avec tant
d'esprit on puisse être aussi stupide. Ce qu'il y a de bizarre
est que chacun d'eux a lu dix fois peut-être la description
du pays dont un habitant va si fort l'émerveiller.

C'est trop d'avoir à percer à la fois les préjugés des
auteurs et les nôtres pour arriver à la vérité. J'ai passé
ma vie à lire des relations de voyages, et je n'en ai jamais
trouvé deux qui m'aient donné la même idée du même
peuple. En comparant le peu que je pouvais observer
avec ce que j'avais lu, j'ai fini par laisser là les voyageurs,
et regretter le temps que j'avais donné pour m'instruire
à leur lecture, bien convaincu qu'en fait d'observations
de toute espèce il ne faut pas lire, il faut voir. Cela serait
vrai dans cette occasion, quand tous les voyageurs seraient
sincères, qu'ils ne diraient que ce qu'ils ont vu ou ce
qu'ils croient, et qu'ils ne déguiseraient la vérité que par
les fausses couleurs qu'elle prend à leurs yeux. Que doit-ce
être quand il la faut démêler encore à travers leurs mensonges et leur mauvaise foi !

Laissons donc la ressource des livres qu'on vous vante
à ceux qui sont faits pour s'en contenter. Elle est bonne,
ainsi que l'art de Raymond Lulle [225], pour apprendre
à babiller de ce qu'on ne sait point. Elle est bonne pour
dresser des Platons de quinze ans à philosopher dans des
cercles, et à instruire une compagnie des usages de l'Égypte
et des Indes, sur la foi de Paul Lucas ou de Tavernier [226].

Je tiens pour maxime incontestable que quiconque
n'a vu qu'un peuple, au lieu de connaître les hommes,
ne connaît que les gens avec lesquels il a vécu. Voici donc
encore une autre manière de poser la même question des
voyages : Suffit-il qu'un homme bien élevé ne connaisse
que ses compatriotes, ou s'il lui importe de connaître
les hommes en général ? Il ne reste plus ici ni dispute
ni doute. Voyez combien la solution d'une question
difficile dépend quelquefois de la manière de la poser.

Mais, pour étudier les hommes, faut-il parcourir la
terre entière ? Faut-il aller au Japon observer les Européens ?
Pour connaître l'espèce, faut-il connaître tous les indi-

vidus ? Non; il y a des hommes qui se ressemblent si
fort, que ce n'est pas la peine de les étudier séparément.
Qui a vu dix Français les a vus tous. Quoiqu'on n'en puisse
pas dire autant des Anglais et de quelques autres peuples,
il est pourtant certain que chaque nation a son caractère
propre et spécifique, qui se tire par induction, non de
l'observation d'un seul de ses membres, mais de plusieurs.
Celui qui a comparé dix peuples connaît les hommes,
comme celui qui a vu dix Français connaît les Français.

Il ne suffit pas pour s'instruire de courir les pays; il faut
savoir voyager. Pour observer il faut avoir des yeux, et
les tourner vers l'objet qu'on veut connaître. Il y a beaucoup de gens que les voyages instruisent encore moins
que les livres, parce qu'ils ignorent l'art de penser, que,
dans la lecture, leur esprit est au moins guidé par l'auteur,
et que, dans leurs voyages, ils ne savent rien voir d'eux-
mêmes. D'autres ne s'instruisent point, parce qu'ils ne
veulent pas s'instruire. Leur objet est si différent que celui-
là ne les frappe guère; c'est grand hasard si l'on voit exactement ce que l'on ne se soucie point de regarder. De tous
les peuples du monde, le Français est celui qui voyage
le plus; mais, plein de ses usages, il confond tout ce
qui n'y ressemble pas. Il y a des Français dans tous les
coins du monde. Il n'y a point de pays où l'on trouve plus
de gens qui aient voyagé qu'on n'en trouve en France.
Avec cela pourtant, de tous les peuples de l'Europe, celui
qui en voit le plus les connaît le moins.

L'Anglais voyage aussi, mais d'une autre manière; il
faut que ces deux peuples soient contraires en tout. La
noblesse anglaise voyage, la noblesse française ne voyage
point; le peuple français voyage, le peuple anglais ne voyage
point. Cette différence me paraît honorable au dernier.
Les Français ont presque toujours quelque vue d'intérêt
dans leur voyage [227]; mais les Anglais ne vont point chercher fortune chez les autres nations, si ce n'est par le commerce et les mains pleines; quand ils voyagent, c'est pour
y verser leur argent, non pour vivre d'industrie; ils sont
trop fiers pour aller ramper hors de chez eux. Cela fait
aussi qu'ils s'instruisent mieux chez l'étranger que ne
font les Français, qui ont un tout autre objet en tête. Les
Anglais ont pourtant aussi leurs préjugés nationaux, ils
en ont même plus que personne; mais ces préjugés tien-

nent moins à l'ignorance qu'à la passion. L'Anglais a les préjugés de l'orgueil, et le Français ceux de la vanité.

Comme les peuples les moins cultivés sont généralement les plus sages, ceux qui voyagent le moins voyagent le mieux; parce qu'étant moins avancés que nous dans nos recherches frivoles, et moins occupés des objets de notre vaine curiosité, ils donnent toute leur attention à ce qui est véritablement utile. Je ne connais guère que les Espagnols qui voyagent de cette manière. Tandis qu'un Français court chez les artistes d'un pays, qu'un Anglais en fait dessiner quelque antique, et qu'un Allemand porte son *album* chez tous les savants, l'Espagnol étudie en silence le gouvernement, les mœurs, la police, et il est le seul des quatre qui, de retour chez lui, rapporte de ce qu'il a vu quelque remarque utile à son pays.

Les anciens voyageaient peu, lisaient peu, faisaient peu de livres; et pourtant on voit, dans ceux qui nous restent d'eux, qu'ils s'observaient mieux les uns les autres que nous n'observons nos contemporains. Sans remonter aux écrits d'Homère, le seul poète qui nous transporte dans les pays qu'il décrit, on ne peut refuser à Hérodote l'honneur d'avoir peint les mœurs dans son histoire [228], quoiqu'elle soit plus en narrations qu'en réflexions, mieux que ne font tous nos historiens en chargeant leurs livres de portraits et de caractères. Tacite a mieux décrit les Germains de son temps qu'aucun écrivain n'a décrit les Allemands d'aujourd'hui. Incontestablement ceux qui sont versés dans l'histoire ancienne connaissent mieux les Grecs, les Carthaginois, les Romains, les Gaulois, les Perses, qu'aucun peuple de nos jours ne connaît ses voisins.

Il faut avouer aussi que les caractères originaux des peuples, s'effaçant de jour en jour, deviennent en même raison plus difficiles à saisir. A mesure que les races se mêlent, et que les peuples se confondent, on voit peu à peu disparaître ces différences nationales qui frappaient jadis au premier coup d'œil. Autrefois chaque nation restait plus renfermée en elle-même; il y avait moins de communications, moins de voyages, moins d'intérêts communs ou contraires, moins de liaisons politiques et civiles de peuple à peuple, point tant de ces tracasseries royales appelées négociations, point d'ambassadeurs ordinaires ou résidant continuellement; les grandes navigations étaient

rares; il y avait peu de commerce éloigné; et le peu qu'il
y en avait était fait ou par le prince même, qui s'y servait
d'étrangers, ou par des gens méprisés, qui ne donnaient
le ton à personne et ne rapprochaient point les nations.
Il y a cent fois plus de liaisons maintenant entre l'Europe
et l'Asie qu'il n'y en avait jadis entre la Gaule et l'Espagne :
l'Europe seule était plus éparse que la terre entière ne l'est
aujourd'hui.

Ajoutez à cela que les anciens peuples, se regardant la
plupart comme autochtones ou originaires de leur propre
pays, l'occupaient depuis assez longtemps pour avoir perdu
la mémoire des siècles reculés où leurs ancêtres s'y étaient
établis, et pour avoir laissé le temps au climat de faire sur
eux des impressions durables : au lieu que, parmi nous,
après les invasions des Romains, les récentes émigrations
des barbares ont tout mêlé, tout confondu. Les Français
d'aujourd'hui ne sont plus ces grands corps blonds et
blancs d'autrefois; les Grecs ne sont plus ces beaux hommes
faits pour servir de modèles à l'art; la figure des Romains
eux-mêmes a .changé de caractère, ainsi que leur naturel;
les Persans, originaires de Tartarie, perdent chaque jour
de leur laideur primitive par le mélange du sang circassien;
les Européens ne sont plus Gaulois, Germains, Ibériens,
Allobroges; ils ne sont tous que des Scythes diversement
dégénérés quant à la figure, et encore plus quant aux
mœurs.

Voilà pourquoi les antiques distinctions des races, les
qualités de l'air et du terroir marquaient plus fortement
de peuple à peuple les tempéraments, les figures, les mœurs,
les caractères, que tout cela ne peut se marquer de nos
jours, où l'inconstance européenne ne laisse à nulle cause
naturelle le temps de faire ses impressions, et où les forêts
abattues, les marais desséchés, la terre plus uniformément,
quoique plus mal cultivée, ne laisse plus, même au physique, la même différence de terre à terre et de pays à pays.

Peut-être, avec de semblables réflexions, se presserait-on
moins de tourner en ridicule Hérodote, Ctésias, Pline [229],
pour avoir représenté les habitants de divers pays avec
des traits originaux et des différences marquées que nous
ne leur voyons plus. Il faudrait retrouver les mêmes hommes
pour reconnaître en eux les mêmes figures; il faudrait que
rien ne les eût changés pour qu'ils fussent restés les mêmes.

Si nous pouvions considérer à la fois tous les hommes qui ont été, peut-on douter que nous ne les trouvassions plus variés de siècle à siècle, qu'on ne les trouve aujourd'hui de nation à nation ?

En même temps que les observations deviennent plus difficiles, elles se font plus négligemment et plus mal; c'est une autre raison du peu de succès de nos recherches dans l'histoire naturelle du genre humain. L'instruction qu'on retire des voyages se rapporte à l'objet qui les fait entreprendre. Quand cet objet est un système de philosophie, le voyageur ne voit jamais que ce qu'il veut voir; quand cet objet est l'intérêt, il absorbe toute l'attention de ceux qui s'y livrent. Le commerce et les arts, qui mêlent et confondent les peuples, les empêchent aussi de s'étudier. Quand ils savent le profit qu'ils peuvent faire l'un avec l'autre, qu'ont-ils de plus à savoir ?

Il est utile à l'homme de connaître tous les lieux où l'on peut vivre, afin de choisir ensuite ceux où l'on peut vivre le plus commodément. Si chacun se suffisait à lui-même, il ne lui importerait de connaître que l'étendue du pays qui peut le nourrir. Le sauvage, qui n'a besoin de personne et ne convoite rien au monde, ne connaît et ne cherche à connaître d'autres pays que le sien. S'il est forcé de s'étendre pour subsister, il fuit les lieux habités par les hommes; il n'en veut qu'aux bêtes, et n'a besoin que d'elles pour se nourrir. Mais pour nous, à qui la vie civile est nécessaire, et qui ne pouvons plus nous passer de manger des hommes, l'intérêt de chacun de nous est de fréquenter les pays où l'on en trouve le plus à dévorer. Voilà pourquoi tout afflue à Rome, à Paris, à Londres. C'est toujours dans les capitales que le sang humain se vend à meilleur marché. Ainsi l'on ne connaît que les grands peuples, et les grands peuples se ressemblent tous.

Nous avons, dit-on, des savants qui voyagent pour s'instruire; c'est une erreur; les savants voyagent par intérêt comme les autres. Les Platon, les Pythagore ne se trouvent plus, ou, s'il y en a, c'est bien loin de nous. Nos savants ne voyagent que par ordre de la cour; on les dépêche, on les défraye, on les paye pour voir tel ou tel objet, qui très sûrement n'est pas un objet moral. Ils doivent tout leur temps à cet objet unique; ils sont trop honnêtes gens pour voler leur argent. Si, dans quelque pays

que ce puisse être, des curieux voyagent à leurs dépens,
ce n'est jamais pour étudier les hommes, c'est pour les instruire. Ce n'est pas de science qu'ils ont besoin, mais d'ostentation. Comment apprendraient-ils dans leurs voyages à
secouer le joug de l'opinion ? ils ne les font que pour elle.

Il y a bien de la différence entre voyager pour voir du
pays ou pour voir des peuples. Le premier objet est toujours
celui des curieux, l'autre n'est pour eux qu'accessoire.
Ce doit être tout le contraire pour celui qui veut philosopher. L'enfant observe les choses en attendant qu'il
puisse observer les hommes. L'homme doit commencer
par observer ses semblables, et puis il observe les choses
s'il en a le temps.

C'est donc mal raisonner que de conclure que les voyages
sont inutiles, de ce que nous voyageons mal. Mais, l'utilité des voyages reconnue, s'ensuivra-t-il qu'ils conviennent
à tout le monde ? Tant s'en faut; ils ne conviennent au
contraire qu'à très peu de gens; ils ne conviennent qu'aux
hommes assez fermes sur eux-mêmes pour écouter les
leçons de l'erreur sans se laisser séduire, et pour voir
l'exemple du vice sans se laisser entraîner. Les voyages
poussent le naturel vers sa pente, et achèvent de rendre
l'homme bon ou mauvais. Quiconque revient de courir
le monde est à son retour ce qu'il sera toute sa vie : il
en revient plus de méchants que de bons, parce qu'il en
part plus d'enclins au mal qu'au bien. Les jeunes gens
mal élevés et mal conduits contractent dans leurs voyages
tous les vices des peuples qu'ils fréquentent, et pas une
des vertus dont ces vices sont mêlés; mais ceux qui sont
heureusement nés, ceux dont on a bien cultivé le bon naturel et qui voyagent dans le vrai dessein de s'instruire,
reviennent tous meilleurs et plus sages qu'ils n'étaient
partis. Ainsi voyagera mon Émile : ainsi avait voyagé
ce jeune homme, digne d'un meilleur siècle, dont l'Europe
étonnée admira le mérite, qui mourut pour son pays à
la fleur de ses ans, mais qui méritait de vivre, et dont la
tombe, ornée de ses seules vertus, attendait pour être
honorée qu'une main étrangère y semât des fleurs [230].

Tout ce qui se fait par raison doit avoir ses règles.
Les voyages, pris comme une partie de l'éducation, doivent
avoir les leurs. Voyager pour voyager, c'est errer, être
vagabond; voyager pour s'instruire est encore un objet

trop vague : l'instruction qui n'a pas un but déterminé n'est rien. Je voudrais donner au jeune homme un intérêt sensible à s'instruire, et cet intérêt bien choisi fixerait encore la nature de l'instruction. C'est toujours la suite de la méthode que j'ai tâché de pratiquer.

Or, après s'être considéré par ses rapports physiques avec les autres êtres, par ses rapports moraux avec les autres hommes, il lui reste à se considérer par ses rapports civils avec ses concitoyens. Il faut pour cela qu'il commence par étudier la nature du gouvernement en général, les diverses formes de gouvernement, et enfin le gouvernement particulier sous lequel il est né, pour savoir s'il lui convient d'y vivre; car, par un droit que rien ne peut abroger, chaque homme, en devenant majeur et maître de lui-même, devient maître aussi de renoncer au contrat par lequel il tient à la communauté, en quittant le pays dans lequel elle est établie. Ce n'est que par le séjour qu'il y fait après l'âge de raison qu'il est censé confirmer tacitement l'engagement qu'ont pris ses ancêtres. Il acquiert le droit de renoncer à sa patrie comme à la succession de son père; encore le lieu de la naissance étant un don de la nature, cède-t-on du sien en y renonçant. Par le droit rigoureux, chaque homme reste libre à ses risques en quelque lieu qu'il naisse, à moins qu'il ne se soumette volontairement aux lois pour acquérir le droit d'en être protégé.

Je lui dirais donc par exemple : Jusqu'ici vous avez vécu sous ma direction, vous étiez hors d'état de vous gouverner vous-même. Mais vous approchez de l'âge où les lois, vous laissant la disposition de votre bien, vous rendent maître de votre personne. Vous allez vous trouver seul dans la société, dépendant de tout, même de votre patrimoine. Vous avez en vue un établissement; cette vue est louable, elle est un des devoirs de l'homme; mais, avant de vous marier, il faut savoir quel homme vous voulez être, à quoi vous voulez passer votre vie, quelles mesures vous voulez prendre pour assurer du pain à vous et à votre famille; car, bien qu'il ne faille pas faire d'un tel soin sa principale affaire, il y faut pourtant songer une fois. Voulez-vous vous engager dans la dépendance des hommes que vous méprisez ? Voulez-vous établir votre fortune et fixer votre état par des relations civiles qui vous

mettront sans cesse à la discrétion d'autrui, et vous for-
ceront, pour échapper aux fripons, de devenir fripon
vous-même ?

Là-dessus je lui décrirai tous les moyens possibles de
faire valoir son bien, soit dans le commerce, soit dans les
charges, soit dans la finance; et je lui montrerai qu'il n'y
en a pas un qui ne lui laisse des risques à courir, qui ne le
mette dans un état précaire et dépendant, et ne le force
de régler ses mœurs, ses sentiments, sa conduite, sur
l'exemple et les préjugés d'autrui.

Il y a, lui dirai-je, un autre moyen d'employer son temps
et sa personne, c'est de se mettre au service, c'est-à-dire de
se louer à très bon compte pour aller tuer des gens qui ne
nous ont point fait de mal. Ce métier est en grande estime
parmi les hommes, et ils font un cas extraordinaire de ceux
qui ne sont bons qu'à cela. Au surplus, loin de vous dispenser des autres ressources, il ne vous les rend que plus
nécessaires; car il entre aussi dans l'honneur de cet état
de ruiner ceux qui s'y dévouent. Il est vrai qu'ils ne s'y
ruinent pas tous; la mode vient même insensiblement de
s'y enrichir comme dans les autres; mais je doute qu'en
vous expliquant comment s'y prennent pour cela ceux qui
réussissent, je vous rende curieux de les imiter.

Vous saurez encore que, dans ce métier même, il ne
s'agit plus de courage ni de valeur, si ce n'est peut-être
auprès des femmes; qu'au contraire le plus rampant, le
plus bas, le plus servile, est toujours le plus honoré : que
si vous vous avisez de vouloir faire tout de bon votre métier,
vous serez méprisé, haï, chassé peut-être, tout au moins
accablé de passe-droits et supplanté par vos camarades,
pour avoir fait votre service à la tranchée, tandis qu'ils
faisaient le leur à la toilette.

On se doute bien que tous ces emplois ne seront pas
fort du goût d'Émile. Eh quoi ! me dira-t-il, ai-je oublié
les jeux de mon enfance ? ai-je perdu mes bras ? ma force
est-elle épuisée ? ne sais-je plus travailler ? Que m'importe
tous vos beaux emplois et toutes les sottes opinions des
hommes ? Je ne connais point d'autre gloire que d'être
bienfaisant et juste; je ne connais point d'autre bonheur
que de vivre indépendant avec ce qu'on aime, en gagnant
tous les jours de l'appétit et de la santé par son travail.
Tous ces embarras dont vous me parlez ne me touchent

guère. Je ne veux pour tout bien qu'une petite métairie
dans quelque coin du monde. Je mettrai toute mon avarice
à la faire valoir, et je vivrai sans inquiétude. Sophie et
mon champ, et je serai riche.

Oui, mon ami, c'est assez pour le bonheur du sage d'une
femme et d'un champ qui soient à lui; mais ces trésors,
bien que modestes, ne sont pas si communs que vous
pensez. Le plus rare est trouvé par vous; parlons de
l'autre.

Un champ qui soit à vous, cher Émile ! et dans quel
lieu le choisirez-vous ? En quel coin de la terre pourrez-
vous dire : Je suis ici mon maître et celui du terrain qui
m'appartient ? On sait en quels lieux il est aisé de se faire
riche, mais qui sait où l'on peut se passer de l'être ? Qui
sait où l'on peut vivre indépendant et libre sans avoir
besoin de faire du mal à personne et sans crainte d'en recevoir ? Croyez-vous que le pays où il est toujours permis
d'être honnête homme soit si facile à trouver ? S'il est
quelque moyen légitime et sûr de subsister sans intrigue,
sans affaire, sans dépendance, c'est, j'en conviens, de vivre
du travail de ses mains, en cultivant sa propre terre : mais
où est l'État où l'on peut se dire : La terre que je foule
est à moi ? Avant de choisir cette heureuse terre, assurez-
vous bien d'y trouver la paix que vous cherchez; gardez
qu'un gouvernement violent, qu'une religion persécutante,
que des mœurs perverses ne vous y viennent troubler.
Mettez-vous à l'abri des impôts sans mesure qui dévore-
raient le fruit de vos peines, des procès sans fin qui consu-
meraient votre fonds. Faites en sorte qu'en vivant justement vous n'ayez point à faire votre cour à des intendants,
à leurs substituts, à des juges, à des prêtres, à de puissants
voisins, à des fripons de toute espèce, toujours prêts à vous
tourmenter si vous les négligez. Mettez-vous surtout à
l'abri des vexations des grands et des riches; songez que
partout leurs terres peuvent confiner à la vigne de Naboth[231].
Si votre malheur veut qu'un homme en place achète ou
bâtisse une maison près de votre chaumière, répondez-
vous qu'il ne trouvera pas le moyen, sous quelque prétexte,
d'envahir votre héritage pour s'arrondir, ou que vous ne
verrez pas, dès demain peut-être, absorber toutes vos ressources dans un large grand chemin ? Que si vous vous
conservez du crédit pour parer à tous ces inconvénients,

autant vaut conserver aussi vos richesses, car elles ne vous
coûteront pas plus à garder. La richesse et le crédit s'étayent
mutuellement; l'un se soutient toujours mal sans l'autre.

J'ai plus d'expérience que vous, cher Émile; je vois
mieux la difficulté de votre projet. Il est beau pourtant,
il est honnête, il vous rendrait heureux en effet : efforçons-
nous de l'exécuter. J'ai une proposition à vous faire :
consacrons les deux ans que nous avons pris jusqu'à votre
retour à choisir un asile en Europe où vous puissiez vivre
heureux avec votre famille, à l'abri de tous les dangers
dont je viens de vous parler. Si nous réussissons, vous aurez
trouvé le vrai bonheur vainement cherché par tant d'autres,
et vous n'aurez pas regret à votre temps. Si nous ne réussissons pas, vous serez guéri d'une chimère; vous
vous consolerez d'un malheur inévitable, et vous vous sou-
mettrez à la loi de la nécessité.

Je ne sais si tous mes lecteurs apercevront jusqu'où
va nous mener cette recherche ainsi proposée; mais je
sais bien que si, au retour de ses voyages, commencés
et continués dans cette vue, Émile n'en revient pas versé
dans toutes les matières de gouvernement, de mœurs
publiques, et de maximes d'État de toute espèce, il faut
que lui ou moi soyons bien dépourvus, l'un d'intelligence,
et l'autre de jugement.

Le droit politique est encore à naître, et il est à présumer
qu'il ne naîtra jamais. Grotius [232], le maître de tous nos
savants en cette partie, n'est qu'un enfant, et, qui pis est,
un enfant de mauvaise foi. Quand j'entends élever Grotius jusqu'aux nues et couvrir Hobbes d'exécration, je
vois combien d'hommes sensés lisent ou comprennent
ces deux auteurs. La vérité est que leurs principes sont
exactement semblables; ils ne diffèrent que par les expressions. Ils diffèrent aussi par la méthode. Hobbes s'appuie
sur des sophismes, et Grotius sur des poètes; tout le reste
leur est commun.

Le seul moderne en état de créer cette grande et inutile
science eût été l'illustre Montesquieu. Mais il n'eut garde
de traiter des principes du droit politique; il se contenta
de traiter du droit positif des gouvernements établis; et
rien au monde n'est plus différent que ces deux études.

Celui pourtant qui veut juger sainement des gouvernements tels qu'ils existent est obligé de les réunir toutes

deux : il faut savoir ce qui doit être pour bien juger de ce qui est. La plus grande difficulté pour éclaircir ces importantes matières est d'intéresser un particulier à les discuter, de répondre à ces deux questions : Que m'importe ? et : Qu'y puis-je faire ? Nous avons mis notre Émile en état de répondre à toutes deux.

La deuxième difficulté vient des préjugés de l'enfance, des maximes dans lesquelles on a été nourri, surtout de la partialité des auteurs, qui, parlant toujours de la vérité dont ils ne se soucient guère, ne songent qu'à leur intérêt dont ils ne parlent point. Or le peuple ne donne ni chaires, ni pensions, ni places d'académies : qu'on juge comment ses droits doivent être établis par ces gens-là ! J'ai fait en sorte que cette difficulté fût encore nulle pour Émile. A peine sait-il ce que c'est que gouvernement; la seule chose qui lui importe est de trouver le meilleur. Son objet n'est point de faire des livres; et si jamais il en fait, ce ne sera point pour faire sa cour aux puissances, mais pour établir les droits de l'humanité.

Il reste une troisième difficulté, plus spécieuse que solide, et que je ne veux ni résoudre ni proposer : il me suffit qu'elle n'effraye point mon zèle; bien sûr qu'en des recherches de cette espèce, de grands talents sont moins nécessaires qu'un sincère amour de la justice et un vrai respect pour la vérité. Si donc les matières de gouvernement peuvent être équitablement traitées, en voici, selon moi, le cas ou jamais.

Avant d'observer, il faut se faire des règles pour ses observations : il faut se faire une échelle pour y rapporter les mesures qu'on prend. Nos principes de droit politique sont cette échelle. Nos mesures sont les lois politiques de chaque pays.

Nos éléments seront clairs, simples, pris immédiatement dans la nature des choses. Ils se formeront des questions discutées entre nous, et que nous ne convertirons en principes que quand elles seront suffisamment résolues [233].

Par exemple, remontant d'abord à l'état de nature, nous examinerons si les hommes naissent esclaves ou libres, associés ou indépendants; s'ils se réunissent volontairement ou par force; si jamais la force qui les réunit peut former un droit permanent, par lequel cette force antérieure oblige, même quand elle est surmontée par une autre, en sorte que, depuis la force du roi Nembrod [234], qui, dit-on, lui soumit les premiers peuples, toutes les autres forces qui ont détruit celle-là soient devenues iniques et usurpatoires, et qu'il n'y ait plus de légitimes rois que les descendants de Nembrod ou ses ayants cause; ou bien si cette première force venant à cesser, la force qui lui succède oblige à son tour, et détruit l'obligation de l'autre, en sorte qu'on ne soit obligé d'obéir qu'autant qu'on y est forcé, et qu'on en soit dispensé sitôt qu'on peut faire résistance : droit qui, ce semble, n'ajouterait pas grand' chose à la force, et ne serait guère qu'un jeu de mots.

Nous examinerons si l'on ne peut pas dire que toute maladie vient de Dieu, et s'il s'ensuit pour cela que ce soit un crime d'appeler le médecin.

Nous examinerons encore si l'on est obligé en conscience de donner sa bourse à un bandit qui nous la demande sur le grand chemin, quand même on pourrait la lui cacher; car enfin le pistolet qu'il tient est aussi une puissance.

Si ce mot de puissance en cette occasion veut dire autre chose qu'une puissance légitime, et par conséquent soumise aux lois dont elle tient son être.

Supposé qu'on rejette ce droit de force, et qu'on admette celui de la nature ou l'autorité paternelle comme principe des sociétés, nous rechercherons la mesure de cette autorité, comment elle est fondée dans la nature, si elle a d'autre raison que l'utilité de l'enfant, sa faiblesse et l'amour naturel que le père a pour lui; si donc, la faiblesse de l'enfant venant à cesser, et sa raison à mûrir, il ne devient pas seul juge naturel de ce qui convient à sa conservation, par conséquent son propre maître, et indépendant de tout autre homme, même de son père; car il est encore plus sûr que le fils s'aime lui-même, qu'il n'est sûr que le père aime le fils.

Si, le père mort, les enfants sont tenus d'obéir à leur aîné ou à quelque autre qui n'aura pas pour eux l'attachement naturel d'un père; et si de race en race, il y aura toujours un chef unique, auquel toute la famille soit tenue d'obéir. Auquel cas on chercherait comment l'autorité pourrait jamais être partagée, et de quel droit il y aurait sur la terre entière plus d'un chef qui gouvernât le genre humain.

Supposé que les peuples se fussent formés par choix,

nous distinguerons alors le droit du fait; et nous demanderons si, s'étant ainsi soumis à leurs frères, oncles ou parents, non qu'ils y fussent obligés, mais parce qu'ils l'ont bien voulu, cette sorte de société ne rentre pas toujours dans l'association libre et volontaire.

Passant ensuite au droit d'esclavage, nous examinerons si un homme peut légitimement s'aliéner à un autre, sans restriction, sans réserve, sans aucune espèce de condition; c'est-à-dire s'il peut renoncer à sa personne, à sa vie, à sa raison, à *son moi*, à toute moralité dans ses actions, et cesser en un mot d'exister avant sa mort, malgré la nature qui le charge immédiatement de sa propre conservation, et malgré sa conscience et sa raison qui lui prescrivent ce qu'il doit faire et ce dont il doit s'abstenir.

Que s'il y a quelque réserve, quelque restriction dans l'acte d'esclavage, nous discuterons si cet acte ne devient pas alors un vrai contrat, dans lequel chacun des deux contractants, n'ayant point en cette qualité de supérieur commun *, restent leurs propres juges quant aux conditions du contrat, par conséquent libres chacun dans cette partie, et maîtres de le rompre sitôt qu'ils s'estiment lésés.

Que si donc un esclave ne peut s'aliéner sans réserve à son maître, comment un peuple peut-il s'aliéner sans réserve à son chef ? et si l'esclave reste juge de l'observation du contrat par son maître, comment le peuple ne restera-t-il pas juge de l'observation du contrat par son chef ?

Forcés de revenir ainsi sur nos pas, et considérant le sens de ce mot collectif de peuple, nous chercherons si, pour l'établir, il ne faut pas un contrat, au moins tacite, antérieur à celui que nous supposons.

Puisque avant de s'élire un roi le peuple est un peuple, qu'est-ce qui l'a fait tel sinon le contrat social ? Le contrat social est donc la base de toute société civile, et c'est dans la nature de cet acte qu'il faut chercher celle de la société qu'il forme.

Nous rechercherons quelle est la teneur de ce contrat, et si l'on ne peut pas à peu près l'énoncer par cette for-

---

* S'ils en avaient un, ce supérieur commun ne serait autre que le souverain; et alors le droit d'esclavage, fondé sur le droit de souveraineté, n'en serait pas le principe.

mule : « Chacun de nous met en commun ses biens, sa personne, sa vie, et toute sa puissance, sous la suprême direction de la volonté générale, et nous recevons en corps chaque membre comme partie indivisible du tout. »

Ceci supposé, pour définir les termes dont nous avons besoin, nous remarquerons qu'au lieu de la personne particulière de chaque contractant, cet acte d'association produit un corps moral et collectif, composé d'autant de membres que l'assemblée a de voix. Cette personne publique prend en général le nom de *corps politique*, lequel est appelé par ses membres *État* quand il est passif, *souverain* quand il est actif, *puissance* en le comparant à ses semblables. A l'égard des membres eux-mêmes, ils prennent le nom de *peuple* collectivement, et s'appellent en particulier *citoyens*, comme membres de la *cité* ou participants à l'autorité souveraine, et *sujets*, comme soumis à la même autorité.

Nous remarquons que cet acte d'association renferme un engagement réciproque du public et des particuliers, et que chaque individu, contractant pour ainsi dire avec lui-même, se trouve engagé sous un double rapport, savoir, comme membre du souverain envers les particuliers, et comme membre de l'État envers le souverain.

Nous remarquerons encore que nul n'étant tenu aux engagements qu'on n'a pris qu'avec soi, la délibération publique qui peut obliger tous les sujets envers le souverain, à cause des deux différents rapports sous lesquels chacun d'eux est envisagé, ne peut obliger l'État envers lui-même. Par où l'on voit qu'il n'y a ni ne peut y avoir d'autre loi fondamentale proprement dite que le seul pacte social. Ce qui ne signifie pas que le corps politique ne puisse, à certains égards, s'engager envers autrui; car, par rapport à l'étranger, il devient un être simple, un individu.

Les deux parties contractantes, savoir chaque particulier et le public, n'ayant aucun supérieur commun qui puisse juger leurs différends, nous examinerons si chacun des deux reste le maître de rompre le contrat quand il lui plaît, c'est-à-dire d'y renoncer pour sa part sitôt qu'il se croit lésé.

Pour éclaircir cette question, nous observons que, selon le pacte social, le souverain ne pouvant agir que par des volontés communes et générales, ses actes ne doivent de même avoir que des objets généraux et communs; d'où il suit qu'un particulier ne saurait être lésé directement par le souverain qu'ils ne le soient tous, ce qui ne se peut, puisque ce serait vouloir se faire du mal à soi-même. Ainsi le contrat social n'a jamais besoin d'autre garant que la force publique, parce que la lésion ne peut jamais venir que des particuliers; et alors ils ne sont pas pour cela libres de leur engagement, mais punis de l'avoir violé.

Pour bien décider toutes les questions semblables, nous aurons soin de nous rappeler toujours que le pacte social est d'une nature particulière, et propre à lui seul, en ce que le peuple ne contracte qu'avec lui-même, c'est-à-dire le peuple en corps comme souverain, avec les particuliers comme sujets : condition qui fait tout l'artifice et le jeu de la machine politique, et qui seule rend légitimes, raisonnables et sans danger des engagements qui sans cela seraient absurdes, tyranniques et sujets aux plus énormes abus.

Les particuliers ne s'étant soumis qu'au souverain, et l'autorité souveraine n'étant autre chose que la volonté générale, nous verrons comment chaque homme, obéissant au souverain, n'obéit qu'à lui-même, et comment on est plus libre dans le pacte social que dans l'état de nature.

Après avoir fait la comparaison de la liberté naturelle avec la liberté civile quant aux personnes, nous ferons, quant aux biens, celle du droit de propriété avec le droit de souveraineté, du domaine particulier avec le domaine éminent. Si c'est sur le droit de propriété qu'est fondée l'autorité souveraine, ce droit est celui qu'elle doit le plus respecter; il est inviolable et sacré pour elle tant qu'il demeure un droit particulier et individuel; sitôt qu'il est considéré comme commun à tous les citoyens, il est soumis à la volonté générale, et cette volonté peut l'anéantir. Ainsi le souverain n'a nul droit de toucher au bien d'un particulier, ni de plusieurs; mais il peut légitimement s'emparer du bien de tous, comme cela se fit à Sparte au temps de Lycurgue, au lieu que l'abolition des dettes par Solon fut un acte illégitime.

Puisque rien n'oblige les sujets que la volonté générale, nous rechercherons comment se manifeste cette volonté, à quels signes on est sûr de la reconnaître, ce que c'est qu'une loi, et quels sont les vrais caractères de la loi. Ce sujet est tout neuf : la définition de la loi est encore à faire.

A l'instant que le peuple considère en particulier un ou plusieurs de ses membres, le peuple se divise. Il se forme entre le tout et sa partie une relation qui en fait deux êtres séparés, dont la partie est l'un, et le tout, moins cette partie, est l'autre. Mais le tout moins une partie n'est pas le tout ; tant que ce rapport subsiste, il n'y a donc plus de tout, mais deux parties inégales.

Au contraire, quand tout le peuple statue sur tout le peuple, il ne considère que lui-même ; et s'il se forme un rapport, c'est de l'objet entier sous un point de vue à l'objet entier sous un autre point de vue, sans aucune division du tout. Alors l'objet sur lequel on statue est général, et la volonté qui statue est aussi générale. Nous examinerons s'il y a quelque autre espèce d'acte qui puisse porter le nom de loi.

Si le souverain ne peut parler que par des lois, et si la loi ne peut jamais avoir qu'un objet général et relatif également à tous les membres de l'État, il s'ensuit que le souverain n'a jamais le pouvoir de rien statuer sur un objet particulier ; et, comme il importe cependant à la conservation de l'État qu'il soit aussi décidé des choses particulières, nous rechercherons comment cela peut se faire.

Les actes du souverain ne peuvent être que des actes de volonté générale, des lois ; il faut ensuite des actes déterminants, des actes de force ou de gouvernement, pour l'exécution de ces mêmes lois ; et ceux-ci, au contraire, ne peuvent avoir que des objets particuliers. Ainsi l'acte par lequel le souverain statue qu'on élira un chef est une loi, et l'acte par lequel on élit ce chef en exécution de la loi n'est qu'un acte de gouvernement.

Voici donc un troisième rapport sous lequel le peuple assemblé peut être considéré, savoir, comme magistrat ou exécuteur de la loi qu'il a portée comme souverain *.

Nous examinerons s'il est possible que le peuple se dépouille de son droit de souveraineté pour en revêtir

---

\* Ces questions et propositions sont la plupart extraites du *Traité du Contrat social*, extrait lui-même d'un plus grand ouvrage, entrepris sans consulter mes forces, et abandonné depuis longtemps. Le petit traité que j'en ai détaché, et dont c'est ici le sommaire, sera publié à part.

un homme ou plusieurs; car l'acte d'élection n'étant pas
une loi, et dans cet acte le peuple n'étant pas souverain
lui-même, on ne voit point comment alors il peut trans-
férer un droit qu'il n'a pas.

L'essence de la souveraineté consistant dans la volonté
générale, on ne voit point non plus comment on peut
s'assurer qu'une volonté particulière sera toujours d'accord
avec cette volonté générale. On doit bien plutôt présumer
qu'elle y sera souvent contraire; car l'intérêt privé tend
toujours aux préférences, et l'intérêt public à l'égalité;
et, quand cet accord serait possible, il suffirait qu'il ne
fût pas nécessaire et indestructible pour que le droit souverain n'en pût résulter.

Nous rechercherons si, sans violer le pacte social, les
chefs du peuple, sous quelque nom qu'ils soient élus,
peuvent jamais être autre chose que les officiers du peuple,
auxquels il ordonne de faire exécuter les lois; si ces chefs
ne lui doivent pas compte de leur administration, et ne
sont pas soumis eux-mêmes aux lois qu'ils sont chargés
de faire observer.

Si le peuple ne peut aliéner son droit suprême, peut-il
le confier pour un temps ? s'il ne peut se donner un maître,
peut-il se donner des représentants ? cette question est
importante et mérite discussion.

Si le peuple ne peut avoir ni souverain ni représentants,
nous examinerons comment il peut porter ses lois lui-même;
s'il doit avoir beaucoup de lois; s'il doit les changer souvent; s'il est aisé qu'un grand peuple soit son propre
législateur;

Si le peuple romain n'était pas un grand peuple;

S'il est bon qu'il y ait de grands peuples.

Il suit des considérations précédentes qu'il y a dans l'État
un corps intermédiaire entre les sujets et le souverain;
et ce corps intermédiaire, formé d'un ou de plusieurs
membres, est chargé de l'administration publique, de
l'exécution des lois, et du maintien de la liberté civile et
politique.

Les membres de ce corps s'appellent *magistrats* ou *rois*,
c'est-à-dire gouverneurs. Le corps entier, considéré par
les hommes qui le composent, s'appelle *prince*, et, considéré par son action, il s'appelle *gouvernement*.

Si nous considérons l'action du corps entier agissant

sur lui-même, c'est-à-dire le rapport du tout au tout,
ou du souverain à l'État, nous pouvons comparer ce
rapport à celui des extrêmes d'une proportion continue,
dont le gouvernement donne le moyen terme. Le magistrat reçoit du souverain les ordres qu'il donne au peuple;
et, tout compensé, son produit ou sa puissance est au
même degré que le produit ou la puissance des citoyens,
qui sont sujets d'un côté et souverains de l'autre. On ne
saurait altérer aucun des trois termes sans rompre à l'instant la proportion. Si le souverain veut gouverner, ou si
le prince veut donner des lois, ou si le sujet refuse d'obéir,
le désordre succède à la règle, et l'État dissous tombe dans
le despotisme ou dans l'anarchie.

Supposons que l'État soit composé de dix mille citoyens.
Le souverain ne peut être considéré que collectivement
et en corps; mais chaque particulier a, comme sujet, une
existence individuelle et indépendante. Ainsi le souverain
est au sujet comme dix mille à un; c'est-à-dire que chaque
membre de l'État n'a pour sa part que la dix millième
partie de l'autorité souveraine, quoiqu'il lui soit soumis
tout entier. Que le peuple soit composé de cent mille
hommes, l'état des sujets ne change pas et chacun porte
toujours tout l'empire des lois, tandis que son suffrage,
réduit à un cent millième, a dix fois moins d'influence dans
leur rédaction. Ainsi, le sujet restant toujours un, le rapport
du souverain augmente en raison du nombre des citoyens.
D'où il suit que plus l'État s'agrandit, plus la liberté diminue.

Or, moins les volontés particulières se rapportent à la
volonté générale, c'est-à-dire les mœurs aux lois, plus la
force réprimante doit augmenter. D'un autre côté, la grandeur de l'État donnant aux dépositaires de l'autorité
publique plus de tentations et de moyens d'en abuser,
plus le gouvernement a de force pour contenir le peuple,
plus le souverain doit en avoir à son tour pour contenir
le gouvernement.

Il suit de ce double rapport que la proportion continue
entre le souverain, le prince et le peuple n'est point une
idée arbitraire, mais une conséquence de la nature de l'État.
Il suit encore que l'un des extrêmes, savoir le peuple,
étant fixe, toutes les fois que la raison doublée augmente
ou diminue, la raison simple augmente ou diminue à son

tour; ce qui ne peut se faire sans que le moyen terme change autant de fois. D'où nous pouvons tirer cette conséquence, qu'il n'y a pas une constitution de gouvernement unique et absolue, mais qu'il doit y avoir autant de gouvernements différents en nature qu'il y a d'États différents en grandeur.

Si plus le peuple est nombreux, moins les mœurs se rapportent aux lois, nous examinerons si, par une analogie assez évidente, on ne peut pas dire aussi que plus les magistrats sont nombreux, plus le gouvernement est faible.

Pour éclaircir cette maxime, nous distinguerons dans la personne de chaque magistrat trois volontés essentiellement différentes : premièrement, la volonté propre de l'individu, qui ne tend qu'à son avantage particulier; secondement, la volonté commune des magistrats, qui se rapporte uniquement au profit du prince; volonté qu'on peut appeler volonté de corps, laquelle est générale par rapport au gouvernement, et particulière par rapport à l'État dont le gouvernement fait partie; en troisième lieu, la volonté du peuple ou la volonté souveraine, laquelle est générale, tant par rapport à l'État considéré comme le tout, que par rapport au gouvernement considéré comme partie du tout. Dans une législation parfaite, la volonté particulière et individuelle doit être presque nulle; la volonté de corps propre au gouvernement très subordonnée; et par conséquent la volonté générale et souveraine est la règle de toutes les autres. Au contraire, selon l'ordre naturel, ces différentes volontés deviennent plus actives à mesure qu'elles se concentrent; la volonté générale est toujours la plus faible, la volonté de corps a le second rang, et la volonté particulière est préférée à tout; en sorte que chacun est premièrement soi-même, et puis magistrat, et puis citoyen : gradation directement opposée à celle qu'exige l'ordre social.

Cela posé, nous supposerons le gouvernement entre les mains d'un seul homme. Voilà la volonté particulière et la volonté de corps parfaitement réunies, et par conséquent celle-ci au plus haut degré d'intensité qu'elle puisse avoir. Or, comme c'est de ce degré que dépend l'usage de la force, et que la force absolue du gouvernement, étant toujours celle du peuple, ne varie point, il s'ensuit que le plus actif des gouvernements est celui d'un seul.

Au contraire, unissons le gouvernement à l'autorité

suprême, faisons le prince du souverain, et des citoyens autant de magistrats : alors la volonté de corps, parfaitement confondue avec la volonté générale, n'aura pas plus d'activité qu'elle, et laissera la volonté particulière dans toute sa force. Ainsi le gouvernement, toujours avec la même force absolue, sera dans son *minimum* d'activité.

Ces règles sont incontestables, et d'autres considérations servent à les confirmer. On voit, par exemple, que les magistrats sont plus actifs dans leur corps que le citoyen n'est dans le sien, et que par conséquent la volonté particulière y a beaucoup plus d'influence. Car chaque magistrat est presque toujours chargé de quelque fonction particulière du gouvernement; au lieu que chaque citoyen pris à part, n'a aucune fonction de la souveraineté. D'ailleurs, plus l'État s'étend, plus sa force réelle augmente, quoiqu'elle n'augmente pas en raison de son étendue; mais, l'État restant le même, les magistrats ont beau se multiplier, le gouvernement n'en acquiert pas une plus grande force réelle, parce qu'il est dépositaire de celle de l'État, que nous supposons toujours égale. Ainsi, par cette pluralité, l'activité du gouvernement diminue sans que sa force puisse augmenter.

Après avoir trouvé que le gouvernement se relâche à mesure que les magistrats se multiplient, et que, plus le peuple est nombreux, plus la force réprimante du gouvernement doit augmenter, nous conclurons que le rapport des magistrats au gouvernement doit être inverse de celui des sujets au souverain; c'est-à-dire que plus l'État s'agrandit, plus le gouvernement doit se resserrer, tellement que le nombre des chefs diminue en raison de l'augmentation du peuple.

Pour fixer ensuite cette diversité de formes sous des dénominations plus précises, nous remarquerons en premier lieu que le souverain peut commettre le dépôt du gouvernement à tout le peuple ou à la plus grande partie du peuple, en sorte qu'il y ait plus de citoyens magistrats que de citoyens simples particuliers. On donne le nom de *démocratie* à cette forme de gouvernement.

Ou bien il peut resserrer le gouvernement entre les mains d'un moindre nombre, en sorte qu'il y ait plus de simples citoyens que de magistrats; et cette forme porte le nom d'*aristocratie*.

Enfin il peut concentrer tout le gouvernement entre les mains d'un magistrat unique. Cette troisième forme est la plus commune, et s'appelle *monarchie* ou gouvernement royal.

Nous remarquerons que toutes ces formes, ou du moins les deux premières, sont susceptibles de plus et de moins, et ont même une assez grande latitude. Car la démocratie peut embrasser tout le peuple ou se resserrer jusqu'à la moitié. L'aristocratie, à son tour, peut de la moitié du peuple se resserrer indéterminément jusqu'aux plus petits nombres. La royauté même admet quelquefois un partage, soit entre le père et le fils, soit entre deux frères, soit autrement. Il y avait toujours deux rois à Sparte, et l'on a vu dans l'empire romain jusqu'à huit empereurs à la fois, sans qu'on pût dire que l' mpire fût divisé. Il y a un point où chaque forme de gouvernement se confond avec la suivante; et, sous trois dénominations spécifiques, le gouvernement est réellement capable d'autant de formes que l'État a de citoyens.

Il y a plus : chacun de ces gouvernements pouvant à certains égards se subdiviser en diverses parties, l'une administrée d'une manière et l'autre d'une autre, il peut résulter de ces trois formes combinées une multitude de formes mixtes, dont chacune est multipliable par toutes les formes simples.

On a de tout temp beaucoup disputé la meilleure forme de gouvernement, sans considérer que chacune est la meilleure en certains cas, et la pire en d'autres. Pour nous, si, dans les différents États, le nombre des magistrats * doit être nverse de celui des citoyens, nous conclurons qu'en général le gouvernement démocratique convient aux petits États, l'aristocratique aux médiocres, et le monarchique aux grands.

C'est par le fil de ces recherches que nous parviendrons à savoir quels sont les devoirs et les droits des citoyens, et si l'on peut séparer les uns des autres; ce que c'est que la patrie, en quoi précisément elle consiste, et à quoi chacun peut connaître s'il a une patrie ou s'il n'en a point.

---

\* On se souviendra que je n'entends parler ici que de magistrats suprêmes ou chefs de la nation, les autres n'étant que leurs substituts en telle ou telle partie.

Après avoir ainsi considéré chaque espèce de société
civile en elle-même, nous les comparerons pour en observer
les divers rapports : les unes grandes, les autres petites;
les unes fortes, les autres faibles; s'attaquant, s'offensant,
s'entre-détruisant; et, dans cette action et réaction continuelle, faisant plus de misérables et coûtant la vie à plus
d'hommes que s'ils avaient tous gardé leur première
liberté. Nous examinerons si l'on n'en a pas fait trop
ou trop peu dans l'institution sociale; si les individus
soumis aux lois et aux hommes, tandis que les sociétés
gardent entre elles l'indépendance de la nature, ne restent
pas exposés aux maux des deux États, sans en avoir les
avantages, et s'il ne vaudrait pas mieux qu'il n'y eût point
de société civile au monde que d'y en avoir plusieurs.
N'est-ce pas cet État mixte qui participe à tous les deux
et n'assure ni l'un ni l'autre, *per quem neutrum licet, nec
tanquam in bello paratum esse, nec tanquam in pace securum* [235] ?
N'est-ce pas cette association partielle et imparfaite qui
produit la tyrannie et la guerre ? et la tyrannie et la guerre
ne sont-elles pas les plus grands fléaux de l'humanité ?

Nous examinerons enfin l'espèce de remèdes qu'on a
cherchés à ces inconvénients par les ligues et confédérations,
qui, laissant chaque État son maître au dedans, l'arment
au dehors contre tout agresseur injuste. Nous rechercherons comment on peut établir une bonne association
fédérative, ce qui peut la rendre durable, et jusqu'à quel
point on peut étendre le droit de la confédération, sans
nuire à celui de la souveraineté.

L'abbé de Saint-Pierre [236] avait proposé une association de tous les États de l'Europe pour maintenir entre
eux une paix perpétuelle. Cette association était-elle praticable ? et, supposant qu'elle eût été établie, était-il à
présumer qu'elle eût duré ? * Ces recherches nous mènent
directement à toutes les questions de droit public qui
peuvent achever d'éclaircir celles du droit politique.

Enfin nous poserons les vrais principes du droit de
la guerre, et nous examinerons pourquoi Grotius [237] et les
autres n'en ont donné que de faux.

* Depuis que j'écrivais ceci, les raisons *pour* ont été exposées dans
l'extrait de ce projet; les raisons *contre*, du moins celles qui m'ont paru
solides, se trouveront dans le recueil de mes écrits, à la suite de ce
même extrait.

Je ne serais pas étonné qu'au milieu de tous nos raisonnements, mon jeune homme, qui a du bon sens, me
dît en m'interrompant : On dirait que nous bâtissons
notre édifice avec du bois, et non pas avec des hommes,
tant nous alignons exactement chaque pièce à la règle !
Il est vrai, mon ami; mais songez que le droit ne se plie
point aux passions des hommes, et qu'il s'agissait entre
nous d'établir les vrais principes du droit politique. A
présent que nos fondements sont posés, venez examiner ce
que les hommes ont bâti dessus, et vous verrez de belles
choses !

Alors je lui fais lire *Télémaque* et poursuivre sa route;
nous cherchons l'heureuse Salente, et le bon Idoménée
rendu sage à force de malheurs. Chemin faisant, nous
trouvons beaucoup de Protésilas, et point de Philoclès.
Adraste, roi des Dauniens, n'est pas non plus introuvable.
Mais laissons les lecteurs imaginer nos voyages, ou les
faire à notre place un *Télémaque* à la main; et ne leur suggé-
rons point des applications affligeantes que l'auteur même
écarte ou fait malgré lui.

Au reste, Émile n'étant pas roi, ni moi dieu, nous ne
nous tourmentons point de ne pouvoir imiter Télémaque
et Mentor dans le bien qu'ils faisaient aux hommes :
personne ne sait mieux que nous se tenir à sa place, et
ne désire moins d'en sortir. Nous savons que la même
tâche est donnée à tous; que quiconque aime le bien de
tout son cœur, et le fait de tout son pouvoir, l'a remplie.
Nous savons que Télémaque et Mentor sont des chimères.
Émile ne voyage pas en homme oisif, et fait plus de bien
que s'il était prince. Si nous étions rois, nous ne serions
plus bienfaisants. Si nous étions rois et bienfaisants,
nous ferions sans le savoir mille maux réels pour un bien
apparent que nous croirions faire. Si nous étions rois et
sages, le premier bien que nous voudrions faire à nous-
mêmes et aux autres serait d'abdiquer la royauté et de
redevenir ce que nous sommes.

J'ai dit ce qui rend les voyages infructueux à tout le
monde. Ce qui les rend encore plus infructueux à la jeunesse, c'est la manière dont on les lui fait faire. Les gouverneurs, plus curieux de leur amusement que de son instruction, la mènent de ville en ville, de palais en palais,
de cercle en cercle; ou, s'ils sont savants et gens de lettres,

ils lui font passer son temps à courir des bibliothèques,
à visiter des antiquaires, à fouiller de vieux monuments,
à transcrire de vieilles inscriptions. Dans chaque pays,
ils s'occupent d'un autre siècle; c'est comme s'ils s'occupaient d'un autre pays; en sorte qu'après avoir à grands
frais parcouru l'Europe, livrés aux frivolités ou à l'ennui,
ils reviennent sans avoir rien vu de ce qui peut les intéresser, ni rien appris de ce qui peut leur être utile.

Toutes les capitales se ressemblent, tous les peuples
s'y mêlent, toutes les mœurs s'y confondent; ce n'est
pas là qu'il faut aller étudier les nations. Paris et Londres
ne sont à mes yeux que la même ville. Leurs habitants
ont quelques préjugés différents, mais ils n'en ont pas
moins les uns que les autres, et toutes leurs maximes
pratiques sont les mêmes. On sait quelles espèces d'hommes
doivent se rassembler dans les cours. On sait quelles
mœurs l'entassement du peuple et l'inégalité des fortunes
doit partout produire. Sitôt qu'on me parle d'une ville
composée de deux cent mille âmes, je sais d'avance comment on y vit. Ce que je saurais de plus sur les lieux ne
vaut pas la peine d'aller l'apprendre.

C'est dans les provinces reculées, où il y a moins de
mouvement, de commerce, où les étrangers voyagent
moins, dont les habitants se déplacent moins, changent
moins de fortune et d'état, qu'il faut aller étudier le génie
et les mœurs d'une nation. Voyez en passant la capitale,
mais allez observer au loin le pays. Les Français ne sont
pas à Paris, ils sont en Touraine; les Anglais sont plus
Anglais en Mercie qu'à Londres et les Espagnols, plus
Espagnols en Galice qu'à Madrid. C'est à ces grandes
distances qu'un peuple se caractérise et se montre tel
qu'il est sans mélange; c'est là que les bons et les mauvais
effets du gouvernement se font mieux sentir, comme au
bout d'un plus grand rayon al mesure des arcs est plus
exacte.

Les rapports nécessaires des mœurs au gouvernement
ont été si bien exposés dans le livre de l'*Esprit des Lois* [238],
qu'on ne peut mieux faire que de recourir à cet ouvrage
pour étudier ces rapports. Mais, en général, il y a deux
règles faciles et simples pour juger de la bonté relative
des gouvernements. L'une est la population. Dans tout
pays qui se dépeuple, l'État tend à sa ruine; et le pays

qui peuple le plus, fût-il le plus pauvre, est infailliblement le mieux gouverné *.

Mais il faut pour cela que cette population soit un effet naturel du gouvernement et des mœurs; car, si elle se faisait par des colonies, ou par d'autres voies accidentelles et passagères, alors elles prouveraient le mal par le remède. Quand Auguste porta des lois contre le célibat, ces lois montraient déjà le déclin de l'empire romain. Il faut que la bonté du gouvernement porte les citoyens à se marier, et non pas que la loi les y contraigne; il ne faut pas examiner ce qui se fait par force, car la loi qui combat la constitution s'élude et devient vaine, mais ce qui se fait par l'influence des mœurs et par la pente naturelle du gouvernement; car ces moyens ont seuls un effet constant. C'était la politique du bon abbé de Saint-Pierre de chercher toujours un petit remède à chaque mal particulier, au lieu de remonter à leur source commune, et de voir qu'on ne les pouvait guérir que tous à la fois. Il ne s'agit pas de traiter séparément chaque ulcère qui vient sur le corps d'un malade, mais d'épurer la masse du sang qui les produit tous. On dit qu'il y a des prix en Angleterre pour l'agriculture; je n'en veux pas davantage : cela me prouve qu'elle n'y brillera pas longtemps.

La seconde marque de la bonté relative du gouvernement et des lois se tire aussi de la population, mais d'une autre manière, c'est-à-dire de sa distribution, et non pas de sa quantité. Deux États égaux en grandeur et en nombre d'hommes peuvent être fort inégaux en force; et le plus puissant des deux est toujours celui dont les habitants sont le plus également répandus sur le territoire; celui qui n'a pas de si grandes villes, et qui par conséquent brille le moins, battra toujours l'autre. Ce sont les grandes villes qui épuisent un État et font sa faiblesse : la richesse qu'elles produisent est une richesse apparente et illusoire; c'est beaucoup d'argent et peu d'effet. On dit que la ville de Paris vaut une province au roi de France; mais je crois qu'elle lui en coûte plusieurs; que c'est à plus d'un égard que Paris est nourri par les provinces, et que la plupart de leurs revenus se versent dans cette ville et y restent, sans jamais retourner au peuple ni au roi. Il est inconce-

---

* Je ne sache qu'une seule exception à cette règle, c'est la Chine [239].

vable que, dans ce siècle de calculateurs, il n'y en ait pas
un qui sache voir que la France serait beaucoup plus
puissante si Paris était anéanti. Non seulement le peuple
mal distribué n'est pas avantageux à l'État, mais il est
plus ruineux que la dépopulation même, en ce que la
dépopulation ne donne qu'un produit nul, et que la
consommation mal entendue donne un produit négatif.
Quand j'entends un Français et un Anglais, tout fiers de
la grandeur de leurs capitales, disputer entre eux lequel
de Paris ou de Londres contient le plus d'habitants,
c'est pour moi comme s'ils disputaient ensemble lequel
des deux peuples a l'honneur d'être le plus mal gouverné.

Étudiez un peuple hors de ses villes, ce n'est qu'ainsi
que vous le connaîtrez. Ce n'est rien de voir la forme
apparente d'un gouvernement, fardée par l'appareil de
l'administration et par le jargon des administrateurs, si
l'on n'en étudie aussi la nature par les effets qu'il produit
sur le peuple et dans tous les degrés de l'administration.
La différence de la forme au fond se trouvant partagée
entre tous ces degrés, ce n'est qu'en les embrassant tous
qu'on connaît cette différence. Dans tel pays, c'est par
les manœuvres des subdélégués qu'on commence à sentir
l'esprit du ministère; dans tel autre, il faut voir élire les
membres du parlement pour juger s'il est vrai que la
nation soit libre; dans quelque pays que ce soit, il est
impossible que qui n'a vu que les villes connaisse le gouvernement, attendu que l'esprit n'en est jamais le même
pour la ville et pour la campagne. Or, c'est la campagne
qui fait le pays, et c'est le peuple de la campagne qui fait
la nation.

Cette étude des divers peuples dans leurs provinces
reculées, et dans la simplicité de leur génie originel,
donne une observation générale bien favorable à mon
épigraphe, et bien consolante pour le cœur humain; c'est
que toutes les nations, ainsi observées, paraissent en valoir
beaucoup mieux; plus elles se rapprochent de la nature,
plus la bonté domine dans leur caractère; ce n'est qu'en
se renfermant dans les villes, ce n'est qu'en s'altérant à
force de culture, qu'elles se dépravent, et qu'elles changent
en vices agréables et pernicieux quelques défauts plus
grossiers que malfaisants.

De cette observation résulte un nouvel avantage dans

la manière de voyager que je propose, en ce que les jeunes
gens, séjournant peu dans les grandes villes où règne une
horrible corruption, sont moins exposés à la contracter,
et conservent parmi des hommes plus simples, et dans
des sociétés moins nombreuses, un jugement plus sûr,
un goût plus sain, des mœurs plus honnêtes. Mais, au
reste, cette contagion n'est guère à craindre pour mon
Émile; il a tout ce qu'il faut pour s'en garantir. Parmi
toutes les précautions que j'ai prises pour cela, je compte
pour beaucoup l'attachement qu'il a dans le cœur.

On ne sait plus ce que peut le véritable amour sur les
inclinations des jeunes gens, parce que, ne le connaissant
pas mieux qu'eux, ceux qui les gouvernent les en détournent. Il faut pourtant qu'un jeune homme aime ou qu'il
soit débauché. Il est aisé d'en imposer par les apparences.
On me citera mille jeunes gens qui, dit-on, vivent fort
chastement sans amour; mais qu'on me cite un homme
fait, un véritable homme qui dise avoir ainsi passé sa
jeunesse, et qui soit de bonne foi. Dans toutes les vertus,
dans tous les devoirs, on ne cherche que l'apparence;
moi, je cherche la réalité, et je suis trompé s'il y a, pour
y parvenir, d'autres moyens que ceux que je donne.

L'idée de rendre Émile amoureux avant de le faire
voyager n'est pas de mon invention. Voici le trait qui
me l'a suggérée.

J'étais à Venise en visite chez le gouverneur d'un jeune
Anglais. C'était en hiver, nous étions autour du feu. Le
gouverneur reçoit ses lettres de la poste. Il les lit, et puis
en relit une tout haut à son élève. Elle était en Anglais :
je n'y compris rien; mais, durant la lecture, je vis le jeune
homme déchirer de très belles manchettes de point
qu'il portait, et les jeter au feu l'une après l'autre, le plus
doucement qu'il put, afin qu'on ne s'en aperçût pas.
Surpris de ce caprice je le regarde au visage, et je crois
y voir de l'émotion; mais les signes extérieurs des passions,
quoique assez semblables chez tous les hommes, ont des
différences nationales sur lesquelles il est facile de se
tromper. Les peuples ont divers langages sur le visage,
aussi bien que dans la bouche. J'attends la fin de la lecture,
et puis montrant au gouverneur les poignets nus de
son élève, qu'il cachait pourtant de son mieux, je lui
dis : Peut-on savoir ce que cela signifie ?

Le gouverneur, voyant ce qui s'était passé, se mit à rire, embrassa son élève d'un air de satisfaction; et, après avoir obtenu son consentement, il me donna l'explication que je souhaitais.

Les manchettes, me dit-il, que M. John vient de déchirer sont un présent qu'une dame de cette ville lui a fait il n'y a pas longtemps. Or vous saurez que M. John est promis dans son pays à une jeune demoiselle pour laquelle il a beaucoup d'amour, et qui en mérite encore davantage. Cette lettre est de la mère de sa maîtresse, et je vais vous en traduire l'endroit qui a causé le dégât dont vous avez été le témoin.

« Lucy ne quitte point les manchettes de lord John. Miss Betty Roldham vint hier passer l'après-midi avec elle, et voulut à toute force travailler à son ouvrage. Sachant que Lucy s'était levée aujourd'hui plus tôt qu'à l'ordinaire, j'ai voulu voir ce qu'elle faisait, et je l'ai trouvée occupée à défaire tout ce qu'avait fait hier miss Betty. Elle ne veut pas qu'il y ait dans son présent un seul point d'une autre main que la sienne. »

M. John sortit un moment après pour prendre d'autres manchettes, et je dis à son gouverneur : Vous avez un élève d'un excellent naturel; mais parlez-moi vrai, la lettre de la mère de miss Lucy n'est-elle point arrangée ? N'est-ce point un expédient de votre façon contre la dame aux manchettes ? Non, me dit-il, la chose est réelle; je n'ai pas mis tant d'art à mes soins; j'y ai mis de la simplicité, du zèle, et Dieu a béni mon travail.

Le trait de ce jeune homme n'est point sorti de ma mémoire : il n'était pas propre à ne rien produire dans la tête d'un rêveur comme moi.

Il est temps de finir. Ramenons lord John à miss Lucy, c'est-à-dire Émile à Sophie. Il lui rapporte, avec un cœur non moins tendre qu'avant son départ, un esprit plus éclairé, et il rapporte dans son pays l'avantage d'avoir connu les gouvernements par tous leurs vices, et les peuples par toutes leurs vertus. J'ai même pris soin qu'il se liât dans chaque nation avec quelque homme de mérite par un traité d'hospitalité à la manière des anciens, et je ne serai pas fâché qu'il cultive ces connaissances par un commerce de lettres. Outre qu'il peut être utile et qu'il est toujours agréable d'avoir des correspondances dans les pays éloignés, c'est une excellente précaution contre l'empire des préjugés nationaux, qui, nous attaquant toute la vie, ont tôt ou tard quelque prise sur nous. Rien n'est plus propre à leur ôter cette prise que le commerce désintéressé de gens sensés qu'on estime, lesquels, n'ayant point ces préjugés et les combattant par les leurs, nous donnent les moyens d'opposer sans cesse les uns aux autres, et de nous garantir ainsi de tous. Ce n'est point la même chose de commercer avec les étrangers chez nous ou chez eux. Dans le premier cas, ils ont toujours pour le pays où ils vivent un ménagement qui leur fait déguiser ce qu'ils en pensent, ou qui leur en fait penser favorablement tandis qu'ils y sont; de retour chez eux, ils en rabattent, et ne sont que justes. Je serais bien aise que l'étranger que je consulte eût vu mon pays, mais je ne lui en demanderai son avis que dans le sien.

Après avoir presque employé deux ans à parcourir quelques-uns des grands États de l'Europe et beaucoup plus des petits; après en avoir appris les deux ou trois principales langues; après y avoir vu ce qu'il y a de vraiment curieux, soit en histoire naturelle, soit en gouvernement, soit en arts, soit en hommes, Émile, dévoré d'impatience, m'avertit que notre terme approche. Alors je lui dis : Eh bien ! mon ami, vous vous souvenez du principal objet de nos voyages; vous avez vu, vous avez observé : quel est enfin le résultat de vos observations ? A quoi vous fixez-vous ? Ou je me suis trompé dans ma méthode, ou il doit me répondre à peu près ainsi :

« A quoi je me fixe ? à rester tel que vous m'avez fait être, et à n'ajouter volontairement aucune autre chaîne à celle dont me chargent la nature et les lois. Plus j'examine l'ouvrage des hommes dans leurs institutions, plus je vois qu'à force de vouloir être indépendants, ils se font esclaves, et qu'ils usent leur liberté même en vains efforts pour l'assurer. Pour ne pas céder au torrent des choses, ils se font mille attachements; puis, sitôt qu'ils veulent faire un pas, ils ne peuvent, et sont étonnés de tenir à tout. Il me semble que pour se rendre libre on n'a rien à faire; il suffit de ne pas vouloir cesser de l'être. C'est vous, ô mon maître, qui m'avez fait libre en m'apprenant à céder à la nécessité. Qu'elle vienne quand il lui plaît, je m'y laisse entraîner sans contrainte; et comme je ne veux pas la combattre, je ne m'attache à rien pour me retenir. J'ai cherché dans nos

voyages si je trouverais quelque coin de terre où je pusse être
absolument mien ; mais en quel lieu parmi les hommes ne dépend-
on plus de leurs passions ? Tout bien examiné, j'ai trouvé que
mon souhait même était contradictoire ; car, dussé-je ne tenir
à nulle autre chose, je tiendrais au moins à la terre où je me serais
fixé ; ma vie serait attachée à cette terre comme celle des dryades
l'était à leurs arbres ; j'ai trouvé qu'empire et liberté étant deux
mots incompatibles, je ne pouvais être maître d'une chaumière
qu'en cessant de l'être de moi.

*Hoc erat in votis : modus agri non ita magnus* [240].

« Je me souviens que mes biens furent la cause de nos recherches. Vous prouviez très solidement que je ne pouvais
garder à la fois ma richesse et ma liberté ; mais quand vous
vouliez que je fusse à la fois libre et sans besoins, vous vouliez
deux choses incompatibles, car je ne saurais me tirer de la
dépendance des hommes qu'en rentrant sous celle de la nature.
Que ferai-je donc avec la fortune que mes parents m'ont laissée ?
Je commencerai par n'en point dépendre ; je relâcherai tous les
liens qui m'y attachent. Si on me la laisse, elle me restera ; si
on me l'ôte, on ne m'entraînera point avec elle. Je ne me tour-
menterai point pour la retenir, mais je resterai ferme à ma place.
Riche ou pauvre, je serai libre. Je ne le serai point seulement
en tel pays, en telle contrée ; je le serai par toute la terre. Pour
moi toutes les chaînes de l'opinion sont brisées ; je ne connais
que celle de la nécessité. J'appris à les porter dès ma naissance,
et je les porterai jusqu'à la mort, car je suis homme ; et pourquoi ne saurais-je pas les porter étant libre, puisque étant esclave
il les faudrait bien porter encore, et celle de l'esclavage pour
surcroît ?

« Que m'importe ma condition sur la terre ? que m'importe
où que je sois ? Partout où il y a des hommes, je suis chez mes
frères ; partout où il n'y en a pas, je suis chez moi. Tant que je
pourrai rester indépendant et riche, j'ai du bien pour vivre,
et je vivrai. Quand mon bien m'assujettira, je l'abandonnerai
sans peine ; j'ai des bras pour travailler, et je vivrai. Quand mes
bras me manqueront, je vivrai si l'on me nourrit, je mourrai
si l'on m'abandonne ; je mourrai bien aussi quoiqu'on ne m'a-
bandonne pas ; car la mort n'est pas une peine de la pauvreté,
mais une loi de la nature. Dans quelque temps que la mort
vienne, je la défie, elle ne me surprendra jamais faisant des pré-
paratifs pour vivre ; elle ne m'empêchera jamais d'avoir vécu.

« Voilà mon père, à quoi je me fixe. Si j'étais sans passions,
je serais, dans mon état d'homme, indépendant comme Dieu
même, puisque, ne voulant que ce qui est, je n'aurais jamais
à lutter contre la destinée. Au moins je n'ai qu'une chaîne,

c'est la seule que je porterai jamais, et je puis m'en glorifier. Venez donc, donnez-moi Sophie, et je suis libre. »

« — Cher Émile, je suis bien aise d'entendre sortir de ta bouche des discours d'homme, et d'en voir les sentiments dans ton cœur. Ce désintéressement outré ne me déplaît pas à ton âge. Il diminuera quand tu auras des enfants, et tu seras alors précisément ce que doit être un bon père de famille et un homme sage. Avant tes voyages je savais quel en serait l'effet; je savais qu'en regardant de près nos institutions, tu serais bien éloigné d'y prendre la confiance qu'elles ne méritent pas. C'est en vain qu'on aspire à la liberté sous la sauvegarde des lois. Des lois ! où est-ce qu'il y en a, et où est-ce qu'elles sont respectées ? Partout tu n'as vu régner sous ce nom que l'intérêt particulier et les passions des hommes. Mais les lois éternelles de la nature et de l'ordre existent. Elles tiennent lieu de loi positive au sage; elles sont écrites au fond de son cœur par la conscience et par la raison; c'est à celles-là qu'il doit s'asservir pour être libre; et il n'y a d'esclave que celui qui fait mal, car il le fait toujours malgré lui. La liberté n'est dans aucune forme de gouvernement, elle est dans le cœur de l'homme libre; il la porte partout avec lui. L'homme vil porte partout la servitude. L'un serait esclave à Genève, et l'autre libre à Paris.

« Si je te parlais des devoirs du citoyen, tu me demanderais peut-être où est la patrie, et tu croirais m'avoir confondu. Tu te tromperais pourtant, cher Émile; car qui n'a pas une patrie a du moins un pays. Il y a toujours un gouvernement et des simulacres de lois sous lesquels il a vécu tranquille. Que le contrat social n'ait point été observé, qu'importe, si l'intérêt particulier l'a protégé comme aurait fait la volonté générale, si la violence publique l'a garanti des violences particulières, si le mal qu'il a vu faire lui a fait aimer ce qui était bien, et si nos institutions mêmes lui ont fait connaître et haïr leurs propres iniquités ? O Émile ! où est l'homme de bien qui ne doit rien à son pays ? Quel qu'il soit, il lui doit ce qu'il y a de plus précieux pour l'homme, la moralité de ses actions et l'amour de la vertu. Né dans le fond d'un bois, il eût vécu plus heureux et plus libre; mais n'ayant rien à combattre pour suivre ses penchants, il eût été bon sans mérite, il n'eût point été vertueux, et maintenant il sait l'être malgré ses passions. La seule apparence de l'ordre le porte à le connaître, à l'aimer. Le bien public, qui ne sert que de prétexte aux autres, est pour lui seul un motif réel. Il apprend à se combattre, à se vaincre, à sacrifier son intérêt à l'intérêt commun. Il n'est pas vrai qu'il ne tire aucun profit des lois; elles lui donnent le courage d'être juste, même parmi les méchants. Il n'est pas vrai qu'elles ne l'ont pas rendu libre, elles lui ont appris à régner sur lui.

« Ne dis donc pas : que m'importe où je sois ? Il t'importe

d'être où tu peux remplir tous tes devoirs ; et l'un de ces devoirs est l'attachement pour le lieu de ta naissance. Tes compatriotes te protégèrent, enfant, tu dois les aimer étant homme. Tu dois vivre au milieu d'eux, ou du moins en lieu d'où tu puisses leur être utile autant que tu peux l'être, et où ils sachent où te prendre si jamais ils ont besoin de toi. Il y a telle circonstance où un homme peut être plus utile à ses concitoyens hors de sa patrie que s'il vivait dans son sein. Alors il doit n'écouter que son zèle et supporter son exil sans murmure ; cet exil même est un de ses devoirs. Mais toi, bon Émile, à qui rien n'impose ces douloureux sacrifices, toi qui n'as pas pris le triste emploi de dire la vérité aux hommes, va vivre au milieu d'eux, cultive leur amitié dans un doux commerce, sois leur bienfaiteur, leur modèle : ton exemple leur servira plus que tous nos livres, et le bien qu'ils te verront faire les touchera plus que tous nos vains discours.

« Je ne t'exhorte pas pour cela d'aller vivre dans les grandes villes ; au contraire, un des exemples que les bons doivent donner aux autres est celui de la vie patriarcale et champêtre, la première vie de l'homme, la plus paisible, la plus naturelle et la plus douce à qui n'a pas le cœur corrompu. Heureux, mon jeune ami, le pays où l'on n'a pas besoin d'aller chercher la paix dans un désert ! Mais où est ce pays ? Un homme bienfaisant satisfait mal son penchant au milieu des villes, où il ne trouve presque à exercer son zèle que pour des intrigants ou pour des fripons. L'accueil qu'on y fait aux fainéants qui viennent y chercher fortune ne fait qu'achever de dévaster le pays, qu'au contraire il faudrait repeupler aux dépens des villes. Tous les hommes qui se retirent de la grande société sont utiles précisément parce qu'ils s'en retirent, puisque tous ses vices lui viennent d'être trop nombreuse. Ils sont encore utiles lorsqu'ils peuvent ramener dans les lieux déserts de la vie la culture et l'amour de leur premier état. Je m'attendris en songeant combien, de leur simple retraite, Émile et Sophie peuvent répandre de bienfaits autour d'eux, combien ils peuvent vivifier la campagne et ranimer le zèle éteint de l'infortuné villageois. Je crois voir le peuple se multiplier, les champs se fertiliser, la terre prendre une nouvelle parure, la multitude et l'abondance transformer les travaux en fêtes, les cris de joie et les bénédictions s'élever du milieu des jeux rustiques autour du couple aimable qui les a ranimés. On traite l'âge d'or de chimère, et c'en sera toujours une pour quiconque a le cœur et le goût gâtés. Il n'est pas même vrai qu'on le regrette, puisque ces regrets sont toujours vains. Que faudrait-il donc pour le faire renaître ? une seule chose, mais impossible, ce serait de l'aimer.

« Il semble déjà renaître autour de l'habitation de Sophie ; vous ne ferez qu'achever ensemble ce que ses dignes parents ont commencé. Mais, cher Émile, qu'une vie si douce ne te dégoûte pas des devoirs pénibles, si jamais ils te sont imposés : souviens-toi que les Romains passaient de la charrue au consulat. Si le prince ou l'État t'appelle au service de la patrie, quitte tout pour aller remplir, dans le poste qu'on t'assigne, l'honorable fonction de citoyen. Si cette fonction t'est onéreuse, il est un moyen honnête et sûr de t'en affranchir, c'est de la remplir avec assez d'intégrité pour qu'elle ne te soit pas longtemps laissée. Au reste, crains peu l'embarras d'une pareille charge ; tant qu'il y aura des hommes de ce siècle, ce n'est pas toi qu'on viendra chercher pour servir l'État. »

Que ne m'est-il permis de peindre le retour d'Émile auprès de Sophie et la fin de leurs amours, ou plutôt le commencement de l'amour conjugal qui les unit ! amour fondé sur l'estime qui dure autant que la vie, sur les vertus qui ne s'effacent point avec la beauté, sur les convenances des caractères qui rendent le commerce aimable et prolongent dans la vieillesse le charme de la première union. Mais tous ces détails pourraient plaire sans être utiles; et jusqu'ici je me suis permis de détails agréables que ceux dont j'ai cru voir l'utilité. Quitterais-je cette règle à la fin de ma tâche ? Non; je sens aussi bien que ma plume est lassée. Trop faible pour des travaux de si longue haleine, j'abandonnerais celui-ci s'il était moins avancé; pour ne pas le laisser imparfait, il est temps que j'achève.

Enfin je vois naître le plus charmant des jours d'Émile, et le plus heureux des miens; je vois couronner mes soins, et je commence d'en goûter le fruit. Le digne couple s'unit d'une chaîne indissoluble; leur bouche prononce et leur cœur confirme des serments qui ne seront point vains : ils sont époux. En revenant du temple, ils se laissent conduire; ils ne savent où ils sont, où ils vont, ce qu'on fait autour d'eux. Ils n'entendent point, ils ne répondent que des mots confus, leurs yeux troublés ne voient plus rien. O délire ! ô faiblesse humaine ! le sentiment du bonheur écrase l'homme, il n'est pas assez fort pour le supporter.

Il y a bien peu de gens qui sachent, un jour de mariage, prendre un ton convenable avec les nouveaux époux. La morne décence des uns et le propos léger des autres me semblent également déplacés. J'aimerais mieux qu'on laissât ces jeunes cœurs se replier sur eux-mêmes, et se livrer à une agitation qui n'est pas sans charme, que de les en distraire si cruellement pour les attrister par une fausse bienséance, ou pour les embarrasser par de mauvaises plaisanteries, qui, dussent-elles leur plaire en tout autre temps, leur sont très sûrement importunes un pareil jour.

Je vois mes deux jeunes gens, dans la douce langueur qui les trouble, n'écouter aucun des discours qu'on leur tient. Moi, qui veux qu'on jouisse de tous les jours de la vie, leur en laisserai-je perdre un si précieux ? Non, je veux qu'ils le goûtent, qu'ils le savourent, qu'il ait pour eux ses voluptés. Je les arrache à la foule indiscrète qui les accable, et, les menant promener à l'écart, je les rappelle à eux-mêmes en leur parlant d'eux. Ce n'est pas seulement à leurs oreilles que je veux parler, c'est à leurs cœurs; et je n'ignore pas quel est le sujet unique dont ils peuvent s'occuper ce jour-là.

« Mes enfants, leur dis-je en les prenant tous deux par la main, il y a trois ans que j'ai vu naître cette flamme vive et pure qui fait votre bonheur aujourd'hui. Elle n'a fait qu'augmenter sans cesse; je vois dans vos yeux qu'elle est à son dernier degré de véhémence; elle ne peut plus que s'affaiblir. » Lecteurs, ne voyez-vous pas les transports, les emportements, les serments d'Émile, l'air dédaigneux dont Sophie dégage sa main de la mienne, et les tendres protestations que leurs yeux se font mutuellement de s'adorer jusqu'au dernier soupir ? Je les laisse faire, et puis je reprends.

« J'ai souvent pensé que si l'on pouvait prolonger le bonheur de l'amour dans le mariage, on aurait le paradis sur la terre. Cela ne s'est jamais vu jusqu'ici. Mais si la chose n'est pas tout à fait impossible, vous êtes bien dignes l'un et l'autre de donner un exemple que vous n'aurez reçu de personne, et que peu d'époux sauront imiter. Voulez-vous, mes enfants, que je vous dise un moyen que j'imagine pour cela, et que je crois être le seul possible ? »

Ils se regardent en souriant et se moquent de ma simplicité. Émile me remercie nettement de ma recette, en me disant qu'il croit que Sophie en a une meilleure, et que, quant à lui, celle-là lui suffit. Sophie approuve, et paraît tout aussi confiante. Cependant à travers son air de raillerie, je crois démêler un peu de curiosité. J'examine Émile; ses yeux ardents dévorent les charmes de son épouse; c'est la seule chose dont il soit curieux, et tous mes propos ne l'embarrassent guère. Je souris à mon tour en disant en moi-même : Je saurai bientôt te rendre attentif.

La différence presque imperceptible de ces mouvements secrets en marque une bien caractéristique dans les deux sexes, et bien contraire aux préjugés reçus; c'est que généralement les hommes sont moins constants que les femmes, et se rebutent plus tôt qu'elles de l'amour heureux. La femme pressent de loin l'inconstance de l'homme, et s'en inquiète *; c'est ce qui la rend aussi plus jalouse. Quand il commence à s'attiédir, forcée à lui rendre pour le garder tous les soins qu'il prit autrefois pour lui plaire, elle pleure, elle s'humilie à son tour, et rarement avec le même succès. L'attachement et les soins gagnent les cœurs, mais ils ne les recouvrent guère. Je reviens à ma recette contre le refroidissement de l'amour dans le mariage.

« Elle est simple et facile, reprends-je; c'est de continuer d'être amants quand on est époux. — En effet, dit Émile en riant du secret, elle ne nous sera pas pénible.

« — Plus pénible à vous qui parlez que vous ne pensez peut-être. Laissez-moi, je vous prie, le temps de m'expliquer.

« Les nœuds qu'on veut trop serrer rompent. Voilà ce qui arrive à celui du mariage quand on veut lui donner plus de force qu'il n'en doit avoir. La fidélité qu'il impose aux deux époux est le plus saint de tous les droits; mais le pouvoir qu'il donne à chacun des deux sur l'autre est de trop. La contrainte et l'amour vont mal ensemble, et le plaisir ne se commande pas. Ne rougissez point, ô Sophie ! et ne songez pas à fuir. A Dieu ne plaise que je veuille

---

* En France, les femmes se détachent les premières; et cela doit être, parce qu'ayant peu de tempérament, et ne voulant que des hommages, quand un mari n'en rend plus, on se soucie peu de sa personne. Dans les autres pays, au contraire, c'est le mari qui se détache le premier; cela doit être encore parce que les femmes, fidèles, mais indiscrètes, en les importunant de leurs désirs, les dégoûtent d'elles. Ces vérités générales peuvent souffrir beaucoup d'exceptions; *mais* je crois maintenant que ce sont des vérités générales [241].

offenser votre modestie ! mais il s'agit du destin de vos
jours. Pour un si grand objet, souffrez, entre un époux
et un père, des discours que vous ne supporteriez pas
ailleurs.

« Ce n'est pas tant la possession que l'assujettissement
qui rassasie, et l'on garde pour une fille entretenue un
bien plus long attachement que pour une femme. Comment
a-t-on pu faire un devoir des plus tendres caresses, et un
droit des plus doux témoignages de l'amour ? C'est le
désir mutuel qui fait le droit, la nature n'en connaît point
d'autre. La loi peut restreindre ce droit, mais elle ne
saurait l'étendre. La volupté est si douce par elle-même !
doit-elle recevoir de la triste gêne la force qu'elle n'aura
pu tirer de ses propres attraits ? Non, mes enfants, dans
le mariage les cœurs sont liés, mais les corps ne sont point
asservis. Vous vous devez la fidélité, non la complaisance.
Chacun des deux ne peut être qu'à l'autre, mais nul des
deux ne doit être à l'autre qu'autant qu'il lui plaît.

« S'il est donc vrai, cher Émile, que vous vouliez être
l'amant de votre femme, qu'elle soit toujours votre maîtresse et la sienne; soyez amant heureux, mais respectueux;
obtenez tout de l'amour sans rien exiger du devoir, et
que les moindres faveurs ne soient jamais pour vous des
droits, mais des grâces. Je sais que la pudeur fuit les aveux
formels et demande d'être vaincue; mais avec de la délicatesse et du véritable amour, l'amant se trompe-t-il sur
la volonté secrète ? Ignore-t-il quand le cœur et les yeux
accordent ce que la bouche feint de refuser ? Que chacun
des deux, toujours maître de sa personne et de ses caresses,
ait droit de ne les dispenser à l'autre qu'à sa propre volonté.
Souvenez-vous toujours que, même dans le mariage,
le plaisir n'est légitime que quand le désir est partagé.
Ne craignez pas, mes enfants, que cette loi vous tienne
éloignés; au contraire, elle vous rendra tous deux plus
attentifs à vous plaire, et préviendra la satiété. Bornés
uniquement l'un à l'autre, la nature et l'amour vous rap-
procheront assez. »

À ces propos et d'autres semblables, Émile se fâche,
se récrie; Sophie, honteuse, tient son éventail sur ses
yeux, et ne dit rien. Le plus mécontent des deux, peut-
être, n'est pas celui qui se plaint le plus. J'insiste impitoya-
blement : je fais rougir Émile de son peu de délicatesse;

je me rends caution pour Sophie qu'elle accepte pour sa part le traité. Je la provoque à parler; on se doute bien qu'elle n'ose me démentir. Émile, inquiet, consulte les yeux de sa jeune épouse; il les voit, à travers leur embarras, pleins d'un trouble voluptueux qui le rassure contre le risque de la confiance. Il se jette à ses pieds, baise avec transport la main qu'elle lui tend, et jure que, hors la fidélité promise, il renonce à tout autre droit sur elle. Sois, lui dit-il, chère épouse, l'arbitre de mes plaisirs comme tu l'es de mes jours et de ma destinée. Dût ta cruauté me coûter la vie, je te rends mes droits les plus chers. Je ne veux rien devoir à ta complaisance, je veux tout tenir de ton cœur.

Bon Émile, rassure-toi : Sophie est trop généreuse elle-même pour te laisser mourir victime de ta générosité.

Le soir, prêt à les quitter, je leur dis du ton le plus grave qu'il m'est possible : Souvenez-vous tous deux que vous êtes libres, et qu'il n'est pas ici question des devoirs d'époux; croyez-moi, point de fausse déférence. Émile, veux-tu venir ? Sophie le permet. Émile, en fureur, voudra me battre. Et vous Sophie, qu'en dites-vous ? faut-il que je l'emmène ? La menteuse, en rougissant, dira que oui. Charmant et doux mensonge, qui vaut mieux que la vérité !

Le lendemain... L'image de la félicité ne flatte plus les hommes : la corruption du vice n'a pas moins dépravé leur goût que leurs cœurs. Ils ne savent plus sentir ce qui est touchant ni voir ce qui est aimable. Vous qui, pour peindre la volupté, n'imaginez jamais que d'heureux amants nageant dans le sein des délices, que vos tableaux sont encore imparfaits ! vous n'en avez que la moitié la plus grossière; les plus doux attraits de la volupté n'y sont point. O qui de vous n'a jamais vu deux jeunes époux, unis sous d'heureux auspices, sortant du lit nuptial, et portant à la fois dans leurs regards languissants et chastes l'ivresse des doux plaisirs qu'ils viennent de goûter, l'aimable sécurité de l'innocence, et la certitude alors si charmante de couler ensemble le reste de leurs jours ? Voilà l'objet le plus ravissant qui puisse être offert au cœur de l'homme; voilà le vrai tableau de la volupté : vous l'avez vu cent fois sans le reconnaître; vos cœurs endurcis ne sont plus faits pour l'aimer. Sophie, heureuse et paisible,

passe le jour dans les bras de sa tendre mère; c'est un repos
bien doux à prendre après avoir passé la nuit dans ceux
d'un époux.

Le surlendemain, j'aperçois déjà quelque changement
de scène. Émile veut paraître un peu mécontent; mais,
à travers cette affectation, je remarque un empressement
si tendre, et même tant de soumission, que je n'en augure
rien de bien fâcheux. Pour Sophie, elle est plus gaie que
la veille, je vois briller dans ses yeux un air satisfait; elle
est charmante avec Émile; elle lui fait presque des agaceries
dont il n'est plus dépité.

Ces changements sont peu sensibles; mais ils ne m'échappent pas : je m'en inquiète, j'interroge Émile en particulier; j'apprends qu'à son grand regret, et malgré toutes
ses instances, il a fallu faire lit à part la nuit précédente.
L'impérieuse s'est hâtée d'user de son droit. On a un éclaircissement : Émile se plaint amèrement, Sophie plaisante;
mais enfin, le voyant prêt à se fâcher tout de bon, elle
lui jette un regard plein de douceur et d'amour, et, me
serrant la main, ne prononce que ce seul mot, mais d'un
ton qui va chercher l'âme : *L'ingrat !* Émile est si bête
qu'il n'entend rien à cela. Moi je l'entends; j'écarte Émile,
et je prends à son tour Sophie en particulier.

Je vois, lui dis-je, la raison de ce caprice. On ne saurait
avoir plus de délicatesse ni l'employer plus mal à propos.
Chère Sophie, rassurez-vous; c'est un homme que je vous
ai donné, ne craignez pas de le prendre pour tel : vous
avez eu les prémices de sa jeunesse; il ne l'a prodiguée
à personne, il la conservera longtemps pour vous.

« Il faut, ma chère enfant, que je vous explique mes vues
dans la conversation que nous eûmes tous trois avant-hier.
Vous n'y avez peut-être aperçu qu'un art de ménager vos
plaisirs pour les rendre durables. O Sophie ! elle eut un autre
objet plus digne de mes soins. En devenant votre époux, Émile
est devenu votre chef ; c'est à vous d'obéir, ainsi l'a voulu
la nature. Quand la femme ressemble à Sophie, il est pourtant
bon que l'homme soit conduit par elle ; c'est encore la loi de
la nature ; et c'est pour vous rendre autant d'autorité sur son
cœur que son sexe lui en donne sur votre personne, que je vous
ai faite l'arbitre de ses plaisirs. Il vous en coûtera des privations
pénibles ; mais vous régnerez sur lui si vous savez régner
sur vous ; et ce qui s'est déjà passé me montre que cet art
si difficile n'est pas au-dessus de votre courage. Vous régne-

rez longtemps par l'amour, si vous rendez vos faveurs rares et précieuses, si vous savez les faire valoir. Voulez-vous voir votre mari sans cesse à vos pieds, tenez-le toujours à quelque distance de votre personne. Mais, dans votre sévérité, mettez de la modestie, et non du caprice ; qu'il vous voie réservée, et non pas fantasque ; gardez qu'en ménageant son amour vous ne le fassiez douter du vôtre. Faites-vous chérir par vos faveurs et respecter par vos refus ; qu'il honore la chasteté de sa femme sans avoir à se plaindre de sa froideur.

« C'est ainsi, mon enfant, qu'il vous donnera sa confiance, qu'il écoutera vos avis, qu'il vous consultera dans ses affaires, et ne résoudra rien sans en délibérer avec vous. C'est ainsi que vous pouvez le rappeler à la sagesse quand il s'égare, le ramener par une douce persuasion, vous rendre aimable pour vous rendre utile, employer la coquetterie aux intérêts de la vertu, et l'amour au profit de la raison.

« Ne croyez pas avec tout cela que cet art même puisse vous servir toujours. Quelque précaution qu'on puisse prendre, la jouissance use les plaisirs, et l'amour avant tous les autres. Mais, quand l'amour a duré longtemps, une douce habitude en remplit le vide, et l'attrait de la confiance succède aux transports de la passion. Les enfants forment entre ceux qui leur ont donné l'être une liaison non moins douce et souvent plus forte que l'amour même. Quand vous cesserez d'être la maîtresse d'Émile, vous serez sa femme et son amie ; vous serez la mère de ses enfants. Alors, au lieu de votre première réserve, établissez entre vous la plus grande intimité; plus de lit à part, plus de refus, plus de caprice. Devenez tellement sa moitié, qu'il ne puisse plus se passer de vous, et que, sitôt qu'il vous quitte, il se sente loin de lui-même. Vous qui fîtes si bien régner les charmes de la vie domestique dans la maison paternelle, faites-les régner ainsi dans la vôtre. Tout homme qui se plaît dans sa maison aime sa femme. Souvenez-vous que si votre époux vit heureux chez lui, vous serez une femme heureuse.

« Quant à présent, ne soyez pas si sévère à votre amant ; il a mérité plus de complaisance; il s'offenserait de vos alarmes ; ne ménagez plus si fort sa santé aux dépens de son bonheur, et jouissez du vôtre. Il ne faut point attendre le dégoût ni rebuter le désir ; il ne faut point refuser pour refuser, mais pour faire valoir ce qu'on accorde. »

Ensuite, les réunissant, je dis devant elle à son jeune époux : Il faut bien supporter le joug qu'on s'est imposé. Méritez qu'il vous soit rendu léger. Surtout sacrifiez aux grâces, et n'imaginez pas vous rendre plus aimable en boudant. La paix n'est pas difficile à faire, et chacun se doute aisément des conditions. Le traité se signe par un baiser. Après quoi je dis à mon élève : Cher Émile, un homme a besoin toute sa vie de conseil et de guide. J'ai fait de mon mieux pour remplir jusqu'à présent ce devoir envers vous; ici finit ma longue tâche et commence celle d'un autre. J'abdique aujourd'hui l'autorité que vous m'avez confiée, et voici désormais votre gouverneur.

Peu à peu le premier délire se calme, et leur laisse goûter en paix les charmes de leur nouvel état. Heureux amants ! dignes époux ! pour honorer leurs vertus, pour peindre leur félicité, il faudrait faire l'histoire de leur vie. Combien de fois, contemplant en eux mon ouvrage, je me sens saisi d'un ravissement qui fait palpiter mon cœur ! Combien de fois je joins leurs mains dans les miennes en bénissant la Providence et poussant d'ardents soupirs ! Que de baisers j'applique sur ces deux mains qui se serrent ! de combien de larmes de joie ils me les sentent arroser ! Ils s'attendrissent à leur tour en partageant mes transports. Leurs respectables parents jouissent encore une fois de leur jeunesse dans celle de leurs enfants; ils recommencent pour ainsi dire de vivre en eux, ou plutôt ils connaissent pour la première fois le prix de la vie : ils maudissent leurs anciennes richesses qui les empêchèrent au même âge de goûter un sort si charmant. S'il y a du bonheur sur la terre, c'est dans l'asile où nous vivons qu'il faut le chercher.

Au bout de quelques mois, Émile entre un matin dans ma chambre, et me dit en m'embrassant : Mon maître, félicitez votre enfant; il espère avoir bientôt l'honneur d'être père. Oh ! quels soins vont être imposés à notre zèle, et que nous allons avoir besoin de vous ! A Dieu ne plaise que je vous laisse encore élever le fils après avoir élevé le père. A Dieu ne plaise qu'un devoir si saint et si doux soit jamais rempli par un autre que moi, dussé-je aussi bien choisir pour lui qu'on a choisi pour moi-même ! Mais restez le maître des jeunes maîtres. Conseillez-nous, gouvernez-nous, nous serons dociles : tant que je vivrai, j'aurai besoin de vous. J'en ai plus besoin que jamais, maintenant que mes fonctions d'homme commencent. Vous avez rempli les vôtres; guidez-moi pour vous imiter; et reposez-vous, il en est temps.

FIN.

# NOTES

1. « Nous souffrons d'une maladie guérissable, et, nés pour le bien, nous sommes aidés par la nature, si nous voulons nous corriger.

2. Mᵐᵉ de Chenonceaux, belle-fille de Mᵐᵉ Dupin, femme du fermier général propriétaire, depuis 1733, du château de Chenonceaux, où Rousseau avait passé quelques mois en 1747.

3. Il n'est pas en effet parfaitement composé; les digressions y abondent.

4. L'*Emile* fut composé à Montmorency, où le maréchal de Luxembourg avait ménagé à Rousseau une retraite après son départ de l'Ermitage.

5. Le philosophe anglais Locke (1631-1704) avait écrit en 1693 des *Pensées sur l'éducation des enfants*.

6. Ce n'est pas si mal vu : l'ouvrage n'est pas un *traité* sur l'éducation; le titre véritable est *Emile ou de l'Education*.

7. Maxime essentielle, qui explique, non seulement l'*Emile*, mais toute l'œuvre de Rousseau.

8. Formey, pasteur protestant allemand, avait, dès 1763, publié un *Anti-Emile*. L'éditeur de Rousseau, Néaulme, redoutant d'être condamné à l'amende pour certaines affirmations contenues dans l'ouvrage de Jean-Jacques, demanda à Formey de le revoir et de le « purger de tout ce qui pourrait donner matière à scandale ». Formey, pour lui complaire, composa un *Emile chrétien*, que Rousseau ne lui pardonna pas, le traitant d'« effronté pillard ». De là les attaques qu'il multiplie dans ses notes.

9. Plutarque... *Dits notables des Lacédémoniens*, 60.

10. Plutarque... *Dits notables des Lacédémoniens*, 5.

11. Paragraphe capital, où est nettement exposé l'objet du livre. — Cicéron, *Tusculanes*, V, 9. « Je t'ai prévenue, fortune, et je t'ai fait prisonnière; j'ai fermé tous les passages par où tu pouvais glisser jusqu'à moi. »

12. « La sage-femme met au monde, la nourrice élève, le répétiteur ouvre l'esprit, le maître enseigne. » (Varron, cité par Nonius Marcellus.)

13. Sénèque, dans la cent troisième lettre à Lucilius, s'exprime à peu près dans les mêmes termes. S'y reporter (cf. notre traduction, chez Garnier). — Variante : « Il eût gagné de mourir jeune; au moins eût-il vécu jusqu'à ce temps-là. »

14. Pline l'Ancien, *Histoire naturelle*, IV, p. 190.

15. Toutes ces questions relatives à la première enfance et surtout au maillot préoccupaient les esprits au moment où parut l'*Emile*. En 1760, paraissait chez Hérissant, à Paris, un *Traité de l'éducation corporelle des enfants en bas âge*, par Desessarts (un médecin). Buffon défendait les mêmes idées que Rousseau. Un Genevois, Ballexerd, publiait, dans le même esprit, une *Dissertation sur l'éducation physique des enfants*.

16. Plutarque, *Vie de Marcus Caton*, 41.

17. Suétone, *Vie d'Auguste*, LXVI.

18. Cf. *Confessions*, livres VIII et XII.

19. Dans sa jeunesse, en 1740, Rousseau avait été précepteur des enfants de M. de Mably, grand-prévôt de Lyon.

20. Tornéa, fleuve de Suède. — Le Bénin, royaume de Guinée, en Afrique occidentale.

21. Dans le préambule de son *Arcadie*, Bernardin de Saint-Pierre raconte que Rousseau lui dit un jour : « Si je faisais une nouvelle édition de mes ouvrages, j'adoucirais ce que j'ai écrit sur les médecins : il n'y a pas d'état qui demande autant d'études que le leur. Par tout pays, ce sont les hommes les plus véritablement savants. »

**22.** On trouve cet homme-statue dans le *Traité des sensations*, de Condillac, paru en 1750.

23. Si Locke pense sur ce point comme Rousseau, en revanche Rabelais et Fénelon estiment qu'il faut exactement régler l'heure des repas.

24. Homère, *Iliade*, VI, 466-484.

25. Boerhaave, médecin hollandais (1668-1738), professe à l'Université de Leyde; est le fondateur de l'enseignement clinique.

26. L'abbé de Saint-Pierre (1658-1743), auteur du *Projet de paix perpétuelle* et du *Discours sur la polysynodie*. Ce dernier ouvrage, publié en 1717, et où il condamnait le gouvernement de Louis XIV, le fit exclure de l'Académie, où il avait été admis en 1695.

27. Hobbes (1588-1679), philosophe matérialiste anglais, défenseur en politique, du despotisme le plus absolu.

28. Au livre quatrième.

29. « Il vit, et n'a pas lui-même conscience de sa vie. » (Ovide, *Tristes*, I.)

30. Valère Maxime, I, 6.

31. Aulu-Gelle, *Nuits attiques*, IX, 8.

32. Cf. Montaigne, *Essais*, III, 10 : « La carrière de nos désirs doit être circonscrite et restreinte à une courte limite des commodités les plus proches. Les actions qui se conduisent sans cette réflexion, ce sont actions erronées et maladives. »

33. Cf. Sénèque, *La Brièveté de la vie*, I et VII. « La plupart des hommes incriminent la méchanceté de la nature; nous sommes nés, disent-ils, pour un temps très court... En fait, le temps que nous avons n'est pas court, mais nous en perdons beaucoup... Chacun jette sa vie au gouffre, et souffre du désir de l'avenir et du dégoût du présent. » (Trad. F. et P. Richard, chez Garnier.)

34. Plutarque, *Dicts notables des Rois et Capitaines*, 40.

35. Hobbes. Cf. note 27.

36. Locke. Cf. note 5.

37. C'est la théorie de Locke (*Essai sur le gouvernement civil*) : « Je suis propriétaire de la chose que mon travail a créée. Un champ en friche n'est rien; il ne devient quelque chose que par le travail humain. Il appartient donc de droit à celui qui l'a ensemencé et fécondé. »

38. Dyscole, de caractère bizarre; difficile à élever.

39. Le mot est de Diderot, dans la préface du *Fils naturel*. C'est le mot qui a amené la brouille de Diderot et de Rousseau. Celui-ci, qui vivait alors dans la retraite à Montmorency, et refusait d'aller à Paris malgré l'insistance de son ami, se regarda comme personnellement visé par Diderot, et ne le lui pardonna pas.

40. Cf. Plutarque, *Vie de Caton d'Utique*, I.

41. Il s'agit de Condillac (1715-1780), philosophe sensualiste, l'auteur du *Traité des sensations*.

42. Sénèque, *Lettres à Lucilius*, 88.

43. L'histoire est en effet connue. Elle est rapportée par Plutarque, *Vie d'Alexandre*, XX, et par Quinte-Curce, III, 6. Montaigne la résume ainsi : « Alexandre, ayant eu avis, par une lettre de Parménion, que Philippus, son plus cher médecin, était corrompu par l'argent de Darius pour l'empoisonner, en même temps qu'il donnait à lire sa lettre à Philippus, il avala le breuvage qu'il lui avait présenté. » (*Essais*, I, 23.)

44. « Il faudra surtout veiller à ce que les études, qu'il ne peut encore aimer, ne lui soient pas odieuses, et que cette aversion, une fois déclarée, ne l'en éloigne, passé le temps où il était un ignorant. » (Quintilien, *Institution oratoire*, I, 1.)

45. C'était le fils de M^me Dupin, femme d'un fermier général

fille de Samuel Bernard. « M$^{me}$ Dupin m'avait fait prier de veiller pendant huit à dix jours à son fils qui, changeant de gouverneur, restait seul durant cet intervalle. Je passai ces huit jours dans un supplice que le plaisir d'obéir à M$^{me}$ Dupin pouvait seul me rendre souffrable... Pendant que je fus auprès de lui, je l'empêchai de faire du mal à lui-même ou à d'autres, et voilà tout : encore ne fut-ce pas une médiocre peine, et je ne m'en serais pas chargé huit autres jours de plus. » (*Confessions*, VII, année 1742).

46. Sbrigani, dans le *Monsieur de Pourceaugnac* de Molière, est un « homme d'intrigue », qui rend insupportable le séjour de Paris au noble Limousin.

47. « Ici, il n'y a pas la racine. »

48. Locke. Cf. note 5. — Rollin (1661-1741), recteur de l'Université, auteur du *Traité des Etudes*, de l'*Histoire ancienne* et de l'*Histoire romaine*. — L'abbé Fleury (1640-1723), adjoint de Fénelon dans l'éducation des petits-fils de Louis XIV, a écrit plusieurs ouvrages de droit et d'histoire, et surtout l'*Histoire ecclésiastique*. — Jean-Pierre de Crouzas (1663-1748), philosophe et mathématicien suisse, a critiqué le scepticisme de Bayle et le dogmatisme de Leibniz.

49. *Sub dio* = en plein air.

50. L'Anglais Newton (1642-1727), auteur des *Principes mathématiques de la philosophie universelle*, a découvert la loi de l'attraction universelle.

51. Jean Chardin (1643-1713), fit plusieurs voyages et séjours dans l'Inde et la Perse et publia, deux ans avant sa mort, le *Journal du Chevalier Chardin en Perse et aux Indes orientales*.

52. Dans la *Lettre à d'Alembert sur les spectacles*.

53. Cf. Montaigne, *Essais*, I, 19.

54. Cf. Montaigne, *Essais*, II, 21.

55. « La passion ne naît pas de l'habitude. »

56. Cf. dans la Bible, *Samuel*, XXVI, versets 6-13.

57. Homère, *Iliade*, X.

58. En 1602, le duc de Savoie, Charles-Emmanuel I$^{er}$, gendre de Philippe II, essaya, sans y réussir, de prendre Genève par escalade.

59. Une balançoire. Variante : une escarpolette.

60. « On appelle figures isopérimètres celles dont les contours ou circonférences sont égaux en longueur. Or, de toutes ces figures, il est prouvé que le cercle est celle qui contient la plus grande surface. L'enfant a donc dû choisir des gaufres de figure circulaire. » (Note de l'édition Petitain.)

61. « Mozart, âgé de sept ans, fut présenté à la Cour de France en

1763 et exécuta sur le clavecin des sonates de sa composition. Rousseau avait sans doute lu le fait dans les gazettes, quand il écrivit cette note, en 1764 ou 1765. » (Th. Dufour, *Recherches bibliographiques sur les œuvres imprimées de Rousseau*, I, p. 154.)

62. Polybe (210-128 av. J.-C.), historien grec, auteur d'une *Histoire générale*.

63. Horace, *Épîtres*, I, II, 27. « Nous ne sommes que de pauvres hommes, *faits seulement pour manger*. »

64. Les Gaures, ou Guèbres, sectateurs de Zoroastre, répandus en Perse, dans l'Hindoustan et le Caucase.

65. Les Banians, Hindous, sectateurs du brahmanisme.

66. Les Lotophages, peuple de l'Afrique du Nord, sur les rives de la petite Syrte.

67. Hérodote, I, 94.

68. Le jeune homme en question était le comte de Gisors, fils du maréchal de Belle-Isle, qui dirigea en 1743 la retraite de Prague. (Cf. Lettre de Rousseau à Mᵐᵉ Latour de Franqueville, 26 septembre 1762.)

69. C'est là une des plus belles pages que Rousseau ait écrites; elle est justement célèbre. La rapprocher de celle qui précède la *Profession de foi du vicaire savoyard* (livre IV), et de la description « des premières blancheurs de l'aube » dans les *Martyrs* de Chateaubriand (livre VI).

70. La sphère armillaire est un assemblage de plusieurs cercles de métal, de bois ou de carton représentant le ciel et le mouvement des astres, et au centre desquels est placé un petit globe figurant la terre.

71. Colures. Nom donné à deux grands cercles de la sphère, perpendiculaires à l'équateur, et qui passent, l'un par les points équinoxiaux, l'autre par les points solsticiaux.

72. Tressaillit. — Rousseau emploie généralement cette forme au présent. Aujourd'hui, nous disons tressaille.

73. C'est en 1730 que fut construit le thermomètre de Réaumur.

74. Robinson Crusoé est universellement connu : c'est l'œuvre de l'écrivain anglais Daniel de Foë (1663-1731).

75. « Je ne veux avoir de biens que ceux que le peuple peut envier. » (Pétrone, *Satyricon*, 100.)

76. Cf. au livre II la conversation d'Émile et du jardinier Robert.

77. On a observé, non sans vraisemblance, que c'est là une allusion aux soupers célèbres du baron d'Holbach.

78. Le *Discours sur l'origine et les fondements de l'inégalité parmi les hommes*.

79. De cette très curieuse prescience d'un avenir prochain rapprocher le mot connu de Voltaire (2 avril 1764) : « Tout ce que je vois jette les semences d'une révolution qui arrivera immanquablement, et dont je n'aurai pas le plaisir d'être témoin. »

80. Denys le Jeune (ive s. av. J.-C.), tyran de Syracuse, devint, dit-on, à la fin de sa vie maître d'école à Corinthe. — Le fils de Persée, roi de Macédoine, vaincu à Pydna (168) par les Romains, dut, pour vivre, devenir greffier à Rome. — Tarquin le Superbe, chassé de Rome par la révolution de 510. — L'héritier du possesseur des trois royaumes est le prétendant Charles Édouard, petit-fils du roi d'Angleterre Jacques II (1720-1788).

81. Ce mot de fripon revient souvent sous sa plume, lorsqu'il parle de la société mêlée qu'on trouve à la cour. (Cf. une page plus bas.) Avant lui, et dans des conditions semblables, La Bruyère l'avait employé : « Il faut des fripons à la cour auprès des grands et des ministres, même les mieux intentionnés; mais l'usage en est délicat, et il faut savoir les mettre en œuvre. » *De la cour*, 53.

82. Si Locke veut que le jeune homme apprenne un métier, et même plusieurs, c'est à titre de divertissement. L'intention de Rousseau est tout autre.

83. « Peu nombreuses sont les femmes qui luttent; peu nombreuses celles qui mangent le pain des athlètes. Et vous, vous filez la laine; et, votre travail terminé, vous l'apportez dans des corbeilles. » Juvénal, II, 53.

84. A ce paragraphe et au précédent, le manuscrit autographe de l'*Emile* substitue le développement suivant : « Je dis qu'il est impossible que nos sens nous trompent, car il est toujours vrai que nous sentons ce que nous sentons; et les épicuriens avaient raison en cela. Les sensations ne nous font tomber dans l'erreur que par les jugements qu'il nous plaît d'y joindre sur les causes productrices de ces mêmes sensations, ou sur les rapports qu'elles ont entre elles, ou sur la nature des objets qu'elles nous font apercevoir. Or c'est en ceci que se trompaient les épicuriens, prétendant que les jugements que nous faisions sur nos sensations n'étaient jamais faux. Nous sentons nos sensations, mais nous ne sentons pas nos jugements. »

85. « Les enfants proposent leurs essais, instruisables, non instruisants. » (*Essais*, I, 56). — « Les belles âmes, ce sont les âmes universelles et prêtes à tout; sinon instruites, au moins instruisables. » (*Essais*, II, 17).

86. Variante : « Car, encore une fois, mon objet n'est pas de lui donner la science, mais de la lui faire connaître, de lui apprendre à en acquérir au besoin, enfin de la lui faire estimer exactement ce qu'elle vaut, et de lui faire aimer la vérité par-dessus toutes choses. »

87. Cf. Sénèque, *Lettres à Lucilius*, I (voir notre traduction, chez

Garnier) : « La plus grande partie de la vie se passe à mal faire, une bonne partie à ne rien faire, la vie entière à faire autre chose que ce qu'il faudrait. »

88. La même distinction avait déjà été faite par Vauvenargues : « L'amour de nous-même entre dans toutes nos passions. Mais avec l'amour de nous-même, on peut s'aimer hors de soi plus que son existence propre; on n'est point à soi-même son unique objet. L'amour-propre au contraire subordonne tout à ses commodités et à son bien-être : de sorte que, au lieu que les passions qui viennent de nous-même nous donnent aux choses, l'amour-propre veut que les choses se donnent à nous, et se fait le centre de tout. »

89. Rousseau, dans le manuscrit autographe, avait écrit : *s'il y en a.* Il remplaça, pour l'édition, cette leçon par : *s'ils en ont,* vraisemblablement afin de prévenir des critiques qui n'auraient pas manqué de se produire.

90. « C'est parce que j'ai l'expérience du malheur que je sais venir en aide aux infortunés. » (Virgile, *Enéide,* I, 630.)

91. Cette incertitude et cette instabilité des conditions humaines sont un lieu commun des moralistes et des philosophes, anciens et modernes. Cf. notre traduction des *Lettres à Lucilius,* de Sénèque, chez Garnier, lettre XLVII.

92. Seul, ou à peu près, avant Jean-Jacques, La Bruyère avait eu cet accent : « Le peuple n'a guère d'esprit, et les grands n'ont point d'âme. Faut-il opter ? Je ne balance pas : je veux être peuple. » (*Caractères,* IX, 25.)

93. Romans de La Calprenède (1614-1663), auteur de romans précieux, prolixes et ennuyeux. — Mais précisément, comme il doit en çonvenir lui-même, *Cléopâtre* et *Cassandre* sont des romans, non des histoires.

94. Davila, né aux environs de Padoue, mort en 1631, a écrit en italien une *Histoire des guerres civiles de France,* de François II à Henri IV. — Guicciardini (Guichardin), de Florence, mort en 1540, auteur de l'*Histoire des Guerres d'Italie,* de 1490 à 1534. — Strada, jésuite romain, mort en 1649, a écrit en latin l'*Histoire des Pays-Bas.* — Solis, Espagnol mort en 1686, a composé une *Histoire de la conquête du Mexique.* — Machiavel, Italien, de Florence (1469-1527), auteur de plusieurs ouvrages, dont les principaux sont le *Traité du Prince* (1514) et les *Discours sur Tite-Live* (1516). — De Thou (1553-1617), né à Paris, a écrit en latin une *Histoire de son temps,* allant de 1546 à 1607, et divisée en 138 livres. — Vertot (1655-1735), auteur de nombreux ouvrages historiques, dont les principaux sont : les *Révolutions de Portugal,* les *Révolutions de Suède,* l'*Histoire des Chevaliers hospitaliers de Saint-Jean de Jérusalem.*

95. Montaigne, *Essais,* II, 10.

96. Duclos (1704-1772), secrétaire perpétuel de l'Académie française, auteur d'une Histoire de Louis XI. — Tacite (55-120), historien latin, auteur de la *Germanie*, de la *Vie d'Agricola*, des *Annales*, des *Histoires*. — Suétone (75-160), historien latin, auteur de la *Vie des douze Césars*. — Comines (1445-1509). Ses *Mémoires* le placent au premier rang des historiens hommes d'Etat.

97. Plutarque a toujours été un de ses livres de prédilection. C'est un de ceux qu'il lisait le plus volontiers avec son père, dans sa première enfance, à Genève. (Cf. *Confessions*, livre I.)

98. Ramsai, Écossais (1686-1743), a écrit en français une *Vie de Turenne*.

99. Formey. Cf. note 8.

100. Au livre second.

101. Cohober, distiller à plusieurs reprises, pour obtenir une plus forte concentration.

102. Ces marmousets sont des idoles domestiques. Cf. *Genèse*, XXXI, 19.

103. Variante : On dit à l'un qu'il faut honorer Mahomet, et il dit qu'il honore Mahomet; on dit à l'autre qu'il faut honorer la Vierge, et il dit qu'il honore la Vierge. Chacun des deux...

104. Plutarque, *Traité de la Superstition*, XXVII.

105. La question des religions révélées sera traitée plus bas, dans la deuxième partie de la *Profession de foi du vicaire savoyard*.

106. Variante : On lui prouve toujours très aisément.

107. Horace, *Odes*, II, 1, 7 : « Je marche à travers des feux que recouvre une cendre trompeuse. » (Cf. notre traduction d'Horace, chez Garnier.)

108. C'est de lui, naturellement, qu'il est question. Il raconte, en le romançant, son séjour à Turin en 1728. Voir, pour le détail, les *Confessions*, livre II.

109, Il ne s'est pas évadé, il est sorti tout naturellement de l'hospice après son baptême. Tout ce récit est bien arrangé.

110. Les deux originaux du vicaire savoyard sont les abbés Gaime et Gâtier. Le premier surtout lui a servi de modèle. Cf. *Confessions*, livre II.

111. Ainsi se précise la vraie portée de la profession de foi : c'est essentiellement un art de vivre. Cf. P.-M. Masson, la *Profession de foi du vicaire savoyard*, p. 33, n. 2.

112. A en croire les *Confessions* (II), l'abbé Gâtier « avait fait un enfant à une fille... Les prêtres, en bonne règle, ne doivent faire des enfants qu'à des femmes mariées. »

113. Descartes, *Discours de la Méthode*, 1<sup>re</sup> partie, 4 et 10.

114. Ce portrait des philosophes n'est pas flatté; on en retrouve les principaux traits dans le *Discours sur les lettres et les arts*, I, 17-18; dans la *Nouvelle Héloïse*, IV, 36; dans les *Rêveries*, IX.

115. Clarke, théologien anglais (1675-1729), auteur d'un *Traité sur l'existence de Dieu*.

116. La Condamine (1701-1774), de l'Académie des Sciences et de l'Académie française, fit, en Amérique du Sud, des observations pour déterminer la figure et la grandeur de la terre, observations qu'il consigna dans plusieurs mémoires.

117. Helvétius et les sensualistes de l'Encyclopédie.

118. Variante : de ce qu'ils sont, ni absolument, ni entre eux.

119. Ce premier article de foi est donc : Dieu existe comme premier moteur. C'est la théorie d'Aristote (*Physique*, 8<sup>e</sup> livre) et de Fénelon (*Traité de l'Existence de Dieu*, I, 81).

120. Voici la seconde preuve de l'existence de Dieu, la preuve par les causes finales. Il existe une intelligence ordonnatrice. Cf. Voltaire, *Dictionnaire philosophique*, article *Athéisme* : « Quand nous voyons une belle machine, nous disons qu'il y a un bon machiniste, et que ce machiniste a un excellent entendement. Le monde est assurément une machine admirable; donc il y a dans le monde une admirable intelligence, quelque part qu'elle soit. »

121. C'est le distique connu de Voltaire (Les *Cabales*, X, 182) :

> *L'Univers m'embarrasse et je ne puis songer*
> *Que cette horloge existe, et n'ait point d'horloger.*

La comparaison avec l'horloge ne devait pas déplaire au fils de l'horloger genevois.

122. Bernard Nieuwentyt, médecin hollandais, auteur de l'*Existence de Dieu démontrée par les merveilles de la nature* (1716), ouvrage que Rousseau avait lu aux Charmettes. C'est l'un des plus célèbres causefinaliers du xviii<sup>e</sup> siècle, et son action fut grande sur ses contemporains.

123. Rousseau, comme Voltaire, croit à l'immutabilité des espèces. C'était l'opinion générale au xviii<sup>e</sup> siècle; seuls, Diderot et quelques transformistes avaient des doutes.

124. Rousseau avait d'abord écrit : « Le roi de la nature, au moins sur la terre qu'il habite. » Il réservait ainsi la possibilité d'existence, dans d'autres mondes habités, d'êtres aussi développés que l'homme.

125. Allusion à Helvétius qui, dans son livre *De l'Esprit*, développait des théories que démentaient et sa bienfaisance et la hauteur de son esprit.

126. Variante : J'en considère l'économie, les divers rangs et...

127. Variante : Ce que lui inspirait de noble et de grand le sentiment...

128. C'est le mot d'Ovide, dans les *Métamorphoses* (*Médée*).

129. Les trois articles de foi sont donc : I. Une volonté meut la matière. — II. Une intelligence la coordonne. — III. La liberté implique la spiritualité de l'âme.

130. Rousseau condamne ici nettement le suicide. Il ne l'a pas toujours condamné. Cf. l'apologie qu'en fait Saint-Preux dans la *Nouvelle Héloïse* (III, 21.)

131. Plutarque, *On ne peut vivre heureux, suivant Epicure*, 59.

132. La question des méchants et de leur survivance l'embarrasse fort : « Il se pourrait bien que les âmes des méchants fussent anéanties à leur mort. » (Lettre à Vernes, du 18 février 1758.)

133. Helvétius, *De l'Esprit*, III, 4.

134. « Les lois de la conscience, que nous disons naître de nature, naissent de la coutume : chacun ayant en vénération interne les opinions et mœurs approuvées et reçues autour de lui, ne s'en peut déprendre sans remords, ni s'y appliquer sans applaudissement. » (Montaigne, *Essais*, I, 22.)

135. Apostrophe devenue célèbre. Il y exprime (*in fine*) sur un ton singulièrement énergique, sa conviction profonde que le sentiment est supérieur à la raison.

136. Est-ce à dire que Rousseau condamne la prière ? Non certes; et il s'en défend dans la troisième *Lettre de la Montagne*, où il déclare que, si sa prière, à lui, n'est pas une demande, elle est un hommage et une adoration. C'est là qu'il dit : « De toutes les formules, l'oraison dominicale est sans doute la plus parfaite... Elle est tout entière dans ces paroles : Que ta volonté soit faite. »

137. Pour les philosophes du XVIIIe siècle, *théiste* n'est pas synonyme de *déiste*. Pour le déiste, Dieu ne s'occupe pas du monde et l'âme n'est pas immortelle. Pour le théiste, la Providence existe et récompensera les bons dans l'autre vie.

138. C'est ici que commence la seconde partie de la profession de foi du vicaire. Après avoir, dans la première, exposé les principes de la religion naturelle, il va maintenant parler des religions révélées et faire connaître ses objections.

139. Cf. Montaigne (*Essais*, II, 12) : « Nous sommes chrétiens au même titre que nous sommes Périgordins ou Allemands. » — Charron (1541-1603), moraliste, ami de Montaigne, auteur du *Traité de la Sagesse*.

140. Le ton est le même qu'ici dans sa réponse au mandement de

Christophe de Beaumont, archevêque de Paris : « Est-il simple, est-il naturel que Dieu ait été chercher Moïse pour parler à Jean-Jacques Rousseau ? »

141. Éventives : qui peuvent se réaliser. Néologisme, qu'on ne retrouve nulle part ailleurs.

142. Rousseau ne nie pas absolument les miracles; il rejette « les petits qui ne font que discréditer les grands ». Il admet l'ascension du Christ (*Lettres de la Montagne*, III, 62) et la résurrection (Diderot, *Règne de Claude et de Néron*, III, 98).

143. Diallèle : pétition de principe.

144. Cf. Voltaire, *Epître à Uranie :*

> On te fait un tyran, je cherche en toi mon père :
> Je ne suis point chrétien, mais c'est pour t'aimer mieux.

145. Cf. Rousseau, *Lettre à M. Petitpierre*, 1763 : « Le vrai christianisme n'est que la religion naturelle mieux expliquée. »

146. Le livre en question est l'*Exposition de la doctrine de l'Église catholique*. Il est probable que les sermons entendus par Jean-Jacques à Turin quand il allait se convertir au catholicisme n'avaient rien de commun avec l'exposé de Bossuet.

147. Variante : méprisent; ils ne savent pas nos raisons, nous ne savons pas les leurs; et...

148. Les trois religions révélées sont : le judaïsme, le christianisme et le mahométisme. C'est à la première que semblent aller les sympathies de Rousseau, peut-être surtout parce que les Juifs sont des persécutés : ces persécutions font l'objet, un peu plus bas, de tout un développement.

149. Variante : des livres où l'on affirmerait, où l'on s'efforcerait de prouver que Jésus-Christ n'est pas le Messie.

150. Ici, Rousseau avait d'abord écrit la phrase suivante, qu'il biffa par la suite, probablement parce qu'elle lui parut être d'un ton trop irrévérencieux : « Laissez-moi de grâce aller voir ce merveilleux pays, où les vierges accouchent, où les dieux naissent comme des hommes, mangent, souffrent et meurent. »

151. Toute cette argumentation rationaliste est, en somme, celle de Voltaire et des philosophes déistes du xviiie siècle.

152. Variante : la religion du sien ? Combien d'hommes sont à Rome très bons catholiques, qui, par la même raison, seraient très bons musulmans s'ils fussent nés à la Mecque ? et réciproquement, que d'honnêtes gens sont très bons Turcs en Asie, qui seraient très bons chrétiens parmi nous !

153. Cette invention est de saint Thomas d'Aquin (*Quaestiones disputatae, De Veritate*, XIV, 9).

154. Ce paragraphe sur la révélation chrétienne, et le suivant sur l'Évangile ne semblent guère d'accord avec tout ce que vient de dire le Vicaire des religions révélées. Le développement sur l'Évangile, l'un des plus beaux, au point de vue littéraire, de l'*Emile*, fut ajouté par Rousseau après coup. Il faut y voir le souvenir, qui ne s'effaça jamais, d'une éducation chrétienne, et le désir de n'être pas confondu avec les philosophes matérialistes contemporains, surtout d'Holbach.

155. Platon, *la République*, II.

156. Variante : Quel aveuglement ou quelle mauvaise foi ne...

157. Variante : Que quatre hommes d'accord.

158. On lit dans les *Confessions*, VIII, 43 : « Avoir de la religion pour un enfant, et même pour un homme, c'est suivre celle où il est né. » Cf. Montesquieu : « Dieu est comme ce monarque qui a plusieurs nations dans son empire; elles viennent toutes lui porter un tribut, et chacune lui parle sa langue : religions diverses. »

159. Cf. la lettre à Christophe de Beaumont, archevêque de Paris : « J'entends dire sans cesse qu'il faut admettre la tolérance civile, non la théologique. Je pense tout le contraire; je crois qu'un homme de bien, dans quelque religion qu'il vive de bonne foi, peut être sauvé. Mais je ne crois pas pour cela qu'on puisse légitimement introduire en un pays des religions étrangères sans la permission du souverain; car, si ce n'est pas directement désobéir à Dieu, c'est désobéir aux lois; et qui désobéit aux lois, désobéit à Dieu. »

160. Tout ce passage est expliqué et éclairé par la troisième Promenade des *Rêveries du promeneur solitaire*.

161. Dans le manuscrit, Rousseau avait, de sa main, écrit à cet endroit le mot : Amen.

161 *bis*. Charles Le Beau, historien français (1701-1778), auteur d'une *Histoire du Bas-Empire*.

162. « Ceux qui ont gardé le plus longtemps leur virginité sont fort estimés de leur entourage. C'est une des hontes les plus grandes parmi eux que de connaître la femme avant l'âge de vingt ans. » (César, *Guerre des Gaules*, VI, 21. Trad. Maurice Rat, chez Garnier.)

163. Les quatre exemples donnés par Rousseau sont empruntés à l'histoire juive. Cf. à ce sujet la note 148. — Le puits du serment est celui près duquel Abraham et Abimélech firent serment d'être alliés (*Genèse*, XXI). — Le puits du vivant qui me voit est celui près duquel Agar, servante d'Abraham, voit l'ange qui lui ordonne de retourner près de son maître (*Genèse*, XXVI). — Le chêne de Mambré est celui sous lequel était assis Abraham, quand survinrent trois hommes envoyés par Dieu pour annoncer à Sara que, malgré sa vieillesse, elle enfanterait Isaac (*Genèse*, XVIII). — Le monceau du témoin est le tas de pierres amassé par Jacob et ses frères pour servir de témoin à son alliance avec Laban (*Genèse*, XXXI).

164. L'explication est donnée par Hérodote (IV, 31) : « Si vous ne devenez pas oiseaux pour voler au ciel, si vous ne devenez pas souris pour vous cacher sous terre, si vous ne devenez pas grenouilles pour sauter dans les lacs, vous ne nous échapperez pas; vous périrez par ces flèches. »

165. Aurélius Victor, *De viris illustribus*, chapitre 86.

166. « A forte volonté, rien n'est difficile. »

167. Montaigne, *Essais*, I, 25.

168. La piété est, avec l'amour de soi, le premier sentiment naturel à l'homme. Voir, à ce sujet, le début du livre IV.

169. Helvétius, *De l'Esprit*, II, 1.

170. Marcel. Cf. plus haut, livre II, note de Rousseau, page 148.

171. *Considérations sur les mœurs de ce siècle*, par Duclos, qui resta toujours un ami de Rousseau.

172. Il est bien difficile de suivre pas à pas Rousseau dans la longue dissertation qui va suivre sur le goût. Tout au plus, suffit-il d'observer que le goût consiste moins à juger, comme il le dit, des choses que les sens nous présentent comme *agréables*, que d'apprécier celles qui sont *belles* ; et, dès lors, le bon goût ne résultera pas, comme il le prétend, de la *pluralité des suffrages*. « Il y a, dit La Bruyère (I, 11), plus de viva-cité que de goût parmi les hommes; ou, pour mieux dire, il y a peu d'hommes dont l'esprit soit accompagné d'un goût sûr et d'une critique judicieuse. »

173. Variante : inexplicables; car, par exemple, qui est-ce qui nous dira pourquoi tel chant est de goût, et non pas tel autre ? Qui est-ce qui nous donnera des principes sur l'assortiment des couleurs ? Qui est-ce qui nous apprendra pourquoi l'ovale plaît plus que le rond dans un compartiment du gazon, et pourquoi le rond plaît plus que l'ovale dans le bassin d'un jet d'eau ?

174. « Arrête-toi, voyageur; c'est un héros que tu foules. » Inscrip-tion faite pour le tombeau de Merci, général bavarois tué à Nord-lingen. Cf. Voltaire, *Siècle de Louis XIV*, III.

175. Xénophon, *Anabase*, II.

176. Hérodote, VII, 228.

177. On voit la position qu'eût prise Rousseau dans la Querelle des Anciens et des Modernes. La Motte, Terrasson et Fontenelle étaient partisans des modernes.

178. Cette formule dédaigneuse est dans la *Lettre sur les spectacles*.

179. Apicius, célèbre gastronome contemporain d'Auguste; il fit exprès le voyage d'Afrique, parce qu'on lui avait dit qu'on y trouvait des sauterelles plus grosses que celles qu'il mangeait à Minturnes (Athénée, I, 6).

180. « Là où on est bien, là est la patrie. »

181. Citation à peu près textuelle de Montaigne, *Essais*, II, 1.

182. Cf. Sénèque, *Lettres à Lucilius*, II. « Abondance de livres, c'est dispersion. Aussi, puisqu'il n'est pas possible de lire tout ce qu'on peut avoir, suffit-il d'avoir ce que l'on peut lire. » (Voir notre traduction, chez Garnier.)

183. Le jeu était une passion fort répandue au XVII$^e$ et au XVIII$^e$ siècle. Regnard a écrit *Le Joueur* et Dufresny *Le Chevalier joueur* et *La Joueuse*.

184. Le mot est du philosophe Aristippe (Diogène de Laerce, *in Aristippo*).

185. Cf. La Bruyère, *De l'Homme*, 111 : « C'est une grande difformité dans la nature qu'un vieillard amoureux. » Voir Faguet, *La Vieillesse*, p. 39.

186. Cette page est bien connue et mérite de l'être : c'est vraiment un hymne en l'honneur de la nature et de la campagne. Cf. la 5$^e$ promenade des *Rêveries du promeneur solitaire*.

187. Rapprocher cette page sur les fêtes champêtres de la 9$^e$ promenade des *Rêveries du promeneur solitaire*.

188. La chasse est évidemment un plaisir réservé aux gens d'une condition assez relevée. Mais ne l'a-t-il pas indiquée plus haut, dans le même livre, comme devant faire partie de l'éducation d'Émile ? Il est vrai que la chasse lui rappelle le temps de sa jeunesse, puisque, comme il le dit un peu plus bas, son père était chasseur.

189. Variante : le lui confirmer. Cette manière de former son goût vaut bien celle des livres. Horace et Chaulieu ne lui en diront pas plus. Reste à savoir, je le redis encore, si ce sont ici des préceptes vagues et stériles, ou s'ils lui sont bien appropriés.

190. « Qui trouvera une femme vertueuse ? Elle est loin ; venue du bout du monde, elle se fera apprécier. » (*Proverbes*, XXXI, 10.)

191. *Deutéronome*, XXII, versets 23 à 27.

192. On sait que, dans *La République*, Platon, faisant le plan d'une cité idéale, « impose à tous les citoyens le désintéressement le plus absolu, l'abnégation de sa personne en vue des intérêts communs ; à chacun il assigne une fonction selon sa force ou sa faiblesse, sans lui permettre d'en jamais sortir. » (E. Egger, *Essai sur l'histoire de la critique chez les Grecs*, p. 148-149.)

193. On les appelait les *Canéphores*.

194. Clément d'Alexandrie, *Le Pédagogue*, II, 12.

195. Variante : les entendre ; ils épient, pour ainsi dire, le moment du discernement de ces petites personnes, pour savoir quand ils

pourront les aimer; car, quoi qu'on fasse, on veut plaire à qui nous plaît; et, sitôt qu'on en désespère, il ne nous plaît pas longtemps.

196. Comparer à ce dialogue celui que Fénelon imagine, sur le même sujet, dans son *Traité de l'éducation des filles*.

197. « La femme emploie tous les artifices afin de prendre à ses rets quelque nouvel amant. Ni envers tous, ni toujours, elle ne conserve le même visage; mais elle change, suivant les moments, d'attitude et d'aspect. » (Le Tasse, *La Jérusalem délivrée*, IV, 87.)

198. Virgile évoque le manège de Galatée dans les *Bucoliques* (III, 64 et 72).

199. « Quand une femme a perdu sa pudeur, elle n'aura plus rien à refuser. » (Tacite, *Annales*, IV, 3.)

200. Ninon de Lenclos (1620-1705), femme galante célèbre par son esprit et sa beauté. Sa maison était fréquentée par les poètes et les gens du monde. On cite, en particulier, Saint-Evremond et le marquis de Sévigné.

201. « Elle mange, s'essuie la bouche; puis elle dit : Je n'ai point commis de mal. »

202. Lucrèce, violée par Sextus Tarquin, s'était tuée; pour la venger, Brutus souleva le peuple qui chassa les Tarquins en 510 av. J.-C.

203. Le tribun de la plèbe Licinius Stolon fit voter, en 366 av. J.-C. une loi prescrivant qu'un des deux consuls serait plébéien. Tite-Live prétend que cette mesure fut proposée par Licinius, à l'instigation de sa femme, fille du patricien Marcus Fabius Ambustus.

204. Le décemvir Appius Claudius convoitait Virginie, fille d'un centurion. Son père la tua pour la soustraire au déshonneur, puis il souleva le peuple qui chassa les décemvirs; Appius se tua dans sa prison (449 av. J.-C.).

205. Coriolan, exilé chez les Volsques, revint à leur tête assiéger Rome. Sa mère Véturie vint le trouver dans son camp et, par ses prières, le décida à se retirer (491 av. J.-C.).

206. Variante : du passé. Si la route que je trace est agréable, tant mieux; elle en est plus sûre, elle est dans l'ordre de la nature; et vous n'arriverez jamais au but que par celle-là.

207. « Celle qui ne commet pas la faute parce qu'elle en est empêchée, celle-là est en faute. » (Ovide, *Amours*, III, iv.)

208. « La funeste colère de l'intraitable fils de Pélée. » (Horace, *Odes*, I, 6.)

209. Phébus. Emploi anormal de ce mot pour désigner une personne; d'ordinaire il s'applique au langage. « Un homme parle phébus, dit Furetière (*Dictionnaire*), lorsqu'en affectant de parler en termes magnifiques, il tombe dans le galimatias et l'obscurité. »

210. Variante : les hommages, et qui est la première faveur du sexe.

211. C'est dans le septième livre des *Aventures de Télémaque* que Fénelon raconte les amours du fils d'Ulysse et d'Eucharis, une des nymphes de Calypso.

212. Ninon de Lenclos. Cf. note 200.

213. « Tu demandes, Galla, pourquoi je ne veux pas t'épouser ? Tu es puriste. » (Martial, XI, 19.)

214. Cf. plus haut, note 211.

215. « Elle ne le montre pas, bien qu'elle s'en réjouisse dans son cœur. » (Le Tasse, *La Jérusalem délivrée*, IV, 33.)

216. La rencontre d'Ulysse et de Nausicaa est racontée par Homère au sixième livre de l'*Odyssée* ; c'est dans le septième que sont décrits les jardins d'Alcinoüs.

217. Albane, peintre italien, de Bologne (1578-1660), surnommé l'*Anacréon de la peinture* à cause de ses compositions gracieuses et de ses têtes de femmes. — Raphaël (1483-1520), le grand peintre italien, qui peignit à fresque les salles du Vatican et le tableau célèbre de *La Transfiguration*.

218. Milton (1608-1674), grand poète anglais, auteur du *Paradis perdu*.

219. Léandre, Grec d'Abydos, aimait Héro, prêtresse de Vénus à Sestos; pour aller la voir, il traversait l'Hellespont à la nage. Un jour, assailli par une tempête, il se noya, et Héro se précipita dans la mer.

220. Tressaillit. Cf. note 72.

221. La magicienne Circé changea les compagnons d'Ulysse en pourceaux, et leur rendit ensuite leur première forme, à la prière de ce héros, que ses enchantements n'avaient pu soumettre.

222. Eucharis. Cf. note 211.

223. *Le Spectateur*, feuille périodique publiée à Londres du 1er mars 1711 au 20 septembre 1714 par l'écrivain anglais Addison. C'est une peinture satirique de l'âme anglaise, alors ignorante et brutale, et qu'Addison voulait rendre morale, décente et polie.

224. « Comment peut-on être Persan ? » Le mot se trouve dans les *Lettres persanes* de Montesquieu (Lettre XXX, de Rica à Ibben).

225. Raymond Lulle (1235-1315), franciscain, né dans l'île de Majorque, étudia l'arabe et les ouvrages philosophiques du XIIIe siècle pour travailler à la conversion des Musulmans. Son *Arbor scientiae* est une véritable encyclopédie.

226. Paul Lucas, de Rouen (1664-1737), visita l'Égypte, la Syrie, la Perse, l'Arménie et raconta ses voyages dans plusieurs ouvrages

curieux. — Jean-Baptiste Tavernier, de Paris (1605-1689), grand voyageur, auteur des *Voyages de Tavernier en Turquie, en Perse et aux Indes*.

227. Lucas, dont il est question un peu plus haut, voyageait pour le commerce des pierres précieuses; et Tavernier, quand il revint en France, vendit avec grand profit des tissus et des pierres fines.

228. Hérodote a été un grand voyageur. Quant à Tacite, il a écrit la *Germanie* après avoir été propréteur dans une région voisine des Germains.

229. Ctésias, médecin et historien grec (ve siècle av. J.-C.), auteur d'une *Histoire de Perse* et d'un livre sur l'Inde (*Indica*). — Pline l'Ancien ou le Naturaliste (23-79 ap. J.-C.), tué par suffocation dans l'éruption du Vésuve, auteur de l'*Histoire naturelle*.

230. Ce jeune homme est le comte de Gisors. Cf. note 68.

231. Naboth, Juif de Jezraël, avait refusé de vendre au roi d'Israë Achab la vigne qu'il possédait. La femme d'Achab, Jézabel, le fit lapider sous une fausse accusation (*Rois*, I, xxi).

232. Grotius, homme d'État et légiste hollandais (1583-1645), auteur d'un traité sur le *Droit de la paix et de la guerre* (1625), considéré longtemps comme le code des relations internationales.

233. Ici commence l'exposé des théories qui sont développées dans le *Contrat social*. (Voir quelques pages plus loin une note de Rousseau.)

234. Nembrod, ou plus ordinairement Nemrod, fils de Chus, petit-fils de Cham, regardé comme le fondateur de Babylone.

235. « Qui ne laisse place ni à la préparation du temps de guerre, ni à la sécurité du temps de paix. » (Sénèque, *La Tranquillité de l'âme*, I.)

236. L'abbé de Saint-Pierre. Cf. note 26.

237. Grotius. Cf. note 232.

238. L'*Esprit des lois*, le grand ouvrage de Montesquieu.

239. Cette note, prise dans le manuscrit autographe, a été imprimée pour la première fois dans l'édition de 1801.

240. « Mes souhaits ? les voici : une terre d'étendue moyenne. » Horace, *Satires*, II, vi, 1.

241. Cette note est prise dans le manuscrit autographe; elle n'a pas été imprimée avant 1801.

# INDEX GÉNÉRAL ANALYTIQUE

## A

**Académies.** — écoles publiques de mensonge, 230; — l'Académie des Inscriptions bafouée, 428; — leur bavardage, 429; — étrangères au peuple, 585.

**Accent.** — Voir *Langage*.

**Accidents.** — armer l'enfant contre eux, 148.

**Accouchement.** — meilleur à la campagne, 37; — plus ou moins facile selon le pays et le tempérament, 452.

**Achille.** — allégorie de son immersion dans le Styx, 19; — comment Homère diminue son mérite, 30; — effraie Ajax, 309.

**Addison.** — Le *Spectator*, donné par Émile à Sophie, 573.

**Adolescence.** — sa force, 183; — signes de sa venue, 246; — accélérée ou retardée par l'éducation, 254; — influence sur elle de la nature, 257, 258; — comment développer en elle l'humanité, 258, 262; — sa résistance à la douleur, 260; — est moins guidée par l'intérêt que l'enfance, 266; — et les spectacles, 272; — doit avoir l'homme comme spectacle, 281; — comment elle comprend les fables, 296; — des sauvages, 391.

**Adultère.** — jugé par l'abbé de Saint-Pierre, 229; — est au début des désordres de la jeunesse, 412; — ses conséquences, 450.

**Affaires.** — comment un jeune homme peut et doit les apprendre, 299, 303.

**Age.** — le premier âge n'a pas besoin des langues, 105; — comment il doit employer le temps, 191; — de raison, 391; — du mariage, 393; — où il faut étudier la société, 407, 408; — amène un changement de goûts, 437, 438.

**Agriculture.** — le premier et le plus respectable de tous les arts, 216, 226.

**Aimant.** — Voir *Jeux*.

**Alcinoüs.** — Voir *Homère*, 534.

**Alexandre.** — et le médecin Philippe, 107, 108, 287; — une de ses fantaisies, 400.

**Alimentation**. — de l'enfant, 32 et note; — de la nourrice, 35, 36; — la bouillie, le bouillon, 52; — les fruits secs, 53; — les biscuits, 53; — boissons, 132; — son économie naturelle, 164, 165, 166, 171; — la viande, 168, 169; — indigestion. Comment la prévenir, 171; — comment empêcher l'enfant de manger trop, 172; — comment elle peut récompenser les exploits gymniques, 167; — des premiers hommes, 165; — appétit, 165, 166, 167; — gourmandise, passion de l'enfance, comment la traiter, 167, 168, 500; — cuisine française, 166; anglaise, 169; — régime pythagoricien, 169, en note. — comment vérifier la pureté du vin, 208; — on ne l'aime pas naturellement, 165; — réflexions suggérées à Émile par un repas opulent, 219; — par un repas simple, 220; — gourmandise de Sophie, 556; d'Apicius, 431; — quelle serait celle de Rousseau, s'il était riche, 431; — description d'un repas rustique, 440.

**Allaitement**. — maternel, 16, 17, 18; — par une nourrice, 33; — condition pour obtenir un bon lait, 33 à 35.

**Ame**. — sa force, 101; — sa paix, 319; — comment s'en forme l'idée, 339; — immatérielle, survit au corps, 343, 344; — pourquoi elle lui est enchaînée, 357.

**Amitié**. — sa naissance, 250, 258; — sa psychologie, 276, en note; — entre filles, 472.

**Amour**. — fausse et vraie définition, 250; — du prochain. Le développer sans réserve, 266; — du beau, 350, 430; — son ennemie, Diane, 397; — ne pas en contrarier la naissance chez le jeune homme, 406; — comment il transforme le jeune homme, 411; — rapproché de l'amour-propre, 412; — tué par l'argent, 436; — rôle qu'y joue la violence, 446; — réglé par Dieu, 448; — chez l'homme, 468; — naissant chez Sophie, 511, 512; — ses rapports avec la vertu et la beauté, 494, 495; — comment le conserver dans le mariage, 608 à 610.

**Amour de soi**. — seule passion naturelle à l'homme, 81, 247 à 249.

**Amour-propre**. — sa naissance, 279; — ses effets, 290; — instrument utile, mais dangereux, 292; — étendu aux autres êtres, devient vertu, 303; — fait plus de libertins que l'amour, 412; — auxiliaire du désir, 446.

**Analyse**. — Son emploi dans l'étude des sciences, 190.

**Anciens**. — leurs tailleurs, 232, en note; — leur goût comparé au nôtre, 427, 428; — leurs épitaphes, 428; — querelle des Anciens et des Modernes jugée par Fontenelle, 429; — leur façon de voyager, 577.

**Anglais**. — barbares parce que carnivores, 168, 169; — pourquoi et comment ils voyagent, 576.

**Animaux**. — ont besoin d'éduquer leurs sens, 41; — dorment plus longtemps l'hiver que l'été, 133; — curiosité et prudence du chat, 127; — leurs mouvements, 328; — jaloux, 547.

**Antoine.** — instructif pour Émile, 290; — comment il prononce l'oraison funèbre de César, 400.

**Apelle.** — un mot de lui, 466.

**Apicius.** — son raffinement gastronomique, 431.

**Appétit.** — Voir *Alimentation*.

**Argent.** — tue l'amour, 436.

**Aristide.** — sa justice, 379.

**Aristocratie.** — Voir *Gouvernement*.

**Armes à feu.** — leur utilité pédagogique, 44. (Voir *peur*.) — métier des..., 582.

**Artisan.** — des villes, sottement ingénieux, 213; — sa condition est la plus indépendante de toutes, 226.

**Arts.** — le dessin, 154, 155, 460; — naturels et civils, 212; — leur classement d'après l'utilité, 213; — l'agriculture est le premier de tous, 216, 226; — d'agrément pratiqués par les femmes, 468 à 470.

**Astyanax.** — Voir *Homère*.

**Athéisme.** — Voir *Religion*.

**Athéniens.** — inférieurs aux Spartiates, 120.

**Atomes.** — scepticisme de l'auteur à leur propos, 331, 333.

**Attachement.** — des enfants n'est d'abord qu'habitude, 248; — comparé à l'amitié, 276 et note.

**Attention.** — comment l'enseigner, 188.

**Attraction.** — découverte par Newton, 330.

**Auguste.** — précepteur de ses petits-fils, 22; — sa misère morale, 289; — ennemi du célibat, 599.

**Aurélius Victor.** — cité, 403.


# B


**Bains.** — froids, 37 et 38, 132.

**Barbares.** — Effet de leurs invasions, 578.

**Bâton.** — plongé dans l'eau paraît brisé, 238, 240, 241.

**Bayle.** — ses idées sur le fanatisme et l'athéisme, 386, en note.

**Beauté.** — quelle admiration elle inspire, 350, 430; — de la femme, 465, 519; — comment elle la fait valoir, 467, 468; — ses rapports avec la vertu et l'amour, 494, 495.

**Berceau.** — 38 et la note.

**Besoins.** — leurs rapports avec les goûts, 164; — comment les prévoir, 200.

**Bible.** — sa modestie, sa naïveté, 402.

**Bibliothèque.** — Voir *Lecture.*

**Bien.** — la raison nous le fait connaître, 48.

**Bienfaisance.** — de Dieu, 5; — doit être désintéressée, 277; — l'enseigner par la pratique, 299, 302; — est naturelle à l'homme, 350; — d'Émile 555, 562; et de Sophie, 563.

**Boileau.** — opposé à Cotin, 293.

**Bonheur.** — impossible sans le respect de la constitution humaine, 73, 74; — de l'homme naturel, en quoi il consiste, 200; — conditions et signes, 270, 271; — causé par la pratique de la justice, 343, 351; — contrarié par l'opinion, 443; — fin de tout être sensible, 564.

**Bonté.** — de l'homme, 249, 348 à 350; — rapports avec la justice, 278, 342; — du Vicaire savoyard, 315 à 320.

**Bossuet.** — théoricien du catholicisme, 372.

**Boule.** — roulée entre deux doigts croisés, 242. (Voir *Sensations.*)

**Boussole.** — Voir *Physique.*

**Brantôme.** — raconte une anecdote, 497, en note.

**Brutus.** — invoqué, 343.

**Bucentaure.** — ce qu'il était, 399, en note.

**Buffon.** — cité, 39, en note; 140, en note; 251, en note.

## C

**Calcul.** — connaissance essentielle de la jeune fille, 461.

**Campagne.** — excellente pour l'accouchée et la nourrice, 36, 37; — comment on y parle, 54, 55; — convient mieux que la ville au pédagogue. Pourquoi, 85, 88; — pourquoi Émile l'aime, 221, en note; — idéal de Jean-Jacques, 439; — ses fêtes, 440; — son habitation, 524; — attire Émile amoureux, 551, 554; — c'est elle qui fait un pays, 600.

**Caprices.** — comment les traiter, 74, 75, 122 à 126; — comment les éviter, 121; — leur origine, 122; — de Sophie, 502.

**Caractère.** — révélé par la physionomie, 272.

**Cartes.** — de géographie. Voir ce mot, 186, 190.

**Catéchisme.** — ne devrait pas s'enseigner par questions et réponses récitées, 310, 474; — modèle d'instruction : *La bonne et la petite,* 475.

**Catholiques.** — ont tort de vouloir prouver l'autorité de l'Église, 373, 374; — théorie du catholicisme par Bossuet, 372.

**Catilina.** — ses crimes laissent Rousseau indifférent, 350, 351.

**Caton le Censeur.** — éleva son fils dès le berceau, 22.

**Caton d'Utique.** — semblait imbécile durant son enfance, 102; — préférable à César, 350.

**Célibat.** — réprouvé par Auguste, 599.

**Cerf-volant.** — moyen d'orientation, 181.

**César.** — jugé comme historien, 285; — comme homme, 287; — inférieur à Caton, 350; — mort célébré par Antoine, 400.

**Chant.** — façon de l'enseigner, 162; — aux filles, 468.

**Chardin.** — cité, 131, 389, en note.

**Charité.** — comment la développer, 97; — ses difficultés, son caractère négatif, 99.

**Charron.** — cité, 363, en note.

**Chasse.** — 397, 441.

**Chasteté.** — ses rapports avec le langage, 402; — vertu délicieuse pour une belle femme, 495; — chez les Germains, 393, 494.

**Chat.** — Voir *Animaux*.

**Cheval.** — Voir *Exercices physiques* et Émile; — effraie Sophie, 552.

**Chimie.** — comment en donner le goût à l'enfant, 207.

**Christianisme.** — ne prend pas la peine d'examiner les attaques du Judaïsme, 374; — son influence politique, 386; — a outré les devoirs, 468.

**Cicéron.** — cité, 12; — opposé à Démosthène, 428.

**Circé.** — Voir *Ulysse*.

**Citoyen.** — définition, 588; — l'idée en a été dénaturée par les Français, 420, en note.

**Clarke.** — éclairant le monde, 324.

**Cléopâtre.** — son attrait, 403, 495.

**Climat.** — tempéré, ses avantages, 27; — influe sur la puberté, 251 et note.

**Coiffure.** — variétés et emploi, 131.

**Colère.** — comment la combattre, 47, 87, 92.

**Collèges.** — critiqués dans leur principe, 11 et note; — comment ils favorisent la mauvaise prononciation, 55; — danger moral, 410.

**Commynes.** — imité par Duclos, 286, en note.

**Condillac.** — définit l'instinct, 348, en note.

**Conditions.** — comment Émile en ressentira l'inégalité, 236; — rôle de leur inégalité dans le mariage, 516.

**Conscience.** — ne peut se développer sans la raison, 48; — premières manifestations, 278 et note; — suit l'ordre de la nature contre toutes les lois des hommes, 320; — vrai guide de l'homme, 348; — comment en expliquer le principe immédiat, 354; — invoquée par l'auteur, 354, 355; — le remords, 351.

**Contrat social.** — idées principales de cet ouvrage, 587 et suivantes.

**Coquetterie.** — ses transformations, 456; — ses manifestations dans le monde, 485, 486; — de Galatée, dans les *Bucoliques* de Virgile, 487; — encouragée par le régime des couvents, 491; — la coquette est sans autorité sur l'homme dans les cas graves, 497; — naturelle de Sophie, 498; — d'Émile amoureux, 529.

**Correspondance.** — Émile doit en entretenir avec les personnes cultivées rencontrées pendant son voyage, 602.

**Corset.** — Condamné, 458.

**Cosmographie.** — Émile observe le lever et le coucher du soleil, 186 à 190; — se perd et se retrouve dans la forêt de Montmorency, 204.

**Cotin.** — opposé à Boileau, 293.

**Coups.** — ne pas laisser l'enfant en donner aux adultes, 89, note.

**Courage.** — en quels lieux il se manifeste le mieux, 31; — comment y entraîner l'enfant, 60.

**Course.** — Voir *Jeux;* — pratiquée par Émile, 556; — pratiquée par Sophie, 557.

**Couvents.** — comment ils favorisent la mauvaise prononciation, 55; — n'empêchent pas celles qui en sortent de s'habituer au monde, 407; — danger moral, 410; — en quoi ils sont préférables à la maison paternelle, 457; — écoles de coquetterie, 491.

**Crédit.** — lié à la propriété, 584.

**Crouzas.** — recommande la gymnastique, 129.

**Cuisine.** — Voir *Alimentation.*

**Curiosité.** — origine et développement, 185; — du chat, 127; — inconnue du sauvage, 271.

**Cyclopes.** — Voir *Homère.*

**Cynéas.** — Voir *Pyrrhus.*


D


**Dalila.** — symbole de l'empire féminin, 450.

**Danse.** — Voir *Jeux;* — enseignée aux filles, 468; — Émile l'enseigne à Sophie, 540.

**Darius.** — anecdote le concernant, 400.

**Daubenton.** — loué, 523.

**Déclamation.** — Voir *Voix*.

**Démocratie.** — Voir *Gouvernement*.

**Démosthène.** — opposé à Cicéron, 428.

**Dents.** — Voir *Sevrage*.

**Descartes.** — disposition qu'il exige pour la recherche de la vérité, 321; — sa théorie des tourbillons, 330.

**Dessin.** — réflexions sur cet art, 154, 155; — comment les jeunes filles doivent le pratiquer, 460.

**Devoirs.** — du père, 23; — comment on les oublie, 316; — différents selon les sexes, 450; — comment on apprend à les aimer, 488, 495; — comment les enseigner aux femmes, 493, 496, 497.

**Diane.** — pourquoi on l'a faite l'ennemie de l'amour, 397.

**Dictionnaires.** — en user le moins possible, 429.

**Dieu.** — sa sagesse et sa bienfaisance, 5; — sa bonté, 48, 347; — sa justice, 347; — favorise avec discernement l'activité de l'enfant, 49; — dirige et modifie nos goûts selon nos besoins, 165; — salué par la nature qui s'éveille, 187; — déconcertant parce qu'invisible, 307; — est partout, 308; — comment l'idée a pu en naître, 308; s'en développer, 346; — son caractère infini, sa puissance n'effraient pas l'enfant. Pourquoi, 309; — comment l'enfant croit en lui, 311; — il n'est pas nécessaire de croire en lui pour être sauvé, 310, 311; — l'idée ne doit pas en être enseignée trop tôt, 312; — pour croire en lui, il faut croire au jugement qu'on a reçu de lui, 316; — volonté puissante et sage, sentie par le Vicaire, 334, 335; — ne doit pas être méprisé parce qu'il y a du mal sur terre, 341; — rapports entre l'homme et lui, 356 et suivantes; — intelligent, 347; — doit inspirer les conseils du précepteur, 401; — comment il a réglé l'amour, 448; — ceux du paganisme, 351.

**Dimensions.** — comment les enseigner, 155.

**Diogène et Zénon**, 400.

**Distances.** — moyen d'apprendre aux enfants à en juger, 154.

**Dogmes.** — conditions qu'ils doivent remplir, 367; — position du Vicaire savoyard à leur égard, 380, 381; — celui de l'intolérance, 382, en note; — les écarter dans l'instruction religieuse de la jeune fille, 481.

**Domestiques.** — en avoir le moins possible, 433, 440.

**Droit.** — politique, encore à naître, 584; ses principes, 585; — commenté par Montesquieu, 584; — comparaison des droits, 589.

**Duclos.** — imitateur de Tacite, de Suétone et de Commynes, 286, en note; — cité, 422.

**Duel.** — ce qu'en pense l'auteur, 300.

# E

**Écriture.** — pourquoi Rousseau s'en désintéresse, 117.

**Écritures.** — *Deutéronome* cité, 366, en note; — *Deutéronome,* loi qu'il renferme sur les filles séduites, 449; — *Evangile,* sa sainteté, 379; — ses caractères de vérité, 380.

**Écrivains.** — instruisent plus par leur conversation que par leurs livres, 427.

**Éducation.** — genèse de l'ouvrage de Rousseau sur l'... 1; et caractère théorique de celui-ci, 24, 25; — comment il la conçoit, 2 et 3; — la première éducation appartient aux femmes; 5, en note; — ses trois modes (nature, hommes, choses), 7, 70, 71; — son but, 7, 9, 11, 12, 13; — dans les collèges, 11; — par le monde, 11; — domestique, 11; — définition par Varron et les Anciens, 12; — habitue l'enfant aux intempéries et autres rigueurs naturelles, 20, 21; — par la femme doit éviter l'indulgence excessive, 21; — commence dès la naissance, 41; — de la marche, 60; — doit éviter autant la rigueur que l'indulgence, 72; — sa plus grande règle : perdre du temps, 82, 83, 84, 117, 191, 274; — négative, 83; — doit prendre le contrepied de l'usage, 83; — naturelle, ses difficultés, 84; — à la campagne. Ses avantages, 85; — doit substituer les choses aux mots, 104; — du toucher, 146, 153; — de la vue, 148, 153; — comment enseigner les distances, les dimensions, 154, 155; — de la voix, 161; — musicale, 162; — comment enseigner les phénomènes naturels, 186 à 189; — de l'attention, 188; — son principe essentiel : l'utilité, 202, 215; — doit être uniforme, sans considérer l'état social ou la profession future, 224; — doit équilibrer exercices du corps et de l'esprit, 236; — sexuelle, 252 à 255, 274; — doit être différente pour l'homme et la femme, 453; — doit être pratique chez la femme, 488; — de la ruse chez la femme, 464; — influe sur l'époque où l'adolescence s'affirme, 254; — par les armes à feu, 44; — religieuse, 310, 312, 481; — conseil de Fénelon sur l'éducation féminine, 462; — chez les Grecs, 457, 458; — comment elle utilise l'habitude, 42 à 44, 178 et note, 248, 273, 551; — par le monde, 11; — naturelle, 7, 84; — inutile au pauvre, 27; — théorique à éviter, 92, 203; — appuyée sur la raison, 76; — entretient la santé, 292, en note; — des sensations, 44, 83, 138, 139, 242; — de la sensibilité, 257, 258; — privée, défavorisée par les villes, 491; — des Perses, 26.

**Égalité.** — conventionnelle, première loi de toute société, 217; — comment Émile ressentira l'inégalité des conditions, 236, 279, 280; — civile et naturelle. Leur différence, 280; — inégalité des devoirs des sexes, 450; — des conditions. Son rôle dans le mariage, 516.

**Église.** — son autorité maladroitement défendue par les catholiques, 373, 374.

**Éloquence.** — son emploi dans l'antiquité, 399; — d'Antoine sur le cadavre de César, 400.

**Émile.** — élève imaginaire et abstrait, 25; — pourquo il paraît d'abord peu, puis davantage en scène, 25; — pourquoi l'auteur lui donne une nature moyenne, 27; un pays tempéré, 27; de la naissance, 27; — pourquoi il le fait orphelin, 28; et vigoureux, 29; — ses sentiments envers son précepteur, 28, 295; — est tancé par le jardinier Robert, 90; — son portrait à douze ans, 176 à 180, 182; — lit *Robinson Crusoé*, 211; — son portrait à quinze ans, 243; — aime la paix, 300, 301; — aime la campagne, 221, en note, 551, 554; — initié à l'inégalité des conditions, 236; — pourquoi il ne se plaît pas avec les femmes, 221; — indigné par l'injustice, 90; — sa modestie, 293; — étudie la nature, 585; — sa docilité à vingt ans, 414; dans le monde, 418, 419; — rencontre Sophie, 526; — coquet par amour, 529; — à vingt ans, 532; — professeur de Sophie, 540, 541; — s'entretient de la religion avec elle, 542; — jaloux, 546, 549; — aime les chevaux, 552; la campagne, 551, 554; — soigne les paysans, 555 et note; — bienfaisant, 555, 562; — pratique la course, 556; — menuisier, reçoit la visite de Sophie, 558; — reçoit *Télémaque* de Sophie, 573; — étudie, dans son voyage, la nature du gouvernement, 581; — épistolier, 602; — sa profession de foi quand il revient vers Sophie après le voyage, 603; — se marie, 607; — sa prochaine paternité, ses adieux à son précepteur, 614.

**Empédocle.** — un mot de lui, 434.

**Enfance.** — méconnue par les éducateurs, 2; — n'aime pas la vieillesse, 26; — a besoin de liberté, 70; — respectons-la dans l'enfant, 78, 102; — laissons-la mûrir, 83; — ignore la raison, 86, 103, 119, 174; — comment le génie naît en elle, 101; — un de ses fléaux : la lecture, 115; — belle comme un printemps, 175; — ignore la différenciation des sexes, 245; — ignore la pudeur, 253; — des sauvages, 391.

**Enfant.** — méchant, parce que faible, 48; — gâté, 74, 75; — traitons-le selon son âge, 79, 101; selon son génie propre, 83; — prodige, 100, 101; — étourdi, 101; — stupide, 101; — incapable de jugement, 103; — apprend trop vite, 103; — ne doit recevoir de leçons que de l'expérience, 120; — doit obéir en ayant l'illusion de commander, 121; — recherche le faible de ses maîtres, 122; — craint plus le chaud que le froid, 131; — de la campagne, plus résistant, 132; — doit dormir selon ses besoins stricts et sur la dure, 133, 134; — doit s'habituer aux intempéries, 20, 21; à marcher pieds nus, 148; — son portrait à douze ans, 176 à 180, 182; — ne doit apprendre que ce qui est utile à son âge, 201; — ne doit jamais être comparé à d'autres enfants, 210; — étudie la chimie,

207; — doit être armé contre les accidents, 148; — son alimentation, 32 et note, 172, 167, 168, 500; — son attachement n'est
d'abord qu'habitude, 248; — brutal, 89, note; — entraîné
au courage, 60, 135; — a son activité encouragée par Dieu, 49;
— comment il croit en Dieu, 310, 311; — comment lui apprendre
les distances, 154; — comment lui apprendre les fables, 110, 111,
296, 297; — comment il assimile la géométrie, 103; — rôle de
l'habitude dans son éducation, 42 à 44, 178 et note, 248, 273, 551;
— se fait connaître par son langage, 50, 53 et 54; — comment
lui parler, 53, 58, 76; — comment lui enseigner la rhétorique,
302; — qui pleure, 21, 45, 46, 47, 50, 51, 59, 71; — comment
l'empêcher d'avoir peur des masques, 43; — apprend la morale,
185, 278; — habitué à l'idée de la mort, 136, 267; — pourquoi
sa nourrice l'aime, 299; — comment son père doit le traiter, 28;
— fabrique des instruments de physique, 198; — quelle idée il
a des poisons, 108; — doit avoir la religion de son père, 313, 384;
— comment lui enseigner les relations sociales, 212; — orne sa
chambre, 156; — conduit par la vanité, 293; — découvre la vérité,
188; — doit la dire, 126, en note.

**Ennui.** — son origine, 271; — inconnu des sauvages, 271; — pro-
voqué par la vie sédentaire, 433; — grand fléau des riches, 438;
celui des femmes, 438.

**Épictète.** — évoqué, 265.

**Épitaphes.** — des Anciens et des Modernes, 428.

**Équitation.** — 137.

**Esclavage.** — discussion, 587.

**Espagnols.** — voyagent utilement, 577.

**Esprit.** — de l'enfant doit être d'abord exalté modérément, puis
retenu, 101; — chacun d'eux a sa forme, selon laquelle il faut le
gouverner, 83; — vulgaire; comment le reconnaître chez l'enfant,
101; — le mot n'a aucun sens pour quiconque n'a pas philosophé,
307; — de Sophie, 501; — de la femme, cultivé avec mesure,
est agréable au mari, 518; — comment trouver des bons mots, 100.

**État politique.** — définition, 538; — ruiné par la dépopulation,
598; — épuisé par les grandes villes, 599; — a la famille pour
principe, 453; — la liberté en varie selon sa grandeur, 592; —
a beau changer, ne fait pas changer l'homme, 225, 265.

**Étude.** — convenable à l'homme est celle de ses rapports, 249; —
celles des femmes doivent être pratiques, 488; — de l'homme
est le principe de la sagesse, 214.

**Euripide.** — cité, 311 et note.

**Évangiles.** — Voir *Écritures*.

**Exercices physiques.** — leur utilité, 32, 83, 118, 121, 128, 129,
133; — équitation, 137; — natation, 137; — course, 150; —

paume et volant, 158, 159; — leur récompense alimentaire, 167; — chasse, 397, 441; — comment les Grecs en corrigaient les excès, 457; — doivent être harmonisés à ceux de l'esprit, 236.

# F

**Fables.** — dangereuses pour l'enfant, 110; — *Le corbeau et le renard* critiqué vers par vers, 111; — d'autres fables critiquées, 114, 115; comment l'adolescent les comprend, 296; — la morale ne devrait pas en être formulée, 297; — ne sont instructives que pour l'adulte, 298.

**Famille.** — son harmonie nécessaire, 22; — principe de l'État, 453.

**Fanatisme.** — Voir *Religion*.

**Favorin.** — cité, 65.

**Femmes.** — la première éducation de l'enfant leur appartient, 5, en note, 21; — pourquoi Émile ne se plaît pas avec elles, 221; — métiers qu'elles devraient pratiquer, 233; — leur immodestie dangereuse dans les villes, 273; — comment le précepteur doit parler d'elles à Émile, 404; — vénales, 436; — pudiques, 447, 487; — leur empire, 448; — soumises naturellement aux hommes, 446, 517; — doivent être fidèles, 450; fécondes, 451; — comment les élever, 453, 464; leur donner une éducation pratique, 488; — doivent être mises en garde contre l'oisiveté, 461; — doivent être très douces, 463; — doivent par les arts d'agrément plaire à leur mari, 468; — leur politesse, 471, 485; — une femme et son mari recevant, 484; — sont les juges naturels du mérite des hommes, 493, 494; — romaines, leur rôle dans la vie publique, 494; dans le ménage, 517; — chastes, éprouvent la plus noble joie, 495; — cultivées, sont agréables pour leurs maris, 518; — bel esprit, sont le fléau de leurs maris, 518; — causes de leur infériorité par rapport à l'homme, 245; — leur raison, 472, 482; — doivent avoir la religion de leur mari, 473; — du monde, s'ennuient, 438, en note; — leur beauté, 465 à 468, 519; — leur coquetterie, ne peut rien sur l'homme dans les cas graves, 497; — leur goût, 426, 427; — rôle, chez elles, de l'instinct, 447; — leur jugement, comparé à celui des hommes, 503; — médisantes, 504; — et la mode, 458, 459, 462; — compte qu'elles tiennent de l'opinion, 456; — de Paris, 438; — ne doivent pas être initiées à la physique, 489; — ne doivent qu'effleurer les sciences de raisonnement, 542.

**Fénelon.** — donne un conseil sur l'éducation des femmes, 462; — *Télémaque* plaît à Sophie, 512, 513; elle le retrouve en Émile, 528, 539; — *Télémaque* inconnu d'Émile, 525; — il le reçoit de Sophie, 573; — il en lit les chapitres politiques, 597.

**Fêtes.** — champêtres, 440.

**Filles.** — leurs sentiments envers leurs mères, 462, 463; — ne doivent pas avoir trop de liberté, 462; — ne pas les ennuyer avec des sermons, 493; — de Sparte, 457; — pourquoi elles aiment plus les travaux à l'aiguille que la lecture et l'écriture, 459, 460; — doivent être exercées à la contrainte, 461; — dociles, 463; — plus rusées que les garçons, 464, 465; — aiment la parure dès l'enfance, 456, 466; — doivent apprendre les arts agréables, 468 à 470; — il faut éviter que leurs occupations ne les ennuient et que leurs amusements ne les passionnent, 462, 463; — leur faut-il des maîtres ou des maîtresses ? 469; — pourquoi elles acquièrent mieux que les garçons un babil agréable, 470; — leur politesse, 471; — amitié entre elles, 472; — comment leur enseigner la religion, 472 à 482; — doivent, avant leur mariage, voir le monde avec leur mère, 489, 490; — souhaitent trop souvent le mariage pour la licence, 491; — comment il faut leur enseigner leurs devoirs, 493, 496, 497; — comment elles deviennent médisantes, 504; — doivent pratiquer le calcul, 461; — publiques, 274; — séduites, 449; — se méfier avec elles du langage dévôt, 495, 496; — sensibles à l'opinion, 456; — quelles questions leur interdire et leur faire, 472.

**Fleury.** — recommande la gymnastique, 129.

**Fortune.** — ses rapports avec l'opinion et la liberté, 604.

**Foi.** — Voir *Religion ;* est souvent affaire de géographie, 310, 311; — rend la souffrance supportable, 357.

**Fontenelle.** — juge de la Querelle des Anciens et des Modernes, 429.

**Force.** — en quoi elle consiste, 65; — du génie et de l'âme; comment elle s'annonce dans l'enfance, 101; — comment l'employer chez l'adolescent, 183; — base de toute vertu, 567.

**Forêt.** — de *Montmorency*. Voir *Cosmographie.*

**Formey.** — réfuté, 6, en note; 7, en note; 193, en note; 196, en note; — vil critique de Rousseau, 294 et note; — rappelé, 297, en note.

**Français.** — affectés de parole et de maintien, 56; — ont dénaturé l'idée de citoyen, 420, en note.

## G

**Gaîté.** — parfois trompeuse, 270, 271.

**Galanterie.** — son rôle dans les sociétés modernes, 449.

**Génie.** — sa force, 101.

**Géographie.** — mal enseignée, 106, 186, 187; — coucher et lever du soleil observés, 186 à 189; — Émile fait la carte de sa région, 190; — ses rapports avec la foi, 310, 311.

**Géométrie.** — comment elle est assimilée par l'enfant, 103; —

mauvaise et bonne manière de l'enseigner, 156, 157, 158; — critérium du développement de l'intelligence, 184.

**Germains.** — leur continence, 393, 494; — peints par Tacite, 577.

**Geste.** — son langage, 45.

**Gourmandise.** — Voir *Alimentation* et *Goûts*.

**Goûts.** — en rapport avec les besoins, 164; — les plus naturels sont les plus simples, 165; — le sens du goût, 166, 174; — la gourmandise, 167; — la curiosité, 185; — pour la physique, 186; — leur changement rapide, 217; — pour la campagne, 221, en note; — principes du goût, 424; — le bon et le mauvais, 425; — celui des femmes, 426; — se forme à Paris, 427; — ne sont pas formés que par les livres, 427; — des anciens, comparés aux nôtres, 427, 428; — théâtre et poésie affinent le goût, 429; — définition du goût, 430; — changent avec l'âge, 437, 438; — le sens du goût, 166, 174.

**Gouvernement.** — Émile en étudie la nature dans son voyage, 581; — démocratique, 589, 590; — aristocratique, 594; — monarchique, 595; — de Venise, 399, en note.

**Grecs.** — bons éducateurs, 457, 458; — comment s'habillaient leurs femmes, 458.

**Grossesse.** — prématurée, ses dangers, 571.

**Grotius.** — critiqué, 584.

**Gymnastique.** — Voir *Exercices physiques ;* — recommandée par plusieurs pédagogues, 129.

## H

**Habitation.** — indispensable à la nourrice et au nourrisson, 36, 37; — son ameublement, 82; — décoration murale, tableaux, 156; cartes, 191; — rustique, 524.

**Habitudes.** — leur origine, leur nature, leurs modalités, 7 et 8; — défendre l'enfant contre leur joug, 42 et 43; — ne les utiliser que pour le rassurer, 44; — tuent l'imagination, 142; — leur attrait, leur danger, 178 et note, 273; — première forme de l'attachement des enfants, 248; — fausses de l'enfance, 551.

**Henri IV.** — un bon mot de lui, 100.

**Hercule.** — amoureux, 450.

**Hermès.** — comment il mit ses découvertes à l'abri d'un déluge, 210.

**Héro.** — rappel de sa légende, 552.

**Hérodote.** — cité, 172; — jugé, 285; — distingue Égyptiens et Perses d'après leurs crânes, 131; — cité, 428; — bon moraliste, 577; — évoqué, 578.

**Histoire.** — comment on devrait l'enseigner, 106, 107, 108 ; à quel âge, 282 ; — ancienne, mal exploitée moralement par les modernes, 172, en note ; — ses insuffisances, 283 et suivantes ; — historiens anciens jugés, 284, 578 ; — du droit par Montesquieu, 584, 598.

**Hobbes.** — comment il appelait le méchant, 48 ; — en quel sens son principe est vrai, 73 ; — jugé, 584.

**Hochet.** — par quoi le remplacer, 52.

**Homère.** — comment il diminue le mérite d'Achille, 30 ; — peintre des Cyclopes et des Lotophages, 169 ; — montre Astyanax effrayé par le casque d'Hector, 43 ; — les voyages à son époque, 525 ; — Émile connaît l'*Odyssée*, 525 et 534. (*Alcinoüs*).

**Homme.** — sa malfaisance, 5, 342 ; — sa faiblesse quand il naît, 7 ; — son bonheur, 200 ; —
naturel, distingué de l'homme civil, 9, 304 ; —
   —          —          —     de métier, 12 et 13 ; —
   —          —                du sauvage, 306 ; —
est la dernière étude du sage, 214 ; — à quelle secte l'agréger, 314 ; — est le principal objet du pédagogue, 224 ; — est le même dans tous les états, 225, 265 ; — pauvre, a moins besoin d'éducation que le riche, 27 ; — doit être le spectacle de l'adolescent, 281 ; — roi de la terre, 336 ; — n'est point un, 337 ; — comparé à la femme, 245, 445, 517 ; — ce qui le rend bon, 249, 348 à 350 ; — ce qui le rend malheureux et méchant, 341 ; — tarde à penser, mais ne cesse plus, 306 ; — est borné par ses facultés aux choses sensibles, 307 ; — se ressent toujours de ses désordres de jeunesse, 418 ; — du monde, 271 ; — primitif, sa nourriture, 165 ; — poli, 471 ; — amoureux, 468, 608 à 610 ; — ce qu'il pense de la brièveté de la vie, 521 ; — n'est guère connu que par les voyages, 574 ; — jugé par l'abbé de Saint-Pierre, 49 ; — son amour-propre, 81, 247 à 249 ; — ses rapports avec Dieu, 315 et suivantes ; — doit être élevé autrement que la femme, 453 ; — a la femme pour juge naturel, 493, 494 ; — son jugement comparé à celui de la femme, 503 ; — a dans son cœur le sentiment et le besoin de la liberté, 605 ; — les grands hommes sont modestes, 292, 293 ; — pourquoi les philosophes le connaissent mal, 291 ; — raisonnable, 174 ; — de ressource, *Robinson Crusoé*, 230 ; — affaibli par la société, 69.

**Horace.** — cité, 314, 604 ; — prôné, 443.

**Hospitalité.** — ce qui l'encourage, 525.

**Humanité.** — est un devoir, 62 ; — comment la cultiver chez l'adolescent, 258, 262 ; — sources et manifestations, 350, 351, 352.

**Hygiène.** — nécessité, conditions, 31, 32.

## I

**Idées.** — leur différence avec les images, 103; avec les sensations, 237; — considérations sur elles, 237; — de la substance, 308; — générales et abstraites, source d'erreurs, 331; — acquises, à distinguer de nos sentiments naturels, 353; — comparatives et numériques, 326; — mémoire des ..., 108, 109.

**Ignorance.** — ne nuit pas aux mœurs, 518.

**Images.** — comment on les perçoit, 103.

**Imagination.** — tuée par l'habitude, 142; — son rôle dans le sentiment, 256.

**Imitation.** — facilités, dangers, 98, 99; — de la nature, source du goût, 425.

**Indigestion.** — Voir *Alimentation.*

**Inégalité.** — Voir *Egalité.*

**Infini.** — Voir *Dieu.*

**Ingratitude.** — n'est pas naturelle, 277.

**Inoculation.** — de la petite vérole, 136.

**Instinct.** — définition, 348, en note; — chez les femelles et chez les femmes, 447; — comment il devient sentiment, 248, 249.

**Instruments mécaniques.** — fabrication et emploi, 198.

**Intelligence.** — épreuve et mesure de son développement, 184; — divine, 347.

**Intérêt.** — immédiat, principal auxiliaire du pédagogue, 116, 185, 293, en note; — n'y plus faire appel chez l'adolescent, 266; — nous fait haïr les méchants, 291; — neutralisé par l'altruisme, 350; — du précepteur doit passer après celui de l'élève, 180.

**Intolérance.** — Voir *Tolérance* et *Dogmes.*

## J

**Jalousie.** — ce qui la favorise, 270; — Analyse, 548; — d'Émile, 546, 549; — chez les animaux, 547.

**Jardinage.** — pratique et utilité, 89, 90; — épisode du jardinier Robert, 90, 217.

**Jésus.** — origine de sa morale, caractère de sa mort, 380.

**Jeunes gens.** — débauchés sont cruels, 258; — charme et bienfait de leur innocence prolongée, 259; — leur apparente insensibilité, 267, 268, 276; — leur faire connaître le monde sans les rendre trop observateurs, 281; — objets à leur montrer, 268 à 270; — quels sentiments ils doivent éprouver pour leurs semblables, 279;

— comment ils restent mesurés, 408, 409; — leurs désordres naissent de l'adultère, 412; — se trouvent mal dans la solitude, 413; — lancés dans le monde, 298; — comment ils peuvent et doivent apprendre les affaires, 299, 303; — amoureux, 406, 411; — leur langage, 302; — apprennent la morale, 185, 278; — égarés par l'opinion et la vanité, 411, 412; — de Rome jugés par Sénèque, 102; — et les voyages, 597.

**Jeux.** — de plein air, en hiver, 72; — de nuit, 139 à 145; — d'adresse, volant, équilibre, danse, 158; — instructifs, 193, 238 à 242; — de la foire (le canard aimanté), 193; — le jeu, ce qu'en pense l'auteur, 434, 435; — poupée, 459; — des filles, comment les régler, 463; — course, 151, 152; Émile la pratique, 556; — Olympiques, comparés au spectacle du monde, 281.

**Journaux.** — leur inutilité, 429.

**Jugement.** — les enfants en sont incapables, 103; — ses éléments premiers, 174; — ses rapports avec la sensation, 237, 238, 325; — cause d'erreur, 239; — comment l'exercer, 240; — des femmes opposé à celui des hommes, 503; — c'est de lui que viennent les erreurs des sens, 239.

**Juifs.** — leur position par rapport aux chrétiens, 374 et note.

**Justice.** — de quelle nature en est le premier sentiment, 88; — non respectée, indigne Émile, 90; — doit être d'accord avec la pitié, 303; avec la bonté, 278, 342; — le bonheur que sa pratique procure dans l'autre vie, 343; — sérénité du juste, 351; — sa notion est la même chez tous les peuples, 351; — humaine, son principe, 278, en note; — divine, 347; — a sa récompense dans la mort, 569.

**Juvénal.** — cité, 232

## L

**La Calprenède.** — jugement sur ses romans, 283.

**La Condamine.** — un de ses souvenirs de voyage, 326, en note.

**La Fontaine.** — moraliste dangereux pour l'enfant, 110, 115; — *Le Corbeau et le Renard* commenté vers par vers, 111; — d'autres fables critiquées, 114, 115; — a le tort de rédiger la morale de ses fables, 297.

**Laïs.** — évoquée, 495.

**Lait.** — Voir *Allaitement* et *Nourrice.*

**Lambercier.** — pasteur, 142.

**La Motte.** — ses idées sur les progrès de la raison, 428.

**Langage.** — de la voix, 45; — du geste, 45; — d'après celui de l'enfant, étudier son caractère, 50; — comment parler et apprendre à parler à l'enfant, 53; — ne pas le faire parler trop tôt, ne pas lui apprendre trop de mots, 58; — la syntaxe naturelle de l'enfant, 53, 54; — différence entre l'articulation de la ville et de la campagne, 54, 55; — compromis par les collèges et les couvents, 55; — l'accent, 56, 57; — la voix, son éducation, 57; — éviter avec l'enfant les termes relatifs au monde moral et social, 76; — comment enseigner la rhétorique, 302; — ... du jeune homme, 302; — des signes, 399; prisé par les Romains, 400; — son éducation chez la femme, 471; — dévot, dangereux avec les jeunes filles, 495, 496; — de la révélation, est inintelligible aux fidèles, 373; — ses rapports avec la chasteté, 402.

**Langues.** — leur inutilité pour le premier âge, 105; — la langue française est-elle chaste ou obscène, 402; — comparées, 427; — le latin, 427.

**Laquais.** — Voir *Domestiques.*

**Larmes.** — de l'enfant, comment les traiter, 21, 46, 47, 51, 71; — ce qu'elles expriment, 45, 46, 47, 50; — moins abondantes quand l'enfant commence à parler, 59.

**Latin.** — Voir *Langues.*

**Léandre.** — Voir *Héro.*

**Leçon.** — verbale à remplacer par l'expérience, 81; — de textes, interdite, 110; — la rendre attrayante, 493.

**Lecture.** — fléau de l'enfance, 115; — comment apprendre à lire, 116; — livres, triste ameublement, 176; — livres, haïssables, à écarter, 210, 288, 434; — *Robinson Crusoé*, seul livre permis, 211, 216, 230; — quand et comment l'enseigner aux filles, 460; — pourquoi elles lui préfèrent les travaux à l'aiguille, 459; — livres des Anciens comparés aux nôtres, 428; — livres ne suffisent pas à former le goût, 427; — danger de l'abus des livres, 574; — celui de la nature est ouvert à tous, 378.

**Léonidas.** — évoqué, 379.

**Le Tasse.** — cité, 486, 527.

**Liberté.** — nécessaire à l'enfant, mais bornée par sa faiblesse, 70; — bien réglée, est le meilleur auxiliaire du pédagogue, 80, 179; — comment l'idée doit en être enseignée, 89; — comment elle s'acquiert, 280; — son principe, 340; — danger d'en trop laisser aux filles, 462; — politique, variable selon la grandeur de l'État, 592; — est dans le cœur de l'homme, 605; — n'a rien à voir avec la fortune ou l'opinion, 604.

**Livres.** — Voir *Lecture.*

**Locke.** — sous-estimé par Rousseau, 2; — ses idées médicales, 31; — conseille de raisonner avec l'enfant, 76; — évoqué à propos d'une leçon de morale, 78; — ses idées sur la libéralité, 97; — professeur de lecture, 116; — recommande la gymnastique, 129; — se contredit au sujet des bains froids et des bains glacés, 132;

— recherche un métier pour son élève, 229; — a tort de vouloir faire précéder l'étude des corps par celle des esprits, 307; — danger de cet ordre, 308; — réfuté sur l'idée de substance, 338; — conseille de rapprocher les fiancés, 445.

**Loi.** — recherche d'une définition, 590; — favorise toujours le fort contre le faible, 280.

**Lucrèce.** — la chaste adorait pourtant Vénus, 352.

**Lulle (Raymond).** — utilité de son art, 575.

**Luxe.** — l'appartement de Sophie en est exempt, 500; — comment il s'établit, 425; — inséparable du mauvais goût, 425.

**Lycurgue.** — législateur comparé à Platon, 10; — ses mesures financières, 589.


# M

**Magistrat.** — sens de ce mot, 591; — les trois volontés de chacun, 593.

**Mahométans.** — 375.

**Maillot.** — origine, inconvénients, 14, 15, 38, 50; — pourquoi les nourrices l'emploient volontiers, 39.

**Mal.** — l'homme seul en est l'auteur, 5, 342 (voir *Dieu*); — ne pas le faire, 99; — la mort n'en est pas un, 341; — la raison nous le fait connaître, 48; — le plus grand, la servitude, 292.

**Maladies.** — traiter comme telles les passions des enfants, 87.

**Malheur.** — du mortel, 65, 66, 341, 568, 569, 570; — du riche, 265.

**Marcel.** — maître à danser, 148 et la note; 420 et la note.

**Marche.** — Voir *Éducation* et *Voyages.*

**Mariage.** — première et plus sainte institution de la nature, 321; — à quel âge il doit avoir lieu, 393; — ne peut être heureux que s'il y a convenance naturelle entre les époux, 515, 516; — préceptes le concernant, 403; — d'Émile, 607; — comment y entretenir l'amour, 609 à 610; — comment le rendre attrayant aux hommes, 468; — la polygamie, 548; — est influencé par les conditions, 516; — avant lui, les filles doivent fréquenter le monde avec leur mère, 489, 490; — trop souvent souhaité par elles pour la licence, 491.

**Martial.** — cité, 519.

**Masques.** — comment on empêche un enfant d'en avoir peur, 43.

**Matière.** — définition, 325, 328; — son état naturel, 329; — réflexions sur son mouvement, 331, 332.

**Maximes.** — trois sur la pitié, 262, 263, 264; — philosophie en..., 284.

**Méchants.** — leur sort pendant et après la vie, 343, 346; — comment la mort les traite, 569; — nos sentiments envers eux, 351; — ne le sont pas naturellement, 349; — pourraient n'être pas criminels, 358; — jugés par Hobbes, 48; — pourquoi ils le deviennent, 341; — ce qui nous les fait haïr, 291.

**Médecine.** — son insuffisance, ses dangers, 29 à 32, 66; — Émile soigne les paysans, 555 et note.

**Médisance.** — chez les femmes, 504; — comment éviter de l'éveiller chez le jeune homme, 281.

**Mélancolie.** — amie de la volupté, 271.

**Mémoire.** — son rôle, 61; — ses rapports avec le raisonnement, 103; — des mots et des signes, opposée à celle des idées et des faits, 108, 109; — ses rapports avec l'imagination et l'habitude, 142.

**Mensonge.** — ce qui l'encourage, 93; — ses modalités, 94, 95, 96.

**Menuiserie.** — 234. Voir *Métier*.

**Mère.** — comment elle se fera aimer de sa fille, 462, 463; — doit lui faire connaître le monde, 490; — doit nourrir ses enfants, 16 à 18. Voir *Allaitement*.

**Métier.** — ne doit pas être l'objet premier du pédagogue, qui forme un homme, non un spécialiste, 12; — nécessité d'en apprendre un, 226, 227, 229; — façon de le choisir, 230, 231, 232; — le précepteur doit s'y exercer aussi, 234; — menuiserie, 234, 558; — ceux qui devraient être réservés aux femmes, 233; — pratiqué par un souverain, 235; — militaire, 582.

**Midas.** — évoqué, 235.

**Milton.** — invoqué, 540.

**Miracles.** — ce qu'il faut en penser, 365, 366; — débat sur eux, 368.

**Missionnaires.** — leur action, 375, 376.

**Modes.** — féminines, 458, 459, 462.

**Modestie.** — propre aux grands hommes, 292, 293; — d'Émile, 293.

**Mœurs.** — n'ont pas à souffrir de l'ignorance, 518; — influencées par les passions, 550; — des peuples, 275; — de la province, 598.

**Monarchie.** — Voir *Gouvernement*.

**Monde.** — éducation par le..., 11; — prudence nécessaire dans l'initiation au..., 260; — hypocrisie nécessaire aux gens du..., 265, 271; — l'expérience en dégoûte, 269; — il ne faut pas y lancer le jeune homme sans initiation préalable, 298; — les plaisirs futiles et ridicules, 438; — source d'ennui pour les femmes, 438 et note; — doit être de bonne heure connu des filles, 489, 490; — favorise la coquetterie, 485, 486; — fréquenté par Émile, 418, 419.

**Monnaie.** — origine, emploi, effets, 217.

**« Monseigneur, il faut que je vive. »** — réflexion sur le mot et sur la réponse, 223.

**Montaigne.** — recommande la gymnastique, 129; — parle de la souffrance et de la mort, 136; — cité, 243, 286; — invoqué, 352; — un trait de lui, 417; — vertu de son père, 393.

**Montesquieu.** — historien du droit, 584; — loué comme sociologue, 598.

**Montmorency.** — Voir *Cosmographie*.

**Morale.** — leçons de..., 77, 78, 86; — par quoi les remplacer, 87; — en action : le jardin saccagé, 80; la fenêtre brisée, 92; — ne pas faire le mal, voilà la seule leçon de..., 99; — ne doit pas être enseignée par les fables, 110; ni exprimée dans celles-ci, 297; ni prématurément, 200; — comment l'enfant, puis le jeune homme en acquièrent progressivement les notions, 185, 278; — ne s'apprend pas au théâtre, 429; — comment on apprend à aimer ses devoirs, 488, 495; — inséparable de la politique, 279; — son précepte essentiel, 568; — comment nos actions la respectent, 349; — compromise par les collèges et les couvents, 490; — de Jésus, 380.

**Mort.** — ce qu'elle a de pénible et de consolant, 65, 66; — comment habituer l'enfant à cette idée, 136, 267; — ce qu'en dit Montaigne, 136; — ne devrait pas être considérée comme un mal, 341; — comment elle traite le méchant et le juste, 569; — de Socrate et de Jésus, 380.

**Mots.** — ne pas en enseigner trop, 58, 104; — difficulté de leur donner toujours le même sens, 104 et note; — bons mots : Comment les trouver, 100; — réflexion sur un mot et la réponse, 223; — mémoire des..., 108, 109.

**Mouvement.** — nous apprend à nous différencier du monde extérieur et nous enseigne l'étendue, 44; — deux sortes : communiqués et spontanés, 328; — ceux des animaux, 328; — pourquoi il n'est pas essentiel à la matière, 331, 332.

**Mozart.** — évoqué, 160, en note.

**Musique.** — comment l'enseigner, 162, 163, 164; — Mozart évoqué, 160, en note; — comment l'entendre par les doigts et la rendre sensible aux sourds-muets, 147; — Émile l'enseigne à Sophie, 540.

**Mystères.** — Voir *Religion*.

## N

**Nage.** — 137.

**Nations.** — leur caractère spécifique, 577, 578.

**Nature.** — doit être respectée chez le nourrisson, 19, 20; — seule fait des caractères ineffaçables, 225; — état de... impossibilité d'y demeurer, 223; — doit être étudiée par Émile et son maître, 585; — et société. Comment les concilier, 70; — bonheur de l'homme vivant selon la..., 200; religion de l'homme vivant selon la..., 314; — éducatrice, 7, 84; — son rôle dans la naissance des passions, 246 et suivantes; — ses instructions sont tardives et lentes, 251; — son rôle dans la formation de l'adolescent, 257, 258; — à son réveil, salue Dieu, 187; — son imitation forme le goût, 425; — est étrangère à l'ingratitude, 277; — son livre est ouvert à tous, 378; — sa plus sainte institution : le mariage, 321; — comment elle punit, 94.

**Newton.** — son régime vestimentaire, 131; — sa théorie de l'attraction, 330.

**Nieuwentit.** — a scandalisé Rousseau, 334.

**Ninon de Lenclos.** — éloge mitigé, 488, 519.

**Nourrice.** — est notre premier précepteur, 12; — danger qu'elle présente, 17; — comment la choisir, la conseiller, 33 à 35; — la commander et la surveiller, 39; — comment la nourrir, 35, 36; — la laisser à la campagne, 36; — choisie comme confidente dans le drame antique, 34; — comment elle devrait accoutumer l'enfant à vaincre la peur, 43; — pourquoi elle est attachée à l'usage du maillot, 39; — sa façon de distraire l'enfant qui pleure, 51; — pourquoi elle s'attache à l'enfant, 299.


## O


**Odorat.** — Voir *Sens*.

**Oisiveté.** — est un vol public, 226; — comment la combattre, 273; — dangereuse pour la femme, 461.

**Omphale.** — Voir *Hercule*.

**Opinion.** — comment régner sur elle, 227; — son rôle dans les passions, 250; — triomphe surtout en matière de religion, 313; — ses diversités. Leur cause, 322, 323; — ses degrés de vraisemblance, 324; — cause l'égarement des jeunes gens, 411, 412; — d'autrui, quel cas en faire, 423; — chasse le bonheur devant nous, 443; — n'est pas indifférente aux femmes ni aux fillettes, 456; — n'a rien à voir avec la fortune et la liberté, 604.

**Orgueil.** — humain se croit capable de tout pénétrer, 323; — ses illusions néfastes, 568.

**Orphée.** — rapproché du Vicaire savoyard, 359.

**Ouïe.** — Voir *Sens*.

**Outils.** — Voir *Instruments*.

**Ovide.** — cité, 58, 496.

## P

**Paganisme.** — ses dieux abominables, 351.

**Paracelse.** — enseigne la façon de produire des petits hommes, 334, en note.

**Paresse.** — comment la combattre, 135.

**Paris.** — école de goût, 427; — salué par le maître et l'élève à leur départ, 444, 520; — dangereux pour les provinciales, 492; — dangereux pour les riches, 235; — coûte cher à la France, 599.

**Parisiens.** — ridicules et vains dans les promenades publiques, 151, en note; — plaisirs futiles de leurs femmes, 438; — leur prétention, 574, 575.

**Passions.** — naissantes, 191, 246, 256; — comment les ordonner, 256, 532; — impétueuses, 87, 561; — la seule naturelle à l'homme : l'amour de soi, 81, 247, 248; — instruments de notre conservation, 246; — la sensibilité est leur source, 256; — celle qui les commande toutes, 247; — comment elles s'orientent vers le bien ou le mal, 248 à 250; — comment elles se transforment en vices, 257; — comment les régler, 256, 257; — les nôtres nous irritent contre celles d'autrui, 291; — partagées, nous séduisent, 291; — la sensibilité de Sophie, 501; — leur influence sur les mœurs, 550; — permises et défendues, 568; — leur progrès nécessite une rapide initiation religieuse, 313; — en lutte contre nos sentiments nobles, 337; — favorisées par les préjugés, 290, en note.

**Paume.** — 158, 159.

**Pauvre.** — n'a pas besoin d'éducation, 27; — maltraité par le riche, 263, 265.

**Paysans.** — pourquoi ils sont lourds, 118; — comment ils parlent, 54, 55; — leurs enfants ne craignent pas l'humidité du sol, 132; — comment soigner ceux qui sont malades, 555, en note.

**Père.** — ses devoirs, 23; — ne doit point avoir de préféré parmi ses enfants, 28; — Émile va le devenir, 614; — de Montaigne. Sa vertu, 393.

**Peuple.** — ses mérites, ses défauts, son importance, 265; — ses plaisirs, 438; — essai de définition, 598, 599, 600; — différence entre ceux qui ont des mœurs et les autres, 275; — de Venise, respecte peu son gouvernement, pourquoi, 399, en note.

**Peur.** — des masques, 43; — d'Astyanax, dans l'*Iliade*, 43; — du tonnerre et des armes à feu, 44; — nocturne, 139, 140, 141, 145; — celle de Rousseau chez le pasteur Lambercier, 142.

**Philippe.** — médecin. Voir *Alexandre*.

**Philosophes.** — pourquoi ils connaissent mal les hommes, 291; — leur déplaisante insuffisance, 322.

**Philosophie.** — son action morale comparée à celle de la religion, 387; — en maximes. Sa valeur, 284; — ne résout rien, 323; — ses préjugés, 291.

**Phlogistique.** — définition, 328, en note.

**Physionomie.** — révélatrice du caractère, 272.

**Physique.** — son attrait, 186; — amusante, 193, 197; — instruments pour expériences fabriqués par l'enfant, 198; — enseignement de la pesanteur, 199; — comment on invente la boussole, 197; — réfraction, 238; — statique, 197; — ne doit pas être enseignée aux femmes, 489.

**Pitié.** — comment elle naît, 261; — comment la développer, 96; — ses mobiles et ses maximes, 262, 263, 264; — sa douceur, 270; — comment l'empêcher de dégénérer en faiblesse, 303; — plus grande pour les maux du corps que pour ceux de l'âme, 267.

**Plaisirs.** — doivent changer avec l'âge, 437; — exclusifs, 442; — bruyants, 510; — de l'âme, 355; — du peuple, 438.

**Platon.** — éducateur public d'après *La République*, 10; — veut amuser les enfants, 102; — peint un juste semblable à Jésus, 379; — législateur, donne aux femmes les mêmes exercices qu'aux hommes, 452; — loué, 579.

**Pline l'Ancien.** — évoqué, 598.

**Plutarque.** — cité, 22, en note; — longue citation sur l'alimentation carnée, 169; — jugé, 286, 287; — cité, 311 et note; 312; 343; — évoqué, 371, en note.

**Poésie.** — son utilité, 429.

**Poison.** — quelle idée en ont les enfants, 108 (voir aussi *Alexandre* et le médecin *Philippe*).

**Politesse.** — formules de..., 72 — en quoi elle consiste, 422; — de Sophie, 504; — comparée des hommes et des femmes, 471, 485.

**Politique.** — Voir *Gouvernement ;* — inséparable de la morale, 279.

**Polybe.** — jugé, 284.

**Polygamie.** — Voir *Mariage.*

**Poupée.** — Voir *Jeux.*

**Pradon.** — opposé à Racine.

**Précepteur.** — ses défauts, 21; — difficulté d'en trouver un bon, 23, 24; — Rousseau qui le fut, refuse de le redevenir, parce qu'insuffisant, 24; — qualités requises, 25, 26; — sentiments de l'élève envers lui, 28, 295; — ne doit point se montrer alarmé quand l'enfant se blesse, 59; — doit éviter excès de rigueur et d'indulgence, 72; — doit observer le génie propre de l'enfant, 83; — doit se rendre digne de sa mission, 84, 85; — exerce mieux celle-là à la campagne, 85, 86; — doit être sobre de paroles, de conseils pédants ou sermonneurs, 86; — doit traiter les passions enfantines comme des maladies, 87; — doit garder son sang-froid, 87; — ne rit pas devant lui des saillies de son élève, 87; — ne doit exiger de promesses qu'à bon escient, 96; — enseigne la vertu en la pratiquant, 97, 98; — doit ménager l'initiative de son élève, 119; — ne doit pas discréditer la raison aux yeux de l'enfant, 119; — doit gouverner sans préceptes, 120; — songe trop souvent à son intérêt plus qu'à celui de son disciple, 180; — doit éviter de trop questionner l'élève, 181, et de le laisser questionner à tort et à travers, 192; — montre à l'élève le soleil couchant et levant, 186; — doit éviter l'enseignement théorique, 92, 203; le pédantisme, 204; — ne doit pas comparer l'élève aux autres enfants, 210; — doit apprendre un métier en même temps que l'élève, 234; — doit utiliser pour le bien de celui-ci la chaleur de l'adolescent, 275, 276; — doit être simple et vrai comme Émile, 295; — comment il doit traiter les fautes de l'élève, 296; — comment il doit parler des femmes à Émile, 404; — ne doit pas cacher ses faiblesses à l'élève, s'il veut le guérir des siennes, 417; — médiateur des amours d'Émile et de Sophie, 539; — fait au jeune homme un sermon sur le bonheur, 564 à 569; — invite Émile à quitter Sophie, 570, 571; — fait un sermon aux nouveaux époux, 608; — doit être inspiré par Dieu, 401; — recherche avec Émile le principe de la société, 586.

**Préjugés.** — contre les métiers. Comment les vaincre, 226; — s'énorgueillir de les avoir vaincus, c'est s'y soumettre, 235; — leur danger, 256; — quand ils disparaissent, 269; — favorisent les passions, 290, en note; — de la philosophie, 291; — nationaux, comment les éviter, 603.

**Prévoyance.** — source de nos misères, 66; — des besoins, suppose une intelligence formée, 200.

**Prodiges.** — ce qu'il faut en penser, 364 à 366.

**Profession de foi.** — du Vicaire savoyard, 320.

**Prophéties.** — ne font pas autorité, pourquoi, 371.

**Propriété.** — en enseigner l'idée, 89, 583; — pernicieuse, 442; — liée au crédit, 584.

**Providence.** — et liberté humaine, 340; — prouvée, 332; — justifiée, 343.

**Province.** — révèle les mœurs de la nation, 598; — jusqu'à quel point Paris la pervertit, 492; — méprise les vices, 410.

**Puberté.** — ses manifestations, 245; — variable selon les climats et les lieux, 251 et note; — les conséquences pratiques et pédagogiques, 391 et suivantes.

**Pudeur.** — féminine, 447, 487; — étrangère à l'enfance, 253.

**Punitions.** — les éviter, pourquoi, 81, 82; — ne les admettre que comme une sanction de la nature, 94.

**Pyrrhus.** — son entretien avec *Cynéas*, 288.

**Pythagore.** — cité 281; — rappelé, 497, en note; — loué, 579; — évoqué, 523.

### Q

**Questions.** — la plus souvent posée par le maître et par l'élève : « A quoi cela est-il bon ? », 202; — interdites, mais posées aux filles, 472; — scabreuses, et réponses à y faire, 254, 255.

### R

**Racine.** — opposé à Pradon, 293.

**Raison.** — apprend à connaître le bien et le mal, 48; — chef-d'œuvre d'une bonne éducation, 76; — en sommeil dans l'enfance, 103; — ne pas la discréditer dans l'esprit de l'enfant, 86, 119; — puérile et humaine, 174; — sensitive, ses instruments, 128; — l'âge de raison doit être l'âge du raisonnement, 391; — pratique, chez les femmes, 472; — comment cultiver celle des femmes, 482; — raisons. N'en donner que d'intelligibles à l'enfant, 203; — ses progrès appréciés par des écrivains, 428.

**Raisonnement.** — ne pas y recourir avec l'enfant, 76, 83, 86; — ses rapports avec la mémoire, 103; — l'enfant en a un peu, 104 et note; — les sciences de raisonnement ne doivent être qu'effleurées par les femmes, 542; — ne doit pas être trop sec quand il s'adresse aux jeunes, 398; — raisonneur. Son dialogue avec l'inspiré, 368.

**Raillerie.** — son emploi, son antidote, 412.

**Reconnaissance.** — sentiment naturel, comment l'entretenir, 277.

**Réfraction.** — Voir *Physique* et *Bâton*.

**Religion.** — à quel âge il faut l'enseigner, 310, 312; — élevons l'enfant dans celle de son père, 313, 384; — l'oubli des devoirs provient de l'oubli de toute..., 316; — naturelle, 360, 361; — comparaison entre plusieurs, 363; — la meilleure est la plus claire, 368; — celles de l'Europe, 373; — judaïsme, 374; — sur les Mahométans, 375; — ce que font nos missionnaires, 375; — la révélation, ses différentes sortes, 373; — ce qu'en pense le Vicaire savoyard, 377, 378; — sainteté de l'Évangile, 379, 380; — religion et morale, 385; — religion sans fanatisme, 481; — fanatisme et athéisme jugés par Bayle, 386; — qu'enseigner d'elle aux filles, 472 à 482; — Émile et Sophie s'en entretiennent, 542; — explication des mystères à l'enfant, 310; — ses rapports avec l'opinion, 313; — comparée à la philosophie, 387.

**Remords.** — Voir *Conscience*.

**Repas.** — Voir *Alimentation*.

**Reuchlin.** — son opinion sur les livres des Juifs, 374, en note.

**Révélation.** — Voir *Religion* et *Langage*.

**Révolution.** — prédite, 224, 263.

**Rhétorique.** — Voir *Langage*.

**Riche.** — pourquoi Rousseau choisit Émile tel, 27; — appauvri, 224; — en danger à Paris, 235; — dur envers les pauvres, 263, 265; — son malheur vient de lui, non de son état, 265; — ce que ferait Rousseau s'il l'était, 430; — veut être partout le maître, 442; — sa mentalité, 430, 431, 538; — ses servitudes, 292, 441, 442; — qui sait user de ses richesses, 431; — s'ennuie, 438.

**Ridicule.** — comment l'éviter, 437 à 439.

**Robert.** — jardinier, son dialogue avec Émile et Jean-Jacques, 90; — évoqué, 217.

**Robinson Crusoé.** — seule lecture permise à Émile, 211; — évoqué comme homme de ressources, 230.

**Rois.** — ce qu'ils étaient, ce qu'ils sont, 399; — définition, 591; — modalités de leur pouvoir, 595; — pratiquant un métier, 235.

**Rollin.** — recommande la gymnastique, 129.

**Romains.** — leur respect des contrats, 398, 399; — illustres. A quoi ils passaient leur jeunesse, 300; — rôle de leurs femmes dans la vie publique, 494; — prisaient le langage des signes, 400.

**Romans.** — orientaux; charme et utilité, 263.

## S

**Sagesse.** — en quoi elle consiste, 63; — son rôle dans les passions, 257; — de Dieu, 5; — a pour objet l'étude de l'homme, 214.

**Saint-Pierre, Abbé de...** — comment il appelait les hommes, 49; — ses idées sur l'adultère, 229; — son projet de paix perpétuelle, 596; — faiblesse de sa politique, 599.

**Salluste.** — jugé, 284.

**Samson.** — amoureux, 450.

**Santé.** — entretenue par l'éducation, 292, en note.

**Sardanapale.** — son épitaphe, 428.

**Sauvages.** — leur finesse expliquée, 118, 191; — ne sont pas rhumatisants, 132, en note; — pourquoi ils sont cruels, 169 et note; — ne connaissent ni curiosité, ni ennui, 271; — leur enfance et leur adolescence, 391; — différence de l'état sauvage et de l'état social, 514; — se suffisent à eux-mêmes, 579.

**Saveurs.** — Voir *Sens* (goût).

**Sciences.** — rôle qu'y jouent l'analyse et la synthèse, 190.

**Secte.** — à laquelle agréger l'homme de la nature, 314.

**Sénèque.** — juge l'ancienne jeunesse romaine, 102; — cité, 596.

**Sens.** — le toucher, 138, 146, 147, 153; — la vue, 148, 153; — comment empêcher l'enfant de loucher, 42; — l'ouïe, 161; — le goût, 166; — l'odorat, 172, 173, 174; — leurs erreurs viennent du jugement, 239; — des mots, 104, en note.

**Sensations.** — comment elles naissent et se développent chez le bébé, 42; — leur éducation, 44, 83, 138, 139, 242; — les images, comment on les perçoit, 103; — ouvrent la route à la raison, 128; — leurs erreurs sont celles du jugement, 238, 239; — comparées aux idées, 237; — leur cause est extérieure à nous, 325; — comment elles se différencient, 326; — chez les animaux, 41; — agréables, multipliées par la vie rude, 134.

**Sens commun.** — définition, 174.

**Sensibilité.** — Voir *Passions.* Sa naissance, 248; — son éducation, 257, 258; — source des passions, 256; — sentir et juger font deux, 325; — chez les jeunes gens, 267, 268, 276.

**Sensualité.** — comment l'empêcher de devenir dangereuse et immorale, 416.

**Sentiments.** — naturels. Les distinguer des idées acquises, 353; — influencés par l'imagination, 256; — issus de l'instinct, 248, 249; — que les jeunes gens doivent éprouver pour leurs semblables, 279; — celui de la justice, 88; — qu'inspirent les méchants, 291, 351; — nobles, en lutte contre les passions, 337; — de reconnaissance, 277.

**Servitude.** — le plus grand des maux, 292.

**Sevrage.** — époque et modalités, 52, 53.

**Sexes.** — non différenciés dans l'enfance, 245; — leur attrait naturel, 249, 448; — conformités et différences, 446; — éducation sexuelle, 252 à 255, 274; — inégalité de leurs devoirs, 450; — leur admirable solidarité sociale, 472, 473.

**Signe.** — ne le substituer à la chose que dans un cas, 189; — leur langage énergique prisé par les Romains, 400; — du bonheur, 270, 271; — mémoire des signes, 108, 109.

**Société.** — a affaibli l'homme, 69; — pourquoi il faut s'en écarter, 99, note; — n'enseigner ce qui la concerne que tard, 200; — relations sociales, comment on doit les montrer à l'enfant, 212; — comment Émile est amené à la concevoir, 223; — son état actuel, menacé par une révolution, 224 et la note; — impose le travail à chacun pour le bien de tous, 226; — repose essentiellement sur les échanges et l'égalité conventionnelle, 217; — naît de la faiblesse humaine, 259; — comment l'étudier, 279; — à quel âge, 407, 408; — ses contradictions, 280; — rustique, souhaitée par Jean-Jacques, 439; — son principe recherché par Émile et le précepteur, 586; — contrat social, base de toute société civile, 587; — ses contradictions, 280; — ses dangers, 596; — la société civile moderne favorise la galanterie, 449; — comment la concilier avec la nature, 70; — comparée à l'état sauvage, 514; — renforce la solidarité des sexes, 472, 473; — attriste l'observateur, 268.

**Socrate.** — est-il un sophiste ? 379; — ses vertus, 379; — douceur de sa mort, 380.

**Soleil.** — son coucher et son lever, 186, 187.

**Solidarité.** — sociale des sexes, 472, 473.

**Solitude.** — ne plaît pas aux jeunes gens, 413.

**Solon.** — ses mesures financières, 589.

**Sommeil.** — durée, conditions matérielles, 133, 134, 415.

**Sophie.** — premier portrait par le précepteur, 409; — introuvable, 443; — ressemblances et différences avec Émile, 445; — sa coquetterie naturelle, 498; — apprend les travaux de son sexe, 499; — son appartement, 500; — a de l'esprit et de la sensibilité, 501; — ses caprices, 502; — son usage du monde, sa politesse, 504; — son attitude envers les femmes, envers les hommes, 505; — discours que lui adresse son père, 506; — sa fierté, 509, 573; — sa bienfaisance, 563; — son tempérament, 510; — aspire au mariage, 510 à 512; — aime *Télémaque*, 512; — le retrouve en Émile, 528; — portrait condensé, 520; — rencontre Émile, 526; — se promène avec lui, 535; — élève d'Émile, 540, 541; — s'entretient de religion avec lui, 542; — a peur des chevaux, 552; — gourmande, 556; — pratique la course, 557; — rend visite à Émile menuisier, 558; — s'inquiète et se dépite d'une absence d'Émile, 560, 561; — son chagrin en quittant Émile, 573; — donne *Télémaque* à Émile, 573; — se marie, 607; — reçoit les derniers conseils du précepteur, 612.

**Souffrance.** — comment y habituer l'enfant, 60, 135; — chez l'adolescent, 260; — causée par la vue de la haute société, 268; — la foi nous la rend supportable, 357; — ce qu'en dit Montaigne, 136.

**Sourds.** — moyen de leur parler en musique, 147.

**Souverain.** — Voir *Rois*.

**Spartiates.** — leur éducation, 120; — celle de leurs filles, 457; — ambition de celles-ci, 497.

**Spectacles.** — modérateurs pour l'adolescent, 272; — forment plus le goût que les mœurs, 429; — les héros de théâtre, 566.

**Sphère armillaire.** — machine mal composée, 190.

**Statique.** — Voir *Physique*.

**Stoïciens.** — un de leurs paradoxes, 371, en note.

**Substance.** — idée de la..., 308; — définition, 338.

**Suétone.** — cité, 22 en note; — loué, 286 et note.

**Synthèse.** — son emploi dans l'état des sciences, 190.


# T


**Tableaux.** — dessinés par l'enfant pour orner sa chambre, 156.

**Tacite.** — jugé, 284; — imité par Duclos, 286, en note; — cité, 487, en note; — peintre des Germains, 577.

**Tailleur.** — Voir *Métier ;* — chez les Anciens, 232, en note.

**Talents.** — élevés. Leur danger pratique, 227; — naturels, difficulté de les discerner. Exemple, 230; — féminins, agréables, 468, 469.

**Tapisserie.** — intéresse plus les femmes que les jeunes filles, 460.

**Tempérament.** — de Sophie, 510.

**Temps.** — savoir le perdre, grande règle pédagogique, 82, 83, 84, 117, 274; — mieux vaut ne rien faire que d'en mal user, 102; — long dans le premier âge, trop court dans le second, 191; — quand les enfants commencent à en connaître le prix, 200.

**Terrasson (abbé).** — ses idées sur les progrès de la raison, 428.

**Théâtre.** — Voir *Spectacles.*

**Thémistocle.** — un mot de lui, 68, en note.

**Thermopyles.** — inscription qu'on y lisait, 428.

**Thucydide.** — modèle des historiens, 284.

**Toilette.** — Voir *Vêtement.*

**Tolérance.** — Voir *Religion.* Civile et théologique sont inséparables, 382, en note.

**Tonnerre.** — Voir *Peur.*

**Toucher.** — Voir *Sens* et *Éducation.*

**Tourbillons.** — Voir *Descartes.*

**Traductions.** — à éviter, 429.

**Travail.** — imposé par la Société, 226.

**Travaux manuels.** — leur utilité, 32; — les plus naturels, les plus fructueux, 226.

**Turenne.** — anecdote sur lui, 287.

## U

**Ulysse.** — évoqué à propos de la naissance des passions, 246; et des Sirènes, 405; — et Circé, 560.

**Univers.** — son mouvement, 329; — son harmonie prouve la Providence, 332.

**Usage.** — en prendre le contre-pied, 83; — du monde. Quel âge est propre à le saisir, 407; — doit être expliqué par le maître avant d'être critiqué, 214.

**Utilité.** — principe essentiel de l'éducation, 202, 215; — des arts, 213; — des exercices physiques, 32, 83, 118, 121, 128, 129, 133; — des langues, niée pour le premier âge, 105; — de la poésie, 429; — des travaux manuels, 32.

## V

**Valère Maxime.** — cité, 59.

**Vanité.** — ses suites mortifiantes, 196; — un des mobiles avec lesquels on conduit l'enfant, 293; — c'est surtout d'elles qu'il faut préserver le jeune homme entrant dans le monde, 412.

**Varron.** — définit l'éducation, 12.

**Venise.** — pourquoi son gouvernement sans autorité est respecté du peuple, 399, en note.

**Vérité.** — comment l'enfant peut la découvrir, 188; — dans quel cas exiger qu'un enfant la dise, 126, en note; — comment l'atteindre d'après Descartes, 321; —... d'après le Vicaire savoyard, 324.

**Vertu.** — étymologie, 567; — qu'est-ce que l'homme vertueux, 567; — en la prêchant, on fait aimer le vice, 96; — l'enseigner par l'exemple, 97, 98, et chez les filles par la raison, 496; — apprentissage de l'enfance, 136; — ses éléments, 356; — chez les femmes, 487; — favorable à l'amour, 494; — naturelle à l'homme, 350; — comparée au Protée de la fable, 356; — condition de son empire, 356; — est une, 487; — ses rapports avec la beauté, 494, 495; — ... avec l'amour-propre, 303; — ... avec la force, 567; — de Socrate, 379.

**Vêtement.** — son ampleur, 129; — ses couleurs, son luxe, 130; — variable selon le mode de vie, 130, 131; — sa légèreté, 131; — son élégance, 421; — des Grecques anciennes, 458; — celui que Rousseau porterait s'il était riche, 435; — parure et toilette féminines, 465 à 467.

**Viande.** — Voir *Alimentation*.

**Vicaire savoyard.** — son passé, son portrait moral, 315; — sa profession de foi, 320 et suivantes; — sa bonté envers Rousseau expatrié, 315 à 320; — comparé à Orphée, 359; — ce qu'il pense de la révélation, 377, 378; — son scepticisme involontaire, 380; — comment il remplit son ministère, 381; — son ambition, 382; — sa méthode dans l'examen de la vérité, 324.

**Vice.** — n'est pas naturel à l'homme, 81; — méprisé par le jeune provincial bien élevé, 410; — vient des passions, 257; — devient séduisant à qui l'on inflige des sermons sur la vertu, 96.

**Vie.** — sa durée variable, 61; — sa brièveté, 245; — notre attachement à elle, 66; — resserrons-la aux limites de notre nature, 68; — apprendre à la conserver, 224; — le sentiment que nous devons en avoir, 29; — rôle fâcheux des médecins sur ce point, 30; — dure, multiplie les sensations agréables, 134; — le métier de la vie, 12; — ses deux stades, 245; — gaspillée par l'homme, bien qu'il la trouve trop courte, 521; — influe sur le vêtement, 130, 131; — vies particulières, préférables à l'histoire, 285; — sédentaire, 433; — publique, rôle qu'y jouent les femmes, 494; — familiale, rôle qu'y jouent les femmes, 517; — des méchants, 343, 346.

**Vieillards.** — leur attachement à la vie, 66; — leur prévoyance excessive, 76; — ne sont pas aimés des enfants, 26; — recherchent le calme, 49.

**Villes.** — déconseillées aux accouchées et aux nourrices, 87; — en écarter l'adolescent, 273; — dangereuses pour la moralité des femmes, 273, 492; — les grandes épuisent l'État, 599; — services qu'on peut rendre en s'en retirant, 606; — les jeunes voyageurs doivent y séjourner peu, 601; — ne permettent plus l'éducation privée, 491; — pourquoi les races y dégénèrent, 252; — leurs artisans, 213; — inférieures à la campagne au point de vue pédagogique, 85, 88; — comment on y parle, 54, 55.

**Vin.** — Voir *Alimentation*.

**Violence.** — son rôle dans l'amour, 446; — son atténuation depuis l'antiquité, 447.

**Virgile.** — cité, 263; — peintre de Galatée, 487.

**Virginité.** — importance de sa conservation, 251 et suivantes; — préceptes, 254.

**Voix.** — son langage, 45; — son éducation, 57, 161.

**Volant.** — sa pratique et ses bienfaits, 158, 159.

**Volonté.** — divine, 334, 335; — elle explique le mouvement de l'univers, 329; — du magistrat, 593.

**Volupté.** — amie de la mélancolie, 271.

**Voyage.** — à pied, 522, 523; — au temps d'Homère, 525; — chez les anciens, 577; — d'Émile et du précepteur, 522, 531; — ce qu'en pense Rousseau, 574 et suivantes; — pourquoi il est souvent infructueux pour la jeunesse, 597; — doit faire à la campagne une part plus importante qu'aux villes, 601; — un souvenir de voyage, 326, en note.

**Vue.** — Voir *Sens* et *Éducation*.

## X

**Xénocrate.** — sa continence, 352.

**Xénophon.** — jugé comme historien, 285; — apprécie l'éducation des Perses, 26; — cité, 428.

## Z

**Zénon et Diogène.** — 400.

**Zurich.** — le sort des Conseillers de cette ville, 236.

# TABLE DES ILLUSTRATIONS

Frontispice de l'*Émile* par Cochin dans l'édition in-4°
de Genève, 1780-1781 ............... Fronstispice

Vue de l'Ermitage de J.-J. Rousseau à Montmorency.
Dessin de Gautier, gravé par Désiré............. XII

L'allaitement maternel encouragé. Gravure de
Voysard, d'après un dessin de Borel inspiré par
l'*Émile* (1784) ............................... 16

«*Thétis, pour rendre son fils invulnérable, le plongea, dit la
fable, dans l'eau du Styx.* » Dessin de Eisen gravé par
de Longueil dans l'édition de La Haye, J. Néaulme,
1762 ....................................... 18

Illustration de Moreau le Jeune gravée par J. B.
Simonet (édition de l'*Émile*, Londres 1774-1784) .. 20

Portrait de Locke par Kneller, gravé par Geo Vertue . 78

Illustration de Oudry pour *le Corbeau et le Renard* de
La Fontaine ................................. 112

Chiron. Dessin de Eisen gravé par Louis le Grand
dans l'édition de La Haye, J. Néaulme, 1762 ...... 150

« ... *courons vite : l'astronomie est bonne à quelque chose.* »
Illustration de Moreau le Jeune gravée par N. Le
Mire (édition de l'*Émile*, Londres, 1774-1784) .... 206

« *Hermès grava sur des colonnes les éléments des sciences,
pour mettre ses découvertes à l'abri d'un déluge.* » Dessin
de Eisen gravé par Louis le Grand dans l'édition de
La Haye, J. Néaulme, 1762 .................... 210

Robinson Crusoë dans son île. Frontispice de l'édition Cailleau, Paris, 1761 ...................... 212

La Profession de foi du vicaire savoyard. Illustration de Moreau le Jeune gravée par J. B. Simonet (édition de l'*Émile*, Londres, 1774-1784) ............ 320

Illustration de Moreau le Jeune gravée par N. de Launay (édition de l'*Émile*, Londres, 1774-1784) ... 526

# TABLE DES MATIÈRES

Introduction ................................. I

Bibliographie ............................... XLI

Tableau chronologique de la vie et des principaux écrits de Jean-Jacques Rousseau ......... LI

Préface ..................................... I

Livre premier ............................... 5

Livre second ................................ 59

Livre troisième ............................. 182

Livre quatrième ............................. 245

Livre cinquième ............................. 445

Notes ....................................... 615

Index général analytique .................... 633

Table des illustrations ..................... 665

ACHEVÉ D'IMPRIMER
PAR L'IMPRIMERIE TARDY QUERCY AUVERGNE
A BOURGES
LE 31 MARS 1976

*Numéro d'éditeur : 1680*
*Numéro d'imprimeur : 8230*
*Dépôt légal : 1er trim. 1976*

*Printed in France*

ISBN 2-7050-0018-6